C000137514

1,000,000 Books

are available to read at

www.ForgottenBooks.com

Read online
Download PDF
Purchase in print

ISBN 978-0-266-20376-6
PIBN 11041552

This book is a reproduction of an important historical work. Forgotten Books uses state-of-the-art technology to digitally reconstruct the work, preserving the original format whilst repairing imperfections present in the aged copy. In rare cases, an imperfection in the original, such as a blemish or missing page, may be replicated in our edition. We do, however, repair the vast majority of imperfections successfully; any imperfections that remain are intentionally left to preserve the state of such historical works.

Forgotten Books is a registered trademark of FB &c Ltd.
Copyright © 2018 FB &c Ltd.
FB &c Ltd, Dalton House, 60 Windsor Avenue, London, SW19 2RR.
Company number 08720141. Registered in England and Wales.

For support please visit www.forgottenbooks.com

1 MONTH OF
FREE
READING

at

www.ForgottenBooks.com

By purchasing this book you are eligible for one month membership to ForgottenBooks.com, giving you unlimited access to our entire collection of over 1,000,000 titles via our web site and mobile apps.

To claim your free month visit:
www.forgottenbooks.com/free1041552

* Offer is valid for 45 days from date of purchase. Terms and conditions apply.

English
Français
Deutsche
Italiano
Español
Português

www.forgottenbooks.com

Mythology Photography **Fiction**
Fishing Christianity **Art** Cooking
Essays Buddhism Freemasonry
Medicine **Biology** Music **Ancient
Egypt** Evolution Carpentry Physics
Dance Geology **Mathematics** Fitness
Shakespeare **Folklore** Yoga Marketing
Confidence Immortality Biographies
Poetry **Psychology** Witchcraft
Electronics Chemistry History **Law**
Accounting **Philosophy** Anthropology
Alchemy Drama Quantum Mechanics
Atheism Sexual Health **Ancient History**
Entrepreneurship Languages Sport
Paleontology Needlework Islam
Metaphysics Investment Archaeology
Parenting Statistics Criminology
Motivational

3 2044 106 464 902

HARVARD` UNIVERSITY

———

LIBRARY

OF THE

GRAY HERBARIUM

———

Received *August 1, 1902*

1742

Versuch

einer

Naturgeschichte

von

Livland,

entworfen

von

J. B. Fischer.

Zwote vermehrte und verbesserte Auflage.
Mit Kupfern.

Königsberg,
bey Friedrich Nicolovius.
1791.

Herbarium

Turpe eſt in patria vivere, et patriam ignorare.

Seiner

Hochwohlgebohrnen

dem

Herrn Collegien-Assessor

Gottfried Berens.

Hochwohlgebohrner,

Verehrungswürdiger Herr Collegien-Assessor,

Dankbarkeit war mir von jeher eine der ersten, wesentlichsten Pflichten; sie ist es noch jetzo, und wird es auch in den letzten Stunden meines Lebens seyn.

Wem bin ich wol mehreren, größern Dank schuldig, als Ihnen, verehrungswürdiger Mann! unter dessen Aufsicht ich den beträchtlichsten Theil meines männlichen Al-

ters

ters mit so großem Vergnügen arbeitete;
Ihnen, der Sie mich in den Geschäfften
meines Amtes liebreich unterwiesen, auf die
ich mich, voll der Begierde eine andere Laufbahn zu betreten, nicht vorbereitet hatte;
Ihnen, der als ein thätiger Geschäfftsmann,
als ein strenger Prüfer und Kenner der Ver-
dienste Ihrer Untergebenen, mich durch Ihren Beyfall aufmunterte. Diesen Beyfall,
der mir immer großer Lohn war, haben Sie
bey verschiedenen Gelegenheiten, die ich nie,
um nicht stolz zu scheinen, vor das Ohr des
Publicums bringen werde, geäußert. —
Sie, Verehrungswürdiger! kennen mich,
und wissen, daß ich nie Schmeichler war,
daß daher das, was ich hier öffentlich sage,
aus meinem Herzen fließe, und Ihr eigenes
Bewußtseyn wird es Ihnen sagen, daß die
Wahrheit mich bey diesem Geständnisse
leite.

Die Rechtschaffenheit, der ich mich in
meinem Berufe befliß, und die mir mein Alter und dessen ganzes Gefolge von körperlichen Schwächen und Krankheiten sehr er-
leichtert, die den Geist noch immer munter
erhält, danke ich Gott, der sie in meine
Seele pflanzte; die Thätigkeit und Ordnung,
die

die mir die Achtung und das Vertrauen unsers ganzen Publicums erwarben, danke
ich blos Ihnen, durch den sie mir Gesetz
wurden.

Wem ich nach diesen Erklärungen als
eigener Lobredner erscheine, der bedenke,
daß in meinem Alter, da man so nahe am
Ziel ist, das allen Menschen vorgesteckt ist,
wo nur der Thor mit vermeintlichen Verdiensten prahlt, inneres Bewußtseyn ein großer Lohn sey. Die Ehre des Nachruhms
blendet mich nicht: aber gegen ein vortheil-
haftes Zeugniß meiner Zeitgenossen gleichgültig seyn, hieße gar keine Achtung verdienen.

Sichtbarern Dank vermag ich Ihnen,
Verehrungswürdiger! nicht zu bringen,
als durch die Ueberreichung dieser geringfü-
gigen Schrift, deren erste Auflage Sie
gleichwol mit vielem Beyfall aufnahmen.
Ich bin fest überzeugt, daß Sie dieses
Werk, das letzte meiner litterarischen Arbeiten, als einen Beweis meiner Dankbarkeit
nachsichtlich annehmen werden: denn, ultra
posse nemo obligatur.

Mit

Mit dem aufrichtigsten Wunsch, daß
unser Gott Sie, den thätigen, für Men-
schenwohlfahrt immer wirksamen Mann, in
Ihrem Alter segne, und Ihnen erst spät, damit wir uns noch lange Ihrer erfreuen mögen, den Lohn ertheile, den Sie um Ihre
Rechtschaffenheit und unermüdete Thätigkeit für das Wohl Ihrer Vaterstadt so sehr
verdienen, beharre ich lebenslang,

Hochwohlgebohrner,
Verehrungswürdiger Herr Collegien-
Assessor,

Riga, am 18. März.
1791.

Dero

gehorsamster Diener
J. B. Fischer.

Vorbericht.

Der Herr Verfasser dieses Versuchs der Naturgeschichte von Livland hat sich durch die im Jahr 1778 erschienene erste Ausgabe derselben sowol, als auch durch die i. J. 1784 herausgegebene Zusätze den Liebhabern der Naturgeschichte schon so vortheilhaft bekandt gemacht, daß er bey dieser vermehrten und verbesserten Auflage einer Empfehlung nicht mehr bedarf, sondern mit Zuverläßigkeit auf den Beyfall und Dank seiner Leser rechnen kann.

Bey

Bey den großen Fortschritten, welche die Naturgeschichte in neueren Zeiten gemacht hat, finden sich dennoch, selbst bey Naturalien, die wegen ihrer Größe die Untersuchung erleichtern, noch so manche und viele Lücken und mangelhafte Bestimmungen. Bey vielen herrscht die größeste Ungewißheit, in wiefern dieselben für wesentlich verschieden zu halten sind, oder nicht; bey vielen ist man über die Bestimmung des Vaterlandes und der Ausbreitung derselben uneinig: und bey den meisten wird die Kenntniß der Lebensart, der Sitten, des Instincts, der Anwendung zu den Bedürfnissen der Menschen u. d. noch immer vermißt. Diesen Mängeln ist gewiß auf keine Art sicherer und besser abzuhelfen, als wenn Männer, welche nicht blos oberflächliche, sondern gründliche Kenntnisse der Naturgeschichte sich erworben haben, und zugleich Neigung und Eifer zur Erhöhung des Wachsthums dieser Wissenschaft damit verbinden, die Schätze der Natur in dem Lande, welches sie bewohnen, untersuchen. Einen so großen Vortheil auch die Beschreibungen der Länder von reisenden Naturforschern gewährt haben, und noch gewähren; so müssen dieselbe doch durchaus sowol an größerer Vollkommenheit als Sicherheit denen Topographien nachstehen, die von Verfassern herrühren, welche entweder von Jugend auf oder doch viele Jahre lang in den Gegenden, welche sie beschreiben, sich aufgehalten haben. Jene müssen mit den Producten der Na-

tur,

tur, die eben zu der Zeit stattfinden, da sie ein
Land durchirren, vorlieb nehmen, und die wenigen Stunden und Tage, die sie meistentheils an
einzelnen Orten zubringen, reichen nicht zu, um
sich einmal von diesen genaue Kenntnisse zu erwer-
ben; vieles daher wird von ihnen durch Hörensagen ergänzt, und eben dadurch zu manchen fal-
schen Nachrichten, mit denen die Naturgeschichte einzelner Körper, ob man gleich schon vieles
Fabelhafte verdrängt hat, noch bis jetzt überschwemmt ist, Gelegenheit gegeben. Ganz anders verhält es sich mit dem, der sein Vaterland
oder die Gegend, in der er lebt, zu beschreiben
unternimmt. Er bemerkt die Natur derselben zu
allen Zeiten des Jahres; er ist im Stande, Beobachtungen, die eine längere Zeit erfordern, an-
zustellen; Zweifel, die ihm gegen das Resultat
derselben auffallen, durch neue Untersuchungen
in den künftigen Jahren zu lösen; sich durch seine
eigene Sinne zu überzeugen, und wo dieses nicht
angeht, die Glaubwürdigkeit derer Personen,
die ihm Nachrichten ertheilen, ehe er selbige für
ungezweifelt annimmt, zu prüfen.

Ich gestehe es gern, daß es so manche to-
pographische Beschreibungen giebt, deren Verfasser die von andern erhaltenen Nachrichten einer
so gewissenhaften und genauen Beurtheilung nicht
unterworfen haben: ja manche nehmen selbst die ab-
geschmacktesten, auch schon zum Ueberfluß widerlegte
Fabeln

literärische Laufbahn zu schließen gesonnen ist? Mit einem eben so herzlichen Antheil wünsche ich daher, daß die Vorsicht ihm bey seinem herannahenden Alter Heiterkeit, Muth und Gesundheit ertheilen möge, um jenes Gelübde brechen zu können.

Königsberg, den 5ten Januar. 1791.

D. Karl Gottfried Hagen,
der Arzeneygelahrtheit ordentl. Professor auf
der Universität zu Königsberg.

Vorrede.

Vorrede.

Hier bekommt das Publicum die zwote Ausgabe meines Versuchs einer Naturgeschichte von Livland, meine letzte schriftstellerische Arbeit, in die Hände. Seit 1777, da ich die erste Ausgabe zum Druck absendete, habe ich, so viel es meine sehr eingeschränkte Nebenstunden verstatteten, daran gearbeitet, vieles zugesetzt, manches verbessert, und überhaupt viel daran gefeilt; der Plan ist inzwischen derselbe geblieben.

Weder Autorstolz, viel weniger Eigennutz, des fodere ich alle, die mich kennen, zu Zeugen auf, sondern der starke Trieb zur Naturkunde, der von Jugend auf in mir genährt wurde, die

An-

Anhänglichkeit an mein Vaterland, das ich mit
Patriotensinn liebe, und die vielen schönen Naturproducte, von welchen dasselbe gewiß nicht leer ist,
foderten mich zu diesen Arbeiten auf, bey welchen
ich manche einsame Mitternachtstunde mit Vergnügen hingebracht habe.

Ich fühle es, daß ich weniger geleistet habe,
als ein anderer, bey eben der Liebe zu dieser Wissenschaft, aber mit mehreren Kenntnissen ausge-
rüstet, und in einer vortheilhafteren Lage, die
mehr Muth giebt, bey mehrerer Muße würde
geleistet haben. Inzwischen habe ich alles gethan,
was ein Mann, dessen Berufsgeschäffte mit der
Naturgeschichte ganz keine Verbindung haben,
nur thun konnte. Jetzt aber reden meine gehäufte Arbeiten, welche bey körperlichen Schwächen,
und bey immer näher anruckendem Alter meine
Geisteskräfte untergraben haben, mir stark zu,
daß ich aus der Schriftstellerzunft trete, in die ich
mich seit einigen Jahren gedrängt habe, in welcher man aber endlich, wenn man zu lange darin
verweilt, wenn man seine Kräfte überlebt hat, eine
schlechte Figur macht. Dies ist also meine letzte
Arbeit, die ich vor die Augen des Publicums bringe; besser ist es, zeitig von der Bühne zu treten,
als abzuwarten, daß uns das Publicum auszischt.

Noch immer hege ich den herzlichen Wunsch,
den ich schon in der vorigen Ausgabe äußerte, daß
nem-

nemlich ein Mann, so wie ich ihn eben geschildert
habe, und deren gewiß mehrere in unserm Vaterlande sind, auf der Bahn, die ich brach, fortschrei-
ten, und eine vollständigere, mehr berichtigte Naturgeschichte unsers Vaterlandes liefern möge, als
ich bey meinen Verhältnissen, und bey dem großen Mangel von Beyträgen und Hülfsmitteln,
da ich gar nichts vorgearbeitet fand, darzubrin-
gen im Stande war. Nur lasse sich niemand
durch die traurige Erfahrung abschrecken, die ich
gemacht habe, daß nemlich eine Arbeit wie diese
von wenigen geachtet wird, bey den mehresten
aber ihre Aufwartung wie ein Bettler macht, den
man trocken abweiset. Der Nutzen, den man
stiftet, ist mehr Belohnung, als der laute Beyfall der Menge, die nur Modelectüre liebt.

Was diese Ausgabe für Veränderungen und
Zusätze bekommen, werden aufmerksame Leser
selbst finden, wenn sie sie mit der vorigen vergleichen. In dem Thierreich hat der Abschnitt von
den Insecten den größten Zuwachs bekommen:
denn es sind über 200 Arten zugesetzt, von welchen zwar viele bereits in den Zusätzen stehen, die
ich 1784 herausgab; doch sind einige, nicht allgemeine Abend- und Nachtschmetterlinge nachher
hinzugekommen. Die kleine Zahl der Schaalthiere ist um fast die Hälfte vermehrt worden;
gleichwol vermuthe ich, daß noch viele aufzusuchen übrig sind. Die übrigen Abschnitte haben

b   nur

nur wenige Beyträge bekommen, besonders ist
der von den Fischen nur wenig verändert wor=
den. Die zwote Abtheilung von den Gewächsen
ist weit zahlreicher geworden: denn sie ist mit bey=
nahe 400 Arten, also fast um die Hälfte verstärkt
worden, so daß unsere livländische Flora jetzo aus
800 Gewächsen bestehet. Die dritte Abtheilung
von den Steinarten ist zwar wieder nach dem
vorigen Plan bearbeitet; doch sind verschiedene
Artikel berichtiget und erweitert, auch einige Zu=
sätze hinzugekommen. Besonders ist der Artikel
von der Ausdehnung und dem Fortgange der
Kalksteinflötze mehr ausgeführt. Mangel der Zeit
und Gelegenheit zum Herumreisen im Lande ha=
ben mich gehindert, die systematische Beschreibung
der Fossilien in eine geographische umzuarbeiten.

Auch in der allgemeinen Naturgeschichte
Livlandes, die ich als eine Einleitung vorange=
schickt habe, ist manches hinzugesetzt, was zur
allgemeinen Kenntniß des Landes nöthig ist.
Die meteorologischen Bemerkungen habe ich zwar
beybehalten; doch bin ich nur bis zum Schlusse
des Februar 1779 vorgeruckt. Gerne wäre ich
weiter hinausgegangen: aber ein besonderer Um=
stand vereitelte mein Vorhaben, dann verursachte
eine lange anhaltende Krankheit eine starke Lücke,
die ich gar nicht wieder ergänzen konnte.

Von

Von billigen Lesern erwarte ich Nachsicht, wenn ihnen hin und wieder Fehler und Unvollständigkeiten aufstoßen werden, welchen ich bey aller Aufmerksamkeit, bey allem unermüdeten Nachforschen nicht ausweichen konnte.

Auch in dieser Ausgabe habe ich verschiedenes vorgetragen, das jedem auch nur etwas geübtern Naturforscher hinlänglich bekannt seyn muß. Mein Vorsatz ist immer gewesen, nicht bloß für Erfahrne, sondern auch für Liebhaber der Naturwissenschaft in Livland zu schreiben, für bloße Liebhaber, welche nie Gelegenheit gehabt haben, sich Kenntnisse in dieser Wissenschaft zu sammlen; auch selbst diejenigen, welche weder Kenner noch Liebhaber dieses Studiums sind, das bey vieler Annehmlichkeit auch starken Einfluß in das Allgemeine, vorzüglich in die Landwirthschaft hat, auf unsere Naturschätze aufmerksam zu machen, war mein Zweck.

Die Nachsicht und Billigkeit, mit welcher die Jenaischen, Erfurter, Leipziger, Hallischen und Greifswaldischen Herren Recensenten, und Herr Prof. Beckmann in seiner physikalisch-ökonomischen Bibliothek, ingleichen der Herr Recensent in der allgem. deutschen Bibl. 38 B. 1 St. die erste Ausgabe beurtheilet haben, verdient meinen ganzen Dank. Der Beyfall der Kenner kann einem Manne von Ehrgefühl nicht gleich-

b 2 gül-

gültig seyn. Ihre Erinnerungen, die mir sehr
willkommen waren, habe ich zu nutzen gesucht,
so viel mir nur möglich war. In wiewett es
mir bey aller Mühe geglückt sey, das überlasse ich
dem Urtheil der Kenner, welche beide Ausgaben
miteinander vergleichen mögen. Manches hinzuzusetzen, was in einigen dieser Beurtheilun-
gen verlangt wurde, lag außer meiner Sphäre.
So wünschte z. B. der Greifswalder Herr. Rec.
von den Einwohnern mehreres angemerkt zu
finden. Hier werden doch wol blos Letten und
Ehsten gemeint seyn, nicht Deutsche, die sich
überall gleich, und bekandt sind, und die den
größten Theil ausmachen. Von den beiden er-
steren hat Herr Pastor Hupel (nicht Huber, wie
ihn Herr Rec. nennt) im 2ten Theil seiner Topographie, der schon 1777, also ein Jahr von
meiner Naturgeschichte herauskam, in einem besondern Capitel so ausführlich gehandelt, daß mir,
wenn ich auch etwas von ihnen hätte mit einziehen wollen, nichts übrig blieb. Von ihrer
Lebensart, ihren Krankheiten und Curen hat
der verst. Herr D. Ambr. Bergmann in seiner
Diss. de agricolarum Livoniae stata sano et
morboso, Lipf. 1760, und der gleichfalls verst.
Herr D. P. E. Wilde in seinen Liefländischen
Abhandlungen von der Arzeneywissenschaft,
die 1770 herauskamen, vollständige Nachrichten
geliefert.

Die

Dieſes wäre nun wol alles, was ich hier
zu ſagen hätte. Da ich auf den Ruhm eines
Schriftſtellers von einigem Range, völlig Ver-
zicht thue: ſo werde ich ganz zufrieden ſeyn,
wenn man mich als einen Mann beurtheilet, der
alles that, was er bey ſo vielfältigen Geſchäf-
ten und Zerſtreuungen thun konnte. Riga,
den 13. May 1790.

N. S.

Da ich mit meiner Arbeit ganz fertig war,
und das Mſcpt. bereits rein geſchrieben hatte,
kam mir Hrn. P. Hupels Werk: die gegenwärtige Verfaſſung der Rigiſchen und Revalſchen
Statthalterſchaft vor, in welchem ich die Gewäſſer im ganzen Herzogthum weit vollſtändiger
angezeigt fand, als ich ſie hier liefere. Da wir
beide größtentheils aus Einer Quelle geſchöpft
haben, nemlich aus den Kirchſpiels-Topogra-
phien, die vor einigen Jahren auf hohen Befehl
geliefert werden mußten, Hrn. P Hupel aber alle,
wie ich ſehe, communicirt, mir aber nur einige
zu Geſichte gekommen ſind, folglich ſeine Quelle
weit ergiebiger iſt, als die meinige: ſo würde ich
mein Verzeichniß der Gewäſſer gerne weggetilgt
haben, wenn ich nicht gefunden hätte, daß die
Beſchreibungen vieler Gewäſſer in Lettland, die
ich auf meinen Excurſionen aus Autopſie kennen

ler-

lernete, Ihr von seinen Beschreibungen abweichen. Ich ließ also alles stehen, wie es ist.
Der große Zeitmangel, mein Alter mit allen seinen Beschwerden, die mir jede Nebenarbeit, besonders das Mundiren, das ich keinem Freunden anvertrauen mag, sehr lästig macht, hin-
derte mich, eine Vergleichung beider Beschreibungen vorzunehmen, und das Richtige von dem
Unrichtigen zu sichten, und dann ein großes
Theil der Einleitung wieder umzuschreiben. In
diesem Fall würde ich blos die Gewässer beschrieben haben, die ich selbst untersucht, Herr P.
Hupel aber nicht gesehen hat, und deren keine
geringe Zahl ist.

Inhalt.

Inhalt.

Verſuch

Versuch
einer
Naturgeschichte von Livland.

———

Allgemeine Naturgeschichte.

———

Livland hat gegen Westen die Ostsee, die es von
Schweden scheidet, gegen Norden den finnischen
Meerbusen, gegen Osten Rußland und Ingermannland, und gegen Süden Curland und Polen zu Gränzen; seine Gestalt ist fast ein länglichtes Viereck.
Von Norden gegen Süden beträgt es einige funfzig,
und von Westen gegen Osten einige vierzig Meilen,
und erstreckt sich vom 56 Grade 20 Min. Norder-
breite, bis zum 59 Grade 36 Min., und vom
39 Grade bis zum 46 der länge, wenn man alle seine
Inseln mit einschließt.

Naturgesch. von Livl.　　　A　　　Die

Die Polhöhe von Riga beträgt 56 Grade 56 Min. 20 Secunden. Die Gegend um diese Stadt ist zwar sandig und unfruchtbar: doch findet man zwischen Riga und Neuermühlen verschiedene Meyereyen, Bauerhöfe und Wohnsitze geringerer Leute, deren Bezirk durch mühsame Cultur zu Kornfeldern und Gärten umgeschaffen sind. Unterhalb der Stadt sind an den beiderseitigen Düna-Ufern fruchtbare Heuschläge und Viehtriften.

Die Polhöhe von Arensburg beträgt 58 Grade 15 Minuten 9 Secunden; von Pernau 58 Grade 22 Min. 45 Secunden; von Dörpat 58 Grade 23 Minuten; von Narva 59 Grade 15 Minuten 28 Secunden; von Reval 59 Grade 56 Min. 22 Secunden. Bey diesen Lage haben wir im Winter sehr kurze Tage; diese aber währen im Sommer desto länger. Ich werde mich hier nach unserm rigischen Horizont richten. In dieser Stadt hat der kürzeste Tag sechs Stunden, da die Sonne früh um neun Uhr auf und um drey Uhr Nachmittags wieder untergehet; der längste Tag hingegen beträgt 18 Stunden, indem die Sonne des Morgens um drey Uhr auf- und Abends um neun Uhr untergehet, und man alsdann in den übrigen Stunden einer mäßigen Dämmerung genießt. Der Ausländer wegen liefere ich die Anzeigen von dem Auf- und Untergange der Sonne das ganze Jahr hindurch, die jedem Einheimischen aus dem rigischen Calender bekandt seyn müssen.

		Aufg.		Unterg.	
Jan.	1	8	40	3	20
	10	8	25	3	35
	21	8	1	3	59
Febr.	1	7	35	4	25
	10	7	13	4	47
	20	6	48	5	12

März

Monat	Tag	Aufg.		Unterg.	
	1	Aufg. 6	23	Unterg. 5	37
	9	— 6	—	— 6	—
	20	— 5	34	— 6	26
pr.	1	— 5	7	— 6	53
	10	— 4	44	— 7	16
	20	— 4	20	— 7	40
an	1	— 3	56	— 8	4
	9	— 3	38	— 8	22
	20	— 3	21	— 8	39
	1	— 3	8	— 8	52
	10	— 3	—	— 9	—
	20	— 3	6	— 8	54
ul.	1	— 3	17	— 8	43
	10	— 3	30	— 8	30
	20	— 3	50	— 8	10
g.	1	— 4	15	— 7	45
	11	— 4	37	— 7	23
	21	— 5	2	— 6	58
	1	— 5	29	— 6	31
	10	— 6	—	— 6	—
	21	— 6	20	— 5	40
	1	— 6	46	— 5	14
	10	— 7	8	— 4	52
	20	— 7	33	— 4	27
ov.	1	— 8	1	— 3	59
	10	— 8	21	— 3	39
	20	— 8	39	— 3	21
Dec.	1	— 8	52	— 3	8
	10	— 9	—	— 3	—
	20	— 8	53	— 3	7

In Reval ist am längsten Tage:

Aufg. 2 50   Unterg. 9 10

am kürzesten Tage

Aufg. 9 10   Unterg. 2 50

A 2

Die

Die Länge des festen Landes schätzt man von Süden gegen Norden etwas über funfzig, die Breite aber von Westen gegen Osten auf einige vierzig Meilen. Den Arealinhalt, der nicht wohl genau bestimmet werden kann, setzt Herr P. Hupel in seiner Topographie auf 1800 Quadratmeilen, von welcher er etwa 1400 für das eigentliche Livland, und 400 für Ehstland annimmt.

Das eigentliche Livland ist seit der 1783 auf allerhöchsten Befehl eingerichteten Statthalterschaft in neun Kreise getheilt, nemlich in den rigischen, den wendenschen, den wolmarschen, den walckschen, den dörptschen, den fellinschen, den pernauischen, den neuen Kreis, und den arensburgschen Kreis. Vorher waren deren vier: der rigische, der wendensche, der dörptsche und der pernauische, zu welchem in ältern entferntern Zeiten noch der kokenhusensche kam. Ehstland wird gegenwärtig in fünf Kreise: den harrischen, den baltisch-portischen, den wierländischen, den jerwenschen und den wieckschen Kreis getheilt. Vorher bestand es aus dem District Harrien, Jerwen, Wierland und der Wieck.

Das Land ist mehrentheils eben. Dies kann wol füglich von einem Lande gesagt werden, das obgleich hohe Ufer, und in manchen Gegenden viele, aber doch nur wenig erhebliche Berge, dagegen viele Ebenen und Niedrigungen hat.

Daß Livland inzwischen höher liege, als dessen benachbarte Länder, wenigstens in seinem Inneren erhabener sey, als an seiner Gränze, das beweisen die vielen Flüsse, von welchen keiner von außen ins Land strömt, sondern alle im Lande entspringen, durch dasselbe hindurchgehen, sich in größere Ströme ergießen, und mit denselben in die See stürzen; denn obgleich die Düna aus Rußland zu uns herfließt, so geht sie doch

doch nicht durch das Land, sondern nur dessen Ufer
vorbey; von welchen sich eine Menge Flüsse und Bäche in dieselbe hinabstürzen.

Die Küsten der Ostsee sind erhaben, und bestehen um Livland größtentheils aus Sanddünen, um
Ehstland mehrentheils aus Kalkfliesen, und längs dem
finnischen Meerbusen aus leichter Erde mit Sande
gemischt.

Der höchste Punct des Landes scheint wol im
Werroschen Kreise zu seyn, da, wo er an den walckschen stößt, und zwar im Hahnhoffschen Gebiete, im
Kirchspiel Rauge, wo die Bergketten sich in Rücksicht
auf ihre Höhe von den übrigen unterscheiden; denn sie
werden über acht Meilen weit entdeckt; gleichwol werden sie beackert. Von hier laufen die Gebirge gegen
Norden in das Carolensche, und ferner in das Anzen-
sche Kirchspiel, wo ihre Höhe etwas abnimmt, ins
Odempähsche, wo sie sich wieder ansehnlich erheben.
Hier ist der Eyerberg, ehstn. Munnamöggi, einer der höchsten Berge in Livland, merkwürdig. Seine Figur ist eyförmig. Wenn ein Regen bevorstehet,
pflegt den Morgen oder Abend vorher auf der Ostseite
ein nebelichter Dunst aufzusteigen, der aus einer
Quelle auf dem Berge kommt. Er dient daher den
herumwohnenden Landleuten zu einem nützlichen Barometer, die sich mit ihrer Feldarbeit nach ihm richten.
Der Fuß und die Mitte dieses Berges wird auf der
Südseite bebauet. Der Lunia möggi, ein ebenfalls
hoher Berg dieser Gegend, bestehet aus einem obern
Berge, der 387 Schritte im Umfange hat, und aus
einem untern Berge, die beide aus Sande bestehen.
In diesem Kirchspiele sind die Berge von verschiedener
Größe, und so reichlich nebeneinander hingethürmt,
daß das Auge diese veränderlichen Höhen der mit
etwas Buschwerk bewachsenen Berge und Hügel, nießt

A 3   den

den dazwischen liegenden Thälern, Seen, Heuschlägen und Morästen von einer Anhöhe mit Vergnügen
überschauet. Viele dieser Berge, welche noch etwas
Gebüsche und Strauchwerk tragen, werden bebauet,
und geben noch ziemlich gut Korn, insonderheit wenn
die tragende Seite nicht nach Norden lieget. Diesen
Gebirgen hat dies Kirchspiel auch die vielen vortrefflichen
Quellen, Seen, und Wassersammlungen zu danken,
welche größtentheils allerley Fische, auch ihre Ab- und
Zuflüsse haben, die sich durch die Thäler und Heuschläge schlängeln. Daß hier der Seen vormals mehr
gewesen sind, kann man aus der Menge der Moräste
mit Grunde schließen, die nichts anders als verwachsene Seen sind. — Gegen Westen erstreckt sich diese
Bergkette ins Harjelsche Kirchspiel, und von da gegen
den wendenschen Kreis, wo sie sich besonders um die
Stadt merklich erhebt, und über die rigische Heerstraße
und um dieselbe, wo sie auf der einen Seite bis an
die Aa gehet, bis Hinzenberg, sechs Meilen von Riga
fortläuft, wo sie endlich dicht vor dem Hofe, vor welchem der Hof vorbeygehet, mit einemmal gänzlich auf-
höret, da dann statt des leimigten und steinigten Bodens niedrige Sandebenen erscheinen. — Gegen
Süden läuft sie ins oppekalnsche Kirchspiel, wo die
Berge häufig nebeneinander stehen. Diesen Bergen
schreibt man es zu, daß die letzte Pest des Jahres
1710, welche fast ganz Livland verwüstete, diese Gegend verschonet hat.

Zu den Bergen von einiger beträchtlichen Höhe
gehören die eben erwehnten in der wendenschen Gegend, welche in ansehnlichen Ketten fortlaufen. Nach
alten Traditionen waren die mehresten dieser Gebirge
in den vorigen Jahrhunderten weit höher, und den
Reisenden äußerst beschwerlich, so daß Reisende, be-
sons

sonders von Ansehen, welche gerne bequem fuhren,
und sich für jähen Absturz sichern wollten, lieber die
sandige beschwerliche Straße, welche man jetzt die
St. Petersburgische nennet, wähleten, ob sie gleich
bis zum Städtchen Wenden zwo Meilen länger ist,
und sie auf derselben zweymal über die Aa setzen mußten, als den nähern festen wendenschen Weg, auf
welchen ihnen kein Strom im Wege lag. So nah
men z. B. die Herrnhuter immer jenen Weg, und
noch jetzo ist der Weg, der von Roop nach der Stadt
Wenden führt, unter dem Namen Meisterzellscher
Meisterweg, bekannt. Diese Gebirge sind theils zur
Bequemlichkeit für Reisende abgeschliffen, oder abgetragen, theils sind sie von den Schnee- oder Bergfluthen, welche wir den Baumfluß nennen, überwölbt
get worden. Diese Bergfluthen sammlen sich im Frühjahr vom geschmolzenen Schnee, stürzen in Menge
von den Bergen in die Tiefe hinab, richten oft große
Verwüstungen an, reißen Felsenstücke, Erdschollen
und Bäume dahin, und führen alles mit sich fort,
was sie auf ihrem Wege antreffen; sie machen auch
die Bäche und Ströme, die im Sommer seicht sind,
anschwellend und tobend. Die nachgebliebenen Spuren von diesen Bergfluthen siehet man häufig an den
Thonmassen, welche an vielen Stellen die obere Rinde
dieser Gebirge ausmachen, und die, durch solche Er-
gießungen erweicht, über die Bergrücken hinabgestos-
sen sind, und sich durch ihre verschiedenen abwechselnden
Farben unterscheiden. Diese Berge bestehen aus
Kalkstein und Thonlagen, und sind oft mit Kieselstü-
cken vermischt. Einige haben zwischen diesen Schichten noch eine sehr lockere Sandsteinlage, die man dort
Sandfelsen nennet, die aber bloß mit kein verbundene Sandtheilchen sind, und als Sandsteine nicht gebraucht werden können, weil man sie leicht zertrüm-

A 4   mern,

stern; oft so gar mit den Händen zertheilen kann. Fast alle diese Berge sind mit einer lage guter Damm‐ rede bedeckt, welche Bäume und Pflanzen trägt, auch zum Theil zum Ackerbau gebraucht wird. In den er‐ stern findet man Versteinerungen, vornehmlich Schaal‐ thiere, keine Spur von Landthieren (welches neben andern die Vermuthung giebt, daß diese Berge von dem Meer zusammengewälzt worden sind), auch Tropf‐ steine von verschiedener Gestalt und Größe, welche in der dritten Abtheilung an ihrem Orte angezeiget wer‐ den. Felsartige oder Granitgebirge, die aus Quarz, Glimmer, Feldspat und andern dergleichen harten Steinarten, oft in übereinandergelegten Waken zu bestehen pflegen, sind mir in Livland nicht vorgekom‐ men. Sie sind auch wahrscheinlich nirgends hier in fester Kluft oder in zusammenhängenden Ketten an‐ zutreffen.

Der nahe bey Wenden befindliche Berg, wel‐ chen die letten Wahrekalln nennen, scheint in dieser Gegend der höchste zu seyn. Er liegt auf der Straße, die von Riga zum Städtchen führt. Der Weg zu seinem Gipfel ist bequem genug, mit verschiedenen Ab‐ sätzen versehen, und wird bey einiger Vorsichtigkeit ohne Gefahr befahren. Er ist eben nicht sehr steinigt, und geht allgemach, anfangs kaum merklich, in die Höhe. Hier genießt man einer sehr reizenden Aus‐ sicht, die sich auf einige Meilen herum erstrecket. Noch sind in dieser Gegend folgende Berge merkwür‐ dig: der Graveskaln, der Turskaln und der Sahes‐ me, ein sehr steiler Berg, unter dem Gute Freuden‐ berg; der Zinkulberg, unter Druckern; der Scruins‐ leberg, unter Andenhof; unter welchem die so ge‐ nannte Teufelshöhle ist; der Busoblauberg, unter Johannenhof.

Von

Von mehrerer Erheblichkeit ist der bekannte, so genannte Blauberg, lett. Silla kalles, im Burt-neckschen Kirchspiel, im wolmarschen Kreise, der sein Haupt so hoch emporhebet, daß man ihn einige Meilen weit entdecken kann. Es ist ein steiler Berg in einer ebenen, etwas öden Gegend, ist etwas jähe, und hat eine stumpfe Spitze. Er bestehet aus magrer Erde, die mit Heidekraut bewachsen ist; an einigen Stellen trägt er auch Fichtenbäume, die aber von unbeträchtlichem Wuchs sind. Ein Dunst, der ihn beständig umhüllet, scheint ihm das blaue Ansehen zu geben, von dem er auch den Namen hat, und durch welchen man ihn in der Ferne leicht entdecket. Den umliegenden Gegenden ist er ein Calender; denn bey bevorstehender Veränderung des Wetters umgiebt ihn ein grüner Nebel. Vormals ist auf seinem Gipfel ein Brunnen gewesen, der aber jetzo gantz versieget ist.

Unter dem Hofe Kronenberg im Segewoldschen Kirchspiel ist ein Berg wegen seiner Höhe, noch mehr aber wegen seiner Figur merkwürdig, die wahrscheinlich dem ebengenannten Guts den Namen gegeben hat. Er liegt gleich nahen dem hiezugehörigen Abrahams kruge, und die wendensche Landstraße geht über diesen Berg hin. Der Weg führet schneckenförmig in einigen Wendungen zu seinem Gipfel. Wenn man diesen erreicht hat, stellet sich mit einemmal eine neue, vortreffliche Aussicht dar, und man erblickt neue Schönheiten der Schöpfung, welche dieser Berg vorher dem Auge verdeckt hatte. Die Gestalt dieses Berges und seine beträchtliche Höhe, von welcher man weit in die bebauten Niedrigungen zurücksiehet, geben nebst dem Laubgebüsche, das zu beiden Seiten der Auffahrt stehet, dem Gantzen sehr viel Angenehmes.

Auch

Auch die Erlaschen, noch mehr aber die daran stoßende Festensche Gegenden, haben häufige Gebirge, oder vielmehr erhabene Hügel, die größtentheils aus Leim und Erde mit einigem Steingerülle vermischt bestehen, und zum Theil zu Kornfeldern genutzet werden, und Reisenden sehr angenehme Aussichten darbieten. Hier ergießen sich zwischen den Bergen eine Menge großer und kleiner Seen in einander, deren man unter Festen allein über dreyßig zählt.

Die beiden Ranger, von welchen man den großen auf der Seswegenschen Straße, den kleinen auf der marienburgischen Straße befährt, können auch, nicht sowol wegen ihrer Höhe, als wegen ihrer Figur zu den merkwürdigen Bergen gezählet werden. Der erste liegt im Sanselschen Gebiete, der andere im Alläschen. Sie sind etwa vier Meilen von einander entfernt, und natürliche Dämme, die über zween unzugängliche Moräste gehen, die zusammenzuhangen scheinen, und wahrscheinlich verwachsene Seen sind. Der große erstreckt sich auf eine Meile, und ist beträchtlich hoch. Seine Auffahrt ist nicht merklich jähe; seine beiden Seiten aber sind an den mehresten Stellen so steil, daß man von ihnen gleichsam als von hohen Ufern in die Tiefe hinab siehet, die bey seinen Auffahrten und eine Strecke weiter, einen trockenen Grund hat, der mit Fichten und Gränen bewachsen ist, und auf welchem verschiedene schmale Fahrwege gehen, weiterhin aber moraßtig ist. Der Berg bestehet aus Sand, Erde und vielem Leim, die mit häufigen großen und kleinen Kalksteinstücken vermischt sind. Er gehet in verschiedenen Krümmungen. Im Herbst und Frühling, auch bey vielem anhaltenden Regen verursachet der Leim einen sehr schlüpfrigen Weg, deswegen er alsdann behutsam befahren werden muß; im Winter, wann die Moräste befroren, und tragbar sind, gehet

geht der Weg unterhalb des Berges, weil er alsdann
oben etwas abschüssig und gefährlich ist. Fünf und
dreyßig Werst von Riga, gleich, wann man den
Wahwerkrug vorbeygefahren ist, der zu Rodenpois
gehöret, hebt der Berg an, da, wo man zur Rechten
einen kleinen stehenden See gewahr wird, in dessen
Geröhricht sich viele wilde Entenarten aufhalten. Man
steigt eine kleine, etwas sandige Anhöhe hinauf. Der
Weg geht immer höher, und wird bald darauf,
eine kleine Strecke lang, etwas schmaler, und formirt
auf beiden Seiten eine Böschung, die mit Fichten,
Gränen, Espen und Birken bewachsen ist. An einigen Stellen ist der Weg da, wo er schmal ist, in den
Berg hineingearbeitet, so daß er auf beiden Seiten
gleichsam Brustwehren hat. So wie man weiter fort-
ruckt, wird man gewahr, daß man immer höher hin-
aufkommt. Wenn man den Zeiger von sechs und
dreyßig Werst zurückgelegt hat, nimmt die Höhe
merklich zu, und wird immer beträchtlicher, so
daß sie bis an dreyßig Faden hinansteiget. Nun
wird er an den mehresten Stellen breit, an einigen so breit, daß verschiedene Nebenwege gehen, auf
welchen kleine Fuhrwerke den größeren ausweichen können. Zur rechten und zur linken Hand siehet man
weit herum einen tiefen, theils moosigten, theils
schlammigten Morast, in welchem sich einige Schnepfenarten aufhalten. Er ist mit einigem Strauch- und
Buschwerk von niedrigem Wuchs bedeckt. Hier fängt
die Böschung an, sich mehr und mehr zu erhöhen,
und zu verlängern. Der Weg wird wegen der vielen
Baumwurzeln beschwerlich. Birken, Espen, Ellern,
Linden, Eichen, Vogelkirschbäume, Löhnen, Gränen
und Tannen stehen an der Böschung und an den Berg-
seiten in Menge untereinander. Bäume, die umgehauen, umgefallen, und von Sturmwinden ausgerissen

riſſen und zerſchmettert worden ſind, ſieht man da in
Menge umkommen.   Der Weg könnte da, wo er
ſchmal iſt, leicht erweitert werden, weil er an den
Seiten des Kangerrückens eingebogen iſt, und
durchs Abgraben weiter gemacht werden könnte,
wenn man die Mühe nicht ſparete.   Zur linken
ſiehet man eine lange ſchmale ſtehende See ſich winden,
die faſt halbmondförmig geſtaltet iſt.   Hier wird der
Weg kieſigt, und iſt auf einer langen Strecke ſo voll
abgerundeter Kalkſteine, daß man ihn für einen alten
gepflaſterten Steinweg halten ſollte. Bey dem Zeiger von acht und dreyßig Werſt ſiehet man in einiger
Entfernung einen runden großen See, in dem mit
Strauchwerk bedeckten mooſigten Ufer dieſes Sees halten ſich viel Schnepfenarten auf; hier iſt der Weg
ſchmaler, und etwas abſchüſſig, gleichwol wird er ſicher
genug befahren.   Etwas weiterhin genießt man einer
ſehr ſchönen Ausſicht: auf der einen Seite ein klares
Waſſer, niedrige Bäume, im Hintergrunde einen
Wald; auf der andern Seite wird das Auge von den
hohen Bäumen aufgehalten.   Hier giebt es ein vortreffliches Echo.   Bey dem Zeiger von vierzig Werſt
hört der Steinweg auf, der Weg wird ſchmaler, und
endiget ſich bergab bey Kodelkrug.   Die Pflanzen,
die auf dieſem Kanger wachſen, ſind: Farrenkraut,
Tag und Nacht, Glöcklein, Scabioſe, Teufelsabbiß,
Doſten, Odermennig, Vogelwicken, Storchſchnabel,
Flackblumen, Maßlieben, und an der Böſchung in
einiger Tiefe, Maynblümchen.   Der Kellerhals-
ſtrauch, lett. Saltenais, kommt hier auch zuweilen
vor. — Dieſer Kanger ſcheint ſeit 1778, da ich ihn
zum erſtenmal ſahe und beſchrieb, ſowol in ſeiner Mitte,
als auch beſonders bey ſeiner Auf- und Abfahrt zur
Bequemlichkeit und Sicherheit der Reiſenden merklich
abgeſchliffen zu ſeyn: denn im Sommer 1789, da ich
ihn

ihn wieder befuhr, fand ich ihn merklich niedriger.
Daß die Steinstücken dieses Berges weit in die Tiefe
gehen, bemerkte ich daraus, daß ich sie jetzo häufiger
auf dem Wege fand, als das erstemal. Ziemlich hohe
zusammengeworfene Steinhaufen überzeugten mich,
daß man eine Menge Steinstücken bey der Wegever-
besserung ausgerissen hatte. Wenn man so fortfährt,
dürfte dieser Berg mit der Zeit immer niedriger, und
endlich zu einem ebenen Wege werden, wozu freylich eine lange Jahrenreihe erfoderlich ist.

Wann man diesen Ranger zurückgelassen hat,
kommt man nach einem ganz kurzen Wege über einen
kleinern, niedrigern natürlichen Damm von gleicher
Beschaffenheit und Gestalt, dessen länge noch keine
Werst beträgt. Man nennt ihn den kleinen sonsetschen
Ranger.

Der kleine Ranger liegt im Gebiete des Gutes
Allasch im rigischen Kreise, ohngefähr vier Meilen
vom großen entfernt. Er ist gegen eine Viertelmeile
lang, nicht an allen Stellen gleich breit, und geht in
gekrümmten Richtungen. Seine stärkste Höhe mögte
funfzehn bis zwanzig Faden seyn. Seine Seiten sind
an vielen Stellen jäher, als bey dem großen; doch
laufen hie und da Bergketten von seiner Oberfläche in
die Niedrigung hinab. Die mehresten Bäume, die
an seiner steilen Böschung und auf seinen Seiten wachsen, sind: Gränen, seltener sind Haselnußbäume,
Birken und Tannen. Er bestehet aus dürrer Erde
und vielem Leim, wie jener; der Steinstücke sind aber
nur wenige. Gegen seine Abfahrt bey Allasch sieht
man auf beiden Seiten einen unzugänglichen Morast,
der, wann man den Ranger auch schon passirt ist,
noch eine gute Strecke fortgeht.

Es

Es hat also der Natur gefallen, eine Brücke über diesen weitläuftigen Sumpf zu bauen, oder einen Berg darüber zu ziehen, damit die Einwohner über den Rücken desselben zu einander kommen könnten. Herr Pastor Börger, der die Alterthümer Livlandes mit vielem Scharffinn untersuchet hat, giebt in seinem Versuch über dieselben S. 78. 79. die Muthmaßung an, daß diese beiden Berge Werke der Kunst sind. Er behauptet, daß die alten Liven dieser Gegend, um die Gemeinschaft mit ihren Nachbaren zu unterhalten, oder im Fall eines feindlichen Ueberfalles zu den Toreidischen Liven zu flüchten, oder Hülfe wider ihre Feinde von ihnen erhalten zu können, einen Damm über diese beiden Moräste gebauet hätten, die er auch, und zwar mit gutem Grunde, für verwachsene Seen hält. Man muß gestehen, mit vereinten Kräften kann man vieles ausrichten; aber, daß die Liven, dieses so träge Volk, dem ohnedem seine Nachbaren nicht lange Frieden ließen, sondern es durch öftere Streifereyen beunruhigten, ein solch ungeheures Werk sollten haben aufführen können, ist wol eben nicht wahrscheinlich. Wenn dieser Vermuthung auch sonst nichts im Wege stünde, so wäre es doch die beträchtliche Höhe. Was sollte die Leute wol bewogen haben, solche unmäßig, und gewiß unnöthig hohe Dämme aufzuwerfen, da eine Höhe von einigen Faden über dem Morast ganz hinlänglich war, welche ohnehin eine große Menge Arbeiter und eine geraume Zeit erfodert haben würde. Auch war bey den beiden Auffahrten des großen Rangers, und einen ziemlichen Strich längs denselben, wegen des ganz trockenen Grundes ein Damm sehr überflüssig. Dieses Gebirge ist vormals noch höher gewesen, und ist verschiedenemal, wie auch noch vor einigen Jahren geschahe, wegen seiner Höhe, und der damit verknüpften Gefahr, theils abgetragen,

theils

theils in den Berg hineingearbeitet worden. Sollten die alten Bewohner dieses Landstriches wol eine so vergebliche, ungeheure Arbeit unternommen, und mit so großer Mühe ein so übermäßig hohes Werk aufgeschüttet haben, das man nachher wieder abtragen mußte, weil man es nicht mit Sicherheit bereisen konnte. Hier könnte man wol einwenden, daß der Berg vorher nicht merklich höher gewesen, und daß der Weg nicht in den Berg hineingearbeitet sey, sondern, daß die Brustwehren, die er an einigen Stellen auf beiden Seiten hat, und die hin und wieder die halbe Breite desselben einnehmen, von den Liven zu ihrer eigenen Sicherheit wären aufgeworfen worden; aber bey ihren kleinen Fuhrwerken, wenn sie ja jemals dergleichen hatten und nicht etwa zu Pferde oder zu Fuße reiseten, war der Weg breit genug, und ohne Brustwehren hinlänglich sicher. Diese unnöthige Vorsicht ist sonst wol eben nicht die Sache dieser so trägen und sorglosen Nation gewesen, die immer nur das verrichtet, was höchstnothwendig ist, sich um das Künftige nicht bekümmert, und gewiß nicht für die Sicherheit ihrer Nachkommen auf so viele Jahrhunderte würde gesorgt haben; denn dies ist ein Werk, das ohne außerordentliche Erdrevolutionen wol bis an das Ende der Welt stehen wird. Man findet auch an einigen der breiten Stellen in der Mitte des Berges wallähnliche Anhöhen, die man nach der Abschleifung hat stehen lassen, um Nebenwege zu schaffen, auf welchen sich die Fuhrwerke, wenn sie sich begegnen, ausweichen können; diese sind gewiß nicht von den vorgeblichen Erbauern dieses Dammes aufgeworfen worden, sondern ein Beweis, daß er abgetragen, und folglich vormals höher gewesen sey. Wenn man diese Gegenden überhaupt aufmerksam betrachtet, so wird man deutlich sehen, daß man diesen Damm, ein Werk, das den Bewohnern

gern dieses Landstriches und den Reisenden so bequem
ist, weil es nähere Wege schaffet, nicht Menschen, sondern blos der Natur, die ihn zum Vortheil des Menschen schuf, zu danken habe. Sowol bey seiner Abfahrt gegen das Sonselsche, als auch an einigen andern
Stellen schließen auf beiden Seiten Gebirgketten dicht
an den Fuß des Kangers, ja an einigen Stellen erheben sich solche Ketten von Bergen bis an seinen Gipfel,
und bestehen aus eben denselben Erdarten, die er selbst
hat, so daß man deutlich siehet, daß sie mit ihm zu
gleicher Zeit entstanden sind. Wenn man diesen Umstand mit der Anzeige, die bey dem Anfange dieser
Beschreibung gegeben wurde, daß nemlich bey dem
Aufgange dieses Berges die Niedrigung auf beiden
Seiten trocken und sandig ist, neben einander stellet:
so wird wol kein Zweifel übrig bleiben, sondern man
wird mit Gewißheit folgern können, daß der Berg
nicht aufgeschüttet sey, obgleich einige Stellen dem
flüchtigen Auge die Figur eines von Menschenhänden
aufgeworfenen Dammes vorstellen. Eine sehr thörig-
te Arbeit wäre es gewesen, einen so ungeheuren Damm
mit so vielen Krümmungen, die den Weg wenigstens
um die Hälfte verlängern, und die Mühe bey seinem
Bau, ohne einige Veranlassung dazu zu haben, ver-
doppeln und erschweren mußten, zu bauen. Wie oft
nicht die Natur auf unserer Erde solche Werke
die man für Werke der Kunst ansehen sollte.
In unserm Livlande findet man davon einige Bey-

spiel liegt,
ähnlich siehet, die aber nichts anders als ein Werk der
Natur ist. Ein anderes Beyspiel ist der Serbensche
Berg, von welchem ich bald reden werde. — Die
alten Geschichtschreiber Livlandes nennen den Kanger
einen

einen Berg, der durch den Moraſt gehet; keiner von
ihnen nennet ihn einen von Menſchenhänden aufgeworfenen Damm. Neuſtädt nennt ihn den großen Kau-
gerberg, der durch das Rodenpoisſche Gebiet nach
Sonſel gehet; hierin irret er gleichwol: denn er geht
durch das ſonſelſche Gebiet.

Der Name Ranger iſt vermuthlich durch eine
falſche Ausſprache aus dem Worte Anger entſtanden;
denn ſo wie der Anger ein erhabener Raum zwiſchen
zween Aeckern iſt: ſo iſt der Ranger ein Anger, der
dieſen weitläuftigen Moraſt ſcheidet.

Hienächſt verdienen die Anhöhen im Kirchſpiel
Ecks im dörptſchen Kreiſe eine Anzeige. Man findet
ſie bey Sotag, bey Ilmjerw; bey Kukulin iſt eine,
von deren Höhe man eine ungemein weite Ausſicht hat,
faſt acht Meilen weit.

Endlich iſt noch ein Berg im Kirchſpiel Serben
merkwürdig. Er liegt dicht am Paſtorat ſüdoſtwärts.
Seine Geſtalt iſt ein Viereck; gegen das Gut Serben
ſowol, als auch gegen die Kirche, hat er eine Bruſt-
wehre gehabt, die aber jetzo wenig mehr merklich iſt.
Auf dem Gipfel hat er eine Fläche, auf welcher vormals ein lof Roggen ausgeſäet wurde. Aus ſeiner
Geſtalt ſollte man urtheilen, daß er zu Kriegeszeiten
aufgeworfen worden; daß ihn aber die Natur gebauet
habe, das beweiſet eine Springquelle, die ſich auf ſeiner Spitze gegen Südoſt befunden, und häufig ſchönes klares Waſſer gegeben hat. Dieſe Quelle iſt jetzo
zwar verſeiget, aber die Stelle iſt noch ſichtbar. Herr
Paſtor Graß zu Serben ſagt, daß dieſe Quelle nach
Ausſage aller dortigen Bauren im Jahr 1755, ſpät im
Herbſt, zu eben der Zeit verſeiget ſey, da Liſſabon durch
das Erdbeben verwüſtet wurde. Dieſe Sage würde
ich ſehr bezweifeln, wenn es ſich denken ließe, daß Neigung zum Sonderbaren und zu Hypotheſen hier eine

Naturgeſch. von Livl.	B	Fabel

Fabel erdichtet habe. Es ist bekandt, daß unser livländischer Bauer mit seinen geographischen und ge-
schichtlichen Kenntnissen nicht über die Gränzen seines
Districtes hinausgehet, folglich von Lissabon und dessen
Schicksal nichts wissen, und keine auch nur entfernte
Muthmaßung von einer unterirdischen Verbindung dieses Berges mit demselben haben könnte, ja daß er die Zeit
nicht einmal nach Jahren zu berechnen weiß, sondern
nach gewissen Epochen bestimmt, die ihm merkwürdig
scheinen. Es ist aber nicht ganz unwahrscheinlich, daß
durch die damals sich sehr weit erstreckende unterirdi-
sche Revolution das Wasser von dieser Stelle ab- und
anderswohin geleitet worden sey. — Dieser Berg
hat eine beträchtliche Höhe, von der man eine ungemein weite Aussicht hat.

Die Insel Oesel, die an sich, ohne die separaten
Inseln, etwa funfzehn Meilen lang, und sieben Meilen
breit ist, ist ziemlich flach, und hat nur zween erhebliche Berge. Der Raunispäh ist im Kirchspiel Jamma,
an der äußersten westlichen Landspitze, der eine ansehnliche Höhe hat, und mit Fichtenwalde bewachsen ist,
daher er auch dem gegenüber auf der curländischen
Küste liegenden, sogenannten Blauberg so ähnlich siehet, daß er oft die Schiffe in Irrthum und Gefahr
bringt. Der andere ist bey dem Dorfe Saufer im
Kergelschen Kirchspiel, und hat gleichfalls eine beträchtliche Höhe.

Des hohen Kalksteinufers an der Düna im
Kircholmschen und dessen angränzenden Gegenden werde ich unten in der dritten Abtheilung bey den Kalk-
steinarten mit mehrerem erwähnen. Hier sollte nur
erörtert werden, wie die unzähligen Schaalthiere in
dieses Gebirge gekommen sind. Daß kein reißender
Eisgang, oder sonst eine gewaltsame Ueberschwemmung
sie

sie in dieses Gebirge gebracht haben, davon überzeugen mich die Schneckengattungen, die man nirgend in
der Düna, auch nicht in dieser Gegend findet, und
daß von allen den vielen Schaalthierarten, die man
doch am Strande dieses Stromes, selbst in der Nähe
dieses Steingebirges, ja selbst am Fuße desselben so
häufig findet, keine Spur im Gebirge angetroffen
wird. Wenn man bedenket, daß diese Gebirge schon
vor so vielen Jahrhunderten vorhanden gewesen, und
genutzet worden sind, wenn man dabey erwäget, welche geraume Zeit vorher dazu erfodert wurde, ehe die
zarte aufgelösete steinigte Materie sich nach und nach
in die subtilen Poras der Schnecken eindrängete, sich
in denselben festsetzte, erhärtete, und sie also in Stein
verwandelte: so kann man die Naturbegebenheit, die
diese Gebirge hieher gewälzet hat, mit gutem Fug in
ein sehr entferntes Zeitalter setzen, und wird sie daher
in allen livländischen Geschichtbüchern, die nur auf
etwa sechs Jahrhunderte hinausgehen, vergeblich
suchen.

Den Sand findet man in verschiedenen unserer
Gegenden, besonders um Riga, längs der Ostsee, auf
der pernauischen Landstraße, und in mehreren Gegenden in Strecken von einigen Meilen, und von ansehnlicher Tiefe. Den Reisenden ist er, besonders in heißen dürren Sommertagen, äußerst beschwerlich. Wenn
jemand ein Mittel fände, das den Sand auf unsern
Landstraßen zwingen, und ihn hart machen und befestigen könnte, der würde uns ein sehr verdienstliches
Werk leisten. Bey Riga würde es sehr angenehm
seyn: denn wir sind fast um und um mit Sande umgeben. Die St. Petersburgische Heerstraße hat bis
auf mehr als sechs Meilen von der Stadt tiefen ermü-
denden Sand. Vorschläge, den Sand zu zwingen,
findet man wol; nur ist keiner darunter anwendbar.

Unser Wiesen- oder Sandhaber, (avena pubescens) der im Revalschen am Ostseestrande an einigen Stellen häufig wächset, möchte wol ein gutes brauchbares Mittel seyn, weil seine Wurzeln sich leicht im Sande festsetzen, ausbreiten, und denselben binden; aber welche ungeheure Mühe auf solchen weitläuftigen Landstrichen, die noch dazu unaufhörlich befahren werden.

Inzwischen ist dieser Sandüberfluß uns in Rücksicht auf die Gesundheit sehr zuträglich; denn er füllet unsern Dunstkreis mit keinen schädlichen Ausdünstungen, sondern zieht vielmehr die Feuchtigkeiten, die ein oft lange anhaltender Westwind aus der nahen Ostsee so häufig zu uns hertreibet, und die sich oft weit über das Land ausbreiten, wie ein Schwamm in sich. Merkwürdig ist die Bemerkung, die in Fischers liefl. Landwirthschaftsk. 2. Aufl. S. 371. gegeben wird, daß auf der kleinen Insel Fillsand, nahe bey Oesel, die ganz sandig und unfruchtbar ist, und daher nur von wenigen Fischern bewohnet wird, weder die öfteren Viehseuchen, die allenthalben in Livland, auch auf der Insel Oesel, fast alles Vieh aufgeräumet haben, noch die starke Pest des Jahres 1710 geherrschet haben. Man hat sogar Vieh von Oesel dahin gebracht, und es ist erhalten worden.

An Morästen fehlet es uns auch nicht, weder in Livland, noch in Ehstland; verschiedene derselben sind undurchkömmlich, und trocknen niemals aus, auch nicht in den dürresten Sommern. Viele derselben erstrecken sich auf einige Meilen. Die mehresten von diesen Morästen scheinen verwachsene Seen zu seyn, deren Oberfläche aus bloßem Moos, verfaulten Wurzeln von Rohr, Schilf und andern Seegewächsen bestehen. Dergleichen findet man im Dörptschen; in der Wieck; am häufigsten im Kirchspiel St. Johannis im Oberpahlenschen. Dieses Kirch-

Kirchspiel hat so große, weitläuftige und unzugängliche Moräste, daß in den vorigen Kriegszeiten die
Bauren in denselben eine sichere Freystätte suchten und
fanden. Sie haben verschiedene Anhöhen, die man
dort Inseln nennet. Auf solchen theils größeren, theils
kleineren Anhöhen wohnen die Menschen, und haben
ihre Felder. Im Frühjahr sind die Moräste so mit
Wasser überschwemmt, daß diese Anhöhen wirklich Inseln gleichen. Diese Moräste scheinen größtentheils
verwachsene Seen zu seyn; etliche wenigstens sind es
unstreitig: denn sie tragen im Sommer weder Menschen noch Vieh; man kann lange Stangen hineinsto-
ßen, und an etlichen Orten werden mitten in solchen
Morästen aus offenen Löchern Fische gefangen. Die
Anhöhen oder Inseln sind von ungleicher Fruchtbarkeit,
meistens sehr mit ziemlich großen Granitgeschieben bedeckt. Dieser Morast ist wegen seines großen Um-
fanges merkwürdig. Er hebt von der Würzjärw an,
geht durch das ganze Kirchspiel, bis ins Revalsche,
und theilt sich in zween Arme, von welchen der eine
das Gut Woiseck vorbey, der andere ins Revalsche
gehet. Der erste Arm hat in seiner Mitte eine Anhöhe von einigen Faden, die so wie die ganze Niedrigung herum morastig ist. In dem andern werden bey
dem Woiseckschen Dorfe Rawern in den Löchern, in
welchen im Herbste der Flachs eingeweichet wird, Fische gefangen. Da vor einigen Jahren zwischen So-
far und Pajusbey an dem Steinwege, der queer über
diesen Morast gemacht worden, ein Loch durchgerissen
war, kamen eine Menge Barsen hervor. Ein Beweis, daß dieser Morast ein verwachsener See ist;
dessen Grundbette noch immer Zuflüsse aus andern
Seen bekommt. Er trocknet nie aus, kann auch nicht
durch Ableitungen brauchbar gemacht werden. Unter
mehrere weitläuftige Moräste gehört auch der im Hin-

zenbergischen im rigischen Kreise, welcher in der dortigen Gegend anhebt, durch das Rodenpoissche und Sonselsche fortläuft, und sich ins Ascheradensche bis ans
Ufer der Düna erstrecket. Er hat eine ungleiche Breite, und ist mehrentheils mit Fichtenwalde von schlechtem Wuchs bedecket. Zur Bequemlichkeit für Reisende sind auf der marienburgischen und wendenschen Landstraße Dämme über diesen Morast geführet worden.
Dergleichen Moräste, welche aus verwachsenen Seen
entstanden sind, können weder zu Ackerland noch zu
Viehtriften genutzet werden, dagegen andere zu guten
Wiesen umgeschaffen werden können, da sie dann gutes
und nahrhaftes Futter geben.

Daß aber Seen von Tage zu Tage mehr verwachsen, siehet man an vielen Orten ganz deutlich,
z. B. in dem eben genannten Kirchspiel St. Johannis
an dem Sosarschen See, einem stehenden See.
Dieser wird alle Jahre kleiner, und verwächst merklich,
so daß er endlich mit der Zeit in einen Morast verwandelt seyn wird. Ein anderes Beyspiel ist die Balteßar
im Pälzmarschen Kirchspiel, welche ehedem 670 Schritte lang, und 440 Schritte breit war, jetzo aber schon
so weit verwachsen ist, daß die Länge nur 207 und
die Breite 190 Schritte beträgt. Im Kirchspiel Salisburg im wollmarschen Kreise findet man Moräste
von beträchtlichem Umfange, die wie Flüsse in Krümmungen fortlaufen. Unter ganz verwachsene Seen,
die noch bey Menschendenken wirklich Seen waren,
gehört neben andern der Obbesturgsee unter Herings-
hof im Kirchspiel Rujen im wollmarschen Kreise.

Wahrscheinlich hatte Livland sowol wie Ehstland,
ehe die Deutschen das Land zu bewohnen und zu bauen
anfingen, mehrere und weitläuftigere Moräste, als
jetzo. Viele sind von Zeit zu Zeit durch nützlichen Fleiß
urbar gemacht, und zu Kornfeldern umgeschaffen worden,

den, auch Heuschläge und Viehtriften daraus gemacht.

In vielen Gegenden wechseln die Moräste unmittelbar mit Sande ab, so daß gleich neben den erhabenen Sandhügeln niedrige Moräste liegen. Dies
bemerkt man besonders da, wo Flüsse in der Nähe
sind. Man könnte daher mit ziemlicher Gewißheit behaupten, daß in diesen Gegenden die Flußbette sich
vormals viel weiter erstreckt haben, als jetzo, und daß
die Moräste ein Theil ihres ehemaligen Grundbettes
sind. Einen deutlichen Beweis findet man an dem
Ufer der Würzjärw, wo Sanddünen und undurchkömmliche Moräste häufig mit einander abwechseln.
Der Morast am Ufer des Burtneckschen Sees, der
eine Meile lang, und an vielen Stellen eine halbe
Meile breit ist, und Heuschläge und Gebüsche trägt,
giebt einen Beweis von dem ehemaligen größeren Umfange dieses Sees. Wenn man alle dergleichen Beyspiele, deren in verschiedenen Gegenden mehrere vorkommen, nebeneinander stellet: so wird man nach genauer Beprüfung finden, daß die Gewässer in diesem
lande in ältern Zeiten einen weit größern Umfang gehabt haben, als jetzo. Wenn man dabey die Gebirge,
ihre Schichten und lagen in Erwägung ziehet, und
daraus, welches der Augenschein deutlich macht, ihre
Entstehung durch das Wasser folgert: so wird man
die Meinung des Hrn. Prof. Ferbers, welche derselbe
in seinen Anmerkungen zur physischen Erdbeschreibung Curlandes geäußert hat, gar leicht bestättiget finden.

Daß bey diesem Ueberfluß von Morästen, bey
den vielen Flüssen und landseen, bey der ziemlichen
Fläche des landes, bey der Vielheit und dem großen
Umfange der zum Theil dichten Wälder, die den
Durchgang der luft nicht verstatten, und beson

B 4 ders

ders bey den vielen Laubgebüſchen, deren niedriger
feuchter Boden, weil Luft und Sonne nicht durchbrin-
gen können, nie ganz austrocknet, wozu noch die Lage
des Landes kommt, da es von der Oſtſee, von breiten
Flüſſen und waldreichen moraſtigen Ländern umgränzet
wird, daß bey allen dieſen Umſtänden die Witterung
ſo beſchaffen ſeyn müßte, daß ſie oft nachtheilige Wir-
kungen auf den Körper äußere, läßt ſich leicht erachten. Daher entſtehen gemeiniglich in heißen Sommern, beſonders gegen das Ende derſelben, da die
Hitze am ſtärkſten zu ſeyn pfleget, wann die Luft mit
Dünſten aus den feuchten Gegenden angefüllet iſt, und
die Hitze das Blut und die Säfte verdicket hat,
Diarrhöen, hitzige und faule Fieber, Flußfieber, die
oft bösartig ſind, und faſt alle bis in den Herbſt anhalten, auch dann wol, wenn häufiges Regenwetter
die feuchten Luftdünſte vermehret, allgemeiner und
hartnäckiger werden, und bösartige Blattern in ihr
Gefolge zu bekommen pflegen, bis endlich wohlthätige
Sturmwinde, die im Herbſt ſelten ausbleiben, die
verdickten Dünſte zertheilen und vertreiben. Die
Winterkälte reiniget endlich die Luft von den feuchten
Ausdünſtungen völlig, weil der Froſt die Feuchtigkeit
gleichſam in die Erde verſchließt. Wenn aber die feuchten
Dünſte im Frühjahr wieder in die Luft ſteigen, dann
verurſachen ſie wieder Flußfieber und Catarrhen, und
ſind auch an kalten Fiebern ſehr fruchtbar. Daß
Sturmwinde auf unſere Luft und auf unſere Geſund-
heit einen heilſamen Einfluß haben, das bemerkt man
alsdann erſt, wann ſie lange ausbleiben. Den Beweis davon hatten wir im Frühjahr 1781, da viele
Menſchen an bösartigen Fiebern erkrankten und ſtarben.
Unſere Aerzte fanden die Urſache leicht. Der Sommer des vorhergehenden Jahres war faſt durchgehends angenehm und heiter, wir hatten faſt beſtän-

dige

bige Windstille, auch die Winterkälte war nur sehr
mäßig gewesen, und durch öfteres Dauwetter unterbrochen worden.

An Heide hat unser Livland gleichfalls keinen
Mangel. In verschiedenen Gegenden, wie z. B. im Aahoffschen, im Neuermühlenschen Kirchspiel in unserer
Nachbarschaft, wo sie sehr beträchtliche Landstriche
ganz unbrauchbar macht.

Bey alle diesem Ueberfluß von Sand, Sumpf,
Heide und Wäldern sollte man wol einen großen Mangel an tauglichem Ackerlande vermuthen, aber im Ganzen genommen, hat es dessen hinlänglich, und würde
noch mehr haben, wenn in manchen Gegenden mehrere
Hände da waren, die das Land bearbeiten und urbar
machen könnten. Der Boden ist größtentheils gut,
und bringt gesundes Korn hervor, das durch das Dör-
ren in den Rigen zum langen Aufbehalten tauglich gemacht wird, und dessen großen Vorzug vor dem in
südlichen Ländern gebaueten der wohlsel. Herr Arch. v. Fischer in den Breßl. Samml. fürs Jahr 1726 bereits
gerühmet hat. Wenn man erwäget, wie viel Korn jährlich in fremde Länder verschiffet wird, welch eine große
Menge jährlich zum Brandweinbrennen verbrauchet
wird, wie viel Lasten Malz zu Bier verbrauet werden,
wie viel Haber und Mehl für Pferde und Hornvieh
verbrauchet wird, und was sonst andere Bedürfnisse
wegnehmen; wenn man dabey bedenket, daß bey alle
diesem Vertrieb und Verbrauch die Kornpreise in manchen Jahren (freylich nicht in allen, besonders wenn
außerordentliche Ausfuhre ist, wie in den Jahren 1771
und 1772,) zum Nachtheile des Landmannes so geringe
sind: so kann man sich einen Begriff von unserm
starken Getreidesegen machen.

Ich habe zwar eben gesagt, der Boden sey größtentheils gut; er ist aber dabey sehr verschieden, doch

B 5   fast

faſt allenthalben mit leim, Sand und Erde vermiſcht. Man findet nicht leicht ein Kirchſpiel, in welchem die Ackererde nicht mit leim vermiſcht wäre. In vielen Gegenden haben die Felder auch viele Kalkſteinſtücken, welche ihnen durch die Mittheilung der Feuchtigkeit aus der luft, und des eingezogenen Regens ſehr nützlich ſind. Solche Felder findet man unter andern auf dem feſten lande längs der Düna, Curland gegenüber, wo der leim mit ſchwarzer Erde vermiſcht, den Kalkſteingrund bedeckt, welches dem lande eine gute Fruchtbarkeit giebt; nur an einigen Stellen, wo die Steineſtücke zu häufig nebeneinander liegen, verhindern ſie das Wurzeln und den Wachsthum des Korns. Im Oberpahlenſchen, auch in mehreren Gebieten da herum; in Ehſtland, beſonders im Revalſchen am Oſtſeeſtrande, bedeckt die Ackererde einen Flieſenboden, und trägt gutes Korn. Moraſtige Felder, wenn ſie dabey leimicht ſind, wie z. B. im talkhoffſchen Kirchſpiel im fellinſchen Kreiſe, ſind nur bey vieler Düngung ergiebig. Eine gute Ackererde mit blauem leim vermiſcht, dergleichen man in verſchiedenen Kirchſpielen antrifft, wird gewöhnlich für das Zeichen eines guten Bodens angeſehen. Auf der Inſel Oeſel iſt meiſt mit leim vermiſchte Ackererde, die an vielen Stellen kaum vier bis fünf Zoll tief liegt, und deſſen Unterlage Grand, Sand, oft ein harter Fels iſt, der an einigen Orten bis an die Oberfläche hervorragt, an vielen Stellen faſt die ganze Oberfläche einnimmt. Nahe um Riga herum iſt der Boden faſt durchgehends ſandig, und trägt nur bey guter Cultur einiges Korn.

Faſt jede einzelne Gegend hat hinlängliches Ackerland, deſſen Güte jedoch, wie aus dem vorigen zu ſehen iſt, in manchen Gegenden ſehr verſchieden iſt. Daher kommt es, daß unſere Erndte in den mehreſten Jahren ſo geſegnet iſt, daß auch die Ausländer mit

mit unserm Ueberfluß verforgt werden können; denn
obgleich aus Riga viel Korn verschifft wird, das uns
aus Rußland, Polen und Curland zugebracht wird:
so wird dagegen aus Reval, Pernau und Narva lauter livländisches Korn verschickt, ohne daß diese Gegenden über drückenden Mangel zu klagen Ursache hätten. — Nur sind leimigte und dabey moraſtige Felder dem Kornbau nicht zuträglich, besonders wenn der
Dünger gesparet wird. Weizen tragen sie bey gehöri-
ger Cultur ziemlich reichlich; doch will er nicht in allen
Jahren gerathen. Dagegen erfrieret in diesem Boden
oft das Sommerkorn, und zuweilen macht er die Win-
tersaat sehr beschwerlich. Bey Regenwettern wächſt
das Korn auf den Gebirgen gut; aber auf den Niedrigungen iſt dann die Erndte nicht sehr ergiebig. Bey
mäßigem Regen gedeihen die leimigten Felder sehr gut;
aber bey heftigen Regengüſſen, besonders, wenn sie
lange anhalten, werden diese Felder zusammengeschla-
gen, und so hart, wie eine Tenne, so daß das Korn
nicht leicht durch die feste Rinde dringen kann. Wo
der Boden trocken und etwas sandig iſt, da kann ein
starker Regen, wenn er gleich anhaltend iſt, dem Gedeihen sehr zuträglich seyn, nur muß er das Korn nicht
in der Blüthe überfallen, und bey anhaltender Dürre
kann ein niedriger feuchter Boden den Mangel des
Regens ertragen, und gutes Korn hervorbringen.

An Heuschlägen und Viehtriften fehlet es uns in
den mehreſten Gegenden nicht, ob sie gleich in einigen,
entweder nicht sehr häufig, oder auch mit Moos und
Strauchwerk überwachsen sind; diesem aber kann, obgleich mit Mühe und einigem Zeitverluſt, abgeholfen
werden, wie solches in dem liefl. Landwirthschaftsb.
1. Aufl. S. 64. 65. gelehret wird. Neben andern
Gegenden iſt das Kirchspiel Oberpahlen mit Heuschlägen häufig versehen.

Das

Das land ist noch in den mehresten Gegenden
mit Wäldern hinlänglich versehen; in sehr vielen sind
sie dicht und undurchdringlich, und von großem Umfange, mit Bäumen von mancherley Arten angefüllt,
die zu Gebäuden, zur Heizung und zu allerley wirthschaftlichen Bedürfnissen brauchbar und hinreichend
sind. Man findet hier: Fichten, (die man in Livland
durchgängig, doch unrichtig Tannen nennet) Gränen,
die wir Schujen nennen, welche die eigentlichen Tannen sind, Birken, Ellern, Eschen, Espen, Linden,
Löhnen, Rüstern, Quitschbeer- oder Pielbeerbäume,
Weidenbäume von allerley Arten, Vogelkirschbeerbäu-
me, wilde Apfelbäume, Faulbäume, Haselnußsträu-
che, Eichen, selten Buchen. Fast kein Kirchspiel hat
gänzlichen Holzmangel; nur sind hin und wieder einzelne Güter von Holz entblößt. Der gänzliche Holzmangel herrscht auf einigen Inseln. Auf der Insel
Oesel haben nur die westlichen und nordöstlichen Küsten
ziemlichen Holzvorrath, doch wird dessen Wachsthum
durch den steinigten Boden sehr gehindert. Der übrige Theil dieser Insel hat kein Bauholz, und nimmt
seine nothdürftige Heizung von den Heuschlägen. In
einigen Kirchspielen fehlet auch dieses, und man findet
oft in Strecken von etlichen Meilen kaum etwas niedriges Strauchwerk. Man sorgt daher in den waldichten
Gegenden dafür, daß man durch eine vorsichtige Holz-
sparung für einen allgemeinen Holzmangel auf die Zukunft gesichert sey. Die Insel Runö hat auf der Seite gegen Curland einen ziemlichen Fichten- und Gränen-
wald. Harrien in Ehstland und die Mittagsseite von
Dorpat haben auch einigen Holzmangel. Verschiedene Güter, wie z. B. einige im odenpäschen Kirchspiel
schon vor mehr als dreyßig Jahren angefangen haben,
ersetzen den Holzmangel durch Torf. Die Güter am
Düna-Ufer und an der Ostsee sind noch sehr waldreich,

und

und haben einen solchen großen Vorrath, daß sie auch
die Stadt Riga reichlich mit Brennholz versorgen, das
sie auf Flößen und in Böten dahin schicken. Auch im
pernauschen Kreise ist noch guter Holzvorrath, besonders sind in dem Kirchspiel Torgel in den mehresten
Gegenden die Wälder so undurchdringlich und dicht,
daß die Sonne nicht auf den Boden dringen kann.
Faules Lagerholz liegt dort beständig viele Schichten
übereinander, und macht die Wälder so unwegsam,
daß auch große Thiere nicht durchkommen können.
Hier wächst auch nicht das geringste Gräschen, noch
weniger Beerenstrauch, deswegen auch wenig Federwild
gefunden wird.

Wenn man bedenkt, wie viel Tannen und Fichten zu Wohn- und Wirthschaftsgebäuden verbraucht
werden; wieviel Brennholz unsere lange Winter erfodern, besonders auf dem Lande, wo das Feuer den
ganzen Tag im Ofen brennt; wie viel zu Korndarren,
Brandweinbrande und andern Bedürfnissen aufgeht;
wieviel Wälder jährlich aus Nachlässigkeit, oft von
nichtswürdigen Leuten, angesteckt und verwüstet werden,
und wie sorglos überhaupt der Bauer mit dem Holz
umgeht: so muß man über den großen Vorrath, der
noch übrig ist, erstaunen. In dürren Sommern werden durch Unvorsichtigkeit der Hüter und Arbeiter in
Wäldern oft große Waldstriche ein Raub der Flam-
men. So brannten z. B. im Sommer 1789, der besonders dürre und heiß war, an einigen Orten Holzun-
gen in Strichen von einigen Meilen weg. Im Neuermühlenschen z. B. fing gegen das Ende des Julius ein
Waldbrand im Westerottenschen an, lief durch das
Henselshofsche im Rodenpoisschen Kirchspiel, ergriff
den dichten Rodenpoisschen Wald, und konnte nur mit
vieler Mühe durch eine Menge Menschen nach einigen
Tagen

Tagen gelöscht werden, nachdem er eine Strecke von
vier bis fünf Meilen verwüstet hatte. Das geschwinde
Aufpflügen der Erde, um dem Fortlauf des Feuers
Einhalt zu thun, wollte, da bey der außerordentlichen
Dürre die Wurzeln des Heidekrauts u. a. Gewächse
unter der Erde brannten, und das Feuer verbreiteten,
lange nicht helfen, bis endlich ein ziemlicher Regen den
unermüdeten Arbeitern das löschen des Feuers, das
acht Tage angehalten hatte, erleichterte. In dieser
Zeit war in und um unsere Stadt, so weit das Auge
trug, so wie auch tiefer im Lande, der Horizont so dicht
mit Rauch bedeckt, daß die Sonne nicht durchbrechen
konnte, und ihre matte Strahlen, die sich nur zu
weilen zeigten, ganz roth schienen. — Auch im Pernauischen war um diese Zeit ein Waldbrand von einigen Meilen.

Nach dem Zeugniß der Geschichtschreiber ist in
Livland in ältern Zeiten ein solcher Ueberfluß an Wäldern gewesen, daß die Einwohner die Waldstellen mit
vieler Mühe verhauen, abröden und ebnen mußten,
um Kornfelder zu bekommen. Auch die Ufer der Flüsse
und die Wiesen mußten vom überflüssigem Holz gereiniget werden, weil sie sonst keine Stellen hatten, wo sie
ihr Vieh weiden konnten. Ein jeder behielt nun das
Land, das er sich einmal ausgesucht und zubereitet
hatte, und schlug da seinen Wohnplatz auf, damit er
nicht genöthiget würde, diese mühsame Arbeit an einer
andern Stelle wieder zu übernehmen. Paul Einhorns
Hist. lett. 10. Cap. Hist. Abh. von d. Namen u. Urspr.
d. alten Einw. ließl. u. s. w. in den gel. Beytr. zu den
Rig. Anz. 1761. IX. St. S. 70.

An fischreichen Seen, Flüssen und Bächen fehlet es in unserm Lande nicht. Eine Menge Fische liefert uns die Ostsee. In den mehresten übrigen Gewässern ist auch ein Ueberfluß an gesunden und schmackhaften

haften Fischen, der für unsere Bedürfnisse mehr als
hinreichend ist. Von unsern vortrefflichen geräucher-
ten Lachsen und Butten können wir auch Ausländern
einen Vorrath überlassen, der ihnen ungemein willkommen ist.

Hier liefere ich eine Anzeige einiger größen und
viel mir deren be-
kandt geworden. Sie sind aus verschiedenen Topographien livländischer Kirchspiele, die mir geschrieben
mitgetheilet wurden, einige aus Hr. P. Hupels Topographie mit einiger Mühe zusammengebracht. Daß
dieses Verzeichniß unvollständig sey, ist gleich sichtbar;
doch wird wol keines der erheblichsten Gewässer darin
fehlen. Vielen wird diese Nachricht sehr unerheblich
scheinen; aus dem Grunde wollte ich sie schon weg-
lassen; da ich aber muthmaßete, daß sie mehreren
Lesern nicht ganz gleichgültig seyn werde, weil sie zur
localen Kenntniß einiger einzelnen Gegenden führt, und
man darin von dem Gange der Gewässer Nachrichten
findet: so beschloß ich, sie hier einzurucken. Leser,
denen sie unbeträchtlich scheinet, können sie leicht
überschlagen.

Im Rigischen Kreise.
Flüsse und Bäche.

Die Düna, russ. Dwina, lett. Dauhgawa,
entspringt in Rußland bey Biala aus einer Quelle,
nimmt gleich bey ihrem Ursprunge mehrere Quellen
mit, fließt durch Littauen, und Neurußland, Livland
und Curland vorbey, nimmt verschiedene Ströme und
Bäche auf, zu welchen in Livland zu den beträchtlichsten die Ewst und die Oger gehören, geht darauf die
Stadt Riga ganz nahe vorbey, und ergießt sich zwo
Meilen davon bey Dünamünde, wo sie sich noch mit
der

der mitauschen Bäche vereiniget, in die Ostsee. Sie
ist es, die Nahrung und Wohlstand über unsere
Stadt verbreitet, und sie zu einer der wichtigsten Han-
delsstädte an der Ostsee erhebt; ohne sie würden wir
bey unserer entfernten Lage von dem übrigen Europa
unbemerkt dahin leben. Weitläuftigere Nachrichten
von ihr findet man in Hupels liefl. Topogr. 1 Th.
S. 124. u. f. Ihr Lauf beträgt etwa 130 Meilen.

Die ganze Gegend längs diesem Flusse scheint in
ältern Zeiten eine starke Verwüstung betroffen zu haben. Wahrscheinlich wurde dieselbe durch gewaltsame
Ueberschwemmungen veranlasset; denn es hat das Ansehen, daß die hier herumliegende Kalk- und Feld-
steine, welche jetzo ohne einige bestimmte Richtung oft
von beträchtlicher Größe auf der Erdfläche zerstreuet
herumliegen, und dem Boden an vielen Stellen das
Ansehen geben, als wenn er gepflastert wäre, durch
heftige Fluthen aus ihren Lagern gerissen, durch die
Gewalt des Wassers hinweggeführet, und dahin geworfen worden, wo man sie jetzo findet, oder durch
die Gewalt der Fluth aus dem Grunde des Stromes,
der vielleicht ihr Geburtsort war, herausgehoben, und
auf das Land geworfen worden sind. Auch die jähen,
fast senkrecht abgeschnittenen hohen Ufer, sowol auf
der livländischen, als auch auf der curländischen Seite,
welche man von Kircholm an bis zur Ewst wegen
des schmalen Stromes deutlich sehen kann, bestärken
die Vermuthung von einer durch gewaltsame Ueberschwemmungen verursachten Veränderung dieser Gegend. Vielleicht hat das von diesen gebirgigten Ufern
abgerissene Erdreich mit seinen häufigen großen Steinstücken den Strom angefüllet, und seichter, vielleicht
auch an einigen Stellen schmaler gemacht, als er vorher war.

Man

Man findet auch), daß an einigen Orten, besonders bey Kokenhusen, Felssteinstücke von beträchtlicher
Größe so weit hervorragen, daß man glauben sollte,
sie wären von Menschenhänden von dem Erdreich entblößt, so daß sie einen fürchterlichen Absturz in die
Niedrigungen drohen. Auch siehet man eben hier
starke Kalksteinlagen an dem steilen gebirgigten Ufer
hervorstehen, die so genau auf einander passen, und
in so gleicher abgemessenen Richtung hervorragen, daß
man sie in der Ferne für altes Mauerwerk ansiehet. Diese
Steine sind vermuthlich durch die Bergfluthen, welche
sich im Frühjahr von dem geschmolzenen Schnee sammlen, oder durch starke Herbstregengüsse entstanden, und
den Berg hinunter stürzten, vom Erdreich entblößet
worden; denn gleich oben, dicht unter dem Gipfel,
ist die Erde, die den Kalkgrund bedecket, an vielen
Stellen so locker, daß man es nicht wagen darf, den
Gipfel zu besteigen, ohne Gefahr zu laufen, mit den
nachschießenden Steinen in die Tiefe hinabzustürzen.
Dieses, und die hohen, bemooseten Fichten, die dicht
aneinander gedrängt auf dem Gipfel stehen, geben
dem Ganzen ein fürchterlich schönes Ansehen.

Ueberhaupt, wer das ganze Ufer dieses Stromes mit aufmerksamen, forschenden Augen übersiehet,
geräth leicht auf die Vermuthung, daß diese Gegenden in entfernten Zeiten ein anderes Ansehen gehabt
haben, als jetzo.

Ich habe zwar oben die Muthmaßung geäußert,
daß vielleicht das von den gebirgigten Ufern abgerissene Erdreich mit seinen vielen und großen Steinstücken den Strom angefüllet, und seichter gemacht habe:
aber hier tritt noch eine andere wahrscheinlichere Vermuthung ein. Sollten nicht etwa in dieser Gegend,
die beiden Provinzen, Livland und Curland, vor vielen
Jahrhunderten, vielleicht Jahrtausenden, mit einander

zusammengehangen haben, und bey einem gewaltsamen Durchbruch des Stromes, das Erdreich und die
gewaltigen Steinmassen, welche beide zusammen ver-
banden, in den Fluß geworfen worden seyn, da sie ihn
dann nothwendig so seichte machen mußten, wie er jetzo
ist. Die correspondirenden Gebirgmassen sind hier,
fast eine Meile weit, an dem livländischen sowol, als
an dem curländischen Ufer, einander so ähnlich gestaltet,
daß sie von einander abgeschnitten zu seyn scheinen. Am
deutlichsten siehet man dieses im Stockmannshoffschen,
wo die Höhe des Ufers und die Steinlagen sich durchaus gleichsehen.

Wenn man dem Strome weiter, etwa bis Uexkull und Kirchholm folget: so findet man Spuren von
mehrerer Veränderung. Es scheinet mir nemlich
wahrscheinlich zu seyn, daß er vorzeiten einen andern
Gang genommen habe, ehe er die Gegend, wo jetzo
die Stadt Riga steht, vorbeylief. Nicht nur die,
vom Ufer ab, unter der Dammerde, tiefer ins Land
hinlaufende Kalksteinflöze, wie z. B. die im Stubenseenschen, sondern vornehmlich auch verschiedene Bö-
schungen oder uferähnliche Anhöhen, die bey Kirchholm
und weiterhin hie und da gefunden werden, deren
Gang man aber, weil er öfters unterbrochen wird,
nicht verfolgen kann, und zwischen welchen aller
Vermuthung nach das vormalige Bette des Flusses
hinlief, bringen mich auf den Gedanken, und
veranlassen mich zu glauben, daß dieser Strom
damals bey Kirchholm sich abgewendet, um Stubensee, Harmenshof und so weiter herumgegangen, und
dann endlich bey Kojenholm, etwa eine halbe Meile
von der Stadt, wieder hervorgekommen sey, und den
Gang genommen habe, den er noch jetzo hat. Zwar
findet man in allen unsern Jahrbüchern keine Spur
von dem veränderten Laufe der Düna; doch die Revolution,

lution, die den gegenwärtigen Lauf des Flusses verursachte, ist unstreitig älter, als alle unsere Geschichtbücher, und die angezeigten böschungförmigen Anhöhen,
nebst den sich daherum erstreckenden Kalksteinflözen
sind mir ziemlich deutliche und zuverläßige Documente.

Hiernächst bin ich auch geneigt zu glauben, daß
unsere Düna in älteren Zeiten bey der Alexanderschanze
mehrere Arme gehabt habe, als den gegenwärtigen
sogenannten Graben, oder die rothe Düna; denn in
dem Walde daselbst, etwa tausend Schritte, oder
mehr, vom Ufer, findet man einen tiefen Graben mit
ziemlich steilen Ufern, der, so weit ich ihn, ohne in
diesem dichten Walde zu verirren, habe verfolgen können, wol über eine halbe Werst lang ist. Er ist jetzo
mit Dammerde einige Fuß hoch bedeckt, die an vielen
Stellen mit Erdmoos und Grase bewachsen ist. Unter dieser Dammerde findet sich reiner Flußsand. Eine
gewaltsame Ueberschwemmung oder eine andere Cata-
strophe dieses Stromes kann den ehemaligen Einfluß
dieses Düna-Armes mit Sand oder Erde übertragen
haben, da er dann endlich, nachdem sein Zufluß gehemmet worden, mit der Zeit verseigen mußte. Es
kann möglich seyn, daß diese Veränderung durch einen
Durchbruch des Flusses irgendwo entstanden ist, und
daß die gegenwärtige rothe Düna daher ihren Ursprung genommen hat.

Was Durchbrüche und Ueberschwemmungen
verursachen können, das haben wir im Sommer 1783
gesehen, da jenseit der Düna bey der Marienmühle
der stehende See, der der Mühle das Wasser giebt,
und von eben nicht großem Umfange ist, weil eben die
Mühlenschleuse verschlossen war, das zufließende und von
gewaltigem Regen angeschwollene Wasser nicht fassen
konnte, und mit Gewalt mit einemmal das Ufer durch-
riß. Das Wasser stürzte queer über den Weg, um-

wühlte

wühlte denselben und spülte das Erdreich weg, stürzte
dann an die nahegelegenen Sandgebirge, durchschnitt
einen der höchsten, und schaffte sich einen Durchfluß
durch denselben. So sahe man in wenigen Minuten
da einen Strom, wo vorher Land gewesen war, und
die Gegend war so verändert, daß man sie kaum mehr
kennen konnte.

Ein anderes Beyspiel hatten wir bey Schlack,
ein paar Meilen von der curländischen Gränze. Im
Frühling des vorgenannten Jahres versank dort eine Erd-
zunge, die zu einer Mühle gehörte, und an der mitauschen Bäche lag, in einer Nacht ganz plötzlich. Der
Umfang dieses versunkenen Landes, das aus einem
Garten mit vielen und hohen Bäumen bestand, betrug
anderthalb Lof Aussaat. Diese ungewöhnliche Natur-
ereigniß war wahrscheinlich dadurch veranlasset worden, daß das Erdreich unten allmählig losgerissen,
und weggespület worden war. Die Ueberschwemmung
desselben Frühjahrs kam hinzu, und das Treibeis aus
der Bäche riß den übrigen Theil der Erde weg. Nachdem man einige Tage vorher ein starkes Getöse unter
der Erde gehöret hatte, sank dasselbe mit einemmal
hinunter, und da, wo vorher festes Land gewesen war,
entstand nun eine Tiefe von ein und zwanzig Faden.
Nach und nach schwemmten Stürme aus der See wieder
so viel Sand auf diese Stelle, daß das Jahr darauf
die Tiefe nur drey bis vier Faden betrug.

Daß die Düna vor der Stadt ehemals breiter
gewesen, als sie jetzo ist, und nach und nach jenseit
derselben verengt worden, davon findet man ziemlich
deutliche Merkmale an dem sogenannten philosophischen
Gange im Hagenshöffschen. Der unzugängliche Morast, der jetzo mit Laubholz bewachsen ist, und der ihn
an der Flußseite dicht begränzt, und die niedrigen
Wiesen und Gartenplätze, die auf eben der Seite dar-

an

an stoßen, geben bey einiger aufmerksamen Untersuchung dieser Gegend deutliche Beweise davon. Die
merkliche sandige Erhöhung, die jetzt viel Nadelholz
trägt, und an deren Fuße dieser schmale Gang lieget,
ist eine Reihe Sanddünen, die dem Strome ehemals
zum Ufer dieneten. Die beiden Holme, die nun in
dieser Gegend die Fahrt verengen, haben sich nachher
aus dem Wasser erhuben; der flache Kixenholm ist
der letzte gewesen.

Der jäjelsche Bach, auch Mail uppe, d. i.
Netzbach, wegen der Netze, womit kleine Fische gefangen werden. Er entstehet bey der Sonselschen Kirche
aus der Verbindung des Kastramschen Baches mit der
Käwwel, fließt durch das Sonselsche und Rodenpoissche, und weiter bis Langenbergen, wo er, nachdem
er vorher verschiedene Bäche mitgenommen hat, in den
russischen Bach fällt. Das Grundbette dieses Baches
bestehet aus lauter Kalksteinlagen, die in einer Tiefe
von sieben bis acht Fuß übereinander liegen. Auch liegen hie und da beträchtliche Felssteinstücke. Im Sommer ist er so seicht, daß man an den mehresten Stellen
bequem durchwaten kann; im Frühjahr aber wird er
durch den Zusturz des Schneewassers so angeschwollen,
daß er aus seinen Ufern tritt. Er giebt viel schöne
Schmerlinge, auch andere kleine Fische und Krebse in
Menge. — Vormals hieß er Rodenpois. S. Hupels
liefl. Topogr. 3. B. S. 584.

Der russische Bach, lett. Krew uppe, im
Aahoffschen, dicht an der St. Petersburgschen Heerstraße, kommt aus dem Rodenpoisschen, und fließt in
die mit dem Stintsee vereinigte Jägel. Er liefert
eben die Fischarten, welche diese liefert, und außerdem
Quappen, Forellen und Krebse.

C 3　　　Der

Der Rangersee, ein Fluß im Schlackschen Kirchspiel an der curländischen Gränze, ist etwa eine Meile lang, und vier Werst breit. Er hat seinen Zufluß aus dem Tuckumschen Mühlenbach in Curland, fließt durch den See Slozen auf die Schläcksche Wassermühle, und fällt in die mitauische Bäche, sonst Mussa, oder auch die große Aa genannt.

Die Rewel, ein Bach, sammlet sich im lennewardenschen Walde aus dem Morast, wird durch verschiedene Quellen vermehrt, und ergießt sich dort bey dem Pastorat in die Düna.

Die Pernau, ein Bach, der gleichfalls aus Morästen im lennewardenschen Walde entspringt, und bey dem Pastorat in die Düna fällt. Er giebt Schmerlinge und Krebse, zuweilen auch Forellen.

Die Ritte, ein kleiner Bach im lennewardenschen, hat mit den beiden eben genannten einerley Ursprung, und ergießt sich in die Düna.

Die Till uppe, ein Bach, entspringt im Uexkullschen, und fällt dort bey der Postirung, sechs Meilen von Riga, in die Düna. Im Sommer versiegt er oft ganz.

Die Stumbe, ein Bach, der im lennewardenschen Walde durch den Zusammenfluß verschiedener Gräben, wo nicht entstanden ist, doch wenigstens jetzo sein Wasser daher hat. Bey trockenem Wetter ist sie ganz seicht.

Die Lobe, ein Ausfluß aus der Kroppenhofschen See in dieser Gegend bey Lebmannshof. Sie scheidet dieses Gut von Großjungfernhof.

Die Sackahrne, ein mittelmäßiger Bach, kommt aus dem Lemburgschen, fließt in das Sonselsche, meist nach Westen, und fällt eine halbe Werst oberhalb der Siggund bey dem alten Schloßberge in die große Jägel.

Die

Die Niesche, lett. Melder uppe, ein kleiner Bach, eine halbe Meile lang, fließt eine Viertelmeile von Sonsel in die kleine Jägel.

Der Silberbach, lett. Suddtaba urge, ist vier Werst lang, macht die Gränze zwischen Sunsel und Siggund, und fließt in die kleine Jägel.

Die Abse, entspringt im Sissegallschen aus dem See Abse, fließt im Sonselschen von Südost gegen Nordwest, Absenau vorbey, und fällt nach einem Laufe von vier Meilen bey Sonsel in die Mail uppe. Sie hat einige Untiefen, und ist vier bis sechs Faden breit.

Die Sudde, ein Bach, entspringt im lemburgschen Kirchspiel, aus einem Morast gleiches Namens, fließt Klingenberg, Muremotse, Suddenbach, Adamshof und Sudden vorbey, und fällt, nachdem er noch drey kleine Bäche mitgenommen hat, bey Siggund in den dasigen Bach.

Dihrwai, ein Bach, im Kirchspiel Ascheraden, entspringt aus einem großen fast zwo Meilen langen Morast, der die Gränze zwischen den Kirchspielen Kokenhusen und Ascheraden macht. Er soll einige Werst unter der Erde weggehen. Sein Lauf beträgt gegen zwo Meilen, und geht in die Düna. Er hegt Krebse und kleine Hechte.

Pulk uppe, ein Bach zwischen Großjungfernhof und Winkelmannshof, kommt aus einem großen Morast im Winkelmannshofschen Walde, fällt nach einem Laufe von einer halben Meile, und nachdem er sich mit dem Bach Pulkstin vereiniget hat, fällt er zehn Meilen von Riga in die Düna.

Giesum, ein Bach, entspringt aus Morästen im Kirchspiel Ascheraden, läuft eine Viertelmeile, und fällt eilf Meilen von Riga in die Düna.

Kraukle,

Kraukle, ein kleiner Bach, entspringt aus einem Morast, fließt eine Viertelmeile, und fällt unter dem aseradenschen Pfarrhofe in die Düna. Er hat dem Gute Ascheraden, lett. Aiskraukle, den Namen gegeben.

Cadir, ein Bach, entspringt aus Morästen, läuft vier Werst, und fällt bey den Ruinen des Schlosses Ascheraden, zwölf Meilen von Riga in die Düna.

Sostir, ein Bach, entspringt im Kirchspiel Jürgensburg, vereiniget sich mit dem Flüßchen Brihkums, macht die Gränze zwischen Taurup im Kirchspiel Sissegall, und Ogershof im Erlaschen, und fällt nach einem laufe von drey Meilen unter Fistehl in die Oger.

Seen.

Die Stintsee, lett. Kießessars, d. i. Kaulbarschsee, ist mit der Jägelschen und weißen See verbunden. Ueber den Arm, der die Stintsee mit der Jägel verbindet, geht vermittelst einer Brücke die St. Petersburgsche Heerstraße. In dieser See werden mehrentheils die Fische gefangen, welche aus der offenbaren See in die Düna, und nachher durch den bey der Mündung gelegenen sogenannten Mühlengraben, insonderheit zur laichzeit hineinfallen, als Brachsen, Wemmgallen, und auch wol Lachse und Taimen, oder die durch einen Sturm aus der See durch den eben angezeigten Weg hineinkommen, außerdem aber mittlere Aale, Sandarten, Barse, Rothaugen, Gründlinge, Tobieschen, große Stinte, u. a. m. Der Bach lange verbindet ihn auch mit der Aa.

Die weiße See, lett. Balt essars. Sie liegt im neuermühlenschen Kirchspiel, fast ganz in der aahofschen Gränze, verbindet sich mit der Stintsee, und giebt Hechte, Barsen, Brachsen, Weißfische, Plieten, Alante, Aale, Rothaugen, Gründlinge, Kaulbarbarschen, kleine Stinte, u. a. m. Sie ist eine halbe Meile lang und breit.

Die Jägelsche See hat ihren Namen von dem Jägelschen Bach, welcher diese See durchläuft, und mit der Stintsee Gemeinschaft hat. Sie liefert eben dieselben Fischarten. Ihre Länge beträgt etwa eine halbe Werst, die Breite eine Werst.

Die wendsche See, lett. Wendschessar, im aahoffschen an der wendenschen Landstraße, ist ziemlich fischreich, giebt auch Krebse.

Die Langsungssee unter Aahof, heißt auch Lantingssee, giebt Hechte, Barsen und andere Fische.

Noch liegen im Aahoffschen folgende Seen, die aber nicht sehr beträchtlich sind, als:

Die Duntsee, oder Dunesee, lett. Duna essar.

Flachsee, lett. Lina essar.

Attarsee, oder alter See.

Magstsee, oder Magsee.

Kreilsee.

Die Karwel, ein See, entspringt im Großjungfernhoffschen, und ergießt sich zwischen dem Hofe Kennewarden und dem Pastorat in die Düna. Sie hat hohe Ufer und hinlängliches Wasser. Im Herbst giebt sie Talmen.

Der Barsensee, lett. Asser essar, liegt etwa anderthalb Meilen von dem nietauischen Pastorat, und eben so weit von der attaschen Kirche am Wege, unterhalb eines Kruges. Er formirt ein paar Erdzungen, die mit Buschwerk bewachsen sind, und liegt sehr angenehm. Er liefert außer andern Fischen schöne Barsen.

Der Schmerdelsee, etwa eine Meile von Riga an der St. Petersburgschen Straße, zieht sein Wasser aus den nahgelegenen Morästen. Aus diesem

See

See kommt der neue Canal, der frisches Waſſer nach unſern Stadtgraben führt.

Der Putringſee, nicht weit von dem vorigen, iſt kleiner, hat auch ſeinen Zufluß aus Moräſten.

Der Slozenſee, iſt etwa eine halbe Meile lang, und etwas über eine Viertelmeile breit, er hat ſeinen Zufluß aus der Wehrſchuppe, einem Bach, der aus Curland durch Kronswälder ohngefähr eine Viertelmeile weit fließt, und aus dem Akke eſſar, einer kleinen See.

Der Petſcher See hat fünf Viertelmeilen im Umfange liegt auf der Gränze zwiſchen den Gütern Wattram, Kewel im Sonſelſchen, und Kaipen im Siſſegallſchen Kirchſpiel gegen Südoſt. Er hat wenige und nur die gewöhnlichen Fiſche.

Der Kangerſee auf der Sonſelſchen und Rodenpoisſchen Gränze, gegen Nordweſt, iſt anderthalb Werſt lang, und eine Werſt breit. Er ſtößt mit der einen breiten Seite an den Kangerberg, da, wo er am höchſten iſt.

Purſch eſſar im lemburgſchen Kirchſpiel, liegt im Moraſt, und hat über eine Viertelmeile im Umfange.

Aggas, ein See, gehört zu Lobbier und Inzeem, wo er Polzeem genennet wird, iſt dreyviertel Meile lang, und eine halbe Meile breit. Sie entſtehet aus kleinen Bächen bey Treyden, und liefert Hechte, Aale, Barſen und Brachſen.

Weißenſee, im Kirchſpiel Siſſegall, dicht unter dem Gute dieſes Namens, hat eine halbe Meile im Umfange. Er iſt ſehr verwachſen, und mit Holz und Wurzeln angefüllt. Er hat Barſen, Kadunen, Weißfiſche, Hechte, Karpfen, Schleyen, Quappen, Aalraupen, und andere Fiſche.

Im Wendenschen Kreise.
Flüsse und Bäche.

Die **Aa**, lett. Jaugha, ein ziemlich breiter
Strom, der aus einer Quelle im Pebalgschen, unter
einem Eichbaum, an einem kleinen Berge, auf welchem die Pebalgsche Hoflage Inzemberg liegt, entspringet, durch Heuschläge und Moräste schleicht, und
sich in den Pebalgschen See Sumaise ergießt. Nachdem sie diesen durchströmt hat, geht sie erst als ein
kleiner Bach, nachher durch sehr viele Zuflüsse aus
Bächen und Seen verstärkt, als ein Strom in vielen
Krümmungen durch die Kirchspiele Pebalg, Neuhof,
Tirsen, Palzmar, Adsel, welches sie von dem Kirchspiel Harjel scheidet, durch Luhde, Wolfart, Trika-
ten, Wollmars Kirchspiel, wo sie verschiedene starke
Fälle macht, durch Papendorf, Wendens Kirchspiel,
Treyden, Kremon und Neuermühlen, nimmt bey
diesem Laufe noch eine Menge kleiner Gewässer in ihren
Schooß, und ergießt sich einige Meilen nordwärts in
die Ostsee. Sie macht mehrere beträchtliche Fälle.
Der Fall nicht weit von der Kreisstadt Wollmar ist
wol der stärkste. Ein Flözrücken von Kalkstein, der
hier mit einemmal hervorraget, da der Boden weder
ober- noch unterhalb des Falles steinigt ist, sondern
eine befahrbare Tiefe hat, hat ihn gebildet. Die
Steinlagen dieses Flözrückens bestehen aus dicken Tafeln von mittlerer Größe, und gehen fast eine halbe
Werst weit. Sie liegen so regelmäßig über und neben einander, daß, wer den Gang und die Lagen dieser Steinart nicht an mehreren Stellen im Lande untersucht hat, glauben sollte, daß sie von Menschenhänden zusammengefügt seyn: dergleichen natürlichen
Steinbau aber, der die Kunst nachahmet, findet man
in Livland an vielen Orten in Flüssen und Bächen,

auch

auch hin und wieder auf dem festen Lande über und unter der Erde. Ein Fall, etwa drey Meilen von dem
Gute Absel, wird durch einen spitzig hervorragenden
Steingang veranlaßt, und ist desto gefährlicher, weil
dort die hohen Ufer den Strom in ein engeres Bette
zusammendrängen, und ihn sehr reißend machen, so
daß die Holzflösser bey etwas niedrigem Wasser leicht
scheitern, wenn nicht alle Behutsamkeit angewendet
wird. Vermittelst eines Durchbruches giebt er dem
Gute Aahof im Neuermühlenschen zwey Ufer. In
älteren Zeiten wurde dieser Fluß auch Thorvida genennet. Daß er vormals wenigstens unter dem ebengenannten Aahof einen andern Gang gehabt habe, das
beweisen Graben, die dort an verschiedenen Stellen
gefunden werden, und als verlassene Betten dieses
Stromes bekandt sind. An den mehresten Stellen hat
sie allerley Fische, an einigen auch Lächse, die zuweilen
aus der See hinaufsteigen, und im Herbst bey der
Zurückkehr gefangen werden.

Die Ewst ein ziemlich beträchtlicher Fluß. Sie
sammlet ihr Wasser aus der lubanschen See, und verschiedenen Seen und Bächen im wendenschen Kreise,
und wird dadurch so wasserreich, daß sie im Frühjahr
bequem für kleine Holzflösser wird. Sie bewässert und
befruchtet die Wiesen des sie einschließenden laudon-
schen Kirchspiels, das sie ganz durchfließt, so daß sie alle
Güter desselben berühret. Sie fällt bey der Ewstschanze, siebenzehn Meilen von Riga, in die Düna, wo
man sie eine gute Strecke durch ihr dunkleres Wasser
deutlich unterscheidet. Sie hat hohe Ufer; ihre Breite, die überhaupt nicht beträchtlich ist, ist sehr verschieden. Ihr Grund ist kiesigt, wenigstens an den
seichten Stellen. Einige große Steine und Geschiebe, auch Strudel und Untiefen, die steinigten
Grund

Grund haben, machen die Fahrt der Holzflößer, die
aus Livland und Neurußland, welche beide Provinzen
sie von einander trennt, nach Riga gehen, bey etwas
kleinem Wasser sehr gefährlich, daher die Abflößung
kostbar wird.

Die Oger, in ältern Zeiten Woga, auch
Wara, lett. Ohjere, entspringt im Eckhoffschen im
Kirchspiel Löser, macht dort die Gränze zwischen Lu-
bey in diesem, zwischen Fegen im Erlaschen, und zwischen Brinkenhof im Pebalgschen Kirchspiel, und fließt
dann ins Erlasche. Nachdem sie einen guten Strich
durch das Erlasche gelaufen ist, kehrt sie ins Pebalgsche zurück, wo sie die Gränze zwischen dem Gute
Teutschenbergen in diesem Kirchspiel, und Zirsten im
Erlaschen macht. Von Zirsten zieht sie weiter ins
Teutschenbergische Gebiet, und dann nach einem Laufe
von zwo Meilen wieder ins Erlasche Kirchspiel. Aus
diesem geht sie in verschiedenen Krümmungen durch die
Kirchspiele Linden, Sissegall und Lennewarden, und
fällt endlich zwischen diesem und Uexküll in die Düna.
Im Sommer ist sie an den mehresten Stellen, wenigstens die ich passiret bin, so seicht, daß man be-
quem durchfahren und durchwaten kann. Auf der
Straße nach Kokenhusen fährt man mit Wagen zwar
sicher hindurch, aber der Weg ist bey der ziemlichen
Breite, die der Strom hier hat, wegen der häufigen
Steinstücke äußerst beschwerlich. Am beschwerlichsten
macht ihn der starke Strom, mit welchem er hier in
die Düna stürzt, und der besonders bey Stürmen die
Fuhrwerke aufzuhalten scheinet. Man kann nicht gerade hindurch fahren, sondern muß wegen des starken
Wassersturzes über die Steine im Fahren einen Halb-
zirkel machen. Auch unter dem Schloß Erla ist er
im Sommer so seicht, daß man bequem hindurchgehen kann, dabey mit Kalksteinstücken wie mit einem

Stein-

Steinpflaster bedeckt; im Frühjahr aber ist der Strom
wegen des häufigen Zusturzes vom Wasser reißend und
äußerst gefährlich. Seine Ufer sind an den mehresten
Orten sehr hoch und steil.

Die Ammat kommt aus dem Schujenschen
Kirchspiel, durchfließt die Güter im arraschen Kirchspiel: Spahrenhof, Renzen, Rammelshof und
Schloßweuden, und ergießt sich bey Absitkrug an der
Wendenschen Landstraße in die Aa. Sie hat Lachsforellen, Schmerlinge, von außerordentlicher Größe,
und Krebse. Ihr Grund bestehet aus Kalksteinlagen,
die so eben über und neben einander liegen, wie ein
Estrich.

Die Bersonet kommt aus dem See Lippen
im Bersohnschen, geht durch das Calzenausche, und
fällt, nachdem sie sich mit dem folgenden Bach vereiniget hat, in die Arron, einen breiten Bach, der mit
ihr in die Ewst läuft.

Die Tellit kommt aus dem Bersonschen See
Tellesa, fließt durch das Kirchspiel Calzenau, und
fällt in die Bersonet, mit dem sie in die Ewst fließt.

Die Ismaet entspringt im Calzenauschen Kirchspiel zwischen Gebirgen, wird durch das Wasser aus
den Morästen und Heuschlägen vermehrt, und fließt
in die Wessat im Festenschen. Diese 3 Bäche geben
schöne große Krebse.

Die Sawide kommt aus dem Bersohnschen
See dieses Namens, läuft durch das Calzenauische,
und ergießt sich in die Wessat.

Die Schwirrei entsteht aus Morästen im Cal-
zenauischen, und fließt in die Wessat.

Wessat-uppe, ein Bach, der unter Festen
aus einer See gleiches Namens kommt, nimmt zwo
Meilen von seinem Ursprunge unter dem Hofe Saus-
ßen die Arron mit, fließt dann durch das Festelsche
und

und Calzenausche über drey Meilen fort, und ergießt sich endlich in die Ewst.

Aismat, ein Bach, entspringt im Fehtelschen aus Morästen, und fällt nach einem Laufe von zwo Meilen bey der Ewstschanze in die Düna.

Die Inzuppe entsteht aus Quellen im Fehtelschen, und ergießt sich nach einem Lauf von etwa einer Viertelmeile in die Aismat.

Odsuppe kommt aus der Odsensee im Calzenauschen Kirchspiel, geht eine Meile durch das Odsensche Gebiet, und fällt dann in die Perse.

Die Pelley entspringt aus einem Morast, im Calzenauschen, läuft zwo Meilen durch das Fehtelsche und Odsenseesche, und ergießt sich endlich in die Perse.

Die Perse, ein Fluß, entspringt im Saußenschen Walde Kahrbedsen im Kirchspiel Calzenau, fließt nach einem Laufe von einer Meile, an der Saußenschen Gränze ins Hirschhoffsche, dann ins Kokenhusensche, wo er sich zwischen den hohen steilen Gebirgen windet, das ehemalige Schloß dicht vorbeyläuft, und sich dann in die Düna ergießt. Bey seiner Mündung ist er mit Kalksteinstücken angefüllt, und im Sommer ganz trocken.

Die Arron entspringt im Calzenauschen Kirchspiel aus Morästen, fließt zwischen der Festenschen und Sausenschen Gränze unterhalb diesem Hofe in die Wessat, mit der sie in vielen Krümmungen durch das Laudohnsche geht, und dort in die Ewst fällt.

Die mehresten dieser zwölf Bäche liefern Krebse, Lachsforellen, Schmerlinge, Bärse, Hechte, Quappen und andere Fischsorten.

Laudoning uppe entspringt aus dem Ubbinksee im Laudohnschen Kirchspiel, fließt durch das Gebiet des Gutes Laudohn, und ergießt sich in die Ewst.

Die

Die **Kuye**, ein Fluß, der aus der löserschen See unter dem Hofe entspringet, dann durch das Gravendahlsche, Alt-Geistershofsche, Seswegensche, Alokhjesche und Libbiensche Gebiet fließt, und im Lauzohnschen in die Ewst fällt. Ihr Lauf durch das Seswegensche Kirchspiel beträgt bis fünf Meilen.

Die **Leede**, ein Fluß, entspringt im Schwaneburgschen, fließt über drey Meilen durch das Selsauische im Kirchspiel Seswegen, geht dann weiter und fällt im lubahnschen in die Ewst.

Der **Seswegensche Bach** entspringt im Ohlenhofschen, fließt bey der Appelthenschen Hoflage und einige Seswegensche Bauergesinder vorbey, und ergießt sich unweit dem Gute Seswegen bey dem Gesinde Kikut in die Kuye. Sein Lauf beträgt über anderthalb Meilen. Er versorgt das Hauptgut und das Pastorat einzig und allein mit Wasser.

Die **Apping** uppe im Seswegenschen kommt aus der Kaulaz essar, geht längs dem Gravendahlschen Fokkumkrug, fließt durch die Djehrbe essar nach dem Bußkowknschen Pontuskruge, und fällt nicht weit von demselben bey einem Seswegenschen Bauergesinde Bebbre in die Kuye. Ihr Lauf beträgt etwa anderthalb Meilen.

Die **Urdau** entspringt im löserschen Kirchspiel aus einem Eckhöffschen Morast, fließt etwa eine Meile weit, längs Kerstenbehn, durch das Alt-Geistershofsche Gebiet, und fällt hinter dem dazugehörigen Tellastkruge in die Kuye.

Die **Lahzir** entspringt im Neu-Geistershoffschen aus einem Berge, läuft längs dem Hofe Alt-Geistershof und dem Seswegenschen Gesinde Grubbe, und fällt unterwärts Gravendahl in die Kuye. Ihr Lauf beträgt etwa eine Meile.

Die

Die **Arre** entspringt aus einem Bauerheuschlage im Neu-Geistershoffchen, fließt längs dem Seswegenschen Akminkrug, und fällt jenseit des zu Seswegen gehörigen Gesindes Ahreskreewe in der sogenannten Kimmen in die Kuye.

Die **Libbur** kommt an der libbienschen Gränze im Seswegenschen aus einer Quelle, fließt längs dem Hofe, über die Kokenhusensche Straße, und fällt, nachdem sie durch die Jsche See geflossen, im Heydenfeldschen in die Kuye.

Die **Sihle** kommt aus dem Taunesee im Pebalgschen, läuft etwa tausend Schritte fort, und ergießt sich in den See Jemes.

Die **Laskate**, ein kleiner, sich schlängender Bach, entspringt aus einem Pebalgschen Morast, und fällt gleichfalls in den See Innes.

Die **Pebalsite**, ein Bach. Er entspringt aus einem Morast bey dem Schlosse Pebalg, bewässert die Schloßheuschläge, macht darauf die Gränze zwischen Pebalgshof und dem Pastorat, schleicht sich dann nach einem Lauf von einer Viertelmeile bey den Pastoratsländereyen in die Taune.

Die **Tirse**, ein ziemlich beträchtlicher Fluß entspringt aus der Krepschen See im Pebalgschen Kirchspiel, fließt etwa acht Meilen, nimmt auf ihrem Wege zween Bäche, die Willaun und die Essant, mit sich, und ergießt sich bey dem Gute Aahof im Schwaneburgschen in die Aa. Ehemals war sie wegen ihrer Perlenmuscheln berühmt, die jetzo selten gefunden werden.

Leedesuppe. Sie entsteht im Pebalaschen aus Morästen, wendet sich nach dem Leedeskruge, und fällt dann in die Brinkenhoffsche See.

Die **Sustele**, ein Bach, bis drey Faden breit, fließt aus der Brinkenhoffschen See, schlängelt sich

durch das Pebalgsche, nimmt die Pebalgsche Muischas uppe mit sich und fällt in die Oger.

Dsehrwith, ein Bach, nur etliche Schritte breit,
kommt aus dem See Pamaurs im Pebalgschen, fließt zu
der Pebalgschen Hoflage Nagelshof, von da fällt er,
nachdem er den Bach Sinnepith aufgenommen hat,
auf dem sogenannten Labza Lukſten in die Oger.

Aß uppe kommt aus einem Moraſt Rekſtu-
purws, und fließt auf der Gränze zwischen Pebalg,
Eschenhof und Schujen in die Aa.

Anzena uppe kommt aus Palscha purws im
Pebalgschen, und geht in die Aa.

Tulleja kommt aus dem Dehlu purws im Pebalgschen, macht die Gränze zwischen Grothusenhof
und Hohenbergen, und geht in die Aa.

Aiſſihada, ein Bach im Pebalgschen, kommt aus
den Grothusenhoffschen Hofsmoräſten, und geht bey
dem Bauren Skannul in die Tirſe.

Die Wallole, ein Bach, entspringt aus einer
zu Erla und Jummerdehn gehörigen See, und fällt
nach einem Lauf von einer Meile in die Oger.

Die Salte uppe fließt aus dem Sallaysee im
Kirchspiel Feſten, zieht durch verschiedene Krümmungen und fällt eine halbe Werſt von ihrem Ausfluſſe in
die Weſſat.

Der Knil, ein Bach, entspringt im löserschen,
vereiniget sich bey löser ganz nahe unter dem Hofe mit
der löserschen See, gehet durch das Kirchspiel, bey
Grävendahl im Seswegenschen vorbey, durch das
laudohnsche, und fällt endlich bey Seikau in die Ewſt.

Die Raune, ein kleiner Fluß, der im Ram-
melshöfschen im Kirchspiel Atrasch seinen Ursprung
aus einem Moraſt nimmt, fließt Weselshof und New-
hof im Ronneburgschen Kirchspiel, auch den Paſto-
rats-

ratsbauren Pinder vorbey, und fließt in den Ron-
nebach.

Der Rammenhoffsche Bach entspringt aus
einem Sandgebirge in dem Gebiete des Gutes Ram-
menhof, etwa eine halbe Werst von der Wendenschen landstraße, geht eine gute Strecke unter der Erde
fort, und kommt bey dem Kruge wieder hervor, wo
sein Wasser auch in heißen Tagen sehr kalt und klar ist;
gleich darauf fängt er an breiter zu werden, läuft queer
über die landstraße weg, und ergießt sich eine halbe
Meile von derselben in die Aa.

Die Skunbega, ein Ausfluß aus einem See
im Serbenschen, Juwar, in die See Dscherbene,
fließt von Nordwest nach Süden krumm hinum.

Die Laujas uppe, ein Flüßchen, das im Serbenschen aus Niedrigungen und Morästen entstehet,
fließt von Westen nach Osten, und fällt in den Bach
zwischen der Dscherbene und dem Pupinsee.

Die Negrathne ist nur ein kleines Strömchen, welches zwischen Freudenberg und Weißenstein
oder lodenhof im Wendenschen Kirchspiel in den folgenden Fluß fällt.

Woiwa. Er entspringt aus einem See gleiches Namens im Rammelhöffschen, scheidet Weißenstein und Freudenberg von einander, treibt eine schöne
Weißensteinsche Mühle, und ergießt sich zuletzt west-
wärts in die Aa.

Ridsehna, ein mäßiges Strömchen, das sich
in den vorigen ergießt.

Waize, ein kleiner Strom, der aus dem Wal-
dussee im Papendorffschen Kirchspiel entspringt, und
bey dem lenzenhoffschen Prahm in die Aa fällt.

Die Saltuppe, ein Flüßchen, das bey dem
Wendenschen Schloßbauren Benze aus einem Sand-
hügel entspringt, und sich in die Aa ergießt.

Die

Die Sintuppe, ein Bach, der aus der arraschen See kommt, den Dubinskyschen Rauschekrug vorbeyfließet, und sich endlich in die Aa ergießet. Er giebt viele Krebse und Schmerlinge.

Die Plebsuppe, ein mäßiger Bach, der die Wendensche Stadtmühle vorbey fließt, und nachher in die Aa fällt.

Kummada und Pehrsuppe, zween kleine Ströme, die in die Ammat fallen.

Lehzuppe und Treezuppe, zween kleine Bäche, welche ihren Einfluß in die Aa haben.

Der Ronne= oder Raunebach entstehet theils aus einem Ausfluß des Flusses Raune im Ronneburgschen, theils aus einem Ausfluß des Spandersees im Serbenschen: Sproschu uppe. Nachdem beide Ausflüsse sich bey dem Schanzberge Tannisa kales vereiniget haben, gehen sie als ein Bach durch das ronneburgsche Hackelwerk. Der Bach geht endlich, nachdem er mehrere Gewässer des wendenschen Kreises mit sich genommen hat, in die Aa. ließ. Topogr. 3. Th. S. 157. Er macht die Gränze zwischen lindenberg und Freudenberg. Er hat dem ehemaligen Schloß Ronneburg oder Rauneburg den Namen gegeben. Von diesem hat unsere rigische Rauenspforte den Namen.

Die Allanite entspringt auf der Gränze von Kayenhof und Erla aus einem Morast, macht die Gränze zwischen Pebalg und Erla, und ergießt sich in die Oger.

Seen.

Damen, ein stehender See, etwa eine Viertelmeile lang, und eine halbe Werst breit, im Kalzenauschen Kirchspiel. Er hat einen Ausfluß in den Wessatstrom. Er kann nur mit Körben befischt werden, und

und liefert Hechte, Radauen, Barse und Schleyen. Sonderbar ist es, daß der Genuß der Fische aus diesen See Schwindel verursachet.

Die **Wehsau**, ein See, eine halbe Werst lang, und ebenfalls so breit, hat einen Einfluß aus dem Marzenschen See Rundsin, und fließt ab in den Arronfluß.

Puddel, eine halbe Werst lang und ein paar hundert Schritte breit, hat einen Ausfluß in die WehsauSee, hat Brachsen, Schleyen u. a. Fische.

Allwit, etwa dreyhundert Schritte lang und halb so breit, fließt aus Morästen, und ergießt sich in den Wessatfluß. Er liefert Barsen, Schleyen und Karauschen.

Tulmusch hat keinen Einfluß, sondern sammlet sein Wasser aus seinen eigenen Quellen. Er hat einen Ausfluß in den Odsenschen See. Die Fischforten sind Hechte und Radauen.

Die **Liedaz** ist dreyhundert Schritte lang und halb so breit. Sie hat keinen Zufluß; ein Ausfluß geht in den Odsenschen See. Sie hat nur Barse.

Die **Asser** ist etwa fünfhundert Schritte lang, aber sehr schmal, hat keinen Einfluß, fließt ab in den Odsenschen See. Sie hat Hechte und Radauen.

Die **Wainiz**, ein runder See, sammlet sein Wasser in seinem eigenen Schooß; sein Ausfluß geht in den Odsenschen See.

Bebbrule, gegen zweyhundert Schritte lang, und eben so breit. Er fließt ab in den Wessatfluß. Die Fische sind Hechte und Barse.

Die **Odsen**. Sie ist etwa eine halbe Meile lang, und eine Werst breit. Ihren Einfluß hat sie aus den angezeigten Seen; der Ausfluß geht in den vorangezeigten Persefluß. Sie hat dem Gute Odensee den

Namen

Namen gegeben. Sie hat Hechte, Barsen, Schleyen, Aale, Quappen, Rabauen u. a. Fische.

Saussen unter dem Hofe dieses Namens ist nur klein, und fließt ab in den Wessatfluß. Er liefert Hechte, Barsen und Karauschen.

Die Ikfit hat keinen Einfluß, ist etwa eine halbe Werst lang, und sehr schmal; sie fließt in den folgenden.

Die Sohsen, ist etwa fünfhundert Schritte lang, und halb so breit, hat keinen Einfluß, und fließt ab in die nahe dabey liegende Siclaisch. Sie ist verwachsen wie die vorige; und daher schwer zu befischen. Ihre Fische sind: Hechte, Barsen und Brachsen.

Die Blohdan, ein kleiner See, der in den vorigen abfließt, ist mit Moos verwachsen. Er hat Hechte und Barsen.

Die Siclaisch, ist etwa eine Viertelmeile lang, und eine gute Werst breit, fließt aus dem Sohsensee, und geht ins Tolckenhoffsche. Sie hat Hechte, Brachsen, Barsen und Rabauen.

Diese Seen fließen alle im Kalzenauschen Kirchspiel.

Die Lubahnsche See liegt an der Gränze von Livland und Neurußland, die sie von einander scheidet, und berührt blos mit ihrem Ende den wendenschen Kreis bey Lubahn. Sie ist etwa sechs Meilen lang, und zwo breit, nicht sehr tief, aber sehr fischreich, und liefert Hechte, Barsen, Wemgallen, Aale, Brachsen und Sandaten. Die Ewst erhält aus ihr einen Theil ihres Wassers.

Die Ohzemsche See, unter dem Hofe dieses Namens im Laubohnschen Kirchspiel, hat einen Umfang von ohngefähr zehn Wersten.

Die

Die Duhke See und die Drizsche See, beide eine Meile lang, gehören zu Laudohn.

Die Sawenseesche See, unter dem Gute Sawensee, hält sieben Werste im Umkreise.

Die Abuikfee unter dem Hofe Toßen, ein paar Werste lang, und vier Werste breit.

Diese Seen im laudohnschen Kirchspiel versorgen ihre Gegend mit den gewöhnlichen Fischen.

Die Mahlzat, eine halbe Werst lang, aber schmal, kommt aus dem See Taleja; ein Ausfluß von ihr geht in die Behrsonet, im Bersohnschen Kirchspiel.

Die Weesche in eben diesem Kirchspiel ist eine halbe Meile lang, und eine Viertelmeile breit. Sie hat einen Ausfluß in die Lüdersche See.

Wirkstens und Bersche, zwo kleine Seen, welche ihre Ausflüsse in die Behrsonet haben.

Niggaft, eine halbe Werst lang und schmal, hat einen Ausfluß in die Lüdersche See.

Deklam, ein See, der einen Ausfluß gleiches Namens hat, der in die Arron geht.

Alle diese Bersohnsche Seen haben Hechte, Barsen, Brachsen, Weißfische u. a. Fischsorten.

Duhkste, ein See auf der Gränze zwischen dem Bersohnschen und Laudohnschen Kirchspiel, ist eine halbe Werst lang und breit; ein Ausfluß aus demselben, Naffale, fällt in die Laudohnet.

Swehders, ein Gränsee im Behrsohnschen Kirchspiel, eine Werst lang, und eine halbe Werst breit. Sie hat einen Ausfluß, der Sweht uppe genennet wird, und in die Laudohnet fließt.

Spridsan, auf der Gränze von Kalzenau, eine halbe Werst lang und breit. Aus dieser geht ein Ausfluß Starpe zur Kalzenauschen Mühle.

Wirran

Wirran Essars, eine halbe Meile lang, und etwa eine Viertelmeile breit, ist die fischreichste See im Seswegenschen Kirchspiel, hat Hechte, Barsen, Weißfische und andere.

Jukkan Essars hängt mit dem vorigen zusammen, ist doch etwas kleiner. Seinen Namen hat er von den umherliegenden Butzkowskyschen Gesindern: Willum Jukkan, Meschu Jukkan, Jahn Jukkan und Jur Jukan.

Kaulaz Essars gehört zu Gravenbahl im Seswegenschen, und ist von geringem Umfange, hat vortreffliche Karauschen, aber sehr wenig andere Fische. Den Namen hat er von den dabey liegenden Gesindern Peter Kaulaz und Andres Kaulaz.

Dsehrbe Essars gehört zu Seswegen, hat einen Umfang von etwa einer Werst, und liefert etwas Hechte und Barsen. Das daran stoßende Land Dsehrbe giebt ihm den Namen.

Die Oronhoffsche See im Seswegenschen ist etwa eine Werst lang, und eine halbe Werst breit, hat Hechte, Barsen und Weißfische.

Das Kirchspiel Pebalg hat folgende Seen.

Allukste, ist eine Meile lang, und eine halbe Meile breit. Durch diese See geht die Aa, nachdem sie die kleine See Sumaise bey dem Pebalgschen Bauren Meiren verlassen hat, und eine halbe Werst fast unsichtbar fortgeschlichen ist.

Die Innes ist eben so groß, wie die vorige, hat sieben Inseln, die alle mit Strauch bewachsen sind. Sie ist von den Ländereyen des Pastorats und der Pebalgschen Bauren eingeschlossen. Sie hat Brachsen, die fast so gut als die Burtneckschen sind, aber nicht alle Jahr gefangen werden, außerdem Hechte, Barsen, Rabauen und Aale. Nicht weit von dem Hofe Pebalg hat sie einen Ausfluß, der drey Faden breit ist,

und

und Muischbas uppe genennet wird, sich, indem er
den Hof vorbeyfließt, ansehnlich ausbreitet, jenseit
des Hofes eine Mühle mit zween Gängen treibt, und
sich eine Werst davon in die Sustel ergießt. Dieser
Ausfluß liefert Aale. In diese See ergießen sich
zween kleine Bäche.

Die Taune ist etwa zwo Werst lang, und fast
so breit, verwächst immer mehr und mehr, und kann
wegen der vielen Unreinigkeiten, die er bey sich führt,
nicht befischt werden; doch ziehen die Bauren um Johannis Karauschen daraus, die so groß sind, wie
Brachsen. Er wird von den Ländereyen des Pastorats und der Pebalgschen Bauren eingeschlossen.

Krepschensee, im Hohenbergenschen, hat wenig
Fische. Er ist deswegen merkwürdig, weil der ansehnliche Tirsenfluß seinen Ursprung aus demselben nimmt,
an welcher Stelle das Wasser so schmal ist, daß man
leicht darüber wegspringen kann.

Nedse, ein See bey dem Pebalgschen Bauren
Brehsik, und dem Teutschenbergenschen Sahwa, hat
eine halbe Meile im Umkreise, und liefert Hechte,
Barsen, Rabauen, und verschiedene andere Fischarten.

Der Brinkenhoffsche See gehört auf einer
Seite Brinkenhof, auf der andern Seite Pebalgschen
Ländereyen, und hat Hechte, Barsen, Rabauen und
Schleyen.

Sullo, ein See, zwischen den Bauren Wahs-
Wehwer und Schohlen, wird nicht befischt.

Die Pahrwite, nicht weit von dem Brinkenhoffschen Bauren Ilsit, wird selten befischt. Ein kleiner Bach gleiches Namens fließt aus diesem See, und
fällt in den Bach Sustele.

Wirrohl bey dem Pebalgschen Bauren Wirrohl Wehwer, wird nie befischt.

D 5 Soh-

Sohbul im Pebalgschen Bauerlande, eine Werst lang, und eben so breit, liefert Hechte, Barsen und Radauen. In diesen See geht ein Bach, der aus dem Eschenhofschen Bach Bumbe kommt, und Skaun uppe genennet wird. Dieser geht auch wieder aus, und fällt in die Birsuppe, die aus einem Pebalgschen Morast kommt, und in die Luhdsche See fällt.

Die Pamaurs, im Pebalgschen, hat nur Hechte.

Rohzemlhs hat keine Fische. Aus diesem See kommt der Bach Sinnepiht, der nach einem kurzen Lauf in die vorbenannte Dserwith fällt.

Der Nerpensbergsche See, lett. Laimanna muischas Essars, nahe am Hofe Nervensberg, liefert Hechte, Barsen, Radauen und Schleyen. Aus diesem See fließt die Rissette, ein Bach, drey Faden breit, der im Pebalgschen in die Oger sich ergießt.

Rabbeyk, ein stehender See, ist vom Pebalgschen und Nervenshoffschen Gebiete umgeben, und hat wenig Fische.

Mehsche Lahzits Essar hat Hechte, Barsen, Radauen und Schleyen. Aus diesem fließt der Bach Anthenite, welcher im Pebalgschen Gebiete in die Oger fällt.

Laidse, ein kleiner See, nahe bey dem Pebalgschen Bauren Reddin, verdienet deswegen bemerkt zu werden, weil die Aa nicht weit von ihrem Ursprunge durch ihn fließt.

Birsul, oder Ilsen essars, im Grothhusenhofschen unweit des Bauren Ilsen, hat zwar Fische, ist aber schwer zu befischen.

Straits, ein stehender See, gehört halb zu Pebalg, halb zu Neuhof.

Die Cavershoffsche See, im Kirchspiel Neuhof, eine Werst lang.

Die

Die Brizzesee, eben so lang, in demselben Kirchspiel. Beide haben Hechte, Barse, Aale, Karauschen, Dünkarpen, Bleyer und andere Fische.

Die Ackensche oder Pulgasssche See, etwa
eine Viertelmeile lang, und eine Werst breit, gehört
zu Erla.

Die Jummerdensche See unter dem Gute dieses Namens, ist etwa zwo Werste lang und breit.

Die Wessat, im Festenschen Kirchspiel, ist eine
kleine halbe Meile lang, und eine halbe Werst breit.
An ihrem breiten Ende, zwo Werst gegen Nordwest,
fließt die Wessat uppe heraus. In diesem See sind
drey Hölmer oder Inseln: Gustavsholm von etwa
24 Lof Aussaat, auf welchem ein englischer Garten
ist; Catharinenholm ist nur klein, und gehört zu
Festen; Friedrichsholm von 30 Lof Aussaat, gehört
zu Tolckenhof, und ist mit schönen Eichen bewachsen.
In diesen See fließt von Norden die Salt uppe, und
von Nordwest die Blode uppe ein. Der See giebt
Brachsen, Hechte, Karauschen, Aale, Radauen,
Bleyer, Weißfische.

Die Sallaysee, ist sechshundert Schritte lang
und breit. In diesen See fallen, aus Norden die
Smerdel uppe, die aus einem Morast kommt; aus
Osten die Jlsing uppe.

Die Weesche See, eine kleine Meile lang, und
eine Viertelmeile breit, hat verschiedene kleine Ein-
und Ausflüsse. Sie hat Brachsen, Barsen, Radauen, Bleyer und Weißfische.

Die Fallaysee, etwa fünfhundert Schritte lang
und breit. Der Einfluß in diesen See entstehet aus
zween aneinanderhangenden Seen: die große und die
kleine Jlsit. Der Einfluß ist gegen Norden; der Ausfluß gegen Westen. Die Fallay uppe, der Ausfluß,
fällt nach einigen Krümmungen, und nachdem sie die
Grän-

Gränze zwischen Versohn und Festen gezogen hat, in die Sahwissee. Die Fallaysee hat Hechte, Barse und Weißfische.

Die Sahwissee ist etwa tausend Schritte lang, dabey rund. Der Ausfluß Sarwis uppe gegen Südwest nach der Versohnschen Gränze hat sehr große Brachsen.

Die Sillaksee, im Kirchspiel Festen, ist eine Viertelmeile lang, und eine halbe Werst breit. Sie gränzt gegen Süden mit dem Gute Saußen. Ihr Einfluß kommt aus der Erlaschen, mit Festen gemeinschaftlichen See Laikar, und der Ausfluß, die Sillak uppe aus Nordwest, fällt in einen kleinen See Russe. Die Sillak hat Barse und Brächsen.

Die Wiarssee bey dem Hofe Festen ist deswegen zu bemerken, weil ehemals an dieser Stelle ein starker Tannenwald gewesen ist. Noch jetzo findet man allenthalben in diesem See große Fichtenbäume. Dieser See hat weder Ein noch Ausfluß, woraus desto deutlicher zu sehen ist, daß vor Zeiten diese Gegend eine starke Revolution erlitten habe. Sie ist länglicht rund, und hat schöne Fische. Ihr Umfang beträgt etwa eine Viertelmeile.

Die Luder, ein stehender See unter dem Gute Luder im löserschen Kirchspiel, dem sie den Namen gegeben hat, ist von ziemlich beträchtlicher Größe.

Noch sind in diesem Kirchspiel folgende stehende Seen:

   unter löser:

     die Gehser.

     Garschau.

     Blucke.

unter Meselau:
die Gulber
Uhber
Rufins } sind ziemlich beträchtlich.
Golwin
Wilzins

unter Eckhof, Eckauhof, auch Eckau:
die Silluk
Alstins.

unter Luban:
die Weslau.

Die Arrasche See, eine stehende See, dicht unter dem Pastorat Arrasch. In ihrer Mitten liegt eine kleine Halbinsel, die mit Bäumen bewachsen ist; gegen die Ruinen des alten Schlosses formirt sie eine Halbinsel, welches der Gegend eine sehr angenehme Aussicht macht. Sie ist ziemlich fischreich; doch wegen der vielen Tiefen schwer zu befischen.

Die Dsehrbene, ein stehender See, etwa dreyhundert Schritt vom Serbenschen Pastorat, gegen Südost, ist etwa fünfhundert Schritte lang, und eilf bis zweyhundert Schritte breit. Sie hat wahrscheinlich dem Gute Serben den Namen gegeben. Sie liefert Hechte, Brächsen, Barsen, Bleyer, Schleyen und andere Fische.

Die Seedne, ein See, dicht unter dem Serbenschen Pastorat gegen Osten. Er ist bis dreyhundert Schritte lang und breit.

Der Festensche Mühlensee. Er entspringet, oder hat wenigstens Gemeinschaft mit verschiedenen Seen und Wassersammlungen, die sich zwischen den dortigen Gebirgen in Menge schlängeln, und in einander ergießen. Bey dem Hofe Festen, wo dieser See eine ziemliche Breite hat, treibt er eine Mühle. Auf die

dieſem See ſahe ich im Sommer 1780 .eine kleine
ſchwimmende Inſel, die ſich ſchon ſeit ein paar Jahren gezeiget hatte.   Sie war nur klein, und möchte
etwa die länge von zwanzig, eine Breite von zehn
Schritten haben.   Sie trug grobes Binſengras und
etwas dürres Strauchwerk.   Ihre Entſtehung war
leicht zu entdecken. Von dem moraſtigen leimichten Ufer
riſſen ſich, wie man beutlich ſahe, hie und da mit Gras-
bewachſene Erdſtücke los.   Im Frühjahr, da das
Waſſer aus ſeinen Ufern tritt, kann ein heftiger Wind,
vom reißenden Strom und Bergfluthen unterſtützt,
leicht größere Erdſchollen abreißen, und in den Strom
führen.   Eine größere ſchwimmende Inſel kommt bey
der Jägelſchen See im dörptſchen Kreiſe vor.

Maſſum, ein See im arraſchen Kirchſpiel,
wird von Schloßwenden befiſcht.   Sie liegt bey dem
Freudenbergſchen Geſinde Slawwecke, und iſt etwa
eine Werſt lang, und eine halbe Werſt breit.

Wecke im Arraſchen, gehört unter Schloß-
wenden.

Garrais, Wikeneja und Sehkene im Arraſchen.

Nienera im wendenſchen Kirchſpiel, wird mit
dem Gute Duckern gemeinſchaftlich befiſcht.   Sie iſt
etwa eine Werſt lang und breit.   Aus dieſer fließt ein
Bach, der nach einem lauf von etwa drey Werſten
in die Aa fällt.   Sie entſteht aus moraſtigen Quellen.

Melloſſar im wendenſchen und Raudin im arraſchen Kirchſpiel.

Im Wolmarſchen Kreiſe.

Flüſſe und Bäche.

Die Salis, lett. Sallaza, ein kleiner Strom,
entſpringt zwo Meilen von Salisburg.   Sie nimmt
einen

Theil ihres Wassers aus dem Burtneckschen See, und
ergießt sich bey Salis in den rigischen Meerbusen, wo
ihre Mündung einen kleinen Hafen macht. An eini=
gen Stellen hat sie bis dreyßig Fuß Tiefe, da man
an andern durchreiten, ja durchwaten kann, weil sie
durch Wöhren verschlemmt ist. In der Gegend von
Salisburg ist sie eben nicht fischreich. Man findet
Hechte darin, aber nicht häufig. Der Fisch, der
hier im Frühjahr besonders häufig ist, ist die Wem=
galle, deren in glücklichen Jahren in einer Nacht zwey
bis dreyhundert in die Säcke laufen. Außerdem
kommen auch im Sommer schöne Aale aus dem Burt=
neckschen See in die Wöhren, doch nicht in großer
Menge. Der an ihrer Mündung häufig vorkommen=
de Lachs stattet hier niemals einen Besuch ab, so we=
nig wie dessen übrige häufige Seefische. Sie hat ge=
birgigte Ufer, in welchen verschiedene Höhlen sind.
Eine, nahe bey Salisburg, führt durch einen schmalen
und niedrigen Gang zu einer Grotte, die aus weichem
Sandstein bestehet, sehr hoch ist, und einen Umfang
von zehn Schritten hat. Die Decke dieser Höhle hat
eine Dicke von drey Faden.

Die Ighe, oder Iddel, im allendorffschen Kirch=
spiel, kommt aus den lapjerschen Heuschlägen im dickelschen
Kirchspiel, fließt durch die Puikelsche Hofs= und Bau=
renheuschläge auf die orgishoffsche Mühle, und dann
die orgishoffschen und eichenangernschen Heuschläge
vorbey, und ergießt sich dann in die Salis. Sie lie=
fert Hechte aus.

Karrog urge, ein Flüßchen in eben diesem
Kirchspiel, kommt aus den Gogel=Heuschlägen, und fällt
in die Salis. Sie giebt Hechte.

Der dickelsche Bach kommt theils aus der bau=
gelschen See im roopschen Kirchspiel, theils aus Mo=
rästen, geht ins dickelsche Kirchspiel, läuft dessen Pa=
storat

storat dicht vorbey, und fällt in den sternhoffschen Bach im Burtneckschen Kirchspiel. Er liefert Hechte, Barsen, Schleyen, Turben, auch zuweilen, doch selten, Schmerlinge.

Der Roperbecksche Bach im roopschen Kirchspiel, fließt Wainsel, Rosenbeck und Klein-Roop vorbey, und fällt zwischen der großroopschen und breidenschen Gränze, wo er die Brassel genennet wird, in die Aa. Er giebt Hechte, Barsen, Schleyen, und zuweilen, doch selten, einen Lachs aus.

Die Griewe uppe, ein mäßiger Bach, entspringt aus einem Morast bey Mojahn, und treibt eine Mühle.

Die Tilgal uppe, ein kleiner Bach, macht die Gränze zwischen den Gütern Mojahn und Kockenhof.

Meegu, ein kleiner Bach, entspringt sechs Werste vom Hofe Muremois jenseit der Aa aus einem Morast, und fließt sieben Werste von diesem Hofe in die Aa.

Der wredenhoffsche Bach fließt aus dem papendorfschen Kirchspiel in das burtneckfche, scheidet dasselbe von dem dickelschen Kirchspiel, und macht unter dem Gute Wredenhof die Gränze zwischen den Kirchspielen Burtneck und St. Matthäi, geht darauf über die revalsche Landstraße, und ergießt sich endlich nach einem Laufe von anderthalb Meilen hinter Wredenhof, unter dem Hauptgute Burtneck in die Burtneckfche See. An einigen Stellen ist er schmal und seicht, an andern bis drey Faden breit, und drey Faden tief. Er ist ziemlich ergiebig, und liefert Hechte, Barsen, Rabauen oder Rothaugen, Krebse, und eine Art kleine Muränen oder Rebse.

Die Rammat, die Kirrel und die Ige, drey kleine Bäche im salisburgschen Kirchspiel, welche in die Salis fallen.

Der

Der **Layes Dambe**, ein kleiner Mühlenbach, geht etliche allendorffsche Bauergesinde vorbey, und er gießt sich in die Pyrkelsche Mühlenstauung.

Seen.

Der **Burtneckfche See** wurde sonst Bur, auch Beveerin, lett. Aftijärw genennet. Er ist fast zwo und eine halbe Meile lang, und von Duhrenhof bis Bauenhof fast eine Meile breit. In diesen See fällt der wredenhoffsche Bach, und noch fünf bis sechs unbedeutende Bäche. Ihr Ausfluß ist die vorgenannte Salis. Am östlichen Ufer ist er bis auf eine Werst sehr seicht; seine größte Tiefe beträgt nur vier Faden. Der Augenschein zeiget es deutlich, daß er in vorigen Zeiten, insonderheit in der Gegend von Duhrenhof bis an das burtneckfche Pastorat, auch an dem Schlosse, wo er mit hohen Ufern umgeben ist, und ein sandiges Grundbette hat, weit höher gewesen sey, als jetzo. Auch zu unsern Zeiten bemerkt man, daß er immer mehr abnehme; denn etwa um das Jahr 1740 stand das Wasser bis an den Fuß des Berges, auf welchem die Kirche und das Pastorat stehen; er ist aber seit der Zeit so merklich verkleinert, daß er jetzo mehr als dreyßig Schritte davon entfernet ist. Der See liefert Hechte, Barsen, Rabauen, Brachsen, Sandarts und Aale, die aus der Salis hinaufsteigen. Aeußerst selten kommt ein Lachs aus der Mündung der Salis in diesen See. Daß er aus dem großen Morast Tyrel im Wolfartschen, durch die Sedde in sein gegenwärtiges Bette abgeflossen sey, ist aus Traditionen bekandt. Auch von diesem See erzählt das Gerücht, daß ein Schloß darin versunken sey.

Purre essar, ein See unter Pujkel im allendorfschen Kirchspiel, liegt bey einem mit Tannen bewach-

wathsenen Moräst, und ist etwa eine Viertelmeile
lang, und eine halbe Werst breit. Er liefert kleine
Brachsen.

Die **Lahtschiz-See** bey **Lahtschiz-Gesinde**,
unter dem vorgemeldeten Gute Puikel, ist eine Werst
lang, und eine halbe Werst breit. Die Fischsorten,
die sie ausgiebt, sind Hechte, Barsen, und andere
gewöhnliche Fische.

Swehtas essars, die heilige See, im allen
dorffschen Kirchspiel. Die Bauren in dieser Gegend
haben ihm diesen ungereimten Namen gegeben, weil
sie seine Tiefe nicht haben ergründen können. Er liefert Hechte und Barsen.

Die **Zochrosensche See** im roopschen Kirchspiel,
hat fast eine Meile im Durchschnitt, und ist die gröss-
te in diesem Kirchspiel. Sie giebt Hechte, Barsen,
Karauschen und andere gewöhnliche Fische aus, doch
nur mäßig.

Die **Orellensche See,** unter Orellen in eben
diesem Kirchspiel, ist vier Werste lang, und ohngefähr eine halbe Meile breit. Sie hängt mit der Aus-
zemschen See zusammen, und diese mit der Rais-
kumschen, dicht unter den Gütern dieser Namen, die
eine Meile von der Stadt Wenden jenseit der Aa liegen. Alle drey Seen geben Hechte, Barsen, Karauschen und andere Fische.

Die **Rirmalsche See** im Kirchspiel Salisburg,
ist nur klein.

Die **Rammat,** die **Rirrel** sind kleine Seen in
eben diesem Kirchspiel, die in die Salis abfließen.

Noch sind in diesem Kreise verschiedene stehende
Seen, die keine Namen haben, als:

Unter **Nurmus,** eine kleine See im rujenschen
Kirchspiel, die Karauschen hat.

Unter

Unter Ohlershof und Karrishof in demselben Kirchspiel, eine, die Hechte und Barsen giebt.

Sieben Seen im dickelschen Kirchspiel unter Lapier welche Hechte, Barsen, Schleyen, Turben und Karauschen liefern.

Im Walckschen Kreise.

Flüsse und Bäche.

Die Sedde, ein Fluß, der eine halbe Meile von der Gulbenschen Positirung aus einem verwachsenen See entspringet, in welchem noch fünf Oeffnungen als Quellen zu sehen sind; von hier geht er als ein unbedeutender Bach bis Wehsche Krug, dann durch das Bomhofsche, Ermische, luhdische, macht die Gränze zwischen Turnushof und dem Wolfartschen, läuft darauf ins Rujensche, an die Gränze von Nurmis, ferner bey Ohleieshof, und windet sich hinter Ballod in den Burtneckschen See. Bey Turnushof ist er so tief, daß er große Kähne, wie die rigischen Uebersetzerböte tragen kann, auch breit genug; doch ist er an vielen andern Stellen sehr untief. Er ist fischreich. Man findet Hechte, Barsen, Quappen, Alante, Kaulbarsche und Krebse darin.

Die Peddel entspringt in Homlen aus einem verwachsenen See, geht in Nordosten über die Gränze nach Adlershof, kehrt wider zurück gegen Südwest nach Homlen, über dreyviertel Meile, schwenkt sich von Homlen gegen Osten, und geht wieder in Ehstland auf Rofköll, von da gegen Süden durch das Ermische, und bleibt in diesem Gange bis an die luhdesche Sagemühle, ein Werst von Walk. Von da geht sie südwest, macht hinter der Schule eine Krümmung, geht wieder in Osten, und fällt zwo Meilen davon in den Embach.

Der

Der Palzbach, oder die Palz im Palzmärschen Kirchspiel, nimmt verschiedene kleine Bäche auf, und wird beträchtlich. In diesem fand man vormals artige reife Perlen, jetzo aber kaum etliche unreife.

Der Schwarzbach im opekalnschen Kirchspiel entspringt im Rappinschen, und fällt in die Aa. Im Sommer ist er seicht und unbeträchtlich; im Frühjahr aber schwillt er durch den Zusturz des Schneewassers stark an, und wird dann reißend. Er giebt Lächse und Lachsforellen. Vormals war er unter den perlenreichen Bächen der berühmteste.

Waidaur, ein Fluß im oppekalnschen Kirchspiel, entspringt unter Alt-Salzen, und bekommt seinen Namen von einem See Waidaur unter Semmershof, bey dem er vorbeyfließt. Von seinem Ursprung bis an diesen Fluß wird er die Startze genennet. Er durchströmt die Güter Semmershof, Schlukkum, Salzen, Neuhof, Korwenhof, Hoppenhof, und einen Theil von Rosenhof, bis ins Meinzensche Gebiet. Sein Gang beträgt etwa fünf Meilen. Bey der Grabschen Mühle, wo seine größte Breite ist, die sechs Faden beträgt, hat er einen Fall von anderthalb Faden. Er hat Schmerlinge und Lachsforellen. Man hat ehedem Perlen in diesem Bach gefunden; jetzo aber kommen sie äußerst selten vor. In diesen Fluß fällt eine See, die in eben diesem Kirchspiel zwischen beträchtlichen Gebirgen entspringt, und nach einem Lauf von einer halben Meile sich in ihn ergießt, jedoch keinen Namen hat.

Die Peddez, ein kleiner fischreicher Fluß, der im Neuhausenschen aus einem Berge entspringt, den man den Kirchberg nennet, durch Marienburg, Schwaneburg, Lettin vorbey, und längs der marienhausenschen Gränze fortgehet, endlich nach einem Laufe von dreyßig Meilen in die Ewst fällt. Sie ist gegen

Ples-

Pleskau und Neuruſland der äuſerſte Fluß Livlandes,
und macht faſt die Gränze zwiſchen Livland und Neu‐
rußland; doch liegen noch einige Ländereyen des ma‐
rienburgſchen Kirchſpieles jenſeit dieſes Fluſſes. Sie
iſt da, wo ſie am breiteſten iſt, vierzehn Faden, an
andern Stellen nur ſieben Faden breit. Im Frühjahr
hat ſie ſo viel Waſſer, daß Flöſſer abgelaſſen werden;
im Sommer dagegen iſt ſie ſo ſeicht, daß man zuwei‐
len durchwaten kann. Zwey und eine halbe Meile von
der Schwanenburgſchen Kirche iſt eine Stelle, wo ſie nur
vierzig Schritte breit iſt. Sie liefert Hechte, Taimen,
Forellen, Krebſe, ſelten Welſe, die aus der Lubahn‐
ſchen See aufſteigen. Zuweilen findet man auch Per‐
len in dieſem Flüßchen.

Die Schwarzbeck unter Schwarzbeckshof im
marienburgſchen Kirchſpiel entſpringt unter Marien‐
burg und Mörkushof, geht über Seltenhof, Schwarz‐
becksho f und Treppenhof, treibt drey Mühlen, und
fällt endlich in den Schwarzbach. Livl. Topogr. 3. Th.
S. 211.

Suddal, ein Bach, im Urſenſchen Kirchſpiel,
kommt aus dem Suddalſee, und fällt nach einem
lauf von vier Werſten in die Tirſe.

Die Abbul, ein Bach, kommt aus dem Smil‐
tenſchen, und fällt jenſeit Wrangelshof im Trikaten‐
ſchen in die Aa.

Wihjesbach, im Palzmarſchen, quillt unter einer
Baumwurzel wie eine feine Ader hervor, heißt bey
ihrem Urſprunge Rauſer, und von der Mehrhoffſchen
Mühle an Wihje. Sie fließt gegen acht Meilen und
fällt in die Aa.

Rauſebach aus dem Smiltenſchen fließt mit dem
Ludſebach, welcher aus dem druſtenhoffſchen Moraſt
kommt, zuſammen, und fällt, nachdem er über ſieben
Meilen gelaufen iſt, bey Zaune in die Palz.

Sus‐

Susuppe im luhdeschen Kirchspiel, entspringt aus einem Morast Laiwin, und fällt in die Sedde.

Wieksne uppe in eben diesem Kirchspiel entspringt aus dem wolmarshoffschen Morast Gailit, und verliert sich im Thierelmorast.

Jukuppe entspringt aus dem Bridgesee im luhdschen, und fällt darauf in die Rikkant.

Klinck, oder Muzeneck, ein Bach, hat seinen Ursprung aus einem Morast oberhalb des luhdschen Pastorats, macht die Gränze zwischen luhde und Walk und fällt in die Peddel.

Die Ergerm oder Ehrgem, und

Die Strinte, lett. Strint uppe, sind kleine, sonst unbedeutende Bäche, die aus Morästen, welche verwachsene Seen sind, entspringen, und etwa eine halbe Meile von Erms zusammenstoßen, da sie dann bloß im Frühjahr und bey regnigtem Wetter bedeutend sind. Sie fließen ein paar Meilen weiter zusammen fort, und ergießen sich zuletzt in die Peddel. Die Ergerm ist deswegen merkwürdig, weil sie dem Schlosse Erms den Namen gegeben hat.

Seen.

Der marienburgsche See lett. Alluksne, bey dem Schlosse und der Kirche dieses Namens. Sie ist über eine Meile lang, und fünf Werste breit. Hier werden unter andern Fischen viele Rebse gefangen. Auf einer Halbinsel, die dieser See macht, stehen die Ruinen des ehemaligen Schlosses.

Die Schwor, ein See, fließt unter Schwaneburg.

Uschur, ein stehender See im tirsenschen Kirchspiel, ist über eine Meile lang, und eine halbe Meile breit. Er liefert Hechte, Barsen und Brachsen.

Der

Der Schwarzsee im adselschen Kirchspiel, ein stehender See, eine Werst lang, und etwa fünfhundert Schritte breit, unter dem Hofe Schwarzhof. Er vereiniget sich alle Frühjahr mit der Aa, die ihm dann ihre Fische mittheilt. Er tritt dann aus seinen Ufern, und überschwemmt die nächstliegenden Felder, denen er einen fruchtbaren Schlamm zurückläßt, der ihnen zu einem guten Dünger dienet.

Im dörptschen Kreise.

Flüsse und Bäche.

Der Sommerpahlensche Bach entspringt unter Ilmjärw im odenpäschen Kirchspiel aus einem Morast, geht durch die im anzenschen Kirchspiel unter Koik liegende kleine Seen Wokki järw, Lambas hanna järw, und Nabha järw, bekommt bey Kirtel und Sommerpahlen den Namen Wähhando, d. i. heiliger Bach, fällt in die Waggolasche See, die ihm sein mehrestes Wasser giebt, vermischt diese See bey Wörro mit dem See Tambla, fließt unter Casseriz im Raugischen, geht dann Kirrempäh Rois kul vorbey, wo er Woujöggi heißt, und fällt im Rapinschen in den Peipussee. Von seinem Ursprunge bis zu seinem Einflusse in die Waggelasche See beträgt sein Lauf gegen sechs Meilen. Er ist weder breit, noch sehr tief. Mit diesem Bach haben die Ehsten in älteren Zeiten viel Aberglauben getrieben; denn sie schrieben ihm die Fruchtbarkeit oder Unfruchtbarkeit der Witterung zu. Johann Gutslef, ein ehemaliger Prediger zu Odempä, hat ein eigenes Büchlein davon geschrieben, das 1644 zu Dörpat in 8 gedruckt ist, und vom Burgerm. Gadebusch in seiner Lwl. Bibl. 1. Th. S. 472. angezeiget wird.

Der Wassulasche Bach entspringt bey dem Hofe Ellistfer im Kirchspiel Ecks, aus einem kleinen

E 4   See,

See, und fällt nach einem Laufe von drey Meilen in den Embach. Er treibt sechs Mühlen, und macht die Gränze zwischen dem Eckschen und Dörptschen Kirchspiel. Bey seinem Ursprunge wird er der Iggaferssche Bach genennet.

Der **Lohusu-Bach**, ehstn. **Liwo oya**, auch **Lobhusu jöggi**, entspringt einige Meilen hinter dem Jacobi Kirchspiel aus einer Quelle bey dem Gute Minkenhof in Ehstland, durchfließt die Güter Wennefer und Pastfer. Drey Werste davon bey dem Dorfe Matusma nimmt er den **Matusma-Bach** auf. Er fließt bey dem Waddischen Dorfe nahe vorbey, und ergießt sich sodann bey dem Dorfe **Lohhusu**, wo eine breite Brücke über ihn geht, in den Peipus. Er ist ziemlich fischreich, und liefert Hechte, Weißfische und Brachsen im Frühjahr: im Sommer und Herbst, Brachsen.

Jowa, ein Bach, fließt unter Kawelecht, und fällt nachher in den Embach.

Ullila, unter dem Gute Ullila, dem er den Namen gegeben hat, eine Meile von Kawelecht, fällt aus dem See Elben gegen Norden in den Embach.

Ringen, ein Bach unter den Gütern Groß- und Klein-Ringen, fällt eine Meile von Groß-Ringen in die **Würz järw**.

Der **Lubasche Bach** in dem Kirchspiel Ecks, ist nicht unbeträchtlich, und ziemlich breit; er treibt etliche Mühlen.

Der **Kokssche Bach** im sahjerwschen Walde, treibt eine Mühle, und ist nicht sehr fischreich.

Der **Falkenausche Bach** fließt unter dem ehemaligen Kloster Falkenau im Kirchspiel Ecks, und fällt etwa eine Werst davon in den Embach.

Mudda jöggi, ein Bach, entspringt aus der Sahjerw, geht durch einen Theil des Eckschen und Talkhofschen Kirchspiels, eine Strecke von fast sechs

Meilen,

Meilen, und ergießt sich nicht weit von dem Dorfe Laiwa in den Embach.

Loewwala jöggi, ein Fluß, kommt vom Schloffe Lais, fließt sechs Meilen, und fällt in den Peipus. Seine Breite beträgt vier bis fünf Faden. Er giebt Schmerlinge, Quappen und Krebse.

Rahhiwerri jöggi, ein Fluß bey Rahhiwerr im Kirchspiel Mar. Magd. kommt aus der Jenfelschen See, vereiniget sich mit der Loewwala jöggi, und fällt mit derselben in den Peipussee.

Iggawerre jöggi, ein Fluß unter dem Gute Elliftfer im Dorfe Jagafer, kommt aus der Elliftferschen See, und fällt bey Dörpt in den Embach. Er liefert schöne Fische, auch vortreffliche Krebse.

Der ommedosche Fluß im Kirchspiel Koddafer, kommt aus dem Jegelschen, fließt durch das Sahrenhofiche und Rogelsche, und fällt bey Ommedo in den Peipussee.

Der Rotsifluß in demselben Kirchspiel kommt aus dem Kotkaraschen und Allaskrowischen, und fällt in den Peipussee.

Der Muftwetsche Bach im Kirchspiel Torma entspringt im Gehöft des Simonschen Pfarrhofes in Ehstland, nimmt zwo kleine Bäche, einen im Flemmingshoffchen und einen im Kondoschen Walde auf, und fällt acht Meilen von seinem Ursprunge im Dorfe Muftwet in den Peipussee. Er führt Barsen, Bleyer, Hechte und Türben. Im Frühjahr schwillt der Bach zuweilen so hoch an, daß die Brücke bey dem Hofe Wottigfer auf der großen Straße, und die bey dem Muftwetschen Dorfe, Gefahr laufen, abgeworfen zu werden.

Der Metspühsche Bach, fließt durch den zum Kronsgut Awinorm im Kirchspiel Torma gehörigen Wald, und ergießt sich in den Peipus. Seine

Mün-

Mündung ist breit, aber durch vielen Triebsand ver-
schlämmt, so daß kaum ein großes Fischerboot durchge-
hen kann. Im Sommer geht die große Straße durch
diesen Bach, weil die Wege zu der über derselben ge-
schlagenen Brücke zu beiden Seiten mit sehr tiefem
Sande angefüllet ist. Der Bach hegt viele Brächsen,
Hechte und Bleyer.

Der Radmai-Bach fließt wie die beiden vorigen
durch den awinormschen Wald. Er entspringt in einem kleinen Morast, macht gegen Norden die Gränze
zwischen Liv- und Ehstland, und fällt, ohne einigen
Zufluß aus irgend einem andern Bache zu nehmen,
nach einem Laufe von gegen zwo Meilen bey dem Dorfe Radnai in den Peipussee. Er ist seicht, und im
Sommer ganz ausgetrocknet. Selten liefert er kleine
Brathechte.

Die Elben, ein Fluß, etwa funfzehn Faden
breit, entspringt im Odenpäschen, geht durch die
Kirchspiele Niggen und Cavelecht, und nachdem er
sechs Meilen gelaufen, fließt er in den Embach.

Der Aya-Bach, ein mittelmäßiger Strom, kommt
aus dem Kirchspiel Pölwe von Südwest, mit vielen
Krümmungen in das Kirchspiel Wendau, in das Kib-
pijerwsche, dann ins Anasche, wo er nach einem Lauf
von sechs Meilen, und nachdem er ein paar unbeträchtliche Bäche aufgenommen hat, in den Embach fällt.
Seine Ufer sind größtentheils morastig. Er ist ziemlich fischreich. Oberwärts führt er Forellen und viele
Krebse, unterhalb näher am Embach desto mehr Hechte, Brachsen, Jassen, Barsen und andere Fischarten.

Der Riddijerwsche Bach entspringt im Gebiete dieses Namens, und fällt, nachdem er einige
Werste gelaufen ist, in den Aya-Bach. Er liefert reichlich schöne Forellen, Schmerlinge und Krebse.

Die

Die Luſtna im Kuriſtaſchen Gebiet im Kirch
ſpiel Wendau, fließt durch den großen Kuriſtaſchen
Moraſt, und fällt bey Kawershof in den Embach.
Er iſt ſchmal, an einigen Stellen ziemlich tief, faſt
allenthalben moraſtig, führt kleine Quappen und Gra
ſehechte; im Meckhofſchen und Sarakſchen vortreffli
che und große Krebſe.

Der Elwa-Bach im Kirchſpiel Kamby kommt
aus dem Hackelwerksſee, ehſtn. Allewe jerw, in
eben dieſem Kirchſpiel, einige hundert Schritt vom
Pfarrhofe, fließt zuerſt etwa eine Werſt nordlich in
eine zu Odempä gehörige Stauung, wo er ſich auch
etwas Waſſer aus dem Weißenſeenſchen und Odempä
ſchen ſammlet. Mit einemmal wendet er ſich nach
Weſten, nimmt im Kaſtolaſchen, wo er eigentlich der
Elwabach heißt, noch einige kleine Bäche auf, fließt
aus dem odempäſchen Kirchſpiel in das Ringenſche,
treibt bey Hellenorm, wo man ihn den hellenorm
ſchen Bach nennet, eine anſehnliche Mühle, und
fällt endlich in die Würz järw.

Seen.

Die Peipus, ruſſiſch: Tſchudzkoi Oſero, d.i.
ehſtniſche See. Sie ſcheidet Rußland von Livland,
und hängt vermittelſt einer Seeenge mit der Pleskow
ſchen See zuſammen. In die Peipus ergießen ſich
aus Livland verſchiedene Seen und Bäche, unter wel
chen die Embach der beträchtlichſte iſt. Der Ausfluß
der Peipus geht vermittelſt des Narvaſtromes in den
finniſchen Meerbuſen. Für ſich, ohne Verbindung
mit der Pleskowſchen See, beträgt ihre länge zwölf,
die Breite acht bis zehn Meilen. Livl. Topogr. 1. B.
S. 118. u. f. Man bemerkt ſchon einige Jahre her,
daß ſie, obgleich nicht eben ſehr beträchtlich, abnehme.
Sie iſt fiſchreich; und verſorgt alle benachbarte Ge
gen

genden mit ihrem Vorrath; doch soll sie vor diesem
weit mehr Fische geliefert haben, als jetzo. Man hat
alle Ursache zu fürchten, daß ihr Ueberfluß immer
mehr abnehmen werde; denn seit einiger Zeit haben
sich die Fischerbauern den üblen und höchstnachtheiligen
Gebrauch erlaubt, daß sie so enge Wathen und Netze
halten, daß die junge Brut nicht durchschlüpfen kann,
sondern daß auch die allerkleinsten jungen Fische gefangen, und nach Maaßen verkauft werden. Sonderbar ist die Bemerkung, daß man an Orten, die
zwo bis drey Meilen von dieser See entlegen sind, und
zwischen welchen viel Wald ist, ihre Fläche zuweilen
sehr glänzend sehen kann, und darauf gemeiniglich eine
Veränderung des Wetters erfolgt.

Die Würzjärw liegt zwischen dem dörptschen
und pernauischen Kreise, und ist fünf Meilen lang; die
größte Breite ist zwo Meilen. Ihr beträchtlichster
Ausfluß ist der Embach, der sie mit der Peipus
verbindet. Livl. Topogr. 1. B. S. 120. 101. Sie
ist fischreich, und liefert Brächsen, Rebse, Hechte,
Barse, Karauschen, Schleyen und Welse. Daß sie
in ältern Zeiten sich weiter ausgebreitet habe, das beweisen die vielen Moräste und Luchten (Heuschläge an
Seen), die mit diesem See größtentheils gleich hoch
liegen, besonders die vielen Sandbünen längs dieser
See, die mit unzugänglichen Morästen abwechseln.

Die Sadjerwsche See, sechszehn Werst von
Dörpt, ist sechs Werst lang, aber kaum zwo Werst
breit. Sie hat außer etlichen, im Frühjahr ihr zu-
fließenden Morastwässern keinen Zuschuß, und scheint
daher ihr Wasser in ihrem eigenen Schooß aus Quellen
zu sammeln, oder mit andern Seen Gemeinschaft zu
haben. Sie hat eben dieselben Fischsorten, welche
die Peipus und die Würzjärw liefern; doch hat fast
jedes

jedes von den sechs Gütern, die Antheil an der Fischerey in diesem See haben, die jedoch nur blos zur Winterszeit getrieben wird, seine eigenen Fischarten. Das
Gut Sarjerw bekommt allein Brachsen; Sotag und
das Pastorat Ecks haben die besten Rothzüge. Einige Züge geben blos Hechte, Barse und Bleyer,
livl. Topogr. 1. B. S. 132. 133. Ihre stärkste Tiefe
beträgt zehn Faden.

Der heilige See, Puhha järw fließt unter
dem Gute Wollust im odempäschen Kirchspiel bey vier
Werst in der Länge zwischen Gebüschen und Bergen,
und schließt viele kleine Inseln in sich. Dem Hofe Wollust, der an dem Ende dieses Sees lieget, giebt er eine
sehr angenehme Lage, und eine reizende Aussicht. Einige leiten seinen Namen daher, daß in diesem See
viel heidnische Ehsten getauft worden sind; andere
glauben, daß in dieser Gegend vormals ein Kloster
gestanden habe, von welchem jedoch weder die Stelle
noch der Steinrost bisher hat angezeiget werden können. Der Embach fließt aus diesem See.

Der Kaisersche See im Kirchspiel Mar. Magb.
ehstn. Kaiawerre moisa järw. Er liegt unter dem
Hofe Kajafer, gegen Norden nach Löbenhof zu, welches zwo Mellen von Kajafer entlegen ist. Der See
ist über eine Meile lang, und eine gute Werst breit.
Der Einfluß ist von der Ludenhoffschen Seite; der
Ausfluß geht unter Kajafer im Osten vorüber, fällt
in den Ellifferschen See, aus welchem der Fluß das
Dorf Iggafer vorbey und zur Lublaschen Mühle geht,
und unter der neunten Werst von Dörpt in den Bach
zu Kobbrato aufgenommen wird, welcher sodann in
den Embach fällt. Dieser See ist wegen seiner vortrefflichen Brachsen bekandt.

Der Pupasttersche See im Kirchspiel Ecks.
In diesem See werden etliche Werst von Falkenau
beträcht-

beträchtlich größere Karauschen gefangen, die gegen
sechszehn Zoll lang sind.

Der Soitsche See, zwischen Ellistfer und Sab-
jerw.

Der Ellistersche See fließt unter dem Ellist-
ferschen Hofsgehöfte.

Der Prakliwasche See an einem Sabjerw-
schen Dorfe.

Diese drey nebeneinander fließende Seen gehören
zum Kirchspiel Ecks; sie sind mehr oder weniger fischreich; sonderlich haben sie viel kleine Fische.

Der Ilmjerwsche See fließt unter der zum
Gute Wissut gehörigen Hoflage Ilmjerw, in eben diesem Kirchspiel, und ist nur klein.

Sarekülla järw ein See unter dem Gute Sarenhof des Kirchspiels Mar. Magd. Er liefert Hechte, Barsen und kleine Brachsen. Dazwischen ist ein
Morast, und ein ganz kleiner See Luttiko.

Kulla järw, eine kleine See in diesem Kirchspiel,
bey dem Dorfe Ruskawer unter Sarenhof, hat
Bleyer, Brachsen, Hechte und andere Fische. Sie
ist eine halbe Werst lang und breit.

Die Jägelsche See, etwa eine Viertelmeile lang,
und eine halbe Werst breit, unter Kudding im Kodda-
ferschen Kirchspiel. Sie hat verschiedene Fische, auch
Blutigel. In dieser See ist eine schwimmende Insel,
welche nach Bernoulli's Reisen durch Preußen, Polen, Curland, Livland ꝛc. 6. B. S. 5. nicht klein seyn
muß, weil sie eine Kuye (Schober) Heu getragen hat,
um welche sich zween Gutsbesitzer dieser Gegend gestrit-
ten haben. Die See soll nur ein paar Werste von
der St. Petersburgschen Straße liegen.

Nämjärw, ein See in diesem Kirchspiel, etwa fünfhundert Schritte lang und breit, hat einen

schlam-

schlammigten Boden, liefert wenige und geringe Fischsorten aus.

Roggre jöggi, ein kleiner See bey Kubbing
in eben dem Kirchspiel, ist eine halbe Werst lang und
breit, hat die gewöhnlichen Fische.

Kallijerw, ein See im Kasterschen, zwo Werst
lang und eine Werst breit, liegt an einem großen Morast, fließt aus Quellen zusammen, und fällt mit einem starken Strom in den Embach, einige Werste
von dessen Mündung. Er liefert alle die Fische, die
die Peipus hat; außer diesen noch vortreffliche Karauschen.

Ayajerw, ein See im Ayaschen Gebiete, und
Kurrista järw unter dem Gute Kurrista, beide
im Kirchspiel Wendau. Sie entstehen aus dem Aya-
bach, und haben etwa eine halbe Meile im Umkreise,
und sind sehr fischreich.

Der Spankausche See, unter dem Hofe Spań-
kau, im Kirchspiel Kamby, zwo Werst lang, und eine
halbe Werst breit.

Die Ardla-See, in eben dem Kirchspiel im Haßi-
lauschen, etwa eine Viertelmeile lang und breit, und
durch die Verbindung mit dem Embach, und dieses
mit der Peipus, ziemlich fischreich. Der Reolsche
Bach, der sich mit einem andern kleinen Bach in diesem Kirchspiel vereiniget, fällt in den Ardla-See.

Der große Noumsche See in demselben Kirchspiel, ehstn. Nouni järw, ist über eine halbe Meile
lang, und dreyviertel Werst breit. Man nennet ihn
den großen zum Unterschied eines kleinern, der diesem
nordöstlich liegt, und vortreffliche Karauschen hat.
Er sammlet sein Wasser aus Quellen in seinem eigenen
Schooße, und aus dem Schneewasser, das ihm im
Frühjahr aus den Gebirgen zuströmt. Auch im strengsten Winter friert er nicht ganz zu, und man muß
sich

sich nicht vom gebahnten Wege entfernen, wenn man nicht Gefahr laufen will, einzubrechen. Er hat allerley Fische, darunter sehr gute Hechte sind.

Der Hackelwerksee, ehstn. Allewe jerw, unten am Fuß des Kambyschen Kirchberges an der Ostseite. Er ist der Rest eines viel größern Sees, und wird alle Jahr flächer. Nach alten Chroniken und Traditionen soll er ehedem um den Berg geflossen seyn. Der Umfang und die Tiefe sind unbeträchtlich; doch giebt er dem Elwa-Bach den Ursprung.

Im Fellinschen Kreise.

Flüsse und Bäche.

Der Embach, ehstn. Emma jöggi, d. h. Mutterbach, weil sich fast alle Bäche des dörptschen Kreises in ihn ergießen, lett. Mehtra. Er hat einen doppelten Ursprung oder Ausfluß: den einen aus dem heiligen See, Pühha järw, den andern südwärts des Hofes Arrol im Kirchspiel Odempä, aus einer beträchtlichen Quelle, die man Emma lätte, Mutterquelle nennet. Diese Quelle fließt durch den re baštschen See auf den Hof zu, wo sie einen ansehnlichen Teich macht. Sie geht dann durch Wolluft, läuft durch den kleinen Rusaischen See, und vereinget sich bey der Wokischen Hoflage auf einer Wiese Saksu so genannt, mit dem ersten Ausfluß. Hierauf geht dieser in den Werroschen Kreis, durch das Gut Rösthof, bey der Sagnißschen Kirche vorbey, und fließt meist östlich fort. Im Iggastschen nimmt er mehrere Bäche auf, wendet sich nach Triliz zu, nimmt den aus Walck kommenden Bach Poeddel auf, ergießt sich in die Würz järw, durchfließt dieselbe, geht wieder hinaus, nimmt noch mehrere Bäche, als den oberpahlenschen, talkhofschen, u. a. auf, geht durch

Dörpt,

Dörpt, und fällt endlich iu den Peipus. Bey feiner
Mündung ist er etwa eine halbe Werst breit. Er ist
sehr fischreich.

Der Tennasilmische Bach ist eigentlich der
nordliche Ausfluß des fellinschen Sees, welcher, nachdem er mehrere kleine Bäche, vornemlich den Rudt-
schen aufgenommen hat, nach einem laufe von vier
kleinen Meilen in die Würzjärw fällt. Er giebt
Hechte, Barse, Schleyen, Bleyer, Turben, Aale,
Jassen, Neunaugen, Gründlinge, Schmerlinge und
Krebse.

Der Talkhoffsche Bach, ehstn. Pedia jöggi,
auch Poeddi. Er entspringt hinter dem Pfarrhose
der in Wierland belegenen Kirche St. Simon aus einer sehr starken Quelle, und nachdem er sehr viele Gewässer, unter andern den oberpahlenschen Bach, in
seinen Schooß genommen hat, fällt er mit einem sehr
schnellen lauf, ein wenig unterhalb der Würzjärw, in
den Embach. Er hat verschiedene Namen nach den
verschiedenen Gebieten, die er durchströmt. Bey seiner Quelle nennet man ihn den Simonschen Bach,
ferner den Painkulschen, bey Lais, den Laisholmschen, hier den Talkhoffschen.

Der oberpahlensche Bach, entspringt gleichfalls in Ehstland, nimmt einige kleinere Gewässer mit,
unter andern den Talkhoffschen Bach, fließt die ins
Oberpahlensche gehörige Güter Ruttigfer, Pajus,
Addafer, Schloß- und Neuoberpahlen und das Pastorat vorbey, und fällt zuletzt in den Embach. Er
verdient beynahe den Namen eines Stromes; denn er
ist ziemlich breit, doch nicht an allen Stellen tief; jedoch trägt er drey Werste von Oberpahlen schon Böte,
die zwo last Korn führen. Weiter gegen Dörpt wird
er immer größer. livl. Topogr. 1. B. S. 271. Er

giebt Hechte, Dünkarpen, Bleyer, Barse, Krebse, bisweilen auch Schmerlinge zur Ausbeute.

Der Umbusche Bach, im oberpahlenschen Kirchspiel, entspringt aus Morästen, fließt Kallikul, Lustifer und Nennenhof vorbey, und durch das Dorf Umbus, dem er den Namen gegeben hat. Er liefert einige kleine Fischarten, sonderlich Schmerlinge, auch schöne Krebse.

Der Nawastsche Bach. Er fließt aus dem Pillistferschen Kirchspiel, Eistfer, Pillistfer und Loper vorbey, dann bey Nawast, wo er den Namen bekommt, wird immer größer, und ergießt sich endlich, nachdem er vier Meilen durch das Fellinsche Kirchspiel gelaufen, und sich mit dem Fellinschen und Fennerschen Bach vereiniget hat, in den Pernaustrom.

Der kleine Talkhoffsche Bach kommt aus dem Kirchspiel Lais, fließt durch das Talkhoffsche Kirchspiel, und fällt in den Poeddi.

Der Picknurmsche Bach kommt aus dem Oberpahlenschen Kirchspiel, läuft durch das Talkhoffsche, und fällt nach einem Gange von achtzehn Wersten in den Poeddi.

Der Kupasche Bach fließt gleichfalls aus dem oberpahlenschen in das talkhoffsche Kirchspiel, und ergießt sich in die Poeddi.

Der Laiwasche Bach kommt aus dem Eckschen Kirchspiel, geht durch das Talkhoffsche, und fällt in den Embach.

Seen.

Die Fellinsche See, gleich unter der Stadt Fellin, ist schmal, gegen eine halbe Meile lang, und hat im Umkreise etwa eine Meile. In der Mitten ist sie verwachsen. Es fließen nur ein paar kleine Bächlein von den zu beiden Seiten liegenden Bergen hinein.

Sie

Sie hat zween Ausflüsse. Der nordliche geht als ein Bach durch mehrere Gebiete in die Würhärw. Der südliche nimmt viel kleine Bäche in verschiedenen Gebieten auf, wird immer breiter und tiefer, und vereiniget sich nach einem Lauf von etwa sechs Meilen mit dem nawastschen Bach, und geht dann in den Pernaustrom.

Die Waibstfersche See hat zwo Werst im Umkreise.

Die Perstsche See ist eben so groß, hängt aber mit einer andern kleinern See zusammen. Beide geben Hechte, Barsen, Brachsen, Karauschen, Quappen, Bleyer, Schleyen und Krebse. Beide sind im Fellinschen Kirchspiel.

Die Pillistfersche See entspringt aus einer Quelle im oddaferschen Dorfe Loumez, nimmt in seinem Laufe mehrere Quellen auf, geht nach Loper und Wolmarshof, wird durch den Zufluß verschiedener Bäche verstärkt, und breiter, und ergießt sich endlich in den Pernaustrom.

Die Genselsche See im Kirchspiel Bartholomäi ist gegen fünf Werste lang, und zwo Werste breit, hat Hechte, Brächsen und andere Fische.

Im werroschen Kreise.

Flüsse und Bäche.

Der Rapinsche Bach. Er ist beträchtlich, fließt unter dem Gute Rapin, und fällt in den Peispussee.

Won oder Wou. In meinen Zusätzen habe ich S. 27. eines Baches gedacht, der vom Zeiler Woy genennet wird. Es ist wahrscheinlich der durch einen Schreibfehler veränderte Name dieses Baches oder Flusses. Er entspringt im Sommerpahlenschen im

anzen-

anzenschen Kirchspiel, fließt durch den See Waggula, geht durch das Rapinsche, Kirumpäh koikul vorbey, und fällt bey dem Dorfe Lokkuta nahe bey dem Peipus-see in den Bach Medda, mit dem er sich in den Peipus ergießt.

Korwa, ein Ausfluß aus dem kleinen See Tobbra järw, unter Uelzen im anzenschen Kirchspiel, fließt durch das Altanzensche, nimmt verschiedene andere kleine Flüßchen mit sich, läuft ins Saghlsche, wo er erst den Namen Korwa bekommt. Sein Gang von seinem Ausflusse bis an die Gränze beträgt etwa eine Meile.

Lajo wango, ein Flüß, der aus dem anzenschen Kirchspiel in das cannapähsche fließt, und sich in die Hobbalasche See ergießt. Er giebt zuweilen lachsforellen.

Die Bümse, ein Fluß im Kirchspiel Neuhausen, entspringt im Salishoffschen Gebiete, macht die Gränze zwischen Rußland und Livland, und fällt nach einem laufe von mehr als drey Meilen, und nachdem er einige kleine Flüsse aufgenommen hat, in den Peipussee.

Die Waggula, unter den Gütern Alt-Rauge und Neu-Nursie im Kirchspiel Rauge. Sie fließt aus einigen kleinen Seen, die bey Rauge in einander fließen, und strömt mit dem Ausfluß aus der Tambla zusammen, da man sie die heilige Bäche nennt. Diese beide Seen liefern Hechte, Barsen, Schleyen, Bleyer, Brachsen, Kaulbarsen und kleine Stinte.

Medda, ein kleiner Bach, der im Kirchspiel Neuhausen entspringt, bey seiner Vereinigung mit dem Wou bis zur Mündung etwas größer wird, und sich eipussee ergießt. Er giebt Hechte, Barsen, achsen, Fietchen und Taudias oder Tautias, die ich nicht kenne, zuweilen auch große Krebse.

Waid-

Waidwa, im Harjelschen Kirchspiel, kommt von der Neu-laitzenschen Gränze, durchläuft einen Strich von beynahe einer Meile, und fällt in den Schwarz bach. Er liefert Hechte, Barsen und Lachsforellen.

Der Petersbach, in demselben Kirchspiel, kommt von der Bornmannshoffschen Gränze, strömt etwa eine Meile, und ergießt sich nicht weit von dem unter Menzen gehörigen Livakokruge in den Schwarz bach. Er hat wenig Lächse, auch Lachsforellen, Hech te und Barsen.

Die Harjel, ehstn. Hargla jöggi, kommt von der Carolenschen Abklamühle, nimmt noch einigen Zufluß aus den harjelschen Mörästen, und fällt, nachdem sie etwa anderthalb Meilen durch das Kirchspiel Harjel fortgegangen, etwa eine Werst von der Kirche in den Schwarzbach. Die Fischsorten sind: Quappen, auch Krebse, beide im Ueberfluß und die schönsten im ganzen Kirchspiel.

Der Lannamezsche Bach kommt aus der abheroschen See, und fällt nach einem Laufe von etwa einer halben Meile, ohngefähr eine Viertelmeile von der lannamezschen Mühle in die Aa. Er liefert Hechte und reichlich Krebse.

Härg jöggi, oder Erro, entspringt aus einem Morast unter der altänzenschen Hoflage Lustimois, vereiniget sich mit dem Flüßchen Rebbanda jöggi, und nachdem er etliche Meilen fortgegangen, und noch den kleinen Fluß Warrese oya mit sich genommen hat, ergießt er sich in den Embach.

Juraski jöggi, ein Flüßchen, das im carolen schen Morast Miekkista Soo entspringt, fließt Apja vorbey, und fällt in die abheroche See.

F 3 Seen.

Seen.

Leedla jerw, ein stehender See, der drey Werst lang, und anderthalb Werst breit ist; unter Uelzen im anzenschen Kirchspiel.

Ubba harwwa unter Menzen im Kirchspiel Rauge, nicht weit von der anzenschen Gränze, ist vierhundert Schritte lang, und etwa halb so breit. Sie giebt besonders schöne Kaulbarsen.

Die ahherosche oder große See, fließt innerhalb der carolenschen, keikulschen und lannamezschen Gränze, ist nur etwa anderthalb Werste lang, und eine Werst breit. Sie liefert Aale, Brachsen, Hechte, Barsen, Weißfische und andere kleine Fischarten.

Die Pükkire See. Sie liegt zwischen der Kokkulschen und lannamezschen Gränze im Harjelschen Kirchspiel, ist etwa zweyhundert Schritte lang, und halb so breit. Sie giebt nur Hechte aus.

Die Herrasee unter dem Gute lannamez, ein stehender, fast runder See, im Durchschnitt von etwa zweyhundert Schritten. Seine Fischsorten sind Hechte, Barsen und Kaulbarsen.

Der Sawwisee auf der lannamezschen und tabwolaschen Gränze, ist zweyhundert Schritte lang, und etwa sechszig Schritte breit. Er giebt Barse aus.

Der Alloméza See, von keinem beträchtlichen Umfange, im Kirchspiel Harjel, liefert gute Barsen aus.

Die Tambla im Kirchspiel Rauge, hat ihren Zufluß aus andern kleinen Seen, und fließt ab nach Kirempäh. Ihre länge beträgt drey, die Breite anderthalb Werst. Die Tiefe ist an einigen Stellen sieben Faden, an andern etwa weniger.

Aehhy

Aehhy järw, im Carolenschen Kirchspiel, ist anderthalb Werste lang, und anderthalb Werst breit.
Ein Arm desselben ist das Flüßchen Sajora.

Pitjärw ist zwo Werst lang, und an einigen
Stellen hundert Schritte, an andern noch einmal so
breit. Er liefert gute Brachsen, und soll an einigen
Stellen Abgründe von vierzig bis funfzig Faden tief
haben.

Jaska järw, ist nur eine halbe Werst lang und
halb so breit. Ein Arm derselben treibt eine kleine
Hofsmühle, vereinigt sich bey der Igaßtschen Hoflage
Wähhero mit dem Härg jöggi, und fließt mit demselben in den Embach. Diese letztern beiden Seen
sind im carolenschen Kirchspiel.

Das Kirchspiel Rauge in diesem Kreise hat überhaupt, besonders im Hahnhoffschen, viel kleine Seen,
welche von den zwischen den Bergen zusammenfließen-
den Schnee- und Regenwassern entstehen, und zum
Theil beträchtlich sind. Ein dergleichen unter dem Gute
Neu-Casseriz, drey Werst vom Hofe, bey dem Dorfe
Repps zwischen den Gebirgen fließender See, brach
im Frühjahr 1775 in der Nacht durch, und lief bis
auf den letzten Tropfen ab, so daß sein Bette bald
ganz trocken wurde.

Im Pernauschen Kreise.
Flüsse und Bäche.

Der Pernaustrom. Er entsteht aus der Vereinigung des fellinschen, nawastschen, fennerschen und
etlicher andern Bäche, und ergießt sich bey Pernau,
wo er am breitesten ist, und für kleine Schiffe die
Stelle eines Hafens vertritt, in die Ostsee. Etwa
sieben Meilen von der Stadt nimmt er ihren Namen

an. Der Hafen trägt nur Schiffe, die bis sieben Fuß tief gehen.

Der Torgelsche Bach. Er fließt durch das Kirchspiel Torgel, etwa eine Meile oberhalb der Kirche, welche drey Meilen von Pernau entfernet ist, nimmt die Torgelschen Seen Aesow, Risa und den weißensteinschen Bach auf, vereiniget sich mit dem fellinschen und naiwastschen Bach, und erhält dadurch seine Größe. So bald er die Torgelsche Gränze berührt, heißt er der torgelsche Bach. Hier hat er steile, felsigte Ufer. Er vereiniget sich darauf bey Zintenhof mit dem reidenhoffschen Bach, und vereiniget sich mit dem Pernaustrom. Im Frühjahr ist er wegen seiner Tiefe fast schiffbar, mitten im Sommer aber nicht über zween Faden tief, und an manchen Stellen, besonders bey den lachswähren so seicht, daß man ihn durchwaten kann. Er liefert Hechte, Lächse, Wemgallen, Bleyer, Aale, Neunaugen, Schleyen, Barsen, Brachsen, und im Frühjahr gute Stinte.

Die Rujen. Sie entspringt im Helmetschen Kirchspiel im neuen Kreise, ohnweit der Helmetschen Gränze, unter dem Gute dieses Namens; von da geht sie gegen Westen hinauf, und giebt dem Gute Rujen bach den Namen, macht die Gränze zwischen Homlen und Naukschen, geht sodann an die Gränze von Neukarkeln, bis ligekrug fort, und vereiniget sich sodann mit der Kirre, die aus dem altkarkelschen See Lesdibben entspringt, auf Altkarkeln geht, und von da die Gränze zwischen Neu-Karkeln, Murmis und Naukschen ziehet. Nun fließt sie breiter fort durch Naukschen nach Rujen Pastorat, von da durch das Rujen Großhoffsche, das Gut Panten, durch Ostrominsky und Paibst in die Burtueckfche See. Dieser ansehnliche Bach fließt mehrentheils zwischen hohen steilen Ufern in unzähligen Krümmungen fort, und geht hie

und

und da sehr seicht, so daß er an manchen Stellen Steine von der Größe einer geballten Hand groß nicht bedeckt; im Frühjahr aber ist er reißend und gefährlich genug.

Audern, ein Bach, unter dem Gute dieses Namens im Audornschen Kirchspiel fällt in den pernauschen Meerbusen.

Der Surribach im Kirchspiel Saara, fällt nicht weit von Pernau in den Pernaustrom.

Der Hallistsche Bach, ein Gewässer, das in der Gegend der hallistschen Kirche entspringt, und in den fellinschen Bach fällt.

Tarwast, ein Bach, der bey dem ehemaligen Schlosse Helmet entspringt, und anderthalb Meilen von dort sich in die Wurzjärw ergießt. An seinem Ufer, das aus ziemlich dichtem Sandstein bestehet, findet man eine geräumige Höle, in welcher sich zwo schöne Quellen vereinigen, und in den Bach ergießen.

Der Overlachsche Bach. Er fließt nicht weit von Helmet und Overlach, und hat seine eigene Mündung zur See Wurzjärw.

Tórwa nomma oja, ein Flüßchen im Kirchspiel Testama, macht die Gränze zwischen dem Hauptgut Testama, und dem Gute Selli, und stürzt sich in die Ostsee; doch trocknet es im Sommer aus, und verliert sich zuweilen im Sande, ehe es die Ostsee erreicht.

Perm jöggi entspringt im fennerschen Kirchspiel unter dem Gute Zelle, geht die Güter Suik und Sauk vorbey, und fällt in den Pernaustrom. Er liefert Hechte und Bleyer.

Der Weißensteinsche Bach vereiniget sich mit dem Torjelschen Bach, geht sodann durch das ganze Fennernsche Gebiete, wo man ihn den fennernschen Bach nennet, und fällt in den Pernaustrom. Im Fennerschen giebt er Hechte, Barsen, Bleyer, Weiß-

F 5 gallen,

gallen, Turben, Aale, Neunaugen, zuweilen, doch selten, Lachse zur Ausbeute.

Der Svislepsche Bach kommt aus dem Karkusschen Morast, durchfließt das Kirchspiel Helmet in vielen Krümmungen, geht die Güter Woroküll und Svislep im Kirchspiel Tarwast vorbey, und nachdem er dritthalb Meilen durch das Tarwastsche Kirchspiel gelaufen ist, ergießt er sich bey dem Svislepschen Dorfe Wellejoge und der Hoflage Jerweküll in die Würzjärw. Im helmetschen Kirchspiel heißt dies Wasser die Oemel.

Der Karristhoffsche Bach im Kirchspiel Hallist, geht mitten durch dieses Kirchspiel, durchläuft zwo Seen in demselben, und ergießt sich in den pernauschen Bach. Er giebt zuweilen Lachsforellen.

Der große Reidenhoffsche Bach, ehstn. Reio jöggi. Er entspringt in Lettland aus dem See Letsaar, zwischen Ibeden und dem Dorfe Letsaar im Kirchspiel Saltzburg, geht durch das Kirchspiel Saara, das Gut Reidenhof vorbey, und bis Pernau. Von beiden Seiten ist er mit Wäldern, aus welchen sich viele kleine Flüsse in diesen Bach ergießen, und mit Heuschlägen umgeben. Er geht in sehr vielen Krümmungen, ist an manchen Stellen von vier bis sieben Faden breit, und zween bis drey Faden, an einigen nur etwas über zween Fuß tief. Im Frühjahre ist er gleichwol so tief, daß die Bauren Balkenflösser auf diesem Bach nach Pernau führen.

Ullo jöggi, ein kleiner Bach im Kirchspiel Karkus, fließt aus der Allatsi See. Wormals soll er gute Perlen gegeben haben.

Retso oya, im Kirchspiel Saara hinter dem Kergelschen Kruge, fließt von dort bis an den Hof Surri, nimmt die Flüsse Saara allone, Roog oya, Longi oya mit, geht bis Kikkeperre unter Kurnumbs

Gebiet,

Gebiet, wo er größer wird, und Ritteperre oya genennet wird, dann zum Hofe Reidenhof, wo er in den großen Bach fällt.

Seen.

Der Korkülsche See im helmetschen Kirchspiel, am Ermsschen Wege, liegt in einer Heide, und ist mit Gebirgen umgeben. Die Geschichte von einem hier zu Anfange des vierzehnten Jahrhunderts versunkenen Schlosse mag wol gegründet seyn; doch scheint die Veranlassung derselben einer Fabel ziemlich gleich, an welchen jenes Zeitalter so fruchtbar war. Siegbert, ein Mönch, oder nach andern ein Domherr zu Riga, soll sie 1489 in einer Chronik, die man aber gar nicht mehr zu sehen bekommt, beschrieben haben. Ein entsetzlicher Wolkenbruch soll diese Verwüstung verursachet haben. Eine solche natürliche Begebenheit konnte sich wol ereignen, ohne daß eine so schändliche That unmittelbar vorherging, die von Gott gleich auf der Stelle bestraft wurde. Sey es inzwischen damit wie es ist. Dieser See ist fischreich; nur soll er auf der Stelle, wo dies Schloß versunken ist, nicht zu befischen seyn; weil die Netze zerreißen. Im Jahr 1640 soll der Besitzer der Korkülschen Güter durch russische Taucher verschiedenes metallenes Hausgeräthe haben heraufbringen lassen, die aber, nachdem sie einmal, wie man vermuthet, Stücke von einigem Werth gefunden haben, nebst einigen korkülschen Bauren davon gegangen sind. Zur Winterszeit soll man die Ruinen noch sehen können, wenn man eine Wacke ins Eis hauen läßt, und diese mit einem dicken Gewand bedecket. Die Gebäude sollen mehrentheils aus Fachwerk und Ziegeldächern bestehen, die aber zum Theil schon abgespület sind.

Testa-

Testama, ein See, der unter der Kirche dieses Namens fließt.

Die Jäpersche See, im Kirchspiel Audern, ist etwa eine halbe Meile lang, und eine Viertelmeile breit, und liefert Hechte und andere geringe Fische. Aus diesem See kommt ein Strömchen, welches durch das Kirchspiel, und den Hof Audern vorbey fließt, und sich nach einem Laufe von anderthalb Meilen in die Ostsee ergießt.

Jöhwe jerw, ein stehender See im Kirchspiel Torgel, der zweyhundert Schritte lang und fast eben so breit ist.

Manna jerw, oder dreyer Herren Mark, weil hier dreyer Herren Güter zusammenstoßen, in eben dem Kirchspiel. Diese See ist etwas über hundert Schritte lang, und fast eben so breit.

Der Malküllsche See im Kirchspiel Karkus, eine Werst lang, und eine halbe Werst breit, aus welcher ein kleiner Bach Jerwe jöggi fließt, und sich in die Eiseküllsche See ergießt.

Der Hainasche See, eine halbe Meile lang, und dreyhundert Schritte breit.

Der Weisjerwe See, eine Meile lang, und eine halbe Meile breit, zwischen dem Helmet- und Karkusschen Kirchspiel.

Von Gewässern, in Ehstland nenne ich nur diese:

Der Narvastrom, oder die Narowa, ein ziemlich breiter, aber nicht langer Strom, ist ein Ausfluß aus dem Peipußsee, trennt Ehstland von Ingermannland und Narva, und fällt zwo Meilen von der Stadt Narva in den finnischen Meerbusen. Ihr Wasserfall, ein vortreffliches Naturschauspiel, ist bekandt. Das Wasser stürzt von einer Felsenwand hinunter, die etwa die Höhe von vier Klaftern hat; der Fall wird aber

durch

durch einige Abſätze des Felſens unterbrochen. Bey
ſeinem Abſturz ſprützen zarte Tropfen wie ein Staub
in die Höhe, die beym Sonnenſchein eine Art von
Regenbogen formiren, der ſich ſehr ſchön darſtellet.
Mehrere Nachricht von ihm findet man in der lief.
Topogr. 1. Th. S. 129. 2. B. 389. Herr Prof.
Bernoulli giebt in ſeinen Reiſen durch Brandenburg,
Pommern, Preußen, Cutland, lief. u. ſ. w. 3. B.
S. 291. eine Vergleichung zwiſchen dieſem Waſſerfall
und dem Rheinfall bey Schaafhauſen.

Die Kolkſche See unter dem Gute Kolk im
wierlandſchen Diſtrict. In dieſem ſind vormals gute
Perlen gefunden worden. Fr. Chr. Jeze von Perlen, die in Liefland gefiſcht werden, S. 51.

Die Jerkelſche See, auf einem ziemlich erhabenen Sandberge an der dörptſchen Landſtraße, zwo Meilen von Reval. Man nennet ihn den Obermühlenbach.
Er iſt faſt eine Meile lang, und eine Werſt breit, und
rund herum, beſonders gegen die Stadt, der er ſein
Waſſer giebt, mit Sande umgeben. Jetzo hat er
zween Ausflüſſe: den einen zur Stadt, der auch die
Mühlen treibt, den andern in die Oſtſee.

Der Jegelechtſche Bach, wird ſonſt auch der
kedderſche Bach genennet. Wegen ſeines Waſſer-
falles verdienet er bemerkt zu werden. Dieſen über
einen Felſen prächtig herabſtürzenden Bach kann man
auf der Narvſchen Landſtraße, drey Meilen von Reval, eine halbe Werſt von der Straße ſehen. Der
Fall iſt breiter, als der bey Narva, aber nur etwa
funfzehn Fuß hoch. Der Bach fällt nicht weit von
dieſem Fall in den finniſchen Meerbuſen.

Der Regelſche Bach, bey dem Gute und der
Kirche dieſes Namens in Harrien, iſt nur klein, wird
aber einige Meilen weiter gegen die Oſtſee groß und
tief. Bey dem Gute Fall ſtürzt er über den Kleit tief
hinun-

hinunter in die Ostsee, und macht einen ziemlich beträchtlichen Wasserfall, bey welchem viele, aber etwas magere Lächse gefangen werden. Livl. Topogr. 1. B. S. 133.

Der Ruiwajöggische Bach, d. i. trockener Bach. Wegen seines besondern Ganges verdient er hier eine Bemerkung. Er fließt ohngefähr vier Meilen von Reval durch das neuhoffsche Gebiet; bey dem Saulschen Kruge ist er etwa vier Faden breit. Ein Stück weiterhin verliert er sich mit einemmal, und schleicht eine Strecke von zwo Wersten unter Felsen, Wiesen und der dörptschen Landstraße, wo man ihn hin und wieder durch die kleinen Oeffnungen des Fliesengrundes, der ihn bedeckt, sehen kann. Endlich kommt er wieder zum Vorschein. Im Frühjahr, und bey häufigem, anhaltenden Herbstregen faßt sein enges Bette nicht alles Wasser, das ihm zuläuft, und dann bricht er durch die Oeffnungen, und strömt über die Erde hin, und da, wo man im Sommer keinen Bach vermuthete, da muß man nun mit Lebensgefahr beynahe durchschwimmen. Livl. Topogr. 1. B. S. 133.

Ein anderer kleiner Bach im Kirchspiel St. Johannis in Harrien, unter Fegefeuer, fließt eine kleine Werst unter der Erde fort.

Der Rasariensche Bach fällt bey der Kirche Ketrefer oder St. Nicolai in der Landwieck in einen langen schmalen Meerbusen, den hier die See macht. Der Pühsche Bach ist ziemlich beträchtlich. Er fließt unter der Kirche Luggenhusen im Wierschen District am finnischen Meerbusen mit dem Bach Rhodo zusammen, worauf sie sich beide bey dem Gute Purz in die See stürzen, und einen kleinen Hafen formiren. Hier ist unter anderer guten Fischerey auch ein Lachsfang. In den pühsschen Bach fließt ein Wasser, daß sich auf luggenhusenschen Dorfsfeldern in verschiedenen

nen großen, einen bis zween Faden tiefen, und fünf
bis zehn Faden breiten Hölen, die man Kurrimussed
nennet, sonderlich von geschmolzenem Schnee sammlet,
und über eine halbe Werst unter der Erde fortläuft,
bis es sich in diesen Bach ergießt. Livl. Topogr. 2. B.
Nachtr. S. 23.

Der Saulsche Bach im Kirchspiel Kosch im
District Harrien, fließt durch das neuenhoffsche Gebiet.

Der Zartsche See, ehstn. Arjo järw, im
Kegelschen Kirchspiel in Harrien, etwa eine Meile von
Reval, hat einen Umfang von einer Meile. Er liefert verschiedene Fischarten, unter andern große Brächsen, mit welchen er Reval versorget.

Der Sottküllsche Bach in Wierland, fließt
queer durch das Kirchspiel Watwara, und ergießt sich
nicht weit von Sottküll in den finnischen Meerbusen.
Er ist der einzige Bach in diesem Kirchspiel.

Seem, ein Bach unter Kunda im Kirchspiel Maholm in Wierland, fließt durch Uddrial, welches es
fast ganz von diesem Kirchspiel scheidet, und fällt in
den finnischen Meerbusen. Bey seiner Mündung hat
er vortreffliche Neunaugen.

Der allenküllsche Bach fließt neben dem turgel-
schen Pastorat in Jerwen, vereiniget sich mit noch einem andern, und fällt in den fennerschen Bach.

Der Kattasche Bach unter Toal im Kirchspiel
Kosch in Harrien. Er stürzt sich im Dorfe Kotta
unter die Erde, geht zwo Werst darunter fort, schießt
dann wieder hervor, und treibt die Kattasche Mühle.

Der Lodensee, ein stehender See im Kirchspiel
Kegel unter dem Gute dieses Namens, ist drey Werst
lang, und über eine Werst breit.

Muschöggi, ein großer See bey Ahagfer in
Wierland, der sich durch schmale Arme mit zween

Lieb

kleinern Seen verbindet, und nach einigen Krümmungen in den Narvastrom fällt.

Raan järw, d. i. Blutigelsee, im Kirchspiel Koſch, an den Gränzen von Neuhof, Märks und Pickfer, hat die Geſtalt eines halben Mondes. Er iſt wegen der Blutigel bekandt, die man darin ſiehet.

Remmekik und Worona, zwo kleine Seen im Aſſentakelnſchen in Wierland, welche etwa zwo Meilen von der Capelle Iſaac, die zum Kirchſpiel Jewe gehört, entſtehen, und nach einem lauf von ohngefähr funfzehn Werſt ſich in den Pelpusſee ergießen.

Von mineraliſchen Quellen habe ich keine gefunden; doch ſoll eine im Helmietſchen Kirchſpiel im pernauiſchen Kreiſe ſeyn, deren Beſtandtheile mir aber nicht bekandt ſind.

An angenehmen Gegenden kann es in einem lande wol nicht fehlen, in welchem ſo, wie in unſerm livlande, Kornfelder, Viehtriften, Heuſchläge, Gebirgketten, und eine Menge Flüſſe und Seen miteinander abwechſeln. Vornemlich geben die wendenſchen, erlaſchen, feſtenſchen, treidenſchen, odenpäſchen Gegenden, die Straße längs den Dünaſtrom hinauf, und viele andere mehr, eine ſehr mannigfaltige retzende Ausſicht, beſonders da, wo das Auge an erhabenen Orten von keinem dichten Walde, oder andern Hinderniß aufgehalten wird, und alſo die vortrefflichſten Gegenden mit einem Blick überſehen kann. Man entdeckt dann mit einemmal Felder von mancherley Art, die durch ihre verſchiedentlich abwechſelnde Farben das Auge angenehm unterhalten, Gebüſche, Seen, Viehtriften, Gebirgketten, wohlgebaute Adelhöfe, Kirchen, Ruinen von zerſtörten Schlöſſern, dieſe traurigen Denkmäler des alles verheerenden Krieges, Bauergeſinden, Wieſen und andere Gegenſtände. Auf dem Gipfel des Galgenberges bey Arraſch z. B. ſiehet man auf

ſieben

sieben Meilen weit herum, und entdeckt bey hellem
Wetter verschiedene entfernte Kirchen, als die wal-
marsche, papendorfsche, roopsche, ropsche, rujensche,
wendensche. Hier sieht man die Pracht der Schöpfung
unter sich verbreitet liegen, und das Auge vergnügt
sich an den entzückenden Aussichten der schönen und
malerischen Natur. Mit Vergnügen hören Reisende
in angenehmen Frühlingsnächten die waldigten Gegenden an den Landstraßen von den melodischen Gesän-
gen der Nachtigallen, die hier recht ihre Heimath zu
haben scheinen, wiederhallen.

Was das Vergnügen, und die Bequemlichkeit,
die wir auf unsern Landreisen empfinden, um ein Großes vermehret, das sind unsere Landstraßen, die sechs
bis sieben Faden breit sind, und, so wie auch die Com-
municationswege, die von einem Gute oder Kirchspiel
zum andern führen, überaus gut und sicher eingerichtet sind, und beständig in dem besten Stande unterhalten werden. Ich wüßte kein Land, dessen Wege den
unsrigen vorzuziehen wären. Man läuft hier nicht Gefahr, auf unebnen Wegen umzuschlagen, oder durch den
Absturz vom Berge Hals und Beine zu brechen, wie der
Fall wol in manchen auswärtigen Gegenden ist; wenn man
nur vorsichtig ist, denn wenn man sich unbändigen Pferden, oder einem besoffenen Fuhrmann anvertrauen
wollte, da würde wol freylich nicht leicht jemand die
Assecuranz über unser Leben übernehmen.

Das Wetter und die Witterung in Livland pflegen Fremden, die dieses Land besuchen, oft unbequem
zu fallen; die hiesige, zuweilen lang anhaltende Kälte,
noch mehr aber die oft rauhen Frühlingstage, die
nicht selten lange anhalten, und auf die gemeiniglich
unmittelbar eine starke Sommerhitze folgt, gereichen
den mehresten zu einer großen Beschwerde. Unsere
Lage zwischen der Ostsee, und waldigten, unbebaue-

ten moraſtigen Gegenden, auch wol die häuſigen Landſeen tragen vieles dazu bey. Wir aber, bekandt mit
dieſer Unbequemlichkeit, finden die Strenge des Winters weit erträglicher, und ſind mit ihr deswegen zufrieden, weil ſie uns große Vortheile und viele Be-
quemlichkeiten verſchaffet. Der anhaltende Winter
und die große Sommerhitze ſind uns nothwendige
Wohlthaten der gütigen Natur. Die Winterkälte
reiniget unſere Luft von Dünſten, welche ſich aus der
uns umgebenden Oſtſee, aus den unzähligen Gewäſſern
und vielen Moräſten im Lande häufig durch dieſelbe
verbreiten; ſie verſchaffet unſerm Erdreich eine Hülle,
indem der Schnee unſere Saatfelder bedeckt, und ſie
alſo durch die Kälte gegen die Kälte ſichert; ſie erleich-
tert unſere Reiſen, und das Verführen der Landespro-
ducte, und fremder Waaren, die uns in großer Menge auf langen Wegen aus Rußland, Polen und Littauen zugeführet werden; ſie bauet Brücken über Flüſſe
und Seen, macht Sümpfe tragbar, die im Sommer undurchkömmlich ſind, und verſchafft uns dadurch
nähere Wege; und würde die auf den langen Winter
folgende Sommerhitze nicht in eben dem Verhältniß
ſtark ſeyn, und lange währen, wie könnten bey einem
ſo kurzen Sommer, als der unſrige iſt, unſere Erdfrüchte ihre Reiſe erhalten, und andere Geſäme fortkommen? Wenn auch alles dieſes nicht wäre: ſo macht
ja ein beſtändiger Wechſel von Wärme und Kälte,
Sommer und Winter, die gemilderte Jahreszeit deſto
angenehmer; denn auch der heiterſten Tage wird der
Menſch bald gewohnt, und ein Vergnügen, das wir
ſo lange haben entbehren müſſen, wirket auf uns mit
deſto mehrerem Reize. Daß aber eine Witterung,
wie die in unſerm Lande, dem Menſchen nicht nachtheilig ſey, davon geben uns die dauerhaften Körper der
nördlichen Nationen, die beſten Beweiſe; denn unter
dieſen

diesen wird man gewiß mehrere Menschen finden, die
zu einem hohen Alter gelangen, als unter denen, die
in südlichen Gegenden leben.

Unser Winter währet gemeiniglich sechs Monat.
Man sagt zwar: in Livland hat man neun Monat Winter und drey Monat Sommer; doch dies ist ganz uneigentlich geredet, weil man die öfters kalten Frühlings-
und Herbstmonate, die jedoch in manchen Jahren leid-
lich, in einigen gar angenehm sind, mitzählet. Sind
doch zuweilen in den südlichen Gegenden Deutschlandes nicht ganz schöne Frühlings- und Herbsttage;
Beyspiele lieset man genug.

So wenig sich unser Winter immer gleich ist: so
wenig ist es auch der Sommer. Von einer lange
anhaltenden strengen Winterkälte pflegt unser Landmann, jedoch nur mit einiger Zuverlässigkeit, auf einen
heißen und dürren Sommer zu schließen. Einige wollen gar durch Erfahrungen unterstützt behaupten, daß
ein kalter Wintermonat, einen gerade sechs Monat
hernach folgenden heißen dürren Sommermonat, und
zwar einen ganz verhältnißmäßigen verkündige, und
auf einen feuchten, schneereichen Wintermonat ein
nasser Sommer unfehlbar folge: so soll z. B. der
Julius sich nach dem Jenner, und der August
nach dem Hornung richten. Diese Regel mag wol
ihre Ausnahme haben, wie mehrere andere; denn
wenn es gleich in einigen Jahren zutrifft, so geschieht
es gewiß nicht in allen. Oft ist der Winter strenge
und anhaltend, und Frühjahr und Sommer darauf
sind gleichwol kalt. Ein Beyspiel ist das Jahr 1784,
dessen Winter vom Ausgange des Novembers 1783
bis zum folgenden März (indem nur ein paar kurze
Thauwetter einfielen) fast ununterbrochen daurete, und
dabey ungemein schneereich war; gleichwol war das

G 2

dar-

darauf folgende Frühjahr ſo unleidlich kalt, daß viele
noch im Ausgang des May die Zimmer heizen ließen,
und ſtarke Nachtfröſte in Gärten Schaden thaten; anhaltende rauhe Nordwinde waren unſere tägliche Gelei-
ter, und hielten den Wachsthum unſerer Gewächſe
ſehr zurück. Ich habe eben geſagt, daß dieſe Regel
eine Ausnahme leide, daß nicht in allen, doch in einigen Jahren die Sommerhitze mit der vorhergegange-
nen Winterkälte im Verhältniß ſtehe. Dies letztere
traf im Sommer 1789 genau zu: denn der Winter
war, wie allgemein bekandt iſt, außerordentlich ſtrenge. Eben ſo war bey uns der Sommer; von der
Mitte des April bis zu Ende des Auguſt war die Hitze
und Dürre ſo unleidlich und anhaltend, als man ſie
ſeit Menſchendenken nicht gewohnt war, und nur ſelten fielen einige Strichregen. Die mehreſten kleinen
Bäche verſiegten, Pfützen und Moräſte dorrten aus;
ſo gar einige Flüſſe entfernten ſich von ihren Ufern; der
Waſſermangel war den Landleuten an vielen Orten ſehr
beſchwerlich, weil ſie ihr Vieh ſehr weit zur Tränke
treiben mußten; die mehreſten Waſſermühlen ſtanden
ſtille. Die Hitze und Dürre war beſonders dem Gras-
wuchs, an vielen Orten auch dem Sommergetraide
ſehr nachtheilig. Fortgeſetzte meteorologiſche Annalen
würden hierin mit der Zeit einige Gewißheit geben
können.

Oft bringet uns ſchon der März einige angenehme
Tage; gemeiniglich aber folgen ihnen unfreundliche
Apriltage, die in den mehreſten Jahren Schnee, Hagel, kalte Nordwinde und Stürme in ihrem Gefolge
haben. Daß dieſe Witterung uns vortheilhaft ſey,
läßt ſich leicht einſehen. Zu dieſer Zeit öffnet ſich die
Erde, und ſchickt die Ausdünſtungen, welche der
Froſt ſo viele Monate in derſelben verſchloſſen hatte,
in die Luft. Welch eine Menge ungeſunder Dünſte
und

und schädlicher Nebel würden sich nicht über uns sammlen, und unser Leben und unsere Gesundheit in Gefahr
setzen, wenn ein wohlthätiger Sturm sie nicht zerthei-
lete. Jede Naturbegebenheit, auch die, welche uns
widrig scheinet, hat von dem gütigen Schöpfer den
Auftrag, zum Vortheil der Erdbewohner zu wirken.
Ob wir nun gleich, wie ich eben sagte, oft noch im
May starke Nachtfröste haben, und geheizte Zimmern
suchen müssen: so fallen doch zuweilen einige Tage dazwischen ein, die man in eigentlichem Verstande heiß
nennen kann. Ungewöhnliche Beyspiele davon hatten
wir im Jahre 1777, da den 31sten May das Reau-
mursche Thermometer 36 Grade zeigete. Der Frühling des Jahres 1779 zeichnete sich, so wie in Deutschland und südlichern Ländern, also auch bey uns, als
einer der ungewöhnlich frühesten aus. Ich wiederhole
hier das kurze Tageregister von dem Ausschlagen der
Bäume in diesem Frühjahr, das ich bereits in meinen
Zusätzen, die 1784 herauskamen, geliefert habe.

Den 14ten März fing die Witterung an, so
warm zu werden, daß die Knospen am Johannisbeerstrauch und an der Sirene sichtbar wurden; eine Erscheinung, die wir nicht gewohnt waren. Hummeln
summeten in großer Menge, besonders die Gartenhummel, (Apis hortorum Linn.) und Fliegen und einige andere Insecten kamen hervor: aber kalte Nordwinde, die einige Tage darauf einfielen, hielten das
weitere Ausschlagen dieser Gewächse zurück, bis zum
12ten April.

Den 16ten April schlug der Stachelbeerstrauch,
die Birke und der Elsenbeerbaum, Prunus Padus,
bey uns Faulbaum, aus.

Den 22sten sahe man die Blätter der Roßca-
stanie.

G 3 Den

Den 25ſten das Lindenlaub.

Den 27ſten die Blüthe des Elſenbeerbaumes.

Den 28ſten die Blüthe des Birnbaums und der Frühkirſche. An dieſem Tage fingen auch die Blätter der Eſche an, ſich zu entwickeln.

Den 5ten May zeigete ſich die Blüthe der Sirene völlig, und die Gartenlilienconvallie; auch Narciſſen und Tulipanen fingen an, ihre Blumen zu entwickeln.

Den 6ten kam die Blüthe des Ebereſchbeer- oder Vielbeerbaums hervor.

Den 11ten die wildwachſende Lilienconvallie, die gewöhnlich ſich erſt im Junius zeiget.

Ganz anders war es im kalten Frühjahr 1784, da z. B. die Birnbaum- und Frühkirſchenblüthe erſt den 21ſten May, und die Blüthe der Sirene den 26ſten May auszubrechen anfingen.

Das kalte Maywetter, inſonderheit, wenn es vom Regenwetter begleitet wird, iſt dem Korn- und Wieſenwuchs ungemein zuträglich, weil ſonſt die Sonnenſtrahlen, die vom Schnee und Regen befeuchteten Felder und Wieſen leicht ausdörren, und die Wurzeln, die alsdann von Blättern noch nicht hinlänglich beſchattet ſind, leicht welk werden, und verderben würden. Die Kälte iſt außerdem der Brut einiger Raupenarten, welche die kalte Witterung nicht vertragen, und den Erdflöhen, welche unſere Küchengärten oft ſehr verwüſten, nachtheilig; nur wünſcht der Landmann, und eben ſo ſehr der Gartenliebhaber, in dieſem Monat mit Nachtfröſten verſchont zu ſeyn, durch welche vornem-
blüthe ſehr leidet: doch der Erfolg entſpricht nicht allezeit ſeinen Wünſchen. — Gewöhnlich und am öfterſten tritt der ſpäte Froſt nach gelinden Wintern ein.

Heft

Heftige Stürme sind unserer Roggenblüthe, welche gewöhnlich gegen Johannis hervorkommt, nicht
zuträglich, weil sie die Blüthen oft zu frühe, und ehe
sie ihr Fructificationsgeschäffte vollendet haben, ab-
werfen. Der Julius, zuweilen auch schon der Junius,
sind gewöhnlich sehr heiß und trocken. Diese Witterung ist den Feldarbeiten sehr vortheilhaft, und dem
Landmanne willkommen, der alsdann eilet sein Korn
zu schneiden, und sein Heu zu mähen; ob sie gleich den
Reisenden, besonders in freyen sandigen Gegenden
äußerst beschwerlich ist: doch wo finden wir einen Erd-
strich, mit dem seine Bewohner völlig zufrieden sind? —
Sehr oft sind wir schon im September wieder genöthiget, den warmen Ofen zu suchen; gleichwol bringet
dieser Monat auch in manchen Jahren heitere und angenehme Tage, und sogar der October, der öfters un-
freundlich genug ist, gewährt uns zuweilen einige schöne
Mittagsstunden. Oft fallen frühe Nachtfröste ein,
die den Landmann in Sorgen setzen. So fiel z. B.
1780 in der Nacht zwischen dem 30sten und
31sten Julius ein starker Frost ein, der besonders dem
Buchweizen großen Schaden that, der eben nahe auf
Abblühen war. Felder, die wir Tages vorher purpurfarben sahen, waren des Morgens darauf durchgehends schwärzlich, und das Gewächs sahe wie
verbrannt aus. Ein beträchtlicher Schaden für Landleute, die ihn zum Brandweinbrande gebauet hatten,
und sich nun in ihrer Rechnung betrogen fanden.

Die oft sehr merkliche Abwechselung und Veränderung unserer Witterung wird man am besten aus den
am Ende dieser allgemeinen Naturgeschichte beygefüg-
ten meteorologischen Bemerkungen, die nach der Reau-
mürschen Scala gemacht sind, sehen. Sie sind um
6 Uhr des Morgens, da das Thermometer der Sonne
noch nicht ausgesetzt war, und des Abends um 11 Uhr

G 4 ange-

angestellet worden. Wenn diese Bemerkungen inzwischen in Stunden, da die Sonne das Thermometer beschien, gemacht sind: so ist es dabey besonders angemerket worden. Zeit und einige Umstände haben mich gehindert, diese Bemerkungen bis zu diesem Jahre fortzusetzen.

Hier scheint mir die Stelle zu seyn, da ich von dem Nebel rede, der sich im Sommer 1783 über den größten Theil von Europa ausbreitete, und auch unsere Atmosphäre erfüllete. Seinen Ursprung suche ich in der kalten Witterung desselben Frühjahres, die lange anhielt. Die Dünste, welche häufig aus der aufgeschlossenen Erde aufgestiegen waren, konnten bey dem Mangel der Sonnenwärme nicht zertheilet werden. In diesem Frühjahr herrschten auch gar keine starke Nord- und Ostwinde, welche diese Dünste sonst gewöhnlich auseinander zu treiben und fortzuführen pflegen. Der Frost war, da er sich, ehe viel Schnee fiel, einstellete, tief in die Erde gedrungen, und hatte sie zeitig verschlossen. Die Dünste waren daher bey ihrem langen Verweilen in der Erde mehr als in andern Jahren gewöhnlich verdicket, besonders in den häufigen Morästen, und wurden durch die Ausdünstungen des im Frühjahr geschmolzenen Schnees und des Eises der häufigen Landseen so sehr vermehrt, daß sie unsern Dunstkreis wol erfüllen konnten. Aus den herumliegenden see- und morastreichen Gegenden und aus der benachbarten Ostsee kamen gewiß auch eine Menge Dünste her.

Dieser Nebel wurde vor dem Ende des May bemerkt, und währete bis in die Mitte des Julius fast ununterbrochen fort. Die Dünste wurden durch die Kälte des obern Luftraumes sehr verdicket. Oft war

hinun-

hinunter, daß man weder die Stadt noch andere Gegen-
stände in einiger Entfernung erkennen konnte, so daß man
ihn, da besonders die Erde während des Nebels, bey Tage, auch Abends, wenn kein Thau fiel, sehr dürre war,
für einen dicken Staub ansehen konnte. Diese ganze
Zeit über war die Luft gar nicht schwül und drückend,
wie man hätte vermuthen sollen, und worüber man in
den mehresten Gegenden Deutschlandes wirklich klagte:
im Gegentheil spürten wir, da die Sonne fast nie her-
vorbrach, eine gemäßigte Wärme, nicht solche Hitze,
als wir sonst in trockenen Sommern, wenn Süd-
und Westwinde, wie eben damals, herrschen, zu empfinden gewohnt sind. In vielen Nächten fiel ein starker Thau, der sich oft Abends ziemlich zeitig herunter-
ließ. Sonderbar ist es, daß wir, so lange dieser
Nebel währte, keine Gewitter hatten, wie man befürchtete, und die, nach den Nachrichten, in Deutschland häufig und heftig waren. Kurz nachher aber,
nachdem er verschwunden war, kamen sie desto heftiger und ungewöhnlich häufig, schlugen auch, da die
electrischen Wolken sehr niedrig gingen, sehr oft ein. Das
erste schwere Gewitter hatten wir den 23. Jul. spät in
der Nacht, welches die Kirche zu Salisburg einäscher-
te, nahe um Riga aber nicht bemerket wurde. Zween
Nächte darauf hatten wir eines über der Stadt Riga,
das lange stand, und außerordentlich heftig war, auch
an ein paar Stellen einschlug, aber fast keinen Schaden that. Diese Gewitter kamen auch nach wenigen
Tagen, auch nachher oft, fast mit gleicher Heftigkeit
wieder, und hielten noch bis in den September an, da
schon die Witterung ziemlich kalt zu werden anfing;
denn kaum war die Luft abgekühlt und etwas heller geworden, so sahe man schon immer wieder die Meteo-
ren sich thürmen, die sich dann bald in Gewittern aus-
leerten.

G 5 Die-

Diejenigen, welche diese Erscheinung von dem Erdbeben, welches in eben diesem Jahr Calabrien verwüstete, herleiten, haben zwar einige Erfahrung für sich; denn es ist bekandt, daß im Jahr 1721, da Tauris in Persien durch ein Erdbeben zerstöret wurde, bald darauf dort ein solcher Nebel einfiel, der erst nach ein paar Monaten verschwand; jedoch, da dieser Nebel, wie ich bemerkt zu haben glaube, aus den nordlichen in die südlichen Gegenden vordrang: so kann diese Muthmaßung wol hier nicht Statt haben. In unsern Gegenden wenigstens zeigte er sich zehn Tage früher, als man ihn in Deutschland wahrgenommen hat. In den Ephemeridib. Societ. meteorol. Palatinae, observ. an. 1783. 1784. 1785, dieser Sammlung von Bemerkungen eines kostbaren, bis hieher in seiner Art einzigen Instituts, in welchem von vielen sachkundigen Männern an verschiedenen von einander weit entlegenen Orten, nach einem vorgeschriebenen Schema meteorologische Beobachtungen angestellt werden, welche über die Kenntniß der Witterung, der Lufterscheinungen, und über ihre Einflüsse in die Naturgeschichte und den Feld- und Gartenbau vieles Licht verbreiten, sind auch von diesem Nebel viele Nachrichten und Beobachtungen eingerückt. Von diesen kommen mehrere in ihren Bemerkungen und Vermuthungen über die Natur und den Ursprung desselben mit einander überein, dagegen andere von einander völlig abweichen. Herr Toaldo, der diesen Nebel von dem

Wirkung dieses Nebels in Venedig auf die Gewächse außerordentlich vortheilhaft, H. v. Schwinden dagegen fand dessen Wirkung in Franecker auf die Gewächse äußerst traurig. Bey uns in Livland war er den Fruchtfeldern und Gewächsen nur insofern vortheilhaft, daß er die Sonne verdeckte, so daß ihre

Hitze

Hitze das Erdreich nicht so stark ausdorren konnte,
welches sonst bey dem Mangel des Regens den Gewächsen sehr nachtheilig gewesen wäre; auch die häufigen Nachtthaue erquickten sie ungemein. Die Feldfrüchte standen nur im Sandlande schlecht, im schweren Lande besser. Küchengewächse kamen ziemlich gut
fort; am Obst war wenigstens bey Riga einiger Mangel, und an alten Bäumen verdorrten die Blätter etwas, und schrumpften zusammen. — Einen merklichen Schwefelgeruch haben wir auch bemerkt, und
auch bey uns stand das Barometer sehr hoch.

Gewitter haben wir sonst in manchen Jahren
zwar häufig: doch sind sie selten über unserer Stadt
außerordentlich heftig, im Lande hingegen, besonders
in Gegenden, wo viele und weitlaufende Moräste und
viel stehende Seen sind, oft schwer und anhaltend.
Gewöhnlich kommen sie aus Südosten über die waldigten und morastigen rodenpoisschen Gegenden zu uns
herüber, und verweilen sich selten lange über unsern
sandigen Stadtgegenden, ob man gleich glauben sollte,
daß sie aus der nahen Ostsee und andern benachbarten
Gewässern ihre Nahrung verstärken. Mehrentheils
ziehen sie nach Nordwest, und gehen in die Ostsee.
Im Sommer 1787, ob er gleich viel kühle Tage und
sehr regnigtes Wetter, wenig Hitze hatte, sahe man von
der Mitte des April bis zum Anfange des Septembers fast täglich Gewitterwolken an unserm Horizont,
und immer zogen sie den ebengenannten Weg. Nur
ein paarmal kamen sie etwas nahe, aber niemals gerade über unsere Stadt; im Lande aber, z. B. im Marienburgschen, Sissegallschen und in andern Gegenden
waren sie oft sehr heftig. Im Sommer 1788, der
schön war, und viele heiße Tage hatte, kamen die Gewitter später, und waren weniger häufig; nur ein paar,
waren

waren stark, besonders war eines am 7. Jul. heftig und anhaltend. Am 22. Sept. nach einem kühlen Tage, an welchem wir 5 Grade Wärme hatten, war Abends ein Gewitter, und während desselben 8 Grade Wärme; den 23. Sept. war ein noch stärkeres bey 7 Graden, vor demselben waren nur 4 Grade Wärme. In einigen gleich drauf folgenden Tagen zeigte das Thermometer 10 Grade Wärme; gleichwol kamen keine Gewitter. Am 30. Sept. verließ uns diese gute Witterung, und ein heftiger Sturm aus Nordwest, der einige Tage anhielt, brachte uns sehr vielen Regen, Hagel, und wenigstens für diese Jahreszeit, ungewöhnlich vielen Schnee. Am 3. Oct. früh um 5 Uhr hatten wir wieder bey der Stadt ein nahes Gewitter: Blitze und Schläge waren heftig, und wurden von einem starken Hagel begleitet, der aber nur ein paar Minuten anhielt. Bey diesem Gewitter hatte das Thermometer 11 Grade Wärme, da es Abends vorher nur 3 gehabt hatte. Der Sturm legte sich bald hierauf. Unsere Bauren sagten, dieses späte Gewitter kündige einen scharfen Winter an, der auch wirklich zeitig erfolgte. Am strengsten und sehr anhaltend war die Kälte vom 3. bis zum 25. Dec. bey S. O. Winde. Auffallend war es uns, was auch in andern Gegenden bemerkt wurde, daß das Queckfilber im Barometer dabey immer tief stand, und um desto tiefer fiel, je mehr die Kälte zunahm. Am 10. Dec. Abends stieg das Barometer mit einemmal ungewöhnlich; die Kälte ließ am folgenden Morgen merklich nach, und es erfolgte ein häufiger Schnee, der aber nur einen Tag anhielt: denn am 13. Dec. war die Kälte wieder heftig, bey sehr niedrigem Stande des Barometers. Bey der strengen Kälte war die Luft immer so dicht, daß der Rauch aus den Schornsteinen nicht in die Höhe steigen konnte, sondern hinuntergedruckt wurde.

Fast

Fast gewöhnlich, ehe Schnee fiel, sahe man einen Regenbogen, und vor demselben ein Nordlicht. Am 3. Jan. 1789 Vormittags zeigte sich ein schöner Regenbogen, der vierzehn Streifen hatte, und mit seinen beyden Enden am Horizont hinunterhing.

Merkwürdig ist, daß bey uns die Kälte nicht so strenge gewesen ist, als in den südlichern Gegenden Deutschlandes und andern Provinzen, wenn man den öffentlichen Nachrichten glauben darf: denn sie überstieg nicht, (einen Zeitraum von wenigen Stunden, den 10. Dec. Abends ausgenommen, da das Thermometer auf $\frac{0}{26\frac{1}{3}}$ stand) $\frac{R}{\text{R}}$. Von erfrornen Menschen,

von welchen wir in den Zeitungen so viel traurige Beyspiele lasen, sogar, welches bey uns, wo doch auch Leute in der Kälte schlafen, ganz unerhört ist, von Menschen, die in ihren Betten erfroren waren, haben wir nur sehr wenige einzelne Beyspiele gehabt. So wurde z. B. auf dem Wege von Memel nach Liebau ein Postillon todt gefunden; ob er nicht etwa eines natürlichen Todes gestorben, oder vielleicht vorher im Brandwein gegen die Kälte zu sehr Schutz gesucht, weiß man nicht. Wahrscheinlich ist die Ursache, warum unter unserm nordlichen Himmelsstriche weit weniger Menschen erfroren, als unter dem südlichen, darin zu finden, daß sich bey uns jeder, auch der geringste Mensch, zeitig durch gehörige Kleidung gegen die Kälte schützt.

Zuweilen, doch selten, fällt bereits im September der erste Schnee, der aber niemals liegen bleibet. Ungewohnt ist es vor dem Wintermonat eine beständige Schlittenbahn zu bekommen. Erst in diesem Monat gefrieret gewöhnlich die Erde, die Moräste werden

halt

haltbar, und die Flüsse tragbar. Dann überfällt uns
der Frost sehr schnell und stark, und es ist nichts Ungewöhnliches, des Morgens da Fußgänger zu sehen,
wo spät den Abend vorher Böte fuhren.

Gewöhnlich werden unsere Flüsse in den letzten
Tagen des März vom Eise befreyet; doch haben wir
auch Beyspiele, daß das Eis in unserer Düna bis zum
16ten April gestanden hat. Der Ausgang des Eises
aus diesem Strom ist nicht allezeit eine Folge von strenge, enhaltendem oder gemäßigterm Frost, sondern
hängt von verschiedenen Umständen ab. Thauwetter
und Regen können das Eis zwar mürbe machen, aber
nicht in Gang bringen. Wärme und sonnenreiche Tage hingegen schmelzen den Schnee an den erhöheten
Ufern des Flusses; das häufige Schneewasser aus den
Wäldern stürzt mit hinzu, der Strom schwillt sodann
an, und hebt das Eis, und dieses befördert hauptsächlich den Bruch des schon mürben und bröcklichten Eises, besonders wenn ein günstiger Nordwestwind aus
der Ostsee hinzukommt, der von der Fluth unterstützet,
den Ausgang beschleuniget.

Dieser Eisgang unserer Düna ist eine Naturbegebenheit, die sich nicht genau beschreiben läßt, und
von der sich Ausländer, die sie nie gesehen haben, keine
richtige Vorstellung machen können. Mit einemmal
und unvermuthet, zuweilen indem noch Fußgänger
hinüber zu gehen wagen, die alsdann nicht ohne Wun-
derwerk gerettet werden, hebt sich das Eis, und mit
einemmal wird es in einem Strich von mehreren Meilen in Stücken zerbrochen, und indem ein Stück das
andere mit Gewalt forttreibet, in Gang gebracht.
Ein gewaltiges Getöse, gleich einem dumpfigen Donner,
verkündiget den Anfang dieser Naturscene, die, wenn sie
sich Abends spät, oder in der Nacht ereignet, durch
ein paar Kanonenschüsse von den Stadtwällen bekandt
gemacht

gemacht wird. Wenn kein Hinderniß scheint läuft herüber, wird es in ein paar Tagen von dem starken schnell fließenden Strom durch den gewöhnlichen Weg in die See geführet, wo es das beständige Anschlagen der Wellen theils mürbe macht, theils die Wärme der Sonne völlig auflöset. So ruhig und glücklich aber nimmt es nicht in allen Jahren seinen Ausgang. Sehr oft ist es den benachbarten Gegenden weit herum, vornehmlich den niedrigen Häusern in der Düna, auch selbst der Stadt, mehr aber dem niedrigen Theil der Vorstadt gefährlich und traurig genug. Wenn das Eis im Strome losgehet, da er unten bey seiner Mündung noch mit Eise belegt ist, oder wenn sich die ungeheure gehäufte Masse von Eisschollen vor dem Auslaufe stauet und aufthürmet; wenn das nun immer mehr den Fluß hinunterkommende Eis hinzukommt, und sich alles zusammen anhäufet, aufgehalten, und die ganze Düna dergestalt mit Eise zusammengedrängt wird, daß es fest und ganz unbeweglich stehen bleibet; wenn hiedurch der gewöhnliche Lauf des stark zudringenden Stromes gehemmet wird, und es dann allenthalben unaufhaltbar aus seinen Ufern stürzt; dann sind die umliegenden Gegenden in äußerster Gefahr. Die Jahre 1744, 1771 und 1785 sind redende Beweise von der Gewalt, welche dieser Strom ausübet, wenn er mit Macht aus seinen Ufern getrieben wird. Wenn nun dieses zusammengeschobene Eis endlich Luft bekommt, und von dem reißenden Strom mit einemmal fortgetrieben wird: dann reißt es gemeiniglich alles, was es vorher eingeschlossen hatte, wüthend mit sich fort, hebt die größten Häuser aus dem Grunde, und die größten Lasten können ihm nicht widerstehen. Man sieht, wie es tief eingeschlagene Pfähle von beträchtlicher Dicke mit solcher Geschwindigkeit und so leicht aus dem Grunde hebt, als wie man eine

Nadel

Nabel abzieht. Oft hebt es große Gebäude aus ihren Fundamenten, und setzt es auf entfernte Stellen fest hin. So wurde z. B. 1771 ein Haus von Hasenholm nach Friedrichsholm getragen, und setzte sich so feste, daß es bewohnet werden konnte, auch 1785 noch bestand, und bey dem schweren Eisgange desselben Jahres, da fast alle Häuser von den Hölmern weggetrieben wurden, stehen blieb, und vielen Menschen, die es aus Vertrauen zur Vorsicht für einen ihnen angewiesenen Schußort ansahen, zur Zuflucht dienete. Ein trauriger Anblick, wenn man eine Menge weggetriebener, zum Theil beträchtlicher Gebäude, zuweilen mit Menschen angefüllt, die um Hülfe rufen und winken, denen man aber nicht beyspringen kann, wie man besonders 1771 sahe, losgerissene Mastenstapel, Balken und andere Holzwaaren von großem Werth, mit dem Eise vorbey und fortgehen siehet; wenn von den Wällen mancher sein Eigenthum in Gefahr, oder gar vor seinen Augen, ohne helfen zu können, forttreiben siehet. Wüste Plätze, durchgebrochene Dämme, weggerissene Brücken, verwüstete und mit Sande übertragene Kornfelder, Wiesen und Heuschläge, und viele andere Verwüstungen, sind die traurigen Spuren von diesen gewaltsamen Zerstörungen, die diese Ueberschwemmungen oft in wenigen Stunden anrichten, denen weder einige menschliche Klugheit, noch alle vorgekehrte Anstalten vorbeugen können.

Man beobachtet deswegen in Riga alle Frühjahr die äußerste Sorgfalt. So bald einige Gefahr zu befürchten ist, werden die Thore und alle Oeffnungen, durch welche das Wasser in die Stadt dringen könnte, mit aller Vorsicht verdämmet, und Tag und Nacht Wachen gehalten, bis alles Eis in die See getrieben, und alle Gefahr gänzlich vorüber ist.

Der

Der lang anhaltende Winter des Jahres 1785, besonders der späte strenge Frost im Hornung und März, hatten das Eis so zähe und so stark gemacht, daß seine Dicke an den mehresten Stellen drey Fuß, an einigen gar sechs Fuß betrug, und man einen ungewöhnlich späten Eisgang vermuthete. Gleichwol beförderten einige sonnenreiche, warme Tage im Anfange des Aprils seinen Aufbruch, so daß es den 10ten April zu gehen anfing, da es doch zuweilen später, z. B. 1760 den 16ten, und 1771 den 15ten April erst gegangen ist. Das Eis war jedoch noch so stark, daß es sich bey seinem Gange nicht leicht zertrümmerte, und da der Ausgang verstopfet war, sich desto eher und fester zusammenschob. Seit Menschendenken waren die umliegenden Gegenden nie in so augenscheinlichen großen Gefahren gewesen, als diesmal; denn das Eis stand 24 Stunden lang fest und unbeweglich, und drohete vielen Gegenden, die es fest eingeschlossen hielt, den Untergang; aber in der Nacht vom 12ten auf den 13ten April fing es ganz gemächlich an, sowol aus dem Strom, als von den Ufern und Gebäuden, um die es sich gedränget hatte, fortzugehen, so daß, den Verlust an Häusern und verschiedenen Holzwaaren ungerechnet, der Schade doch bey weitem nicht so groß war, als man ihn mit Grunde befürchtete. Gleich darauf fiel das Wasser drey Fuß, und noch den 13ten April trat es in seine Ufer zurück.

Zuweilen verursachet ein frühes heftiges Thauwetter einen frühzeitigen Eisgang, schon im Januar oder Februar; aber durch einen unvermuthet einfallenden Frost wird der Strom wieder von neuem mit Eise belegt, fest und tragbar gemacht. Dieses erfuhren wir im Jahre 1770, ja im Winter des Jahres 1778 wurde er dreymal belegt, nemlich den

26ſten Oct. den 30ſten Nov. und den 21ſten Dec. Zuweilen wird der Strom ſehr frühe mit Eiſe belegt, und haltbar, dann aber pflegt es nicht von langer Dauer zu ſeyn. Ein Beyſpiel war das Jahr 1768, da er den 20. Oct. zufror: da aber bald gelinde Witterung einfiel, ging das Eis nach einigen Tagen wieder aus, und der Strom wurde erſt den 5. Dec. wieder haltbar. Ein heftiger Sturm, und ein anhaltend ſtarker Regen trieb das Eis den 18. Dec. wieder aus, und da dieſer Regen ſich unaufhörlich ergoß, wurde der Strom erſt den 10. Jan. 1769 mit Eiſe belegt, das nun bis zum 1. April ſtand. In dieſem Jahr wurde die Düna noch früher, nemlich den 16ten Oct. ſo ſtark mit Eiſe belegt, daß Menſchen ſicher übergingen: aber den 13. Nov. ging es wieder fort.

Gleich im Frühjahr, ſo bald die Düna offen und ganz vom Eiſe befreyet iſt, ſteigt ihr Waſſer von dem Baumfluß, oder Schneewaſſer, das ſich aus den polniſchen, reußiſchen und livländiſchen Wäldern in ihn ergießt, und von dem Waſſer, das er von einer Menge Flüſſe und Bäche bekömmt, die ſich in ihn hineinſtürzen, ſchwellt es merklich hoch an; der Strom wird reißend; er tritt aber, weil alsdann nichts ſeinen lauf hemmet, nicht leicht aus ſeinen Ufern, thut auch in dieſem Fall keinen Schaden; dagegen iſt er im Sommer niedriger, ſanftfließender, und oft ſo niedrig, daß etliche Sandbänke bloßſtehen. Faſt gleiche Bewandtniß hat es mit mehreren Flüſſen im lande.

Dieſe Höhe des Waſſers im Frühjahr iſt für die Handlung ein ungemeiner Vortheil, weil alsdann die häufigen Steingänge oder Fälle, die wir Rummel nennen, in dieſem Fluſſe bedeckt ſind, und Struſen und allerley Holzflöſſer bequem und ſicher den Strom hinunter, und an die Stadt kommen können. Nach gelinden Wintern aber, wenn nicht viel Schnee gefal-

len

len ist, und die Wässer also keinen, oder nur geringen
Zufluß bekommen, zerscheitern viele Fahrzeuge und
Holzflösser, oder bleiben durch die Gefahr abgeschreckt
zum großen Nachtheil der handelnden Kaufmannschaft
zurück. Mit Vergnügen sieht man bey stillem Wetter im Frühjahr die Menge russischer und polnischer
Strusen und Holzflösser den Strom hinunterkommen, die die Volksmenge vermehren, und Geschäfftig-
keit und Thätigkeit über alles verbreiten.

Zuweilen nimmt ein dem Landmann sowol, als
auch den Bewohnern der Städte höchstnachtheiliges
Thauwetter die Schlittenbahn schon in der Mitte des
Hornungs, oder wol gar schon im Januar völlig hinweg. Im Jahr 1776 traf uns dieses Schicksal, da
nach einer strengen Winterkälte vierzehn Tage nach
dem neuen Jahr der Schnee sich gänzlich verlohr, und
sich nicht wieder einstellete, zum großen Nachtheil der
Handlung, weil die Zufuhr fast gänzlich abgeschnitten
wurde. Außerordentliche Kälte haben wir nicht in
allen Jahren, und auch diese ist unsern Gewächsen
eben nicht schädlich, wenn sie nur in den Wintermona-
ten einfällt, und ein tiefer Schnee dem Frost den Eindrang zu den Wurzeln der Bäume und des Winter-
korns verwehrt; aber ein später Frost ist unsern Obstgärten schädlich, weil der Saft, der alsdann schon in
die Bäume hinaufgetrieben ist, gefrieret, bey der
nächsten warmen Witterung sich sehr ausdehnet, und
die Saftröhren zerreißet, da dann die Bäume bey
dem gehemmten Umlaufe ihres Saftes nothwendig ersterben müssen. Diese späte Fröste sind eines der
größten Hindernisse, daß zarte saftige Baumfrüchte
bey uns nicht ausdauren können. Oft, wann im
May Nachtfröste einfallen, verfriert die Blüthe der
Obstbäume, die sich dann schon entwickelt, zuweilen

volvöllig ausgeschlagen ist. Gartenliebhaber sehen es daher nicht gerne, wenn die warmen Frühlingstage sich gar zu früh einstellen, weil gemeiniglich dann die nachfolgenden Fröste und kalten Nordwinde die Blüthe außer ihrer Hülle überfallen.

Wider die gewöhnliche Winterkälte ist der Körper den Eingebohrnen abgehärtet, und auch Fremde gewöhnen sich bald daran; man kann sich gegen dieselbe leicht verwahren: nur alsdann dünkt sie uns, empfindlich zu seyn, wann sie von schneidenden Nordwinden begleitet ist, weil dann die Luft von Eistheilchen angefüllet ist. Nach gewöhnlichen Wintern findet man den Schnee im freyen Felde bis in die ersten Tage des Aprils; in dichten Wäldern aber, wo die Sonnenstrahlen nicht hindringen können, bleibt er oft bis zu Anfange des Maymonats liegen; man hat gar Beyspiele, daß er in kalten Frühjahren bis zur Mitte dieses Monats noch gelegen hat, wann schon lange die offenen Ebenen zu grünen anfingen.

Aus dem, was ich hier angezeiget habe, wird man sehen, daß unser Sommer nur wenige Monate währet; gleichwol hindert dessen Kürze den Wachsthum der Gewächse um desto weniger, da unsere Sommertage nicht nur gewöhnlich sehr heiß sind, und den Wachsthum mehr befördern, sondern auch, weil sie länger, folglich sonnenreicher sind, als in südlichern Ländern, deswegen unter unserm Himmelsstriche die Gewächse an einem Tage mehr Zeit zum Wachsen und Reifen gewinnen, als in jenen.

Starke Nordlichte, welche aus sumpfigten electrischen Dünsten zu entstehen pflegen, sind bey uns nichts Ungewöhnliches; denn wir haben, wie ich vorher anzeigte, an Sümpfen und Morästen ziemlichen Ueberfluß. Sie sind allezeit, wie man gewöhnlich dafür hält, Vorboten eines nahen strengen Frostes. Im
Jahr

Jahr 1776 erschienen sie zeitig, und ziemlich häufig;
doch fiel in eben diesem Jahr der Winter erst spät ein;
eben dasselbe bemerkte man im Herbst 1778, da sie
noch häufiger waren, und allezeit unfreundliches Wetter zu verkündigen schienen; denn allemal folgten
Sturm, Regen oder Schnee gleich hinter drein. Bey
ihrer Erscheinung hatte unser Bauer vorher äußerst
alberne Begriffe; nachdem er aber mehr aufgeklärt ist,
und den angeerbten Aberglauben immer mehr ablegt,
fängt er an, sich an Naturbegebenheiten zu gewöhnen,
obgleich er noch immer sehr crasse Vorstellungen davon hat.

Mit nutzbaren Hausthieren sind wir hinlänglich
versehen; nur sind sie, wie die mehresten zahmen Thiere in nordlichen Gegenden, kleiner, als die in den südlichern. Man wird leicht sehen, daß hier nur die Rede
von solchen sey, die bey uns ganz einheimisch sind,
nicht von solchen, welche aus andern Ländern eingeführ-
ret, und von einigen Wohlhabenden in Städten sowol,
als auf dem Lande von bemittelten Gutsbesitzern unterhalten und geheget werden; doch sind die einheimischen
sehr dauerhaft.

Die Pferdezucht stehet mit unsern Bedürfnissen
in ziemlichem Verhältniß. Die Bauerpferde sind zwar
sehr klein; doch werden in Ehstland, auch an verschiedenen Orten in Livland, z. B. im Trikatenschen und
in mehreren Gegenden, auch größere gezogen. Ueberhaupt genommen leisten sie ihren Eigenthümern für
das schlechte Futter die nöthigsten Dienste hinlänglich.
Der Haber ist ihnen nur eine Festtagskost; im Sommer aber Gras, im Winter oft bloßes Stroh, zuweilen Stroh mit grobem Heu vermischt, manches-
mal schlechtes Heu, ihr gewöhnliches Futter. Ihre
Farbe ist mehrentheils grau, braun, oder gelb, selten
schwarz. Verschiedene Gegenden haben darin einen

Vor-

Vorzug für andern, daß sie gute dauerhafte Pferde liefern. So sind z. B. die auf der Insel Oesel zwar kleine, aber starke dauerhafte Klepper. Die Ursache ist wol in dem salzreichen Wasser zu suchen, mit dem sie getränket werden; denn daß das Salz zur Stärke der Pferde beytrage, lehrt die Erfahrung. Man pflegt sie, wenn sie aufs feste Land verkauft werden, wenigstens anfangs einige Zeit mit Wasser zu tränken, das vorher mit etwas Salz geschärft worden, weil sie sich an das süße Wasser nicht gleich gewöhnen können. In manchen Districten des Landes werden auch gute Doppelklepper gezogen, die man in Städten und auf dem Lande zu Kutschpferden, und bey den Regimentern gebraucht, die auch nach Polen und andern Ländern gesucht werden. Sie sind von mittelmäßiger Größe, aber stark, arbeitsam, lebhaft und flüchtig, dabey ausdaurend, und nicht so schwerfällig, als die preußischen Pferde. Eine ausführliche Nachricht findet man in eines Ungenannten Abhandlung von der liefländischen Pferdezucht, nebst einigen bewährten Pferdecuren, 1774. 8. und in Hr. P. Hupels liefl. Topogr. 2. Th. S. 247.

An Hornvieh hat jeder Landwirth hinlänglichen Vorrath; doch in einigen Gegenden größeren als in andern, nachdem eine mehr oder weniger Heuschläge und Viehtriften hat. So ist z. B. die Viehzucht im Dörptschen, vornehmlich im Kirchspiel St. Johannis im Oberpahlenschen sehr beträchtlich. Gute Wirthe sehen besonders darauf, daß ihre Viehgärten oder Vahlande (Viehlande oder Viehhöfe), wie man die Viehställe in Livland nennet, mit Vieh wohl besetzt sind, weil sie ihre Küche mit Milch, Fleisch und Butter, und welches ihnen das Nothwendigste ist, ihre Felder mit Dünger versorgen. Wegen des graben Strohfutters giebt es hier nur eine kleine Zucht. Eine kleine

Kuh

Kuh giebt freylich weit weniger Milch, als eine große;
aber die Viehheit ersetzet diesen Mangel hinlänglich.
In den Jahren 1749 bis 1752 räumete die Viehseu-
che in verschiedenen Gegenden eine unzählige Menge
Hornvieh auf; doch da die Plage aufgehöret hatte,
stieg zwar der Preis des Rindviehes, gleichwol wurde
der Verlust bald wieder ersetzt. Die Unterhaltung
des Viehes fällt dem Landmanne eben nicht zur Last;
denn an den mehresten Orten bekommt es im Winter
nur Stroh, an einigen wenigen Stroh mit Heu vermengt, und Träbern (in Livland Draff) auch Mehl,
Spreu vom Getraide oder Kaff, und Brake von Brandwein. In den Städten und bey bemittelten Landleuten siehet man auch großes Vieh, von holländischer
oder hollsteinischer Art. Damit diese Zucht nicht aus-
arte: so unterhält man Brüllochsen von großer Art.
Butter ist daher bey uns keine theure Waare, obgleich
ihre Consumtion stark genug ist; aber fette, wohl-
schmeckende Käse müssen wir von den Ausländern ein-
kaufen; denn im Lande werden nur magere Zwerg-
oder Quarkkäse, die wir Knappkäse nennen, bereitet,
welche gleichwol schmackhaft und gesund sind.

Eigentliche Schäfereyen sind bey uns nicht. Unsere Schaafzucht kommt der deutschen (ausländischen)
gar nicht bey, wenn man große Heerden suchet; aber
im Ganzen genommen sind hier so viel Schaafe, als
in Deutschland. Jedes Dorf hat eine ansehnliche Anzahl; sie sind dem Bauren zu nothwendig. Ihre Felle
sind sein Pelz; ihre Wolle seine ganze Kleidung. Das
Tuch zu dieser Kleidung, dem man die Härte der
Wolle ansehen und anfühlen kann, nennt er Watmal.
Der ärmste Bauer, so gar jeder Bettler, hat Schaafe.
Neben mehreren Hindernissen stehen die so häufigen
Wölfe und andere Raubthiere unserer Schaafzucht im
Wege. Unsere einheimischen Schaafe sind nur klein,

H 4

und

und haben schlechtere Wolle als die deutschen. Zwar
ist sie lang und haarig; aber die vorzüglichste Eigenschaft, die Feinheit, das Weichhaarige, Seidenarti-
ge fehlt ihr. Auf den Höfen hält man theils sogenannte deutsche Schaafe, um weiche Wolle zu Strümpfen
und andern Bedürfnissen für Deutsche zu haben, theils
Bauerschaafe, um mit der groben Wolle das Gesinde
zu kleiden. Man muß Acht haben, daß beide sich
nicht mit einander vermischen, sonst arten die großen
Schaafe aus. Die ausländischen, die hereingeführet
werden, wenn sie gleich die zarteste Wolle haben, verändern sie doch in der dritten oder vierten Fortpflanzung. Die Ursache dieser Veränderung könnte man
wol in der oft lange anhaltenden rauhen Witterung
suchen; denn es ist bekandt, daß die Wolle sich in gemäßigten Gegenden verfeinere, in kalten aber vergrö-
bere; nächst diesen scheint sie in der schlechten Nahrung zu liegen, mit welcher sie in unsern langen Wintern vorlieb nehmen müssen; denn in manchen Jahren
können sie wegen des kalten Wetters, und weil die
Weiden von Futterkräutern noch leer sind, erst im
May ausgetrieben werden; im Winter aber bekommen
sie nur dürres Futter, zuweilen Fichtenstrauch, da
doch die Schaafe das beste Heu verlangen; gleichwol
haben die Schaafe auf der Insel Oesel, die ihnen
wahrscheinlich kein besseres Futter reichen kann, als
man ihnen auf dem festen Lande giebt, und deren Witterung von der in den übrigen Gegenden Livlandes
wenig unterschieden, vielleicht wegen der sie umgebenden See kälter und rauher ist, eine feinere und weichere Wolle. Wahrscheinlich aber ist der erhabenere Boden, der vielleicht auch salzreicher ist, als auf dem festen Lande, und das Salzwasser die Ursache dieser zär-
teren Wolle: denn ein solcher Boden ist ihnen sehr zuträglich, und das Salz stärkt die Schaafe, und giebt
ihnen

ihnen weichere Wolle. Noch bessere und zartere Wolle findet man an den Schaafen auf der Insel Moon, wo sie auch gute Weiden haben. Auch diese beide Gattungen wollen außer ihrer Heimath nicht gedeihen; denn wiederholte Versuche haben gelehret, daß sie sich schon in der dritten Generation verändere und starr werde. Der nächste Grund dieser Veränderung ist wol darin zu suchen, daß diese feinwolligte Race nicht durch tüchtige Springböcke unterhalten wird, weil die Wolle sich nach dem Vater, nicht nach der Mutter richtet. Im Kirchspiel Ringen im dörptschen Kreise haben die Schaafe, die man dort von deutscher Zucht unterhält, eine vorzüglich weiche und zarte Wolle, die sich sehr gut bearbeiten läßt, welche man wahrscheinlich dem saftreichen Grase zu danken hat, das ihnen die Luchten am Embach darbieten.

Neben dem rauhen Clima und dem schlechten Winterfutter sind auch wol unsere Triften der Schaafzucht hinderlich; denn auf die Wahl derselben kömmt es sehr viel an. Sumpfigte Wiesen sind ihnen höchst schädlich; hohe Felder, Wiesen und Gehölze, durch welche die Luft frey hindurchstreichen kann, am zuträglichsten. Wer solche zu wählen Gelegenheit hat, wird bey guter Wartung den Nutzen erfahren. Daß nasses, bey Regenwetter eingesammletes, erhitztes, oder gar verfaultes Heu ihnen nicht zuträglich sey, wissen erfahrne Landwirthe selbst. Unter die Winterfütterungen, die ihnen sehr zuträglich sind, gehört das Laub der Erlen; nur muß es von jungen Bäumen genommen werden, weil es zarter ist. Damit die Bäume nicht verderben, muß es erst spät im Herbst abgestreifet werden. Auch die Blätter der gemeinen Weide sind ihnen angenehm und gesund. Den Grummet hält man auch für ein gutes Winterfutter; aber unsere kurze Sommer, in welchen die Arbeit ohnedem gehäu-

fet

set ist, bleibt selten so viel Zeit übrig, daß man zum zweytenmal mähen könne. Auch das Heidekraut ist den Schaafen, besonders im Herbst, ein dienliches Futter.

Der Morgen- und Abendthau, so wie jede feuchte Luft und alle Nässe inn- und außerhalb der Ställe sind ihnen äußerst schädlich, und verursachen ansteckende Krankheiten, z. B. Wassersucht, Würmer in Eingeweiden, auch die Krätze, die geschwinde um sich greift. — Zum Trinken müssen sie das reinste Wasser haben; das aus Sümpfen und Morästen ist ihnen ganz schädlich.

Daß die Wolle desto besser wachse, wenn man die Schaafe bey zunehmendem Monde schiert, ist ein Vorurtheil derer, die bey allen ihren wirthschaftlichen Verrichtungen überhaupt viel auf den Einfluß des Mondes halten. — Die beste Wolle ist die am Rücken und Halse, die an den Seiten ist schon schlechter, die an den Schenkeln die schlechteste. Die weiße Wolle hat unstreitig einen Vorzug vor der gefärbten; darauf aber nimmt der ehstnische Bauer nicht Rücksicht. Er ist einmal gewohnt, sich in dunkeln oder schwarzbraunen Watmal zu kleiden, und nie wird man einen Ehsten in einem Rock von anderer Farbe sehen, (das äußere Unterscheidungszeichen von dem Letten, der sich immer grau kleidet) deswegen zieht er auch fast lauter Schaafe von schwarzer oder dunkler Farbe. Wohlhabende Ehsten färben ihr Tuch zur Kleidung gar schwarz. Dies findet man in verschiedenen Gegenden durchgängig; doch sieht man in Ehstland auch wol einige weiße Schaafe; der Bauer braucht auch weißes Garn zu Strümpfen, Handschuhen, Weibergürteln und andern Kleidungsstücken. Was übrig bleibt, färbt er zu seinen Kleidern schwarz, oder zu andern Kleinigkeiten mit andern Farben.

Auf

Auf den Inseln Groß- und Klein-Roog im Diſtrict Harrien in Ehſtland werden häufig Schaafe geheget, und aus deren Milch Käſe gemacht, (welches in andern Gegenden eben nicht gewöhnlich iſt) die der Bauer dort räuchert. Aus der Wolle macht er bunte Decken zu ſeinem eigenen Gebrauch, und zum Verkauf. Liefl. Topogr. 3. B. S. 454.

Eine gute Schaafzucht wäre uns wegen der Wolle, des Fleiſches, des Felles, das bey uns einen nicht ganz unbeträchtlichen Handlungszweig ausmacht, hauptſächlich auch wegen des Düngers, welcher den Acker mildert, daß er gutes Getraide hervorbringet, wol anzuwünſchen. Bey allen hier angeführten Hinderniſſen würden Mühe und Koſten uns das erſetzen, was die Natur uns verſagt zu haben ſcheinet. Es würde uns eben ſo gut gelingen, die Wolle zu veredlen, als in Schweden, deſſen Clima in den mehreſten Gegenden kälter iſt, als das unſrige, und wo man es gleichwol in der Schaafzucht ſo weit gebracht hat, daß man eben ſo feine, zarte Wolle gewinnt, als in England, wo man aber weder Mühe noch Koſten geſchewet hat. S. Fr. W. Haſtfers Goldgrube in Verbeſſerung der Schaafzucht, nebſt einem Rath gegen die Schaafspocken, auch einigen Anmerkungen des Linnäus hierüber. 8. Bern. 1767. wo eine gute Nachricht von der Verwandlung der Schaafe gegeben wird.

Ziegen werden faſt allenthalben im lande gezogen. Sie ſind dauerhafter als Schaafe. Ob ſie gleich wie dieſe keine feuchte und ſumpfigte Wieſen vertragen: ſo thun ihnen doch die kalte luft und der Thau nicht ſo großen Schaden. Sie geben reichlich Milch; denn drey Ziegen geben ſo viel Milch als eine livländiſche Kuh. Ihr Fleiſch iſt ſchmackhaft; aus der Milch werden in vielen Gegenden Käſe gemacht, die aber

trocken,

trocken, und nicht für jedermanns Gaumen sind,
weil die Milch nicht sehr fett ist. Auch den Ziegen ist
das Salz zuträglich. — Das grobe starre Fell braucht
der Bauer zum Besetzen seines Pelzes. Die Felle
machen bey uns einen Handlungszweig, und werden
um Bartholomäi auf den Landjahrmärkten zusammen
gebracht. Daß man verhüten müsse, daß die Schaafe nicht von Ziegenböcken besprungen werden, weil die
Zucht schlechte, starre Wolle bekommt, das weiß jeder erfahrne Landwirth.

Die Menge des mancherley Federwildes, welches in unsern weitläuftigen Wäldern Aufenthalt,
Schutz und Nahrung findet, als der Auer-Birk-Ha-
sel- und Feldhühner, der Krammetvögel und vielen
andern schmackhaften Geflügels, ist unerachtet des häufigen Schießens so groß, daß man sie nicht beschreiben,
sondern nur bewundern kann. Die Natur hat unsere
Seen und Sümpfe mit einer großen Menge wilder
Enten von allerley Arten, und mit mancherley Schnepfenarten versehen. Raubvögel sind in großer Menge
vorhanden, welche sich von Federwild und Vögeln
nähren, und gleichwol ihre Menge nicht merklich vermindern, weil sie sich bey weitem nicht so zahlreich vermehren, als die übrigen Vögelarten; bey ihrer stär-
keren Vermehrung würde unser Federwild fast gänzlich
vertilget werden, wenn man dabey auf ihre Ausrottung nicht mehr bedacht seyn würde, als bis jetzo geschiehet. Es verdient Bewunderung, daß der Schöpfer uns diesen Vorzug mitgetheilet, und mit jenen
Ländereyen in gleiches Verhältniß gesetzet hat, in welchen
diese Raubvögel von den dazu bestellten Jägern jährlich in ganzen Schaaren getödtet werden, da bey uns
niemand weder auf die Zerstörung ihrer Nester denket,
noch durch Schießen für ihre Vertilgung sorget. Die
vielerley Beeren, welche man in dieser Landschaft auf
Bäu-

Bäumen und Sträuchern häufig findet, dienen zum
Theil den Menschen zur Erfrischung und sind die or-
dentliche Nahrung vieler Vögel, deren Fleisch sie feist
und wohlschmeckend machen.

Hasen giebt es in Livland häufig, und die Jagd
steht jedem frey. Unerachtet die Menge ihrer Verfolger sehr groß ist, indem Wölfe, Füchse und andere
Raubthiere, auch Raubvögel ihnen nachstellen, und un-
geachtet die Menschen täglich Jagd auf sie machen,
vermehren sie sich unglaublich; doch werden sie im eigentlichen Livlande bey weitem nicht in so großer Menge gefunden, als in Ehstland, besonders im wierländischen District.

Bey den vielen dichten Wäldern, die in verschiedenen Gegenden von großem Umfange sind, würden
wir Elendthiere und Rehe, auch anderes Rothwildpret
in ziemlichem Ueberfluß haben, wenn nicht die Menge
Wölfe, Bären, Füchse und andere reißende Thiere
ihrer Vermehrung so sehr im Wege stünden. Wie
viele Spuren von zerrissenem und aufgefressenen Wildpret findet man nicht jährlich in Wäldern. Auch
Rennthiere würden bey uns gedeihen. Im Abselschen
im Walkschen Kreise haben vor einigen Jahren zween
Gutsbesitzer einen Versuch gemacht, der gelang. Sie
ließen Rennthiere aus dem russischen Lappland kommen,
die sich in ihren Wäldern gut fortgepflanzet haben;
ob sie ausdauren werden, oder ob die Raubthiere sie
allgemach ausrotten werden, das muß man von der
Zeit erwarten.

Obgleich keine von den zarten Baumfrüchten, als
Pfirschen, Aprikosen, wällsche Nüsse und dergl. bey
uns unter dem freyen Himmel fortkommen, und Wein-
trauben nur in anhaltend warmen Sommern, wenn sie
von gemäßigten, sonnenreichen Herbsttagen begleitet
werden, reifen: so hält uns doch eine Menge wohl-
schme-

wohlschmeckenden Stein- und Kernobstes für diesen
Verlust ziemlich schadlos. Weil aber bey unsern kurzen Sommern das Obst schnell und früh reifet, und
von weicher Gattung ist: so läßt es sich den Winter
hindurch nicht erhalten. Wir tauschen daher unsern
Vorrath zum Winter von andern Nationen ein, die
uns gern ihren Ueberfluß gegen andere Bedürfnisse
überlassen, die ihnen unentbehrlich sind.

Ueberhaupt hat dieses Land einen Ueberfluß an
allem, was zur Nothdurft und Bequemlichkeit des
Menschen erfodert wird; nur Salz, Oehl und Wein
fehlen ihm: diese Waaren aber werden ihm nebst andern, die der Luxus jetzo fast nothwendig macht, aus
andern Ländern reichlich zugeführet.

Jedes Land hat seine eigene Schätze. Die
Fruchtbarkeit des Getraides, das zur Nahrung des
Menschen und zur Bevölkerung des Erdbodens so dienlich ist, gewähret uns alles, was uns nützlich und unentbehrlich ist. So lebt man auf der ganzen Erde bequem, da verschiedene Erdstriche auch verschiedene
Wohlthaten der Natur, jede nach ihrer Art, bekommen
haben, und von einander ihre Bedürfnisse gegen den
Ueberfluß eintauschen können.

Zusä-

Zusätze.

Da das Mscr. bereits zum Druck fertig war, kamen mir folgende Zusätze vor, welche ich, so wie ich sie nach und nach gesammlet habe, ohne Beobachtung einer Ordnung hieher setze.

Der faule See. Er liegt in dem Walde, der zum kaiserlichen Garten bey der Alexanderschanze gehört, da, wo dieser Wald mit dem Mühlengrabenschen und den Wäldern mehrerer Hofsgebiete zusammenstoßt, etwas mehr als tausend Schritte vom Ufer der rothen Düna. Jetzo hat dieser See nur ein paar tausend Schritte im Umfange; der Augenschein aber lehret es deutlich, daß er vor nur etwa zwanzig Jahren mehr als zweymal so breit gewesen sey. Nicht nur Leute, welche diese Gegend lange bewohnen, bestättigen diese Geschichte, und versichern, daß er sich weiter gegen den Dünaarm erstrecket habe, sondern man siehet es ganz deutlich, wie er jährlich immer mehr verwächst. Rund um diesen See ist ein unzugänglicher Morast von beträchtlichem Umfange, welcher mit Seeröhrig und allerley Binsenarten bedeckt ist, und in welchem sich verschiedene Entenarten aufhalten. Diesen Sumpf umgiebt ein Torfgrund, der besonders gegen die Düna weit fortläuft. Er kann aber nicht tief gestochen werden, denn gleich nach der Tiefe von einigen Schuhen wird Wasser gefunden. Da, wo der Torfgrund aufhört, erhebt sich das Erdreich gegen die Düna, und bald darauf folgt ein langer Strich von Sanddünen. Alles dieses giebt eine starke Vermuthung, daß dieser See vormals einen Zusammenhang

hang mit dem Dünaarm, den man die rothe Düna nennet, gehabt, und aus dessen Schooße sein Wasser gesammlet habe.

Die Keckau, ein Bach im rigischen Kreise, entspringt im baldonschen Kirchspiel in Curland, etwa eine Meile von dem dortigen Pastorat im Walde, geht den bekandten baldonschen Gesundheitsbrunnen dicht vorbey, nimmt etwas von dessen Wasser auf, verliert aber nach kurzem lauf den schwefelhaften Geruch und Geschmack völlig, läuft sodann unter dem baldon= schen Pastorat weg, geht in verschiedenen Krümmun= gen in Livland, das Gut Keckau, dem es den Na= men gegeben, nahe vorbey, und fällt bey dem Gute Dahlen in die Düna. Er liefert Hechte, Quappen und andere Fische.

Lilast, ein Bach, im neuermühlenschen Kirch= spiel rigischen Kreises, ist 6 Werste lang und 2 W. breit. Sein Wasser bekommt er aus dem Flüßchen Mehluppe. Hupels gegenw. Verf. d. rig. u. rev. Statthaltersch. S. 202. 3.

Polzeem, ein See, dessen Ausfluß Aggas= uppe heißt; imgleichen der Ayasche See. Beide liegen im Kirchspiel Treiden, und nehmen ihr Wasser aus kleinen Bächen. Sie sind etwa 4 Werste lang, und 3 W. breit. Sie geben Hechte, Barse, Aale und kleine Brachsen. Hupel ebend. S. 303.

Zur III. Abth. §. 1. II. Nach Hr. P. Hupels angezeigtem Werke S. 546. hat man neuerlich auf Oesel,

Oefel, unter andern bey Uddofer im Kirchspiel Kar-
mel, Marmor gefunden. Der am letztern Orte soll
blau, roth und gelbadrig seyn, aber nicht in großen
Stücken vorkommen, und nicht völlig reif seyn, welches wol mineralogisch so viel heißen soll, als: er ist
nicht dicht genug, nicht völlig politurfähig. Ob er etwa in Flözrücken eines weiter unter der Erde fortlaufenden Ganges hervorschießt, verdient untersucht zu
werden.

Mineralische Quellen.

Im Walkschen Kreise ist eine Quelle, von welcher der geschickte und thätige Herr D. Römer in
Walk mir im Jahr 1785 folgende Beschreibung mitgetheilet hat.

„Diese Quelle ist ganz nahe bey dem Gute Korkel,
und drey Meilen von Walk belegen, verdient Aufmerksamkeit, und könnte unter Direction eines ein-
sichtvollen Arztes, sowol zum Trinken, als Baden nützlich werden. Da ich vor dreyzehn Jahren zum erstenmal
Gelegenheit hatte, sie zu sehen: so machte mich sowol der
Schwefelgeruch, der sich weit verbreitet, als auch der Ei-
sengeschmack aufmerksam, und ich entschloß mich, die
Bestandtheile chymisch zu untersuchen, und die Heil-
kräfte, davon mir in der ganzen Gegend viel Gutes
erzählt wurde, zu erproben. Allein! wie viel hat
ein mühsamer Landarzt Zeit übrig, dergleichen nützliche Geschäffte zu bearbeiten? Es blieb also bey einer
blos superficiellen Untersuchung, da sich dann zeigte,
daß dieses Wasser unter die Schwefelwässer (aquae
sulphureae) gehöre, und außer dem Schwefel noch

etwas Eisen, mit Kalk vermischt, enthalte. Daß es Eisen und Schwefel enthält, ist wol gewiß: wie groß aber der Gehalt davon sey, und ob es noch Neben= mischungen habe, dies genau zu wissen, erfodert eine weit gründlichere Untersuchung. Viele chronische Krankheiten sind blos durch das Trinken dieses Was= sers geheilet worden, welches mir auch gar nicht un= glaublich ist; bey den mehresten soll es eine durch den Stuhlgang wirkende Eigenschaft haben, welches ver= muthlich blos das Eisen, weil es den geschwächten Ge= därmen Robur giebt, veranlasset.„

Bemer=

Erste Abtheilung.
Thiere. Animalia.

Erster Abschnitt.
Säugthiere. Mammalia.

I. **Flebermaus.** Vespertilio. Linn. gen. 4.
Erxl. Syst. p. 41. Schreb. Säugth. S. 147.

Weil ihr die Kennzeichen der Vögel, nemlich
der mit Federn bedeckte Körper, der hornartige Fortsatz des Mundes, oder der Schnabel, und
die aus Federn zusammengesetzte Flügel fehlen; weil sie
Haare, Ohrlappen, und vier Füße, wie die mehresten
Säugthiere hat; weil sie lebendige Jungen gebiehret,
nicht Eyer legt, wie die Vögel, und weil sie mit Brü-
sten versehen ist, mit denen sie ihre Jungen säuget:
so gehöret sie in diesen Abschnitt, und nicht unter die
Vögel, dahin sie Zorn und andere ältere Schriftsteller gebracht haben; ob sie gleich wie das fliegende Eichhorn die Classe der Säugthiere mit den Vögeln zu verbinden scheinet. Der Theil, der ihr zum fliegen dienet, ist blos der Fortsatz der Haut, welche zwischen
den Schultern, den Händen oder Vorderfüßen, und
den vier Fingern, auch zwischen den Händen und Bei-

J 2   nen

nen breit ausgespannet, und den sie durch Ausdehnung
und Bewegung der Vorderfüße so ausspannen können,
daß sie sich in die Höhe schwingen und fliegen, oder
vielmehr herumflattern können.

1) **Gemeine Fledermaus,** Mauseohr.
V. murinus, Linn. 4. 6. lett. Peskahda, oder Sihk-
sparne, ehstn. Nahthiire. Sie ist hinlänglich
bekandt, fliegt nur des Nachts und nährt sich von
Nachtschmetterlingen, Spinnen, Fliegen und andern
Insecten, auch allerley fetten Sachen. Eulen und
andere nächtliche Raubvögel stellen ihnen nach. Den
Winter bringen diese Thiere in großen versammleten
Haufen in Steinhölen und Mauerlöchern in einer Be-
täubung zu.

2) **Langohr,** ohrigte Fledermaus. V. au-
ritus. L. gen. 4. 5. Sie ist etwa so groß als eine
Maus, und hat doppelte Ohrlappen, die länger sind,
als der Kopf; sonst ist sie der vorigen gleich, hat auch
mit derselben gleiche Nahrung und Aufenthalt. Sie
ist nicht so häufig, als die vorige. Beide Arten werfen zwey Junge. Ihr Biß soll giftig seyn.

II. Seewolf. Phoca. L. gen. 11.

Schreb. Säugth. 285. Erxl. syst. p. 579.

3) **Seehund,** Sälhund, Robbe. Ph. vi-
tulina L. 11. 3. lett. Rohnis, ehstn. Uelg oder Hülg,
ist in der Ostsee häufig, und kommt öfters im Winter, insonderheit gegen das Frühjahr, auf das Eis, da
er geschlagen wird, oder im Sommer auf die gegen
das Ufer liegenden Steine, wo man sie schießt. Er
hat vier Füße, obgleich einige seine Hinterfüße für
Floßfedern halten, denen sie auch wirklich gleich sehen.
Seine Nahrung sind Fische. Unser Bauer isset sein
Fleisch, ob es gleich, wie leicht zu erachten ist, sehr

thranig

thranig schmecken muß; doch versichert man, daß die
Jungen, die im März auf dem Eise geworfen werden,
ziemlich wohlschmeckend seyn sollen. Sein Speck
wird mehrentheils zu Thran geschmolzen, der von unsern Gerbern stark gebraucht wird, daher er seit einiger Zeit im Preise merklich gestiegen ist. Der mehreste
wird aus Rußland gebracht, weil der inländische zum
Gebrauch nicht hinlangt. Sonderbar ist, daß es bey
der Insel Ruun keine Seehunde giebt, da sie sich doch
fast bey allen übrigen Inseln aufhalten. Die Bauren
dort, die sich auf ihren Fang gut verstehen, und keine
Mühe dabey scheuen, gehen auf die Insel Moon auf
den Fang, und zahlen dem Grundherrn einen Zehen-
den; gleichwohl haben sie vielen Vortheil davon. S.
Hupels Topogr. 2 B. S. 423. Wahrscheinlich ist
daher bey der Insel Ruun keine Gelegenheit zu ihrem
Fange, da sie doch nur zwölf bis vierzehn Meilen von
Oesel lieget, wo sie häufig sind, weil bey jener Insel
keine Steine sind, wenigstens keine hervorragende.
Die an den Inseln des rigischen Meerbusens gefangen
werden, sind grau gesteckt, selten weiß, und haben kurze,
dichte, starre Haare; ihr Fell wird zum Beschlägen
der Reisekasten, zu Reiseranzen, Tobacksbeuteln und
andern Kleinigkeiten gebraucht. Die an den Inseln
des Harrischen Seestrandes, in Ehstland, und dort in
der Ostsee am Strande geschlagen werden, haben fast
alle einfärbiges, welßes, langhaarigtes, ziemlich weiches Fell, das von unsern Kürschnern zu Mützenbräh-
men und andern kleinen Arbeiten gebraucht wird. Die
Seehunde leben in einer Polygamie, ihre Nahrung
sind Fische und Seegewächse. Sie kommen, wenigstens bey uns, selten in die Ströme.

III. Hund. Canis. L. gen. 12.

Schreb. Säugth. 317.   Erxl. syst. 531.

4) Wolf, C. Lupus. L. 12. 2. lett. Wilks, Mescha lunkis, ehstn. Hunt. In Livland sind sie wegen ihrer sehr großen Menge und Gefräßigkeit der Viehzucht äußerst nachtheilig. Oft, besonders des Nachts, gehen sie in ganzen Heerden aus, und stellen Schaafen, Kälbern, Schweinen und Pferden nach. An den jungen Füllen der Bauerpferde machen sie besonders starke Beute, von welchen sie jährlich bey der großen Sorglosigkeit unserer Bauren eine große Menge aufreiben. Bey allen Heerden werden zwar Viehhunde gehalten: aber wie oft wird nicht ein Stück Vieh im Angesichte dieses Wächters weggeholt, besonders wenn ein Wald in der Nähe ist, wo mehrere Wölfe im Hinterhalt lauren. Den Hunger können sie lange ertragen, wie man an den mehresten reißenden Thieren bemerket; bey langem Anhalten desselben aber werden sie wüthend, und fallen auch wol einzelne Menschen an, wovon jedoch die Beyspiele ziemlich selten sind; doch ist es gefährlich, bey strenger Kälte allein, und ohne Gewehr zu gehen. Dies erfuhr vor mehreren Jahren bey Dorpat ein Trommelschläger, der gegen Abend betrunken in sein Quartier ging, den sie auf dem Wege anfielen, auffraßen, und blos die Kleider und die abgenagten Knochen nachließen, und sogar das Fell von der Trommel verzehrten. Wenn sie sonst die Reisenden einige Meilen weit verfolgen, und sie weder der Knall eines Schießgewehres, noch der Geruch des Pulvers verscheuchen kann: so ist es blos auf die Pferde angesehen. Daß sie zuweilen toll werden, und dann Menschen anfallen, und tödtlich verwunden, davon hat man auch in Livland Beyspiele. Daß einige Bauren in Livland das Fleisch des Wolfes ohne Eckel

essen,

essen, findet man im liefl. Landwirthschaftsb. 2 Aufl.
S. 429. Wem es nun schmecken will, dem mag es auch
wol bekommen. Den Christmonat nennet der Lette
Wilku mehnes, den Wolfsmonat, weil sie in demselben
am zahlreichsten herumlaufen sollen; doch sind sie im
Januar, besonders bey strenger Kälte, eben so häufig und
noch gefährlicher, weil alsdann ihre Brunstzeit ist,
da man Abends und Nachts sie gesellschaftlich heulen
höret. Dieses Geheule höret man auch oft in Som-
mernächten, wenn sie etwas lang und dunkel zu werden anfangen. Der Wolf soll seine Klauen im laufen zurückziehen, damit man ihn nicht hören könne,
wenn er auf seinen Raub ausgehet. S. Joh. Raji
synopf. animal. quadruped. et serpent. gen. p. 174.
Die Wölfin trägt neun Wochen, und wirft im März
sieben bis neun Junge. Wir bedienen uns verschiedener Mittel diese schädlichen Gäste auszurotten; keines
aber ist hinreichend ihre Zahl zu vermindern. Kaum
sind sie hinlänglich ihre noch. stärkere Vermehrung zu
verhindern. Ehemals fing man sie in tiefen Gruben, welche man Wolfskulen nennet, (Kule ist ein livländisches Provinzialwort und bedeutet Grube,) jetzo
mehrentheils mit Netzen. Auch werden sie mit Krä-
henaugen getödtet, und an Aesern geschossen. Zuweilen werden auch weiße Wölfe, doch nur selten und einzeln, gesehen; selbst in der Nähe von Riga sind ein paar
geschossen worden. Auf den Inseln Oesel und Moon
sind die Wölfe nicht einheimisch, weil dort nicht viel
Wald ist; der Hunger treibt sie im Winter über das
Eis von dem nächsten festen Lande dahin.

5) Fuchs. C. Vulpes. L. 12. 4. lett. Lapsa,
ehstn. Röbbane. Er ist in Livland lange nicht so
häufig als der Wolf, vermehrt sich auch bey weitem
nicht so stark als dieser. Der Schade ist daher auch
lange nicht so beträchtlich, als der, den der Wolf an-

J 4   rich-

richtet. Außerdem ist er auch sehr vorsichtig und wagt
sich nicht an die bewohnten Gegenden, wenn er nur
die geringste Gefahr befürchtet, ob er gleich ein
Liebhaber vom Federvieh und von jungen Lämmern
ist; erwachsene Schaafe soll er selten anfallen. Auf
die Waldvögel macht er oft Jagd; doch macht er sich
nicht an Raubvögel. Seinen Aufenthalt nimmt er
in Hölen. Oft bedient er sich einer List, den Dachs
aus seinem Bau zu treiben, indem er seinen Unrath
vor dessen Höle legt, den dieser nicht verträgt, und
ihm das Quartier räumen muß. Diese Bemerkung
ist alt, und man findet sie schon in Ol. Magni gent.
septentr. hist. brev. L. XVIII. C. XVIII; gleichwol
ist sie richtig, und man hat sie oft, und noch ganz
neuerlich bey uns gemacht. Mit Gewalt würde er
nichts gegen ihn ausrichten, weil er seine scharfe,
beißige Zähne scheuet. Seine natürliche List hat zu
verschiedenen Mährchen Anlaß gegeben, mit denen man
sich, wie in andern Gegenden, so auch in Livland her-
umträgt. Ein glaubwürdiger Mann hat Hrn. P.
Hupel versichert, daß er auch bey uns weiße Füchse
gesehen habe, s. liefl. Topogr. 2 Th. S. 434; so
wie Rosinus Lentilius in seinen Memorabil. Curlandiae anzeigt, daß sie in Curland nicht selten von dieser
Farbe gefunden werden. Der Fuchs wird durch
Rauch aus seiner Höle getrieben. Ihre Rallzeit ist
im Hornung. Die Füchsin trägt neun Wochen, und
wirft im April oder May bis vier Junge.

IV. Katze. Felis. L. gen. 13.

Schreb. Säugth. 375. Erxl. syst. p. 500.

6) Luchs.   F. Lynx. L. 13. 7. russisch
Ryßy, lett. Luhsis, ehstn. Ilves, Zilwes.
Die Farbe und Zeichnung seines Felles und seine fun-
kelnde,

feinde, hellsehende Augen sind bekandt. Seine Ohren
sind zugespitzt, und an dem äußeren Ende zottigt.
Seine Schenkel stehen gerade, und sind sehr hoch.
Unter den reißenden Thieren in unsern Gegenden ist
er das grimmigste und wüthendste; seine Klauen, mit
welchen er seinen Raub anfällt, dem er aus dem Hinterhalt nachstellt, sind fürchterlich. Seine Nahrung
sind Marder, auch größere Thiere, die er nur bewäl-
tigen kann; denn man hat verschiedene Beyspiele, daß
er auch Pferde angefallen hat. Das livländische
Luchsfell wird geachtet, doch vorzüglich das vom Katzenluchs, das wegen der Schönheit der Zeichnung sehr
geschätzt, und dem auswärtigen, selbst dem persischen
vorgezogen wird. Unsere Kürschner bezahlen es daher sehr theuer; doch ist das Fell der Luchsin nicht so
schön, auch kleiner, als das vom Luchs. Sein Aufenthalt sind die dichtesten Wälder, in welchen er sich
krumme Höhlen gräbt, aus welchen er seinen Raub
rückisch anfällt; besonders wählet er sich die Nacht
zum Raube.

ß. Kalbluchs, auch Luchskalb, ist eine Abänderung des vorigen, und kommt in Livland nicht selten
vor. Er ist dem Katzenluchs fast gleich; nur ist es
größer, und die Zeichnung an seinem Felle lange nicht
so schön; daher es auch bey weitem nicht so geschätzt
wird. Der Kopf ist nach der Schnauze zu etwas ge-
spitzt, dagegen jener einen runderu mehr katzenartigen
hat. Sein Körper ist gegen drey Fuß lang; der Rand
und die Spitzen der Ohren sind schwarz, eben so das
Schwanz-Ende. Im Sistegallschen kommt er nicht selten vor. Klein hat geirret, wenn er in seiner Classif.
der vierf. Thiere S. 234. beide für Eine Art hielt,
und den persischen Luchs Katzenluchs, den europäischen
aber Kalbluchs nennete. Aus Persien kommen blos

J 5   Felle

Felle von Katzenlüchſen, und wahrſcheinlich giebt es dort keine Kalblüchſe.

Einige Letten eſſen das Fleiſch des Luchſen, und finden es wohlſchmeckend; es ſoll ſehr weiß ſeyn, und an Geſchmack dem Kalbfleiſche gleichkommen; ein fleiſchfreſſendes Thier aber kann wol keinen angeneh‐ men Geſchmack haben. Sie werden in den Kirchſpie‐ len Luhde, Wolfart, Tirſen und Schwaneburg im Walkſchen Kreiſe; und Kirchſpiel Poelwe und Rapin im werroſchen Kreiſe; in den Kirchſpielen Torgel, Helmet und Saara im pernauiſchen Kreiſe; im wen‐ denſchen Kirchſpiel; im Kirchſpiel Wendau im dörpt‐ ſchen Kreiſe; im Kirchſpiel Mietau, Siſtegall und Aſcheraden im rigiſchen Kreiſe gefunden. Die Lüchſin trägt neun Wochen, und wirft bis vier Junge.

V. Wieſel. Muſtela L. gen. 15.

Erxl. ſyſt. p. 452.

7). Fiſchotter. M. Lutra. L. 15. 2. ruſſiſch Wydri, lett. Uhderis, Dupperis, auch Dukke‐ ris, ehſtn. Saarwas, Sarm, auch Kerb, in eini‐ gen Gegenden Nirck. Sie hält ſich an Ufern ſüßer Gewäſſer auf, wo ſie ſich tiefe, weit fortgehende Höh‐ len gräbt. Fiſche, Krebſe und Fröſche ſind ihre ge‐ wöhnliche Nahrung. Den Fiſchteichen iſt ſie ſehr nachtheilig; denn ſie raubt nicht nur kleine Fiſche, ſondern macht ſich auch an die größeren. In Schwe‐ den werden ſie jung gefangen, und auf den Fiſchfang abgerichtet. Ihr Fell iſt oberhalb ſchwarzbraun, un‐ terhalb braungrau. Der Dampf von Pech giebt ihm eine glänzende Schwärze. Der Schwanz iſt halb ſo lang, als der Körper. In Livland ſind ſie nicht ſelten. Man findet ſie in verſchiedenen Gegenden, z. B. an der

der Ammat im Wendenschen; im Kirchspiel luhbe,
im walkschen Kreise; im Kirchspiel Rappin, im wer=
roschen Kreise; in den Kirchspielen Helmet, Saarà
und Torgel im pernauischen Kreise; im Kirchspiel
Wendau, im dörptschen Kreise; im Kirchspiel Sisse=
gall, im rigischen Kreise; im Fellinschen. Im Ma=
rienburgischen, und in der Gegend von Pernau, wer=
den sie von beträchtlicher Größe und schönem Fell, zu=
weilen anderthalb Ellen lang, den Schwanz nicht mit=
gerechnet, angetroffen. Das Fell wird häufig zur
Kürschnerarbeit gebraucht, daher ist es seit etlichen
Jahren im Preise ansehnlich gestiegen, und ein großes
Otterfell wird mit sechs bis sieben Rthlr. bezahlt. Die
Otter ranzt im Winter; das Weibchen trägt neun
Wochen, und wirft im May bis vier Junge.

8) **Sumpfotter.** M. Lutreola L. 15. 3.
Sie ist etwa so groß, wie der Iltis, schwarzbraun,
mit ungemischten kurzen gelblichten Haaren, am Maule
weiß. Russisch wird sie Norka genennet. Sie wird
nur hin und wieder an stehenden Gewässern gefunden,
wo sie kleine Fische stiehlt, sich auch von Fröschen und
andern Amphibien nährt.

9) **Wilder Vielfraß.** M. Galo L. 15. 5.
russisch Rossomacki. Dieses Thier ist in Livland sel=
ten, in Rußland, Polen, littauen, lappland, auch
in Curland häufig. Dem Körper und Schwanze nach
gleicht er dem Kälbluchs; die Ohren und das Gesicht
sehen fast der Katze gleich. Sein Fell ist schwarz=
braun, fällt aber etwas ins Fuchsfarbene, ist dabey
glänzend, doch aber etwas zottig und starr; gleich=
wol hat es einigen Werth. Er ist so groß wie ein
mittelmäßiger Bollenbeißer. Zu seinem Aufenthalt
wählt er sich die dichtesten Wälder, und nährt sich mit
einer beständigen Gefräßigkeit von Vögeln, Haasen und
andern bezwingbaren Thieren, er nimmt auch im

Noth=

Nothfall mit Aesern vorlieb. Daß er sich aus einer
unersättlichen Freßbegierde zwischen zween Bäume
dränge, den Magen dadurch auskere, und dann wieder zum Fressen eile, sieht einer Fabel sehr gleich,
welche die ältern Schriftsteller einander treulich nach-
geschrieben haben. Dem rothen Wildpret gehen sie
besonders nach. Sie werfen zwey bis drey Junge.
Man muß ihn von dem eigentlichen Vielfraß, der
vor mehreren Jahren in Frankreich so vielen Lärmen
machte, und in Africa und Indien einheimisch ist,
unterscheiden.

10) **Marder.** M. Martes. L. 15. 6. lett.
Zauna, ehstn. Nuggis. Der Marder hält sich entweder in Wäldern in Baumhölen und in verlassenen
Raubvögelnestern auf, da man ihn Baummarder nennet; oder er wohnt in gebirgigten Gegenden unter der
Erde und in Steinritzen, dann wird er Steinmarder
genennet. Der Baummarder hat ein dunkelbraunes
Fell und eine gelblichte Kehle. Die Farbe und Zeichnung des Steinmarders ist am Körper schwarzbraun;
sie fällt aber zuweilen ins hellbraune, auch ins graue,
die Kehle ist weißlicht. Diese Abänderung, deren Fell
man dem vom Baummarder vorzieht, wird bey uns
nur selten gefunden; sie soll an einigen Orten, z. B.
unter dem Steinhaufen des zerstörten Schlosses Arrasch, doch nur einzeln, vorkommen. Die Ohren sind
an beiden in Verhältniß mit dem Körper klein, der
Hals lang, und fast so dick wie der Körper, der lang
streckigt ist; der Schwanz ist haarigt, und fast so
lang wie der Körper, wenn man den Kopf nicht mit-
rechnet; die Füße sind kurz. Beide stellen dem zahmen Geflügel, Eichhörnchen, Mäusen und andern
schwächern Thieren nach. Der Baummarder ist bey
uns ziemlich häufig. Je tiefer im Winter, desto schöner ist an beiden das Fell. Unsere Bauren sind sehr
hin-

hinter ihnen her, wegen ihres Felles, das sie für einen Rubel und theurer verkaufen. Das Weibchen trägt neun Wochen, und wirft im May sechs bis acht Junge.

11) Iltis, Teufelskind, in Livland Uelken. M. Putorius. L. 15. 7. lett. Sesks, ehstn. Tuhkur, ein sehr stinkendes, das sich in Steinhölen, auch im Sommer in Wäldern unter den Baumwurzeln, und an Gewässern in Hölen verbirgt. Er hat ein dunkelbraunes Fell mit untergemischten kurzen gelben Haaren, und einem langen haarichten Schwanz; an den Seiten des Kopfes, und um die Augen ist die Farbe heller, als an den übrigen Theilen des Körpers. Er nährt sich von Haasen, Kaninchen, Hühnern und kleinen Vögeln, im Nothfall von Fröschen, Mäusen und Ratzen. Er leert auch gern die Eyer aus, und geht in der Nacht auf den Raub aus. Bey uns ist er häufig, und thut an dem zahmen Flügelwerk vielen Schaden. Gegen den Winter zieht er sich näher an die bewohnten Gegenden, und besucht die Bauerhöfe, Scheunen und Ställe, wo er sich unter die Lägen und Holzhaufen verbirgt, von da er seine Ausfälle auf die Hühnerhöfe thut, und viele Verwüstungen ahrichtet. Sein Fell wird häufig zum Pelzwerk gebraucht, besonders zu Mützen und Muffen. Man fängt ihn am besten in Fallen, in welche man die Eingeweide von Hühnern legt, welches eine starke Witterung für sie seyn soll. Berl. Magaz. 3 B. S. 429. 430. Das Weibchen trägt neun Wochen, und wirft im May sechs bis acht Junge.

12) Gemeines oder Hauswiesel. M. Erminea vulgaris. L. 15. 10. lett. Sehrus, Schebris, auch Sehrmulis, ehstn. Nirck. Des Sommers hält es sich an Kornfeldern auf, wo es Feldmäuse, Maulwürfe, Sperlinge und größere Vögel zu seiner Nah-

Nahrung fängt. Im Winter schleicht es sich in Ställe und Scheunen, und würgt Federvieh, holt sich auch Ratzen und Mäuse aus ihren Löchern hervor; es stiehlt auch gern die Eyer. Es ist größer als ein Eichhorn. Oberhalb ist es schwärzlichbraun, unterhalb weißlicht; die Spitze des Schwanzes ist schwarz. Wenn es gleich ausgemacht ist, daß das Hauswiesel im Winter weiß wird: so muß es doch mit der folgenden kleinern Art nicht verwechselt werden.

13) **Hermelinchen.** M. candida feu Ermineum. L. 15. 10. ß. lett. **Sehrmolichts,** ehstn. **Nurck,** wie das gemeine Wiesel. Es ist eine Abänderung des vorigen, von Farbe weiß, nur an der Schwanzspitze schwarz, welches ihm ein feines Ansehen giebt. Im Sommer soll es ebenfalls schwärzlich braun seyn, wie jenes, mit dem es auch gleiche Nahrung und Aufenthalt hat. In Livland kommt das Hermelinchen nur an einigen Orten vor, z. B. im Arraschen, unter den Ruinen des alten Schlosses, wo man es öfters die Ratzen auch bey Tage verfolgen siehet, zuweilen auch im Neuermühlenschen bey Riga, auch im Kirchspiel Saara im pernauischen Kreise. Sein Biß soll giftig seyn, wie auch des vorigen. Russisch wird es **Gornostoy** genennet.

VI. **Bär.** Urfus. Lin. gen. 16.

Erxl. syst. p. 156.

14) **Gemeiner Bär.** U. Arctos. L. 16. 1. lett. **Lahzis,** ehstn. **Karro,** russisch **Medwesch.** In Livland wird er in mehreren dichten Wäldern von weitläuftigem Umfange häufig genug angetroffen. Ganz nahe bey Riga findet man ihn nicht, doch in dem dichten rodenpoisschen Walde fünf Meilen von der Stadt kommt er sehr oft vor. Unser Bauer macht

fleißig

fleißig Jagd auf ihn, wegen seines Felles, das ihm die
Kürschner abkaufen. Es wird zu Schlittendecken,
Kutschermützen, Pelzen für Bediente und zu andern
Bedürfnissen gebraucht. Man findet in unsern Gegenden eine große und eine kleine Bärenart. Die
kleine ist furchtsamer, und nicht so wild als die große.
Die mehreste Stärke des Bären besteht in seinen Len-
den und in seinen Pfoten, die mit starken Klauen versehen sind. Er wählt die dichtesten Wälder zu seinem
Aufenthalt, und nähret sich von Insecten, Honig,
auch wol von Aesern, die er aus der Erde scharrt,
auch wenn sie oft noch so tief liegen, wie man zu den
Zeiten der Viehseuchen erfuhr, da das todte Vieh sehr
tief verscharrt wurde. Er fällt wol Thiere an, aber
nicht leicht, ohne gereizt zu werden, die Menschen.
Es verdienet Aufmerksamkeit, daß die Natur den mehresten milden Thieren eine Furcht für dem Menschen
eingepflanzt hat. Der Bischof Pontoppidan in seiner
natürlichen Historie von Norwegen 2 Th. S. 28
schreibt den nordischen Bauermägdchen ein bewährtes
Mittel zu, durch welches sie den Bären, wenn er auch
äußerst grimmig ist, in die Flucht jagen, nemlich:
ablatis vestimentis ostendunt id, quod reconditum
vult esse natura. Das wäre gewiß ganz sonderbar.
Auf Oesel werden sie nicht gefunden, weil dort
sehr wenig Waldung ist. Den Winter bringt der
Bär in seinem Lager zu, und liegt ganz ruhig auf dem
Moose, das er sich gesammlet hat. In dieser Zeit
nimmt er keine Nahrung zu sich, sondern unterhält
sich nur durch das Fett, welches aus den cellulösen
Theilen seiner Haut in dem ganzen Körper herumläuft,
und durch das schleimigte Wesen, das er aus seinen
Vorderpfoten sauget. Diese Nahrung, und ein lan ge-
wieriger Schlaf verursachen, daß er im Frühjahr
ziemlich feist wieder zum Vorschein kommt; doch fin-

lket

bet man ihn, wenn der Winter gar zu lange gewähret
hat, ziemlich mager. Die Bärin trägt neun Wochen
und wirft im December zwey bis drey Junge. Sein
Fleisch wird, besonders wenn er jung ist, von einigen für
ein Leckerbissen gehalten; aber es ist nicht für jeder-
manns Gaumen, und hat grobe Fasern. Man hat
Beyspiele, daß der Bär sich mit dem Hundegeschlecht
vermischt. Bey Riga hatte ein Bär sich mit einer
Hündin begattet; diese warf Junge, von welchen ein
Hund auferzogen ward. Er hatte den Kopf eines Bären, und keinen Schwanz, war dabey sehr zottig; die
Stimme war ein Hundegebell, vermischt mit dem
Brummen eines Bären. Man ließ diesen Hund sich
mit einer Hündin begatten; da man auf diese nicht
Acht gab, belief sie sich wahrscheinlich mit mehreren
Hunden, und warf zur gehörigen Zeit sechszehn Junge
(ein ungewöhnliches Beyspiel einer hündischen Fruchtbarkeit) von welchen nur sechs dem Bärenzwitter gleich
waren, einen Bärenkopf, zottiges Fell, und keinen
Schwanz hatten. Man sieht also, daß es möglich
sey, daß Zwitterthiere ihr Geschlecht, wenigstens in
der ersten Generation fortpflanzen.

15) **Dachs.** U. Meles. L. 16. 2. russisch
Barssuki, lett. **Ahpscha**, ehstn. **Kähr Määr.**
Er hat fast die Größe des Fuchses, ist aber stärker von
Leibe. Oberhalb ist er schwärzlich, unterhalb weißgrau. Sein Kopf ist hinten breit, und endiget sich
an der Schnauze in eine Spitze, so daß er fast ein
Dreyeck formiret; seine Füße sind sehr niedrig. Bey
uns ist er ziemlich häufig, doch nicht in allen Gegenden.
Er hält sich in Gebirgen und zwischen Steinritzen auf,
wo er sich Hölen gräbt. Seine Nahrung sind: Federvieh, Kaninchen, Insecten, Eyer und Pflanzen.
Seiner Beute geht er in der Nacht nach. Des Winters schläft er beständig in seiner Höle, oder um mit
den

den Jägern zu reden, im Dachsbau. Seine Haut
braucht unſer Bauer zu Ranzen, Welderaſchen und
Mützen. Wenn er im Frühjahr, nachdem er ſchon
ſein Winterlager verlaſſen hatte, ſich wieder verbirgt,
dann iſt es ein ſicheres Zeichen, daß noch ſtrenge Kälte
erfolgen werde; eine Bemerkung, die man auch in
livland gemacht hat. Die Dachſin wirft nach neun
Wochen vier bis fünf Junge.

VII. Maulwurf. Talpa. Lin. gen. 18.
Erxl. ſyſt. p. 114.

16) **Gemeiner Maulwurf.** T. europaea.
L. 18. 1. lett. Kurris, auch Kurmis, ehſtn. Mulk,
auch Mügger. Dies Thier iſt hinlänglich bekandt.
Es iſt nicht blind, wie man gewöhnlich glaubet; die
Augen ſind aber ſehr klein, und liegen etwas tief im
Kopfe. Sein Aufenthalt ſind Felder und Gärten,
wo nur lockere Erde iſt, und wo er ſich von Regenwürmern und von anderm Gewürme nähret. Er thut
durch das Aufwerfen der Erde vielen Schaden, weil
dadurch die Wurzeln der Gewächſe entblößet und zer-
riſſen werden. Die weißen Maulwürfe ſind ſelten,
doch ſind ſie nur Naturſpiele, die zu keiner beſondern
Art gehören. Zu Brauershof, nahe bey Riga, habe
ich vor mehreren Jahren einen geſehen, der ganz kur-
zes ſehr weiches Haar hatte. Der Maulwurf ſoll
den Winter in einer Unthätigkeit oder im Schlafe hin-
bringen, welches bey dem Mangel ſeiner gewöhnlichen
Nahrung ganz wahrſcheinlich iſt. Das Weibchen
wirft im May und Julius fünf bis ſechs Junge. Das
Neſt macht ſie von weichem Graſe unter der Erde,
etwa einen halben Fuß tief.

VIII. Nager. Sorex. L. gen. 19.

17) **Spitzmaus.** S. araneus. L. 19. 5. Sie hat die Größe einer gemeinen Maus. Ihre Farbe ist oberhalb schwarzgrau, unterhalb weißlicht. Das Maul bestehet aus einem zugespitzten langen Rüssel; der obere Kinnbacken ist fast über die Hälfte länger, als der untere; der Schwanz ist ohngefähr um zwey Drittel so lang, als der Körper, und fast wie an der gemeinen Maus gestaltet, nur mit einigen wenigen Haaren bewachsen. Sie hat einen sehr widrigen Geruch. Man findet sie einzeln in Wäldern und Gesträuchen z. B. im Neuermühlenschen in der Gegend des Pastorats. Die Katzen fangen sie, fressen sie aber nicht.

IX. Stachelthier. Erinaceus. Lin. gen. 20.

Erxl. syst. p. 169.

18) **Schweinigel.** E. europaeus. L. 20. 1. lett. Esis, ehstn. Sill, ein bekandtes Thier, dessen Haut statt der Haare mit Stacheln besetzt ist, zwischen welchen jedoch kurze Haare stehen. Wenn er erschreckt oder erzürnet wird, richtet er die Stacheln in die Höhe, und zieht sich kugelförmig zusammen, dabey er den Kopf ganz einzieht, und die Füße dicht an den Körper schmiegt. In dieser Lage ist er bey jedem Ueberfall sicher. Seiner Nahrung geht er in der Nacht nach. Sie bestehet in Käfern, Kröten, Mäusen, kleinen Vögeln, Schnecken und allerley Würmern. Man pflegt sie zuweilen in Häusern zu halten, um die Mäuse und Ratten zu vertreiben; sie graben sich aber leicht unter der Erde durch, und gehen davon. Ihren gewöhnlichen Aufenthalt wählen sie in sumpfigten Gegenden. Das Weibchen bauet ihr Nest in Strauchwerk unter der Erde, und wirft bis vier Junge.

X.

X. Hase. Lepus. L. gen. 22.

Erxl. syst. p. 425.

19) Gemeiner Hase. L. timidus. L. 22. r.
lett. Sakkis, ehstn. Jänms. Daß es in nordlichen
Gegenden eine Hasenart gebe, welche im Sommer
graubunt ist, und gegen den Winter durchaus weiß
wird, ist jetzo so gewiß bestimmt, daß es nun keinen
Widerspruch mehr findet. Nicht nur die vielfältigen
Erfahrungen der Naturforscher haben diese Sache in
Gewißheit gesetzet, sondern sie ist auch jedem Jagdlieb-
haber, auch in Livland bekandt. Herr Fr. Chr.
Jeze, jetzo Professor in Lignitz, der sich vier Jahr
in Livland aufgehalten hat, hat sich um die Erörterung
dieser Naturbegebenheit mit Aufmerksamkeit bemühet,
wozu er im Borckholmschen Gebiete im wierländischen
Kreise in Ehstland, wo es eine große Menge Hasen
giebt, und wo er täglich der Jagd beywohnete, Gelegenheit fand. Er hat deutlich bemerket, daß diese Art
im Herbst ihre grauen Haare von Tage zu Tage immer mehr abwerfe, und in deren Stelle weiße bekomme,
im Frühling aber diese weißen wieder fallen lasse, und
graue, oder graubunte annehme. Da diese Haarwech-
selung sich nach der Witterung richtet, und sich im
Frühjahr so wohl als im Herbst bald früher, bald später ereignet: so sollen die Ehstnischen Bauern, die sich
nach der Kleidung des Hasen richten, mit vieler Zuverläßigkeit einen frühern oder spätern Winter oder Frühling vorhersagen; denn die Erfahrung ist der beste Lehr-
meister. Wenn Herr J. oft in sehr kalten Herbsttagen den Hasen noch in seinem grauen Sommerrock
gesehen hat, dann ist allezeit noch angenehme Witterung hinterdrein gekommen; und wenn bey warmen
Frühlingstagen der Hase noch sein weißes Fell gehabt
hat, dann hat sich gewiß noch Kälte und Frost einge-

K 2 stellet.

stellet. Verschiedene wiederholte Versuche, die er mit
den Haaren dieser Hasen anstellete, führten ihn auf
den Grund dieser Sache, die er auch mit vielem Scharfsinn abgehandelt hat. Sehr abgeschmackt ist die Meinung des Rosinus Lentilius, die er in seinen memorabilib. Curlandiae äußert, wenn er die weiße Farbe
dieser Hasen von der Einbildungskraft herleitet, indem er glaubt, daß die Hasin in unsern Gegenden
keine andere, als weiße Jungen setzen könne, da sie
wegen des häufigen Schnees keine andere, als die
weiße Farbe vor Augen habe; der Hase heckt ja aber
nur im Sommer, nie im Winter, und bringt allezeit
graue Jungen zur Welt, und der Littauer, eine Hasenart, die in Livland so wohl, als in Ehstland einheimisch ist, ist ja im Sommer so wohl, als im Winter
der großen Schneemenge ohngeachtet, sammt seinen
Jungen beständig grau. Auch auf dem festen Lande
von Grönland soll man eine Hasenart finden, welche
im Winter die graue Farbe mit der weißen verwechselt.
S. Andersohns Nachrichten von Grönland
S. 170. In Schottland auf den Gipfeln der höchsten
Gebirge kommt eine kleine Hasenart vor, die im Sommer grau ist, und im Winter bis auf die Spitzen und
Seiten der Löffel ganz weiß wird. S. Pennants
Reise durch Schottl. und die Hebrid. Inseln
1 Th. S. 71. Die vorgenannten sind nun unsere
livländische Hasen, welche von einigen Holzhasen genennet werden, weil sie sich gewöhnlich in Laubgebüschen aufzuhalten pflegen. Sie sind kleiner, und in
Livland, wenigstens in Lettland, häufiger, als die grau-
bunten so genannten Littauer. Warum man diese so
nenne, da sie doch bey uns einheimisch sind, und es
in Littauen auch Hasen giebt, die im Winter weiß werden, auch die Art, die ihre graue Farbe beständig behält, das weiß niemand. Auf der Insel Oesel ist
eine

eine kleinere Art derselben, die ein rundes Maul hat.
Man nennet sie dort Steinhasen. Klein versichert
zwar auch, daß die Stein-Sandhasen in Preußen
und Schweden diese Farbenveränderung leiden; gleichwol hat er, auch mitten im Sommer an den Ufern
der See, und auf curischem Nehring einige weiße Hasen erjagt. S. Classif. der vierf. Thiere S. 155.
Dies ist nun wol keine dritte Gattung, sondern nur
eine Ausnahme, die nichts bestimmt. Die Meinung,
welche Barrington in den Phil. Transact. Vol.
LXII. 1772. äußert, daß nemlich nur die weißen
Wollhaare im Winter länger würden, und die geraden, gefärbten Haare bedeckten, findet wenigstens an
unsern nördlichen Hasen nicht Statt, an welchen im
Winter so wohl die längern, als auch die kürzern Haare
weiß sind, und alsdann von den bunten keine Spur zu
finden ist.

Das weiße Hasenfell wird, weil es zarter von
Haaren ist, mehr zum Pelzwerk gebraucht, als das
graue, obgleich dieses dauerhafter ist, und nicht so
leicht abhaaret, als jenes, dessen Haar nicht so tief wur-
zelt. — Den Hasen stellen Füchse und allerley Raubthiere, auch verschiedene Raubvögel nach; Menschen
und Hunde machen fast täglich auf sie Jagd. Gegen
so viele Feinde gab ihr Natur keine andere Mittel, als
eine unglaubliche Geschwindigkeit, und einige List, mit
der er seinen Verfolgern zuweilen ausweichet. Wenn
ihm auch diese fehleten: so würde sein Geschlecht leicht
ausgerottet werden. Diese Geschwindigkeit aber, und
eine öftere zahlreiche Vermehrung, machen, daß man
sie immer in großer Menge hat. Noch kommt ihm
der Vortheil zu statten, daß seine Augen weiter aus
den Seiten des Kopfes hervorragen, als bey andern
Thieren, so daß sie eine fast runde Figur haben. Sie
können daher beynahe rund um sich herumsehen, und

K 3　　　　den

den herannahenden Feind leicht entdecken; eine Eigenschaft, die diesen unbewehrten furchtsamen Thieren höchst
nothwendig ist. Bey uns jagt man die Hasen auf
verschiedene Art: mit Windspielen; mit Vorsteher-
hunden; mit Jagdhunden, da mehrere Schützen ein
kleines Gehölze umgeben; bey einer Klapperjagd, da
eine Menge Bauerkinder sie durch ein Geräusch, das
sie mit hölzernen Hammern erregen, austreiben. Unser Bauer schießt viele Hasen ohne Hund. Hupels
Topogr. 2 Th. S. 437. Nach sehr langen Wintern, wenn sie dabey außerordentlich schneereich sind,
werden sie gleichwol weniger häufig gefunden. Sie
kommen alsdann entweder später zum Hecken, oder
der erste, frühe Satz kommt durch die späte Kälte um.
In Riga zahlt man für einen weißen Hasen, der wenig geachtet, von vielen gar nicht gegessen wird, oft
nur vier bis fünf Ferdinge (zween gute Groschen), zuweilen auch wol etwas mehr. Seit einigen Jahren
fängt man an, das graue Hasenfell für die Hutfabri-
ken in Riga zu suchen, und gut zu bezahlen. Wenn
man Hasen für die Küche einkauft: so unterscheidet
man die jüngern von den älteren dadurch, daß das
Fell bey jenen nachgiebt, wenn man die Ohren auseinander zieht. Die Häsin trägt nur vier Wochen,
und setzt acht Jungen einigemal im Jahr.

20) **Kaninchen**. L. Cuniculus. L. 22. 2. lett.
Kannikis, Kanninkenis, ehstn. **Koddojännes**,
d. i. **Haushase**. Der lettische Name, der aus dem
Deutschen herkommt, giebt die Vermuthung, daß diese
Thiere vorher in Livland nicht einheimisch gewesen, sondern von den Deutschen hereingebracht worden sind,
und sich nachher vermehret haben. Bis auf die kürzeren Ohren ist es dem Hasen sehr gleich, doch etwas
kleiner; auch sind seine Hinterfüße kürzer, als bey den
Hasen. Es ist eben so wehrlos, wie der Hase. Sein
Auf-

Aufenthalt ist in Hölen unter der Erde, oder unter Steinhaufen. Füchse und Wiesel besuchen sie oft in ihren Wohnungen, und dann ist es um die ganze Familie gar bald gethan. Nahrung und Vermehrung ist wie bey den Hasen.

XI. Biber. Castor. L. gen. 23.
Erxl. syst. p. 440.

21) Biber. C. Fiber. L. 23. 1. lett. Bebris, ehstn. Kobras, russisch Bobry. Vorher fand man sie bey uns ziemlich häufig; seit einigen Jahren aber sind sie ziemlich selten geworden; doch findet man sie noch hin und wieder an den Bächen, z. B. unter Puderküll im rujenschen Kirchspiel im wolmschen Kreise, und an einigen Stellen am Rujenbach daselbst, auch im Siftegallschen im rigischen Kreise, und im luhdeschen im walckschen Kreise. Sein Kopf ist kurz und platt; seine Augen sind klein, so wie auch die Ohren, deren Lappen kurz sind; die Zähne sind scharf; der Schwanz ist groß, länglicht rund, platt, fleischigt und mit schuppigter Haut bedeckt; die Füße sind kurz; die Zehen seiner Hinterfüße sind vermittelst eines Häutchens mit einander verbunden, und also zum Schwimmen geschickt; die Zeehen seiner Vorderfüße aber sind getrennt, weil das Thier auch auf dem Lande lebt. Es hält sich nur an stillen Gewässern auf. Seine Nahrung sind Fische, Krebse, Feldfrüchte, im Winter zarte Wurzeln und Baumrinden, von denen er einen Vorrath in seinen Wohnungen zusammenbringt. Es ist ein fleißiges Thier, dessen regelmäßiger Bau mit künstlichen Dämmen und Wohnungen Bewunderung verdient. S. Schwed. Abhandl. 18 B. S. 196. u. f. Lerbn. protog. §. 41. Pontopp. nat. Hist. v. Norwegen 2 Th. S. 51. u. f. Neue Anmerkun-

K 4

kungen über alle Theile der Naturl. 1 Th. S. 407.
Sein Fell, das kurze weiche Haare hat, wird von
Kürschnern und in Manufacturen, und seine Geilen
werden zur Arzeney gebraucht. Im Frühjahr 1784.
bemerkte man, daß sie ungewöhnlich hohe Dämme
aufwarfen, und befürchtete daher hohes Wasser; die
Ströme schwollen aber nicht ungewöhnlich an. Das
Weibchen trägt sechszehn Wochen, und wirft im May
drey bis vier Jungen.

XII. Maus. Mus. L. gen. 24.

Erxl. syst. p. 358. 32r.

22) **Ratte, Ratze.** M. Rattus. L. 24. 12.
lett. **Schurks**, ehstn. **Rot.** Vor mehreren Jahren
traf man in Riga in einem Keller einen Wurf weißer
Ratzen mit feurigen rothen Augen an. Sie schienen
eine kleinere Abart zu seyn; denn ein paar wurden eine
lange Zeit im Käficht erhalten, und wurden etwa halb
so groß, wie eine gewöhnliche Hausratte. Das Fell
hatte eine blendende Weiße; der nackte Schwanz war
röthlich.

23) **Gemeine Maus, Hausmaus.** M.
Musculus. L. 24. 14. lett. **Pella**, ehstn. **Hiir.** Die
weiße Maus ist selten; sie ist jedoch eine besondere Abänderung der gemeinen Mäus, und etwas kleiner, als
diese. Man kann sie nicht für eine Spielart halten,
die zuweilen unter den gemeinen Mäusen vorkommt;
denn sie pflanzt sich wirklich von dieser Farbe fort.
Ich habe verschiedene Würfe gesehen von weißen Mäusen, von welchen die Alten beiderley Geschlechts weiß
waren. Die Augen sind allezeit feuerroth. Der
nackte röthliche Schwanz sieht widerlich aus.

24) **Haselmaus.** M. avellanarius. L. 24. 14.
Sie hat die Größe der gemeinen Maus, der sie auch

an

an Gestalt sonst völlig ähnlich siehet; nur unterscheidet
sie sich durch den behaarten Schwanz. Ihr Fell ist
röthlich, nur ist die Kehle weiß. Sie hält sich in
Wäldern und Gesträuchen auf, und nährt sich von
Nüssen und Steinkernen. Im Winter verbirgt sie
sich in Baumhölen, dahin sie einen Vorrath zu ihrem
Unterhalt schleppt.

25) **Waldmaus.** M. sylvaticus. L. 24. 17.
Sie ist ein wenig größer als die vorige. Ihr Fell ist
oberhalb graulicht, am Bauche weiß; der Schwanz
ist nur kurz, und dabey haaricht. An jungen Bäumen in Obstgärten thut sie oft großen Schaden. Wer
seine Bäume gegen den Winter mit Stroh verbinden
läßt, lockt sie herbey, da sie den Ueberrest des Korns
in den ausgedroschenen Aehren aufsuchen, und nachher, wann dieser kleine Vorrath verzehret ist, die
Baumrinden benagen. Sonst halten sie sich auch an
Kornfeldern unter der Erde auf, besonders wo sie an
Wälder stoßen.

26) **Hamster.** M. Cricetus. L. 24. 9. Dieses ist ein feistes, gefräßiges und beißiges Thier, größer als die Hausratte. Sein Fell ist kurzhaaricht,
fein und dicht, schwarzgrau und weißgefleckt; der
Bauch ist schwarz; die Ohren sind rundlich; der
Schwanz ist nur kurz. Die Haut an seinen Kinnbacken ist los, und er kann sie gleich einer Tasche ausdehnen, in welcher er eine Menge Feldfrüchte bewah-
ren kann, die er in seine Vorrathkammern schleppet.
Ihre Hölen bauen sie auf den Feldern, oder unter
Baumwurzeln, und in diesen Hölen machen sie unterschiedene Abtheilungen: zu ihrer Wohnung, für ihren
Wintervorrath, und für ihre Jungen. Sie leben
gemeiniglich paarweise beysammen. Ihre Nahrung
sind Haselnüsse, Eicheln und verschiedene Erdfrüchte.
Daß sie den Winter hindurch schlafen, ist nicht wahr-

K 5　　　　　schein-

scheinlich. Ihr Fell wird zum Pelzwerk gebraucht. Das Weibchen wirft jährlich zweymal, jedesmal sechs Junge. Daß sie bey uns großen Schaden, wenigstens so großen, wie in Deutschland und andern entfernten Ländern, anrichten sollten, davon hört man eben nicht. Nach Hrn. P. Götzens Monatsschrift für allerley Leser 1 Jahrg. 1 St. war ihre Menge 1786 so beträchtlich, daß nach der Berechnung 36000 Stück männlichen Geschlechts gefangen wurden. Den Schaden, den sie verursachten, berechnet er auf 10 bis 12000 Thaler. Das Mittel wider sie besteht in Turnisrüben, welche in Würfeln zerschnitten, und mit Arsenik gekocht, in die Löcher geworfen werden, die man nachher zutritt.

27) **Feldmaus.** M. terrestris. L. 24. 10. Sie ist nur etwa halb so groß. Die Hausratte hat aber einen größern Kopf mit einer stumpfen Schnauze, und kurzen rundlichen Ohren; der Schwanz ist sehr kurz, mit wenigen Haaren bewachsen; das Fell ist auf dem Rücken dunkel und schmutzig braun, auf dem Bauche weißlicht. Sie durchwühlet die Erde in den Saatfeldern, wie ein Maulwurf, und benagt die Getreidewurzeln und Baumrinden. Sie sucht auch ihre Nahrung in den Kornhaufen auf dem Felde, und sammelt sich einen Vorrath für den Winter, den sie in der Erde verbirgt. Sperber, Nachteulen, Katzen, Füchse und andere Raubthiere stellen ihnen nach. Wir sind mit diesen schädlichen Thieren nicht so geplagt, wie manche Gegenden Deutschlandes, die sie zuweilen in ganzen Schaaren überfallen.

28) **Wasserratze, Bruchratze.** M. amphibius L. 24. 11. Sie ist etwas größer, als die Hausratte, hat ein rothbraunes, fast fuchsfarbenes Fell, einen haarichten Schwanz, der stumpf und etwas kürzer ist, als an der Hausratte. Die Zeehen an ihren

Füßen

Füßen sind durch ein Häutchen mit einander verbunden, und also, da sie oft zu Wasser gehen, zum Schwimmen geschickt. Sie bringen ihre Nahrung wie das Eichhorn, auf dem Hintern sitzend, mit den Vorderfüßen zum Maule. Sie halten sich unter der Erde an stillen Gewässern und an Fischteichen auf, wo sie kleine Fische stehlen, daher sie der Fischbrut sehr nachtheilig sind. Zuweilen besuchen sie auch die Gärten und Aecker, und thun den Gewächsen durch ihr Benagen Schaden. Man kann sie in Fischreisen fangen.

XIII. Eichhorn. Sciurus. L. gen. 25.

Erxl. syst. p. 411.

29) **Gemeines Eichhorn.** Sc. vulgaris. L. 25. 1. lett. Wahwaris, ehstn. Orrawas, Orraw. Bey uns ist es sehr häufig. Man sahe es besonders im Sommer 1775 in ungewöhnlicher Menge, obgleich sein Feind der Marder in eben diesem Jahre häufiger als gewöhnlich war. Der livländische Bauer, der von jeder Naturbegebenheit auf die Witterung zu schließen gewohnt ist, glaubte, daß ihre Menge den darauf folgenden kurzen und gelinden Winter angezeiget habe; wahrscheinlich aber hat sie der große Vorrath von Haselnüssen, den dasselbe Jahr hervorbrachte, mehr zusammengelockt, da sie sich sonst auch von Tannzapfen nähren, und Beeren aufsuchen, wobey sie sich dann mehr vertheilen müssen. Im Sommer hat das Eichhorn eine dunkle Fuchsfarbe und einen weißgrauen Bauch; im Winter aber ist es graublau, wie in allen nordlichen Ländern, da man es Grauwerk nennet; doch sieht man auch viele, die im Winter etwas von der rothen Farbe auf dem Rücken behalten haben, daher das Fell nicht zum Pelzwerk gebraucht wird. Aus

Ruß.

Rußland wird ein großer Vorrath Grauwerkfelle zu
uns gebracht. Von ihren Schwanzhaaren werden die
beſten Pinſel zu lackirarbeiten gemacht. Das Eichhorn ſammlet ſich allezeit einen Vorrath auf den Winter, und ſucht ſich dazu die beſten Nüſſe aus. Im
Sommer durchſucht es auch wol die Neſter der kleinen
Vögel, und ſäuft ihre Eyer aus. Ihre Neſter bauen
ſie auf Baumäſten, wie die Vögel, tragen vier Wochen, und werfen vier Jungen.

    30) **Fliegendes Eichhorn.** Sc. volans. L.
25. 10. Klein Claſſific. der vierf. Thiere S. 161.
Dieſes Thierchen, welches ſonſt in den nordlichen
Gegenden von Europa, Aſien und America, beſonders
in Rußland häufig gefunden wird, iſt bey uns nicht
ganz ſelten. Man findet es in den revalſchen, pernauiſchen, arraſchen, und ablamündiſchen, auch einigen andern Gegenden nicht ſelten. Seine Farbe iſt
durchgehends graublau, und verändert ſich auch im
Sommer nicht, wie an dem vorigen. Sein Haar
und ſeine Knochen ſind ſehr zart. Wenn man die aus-
ſpannbare Haut, welche ihm zum Springen dienet,
ausnimmt, iſt es dem gemeinen Eichhorn an Geſtalt
gleich, nur etwas kleiner. Durch die Verlängerung
der Haut, die ſeinen Rücken, den Bauch, und die
Füße umgiebet, und welche überhaupt loſer, und aus-
dehnbarer, als an dem gemeinen Eichhorn iſt, bekommt
es flügelähnliche Werkzeuge, welche den Raum zwiſchen den vordern und hintern Füßen ausfüllen, und
es in den Stand ſetzen, hinunterwärts zu ſpringen,
nicht zu fliegen, wobey es beſtändig mit dem herabhangenden Schwanze rudert; hinaufwärts aber geht
oder ſpringt es allezeit, wie das gemeine Eichhorn.
Es iſt alſo von dem Fledermausgeſchlecht ganz unterſchieden, und kann nicht für eine größere Art aus demſelben gehalten werden. Das Hamb. Magazin liefert
im

im 2. B. S. 199. u. f. eine vollständige Beschreibung seines äußern und innern Baues, die aus den Schriften der Academie der Wissenschaften in St. Petersburg entlehnt ist. Sein Aufenthalt sind die Baumhölen. Seine Nahrung sind die Knospen von Birken und Eichen. Ich habe von ihm auf der dritten Kupfertafel eine Abbildung mitgetheilet, die weit richtiger ist, als in der ersten Ausgabe, zu welcher die Zeichnung, die von einem schlecht ausgestopften Exemplar genommen war, sehr fehlerhaft war.

XIV. Hirsch. Cervus. L. gen. 29.

Erxl. syst. p. 294.

31) Elend. C. Alces. L. 29. 2. lett. Bredis, ehstn. Poedder, russisch Sochatye. Seine Größe, das flachere, breitere und durchgehends stärkere Geweihe, seine sehr hohe Beine, und seine dicke feste Haut unterscheiden es vom Hirsch. Das Horn ist ziemlich dicht, und wird daher zur Drechslerarbeit gebraucht. Die gegorbene Haut ist dick und sehr dicht. Ein glaubwürdiger Cavalier im Lande hat mich versichert, daß die Haut, wenn man sie ausspannet, einer Flintenkugel widerstehe. Ich selbst, der ich nie mit Schießgewehr umgegangen bin, habe die Probe nicht gemacht. Vor diesem wurde sie zu Kollern für die Reiterey gebraucht. In den Läufen, besonders in den hinteren, hat das Elend viele Stärke; mit diesen wehrt es sich zuweilen mit Vortheil gegen Wölfe und Hunde. Man findet sie in verschiedenen Gegenden, z. B. im rigischen Kreise, in den Kirchspielen Sissegall und Ascheraden; im wolmarschen Kreise, in den Kirchspielen Altendorf und Dickeln; im wendenschen Kreise, im Kirchspiele Ronneburg; im pernauschen Kreise, im Kirchspiele Helmet; im walckschen Kreise in den Kirchspielen

spielen luchse, Adsel, Palzmar, und Tirsen; doch
kommen sie nirgends häufig vor. Die unzähligen
Raubthiere, besonders die Wölfe, rotten sie zu sehr
aus; wenigstens stehen sie ihrer Vermehrung sehr im
Wege; doch siehet man sie jetzo zuweilen mehr, als vor
einigen Jahren. Es scheint, daß ihrer in älteren Zeiten und noch im vorigen Jahrhundert eine größere
Menge gewesen sey, als jetzo; denn die ältern livländischen Geschichtschreiber, wenn sie unsere Naturgeschichte berühren, zeigen an, daß eine große Menge
Elende und Rehe in den Wäldern gefunden worden.
So erzählt z. B. **Thomas Hiärne**, der im vorigen
Jahrhundert lebte, daß Livland in seinen Wäldern
sehr viel Bären, Wölfe, Elende, luchse und Füchse
gehabt habe. Daß die starke Rindviehseuche des Jahres 1752 sich auch auf die Elendthiere erstreckt habe,
wie Herr P. Hupel in seiner Topogr. 2 Th. S. 439.
bemerkt, und wie man es auch in auswärtigen Gegenden, als z. B. im Hannöverschen an Hirschen und Re-
hen befunden hat, verdient bemerkt zu werden. —
Die Brunstzeit ist im August; das Weibchen trägt
neun Monate, und wirft im May ein bis zwey Kälber. Sie halten sich in den dichtesten Wäldern auf.
Ihre Nahrung sind Grasblätter und Baumrinden.

32) **Rehe.** C. Capreolus L. 29. 6. russisch **Kos-**
suli, lett. **Surna**, ehstn. **Mörskits**, Waldziege.
Es hat gerades, aufrechtstehendes, rundliches, ästi-
ges Geweihe von ziemlicher Dichtigkeit, das sich in
zween Zacken endiget, und an den Wurzeln mit einer
haarichten Haut umgeben ist. Diese Geweihe ver-
wirft es im Herbste. Seine läufe sind hoch und
schlank, doch sind die vorderen niedriger als die hintern.
Das Haar wird zum Auspolstern der Stuhlküssen,
Sättel, u. a. gebraucht. Aus dem Fell macht man
Muffen. Ob es gleich bey uns einheimisch ist, so wird

es

es doch nicht häufig gefunden, wenigstens weit seltener
als vormals. Man findet es jedoch noch in den waldigten Gegenden um Wald, im Rappinschen, Canna-
pähschen, im Ronneburgschen, Fennerschen, im Pin-
tenhofschen bey Riga, und in andern Gebieten. Auch
dieses nähret sich von Gewächsen und Baumrinden.
Die Rehziege trägt zweyunbzwanzig Wochen, und
wirft im May ein bis zwey Kälber.

XV. Schwein. Sus. L. gen. 35.

33) Wildes Schwein. S. Aper. L. 35. 1.

a. Sie scheinen zwar bey uns nicht einheimisch zu
seyn; doch kommen sie zuweilen im Winter aus Polen
über das Eis in Seswegensche, Ascherabensche, und
vermuthlich auch in andere Gegenden. Im Sommer
hat man sie nicht bemerkt. Auch in Polen sollen
sie seit dem letztern Krkige, da man sie durch öfteres
Jagen dünne gemacht hat, lange nicht so häufig mehr
seyn als vormals. Wenn man dem Th. Hiärne glauben darf: so sind zu seiner Zeit an verschiedenen Orten
in Livland viele wilde Schweine gewesen, welches er
uns in seiner Ehst-Lyf- und Lettl. Gesch. 1 Buch
erzählet.

XVI. Meerschwein. Delphinus. L. gen. 40.

34) Tummler, kleines Meerschwein, klei-
ner Delphin. D. Phocaena. L. 40. 1. Tursio Phocaena. Klein de piscib. Miss. II. §. XXXIII. T. III.
Lit. B. Er ist in der Ostsee, auch im rigischen Meerbusen, und an den Inseln Oesel, Runo und Moon
nicht selten. Er tummelt oder wälzet sich im Wasser,
weil er wegen seiner wenigen Floßfedern nicht geschwinde
schwimmen kann. Im September 1782 wurde einer

bey

bey Bullen an der rigischen Rhede durch einen Sturm auf den Strand geworfen, und war vielen eine seltene Erscheinung. Von der Spitze der Schnauze bis zum Schwanzende hielt er zehn Fuß, ein und einen halben Zoll. Der Kopf war breit und stumpf; das Maul sahe einem Schweinsrüssel fast gleich; die Kinnlade hatte viele Zähne gehabt, wie man an den leeren Zahnhölen sahe; die Zähne waren knochenartig, stumpf und weiß, fast einen Zoll lang; die Augen waren im Verhältniß gegen den Kopf sehr klein, so wie auch die Gehörgänge; die Nasenlöcher, die an den Stirnseiten standen, waren sehr enge. Der Körper war fast kegelförmig, und der Rücken sehr breit. Zwischen der Brust und dem Bauche stand eine Floßfeder, eine andere auf dem Rücken, und die dritte am Ende des Schwanzes, die letztere war fast halbmondförmig. Die Haut war glatt, und hatte keine Schuppen, dabey sehr hart zu schneiden; gleich unter der Haut lag der Speck drey Zoll tief. Man hätte Thran daraus brennen können.

Das Meerwunder, welches 1734 im Curischen Hafe neben der so genannten Windenburgischen Ecke gefangen worden, und in Hrn. Prof. Bernoulli's Sammlung kurzer Reisebeschr. 7 B. S. 377. u. f. weitläuftig, doch unvollständig beschrieben wird, ist, wenn man die Beschreibungen der einzelnen Theile, z. B. des Kopfes, mit dieser vergleichet, nichts anders als ein großes Meerschwein gewesen. Seltenheit und Furcht, auch wol eine Portion Aberglauben, haben ihn den Fischern so schrecklich gemacht.

Zweyter

Zwenter Abschnitt.
Vögel. Aves.

I. Habichte. Accipitres.

Ihre Füße sind stark, haben lange, und starke, scharfe Klauen zum Fangen. Zu beiden Seiten des gekrümmten scharfen Hakens am Oberschnabel ist eine Kerbe, wie ein Zahn gestaltet, mit welchem sie das Fleisch der Thiere desto leichter zerreißen können.

I. Geyer. Vultur. L. gen. 41.

35) **Glattköpfiger Geyer.** V. Albicilla. L. 41. 8. russisch Bielochwost, d. i. Weißschwanz, lett. Maitaslija. Mann nennt ihn auch den Fisch-geyer oder Fischadler, weil er mehrentheils auf Fische stoßt; doch fällt er auch zuweilen vierfüßige Thiere an. Seine Federn sind rostfarben, am Rande weißlicht; die Stirne hat zwischen den Augen und Nasenlöchern statt der Federn borstiges Haar; Schnabel und Füße sind gelb.

II. Falk. Falco. L. gen. 42.

36) **Hasenadler, schwarzer Adler.** F. Me-lanaëtus. L. 42. 2. lett. Ehrglis, ehstn. Kottas. Er ist so groß, wie eine kalekutische Henne, stark und be-herzt, und führet seine gefangenen Hasen im Fluge

Naturgesch. von Livl.   L   davon,

davon, indem er seine Klauen tief in beide Seiten schlägt, und gleichsam auf ihnen reitend in die Luft fährt. Seine Farbe ist schwarzgrau mit gelben Streifen. Er horstet in gebirgigten Wäldern, z. B. im Wendenschen.

37) **Weißschwanz.** F. fulvus. L. 42. 6. Seine Farbe ist hellbraun mit untermischten weißen Federn, die Brust hat dreyeckigte Flecken; der Schwanz ist kurz, und hat einen weißen Ring oder Binde. Man findet ihn so groß, wie einen kalekutischen Hahn.

38) **Hünerweihe.** F. Milvus. L. 42. 16. lett. **Wannags**, ehstn. **Kannakul.** Sein Körper ist rothfarben, der Kopf weißlicht, der Schwanz braunroth, lang und gabelförmig; die Füße sind gelb. Er horstet in dichten Wäldern auf hohen Bäumen, legt zwey Eyer, und brütet jährlich nur einmal. Das Federwild, besonders Hühner und Küchlein, befinden sich sehr übel bey seinem Besuche.

39) **Weißkopf.** F. leucocephalus. L. 42. 3. Er ist braun, und hat einen weißen Kopf und Schwanz. Er ist so groß wie eine Henne.

40) **Goldadler.** F. Chrysoëtes. L. 42. 5. Er ist größer als der vorige, und vermuthlich der größeste unter unsern Raubvögeln. Er ist pomeranzenfarben, röthlich und weiß gefleckt. Er ist unerschrocken und kühn, stößt auf Hasen, Rehkälber, Katzen, Gänse und andere Thiere, und horstet in wüsten undurchdringlichen Wäldern auf den Gipfeln der Tannenbäume, legt drey bis vier Eyer, und brütet nur einmal im Jahre.

41) **Fischadler.** F. Haliaëtus. L. 42. 26. Dieser ist fast so groß, wie ein Haushahn, weißgrau, braun und schwärzlich gefleckt. Der Kopf und Unterleib sind gänzlich weiß, die Füße blaulicht. Er hält sich an Flüssen und stehenden Seen im Schilf auf,

und

und raubt große Fische, wilde Enten, und andere
Wasservögel. Sein höherer Flug soll schönes Wetter
bedeuten. Ehstnisch heißt er Kajak, lett. Siws
kahrnis.

42) Mausefalk, Steinadler. F. Buteo. L. 42.
15. Er hat die Größe einer Henne; seine Farbe ist
dunkelbraun, mit braun und gelbgestreiftem Bauch und
gelben Füßen. Kaninchen, Mäuse und Frösche sind
seine gewöhnliche Nahrung. Die Sie bauet ihr Nest
auf dem Gipfel der höchsten Fichte, brütet jährlich nur
einmal und erzieht drey Junge.

43) Thurmfalk, Mauerfalk. F. Tinunculus.
L. 42. 16. Er ist kupferroth mit dunkelbraunen Flecken, und hat gelbe Füße. Das Männchen ist so
groß, wie eine Henne, das Weibchen wie eine Taube.
Sie rauben kleine Vögel und Mäuse, und nisten in
alten Mauerlöchern und Thürmen.

44) Brauner Fischgeyer. F. aeruginosus.
L. 42. 29. Der Uebersetzer des linneischen Systems
nennet ihn eine Hühnerweihe, weil er auch auf Hühner stoßt. Bey uns stoßt er mehrentheils auf Fische,
ob er gleich auch zuweilen auf Hühner und anderes
Geflügel Jagd machet. Er hält sich fast mehrentheils
in der Nähe der Flüsse auf. Vor mehreren Jahren
schoß man einen jenseit der Düna, da er eben einen
großen Wemgall erhascht hatte. Er ist rostfarben,
mit einigen gelben Flecken, hat eine gelbe Scheitel,
und Backen, Kehle und Füße von eben der Farbe.
Seine Größe ist bis anderthalb Fuß.

45) Lerchenfalk. F. Subbuteo. L. 42. 14.
Sein Rücken ist braun, der Nacken weiß, der Bauch
blaßbräunlich mit länglichten dunkelbraunen Flecken.

Er

Er horstet in hohlen Bäumen, und stellt lerchen und andern kleinen Vögeln nach.

46) Sperber. F. Nisus. L. 42. 31. lett. Wehs ja wannags, ehstn. Winna kul. Diesen findet man bey uns fast am häufigsten. Das Weibchen ist so groß wie eine kleine Henne, das Männchen, wie ein junges Huhn. Unterhalb ist er graulicht und wellenförmig gefleckt; seine Flügel sind mit braunen gewölkten Zeichnungen besetzt. Die Deckfedern der Schultern sind oberhalb braun, unterwärts weiß; mit einer braunen Binde; der Schwanz hat schwärzliche Streifen; die Füße sind gelb. Er stellt Feldhühnern, Tauben und kleinen Vögeln nach, deswegen man ihn auch den Finkenfalk nennet. Man kann ihn zähmen, und auf den lerchenfang abrichten. Das Weibchen bauet ihr Nest auf hohen Bäumen, und legt zwey Eyer. In livland findet man eine kleine Sperberart, die nur so groß, wie eine lachtaube, aber stark und beherzt ist, und Birkhühner, Krähen, und andere Vögel bezwingt, die größer sind, wie sie selbst.

47) Zwergfalk, kleiner Habicht. F. minutus. L. 422. 22. Er ist unterhalb weiß; die Schwingfedern sind braun, mit schwarzen Binden; die Füße sind gelb. Die Größe ist wie die von einer lachtaube; in Wäldern, doch selten.

48) Nachtfalk. F. vespertinus. L. 42. 23. Er ist nur so groß, wie eine lachtaube, und wird in Ehstland gefunden. In Ingermannland, wo er häufig ist, wird er Kobez genennet. Der Rücken ist dunkelstahlblau, der Bauch und die Flügel blaulicht weiß, der Kopf braun, die Füße gelb. Man sieht ihn nur des Abends und bey der Nacht.

49) Jagd

49) **Jagdfalk, edler Falk.** F. gentilis. L. 42.
13. Man findet von diesem verschiedene Abänderungen, von welchen der isländische als der vorzüglichste
bekandt ist. Eine Spielart, die in Livland gefunden
ist, ist oberhalb braun, mit dunkeln Zeichnungen,
die auf dem Kopfe und den Schultern ins Schwarze
fallen; der Hals, die Kehle, Brust und Bauch nebst
den Schenkeln sind hellgelb, und haben schwarzbraune
linienförmige, etwas weit auseinanderstehende, zer-
streute Streifen die Länge hinunter; der Schwanz ist
gelblich, und hat vier schwarzbraune Queerstreifen.
Er ist so groß wie der Rabe. Ich zweifle, daß er
sich wie der isländische Falk zur Jagd abrichten
lasse.

50) **Geyerfalk.** F. Gyrfalco. L. 42. 27. lett.
Wannags, ehstn. Kul. Bey uns wird er der Habicht genennet, kommt häufig vor, und ist hinlänglich
bekandt. Er horstet auf hohen Bäumen, und bezieht
gern sein voriges Nest. Er heckt nur jährlich einmal
drey Junge aus, ob er gleich gewöhnlich mehrere
Eyer legt. Er ist sehr hinter den Tauben her, macht
sich aber auch an größere Vögel.

51) **Taubenhabicht, Taubengeyer.** F. pa-
lumbarius. L. 42. 30. ist dunkelbraun, am Bauche
weiß mit schwarzen wellenförmigen Streifen. Den
Hühnern und Tauben ist er gefährlich.

52) **Wasserfalk.** So nennet man in Livland
im Dörptschen einen Raubvogel von schwärzlicher Farbe mit grauem Schnabel, der sich an Gewässern aufhält. Ich habe ihn weder gesehen, noch etwas mehreres von ihm erfahren können. Herr P. Hupel führt
ihn in s. Topographie 2. Th. S. 441. an.

Wan-

Wanderung der Geyer und Falken.

Viele von den Raubvögeln, besonders die, welche sich ihren Unterhalt auf dem Lande erjagen, bleiben beständig bey uns, und nähren sich von Hasen, zahmen und Waldhühnern, Tauben und anderm Geflügel; nur die, deren Nahrung in Fischen, Wasservögeln und dergl. bestehet, als der Fischabler, der braune Fischgeyer; auch der Mausefalk und der Thurmfalk ziehen gegen den Anfang des Winters von uns, und kommen im Frühjahr zum Brüten wieder.

III. Eule. Strix. L. gen. 43.

Die Letten nennen die Eulen überhaupt Puhze. Ihre Gestalt, die sie von den andern Vögelarten unterscheidet, ist hinlänglich bekandt. Da sie ihre Nahrung nur bey Nacht suchen, und sich bey Tage verbergen: so ist der Bau ihrer Augen darnach eingerichtet. Sie stehen vorwärts am Kopfe, nicht an den Seiten, wie bey andern Vögeln, und haben einen erweiterten Augenstern, mit welchem sie im Finstern einen blinzenden Schein machen können. Sie beziehen alle ihre vorigen Nester, die sie in Baumhöhlen, Steinritzen oder Mauerlöchern machen, und legen vier bis sechs Eyer.

53) **Weißbunte Eule, Tageule.** Str. Nyctea. L. 43. 6. Sie ist etwa so groß, wie ein kalekutischer Hahn. Der Kopf ist glatt und weiß, ohne Flecken, die Scheitel schwarz, der übrige Theil des Körpers hat eine weiße Grundfarbe. Die Brust, der Bauch und die Schultern haben verloschen erdfarbene, halbmondförmige Flecken; der Schwanz hat verschiedene unordentlich zerstreuete dunkelbraune Flecken; die Füße sind ganz weiß, und stark befiedert, ihre Fänge schwarz.

schwarz. Man findet sie selten und nur einzeln im Sonselschen Kirchspiel.

54) Uhu, Berguhu, Schubuteule. Str. Bubo. L. 43. 1. lett. Uhpis, Uhbis, ehstn. Jännesehüüp, ist fast so groß, wie eine Hausgans, und die größte unter den Eulen unserer Gegend. Sie hat hervorstehende, drey bis vier Zoll lange Federn an den Ohren. Ihre Farbe ist oben goldgelb, röthlich und schwarz gemischt, unten rostfarben mit schwarzen Queerbinden. Sie hält sich in Wüsteneyen und waldigten Gegenden auf, und raubt Hasen und andere Thiere, die sie bezwingen kann. Die abergläubigen Letten halten ihn für einen Unglücksvogel, wenn er besonders in der Nacht sich hören läßt. Sie nistet in Höhlen und Steinklüften, und erzieht zwey Junge.

55) Hornohreule, kleine Horneule. Str. Otus. L. 43. 4. Sie ist nur halb so groß wie ein Rabe, hellbraun und rostfarben gemischt, hat sechs Federn an den Ohren, und hält sich in hohlen Bäumen und unbewohnten Gebäuden auf. Wegen der langen Ohrfedern nennt man sie auch die Eselseule.

56) Nachteule, gemeine Eule, Schleyereule. Str. Aluco. L. 43. 7. lett. Pahwihsta, Puhze, ehstn. Suris pea kul, eine Ohreneule mit glattem Kopf, schwarzen Augapfeln, rostfarbenen Federn und weißlichten Füßen mit schwarzen Puncten. Sie hat die Größe eines Huhnes, und ist in Baumhöhlen. Wenn sie in der Nacht schreyt, pflegt der gemeine Mann einen Todesfall, eine Feuersbrunst, oder ein anderes Unglück zu verkündigen.

57) Brandeule, Knarreule. Str. stridula. L. 43. 9. Sie ist die gemeine Buscheule, und von brauner und grauer Farbe; die dritte Schwanzfeder ist länger, als die übrigen. Sie hält sich in laub-

I 4   wäl-

wäldern auf. Ihre Nahrung bestehet in Mäusen und Fledermäusen.

58) **Käuzlein.** Str. Ulula. L. 43. 10. lett. **Appoghs, ehstn. Oekul, auch Kätskul.** Sie ist noch einmal so groß, als die kleine Horneule, von oben gelblicht und grau gesprengt; der Kopf ist grau, mit kleinen weißen wellenförmig gehenden Streifen.

59) **Kircheule, Steineule.** Str. funerea. L. 43. 11. Sie hat die Größe eines Raben, und ist dunkelbraun mit weißen Flecken. Der Schwanz ist kegelförmig, und auf beiden Seiten weiß. Sie nistet in alten Gebäuden.

Wanderung der Eulen.

Sie scheinen bey uns zu bleiben, weil man die mehresten auch im Winter siehet. Die Brandeule möchte vielleicht wegziehen. Die gemeine Eule hört man oft in Winternächten auf den Dächern lermen mit den Krähen anrichten.

IV. Neuntödter. Lanius. L. gen. 44.

60) **Großer Neuntödter. Wächter.** L. Excubitor. L. 44. 11. Er ist etwas größer wie eine Amsel. Sein Rücken ist schwarzgrau; die Flügel sind schwarz mit weißen Flecken; der Schwanz ist kegelförmig, auf beiden Seiten weiß. So klein er auch ist: so ist er doch ein sehr schlimmer Gast, der nicht nur kleine Vögel raubt, sondern auch solche, die größer sind, wie er, angreift, und sie zerreißt. Sein Nest bauet er auf hohen dickbelaubten Bäumen, in welchen er vier bis sechs Junge ausheckt.

61) **Kleiner Neuntödter.** L. Collurio. L. 42. 12. Er ist nur so groß, als etwa ein Dompfaffe.
Kopf

Kopf und Nacken sind bis an den Rücken grau, welcher fast erbfarben ist, und sich ins Gelbbraune verliert; vom Schnabel an geht über die Backen ein
schwarzer länglichter Streifen. Er brütet in Geſträuchen und Böschen nur einmal jährlich vier bis sechs
Junge aus. Seine Nahrung sind Raupen und Käfer, vornehmlich aber kleine Vögel. Er ahmt die
Töne der Singvögel nach, wahrscheinlich um sie
an sich zu locken. Er wird deswegen hier der Spott-
vogel genennet. Es klingt sehr besonders, wenn er
die Gesänge des Zeisigs, Finken, Stieglitzen und andere durcheinander mischt. Man trifft ihn in Wäldern
an, z. B. im Walde bey der Alexanderschanze an der
rothen Düna bey Riga, auch an andern Orten.

Wanderung der Neuntödter.

Der große Neuntödter wird auch im Winter bey
uns gefunden; denn an kleinen Vögeln fehlt es ihm
nicht, besonders an Sperlingen, die er fast allenthalben findet; den kleinen aber sieht man nicht; gleich im
Frühling aber sieht und hört man ihn bald wieder.

II. Spechtartige Vögel. Picae.

Ihr Schnabel ist rundlich, und dabey etwas
platt, an den Enden zugespitzt, ziemlich lang und
stark; ihre Zunge ist wie ein Pfriemen gestaltet; sie können daher mit derselben die Maden und Insecten aus
dem Holz und der Erde herausholen.

I. Rabe. Corvus. L. gen. 50.

62) Schwarzer Rabe, Kolkrabe. C. Co-
rax. L. 50. 2. lett. Krauklis, ehſtn. Kaarn. Er
ist durchaus glänzend schwarz. Die Sie ist von dem

J 5   Männ-

Männchen fast gar nicht zu unterscheiden, weil sie dieselbe Farbe hat.   Man findet sie in verschiedenen Gegenden in dichten Wäldern, wo sie auf den Bäumen
horsten.   Ihre vornehmste Nahrung suchen sie bey den
Aesern; doch gehen sie auch wol auf den Raub aus.
Die Schwingfedern sind hart, und dienen zu feinen
Schreib- und Reißfedern, imgleichen die Tangenten
an dem Clavecin und Fortepiano zu fiedern.   Die Sie
brütet jährlich nur einmal, und legt drey Eyer.

63) **Schwarze Krähe, Rabenkrähe.** C. Co-
rone. L. 50. 3.   Sie hat die Größe einer gemeinen
Krähe; ihre Farbe ist durchaus schwarzblau.   Sie
nähret sich von Feldfrüchten, Würmern und Aesern.
Man findet sie hin und wieder, z. B. im Rappinschen.

64) **Ackerkrähe.** C. Frugilegus. L. 50. 4.
Sie ist etwas größer, als die gemeine Krähe, und
ganz schwarz.   Ihr Nest bauet sie in Laubgebüschen
auf den Bäumen.   Sie hält sich in Haufen bey den
Aeckern auf, und nähret sich von Getraide und Würmern.   Wo sie sich in großer Menge finden läßt, da
ist sie den Fruchtfeldern äußerst nachtheilig; bey uns
wird sie jedoch eben nicht häufig gefunden.

65) **Gemeine Krähe.** C. Cornix. L. 50. 5.
lett. Wahrna dserwes, ehstn. Warres, in der
Wiek, Non.   Sie halten sich in starken versammleten Schaaren auf; und nähren sich von Würmern,
Aesern und allerley Unrath; besonders aber reinigen
sie unsere Wiesen von der schädlichen Raupe des Gras-
mähers (phalaena graminis) welche sonst unsere
Heuernte sehr verderben würde.   Da auch die Bemerkung richtig zu seyn scheinet, daß sie die Raupen
oder Maden des Maykäfers (Scarabaeus Melolontha),
die man in Livland Kornwürmer, ehstn. Otasse Aja
nennet, welche oft unsere Kornernte zweifelhaft machen,

chen, von den Aeckern auflesen: so ist ihre ungeheure
Menge uns eine große Wohlthat, und der Schaden,
den sie durch das Ausreißen der Saat verursachen,
möchte wol in einem für uns vortheilhaften Verhält-
nisse stehen. Dies scheint man auch in andern ländern
bemerket zu haben, welches eine Nachricht in der physicalischen Zeit. für das Jahr 1784. S. 15. beweiset,
die jedoch nur ganz kurz gegeben wird. Man ist nemlich in
einer gewissen Provinz, die nicht genennet wird, genöthiget gewesen, sie mit Fleiß wieder anzupflanzen.
Die Veranlassung dazu wird nicht angezeigt; gewiß
ist es inzwischen, daß man sie nicht ganz schädlich und
unnütz gefunden habe. Sie horsten auf Bäumen,
am liebsten auf Erlen, brüten jährlich zweymal und
legen vier bis sechs Eyer. Die weiße Krähe, wahrscheinlich eine Spielart, ist äußerst selten; doch ist
sie einmal in der Wendenschen Gegend gefunden
worden.

66) **Dahle**, in Livland **Dahlken**, auch **Tahl-**
ken. C. Monedula. L. 50. 6. lett. **Kohsa**, auch
Kowahrna, ehstn. **Ack**. Ihre Farbe und Gestalt
sind bekandt. Sie ziehen gemeiniglich in Schaaren.
Ihre Nester bauen sie in Baumhöhlen und Mauerlöchern, wo sie gerne ihr voriges Quartier wieder beziehen, und legen vier bis sechs Eyer. Aeser, Würmer,
Nüsse und Getraide sind ihre Nahrung; sie rauben
auch wol kleine Vögel, die sie bezwingen können. Im
Winter halten sie sich in großen Haufen beysammen.
Wenn sie zahm gemacht werden, lernen sie leicht einige Worte nachplaudern.

67) **Heher**, **Holzheher**, **Holzschreyer**, in
Livland **Marquard**. C. glandarius. L. 50. 7. lett.
Silla wahrns, grüne **Krähe**, ehstn. **Pastraat**.
Am Halse, Kopfe, der Brust und dem Bauche ist
er grünlicht; der Schnabel ist schwarz; die obern Flü-
gel

gelbecken sind schön blau, und haben dunkelblaue Queerlinien; die Schwingfedern sind lang, von schwarzer Farbe; der Oberleib und die mittleren Flügeldecken sind
braun; auf dem Kopfe haben sie einen Schopf. Ihr
Geschrey ist nicht angenehm, und fast wie ein Katzen-
geplärre. Zahm gemacht lernen sie leicht einige Worte
nachschwatzen. Sie halten sich in Laubgebüschen auf,
in welchen sie sich im Sommer von Nüssen, Eicheln,
Würmern, auch von Korn, im Winter von Wachol-
der- und andern Beeren, im Nothfall auch von kleinen Vögeln nähren. Man findet sie in verschiedenen
Gebüschen ziemlich häufig; sie scheinen gesellig zu leben,
und dabey nicht schüchtern zu seyn. Im Fluge hat dieser Vogel ein schönes Ansehen. Genau so sieht er bey
uns aus.

68) Nußheher, Nußpicker. C. Caryocata-
ctes. L. 50. 10. ehstn. Pähklärrahat. Er ist weiß
mit schwarzen Puncten und Flecken; die Flügel und
der Schwanz sind ganz weiß; der Schnabel ist schwarz.
Er hält sich in Wäldern auf. Seine Nahrung bestehet aus Eicheln und Nüssen, die er mit seinem starken Schnabel geschickt aufzubrechen weiß, und aus
den Kernen der Tannzapfen. Seine Stimme ist wie
die an der Elster. Russisch heißt er Rostohryz.

69) Elster, in Livland Häster. C. Pica. L. 50.
13. lett. Schaggata, ehstn. Harrakas, in der Wiek
Rebsakas. Ein bekandter Vogel, der sich von allerley Unrath, Aesern und kleinen Vögeln nährt. Er
stiehlt fast wie der Rabe, und visitirt gerne die Vögel-
nester, wo er die Eyer ausleert, oder die junge Brut
ablangt. Er besucht gern die bewohnten Gegenden
und meidet die Wälder. Diese Vögel halten sich
schaarenweise beysammen. Die Sie bauet sich ein
künstliches Nest auf den Bäumen mit einem Eingange,
und bedeckt es sorgfältig mit Dornen und stachligten
Rei-

Reisern, um es gegen einen Ueberfall in Sicherheit zu
stellen.   Die Richtung des Einganges zu ihrem Neste
soll ein sicheres Merkmal seyn, aus welcher Gegend
das Jahr die Gewitter herkommen werden. Entw.
einer ökon. Zoologie S. 68. Sie brütet bis sieben
Junge aus; wenn die Elster gezähmet wird, lernt sie
leicht dem Menschen nachsprechen.

Wanderung der Rabenarten.

Den Nußheher sieht man im Winter nicht; ob
er sich tiefer in die Fichtenwälder begebe, mit deren
Zapfen er alsdann vorlieb nehmen müßte, oder ob er
wegziehe, ist nicht gewiß bekandt. Man glaubt, daß
er sich in hohle Bäume verberge, dahin er gegen den
Herbst einen Vorrath Eicheln und Nüsse schleppen soll.
Die übrigen, in diesem Geschlecht, die ihr hinlängliches Futter finden, und von welchen die mehresten fast
mit allem vorliebnehmen, bleiben das ganze Jahr hindurch bey uns.   Die gemeine Krähe, die sich im Sommer, mehr zertheilt, auf Feldern, in Gebüschen, an
Miststätten und bey Aesern aufhält, findet sich gegen
den Winter in zahlreichen Schaaren um die Städte
und andere bewohnte Gegenden ein, wo ihr alles, was
abfällt, willkommen ist.

II. Rackervogel. Coracias. L. gen. 51.

Den deutschen Namen hat man ihnen deswegen
gegeben, weil sie ihr Nest sehr unsauber halten.
70) Mandelkrähe, Blaukrähe, deutscher
Papagey, Galgenreckel. C. Garrula. L. 51. 11.
Dieser bunte, schöngezeichnete Vogel, dem man im
Deutschen solche unanständige Schimpfnamen gegeben
hat, ist am Kopfe, Halse, der Brust, dem Bauche
und

und Schwanze schön apfelgrün; die obern Flügeldecken
sind kornblumenblau, und der Unterleib lederfarben.
Seine Nahrung sind: Eicheln, Getraide, Käfer,
Maden, Beeren, auch zuweilen Frösche. Gezähmt
kann man ihn zum Plaudern abrichten. Sie hecken
nur einmal im Jahr, und brüten drey bis vier Junge
aus. Man findet sie im Rigischen, im Kremonschen,
auch in der Gegend um Wenden. Ihr gewöhnlicher
Aufenthalt ist in Wäldern, besonders wo Kornfelder
in der Nähe sind; doch sieht man sie nur im Frühling
und Sommer, denn sie überwintern bey uns nicht,
sondern ziehen zeitig weg. In Livland pflegt man diesen Vogel auch den finnischen Papagey zu nennen.

III. Kirschvogel. Oriolus. L. gen. 52.

71) Pfingstvogel, Golddroßel, Kirschdro-
ßel, Bierhold, Bülau, Wittewahl. O. Galbula.
L. 52. 1. lett. Wahlod, Wahlodse. Dieß ist ein
schöner Vogel, so groß etwa, wie eine Ziepdroßel,
von Farbe meistentheils ganz goldgelb bis auf die Flügel, welche schwarz sind, und an den Schultern einen
gelben Flecken haben. Der Schnabel ist röthlich, etwas gerundet und erhaben, fast wie an der Droßel;
der obere Kiefer ist jedoch etwas länger, als der untere. Das Männchen hat schwarze Schwanz- und
Schwingfedern. Das Weibchen hat vorne hellgrüne,
hinten dunkelgrüne Flügeldecken, und schwarze Streifen auf der Brust. Die Zeichnung ist gleichwol nicht
an allen gleich, so wie man es auch bey mehreren Vögelarten findet. Ich habe eine Sie gesehen, die nur
am Kopfe, der Kehle und dem Bauche gelb war, Rücken, Schwingfedern, Flügeldecken und Schwanz hatten ein dunkles Grasgrün, zwischen welchen nur hin
und wieder einige gelbe Flecken hervorschienen. Seine
Nah-

Nahrung sind Insecten, Raupen und Kirschen; ob er inzwischen hier im Lande auch so übel mit den Kirschen hause, wie man ihn in andern Gegenden beschuldiget, wo man ihn auch den Kirschvogel nennet, ist mir nicht bekandt. Seine Stimme ist angenehm, helllautend, wie aus einer Discantflöte. Er flicht sein Nest aus Grasstengeln, zarten Wurzelfasern und weichen Baumblättern künstlich zusammen, hängt es wie einen Korb zwischen zween Baumäste auf, und brütet nur einmal im Jahre bis fünf Junge aus. Er ist sehr schwer zu fangen, und noch schwerer zu schießen; denn ob er gleich dem Jäger zum Schuß flieget, wenn dieser ihm nachpfeifet: so weiß er ihm doch geschwinde auszuweichen, und sich zu verstecken, so daß ihm nicht anzukommen ist. Man hat versucht, die Jungen aus dem Nest zu nehmen, und zu erziehen; aber keine Nahrung will ihnen gedeihen; sie sterben immer bald. Wahrscheinlich heißt er deswegen bey uns der Pfingstvogel, weil er sich nicht eher als gegen Pfingsten, wenn schon alles Laub ausgeschlagen ist, und keine Nachtfröste mehr zu befürchten sind, sehen läßt. Nahe bey Riga wird er nicht gefunden; im ubbenormschen Kirchspiel im wolmarschen Kreise ist er ziemlich häufig. Er ist ein Streichvogel, und geht zeitig vor dem Herbst in wärmere Gegenden. Schon vor dem Ende des August wird er selten gesehen.

IV. Kukuk. Cuculus. L. gen. 57.

72. **Gemeiner Kukuk.** C. canorus. L. 57. 1. lett. Dsegguse, ehstn. Räggi, ein bekandter Vogel. Daß er seine Natur verändere, und im Herbst ein Raubvogel werde, wie viele auch bey uns behaupten wollen, ist ganz unwahrscheinlich. Weder sein Schnabel ist wie der Schnabel eines Raubvogels gebauet,

.noch

noch sind seine Füße stark genug und geschickt zum Fange. Die Natur wies einem jeden Thiere seine bestimmte Nahrung an, die es ohne Gefahr seiner Gesundheit und seines Lebens nicht verändern darf, auch
zu keiner Jahreszeit zu verändern nöthig hat, weil es
solche, wann sie aus einer Gegend verschwunden ist,
in einer andern leicht wiederfindet. Im Herbste, nach
der Mausterung, verändert sich seine Farbe, daher ist
wahrscheinlich die Vermuthung entstanden, daß er sich
in einen Sperber, dem er dann ziemlich gleich siehet,
verwandele. Klein in seiner Hist. der Vögel S. 71.
widerleget diese alte falsche Meinung, und hält mit
Grunde dafür, daß sein Schnabel und seine Füße
zum Raube viel zu schwach, er auch im Herbste zum
Rauben viel zu fett und ungeschickt sey. Auch bey
uns wird er oft im Herbst geschossen, und fett und
von zartem sehr angenehmen Geschmack befunden, welches man doch von einem fleischfressenden Raubvogel
nicht erwarten kann. Zorn in seiner Petinotheolo-
gie 2. Th. S. 71. widerspricht diesem auch, so wie
Frisch. Er nährt sich von Raupen und Würmern,
mit welchen er jung geäzet worden, und zu welcher
Nahrung er folglich gewöhnet ist, bis in den Herbst.

Herr Lottinger, welcher sich um die Naturgeschichte und Eigenschaften dieses Vogels viel bemühet
hat, rettet ihn auch in seiner lesenswürdigen Abhandlung vom Kukuk von dem Verdachte, daß er aus
großer Raubbegierde gar seine Pflegeeltern und ihre
Jungen auffresse. Daß er seine Eyer nicht selbst aus-
brüte, sondern in das Nest eines andern Vogels lege,
war schon den alten Naturkundigen bekandt. Plinius
und nach ihm Oppian haben davon geschrieben, und
neuere Schriftsteller haben es bestätiget. Daß der
Bau seines Magens ihm das Brüten nicht erlaube,
wird von den mehresten Ornithologen angenommen,
doch

doch in den Anmerkungen über Hr. Lottingers Abhandlung vom Kukuk im Zweifel gezogen. Er legt seine Eyer in das Nest einer Grasmücke, eines Fliegenschnepfers, oder anderer kleinen Vögel, die sich von Insecten und Würmern nähren. Herr Prof. Pallas will bemerkt haben, daß er sein Ey immer wieder in das Nest eines Vogels von derselben Art lege, von welcher der war, der ihn ausbrütete. Klein hat es selbst gesehen, daß er sein Ey immer fremden Vögeln unterschiebe. S. Historie der Vögel S. 31. Diese Erfahrung hat Herr Lottinger auch oft gemacht; und durch wiederholte Erfahrungen unterstützt behauptet er, daß, obgleich jeder Vogel sein Nest, zwar nicht allezeit, doch mehrentheils sogleich verlasse, wenn man ihm seine Eyer weggenommen, und fremde an deren Stelle gelegt hat, oder wenigstens die fremden Eyer answerfe, wenn man sie zu den seinigen gelegt hat, auch zuweilen, aber nur in dem Fall, im Brüten fortfahre, wenn man ihm seine eigenen Eyer dabey lässet, der kleine Vogel dennoch keine Schwierigkeiten mache, sein Nest wieder zu beziehen, und das ihm untergeschobene Kukukey auszubrüten, so sehr es auch von den seinigen unterschieden ist, es mögen nun seine Eyer ausgeworfen, oder dabey gelassen seyn; denn in der Anmerkung über diese Abhandlung wird S. 74. angezeigt, daß der Kukuk die fremden Eyer nicht immer aus dem Nest werfe, sondern daß oft die eigentlichen Jungen des kleinen Vogels mit ausgebrütet, und neben dem Kukuk großgefüttert werden. Ganz widernatürlich schien das Verhalten eines Rothkehlchens, dessen fast ausgebrütete Eyer, wie Herr L. bemerket hat, der Kukuk ausgeworfen hatte, und das mit gänzlicher Entsagung des natürlichen Triebes in sein Nest zurückkehrete, das Kukukey ausbrütete, und das Junge erzog, ob es gleich seine eigenen ausgeworfenen Eyer

immer vor Augen hatte, ja allezeit über dieselben weg-
mußte, wenn es, die Bedürfnisse seines Pflegeempfohle-
nen zu befriedigen, vom Nest, und auf dasselbe ging.
So sorgt der Schöpfer für die Fortpflanzung und Er-
haltung eines Vogels, dessen Geschlecht er erhalten
wissen will, und der seine Jungen selbst nicht ausbrü-
ten mag oder kann, die Ursache sey nun davon, welche sie wolle.

Bey uns findet sich der Kukuk in Wäldern häufig, wo man im Frühling seinen einförmigen Gesang
die ganze Nacht hindurch höret.   Vor Johannis hört
er schon auf zu rufen; er bleibet aber bis in den Herbst vor
unsern Augen, bis ihm die Nahrung zu fehlen anfängt.
Ob er alsdann völlig wegziehe, oder sich nur verstecke,
kann man nicht gewiß bestimmen.   Am wahrschein-
lichsten ist das letztere; denn in den ersten Frühlingstagen,
oft schon in den ersten Tagen des Märzes, wann die
Erde noch zugefroren ist, kommt er wieder zum Vorschein, und dann ist, wie ich mehrmalen bemerkt habe,
angenehmes Frühlingswetter nicht mehr weit.

Herr P. Hupel in seiner Liefl. Topogr. 2. Th.
S. 445. zeigt einen Vogel an, der den Kukuk immer
begleiten soll, und den daher einige Ehsten Käo Suls-
tarte, den Kukuksknecht nennen sollen; er kennt ihn
aber nur dem Namen nach.   Der Bischof Pontoppidan in seiner natürl. Hist. von Norwegen 2. Th.
S. 142. erwähnt auch eines kleinen Vogels, den er
beständig im Gefolge bey sich habe, und der ihm sein
Futter zutragen müsse, weil er selbst sehr gemächlich
sey.   Wahrscheinlich ist dieses seine Pflegemutter, die
ihn so lange begleitet und äzet, bis er seine Nahrung
selbst zu suchen im Stande ist.

V. Hals-

V. Halsdreher. Jynx. L. gen. 58.

73) **Wendehals, Natterhals.** J. Torquilla.
L. 58. 1. lett. Greesgalwa, ehstn. Wäänkal. Seinen Namen hat er von dem beständigen hin- und her-
drehen seines Kopfes und langen Halses. Er ist graulich gefleckt; sein Schwanz hat gewölkte Streifen.
Sein Aufenthalt ist in vermoderten Bäumen, wo er
sich von Würmern nährt; doch besucht er auch die
Felder, wo er Insecten und Würmer aus der Erde
hackt. Man findet ihn bey Riga zu Brauershof, und
in andern Gegenden. Daß er auch in Ehstland gefunden werde, macht sein Name gewiß. Er brütet
bis acht Eyer aus, und bleibt auch im Winter bey
uns, weil er wie die Spechte in faulem Holz hinlängliche Nahrung findet.

VI. Specht. Picus. L. gen. 59.

Sie nähren sich alle von Insecten und Würmern,
die sie aus vermoderten Bäumen hacken, wozu ihr fester, fast keilförmiger Schnabel sehr geschickt ist, so
daß man sie eigentlich an den Stämmen hämmern höret. Ihre Schenkel haben feste Muskeln; die Beine
sind kurz, stark, und die Zeehen dicht aneinander ge-
füget, damit sie sich im Klettern fest an den Baumstämmen anhalten können; ihr Schwanz ist steif, hart
und etwas niedergebogen, und dienet ihnen bey dem
Klettern zur Stütze. Einige Arten sind den Bienenstöcken sehr nachtheilig. Sie brüten jährlich zweymal
in Baumhöhlen, und behalten gern ihre vorigen
Nester.

74) **Schwarzspecht.** P. Martius. L. 59. 1.
ehstn. Kärrik, auch Pu Korristoja. Er ist fast so
groß, wie eine kleine Taube, und ganz schwarz, nur

hat das Männchen eine rothe Platte am Hinter=
theil des Kopfes, die dem Weibchen fehlet. Dieser
ist den Bienenstöcken vor andern nachtheilig, sonst
nährt er sich auch von Würmern, die er wie die übri=
gen aus vermoderten Bäumen hackt.

75) **Grünspecht.** P. viridis. L. 59. 12. lett.
Meltsas. Er ist viel kleiner, als der Schwarzspecht,
und grüngelber Farbe. Das Männchen hat eine rothe
Platte am Hintertheil des Kopfes, das Weibchen
keine. Auch dieser besucht die Bienenstöcke. Er
wird von einigen gegessen, und von gutem Geschmack
befunden. Der Ehste nennt ihn **Rähn**, auch
Maimud.

76) **Weißspecht.** P. medius. L. 59. 18. lett.
Zuhku, ehstn. **Raudrósa,** ist kleiner, als der Bunt=
specht, von oben schwarz und weiß gefleckt, von unten
weißlicht, am Wirbel und After roth.

77) **Großer Buntspecht.** P. major. L. 59. 17.
lett. **Dsennis,** ehstn. **Rähn, Haar.** Er ist schwarz
und weiß gefleckt, nur der Hintertheil des Kopfes ist
am Männchen roth. Das Weibchen dagegen, wel=
ches keine rothe Platte hat, hat unten herum eine grau
und gelb gemischte Farbe. Sie legt bis sechs Eyer.

78) **Grasespecht, kleiner Buntspecht.** P. mi=
nor. L. 59. 17. Er ist zwar schwarz und weiß gezeich=
net; Schwanz und Flügel sind schwarz, und haben
weiße Queerstreifen. Die Platte des Männchens ist
roth, des Weibchens schwarz, das überhaupt eine mehr
ins Gelbe fallende Farbe hat, auch mit mehrerm
Weißen gemischt ist. Er ist etwas größer, als der ge=
meine Sperling.

Wanderung der Spechte.

Wahrscheinlich bleiben sie den ganzen Winter
hindurch bey uns; denn man siehet sie gleich zu Anfan=
ge

ge des Märzes häufig genug; sie verbergen sich nur in Baumhöhlen, wo sie im faulen Holze ihr hinreichendes Futter an Insectenmaden finden.

VII. Baummeise. Sitta. L. gen. 60.

79) Blauspecht. S. europaea. L. 60. 1. Er ist oberhalb bläulich grau, und unterhalb weiß, hält sich an Baumstämmen auf, und singt des Nachts. Er nistet in Wäldern in Baumhöhlen, heckt zweymal, und legt bis acht Eyer. Er gehört nicht zu den Spechtarten, weil sein Schnabel und seine Füße anders gestaltet sind; er nährt sich jedoch von Würmern, die er wie die Spechte aus den Baumstämmen hackt. In Livland scheint er ganz einheimisch zu seyn; denn er wird auch zuweilen im Winter gesehen.

VIII. Eisvogel. Alcedo. L. gen. 62.

80) Europäischer Eisvogel. A. Ispida. L. 62. 3. Ehstn. Kapurri. Er hat die Größe einer Wachtel, ist oberhalb blau, unterwärts gelbbraun gestreift, hat einen schwarzen Schnabel, und hochrothe Füße. An Flüssen hält er sich am liebsten auf; er nährt sich von kleinen Fischen und Wasserinsecten. Er brütet zweymal im Sommer, und verläßt unsere Gegenden im Herbst.

IX. Wiedehopf. Upupa. L. gen. 64.

81) Gemeiner Wiedehopf. U. Epops. L. 64. 1. lett. Badda dsegguse, auch Puppukis, ehstn. Sittane räästas, auch Pähkla öht. Er ist sowol wegen seiner Gestalt als schönen Zeichnung bekandt.

Wenn

Wenn er gejagt, oder erschreckt wird, richtet er seinen Schopf in die Höhe, der eine Art von Krone formirt, die ihm ein schönes Ansehen giebt. Sonst ist er ein unflätiger, stinkender Vogel, der sein Nest mit Unflath besudelt. Er nistet in Baumhöhlen, und legt zwey Eyer. Im Herbst scheint er sich zu entfernen, weil er im Winter nicht gesehen wird. Gleich zu Anfange des Frühlings sieht man ihn wieder. Seine Nahrung sind Fliegen und andere Insecten.

X. Baumklette. Certhia. L. gen. 65.

82) **Gemeiner Baumlaufer.** C. familiaris. L. 65. 1. Er ist kleiner, als ein Sperling, oben grau, unten weiß; die Flügel sind grau, und haben einen weißen Queerflecken. Er klettert schnell an den Bäumen auf und nieder. Seine Nahrung sind Insecten, Eyer und Raupen. Er legt acht Eyer. Sein Nest bauet er in Baumhöhlen, zuweilen wirft er die Eyer eines andern aus dem Nest, und nimmt mit den seinigen Besitz davon, wie man bemerket hat, daß er einmal einem Rothschwänzchen that.

83) **Blaukehlchen.** C. jujularis. L. 65. 7. Er ist oberhalb grau, unterhalb weiß; die Kehle ist schön violfarben, und die äußern Schwingfedern an der Spitze gelb.

Wanderung der Baumkletten.

Der gemeine Baumlaufer bleibt den ganzen Winter hindurch bey uns, und findet seine Nahrung wie die Spechte; das Blaukehlchen aber sieht man nur im Sommer, und dazu selten.

III. Gän-

III. Gänseartige oder Schwimmvögel, Patschfüße. Anseres.

Sie haben größtentheils breite stumpfe Schnäbel, die an den Seiten Zacken oder Erhöhungen haben. Ihre Zeehen sind durch eine Haut mit einander verbunden, die sie zum Schwimmen geschickt macht. Die Füße stehen mehr nach hinten zu, wie bey anderm Geflügel, daher die mehresten einen schaukelnden Gang haben. Bey einigen, z. B. bey den Tauchern und Halbenten, stehen sie so weit nach hinten, daß sie kaum auf dem Lande gehen können, und sich daher mehrentheils auf dem Lande aufhalten. Diese Stellung der Füße setzet sie in den Stand, das Wasser leichter fortzuschieben, und bequem zu schwimmen. In Livland hat man viele Arten Schwimmvögel, und mehrere als man in diesem Verzeichniß findet, weil mir nicht alle Arten bekandt geworden sind. In dem Schilf der mehresten Flüsse und stehender Seen findet man im Sommer eine Menge verschiedener wilder Entenarten, die daselbst brüten. Obgleich in manchen Jahren eine Gattung wegbleibt: so kommen in deren Stelle andere Arten an.

I. Ente. Anas. L. gen. 67.

Die Ehsten nennen gemeiniglich alle Enten mit dem allgemeinen Namen: Metspart, d. i. Walds oder wilde Ente.

84) **Schwan.** A. Cygnus. L. 67. **Gulbis,** ehstn. **Luick.** Bey den Inseln sind sie häufig, seltener bey den Landseen. Zuweilen kommen sie schon zeitig im Frühling, wann die Gewässer noch mit Eise belegt sind. Bey uns werden sie wenig geschossen, da doch ihre Schwingfedern gebraucht werden, wenn

gleich

gleich ihr Fleisch schwärzlich, unschmackhaft und zähe
ist.   Man kennt ihn zwar hinlänglich; doch muß ich
hier bemerken, daß das Männchen sich durch einen
größern schwarzen Hügel am Schnabel unterscheide,
als das Weibchen.   Wurzeln und die jungen Sprossen
der Seegewächse sind ihre Nahrung, welche sie mit
ihrem langen Halse hervorholen.   Sie brüten nur einmal, und legen fünf bis sechs Eyer.   Daß der Schwan
kurz vor seinem Ende singe, ist wol nur dichterische
Fabel, oder unrichtige Bemerkung, wie die vom Pele-
kan, der seine Jungen mit seinem Blute tränken soll,
da er doch nur in seinem ausdehnbaren Sack, den er
an seiner Kehle hat, ihnen das Wasser zuträgt.   Die
Kehle des Schwanes ist zu einem angenehmen Gesange
viel zu ungeschickt und heiser.

85) Wilde Gans. A. Anser ferus. L. 67. 9.
lett. Meschasohß, ehstn. Leggal, und eine kleinere
Art, Laggas.   Es giebt deren verschiedene Arten,
von welchen ich aber nur die größere und die kleinere
Gattung bey uns gesehen habe.   Ihr Nest bauet sie
aus Rohr korbförmig zusammen.   Sie werden wenig
geschossen, weil ihr Fleisch zähe ist, und da sie sich von
Fischen nähren, thranigt schmeckt.

86) Mohrente, schwärzliche Ente. A. fu-
sca. L. 67. 6. Sie ist schwärzlich; hinter den Augen
stehet ein weißer Flecken; auf den Flügeln stehen ein
paar weiße länglichte Flecken; die Füße sind roth; der
Schnabel ist bey dem Männchen roth, mit einem
schwarzen Knoten, bey dem Weibchen ganz schwarz.
Eine Abänderung dieser Art hat eine ganz andere Zeichnung, und ist ziemlich groß.   Der Körper ist schwärzlich mit braunen Flecken; der Kopf hat eine schwarze
Platte; über den Augen geht ein schwarzer Strich;
der Schnabel ist schmutzig grün, in der Mitte schwarz,
und hat einen schwarzen Knoten.

87) Schnarr-

87) **Schnarrente.** A. strepera. L. 67. 20.
Eine graue Ente mit braunem Schwanz, und weißen
glänzenden Flügeln.

88) **Graukopf.** A. rustica. L. 67. 24. Eine
kleine weiß- und braunbunte Ente.

89) **Weiße wilde Ente.** A. fera alba. Sie
hat schwarze Federn am Kopf und Rücken; die Flügel,
der Bauch, die Kehle und der Schwanz sind weiß,
mit braunen und grauen Flecken.

90) **Brandente, Rothhals.** A. Penelope.
L. 67. 27. Der Kopf ist braun, die Stirne weiß,
der Spiegel schön blau, zuweilen auch grün, der Rücken grün gesprengt.

91) **Graue wilde Ente.** A. ferina. L. 67. 31.
lett. **Raudawa,** auch **Raudewith.** Diese wilde
Ente ist bey uns die häufigste.

92) **Winterhalbente.** A. Querquedula. L. 67.
32. lett. **Prischke.** Deren giebt es verschiedene Abänderungen, die sich alle in schilfigten Gewässern aufhalten. Wir haben die größere und die kleinere Art.

93) **Quackente.** A. Clangula. L. 67. 23.
Sie ist kleiner, als die gemeine wilde Ente, und taucht
lange unter.

94) **Schildente, Löffelente.** A. clypeata.
L. 67. 19. Sie hat die Farbe eines Schnepfen. Die
Flügel sind grau, und haben einen grünlich braunen
Spiegel, an ihrem Ursprunge aber sind sie weiß; doch
hat das Weibchen eine etwas andere Zeichnung. Der
Schnabel ist am äußeren Ende breit, und endiget sich
in eine Krümmung; die Füße sind roth.

95) **Kriechente.** A. Circia. L. 67. 34. Sie ist
braungrau und weißgefleckt, und hat unter den Augen einen schmalen weißen Rand, auf dem Kopf eine
schwarze Platte. Es sind mir davon in Livland drey
Abänderungen bekandt geworden: die größere mit grü-

M 5　　　　　　　　nem

nem Spiegel, die mittlere und die kleine mit blauen
Spiegeln.   Der lette nennt sie alle Prikhschke.

96) Schupsente. A. Crecca. L. 67. 33. Mir
scheint sie eine Abänderung der Kriechente zu seyn.

97) Gemeine wilde Ente, Blauente, A. Bo-
schas. L. 67. 40. Von dieser scheint unsere zahme
Hausente abzustammen.   Nahrung, Aufenthalt und
Zucht können bey den verschiedenen Generationen eine
Veränderung der Größe, der Gestalt und des Geschmacks verursachen.   Diese Art scheint sich auch am
leichtesten zähmen zu lassen; denn ich habe sie jung in
den Teichen und bey dem Futter zu den zahmen Enten
sich halten gesehen.   Sie zogen wol zuweilen davon;
kamen aber bald wieder zurück.

98) Schopfente. A. Fuligula. L. 67. 45. ehstn.
Rakkordaja.   Deren kennt man drey Spielarten.
Bey uns findet man eine braunrothe mit hochrothem
Kopf und langen schmalen herabhangenden Federn.

99) Schwarze Ente, Moorente. A. nigra.
L. 67. 7. Das Männchen ist schwarz, das Weibchen
dunkelbraun.   Sie findet sich nur selten an unsern Gewässern ein.

100) Haubenente. A. cristata.   Sie ist von
verschiedenen Farben, und hat eine Haube oder Zopf
auf dem Kopfe, und einen etwas spitzigen Schnabel.

Wanderung dieses Geschlechts.

Sie ziehen im späten Herbst, wann die Gewässer
bald zufrieren wollen, und ihnen dann ihre Nahrung
entgehet, mehrentheils von uns.   Die wilden Gänse
ziehen schon um Michaelis, oder bald hernach fort,
vielleicht, weil sie wegen ihres schweren Fluges und des
langen Weges ihren Zug eher anfangen müssen, als
die übrigen leichtern.   Mit ihnen oder zu gleicher Zeit
zie-

ziehen auch die Schwäne fort. In gelinden Wintern,
wann die schilfigten Gewässer nicht völlig zufrieren,
bleiben die Mohrenten, die Kriechenten, die Quacken-
ten, und einige andere Gattungen bey uns. Auch an
Stellen, wo das Wasser quellicht ist, die niemals zufrieren, wo sie mit Geröhrig bewachsen sind, bleiben
einige Arten in allen Jahren den Winter hindurch hier.
Der Herr Arch. v. Fischer zeigt in seinem liefl. Landwirthschaftsb. neuer Aufl. S. 161. u. f. ihre Züge in
den Jahren 1752. 1754. 1757. 1759. und 1760. an.

Anmerk. Die mehresten dieses Geschlechts brüten
nur einmal, legen aber sehr viele Eyer. In unsern Städten werden die wilden Enten von einigen nur alsdann geachtet, wann wegen Mangel
der Zufuhr anderes Federwild selten ist.

II. Tauchente, Halbente. Mergus.
L. gen. 68.

101) Gezopfter Kneiper, Tauchergans.
L. 68. 2. M. Merganser. lett. Gaura, Gaigula,
auch Nurra, oder Nirre. Der Kopf ist schwarz,
und hat eine Art von Schopf; der Rücken des Männchens ist schwarz, des Weibchens grau, beide sind auf
der Brust lichtbraun, und am Bauche weiß; die Flügel sind dunkelblau mit drey weißen Queerbinden; der
Schnabel ist roth, und wie bey den übrigen dieses Geschlechts lang, gezähnt, und hat am Ende des obern
Kiefers einen krummen Haken; die Füße sind roth.
Sie halten sich bey unsern Seen auf, und ziehen gegen den Winter davon. Man schießt sie sehr schwer,
weil sie sich schnell unter das Wasser begeben, so bald
sie das Feuer auf der Pfanne sehen. Noch hat man
eine Taucherart, welche der Lette Dukkuris, und der
Ehste Tüükerd nennet.

III. Pele-

III. Pelekan. Pelecanus. L. gen. 72.

102) Seerabe, Wasserrabe. P. Carbo. L. 72. 3. lett. Uhdenis. Sie ist fast so groß, wie eine Gans, schwärzlich mit braun und weißbuntem Halse, weißem Bauch, und einem kleinen Zopf auf dem Kopfe. Der Schnabel ist geradestehend, und hat an der Spitze einen Haken. Er nistet an unserm Seestrande auf hohen Bäumen, den er bey angehendem Frost verläßt.

IV. Taucher. Colymbus. L. gen. 75.

Ihre Schnäbel sind pfriemenförmig zugespitzt, der Hals ist lang. Die Füße stehen sehr weit nach hinten, daher sie auf dem lande fast gar nicht gehen können. Von den Tauchenten unterscheiden sie sich dadurch, daß sie sich lange unter dem Wasser aufhalten, und unter demselben fortschwimmen, dagegen jene nur auf eine kurze Zeit untertauchen.

103) Gezopfter Taucher. C. cristatus. L. 75. 7. Die Kehle und die Seiten des Kopfs sind um die Schläfe weiß, nach oben zu hellbraun; die Augen haben einen rothen Ring; auf dem Kopfe steht ein kurzer schwarzer Schopf, und rund um den Hals sind die schwarzen Federn länger als die übrigen, so daß sie einen hangenden Kragen formiren; der Hals ist hellgrau, der Rücken dunkeler; der Bauch silberfarben. Er hat die Gestalt einer großen Hausente. Bey uns scheint er nicht ganz selten zu seyn; denn ich habe deren einige gesehen. Diese Beschreibung habe ich von einem gemacht, der vor ein paar Jahren an unserm Seestrande geschossen wurde.

104) Seehahntaucher. C. arcticus. L. 75. 4. ehstn. Rakkordaja, wie die Schopfente. Sie ist
größer

größer wie eine Schopfente, auf dem Kopfe und am
Obertheil des Halses grau; die Kehle ist dunkelviolfarben mit einigen weißen Puncten, die in einem Ringe
um dieselbe herumstehen; die Flügeldecken haben dieselbe Grundfarbe, oberhalb mit vier bis fünf weißen
Queerbinden, unterhalb mit weißen runden Flecken;
der Rücken ist schmutzig braun mit weißen Streifen;
der Bauch ist weiß; die Füße sind schwarz; der Schnabel ist schwärzlich; die Federn stehen dicht und glänzend, und geben dem Vogel bey der schönen Zeichnung
ein vortreffliches Ansehen. Die Haut dieses Wasser-
vogels wird von geringen Leuten statt des Pelzwerkes
zu Muffen und Mützen gebraucht. Er ist fett; das
Fleisch aber hat einen thranigten Geschmack, deswegen
man es nicht achtet. In Ehstland findet man sie häufiger als in Lettland.

Wanderung der Taucher.

Der Winter erlaubt ihnen nicht bey uns zu bleiben; sie müssen also, ehe die Flüsse und Seen mit Eise
beleget werden, weiter ziehen.

V. Mewe. Larus. L. gen. 76.

Der Schnabel ist bey den Mewen ziemlich lang,
nach der Wurzel zu breit; der Rachen ist weit; die
Flügel sind länger als der Schwanz; die Füße sind
kurz. Sie tauchen unter und holen ihren Raub aus
der Tiefe.

105) Weiße Mewe, Wintermewe. L. tridactylus. L. 76. 2. lett. Kihtis, ehstn. Kowit,
auch Kallakul. Sie ist weiß mit grauem Rücken,
am Ende des Schwanzes schwarz. Ihren Aufenthalt
hat sie an stehenden sumpfigten Gewässern und Gräben;

ben; ihre Nahrung sind Fische. Man findet sie bey uns von der Größe einer Taube, auch eine kleinere Art.

106) **Große graue Mewe.** L. fuscus. L. 76. 7. Sie ist so groß, wie eine Ente, grau, an den Spitzen der Flügelfedern theils schwarz, theils weiß und grau; die Füße und der Schnabel sind gelb.

107) **Lachmewe.** L. ridibundus. L. 76. 9. lett. **Kurlik.** Man nennet sie auch schwarzköpfige Mewe. Sie ist weißlicht, und hat einen schwärzlichten Kopf, rothen Schnabel und Füße. Den lettischen Namen hat sie von ihrem Geschrey: **kurlik! kurlik!** das in der Ferne wie ein Gelächter lautet.

108) **Graue Mewe.** L. canus. L. 76. 3. lett. **Kaija.** Der Kopf und Hals sind schwarzgefleckt, der Rücken grau, die Deckfedern weißlicht, die Schwingfedern schwarz und weißbunt, das übrige ist alles weißgesprengt. Sie halten sich an unsern stehenden Seen auf.

109) **Große Fischmewe.** L. marinus. L. 76. 6. Sie ist eine der größten Mewen und von weißer Farbe bis auf den Rücken und die äußere Seite der Schwingfedern, welche schwarz sind. Sie ist an der Ostsee am pernauischen Strande oft häufig, und nährt sich von kleinen Fischen, besonders von Strömlingen. Von der Menge pflegen die Bauren dort mit ziemlicher Zuverläßigkeit auf einen reichen Strömlingsfang zu schließen. lettisch heißt sie **Killens.**

Wanderung der Mewen.

Die mehresten ziehen kurz vor dem Anfange des Winters von uns, und kommen gleich in den ersten Tagen des Frühlings wieder zu uns zum Brüten. Gleich anfangs sieht man sie häufig über unsern Stadtgragraben, nachher wann die Seen ganz vom Eise befreyet sind, ziehen sie sich weiterhin an die Seestrande und Inseln. Einige Arten, die sich an den Ufern der Ostsee aufhalten, bleiben oft zurück, und werden auch im Winter dort gesehen. Sie nisten auf den breiten starken Blättern der Seeblume, und legen zwey bis drey Eyer. Wenn sie landwärts einfliegen, pflegt es ohnfehlbar stürmisches Wetter zu bedeuten.

IV. Stelzenläufer. Grallae.

Die Vögel dieser Ordnung unterscheiden sich von denen aus den andern Ordnungen dadurch, daß sie lange, fast runde, spitzige Schnäbel haben, mit welchen sie ihre Nahrung aus den Sümpfen hervorlangen können.

I. Löffelgans. Platalea. L. gen. 80.

110) **Löffelgans, weißer Löffler.** Pl. Leucorodia. L. 80. 1. russisch: **Kolpiza.** Sie ist weiß, hat eine schwarze Kehle, und einen kleinen Schopf am Hintertheil des Kopfs. Zuweilen sind die Flügelspitzen dunkel stahlfarben. Der Schnabel, der sich an dem äußeren Ende in eine erweiterte flache, runde Figur ausbreitet, hat einige Aehnlichkeit mit einem Löffel, oder runden Spatel. Er ist schwarz, wie die Füße. Sie ist so groß, wie eine Hausgans. In Livland wird sie nur einzeln angetroffen. Man hat sie bey Dorpat auf der Pelpus, ein paarmal bey Riga in der Bolderaa, und in einigen Gegenden in Ehstland geschossen. Ehstnisch wird sie **Laggel** genennet.

II. Reiher. Ardea. L. gen. 84.

111) **Kranich.** A. Grus. L. 84. 4. lett. **Dsehrwe,** ehstn. **Kurg.** Er hält sich in morastigen Gegen-

genden auf, und nährt sich von Eidechsen, Fröschen und andern Amphibien, doch hat er die Gerste auch gerne. Auf der Insel Oesel sind sie sehr häufig, deswegen diese auch vermuthlich von den Ehsten Kurre saar, Kranichsinsel genennet wird. Viele junge Kraniche werden auf dem Lande auf den Höfen erzogen, und bleiben zurück, wenn die übrigen unsere Gegenden verlassen.

112) **Storch.** A. Ciconia. L. 84. 7. lett. **Starks, Dsese, Swehtelis, Swehts putes,** auch **Schiguris,** ehstn. **Tonekurg,** russisch: **Sterchi.** Er hält sich an sumpfigten und schilfigten Orten auf, und nährt sich von Fröschen, Eidechsen und Schlangen. Sein Nest bauet er auf Dächern und Thürmen, brütet jährlich nur einmal, und erzieht bis fünf Junge.

113) **Schwarzer Reiher, schwarzer Storch.** A. nigra. L. 84. 8. Er ist kleiner, als der gemeine Storch, und schwarz, nur ist die Brust und der Unterleib weiß. Sein Schnabel und seine Füße sind roth. Er hält sich gleichfalls an schilfigten Orten, und in Morästen auf. Seine Nahrung sind Frösche, Eidechsen und andere Sumpfthiere. Er heckt nur einmal im Jahre. lettisch heißt er **Dsehse gohris.**

114) **Bunter Reiher, Nachtrabe.** A. Nycticorax. L. 84. 9. Die Kehle, der Hals und die Brust sind weiß, der Nacken, Rücken, die Flügeldecken und der Schwanz sind grün und dunkelstahlfarben. Vom Kopfe hangen drey Federn hinab. Er ist so groß, wie ein Haushahn. In Livland nennet man ihn den **Nachtschatten,** weil er nur bey Nacht flieget.

115) **Grauer Reiher.** A. cinerea. L. 84. 11. lett. **Garnis, Gahrnis.** Sein Rücken ist graublau,

blau, der Unterleib weiß. Er nistet an Flußufern auf den Bäumen. Bey bevorstehendem Ungewitter zieht er hoch über die Wolken.

116) Rohrdommel, Rohrtrummel. A. stellaris. L. 84. 21. lett. Dumpis, ehstn. Meerehuup. Er ist oberwärts grau, mit dunkelbraunen Queerflecken, unterhalb weißlich, mit länglicht runden in Sterne zusammenlaufenden braunen Streifen. Der Kopf hat eine schwarze Platte; dieses Schwarze gehet bis zu der Wurzel des Schnabels. Der obere Schnabel ist länger als der untere, und hat einen fast unmerklichen Hacken, der oberhalb braun, unterhalb zeisiggrün ist, so wie der ganze untere Kiefer. Eben diese Farbe haben die Füße. Man trifft ihn in Sümpfen, und im Geröhricht der stehenden Seen an, wo er sich von Fröschen und andern Amphibien nähret. Man findet ihn an verschiedenen Orten, z. B. im Aahoffschen im rigischen Kreise, wo man ihn zuweilen von ferne an dem donnernden Schall, den er mit seinem Schnabel macht, und der ihm den deutschen Namen gegeben hat, erkennet. Daß es eine reiche Erndte bedeute, wenn er sich zeitig hören läßt, mag wol ein trügliches Merkmal seyn.

Wanderung der Reiher.

Störche und Kraniche kommen im Frühjahr in Schaaren zu uns. Wo sie herkommen, läßt sich nicht eigentlich bestimmen. Wahrscheinlich ist ihr Winteraufenthalt in südlichen Gegenden, wo sie ihre Nahrung in unbeeisten Morästen finden. Klein hat zwar in seiner Hist. d. Vögel S. 128. u. f. von den Störchen behauptet, daß sie sich den Winter hindurch unter dem Wasser verborgen halten, weil verschiedene Beyspiele von Störchen, die aus dem Wasser hervor

gezogen, und durch die Stubenwärme wieder aufgele-
bet sind, seine Meinung zu bestätigen schienen; allein
einzelne Begebenheiten, wahrscheinlich durch einen Zufall veranlasset, bestimmen in der Naturgeschichte keine
unumstößliche Wahrheit.   Wenn ihr Winteraufenthalt im Wasser wäre: so wüßte ich nicht, warum sie
alle Jahr im Herbst von uns ziehen; denn man sieht
sie immer im September in vielen Schaaren den Zug
über den Dünastrom nach Curland nehmen, wo sie
nicht verweilen, sondern von dort weiter in entferntere
südliche Gegenden ziehen.   An stehenden Seen, Flü-
sen und großen Sümpfen ist bey uns gewiß kein Mangel.   Wenn es ihrer Natur gemäß wäre, ihr Winterquartier im Wasser zu nehmen, würden sie es bey uns
eben so bequem, als in andern Gegenden finden;
gleichwol ist mir kein Beyspiel bekandt, daß in Livland
ein einziger Storch im Winter wäre ausgefischt worden, da doch täglich in den zahlreichen Gewässern häufig gefischt wird.

Im Jahr 1779 kamen nach dem gelinden Winter schon den 12. Febr. a. St. die ersten Störche aus
Süden zu uns. — Von ihrem späten Abzuge pflegt
man mit ziemlicher Gewißheit auf einen langen gemäßigten Herbst zu schließen. — Sie beziehen gleich bey
ihrer Ankunft ihre vorigen Nester.   Ihre Brützeit
ist jährlich nur einmal; sie hecken vier bis fünf Junge aus.

III. Schnepfe. Scolopax. L. gen. 86.

Die letten nennen alle Schnepfenarten: Leischu
irbe, die Ehsten: Kowwi.

117) Bräcker, Wettervogel. Sc. arquata.
L. 86. 3.   Er ist so groß wie eine erwachsene Henne,
grau, braun und röthlich gefleckt; der Schnabel ist

lang

lang und gekrümmet. Er hält sich in sumpfigten Gegenden auf; bey bevorstehendem Ungewitter soll er
sich höher als gewöhnlich hören lassen.

118) Gewölkter Schnepf. Sc. fusca. L. 86. 4.
Er ist schwarzbraun und weißgewölkt. Man findet ihn
bey den Mündungen der Flüsse an den Ufern.

119) Waldschnepfe, Berg= oder Busch=
schnepfe. Sc. rusticola. L. 86. 6. lett. Rikkuts,
ehstn. Poello tädder. Sie ist die größeste unter den
Schnepfenarten. Oberhalb ist sie grau und schwarz,
unterhalb weiß und schwarz gestreift. Ihr gewöhnli=
cher Aufenthalt ist in morastigen Laubgebüschen. Sie
nährt sich von allerley Würmern, und kommt bey uns
häufig vor.

120) Doppelschnepfe, Heerschnepfe, Bec=
casse, Moosschnepfe. Sc. Gallinago. L. 86. 7.
lett. Perkohnu asis, Perkohnu kasse, Donner=
ziege, auch Rikku kahsa, ehstn. Merkits. Die
Deutschen nennen sie auch Himmelsziege, weil ihr
Geschrey: meck, meck, dem Meckern einer Ziege gleich
lautet.

121) Pfuhlschnepfe. Sc. Totanus. L. 86. 12.
Der Rücken, Hals und Kopf sind grau und schwarz
gefleckt; die Brust ist weiß, und hat schwarze Flecken;
der Bauch ist ganz weiß; der Schwanz ist schmutzig
weiß, und hat gewölkte schwarze Queerstreifen; der
Schnabel ist schwarz; die Füße sind roth. Man fin=
det ihn an Sümpfen und kleinen stehenden Seen.

122) Kleinster Schnepf. Sc. Gallinula.
L. 86. 8. Eine kleine Schnepfenart, die schwarz,
braun, grün und blau gefleckt ist. Wegen ihrer
schmalen Federn wird sie auch zuweilen die Haarschne=
pfe genennet.

123) Blaubeerschnepfe. Sie ist größer als
die Doppelschnepfe, und grau und braunlicht gefleckt.

N 2   Ihr

Ihr gekrümmter Schnabel setzt sie unter Kleins Brach-
vögel. Sie scheint eine Abänderung der Sc. arquata
Nr. 117. zu seyn, die ihr ganz gleich, nur größer und
höher ist. Sie nährt sich von Blau- oder Heidelbee-
ren, von welchen auch ihr Fleisch ganz blau ist; sie ist
aber fett, und von sehr zartem Geschmack. Bey uns
wird sie unter die Leckerbissen gesetzt, und allem andern
Federwild weit vorgezogen, um so mehr, da sie nur
selten angetroffen wird, und sich sehr schwer ankommen läßt.

Außer diesen haben wir noch unterschiedene andere Schnepfenarten, die mir aber nur blos dem Namen nach bekandt sind, deswegen ich sie nicht anzeigen mag.

Wanderung der Schnepfen.

Sie halten sich bis in den späten Herbst bey
uns auf. Kurz vorher, ehe die Moräste zufrieren,
und ihnen dann ihre Nahrung abgehet, kehren sie
zurück in wärmere Gegenden. Klein zeigt in
seiner Historie d. Vögel S. 31. aus dem Dale an,
daß die Heer- und Doppelschnepfe sich den Winter hindurch in England aufhalte. Die Waldschnepfe scheint
eine von den ersten zurückkehrenden Schnepfen zu
seyn; denn man sieht sie allezeit gleich im Anfange des
Frühjahrs, zuweilen schon in der Mitte des Märzes;
im Jahr 1779, da wir, wie bekandt, einen zeitigen
Frühling hatten, wurde sie schon zu Anfange des Hornungs gesehen. Der gewölkte Schnepf Nr. 118. der
sich von Fischen zu nähren scheint, wird zuweilen auch
im Winter an den Ufern der Ostsee gesehen.

Anmerk. Die mehresten bauen ihre Nester im morastigen Strauchwerk auf der Erde; sie brüten
jährlich nur einmal, und legen bis vier Eyer;
demohngeachtet sind sie häufig genug, und würden

ben noch häufiger seyn, wenn die Jungen nicht so fleißig weggeschossen würden.

IV. Strandlaufer. Tringa. L. gen. 87.

124) Streit- oder Brausehahn, Kampf-hähnlein, Hausteufel. Tr. pugnax. L. 87. 1. Er hat wie alle Strandläufer sehr hohe Beine. Seine Farbe ist verschieden. Mehrentheils sind die Hähne grau, braun und schwarzblau gefleckt, die Hennen schwarz, grau und braun; beide sind gemeiniglich am Unterleibe weiß. Die Hähne leben in beständigem Kampf mit einander. Sie werden von einigen ge-gessen. Man findet sie im Rigischen, auch im Dörpt-schen an der Peipus.

125) Kyfiz, Kywit, Tr. Vanellus. L. 87. 2. lett. Kehwala, ehstn. Kiwit, Sehmalis auch Semala Kûwitis, russisch Tschibes. Ein Vogel, den man an seiner Gestalt und seinem Geschrey leicht kennet. Das Weibchen ist kleiner, als das Männ-chen, und hat eine weiße Kehle, die bey jenem schwarz ist. Er ist feist, sein Fleisch zart und schmackhaft, besonders im Herbst. Ihre Eyer sind auch wohlschme-ckend; gleichwol weiß ich nicht, daß sie bey uns gege-ssen würden, wie an andern Orten. Ihr Aufenthalt ist auf sumpfigten niedrigen Wiesen. Sie hecken jähr-lich vier bis fünf Junge aus.

126) Wasserschnepfe. Tr. Hypoleucos. L. 87. 14. Faun. suec. ed. II. Nr. 182. ehstn. Jäntilder, oder Sopatil. Sie ist oberhalb grau mit schwarzen Strichlein, unterhalb weiß; die Füße sind grünlicht.

127) Strandhähnlein. Tr. littorea. L. 87. 16. lett. Knibgas. Dieses ist ein kleiner schnelllaufender Strandvogel mit sehr hohen Beinen. Er ist von grauer Farbe, und hat einen schwärzlichen Wirbel.

N 3　　　　　　　Seine

Seine Nahrung sind Fische, welches auch der Geschmack seines Fleisches verräth.

128) **Scheck, bunte Schnepfe.** Tr. varia. L. 87. 21. Sein Rücken ist braun und weiß gefleckt; der Bauch und die Schwanzfedern sind weiß mit braunen Binden.

Wanderung der Strandläufer.

Nach vollendeter Brut ziehen sie zugleich mit den Schnepfen weg, mit denen sie auch im Frühling wiederkommen.

V. Regenpfeifer. Charadrius. L. gen. 88.

129) **Gemeiner Regenpfeifer.** Ch. pluvialis. L. 88. 7. Er ist oberhalb schwarz und schmutzig grün gefleckt, unterhalb weiß, mit schwarzen Streifen. Er hat fast die Größe einer Taube. Bey Riga ist er auf Feldern und feuchten Wiesen nicht selten. Man kennet ihn leicht an seinem hellen Pfeifen: hvit! hvit! Wahrscheinlich findet man ihn auch tiefer im Lande. Er zieht zeitig von uns weg.

VI. Meerelster. Haematopus. L. gen. 90.

130) **Seeelster, Austermann.** H. Oftralegus. L. 90. 1. Er hat einen langen, an den Seiten zusammengedruckten rothen Schnabel, dessen oberer Theil länger ist, als der untere; Kopf, Hals, Brust und der Rücken bis an die Mitte sind schwarz, der übrige Theil des Rückens ist weiß, wie die Brust und der Leib; die Flügel sind lang, der Schwanz kurz. Man findet ihn an den Ufern der Ostsee, wo er sich von

Schne-

Schnecken und Muscheln nähret; doch wird er nicht häufig gefunden. Im Winter sieht man ihn nicht.

VII. Rälle. Rallus. L. gen. 93.

131) Wachtelkönig, altet Knecht, schwarzer Caspar. R. Crex. L. 93. 1. rüssisch Korastel. Er hat die Größe des großen Buntspechts. Der Kopf, welcher im Verhältniß mit dem Körper sehr klein ist, der Hals, Rücken und Schwanz sind grau, mit schwarzen Flecken; die Flügel sind rostfarben. Man findet ihn auf Aeckern, besonders auf fetten, wo er Regenwürmer zu seiner Nahrung aufsucht. Wegen seines Futters kann er bey uns nicht bleiben, sondern muß gegen den Winter fortziehen. Sein Geschrey; crex! crex! mit welchem er sich des Morgens und Abends hören läßt, verräth ihn leicht.

VIII. Trappe. Otis. L. gen. 95.

132) Ackertrappe. O. tarda. L. 95. 1. lett. Sigba. Ein großer aschgrauer Vogel mit einem unter dem Unterkiefer herabhangenden Bart, und einigen langen Federn unter dem Kopf. Sein Rücken und Flügel sind mit einigen rothen und schwarzen Queerstrichen gezeichnet; der Hahn ist aber blasser von Farbe und kleiner als die Henne. Sie laufen sehr schnell; zum Fliegen aber sind sie sehr ungeschickt. Sie brüten in Aeckern, besonders aber gern auf Haberfeldern, und streichen im Herbst von uns.

V. Hühnerartige Vögel. Gallinae.

Ihre Schnäbel sind kegelförmig, doch etwas hohl gebogen, und der Rand der obern Kinnlade ragt über die untere hervor.

N 4 , Berg-

Berghuhn. Tetrao. L. gen. 103.

Die Vögel dieses Geschlechts, so viel wir deren in Livland Arten haben, sind alle, das Rebhuhn und die Wachtel ausgenommen, an den Füßen befiedert. Von diesem Federwild haben wir einen gesegneten Vorrath. Das beständige Schießen bey unserer uneingeschränkten Jagdfreyheit macht ihre Menge gleichwol nicht merklich geringe; jedoch hält der starke Verbrauch sie in Städten, besonders in der Hauptstadt, zuweilen in ansehnlichem Preise, besonders da sie auch außerhalb Landes verschickt werden. Die starke Zufuhr, die wir aus Rußland im Winter mit der Schlittenbahn bekommen, ist uns daher angenehm, ob das Federwild gleich, besonders die Haselhühner etwas kleiner, als unsere einheimischen sind. — Unverantwortlich ist es, daß sogar in der Brutzeit und kurz vorher auf das Federwild Jagd gemacht wird, daß man entweder die Mütter wegschießt, da sie schon den Leib voll Eyer haben, oder sie gar vom Neste wegknallt, da dann die ganze Brut verlohren geht. Oft bringt man gar junge zur Stadt, die noch nicht flügge und ganz ungenießbar sind. Diese große Menge Federwild haben wir nächst den ansehnlichen Waldungen, besonders dem großen Vorrath Beeren, vorzüglich der Blaubeeren, zu danken. Herr von Linné sagt in seiner Fl. lappon. S. 187. u. f., daß der Blaubeerstrauch in den trockenen Gegenden von Lappland, Westbothnien und Angermannland ungemein häufig wachse, und daß nicht leicht eine Gegend zu finden sey, welche so viel Federwild habe, als eben diese.

Die Auerhühner und Birkhühner halten sich heerdenweise beysammen, und ein Hahn hat mehrere Hennen, dagegen die übrigen dieses Geschlechtes in einer Monogamie leben.

133) **Auerhahn.** T. Urogallus. L. 1031.
lett. **Meddens,** auch **Mednis,** ehstn. **Metsis,** im
Pernauischen **Möttus.** Die Henne ist merklich kleiner als der Hahn, hat auch nicht so schönes Ansehen.
Sie bauet ihr Nest von Reisern unter den Bäumen,
legt bis zwölf Eyer, und brütet nur einmal im Jahre.

134) **Birkhahn.** T. Tetrix. L. 103. 2. lett.
Rubbens, auch **Tetteris,** die Henne: **Tettera**
mahte, ehstn. **Tedder.** Jener ist glänzend schwarz,
diese schwarzbraun und braungelb gefleckt. Die Henne
bauet ihr Nest von Reisern und dürrem Heidekraut,
brütet nur einmal, und erzieht bis zwölf Junge. Im
Winter sind Birkenknospen seine Nahrung, im Sommer Beeren. Die Falzzeit ist im April. Von der
Birkhühnerjagd s. in Hupels Topogr. 2. Th. S. 452.
Weiße Birkhühner sind mir in Livland nicht vorgekommen. Nach Kleins Historie der Vögel S. 120. werden sie in Curland gefunden.

135) **Weißes Morasthuhn, Schneehuhn,**
weißes Haselhuhn. T. Lagopus. L. 103. 4. ehstn. So,
auch **Tuddo kanna.** Es ist etwas größer, als das gemeine
Haselhuhn. Die Deckfedern sind im Sommer hellbraun mit untermischten weißen Flecken, bis auf das
Schwanzende, welches ganz weiß ist. Gegen Michaelis, auch öfters später, bekommt es durchaus
weiße Federn, ohne einige Flecken. Jeze in seiner
vorher angezeigten Abhandlung von den weißen
Hasen in Livland sagt S. 7. daß es mit der Fe-
derwechselung dieser Morasthühner eben die Beschaffenheit habe, wie mit den Hasen, und daß sie sich bald
früher, bald später ereigne, und sich immer nach der
Witterung richte. Er soll ein sehr dummer Vogel
seyn, der leicht gefangen werden kann. Er ist vielen
Nachstellungen von Habichten und andern Raubvögeln
bloßgestellet; er hält sich daher im Sommer in dun-

keln

kelm Gebüsche und in hohem Grase auf; im Winter
aber begiebt er sich auf die Flächen, wo seine weiße
Farbe bey der Weiße des Schnees ihn den Augen seiner
Verfolger leichter entzieht, ebend. Im Lappland leidet
es eben dieselbe Farbenänderung, wie bey uns. S. Linn,
Hor. lappon. S. 268. Auch an denen, die aus Rußland zu uns gebracht werden, bemerkt man sie. Ihre
Füße sind bis an die Nägel dicht befiedert, und die
Sohlen hart und lederartig, so daß sie hinlänglich wider die Kälte geschützt sind, und auf dem beeisten
Schnee sicher herumlaufen können. Sie laufen schnell,
und fast wie die Hasen auf der Schneerinde hin. Ihre
Nahrung sind im Sommer Birkensaamen, im Winter die Knospen davon. Ihr Fleisch ist zwar schmackhaft, aber bey weitem nicht so zart, wie das am Haselhuhn. Es wird auch nicht sehr geachtet.

136) Haselhuhn. T. Bonasia. L. 103. 13.
lett. Meschu irbe, Waldhuhn, ehstn. Pu, auch
Metapu, russisch Reptschick. Es hat sehr weißes
zartes Fleisch, und ist unter unserm wilden Geflügel
eines der schmackhaftesten. Seine mehreste Nahrung
besteht im Sommer in Blaubeeren, im Winter in
Wacholderbeeren, die ihrem Fleische einen gewürzhaften Geschmack geben. Die Henne legt bis zehn Eyer,
und heckt in Gebüschen jährlich einmal.

137) Rebhuhn, Feldhuhn. T. Perdix.
L. 103. lett. Lauku irbe, Feldhuhn, auch Kur-
rata, ehstn. Pöld pu. In manchen Jahren sind sie
außerordentlich häufig, in andern, besonders wenn
das Jahr vorher ein schneereicher Winter gewesen ist,
da es ihnen an Nahrung fehlt, selten genug. Im
Winter des Jahres 1783, besonders im Jenner und
Hornung, da die Wälder voll Schnee lagen, kamen
sie den bewohnten Gegenden häufig nahe, und wurden
in solcher Menge weggefangen und geschossen, daß sie
fast

faſt aufgerieben wurden; denn im folgenden Jahre 1784 ſahe man ſie faſt gar nicht. Vor mehreren Jahren war die Rebhühnerjagd durch einen obrigkeitlichen Befehl verboten, der aber bald aufhörete. Die Sie bauet ihr Neſt in Wäldern auf der Erde, brütet nur einmal. Die alten ſollen über dreißig Eyer legen, die jungen nur halb ſo viel. Der Herr von Fiſcher lehret in ſeinem Landwirthſchaftsb. 2 Aufl. S. 634. wie man ſie hegen und nußen könne.

138) Wachtel, Schnarrwachtel. T. Coturnix. L. 103. 20. lett. Greſea, ehſtn. Puts páſſarad. Sie iſt wegen ihres angenehmen Schlages, den ſie im May, beſonders des Abends, hören läßt, bekandt. Eine gute Wachtel ſoll neunmal ſchlagen. Sie hält ſich auf Fruchtfeldern und trocknen Wieſen auf, und weiß ſich ſo tief zu verbergen, daß man ihr nicht leicht ankommen kann. Sie ſcheinen in einer Monogamie zu leben. Die Sie brütet nur einmal im Sommer, und legt bis neun Eyer.

Wanderung der Berghühner.

Sie bleiben alle bey uns, bis auf die Wachtel, die man im Winter nicht ſiehet. Dieſe kommt bey dem Ausſchlägen der Bäume zu uns zum Brüten, und zieht zeitig wieder davon. Ob unter denen, die ſich nach Derhams Phyſicoth. S. 893 über das mittelländiſche Meer und nach Africa begeben, auch unſere livländiſche Wachteln ſich mit befinden, da ſie ihren Rückzug von uns ſo zeitig nehmen, das iſt wol nicht leicht zu beſtimmen. Die übrigen, die ſich im Sommer von ſaftigen Strauchbeeren, beſonders von Blaubeeren nähren, nehmen im Winter mit Wacholderbeeren vorlieb; doch hat das Birkhuhn die Birkenknoſpe am liebſten. — Auf der Inſel Oeſel iſt wegen Waldmangels faſt gar kein Federwild.

VI.

VI. Sperlingsartige Vögel.
Passeres.

Diese Vögel haben kleine, zugespitzte, fast kegelförmige Schnäbel.

I. Taube. Columba. L. gen. 104.

139) Gemeine Taube, wilde Taube. C. Oenas. L. 104. 1. lett. Mescha balloschi, Waldtaube, ehstn. Mets tuike. Sie ist in unsern Wäldern häufig genug, und wird wenig geachtet. Besonders ist sie im Kirchspiel Torma im Dörptschen Kreise so häufig, daß sie in zahlreichen Schaaren auf die Erbsen-, Gersten- und Haberfelder, auch auf die Leinstücke fällt, und vielen Schaden thut.

140) Ringeltaube, Waldtaube. C. Palumbárius. L. 104. 19. Sie ist die größeste unter den wilden Tauben. Die Farbe ist glänzend stahlblau; um den Hals hat sie einen weißen Ring. Ihr Nest bauet sie von zartem Gesträuche im Walde auf den Bäumen, und brütet jährlich zwey bis dreymal zwey Eyer aus. Ihre Nahrung bestehet in Eicheln, allerley Gesäme und Strauchbeeren.

141) Turteltaube. C. Turtur. L. 104. 32. Diese ist die kleinste unter den wilden Tauben, und etwa so groß, wie eine zahme Lachtaube. Die Zeichnung ist verschieden; doch sind die Hauptfarben gemeiniglich blau und roth. Sie hält sich gleichfalls in Wäldern auf, wird aber nicht oft gefunden. Sie nistet auf den Bäumen, und heckt jedesmal zwey Eyer aus. Lettisch heißt sie Uhbele.

142) Lachtaube. C. risoria. L. 104. 33. Sie steht schon in der vorigen Ausgabe; die wiederholte Versicherung, daß sie gewiß in der wendenschen Ge-

Gegend gefunden werde, hat mich bestimmt, sie hier wieder einzurücken.

Wanderung der Tauben.

Nicht die Furcht für der Kälte, gegen welche sie hinlänglich bewahret sind, sondern der Mangel an Nahrung, die in allerley Feldfrüchten und Saamen bestehet, zwinget sie im Herbst von uns zu ziehen. Gleich zu Anfange des Frühjahrs kommen sie wieder zu uns zum Brüten; denn man sieht sie oft schon im März. Die letten nennen daher diesen Monat Balloschi mähnes, Taubenmonat; doch pflegt die gemeine wilde Taube später zurückzukehren, als die Ringeltaube.

II. Lerche. Alauda. L. gen. 105.

143) Feldlerche, Ackerlerche. A. arvensis L. 105. 1. lett. Zihruli, ehstn. Lerke. Die Liebhaber der Singvögel unterscheiden das Männchen von dem Weibchen dadurch, daß jenes an der Brust, und am Rücken dunkler und größer ist, als dieses. Sie halten sich auf Grasplätzen und Feldern auf, und nähren sich vom Getreide und Würmern.

144) Wiesenlerche, Himmelslerche. A. pratensis. L. 105. 2. lett. Rulisar. Sie scheint eine Abänderung der Feldlerche zu seyn, der sie fast gleich siehet.

145) Baumlerche. A. arborea. L. 105. 3. Sie ist braun und grau gefleckt, und hat einen weißen Ring um den Hals; doch ist das Männchen am Kopfe, der Brust und dem Rücken mehr braun, und dunkler als das Weibchen. Sie halten sich auf Laubbäumen auf, und fliegen in Haufen.

146)

146) **Haubenlerche, Wegelerche.** A. cristata. L. 105. 6. lett. Zihrulis at Zekkuli, Lerche mit dem Zopf. Sie ist grau, und hat schwarze Schwanzfedern, von welchen die beeden äußersten am auswendigen Rande weiß sind. Sie hat eine Haube oder Schopf auf dem Kopfe. Ihr Aufenthalt ist an Wegen und Zäunen, wo sie sich von allerley Saamen nährt.

Wanderung der Lerchen.

Die Feldlerchen ziehen im Herbste weg, und sind die ersten unter den wiederkehrenden Singvögeln. So bald die Wiesen und Grasplätze von Schnee und Eise frey sind, hört man sie nebst der Wiesenlerche singen. Vielleicht ziehen sie nicht weit weg; denn in Preußen werden auch zuweilen mitten im Winter Lerchen geschossen. **Klein.**

Anmerk. Sie bauen ihre Nester auf den Wiesen und in Kornfeldern, brüten zweymal, und legen drey bis fünf Eyer.

III. Staar. Sturnus. L. gen. 106.

147) **Gemeiner Staar, Sprehe.** St. vulgaris. L. 106. 1. Er ist schwarz, und hat einen gelben Schnabel. Man kann ihn leicht zum Schwatzen abrichten. Er nistet in den Höhlen hoher Bäume, brütet jährlich zweymal, und legt vier bis sechs Eyer. Seine liebste Nahrung sind Grillen und Heuschrecken; doch behilft er sich auch mit Regenwürmern und allerley Raupen. Gegen den Winter, wann Insecten und Würmer verschwinden, nimmt er auch seinen Abschied und geht weiter, kommt aber im Frühjahr zeitig wieder.

IV.

IV. Droßel. Turdus. L. gen. 107.

148) Mistelbroßel, Schnarre. T. visci-
vorus. L. 107. 1. lett. Mattschnisch, Mattsnings,
ehstn. Rääst, Zobbose Rääst. Sie ist die größeste
unter unsern Droßeln, und nährt sich von Mistel- und
Wacholderbeeren. Ihr Nest bauet sie auf den Bäumen, brütet zweymal im Sommer und heckt jedesmal
vier bis sechs Junge aus.

149) Krammetvogel, Wacholderdroßel.
T. pilaris. L. 107. 2. lett. Mells strads, ehstn. Hal-
rääs. Das Männchen hat eine lebhaftere Farbe, als
das Weibchen. Ihre Farbe ist gewöhnlich lichtbraun,
mit blaßbrauner Kehle und Brust und weißem Bauch
mit schwarzen Fleckchen; der Kopf und der obere Theil
des Halses sind bläulicht aschgrau. Doch ist die Zeichnung zuweilen verschieden. Mir ist eine Abänderung
vorgekommen, die mit dieser Beschreibung, und mit
den Zeichnungen, die ich von diesem Vogel gesehen
habe, zwar ziemlich übereinkommt; nur waren Kehle
und Brust ganz blaß fleischfarben, fast weiß, und
ohne einige Flecken; vom Schnabel ging ein länglichter schwarzer Streifen durch die Augen bis an den
Hintertheil des Kopfes; am untern Kiefer standen
einige Borsthaare. Der Krammetvogel nährt sich
von allerley Beeren, auch von Wacholderbeeren, von
welchen sein Fleisch einen bittern etwas gewürzhaften
angenehmen Geschmack bekommt. Wenn man er-
wägt, welche große Menge von ihnen auf den Herbst-
reisen in allen Gegenden weggefangen werden: so kann
man, da sie gleichwohl im Frühjahr so zahlreich zurückkehren, daraus schließen, daß sie öfters brüten,
und sich sehr vermehren müssen.

150) Pfeif- oder Ziepdroßel. T. iliacus.
L. 107. 3. Dies ist eine bekannte pfeifende Droßel,

die

die aber von der folgenden Singdroßel unterschieden
werden muß. Ihr Nest bauet sie in Laubgebüschen auf
den Bäumen, brütet zweymal zwey bis drey
Junge aus.

151) **Singdroßel, Weindroßel.** T. musi-
cus. L. 107. 4. ehstn. Lauloräästas. Sie hält sich
in Laubgebüschen auf, und singt an Frühlingsabenden
sehr angenehm.

152) **Steinmerle.** T. saxatilis. L. 107. 14.
Sie ist ganz röthlich, hat aber einen braunen Kopf,
und einige braune Flecken. Man trifft sie in gebirgigten Gegenden an.

153) **Schwarze Amsel, Merle.** T. Me-
rula. L. 107. 22. ehstn. Musträäst. Das Männchen ist schwarz. Das Weibchen erdfarben. Sie
halten sich gemeiniglich in Dorngesträuchen auf. Das
Weibchen bauet ihr Nest auf niedrigen Stämmen,
legt fünf Eyer, und heckt zweymal im Jahre. Sie
lernen leicht einige Stücke pfeifen. Man kann sie mit
Dohnen fangen, auch auf dem Heerde, und mit Lein-
stangen.

154) **Rohr-, Weiden-, Bruchdroßel.** T.
arundinaceus. L. 107. 25. Sie ist gelblicht braun
und hat eine schwarze Kehle. Sie hält sich mehrentheils im Schilfe auf.

155) **Ringdroßel, Ringamsel.** T. torqua-
tus. L. 107. 23. Sie ist schwarz, und hat vorne
zwischen der Brust und dem Halse einen weißen Streifen, der eines Fingers breit ist.

Wanderung der Droßeln.

Sie sind alle Streichvögel; gemeiniglich kommen sie im April aus den südlichen Gegenden zum Brüten zu uns, weil oft in diesem Monat gewöhnlich an-
geneh-

genehme Tage kommen. Der Anzug dieser Vögel
so wohl, wie verschiedner anderer Streich- und Zugvögel, ist nicht immer ein Merkmal von beständig warmen Tagen, welches in manchen Frühjahren bemerkt
wird. Droßeln, Schwalben, Kraniche, wilde Tauben u. a. m. werden oft durch die angenehme Witterung der Gegenden, in welchen sie überwintern, ver-
leitet, ihre Reise anzutreten, und erscheinen bey uns:
Kälte aber, oft von Schneegestöber begleitet, zwingt
sie alsdann entweder zurückzukehren, oder sich wenigstens bis zur angenehmen Witterung zu verbergen.
Ein Theil der Droßeln, die im Frühjahr zu uns kommen, streicht weiter, bis in Sibirien und das russische
Lappland, der nach geendigter Brut wieder zurückkeh-
ret, und mit einem Theil der livländischen Droßeln,
durch Curland, Polen, Preußen und Deutschland,
bis in Italien. So weit aber streicht wol nicht die
ganze Schaar; denn eine sehr große Anzahl überwintert in den südlichen Gegenden Deutschlandes; vielleicht
bleibt auch gar der ganze Schwarm dort, weil besonders die Streichvögel sich nicht so sehr weit über die
Gränzen des ihnen zum Brüten angewiesenen Erdstri-
ches entfernen. Auch bey uns bleiben viele den Winter hindurch, und nähren sich von Pielbeeren, von
Wacholder- und andern Beeren, von denen sie immer
einen guten Vorrath finden. Die Krammetvögel werden bey uns im späten Herbst, oft bis in den December, häufig in Dohnen gefangen. Diese Spätlinge
sind wahrscheinlich ein Trupp derer, die nach geendigter Brut aus den entfernten nordlichen Gegenden Siberiens zurückgekehret sind, und bey uns überwintern.
Daß die große Sommerhitze sie aus den südlichen Gegenden Deutschlandes vertreibe, wie Zorn behaupten
will, scheint ungegründet zu seyn; denn in unsern Gegenden ist die Sommerhitze eben so stark, oft stärker,

als in Deutschland. Die schwarze Amsel bleibt beständig bey uns, und die Sing- und Weindroßeln besuchen im Herbst die Weinländer, und mästen sich dort mit den reifen Trauben.

V. Seidenschwanz. Ampelis. L. gen. 108.

156) Gemeiner Seidenschwanz. A. Garrula. L. 108. 1. lett. Sihdeast. Spät im Herbst kommen sie als Zugvögel ziemlich häufig zu uns, und nähren sich von unsern Wacholder- und Pielbeeren oder rothen Vogelbeeren; doch werden sie in schneereichen Wintern nicht so häufig gefunden, als in gelinden; denn alsdann sind die Beerensträucher, von denen sie ihre Nahrung nehmen, mehr unter dem Schnee verborgen. Im Winter werden sie in Schlingen gefangen, und dann sind sie feist und wohlschmeckend. Gegen das Frühjahr, wenn der Schnee abgehet, kehren sie in ihre Heimath zurück zum Brüten. Sie gehören wahrscheinlich in den mehr nordlich gelegenen Provinzen Rußlands oder Siberiens zu Hause, von da sie vielleicht die strenge Winterkälte in die mehr gemäßigten Gegenden treibt. Dieser gezopfte und schön gezeichnete Vogel ist bekandt. Das Weibchen ist größer, aber nicht so schlank als das Männchen, die gelbe Farbe an den Schwingfedern und dem Schwanze, und die rothen Plättchen an den Schwingfedern sind auch nicht so lebhaft, als an jenem.

VI. Kernbeißer. Loxia. L. gen. 109.

Sie haben alle dicke, kegelförmige Schnäbel, mit denen sie die Fruchtsteine und harten steinigten Saamenkerne bequem aufbeißen können; die untere Kinnlade ist am Seitenrande eingebogen.

157)

157) **Kreuzvogel, Kreuzschnabel, Grünitz.**
L. curviroſtra. L. 109. 1. Sein Schnabel iſt ſcheerenförmig über einander geſchlagen. Er iſt röthlich und hat ſchwärzliche Flügel und Schwanz. Im Winter ſoll er gelb werden; doch habe ich ihn im Käfich das ganze Jahr hindurch, auch nach der Mauſterung, röthlich geſehen. Man findet ihn in Tannenwäldern, von deren Saamen er ſich nährt, die er mit ſeinem Schnabel geſchickt herauszubrechen weiß. Hier ſey mir eine Abſchweifung erlaubt. Wie ſtark auch bey Thieren die Einbildungskraft auf die Frucht wirke, beweiſet folgende Geſchichte. In einem Zimmer hier in Riga hing ein Kreuzvogel im Käficht. Eine trächtige Stubenhündin konnte den Geſang dieſes Vogels nicht ertragen, und ſprang immer blaffend gegen den Käficht, wann der Vogel ſang. Sie warf darauf dren Junge, an welchen die Schnauze eben ſo ſcheerenförmig über einander geſchlagen war, wie an dieſem Vogel. Da ſie bey dieſem Bau der Schnauze nicht ſaugen konnten, ſtarben ſie bald, und wurden in Weingeiſt aufbehalten.

158) **Dompfaffe, Blutfink, Gümpel.** L. Pyrrhula. L. 109. 4. lett. Smilges, Swahpulis, ein allgemein bekandter Vogel. Kehle und Bauch ſind an dem Männchen roth, an dem Weibchen grau. Sie lernen leicht einige kurze Stücke nachpfeifen. Ehſtniſch heißt er Talwekunne.

159) **Dickſchnabel, brauner Kernbeißer.** L. Coccothrauſtes. L. 109. 2. lett. Swirpis. Er iſt braun, am Bauche weiß, an der Kehle ſchwarz; über die braunen Flügel und den Schwanz gehet ein weißer Strich. Er liebt die Kirſchkerne, nährt ſich auch von Eicheln und allerley Saamen. Wegen ſeiner Fertigkeit, die härteſten Kernſchalen aufzubeißen, wird er auch der Steinbeißer genennet.

160) **Großer Kernbeißer**, in Livland finnischer Dompfaffe, auch **finnischer Papagey**. L. Enucleator. L. 109. 3. Er hat die Größe eines Seidenschwanzes; Brust, Hals und Rücken sind bey den jungen hellroth, bey den alten citronengelb; die Flügel sind schwärzlich, und haben zwo schiefe weiße Queerlinien; der Schwanz ist schwarz und grau gemischt. Der Kopf ist im Verhältniß gegen den Körper sehr groß; der Schnabel ist an der Wurzel dick, scharf, stark und kegelförmig. Sein Vaterland ist Nordamerica, und die nordlichsten Gegenden von Schweden und Norwegen. In Rußland ist er auch einheimisch. Von da kommt er zuweilen als ein Gast zu uns, gemeiniglich gegen den Winter. Hier hält er sich in Fichtenwäldern auf, und nährt sich von Fichtenkernen. Er ist leicht zu fangen, auch nicht schwer zu schießen. Seine Brutzeit ist zweymal im Jahre, da er vier bis sechs Junge erzieht; doch scheint er bey uns nicht zu brüten. Der Gesang, den er des Nachts hören läßt, ist angenehm mit vielen Veränderungen; nicht stark, sondern dem Gesange des Dompfaffen ziemlich gleich. Im Zimmer kann man ihn mit Hanf und Brodt erhalten, und leicht zähmen.

161) **Grünfink**. L. Chloris. L. 109. 27. Ein bekandter Vogel mit graugrünem Rücken, grüngelber Brust, und weißem Bauche; seine äußern Schwing- und Schwanzfedern sind gelb. Er ist etwas größer, als der Buchfink. Sein Aufenthalt ist in Gesträuchen und an Zäunen, und nährt sich von verschiedenem Gesäme. Er brütet jährlich einmal bis sechs Eyer aus.

Wanderung der Kernbeißer.

Der braune Kernbeißer geht gegen den Winter fort; die übrigen aber bleiben alle bey uns. Der
Dom-

Dompfaffe, der sich im Sommer in Wäldern aufhält, nähert sich im Winter den bewohnten Gegenden
und kommt an die Kornhäuser, Scheunen und Zäune,
und nähet sich von Getreide und allerley Saamen.
Ob der Kreuzschnabel in unsern kalten Gegenden im
Winter brüte, wie in Deutschland, das habe ich nicht
erfahren; schwerlich ist es zu vermuthen. Im Winter soll er im Jenner hecken. S. Zorns Petinotheol.
1 Th. S. 466. Naturf. 2 St. S. 66.

VII. Ammer. Emberiza. L. gen. 116.

162) **Schneeammer, Schneevogel.** E.
nivalis. L. 110. 1. Er ist ein Zugvogel, und gehört
auf den lappländischen Alpen zu Hause; in schneereichen Wintern besucht er uns jedoch oft häufig genug.
Im Sommer ist er dunkelbraun und weiß gefleckt; im
Winter wird er fast ganz weiß; doch behält er im Zimmer, wo Kälte und Luft nicht auf ihn wirken, das
ganze Jahr hindurch sein Sommerkleid. Er läuft
schnell auf dem Schnee, fliegt aber nicht leicht auf die
Bäume. Mit dem Ende des Winters, wann der
Schnee anfängt abzugehen, zieht er wieder weg. Zuweilen, aber nur selten besucht er uns auch im Sommer als ein Gast, daher wir ihn auch in seiner Som-
merfarbe kennen. In manchen Wintern, besonders
in gelinden, und wenn der Schnee spät kommt, bleibt
er gar aus, wie in den Jahren 1776. 1778. und 1784,
da viele, die sich nach ihm umsahen, ihn nicht gefunden haben. Eine vollständige Beschreibung von ihm
findet man in den schwed. Abhandl. 2 B. S. 134. u. f.

163) **Grauer Ammer, Hirsenammer.** E.
miliaris. L. 110. 2. Er ist graubraun, und mit kleinen schwarzen Flecken gleichsam überstreuet. Die

Größe

Größe ist fast wie an der Lerche. Die Sie nistet an
Fruchtfeldern, und brütet zweymal im Sommer.

164) **Fettammer.** E. hortulana. L. 110. 4.
Er ist ein wenig größer als der Dompfaffe, und unter
dem Namen: Ortolan, bekandt genug. Auch bey
uns findet man verschiedene Abänderungen. So hoch
sie auch an andern Orten geachtet werden; so wenig
werden sie bey uns geschäzt, da wir schmackhaftes Federwild im Ueberflusse haben, ohne es vorher mühsam
und kostbar mästen zu dürfen. Man sieht sie im
Herbst häufig auf den Gerstenschobern.

165) **Goldammer.** E. Citrinella. L. 110. 5.
lett. Stehrsts. Er ist etwa so groß wie der Fettammer. Oberhalb und am Kopfe ist er gelb; die Brust ist
braunroth, doch mit etwas hellgrünem und gelbem gemischt. Das Weibchen ist am Kopfe weniger gelb,
als das Männchen, und an der Brust blaßröthlich;
doch habe ich auch in manchen Jahren einige angetroffen, die unterhalb vom Halse an bis zum Steiße
ein lebhaftes glänzendes Citronengelb hatten. Die
Sie heckt wie alle Ammerarten in Laubgebüschen zweymal im Jahr, und legt vier bis fünf Eyer. Im Sommer ernähren sie sich von Insectenmaden und Würmern; ihr liebstes Futter sind die Kohlraupen, daher
man sie in Küchengärten gerne sieht. Das Weibchen
soll mit dem Canarienvogel gute Bastarde geben. Ehstnisch heißt er: Talwid.

166) **Wassersperling, Rohrsperling.** E.
Schoeniclus. L. 110. 17. Er ist schwarz und grau
gefleckt. Der Kopf und die Kehle sind schwarz; an
den äußersten Schwanzfedern hat er einen schwarzen
fast keilförmigen Flecken. Man findet ihn zuweilen
im Geröhricht unserer stehenden Seen, wo er auch
nistet. Der Ehste nennt ihn: Pajo harrak.

Wan-

Wanderung der Ammern.

Sie bleiben alle das ganze Jahr hindurch bey uns, den Schneeammer ausgenommen, der nur selten im Sommer erscheint. Der Goldammer, der sich im Sommer in Laubwäldern aufhält, besucht im Winter die bewohnten Gegenden, und sucht seine Nahrung an den Kleeten (Kornhäusern) und Hünerbehältnissen, wo genug für ihn abfällt.

VIII. Fink. Fringilla. L. 112.

167) Buchfink. Fr. coelebs. L. 112. 3. lett.

Weibchen durch die
ist ein Wetterverkündiger; denn
egenwetter schlägt er fast beständ
mehr durchdringend,
als gewöhnlich. Das Weibchen flicht ihr Nest von Baummoos, und belegt es inwendig mit Federn, Haaren und anderem weichen Zeuge, und hängt es zwischen Baumäste auf. Sie brütet zweymal im Jahre, und brütet jedesmal vier Eyer aus. Sie zieht mit dem Canarienvogel gute Bastarde. Der Aufenthalt ist in Laubgebüschen; die Nahrung Gesäme und Würmer.

168) Berg-, Tannen-, Wald-, Winterfink. Fr. Montifringilla. L. 112. 4. Er ist etwas kleiner, als der Buchfink. Das Männchen ist braunroth, weißlicht und gelblicht mit weißem Unterleibe; das Weibchen ist braun und grau mit braunem Unterleibe. Beide haben schwarz und weiß gefleckte Flügel. Sie halten sich in gebirgigten Gegenden in Wäldern auf.

169) Stieglitz, Distelfink. Fr. Carduelis. L. 112. 7. lett. Ziglis, auch Kummulis, ehstn.

Tiglits. Jedermann kennt ihn. Das Weibchen flicht ihr Nest an die äußeren Zweige der Bäume, brütet jährlich zweymal, und erzieht jedesmal vier bis fünf Junge. Auch diese paart sich mit dem Canarienvogel, und er zieht artige Bastarde.

170) **Zeisig, Zeischen, in Livland Zieschen.** Fr. Spinus. L. 112. 25. lett. Zitskens, Ķůwulis, ehstn. paolind, ein allgemein bekandter Singvogel. Sie brüten einigemal im Jahre, und legen bis sechs Eyer. Im Dresdn. Magaz. 1 B. S. 403. u. f. findet man eine Beschreibung von einem Zeisignest, und von dem sonderbaren Verhalten der beiden Vögel, die dasselbe gebauet hatten, die von derselben großen Sorgfalt für ihre Jungen zeuget. Auch dieser begattet sich leicht mit dem Canarienvogel.

171) **Gelbfink, gelbschnäblichter Fink.** Fr. flaviroſtris. L. 112. 12. Er iſt schwarz und grau, vorne etwas heller; die Flügel sind schwarz; der Schwanz iſt gabelförmig; der Schnabel iſt gelblicht.

172) **Bluthänfling, Blutfink.** Fr. cannabina. L. 112. 28. lett. Ŗannepu puttnini, ehſtn. Wäſtrick, Linna Wäſtrick. Auf der Bruſt und dem Wirbel iſt er blutroth; dem Weibchen fehlt jedoch der rothe Wirbelflecken; die Flügel und der Schwanz sind braun, und haben einen weißen Rand.

173) **Flachsfink, Schwarzbärtchen, roth plattiger Hänfling.** Fr. Linaria. L. 112. 29. Sie sind auf dem Bauche röthlich; das Männchen hat auf der Bruſt einen rothen Flecken, und eine rothe Platte, die dem Weibchen fehlen. An der Gurgel hat er ein schwarzes Bärtchen. Seine Nahrung beſtehet in verschiedenen Saamen, besonders von der Erle. Der Lette nennt ihn Dadſi, der Ehſte Wäſtrick, wie den Bluthänfling.

174)

174) Sperling, Felddieb, Hausdieb, Gerstendieb. Fr. domestica. L. 112. 36. lett. Swirbulis, auch Swirpuhris, ehstn. Warblane. Sie brüten wenigstens dreymal im Jahre, und vermehren ihr Geschlecht ohngeachtet der häufigen Nachstellungen so vieler Raubvögel so sehr, daß ihre Menge immer mehr zuzunehmen scheint. Sie leben in einer Monogamie. — Auf dem lennewardenschen Pastoratshofe wird es als etwas besonders angemerkt, daß dort nie ein Sperling gesehen wird, obgleich nie ein Mittel zu ihrer Vertreibung angewendet worden ist. Gleichwol besuchen sie die Weizenfelder, die Erbsen, den Hanf, und die Kirschen der Pastoratsbauren, die nur etwa zwey bis dreyhundert Schritte davon liegen, sehr zahlreich. Da ich im Sommer 1781 dort war, habe ich mich genau und fleißig nach ihnen umgesehen, aber keinen einzigen entdeckt, obgleich im Pastoratsgarten, der gleich ans Gehöfte stößt, hinlängliche Lockspeise für sie war. Man sieht so gar niemals einen über das Pastoratsgehöfte fliegen.

In Riga fand ich vor mehreren Jahren, einige Jahre nach einander, einen weißen Sperling, der täglich neben andern Sperlingen eine gewisse Stelle besuchte. Er hatte nur zwo schwarze Schwingfedern, das übrige war ganz weiß; im letzten Jahre, ehe er verschwand, bekamen vorne die Deckfedern der Flügel eine braune Farbe.

Seit einigen Jahren ist man in verschiedenen Ländern ernstlich auf die Ausrottung der Sperlinge bedacht gewesen. Ihre Menge, und der Schaden, den sie verursachen sollen, hat sogar obrigkeitliche Verordnungen veranlasset. In einigen Gegenden hat man sie schon merklich dünne gemacht. Aufmerksame Beobachter haben dawider manches einzuwenden gefunden. Herr Hofkammerrath Joh. Heinr. Ludw. Ber-

D 5   gius

gius sagt in seinem Polizey= und Cameralmagazin,
daß, sie gänzlich auszurotten, so viel sey, als die
Stufenfolge der Natur verrücken; doch sie nicht merk=
lich überhand nehmen zu lassen, sey die Vorsorge der
Polizey. Jetzo fangen mehrere Naturkündiger auch
ir Schriften an, die Bedenklichkeit zu äußern, daß
durch die Ausrottung derselben das von Jahr zu Jahr
immer stärkere Ueberhandnehmen der schädlichen In=
secten, die in Deutschland oft ganze Felder und Gär=
ten verwüsten, befördert werde. Diese Muthmaßung
scheint sich in unserm Livlande, wo die Sperlinge un=
gestört hecken, und wo sie sich, da ihnen außer den
Raubvögeln niemand nachstellet, fein zahlreich vermeh=
ren, zu bestätigen; denn von den traurigen Verwü=
stungen, die in den Gegenden Deutschlandes, wo man
beständig hinter ihnen her ist, von Raupen an Feld=
früchten und Bäumen angerichtet werden, wissen wir
Gottlob nichts. Unserer Winterkälte können wir die
mindere Vermehrung der Insecten nicht ganz zuschrei=
ben; denn die Eyer vieler Raupenarten widerstehen
auch der heftigsten Kälte. Die Puppen der Nacht=
schmetterlinge, deren Raupen fast den mehresten Scha=
den thun, liegen den Winter hindurch gegen die
strengste Kälte geschützt, sicher in der Erde, und die
junge Raupenbrut sucht sich gegen kalte Frühlingstage
und Nachtfröste sorgfältig zu verbergen. Man hält
den Sperling für einen Vertilger der Raupen. Daß
er sich auch von allerley Raupen nähre, ist bekandt;
wenn es inzwischen ausgemacht ist, daß er sich nicht
an das Korn macht, so lange er hinlänglich Raupen
findet: so verdient er doch wol, daß man seiner ein
wenig schone; denn der Verlust des Korns steht mit
dem Nutzen, den er durch die Vertilgung der dem
Landwirthe so schädlichen Raupen schaffet, wol in ge=
ringem Verhältniß. Den größten Schaden können

sie

sie wol an ben Kornhaufen auf dem Felde anrichten; von Kleeten, Kornböden und Speichern kann man sie ja durch sorgfältige Versperrung abhalten. In der physicalischen Zeitung fürs Jahr 1784. Junius S. 194. 195. wird angezeigt, daß im May 1783 glaubwürdige Reisende auf dem Wege von Leipzig nach Breslau einen auffallenden Unterschied zwischen Sachsen und Schlesien gefunden haben. Ganz Sachsen hindurch bis zur Gränze ergötzte sie die volle Blüthe der Bäume, und von der Gränze bis Breslau sahen sie statt der Blüthe die Bäume mit Raupen und Käfern bedeckt. Auch hier wird die Muthmaßung geäußert, daß der Unterschied seinen Grund darin habe, daß man in Sachsen der Sperlinge schont. Aecker, besonders Weizen- und Gerstenländer, die nahe an Dörfern und andern bebauten und bewohnten Gegenden liegen, weil sie daselbst hecken, sind ihrem Besuche am meisten ausgesetzt.

175) Bergsperling, Baumsperling. Fr. montana. L. 112. 37. Der Rücken ist grau und schwarz; die Brust und der Bauch sind weiß. Er ist etwas kleiner, als der gemeine Sperling, und hält sich in gebirgigten Wäldern auf. Sein Nest bauet er in hohlen Bäumen, und heckt jährlich zweymal vier bis fünf Junge aus.

Wanderung der Finken.

Sie bleiben alle bey uns, nur das Weibchen des Buchfinken nicht, welches gegen den Winter die nordlichen Gegenden in versammleten Haufen verläßt, daher ihn Linnee den ungeheiratheten Finken (Fr. coelebs) genennet hat. Das Männchen, das im Sommer mit seiner Gattin in Wäldern lebt, nähert sich im Winter den bewohnten Gegenden, und nährt sich von Kör-

Körnern, die es im Mist findet, oder die sonst abfallen; gleich in den ersten Frühlingstagen hört man seinen Gesang. Wann die Bäume ausschlagen, dann kommen die Weibchen zum Begatten wieder, und brüten bey uns. Liebhaber der Singvögel versorgen sich daher gern vorher. Der Bergfink, der wahrscheinlich im russischen Lappland zu Hause gehört, besuchen uns nur in strengen Wintern. Der Stieglitz und der Zeisig halten sich im Sommer in Laubgebüschen auf. Jener kommt im Winter an die Zäune und Gesinde, und nährt sich von Distelsaamen; dieser zieht in die Erlenwälder, deren Knospen ihm zum Futter dienen. Der Hänfling unterhält sich von Hanfsaamen, und der gemeine Sperling, der fast mit allem Gesäme vorlieb nimmt, auch im Nothfall den Pferdemist durchsucht, kommt in keiner Jahreszeit bey uns zu kurz; doch hat er im Winter die Gerste am liebsten.

IX. Grasmücke. Motacilla. L, gen. 114.

176) Nachtigall. M. Luscinia. 114. 1. lett. Lagsdigalla, ehstn. Sissak, Oepik. Diesen unsern Virtuosen, der jedoch unsere Ohren nur eine kurze Zeit ergötzet, kennt ein jeder. Das Männchen unterscheidet sich von dem Weibchen durch einen längeren und schlankeren Hals, durch seine höhere Beine und mehrere äußere Munterkeit. Der Nachtschläger scheint keine Spielart von ihr zu seyn, denn er ist größer und mehr ausgestreckt als der Tagschläger, welcher mehr Röthliches an sich hat, und daher auch Rothvogel genennet wird. Der Tagvogel fängt, wann er einige Zeit im Käsich gehalten worden, oft schon an, um die Adventzeit zu schlagen. — Liebhaber der Nachtigallen lassen nicht gerne zwo nahe neben einander hangen, sie wetteifern so sehr und oft so lange, bis sie mitten im Schla-

Schlagen todt hinfallen. Sie halten sich in Wäldern
auf, wo sie sich von Ameisenmaden, die man gewöhnlich, doch unrecht, Ameiseneyer nennet, nähren. Sie
bleiben daher nirgend, wo kein Tannen- oder Fichtenwald in der Nähe ist, weil dort die Ameisenhaufen so
häufig sind. Man hat einmal den Versuch gemacht,
eine große Anzahl Nachtigallen beiderley Geschlechts in
dichte Laubgebüsche von weitem Umfange zu bringen;
aber im folgenden Jahre war keine einzige mehr da.
Auf unsern Landstraßen geben sie uns in den waldigten Gegenden durch ihr mannigfaltiges Schlagen in
Maynnächten eine sehr angenehme Unterhaltung. In
der Mitte des Junius, um St. Vitus, hören sie schon
auf zu schlagen. Das Weibchen bauet ihr Nest in
Hecken und Strauchwerk auf der Erde, und bedeckt
es sorgfältig, so daß es schwer zu finden ist. Es brütet jährlich nur einmal, und legt vier bis sechs Eyer.

177) **Baumnachtigall.** M. modularis. L.
114. 3. Diese ist oberhalb braun gefleckt, unterhalb
weiß. Sie ahmt der Nachtigall im Gesange nach,
und singt in der Nacht sehr angenehm.

178) **Blaukehlchen.** M. suecica. L. 114. 34.
Der Kopf und Rücken sind graubraun; die Brust ist
rothfarben. Das Männchen ist von der Kehle bis an
die Brust schön blau, das Weibchen glänzend-schwarz-
grau. Es nährt sich von Würmern, und hält sich in
Wäldern auf. Sein Gesang ist angenehm.

179) **Braungefleckte Grasmücke.** M. Cur-
ruca. L. 114. 6. Wir kennen ihn unter dem Namen:
Nachtigallsknecht, lett. Lagsdigallskalps. Diesen
Namen hat man ihm gegeben, weil er sich bemühet,
den Gesang der Nachtigall nachzuahmen, wozu jedoch
seine Kehle nicht sehr geschickt ist.

180) **Gelbbrust, Bastardnachtigall.** M.
Hippolais. L. 114. 7. Der Rücken ist zeisiggrün,

die Brust und der Bauch hellgelb, der Kopf aschgrau, der Hals grünlicht, der Schwanz braunlicht mit weißen Nebenfedern. Ihr Nest bauet die Sie in sumpfigten Wäldern, und erzieht sechs Junge. Ihre Nahrung sind Insecten und Würmer. Im Frühling findet man sie in großen Haufen auf Ebenen, besonders auf feuchten, wo sie sich unter den Bachstelzen aufhalten.

181) Weidenmücke, Weidenzeisig. M. Salicaria. L. 114. 8. Sie ist fast so klein, wie der Zaunkönig, oberhalb graugelb, unterhalb weiß; über den Augen hat sie blaßgelbe Strichlein; die Kehle, die Brust und der Bauch sind schmutzigweiß, mit gelben gemischt; die Schwingfedern haben an der Fahne eine weiße Einfassung. Sie heckt auf Weidenbäumen und in Laubgebüschen jährlich zweymal fünf bis sieben Junge aus. Maden, Würmer und Insecten, besonders Fliegen, sind ihre Nahrung.

182) Waldsänger. M. Sylvia. L. 114. 9. Er ist oberhalb grau, unterhalb weißlicht. Man nennt ihn auch den Fliegenschnepper, und das Braunkehlchen. Er wird in Wäldern gefunden.

183) Kleine Grasmücke. M. Ficedula. L. 114. 10. Sie ist braun, unterhalb weiß, mit grau gefleckter Brust, und hält sich auf fetten Grasplätzen auf. Die Letten nennen ihn Dsegguses kalps, Kuk-kuks Knecht.

184) Weiße, oder gemeine Bachstelze, Bebeschwanz, Klosterfräulein, niederdeutsch Wipssteert, von der beständigen Bewegung ihres Schwanzes. M. alba. L. 114. 11. lett. Zeelawa, ehstn. Hännilinne. Sie ist im Sommer häufig, und nähret sich von Raupen, Bienen und allerley Würmern. Man findet sie allenthalben in bewohnten Gegenden. Die Sie nistet in Baumhölen, und heckt zweymal im Jahre vier bis sechs Junge aus.

185) **Gelbe Bachstelze, Kuhstelze.** M. flava. L. 114. 12. Der Kopf hat eine Mischung von grauer und gelber Farbe, über die Augen geht ein weißer Streifen; auf der Brust und dem Bauche ist sie schön gelb, doch ist das Weibchen nicht so lebhaft gelb, als das Männchen. Sie nistet an Bachufern und stehenden Gewässern auf der Erde, und hat gleiche Nahrung mit der gemeinen Bachstelze. Sie heckt zweymal im Jahre bis sieben Junge aus.

186) **Braunkehlchen, Fliegenschnäpper.** M. Rubetra. L. 114. 16. Außerhalb ist sie grau, unterhalb weißlicht. Sie hält sich in Gärten und Wäldern auf, und nährt sich von allerley Insecten. Sie brütet nur einmal, und legt bis vier Eyer. Ehstnisch heißt er: **Kadda ka räästas.**

187) **Weißkehlchen.** M. Rubicola. L. 114. 17. Die Kehle ist weiß, der Rücken grau, der Bauch braungelb. Man trifft sie in Gärten, an Zäunen und Gebäuden an.

188) **Erizchen, Rothbäuchlein.** M. Phoenicurus. L. 114. 34. lett. **Erizkins,** ein bekanntes Singvögelchen mit rother Brust und Kehle.

189) **Rothschwänzchen.** M. Erithacus. L. 114. 35. lett. **Ohrmannisch.** Sein Rücken und die Flügel sind grau, Brust und Schwanz sind roth, bis auf zwo graue Schwanzfedern. Die Sie ist am Bauche gelblicht.

190) **Rothkehlchen.** M. Rubecula. L. 114. 45. Die Kehle und die Brust sind rothgelb, der Rücken grau, der Bauch schmutzig weiß. Es nährt sich von Würmern, Insecten und Raupen, und erscheint gleich in den ersten Frühlingstagen. Die Sie bauet ihr Nest in Gebüschen auf der Erde, und heckt bis fünf Junge aus. In Zimmern fängt es die Fliegen weg.

191)

191) Zaunkönig. M. Troglodytes. L. 114.
46. Oberhalb ist er braun, mit schwarzbraunen
Queerstreifen, unterhalb hellbraun und weiß gefleckt.
Der Schwanz ist sehr kurz. Sein künstliches Nest
flicht er von Baummoos zusammen, und hängt es an
das Strauchwerk. Insecten, Würmer und Spinnen
sind seine Nahrung. Die Sie brütet jährlich zweymal,
und erzieht bis sechs Junge.

192) Gekrönter Zaunkönig, Sommerzaun=
könig. M. Regulus. L. 114. 48. lett. Zehplits,
ehstn. Tühahne. Er ist unter allen europäischen Vö=
geln der kleinste; seine Flügel sind schwarz, grün und
weiß gefleckt. Auf dem Kopfe hat er eine hellpome=
ranzenfarbene Krone, die an dem Weibchen eine we=
niger lebhafte Farbe hat. Man findet ihn an Hecken
und niedrigen Zäunen. Seine Nahrung sind allerley
Insecten. Die Sie brütet zweymal im Jahre, und
legt bis sechs Eyer, welche nicht größer, als eine mit=
telmäßige Erbse sind. Das Nest flicht die Sie von
Baummoos so dicht als einen Filz zusammen, giebt
ihm die Figur eines Korbes, und versteckt es sorgfäl=
tig unter niedriges Strauchwerk. Er hat eine helle
abwechselnde Discantstimme. Er wird mit grobem
Sande geschossen.

Wanderung der Grasmücken.

Sie sind alle Streichvögel. Die mehresten aus
diesem Geschlecht zwingt wol der Abgang der Nah=
rung, gegen den Winter in gemäßigtere Gegenden zu
ziehen. Die Zaunkönige bleiben auch im Winter bey
uns, und nähren sich an den Zäunen und hölzernen
Wänden der Gebäude von Spinnen und Würmern,
die sich in den Holzritzen versteckt halten. Die Bach=
stelzen sind gleich nach dem Abgange des Schnees wie=
der

der da. Die Nachtigall sieht man im Winter gar
nicht; ob sie sich aber nur verstecke, oder wegstreiche,
weiß man nicht. Wenn sie sich versteckte: so würde
man sie wol einmal, wenn gleich nur einzeln, gesehen
haben. Klein glaubte, daß sie sich in steilen, sandigen,
buschichten Flußufern, oder unter den Wurzeln der
Bäume verstecke, und den Winter verschlafe. Da
sie sich von Insecten, besonders Ameisen und ihren
Eyern nährt: so ist es wahrscheinlich, daß sie unsere
Gegenden gegen den Winter verlasse. Das Rothkehlchen zieht in die Laubwälder.

X. Meise. Parus. L. gen. 116.

193) Große Meise, Spiegelmeise, Kohl-
meise. P. major. L. 116. 3. lett. Sihle. Sie ist
etwa so groß, wie eine Lerche, doch ist das Männchen
größer als das Weibchen. Der Kopf ist schwarz, der
Nacken gelb, der Rücken schmutzig grün, und schwarz
gefleckt, die Brust weiß, der Unterleib citronengelb,
mit einer schwarzen Linie, die in die Länge gehet.
Ihre Heckzeit ist zweymal im Jahre; ihr Nest bauet
sie in Baumhölen, und legt acht Eyer. Ihre Nahrung sind Insecten und allerley Gesäme. Im Zimmer wird sie leicht zahm, und dann nimmt sie wie die
mehresten Meisen mit Fleisch, Talg, und allerley
Speisen vorlieb, wie eine Maus. Sie sollen sogar
einander anfallen, wenn es ihnen an Futter gebricht.
Ihr Sommeraufenthalt ist in offenen Laubwäldern.

194) Blaumeise. P. coeruleus. L. 116. 5.
lett. Sneedse, auch Sihle, wie die große Meise.
Sie ist die kleinste unter den Meisen, auf dem Kopf
und an der Stirne blau, an den Flügeln weiß. Sie
erhält sich von Würmern. Zahm gemacht kann man
sie in Häusern wie die vorige unterhalten. Sie nistet

in Wäldern in Baumhölen, und erzieht bis acht Junge.

195) **Haubenmeise.** P. cristatus. L. 116. 2. Der Schopf ist schwarzgrau und weiß gesprengt; die Backen sind weiß; der Rücken, die Flügel und der Schwanz sind aschgrau und weiß gefleckt. Sie brütet in Baumhölen, zuweilen auch in den Nestern, welche die Eichhörner verlassen haben. Im Neuermühlenschen im rigischen Kreise kommt sie im Tannenholz oft vor.

196) **Tannenmeise.** P. ater. L. 116. 7. Sie hat einen schwarzen Kopf, grauen Rücken, und weißgrauen Bauch. Man trifft sie in Tannenwäldern an, wo sie in Baumhölen Nester bauet. Sie unterhält sich von Insecten und allerley Gesäme; im Nothfall aber nimmt sie auch mit allerley vorlieb. Sie ist nur halb so groß, als die Spiegelmeise.

197) **Sumpfmeise, Hundemeise.** P. palustris. L. 116. 8. Der Rücken ist grau, der Bauch weiß, mit einem schwarzen länglichten Streifen; der Kopf ist schwarz; die Schläfen sind unter den Augen weiß. Man findet sie an offenen Waldstellen. Sie nährt sich von Insecten; in Zimmern sucht sie die Wanzen aus den Holzritzen hervor.

198) **Beutelmeise, Remitz.** P. pendulinus. L. 116. 13. Diese ist etwas größer, als der Zaunkönig. Der Kopf ist erdfarben mit einer dunkelbraunen Binde um die Augen; Flügel und Schwanz sind hellbraun; der letztere hat eine schwarze Spitze. Dieser Vogel ist wegen seines künstlichen Nestes, und wegen der Sorgfalt, mit welcher er seine Jungen gegen einen Ueberfall in Sicherheit stellet, merkwürdig. Er wirket es aus der Wolle der Pappelblätter, und anderm Laube von wollichter Textur so dicht zusammen, daß es wie gewalkt aussiehet, macht oben nur einen

schma-

schmalen Eingang, und hängt es an einem schwankenden Ast über dem Wasser auf, und setzt so seine Jungen gegen die Nachstellungen der Raubthiere, besonders der Schlangen, in Sicherheit; denn wenn das
Nest durch irgend eine fremde schwerere Last gedrückt
und gebrochen wird, fällt das Nest ins Wasser, und
treibt nachher mit den Jungen wohlbehalten ans Land.
In Littauen ist er häufig. Rzaczinsky hist. nat. pol.
Tr. X. Sect. I. XLIX. Bey uns ist ein dergleichen
Nest an einer niedrigen Weidenart im sonzelschen Kirchspiel gefunden worden.

Wanderung der Meisen.

Da sie keine Kostverächter sind, und also ihr
Futter zu jeder Jahreszeit bey uns hinlänglich finden:
so treibt sie kein Bedürfniß im Winter von uns weg.
So bald sich dieser einstellet, kommt die große Meise
nahe an die Gesinde, Scheunen und Kornhäuser, wo
sie sich bis zum Frühling aufhält; sie ist so dreist, daß
sie oft, wann sie der Hunger treibt, in die geöffneten
Fenster fliegt. Alle brüten zweymal im Jahre, die
mehresten in Baumhölen.

XI. Schwalbe. Hirundo. L. gen. 117.

199) Gemeine, oder Bauerschwalbe,
Rauchschwalbe. H. rustica. L. 117. 1. lett. Bes-
delliga, ehstn. Päso kenne. Jedermann kennt sie.
Die weiße Schwalbe ist eine seltene Erscheinung; auch
bey uns sind zu verschiedenenmalen ein paar gesehen
worden. Sie macht keine besondere Abänderung aus.
Sie bauet ihr Nest in Gebäuden.

200) Hausschwalbe. H. urbica. L. 117.3. ehstn. Turts. Diese bauet ihr Nest an Gebäuden, außerhalb.

201) Strandschwalbe, Erdschwalbe, Ufer-schwalbe, Wasserschwalbe. H. riparia. L. 117.4. Sie wohnt in sehr tiefen horizontalen Hölen an den Flußgestaden, und an den Ufern stehender Seen und Gräben. In den kirchhohmschen steilen Kalkgebirgen am Düna-Ufer findet marr ihre Nester besonders häufig. In manchen Jahren ist sie gleichwol selten, und wird fast gar nicht gesehen, wie im Jahr 1779, da fast gar keine gefunden wurde, obgleich der Sommer durch-gehends warm war. Sie ist grau, und hat eine weiße Kehle, und ist etwas kleiner, als die gemeine Schwalbe.

202) Mauerschwalbe,   Steinschwalbe. H. Apus. L. 117. 6. lett. Tschurksts, auch Skirste, von dem Geräusche, das sie mit ihren Flügeln macht. Sie ist oberhalb schwärzlich, an der Kehle weiß, und größer, als die übrigen Schwalbenarten. Sie nistet in alten Mauern und Thurmlöchern, und kommt gar nicht auf die Erde, weil sie wegen ihrer langen Flügel und kurzen Beine nicht wieder von der Erde auffliegen kann. Oefters fallen sie auf die Erde, dann kann man sie mit der Hand greifen.

Ueberwinterung der Schwalben.

Der Winteraufenthalt der Schwalben hat die Naturforscher oft und lange beschäfftiget, und beson-ders in neueren Zeiten einige Streitigkeiten veranlasset. Zween der angesehensten unter ihnen, der Herr von Linnee, und der Herr Secr. Klein in Danzig, beide Männer, welche fast ihr ganzes Leben dazu angewen-det haben, nützliche Naturwahrheiten aufzufinden, die bey ihren Beobachtungen genau und aufmerksam waren, und daher in der Naturgeschichte ein helles Licht

licht aufgesteckt haben, wollten endlich durch wiederholte Erfahrungen unterstützt den Streit entscheiden,
und behaupten, daß die Rauchschwalbe sowol, als die
Hausschwalbe sich gegen den Winter im Wasser verbergen. Der erstere, der sonst niemals sich auf bloßes
Hörensagen verließ, nichts ungeprüft niederschrieb,
äußerte diese Meinung gleichwol in seinem Syst. nat.
ed. XII. p. 343. Der andere, da er in seiner Historie der Vögel III. Abschn. S. 216. von der Ueberwin-
terung der Vögel redet, führet verschiedene Zeugnisse
an, welche die Wahrheit seines Satzes beweisen sollen.
Wann im Herbst, sagt er, die Insecten, die ihnen
zur Nahrung dienen, sich verlieren, und die Schwalben, wegen ihres verdickten Geblüts und schwer ge-
mästeten Leibes, immer träger werden, dann werden sie
von der Natur an die stehenden Gewässer und schilfigten Ufer getrieben, wo sie sich auf verschiedene Rohr-
stengel und Schilfblätter setzen, bis diese durch ihre Last
beschweret sich mit ihnen niederbeugen, und sie also ins
Wasser tauchen. Dieses ist nun zwar auch in Livland
verschiedenemal beobachtet worden, und noch vor einiger Zeit hat man die Rohrstengeln an dem Ufer der
Jägel und Stintsee bey Riga im Herbst mit Schwalben besetzt gesehen; doch, dieses beweiset noch nicht,
daß sie sich dahin begeben hatten, um ihr Winterquartier im Wasser zu nehmen. Herr Hallen sagt im
2 B. seiner Naturgesch. der Thiere, in welchem er
die Vögel beschreibt, daß sie sich vor ihrem Abzuge in
dem Rohr der Teiche versammleten. Er glaubt, daß
sie viel zu schwächlich wären, als daß sie den Winter
hindurch ohne Gefahr des Lebens im Wasser ausdauren könnten. Oft hat er im Herbste Schwalben ins
Wasser geworfen, da er sie allezeit nach einer Stunde
todt herausgezogen hat. Daß sich Vögel kurz vor
ihrem Abzuge in großer Menge zusammenfinden, sieht

man

man an mehreren Arten, z. B. an ben Störchen.
Klein hält dafür, daß sie im Wasser nur in Betäu-
bung geriethen, aus welcher sie in den ersten warmen
Frühlingstagen wieder ermuntert hervorgingen. Die
Sache ist inzwischen noch lange nicht in Gewißheit gesetzet; wenigstens sind die Gründe, die die Hypothese
vom Untertauchen unterstützen sollen, nicht sicher genug, und können durch Versuche und Erfahrungen
umgeworfen werden. Daß sich einige verspäten, und
von der Kälte und schwerer feuchter Herbstluft über-
eilet ins Wasser gerathen, ist nicht nur möglich, sondern auch gewiß. Ich habe es selbst gesehen, daß man
ein paar im Winter aus dem Wasser gezogen hat, die
im warmen Zimmer nach einiger Zeit wieder aufleb-
ten, und herumflogen, doch bald darauf todt nieder-
fielen; aber kann man wol daraus mit Gewißheit folgern, daß alle dieses Schicksal gehabt haben, das
diese Spätlinge überfallen hat? Wenn die Gewässer
ihr angewiesener Winteraufenthalt wären: so müßten
bey ihrer großen Menge nicht einzelne Vögel, sondern
ganze Netze voll ausgezogen seyn, da sie doch in großen Haufen versammlet untertauchen sollen. Oft verschwinden die Schwalben, wann früh kalte Herbsttage
einfallen; wann aber einige warme Tage nachkommen,
dann sieht man verschiedene wieder, wie ich z. B. im
September 1778 bemerket habe. Kommen nun diese
auch aus dem Wasser, in welches sie sich bereits versteckt hatten, wieder hervor? oder thun sie nicht vielmehr eine kurze Rückreise in unsere Gegenden, von welchen sie sich wahrscheinlich noch nicht gar zu weit entfernt hatten, um sich noch eine kurze Zeit bey uns zu
nähren. Und wann einige sich bey den ersten warmen
Frühlingstagen zeigen, bey einfallender rauher Witterung aber wieder verschwinden, wo bleiben denn diese?
Im Jahr 1779. z. B. kamen die ersten Schwalben
                                                den

den 5. May, und wurden bis zum 18ten ziemlich häufig; da aber denselben Tag mit einem heftigen Regen ein sehr kalter Nordwind kam, der auch in den folgenden Tagen bey trockener und heiterer Luft bis den 26sten anhielt: so verschwanden sie alle, und es war in diesen neun Tagen nicht ein einziger, weder in freyer Luft, noch in ihren Nestern, die alle leer waren, zu sehen. Schwerlich ist es zu vermuthen, noch schwerer aber zu glauben, daß sie wieder unter das Wasser getaucht gewesen sind. Herr Prof. Pallas versichert, daß man in Rußland, wo doch im Winter mehr als in irgend einem Lande gefischet wird, niemals Schwalben aus dem Wasser hervorgezogen habe. Er glaubt, daß die Herbstfröste sie dort früher, als aus andern Gegenden vertreiben, in welchen sich einige verspäten, und also umkommen müssen. Wenn Herr Klein S. 210. ein Beyspiel anführt, daß in einem russischen Dorfe eine Schwalbe im Eise gefunden worden: so ist dieser Umstand von weniger Bedeutung, und entscheidet hier nichts. Es kann ein Spätling gewesen seyn, der so wie an andern Orten mehrere seines Geschlechts sein Verweilen mit dem Leben bezahlen mußte. Frisch, den wir aus seinen schönen und richtigen Abbildungen der Vögel als einen geschickten Ornithologen kennen, glaubte sich durch folgenden Versuch in den Stand gesetzet zu haben, die allgemein angenommene Meinung von dem Untertauchen aller Schwalben widerlegen zu können. Er fing verschiedene Schwalben, die an den Häusern nisteten, und band ihnen wollene Fäden, welche vorher mit einer Wasserfarbe rothgefärbet worden, um die Füße, und so ließ er sie wieder fliegen. Da er bey ihrer Zurückkunft im folgenden Frühling sahe, daß die Farbe dieser Fäden nicht verändert war: so konnte er daraus mit völliger Gewißheit schließen, daß diese nicht im Wasser gewesen waren, sondern sich in

P 4

ent-

entferntern Gegenden aufgehalten haben müßten, weil
die Farbe unmöglich im Waſſer habe dauren können.
Dieſen Verſuch hat nachher Herr Hallen wiederholet, und ihnen Fäden, die mit Gummigutta gefärbet
waren, um die Füße gebunden, und hat ſie in dieſer
gelben livereÿ wieder zurückkehren geſehen.   Würden
nicht, da beÿ uns in ſtrengen Wintern die ſtehenden
Gewäſſer wenigſtens an den Ufern (denn nur an den
Ufern ſollen ſie ja untertauchen) oft bis auf den Grund
zufrieren, die mehreſten im Eiſe umkommen? welches
der oft genannte Herr Klein S. 210. ſelbſt für glaublich hält, weil ihnen dann der Zugang der Luft gänzlich
verſchloſſen iſt.   Gleichwol ſiehet man ſie auch nach
den ſtrengſten Wintern in gewöhnlicher Menge wieder.
Sie kommen ganz munter und wohlbeleibet zu uns zurück, welches wol von Vögeln, die wider den Bau
ihres Körpers ſo viele Monate unter dem Eiſe gelegen
und aller Nahrung entbehret haben ſollen, nicht zu vermuthen iſt.   Warum ſollte auch der Schöpfer dieſen
Vögeln ohne Noth das Waſſer zu ihrem Winteraufenthalt angewieſen haben, da ſie, beÿ ihrem leichten
Fluge, als Zugvögel ihren Aufenthalt gar leicht verändern, und die Nahrung, wenn ſie ihnen in einer Gegend abgehet, in einer andern bald wiederfinden können?
Die Natur pflegt nie wider ihre eigenen Geſetze zu han-
deln, und kein Thier, das ſie in der Luft oder auf der
Erde zu leben beſtimmete, ins Waſſer verweiſen.
Dieſe Vögel ziehen wahrſcheinlich in entfernte wärmere
Gegenden.   Der Abt de la Caille hat bemerket, daß
vom September bis zum April auf dem Vorgebirge
der guten Hoffnung Schwalben gefunden werden, dagegen in den übrigen Monaten keine vorhanden ſind.
Dieſes iſt gerade die Zeit, da man ſie in Europa nicht
ſiehet.   Durch aufmerkſame Bemerkungen in mehreren wärmeren Gegenden würden wahrſcheinlich ähnliche

che Beobachtungen gemacht werden. Zorn, dieser
so aufmerksame Beobachter des Verhaltens der Vögel,
sagt, daß sie im Herbst gleich andern Vögeln in gros-
sen und kleinen Haufen ihren Zug durch die Luft nehmen. S. dessen Petinotheol. 1. Th. S. 436. Herr
Prof. Blumenbach hält in der 3ten Ausg. seines
Handbuchs der Naturgesch. Gött. 1788. das Wegziehen der Schwalben für wahrscheinlicher als ihren Win-
terschlaf in Sümpfen.

Die Mauerschwalbe soll in alten Mäuerlöchern
überwintern, wie schon Plinius in seiner hist. nat.
L. X. C. XXIV. angemerket hat. Die Uferschwalben
sollen sich im Winter in den Nestern aufhalten, welche
sie im Sommer bewohnt haben; doch habe ich sie nicht
darin finden können. Da im Jahr 1779 die Bauer-
und Hausschwalben etwas früher als gewöhnlich kamen: so vermuthete ich auch Uferschwalben an den
Oertern zu finden, wo ich sie jährlich zu sehen gewohnt
war, und wo sie häufig zu nisten pflegten; aber es
war nicht eine einzige zu finden. Bey dieser Gelegenheit fiel es mir ein, zu untersuchen, ob auch die Nester ihr gewöhnliches Winterquartier wären; aber ich
fand sie alle leer. In demselben Sommer wurden sie
äußerst wenig gesehen; im Jahr 1782 fast gar keine.
Wahrscheinlich ziehen sie mit den andern Schwalbenarten von uns, da sie gleichen Tisch mit ihnen führen.

Anmerk. Die beiden ersten Arten brüten jährlich
zweymal und beziehen allezeit die Nester, die sie
im vorigen Jahre verlassen haben; die Uferschwal-
be aber und die Mauerschwalbe brüten nur einmal. Sie nähren sich alle von fliegenden Insecten. Daß das niedrige Fliegen der Schwalben Regen bedeute, scheint zwar einigen Grund
darin zu haben, weil sie die von der Feuchtigkeit
beschwerte Luft nicht vertragen können, oder weil

P 5   die

die Insecten durch eben diese Feuchtigkeit nieder-
gedruckt alsdann niedrig fliegen, da dann die
Schwalben, um sie zu erhaschen, in ihrem Fluge
eben dieselbe Richtung nehmen müssen; doch triegt
diese Bemerkung sehr oft; zuweilen schwärmen sie
selbst beym Regenwetter hoch in der Luft herum. — Ihr krummer, seitwärts gerichteter Flug
sichert sie auch wider den Anfall der Raubvögel.

XII. Ziegenmelker. Caprimulgus.
L. gen. 118.

203) **Nachtschwalbe, Hexe, Ziegenmelker.**
C. europaeus. L. 118. 1. Sie ist so groß, wie der
Kukuk, hat aber niedrige Füße, ist weißgrau, dunkelbraun und weiß gesprengt, und hat am obern Kiefer
sowol als auch am untern Borsthaare. Des Tages
sieht man ihn nicht; aber in der Dämmerung zeigt er
sich, und geht die ganze Nacht seiner Nahrung nach,
die in Nachtschmetterlingen bestehet. Man kennt ihn
leicht an seinem krähenähnlichen unangenehmen Geschrey. Daß der Ziegenmelker den Ziegen die Milch
aussauge, wie viele ihn dessen beschuldigen, ist sehr
unwahrscheinlich, und noch unerwiesen. Sie nisten
in niedrigen Felsenhöhlen, oder in gebirgigten Wäldern auf der Erde, und hecken jedesmal zwey Junge
aus. Aus Mangel der Nahrung verlassen sie gegen
den Herbst unsere Gegenden. Sein Kopf ist im Verhältniß gegen den Körper groß, der Rachen weit; die
Augen sind groß.

Drit-

Dritter Abſchnitt.

Amphibien. Amphibia.

I. Kriechende Amphibien mit vier Füßen: Reptilia.

I. Froſch. Rana. L. gen. 120.

204) **Kröte, böſe Kröte.** R. Bufo L. 120. 3. Wulff amphib. Boruſſ. 8. lett. **Krauklis, Kaukis, Knaupis,** auch **Kruppis,** ehſtn. **Kärnkon.** Sie iſt bey uns allgemein. Ihr liebſter Aufenthalt iſt an ſchattigten Orten, beſonders, wo ſtinkende Gewächſe wachſen. Ihren Gift theilt ſie durch das Berühren und den Hauch mit. Daß ſie lebendige Junge gebähre, wie Linnee in ſeinem ſyſt. nat. ed. XII. S. 385. und in ſeiner Streitſchrift de oeconomia naturae S. 31. behauptete, das haben verſchiedene Naturforſcher bezweifelt. Ihre gewöhnliche Nahrung ſind Inſecten. Daß ſie den Kühen die Milch ausſauge, hält man in Livland für eine allgemein bekandte Sache, die keinen Zweifel leidet.

205) **Kleine Waldkröte, Pfuhlkröte.** R. Rubeta. L. 120. 4. Wulff amph. boruſſ. p. 8. Nr. 10. Sie iſt kleiner als die Kröte; ihr Körper iſt mit Warzen beſetzt; der Leib iſt braungrau; an den Seiten geht ein ſchwarzgrauer Streifen längs dem Leibe hin; unterhalb des Steißes ſtehen einige blaßgelbe Tüpfeln. Man findet ſie an Pfützen und kleinen ſtehenden Seen.

206) Glos

206) **Glockenlauter, Töser.** R. Bombina. L. 120. 6. Wulff amph. boruß. p. 7. Nr. 9. Er ist nur klein, und oberhalb mit Warzen besetzt; unterhalb ist er schwarz, weiß und gelb gefleckt. Sein Gequäke klingt in der Ferne fast wie der Schall einer Glocke. Man findet ihn auf Fruchtfeldern, auch in morastigen Laubgebüschen.

207) **Landfrosch, Quäkenfrosch.** R. temporaria. L. 120. 14. Wulff amph. boruß. 11. lett. **Wahrde, ehstn. Kon.** Er ist jedermann bekannt durch seine Gestalt und durch sein Gequäke, das er in der Laichzeit hören läßt. In dieser Zeit findet man ihn in sumpfichten Gegenden, nachher im Grase.

208) **Laubfrosch.** R. arborea. L. 120. 16. Wulff amph. bor. 13. lett. **Partschlis, Salla wardi.** Im Frühling hält er sich in Brunnen auf, im Sommer auf niedrigen Bäumen. Sein Abendgequäke pflegt Regen anzukündigen. Bey uns ist er etwas selten.

209) **Grüner Wasserfrosch.** R. esculenta. L. 120. 15. Wulff amph. bor. 19. Er ist oberhalb grün, mit gelben Streifen, unterhalb weißlicht. Weil wir keinen Mangel an bessern Leckerbissen haben: so wird er bey uns nicht zur Speise gebraucht.

II. Eidechse. Lacerta. L. gen. 122.

210) **Gemeine Eidechse.** L. agilis. L. 122. 15. Wulff amph. bor. 3. Ihr Schwanz ist gewirbelt, und etwas länger als der Körper. Dieser hat eine grüne Farbe; der Bauch ist schwarzgefleckt. Man findet sie überall auf sumpfigten Wiesen. Der Ehste nennet sie Sissakk.

211) **Sumpfeidechse.** L. palustris. L. 122. 44. Wulff amph. bor. 7. Sie hat einen kurzen zuge-

spitzspißten Schwanz, und lebt in Sümpfen und stehenden Seen, wo sie der jungen Fischbrut nachtheilig ist.

212) **Kleine Wassereidechse.** L. aquatica. L. 122. 43. Wulff amph. bor. 7. Sie ist hellgelb und hat schwärzliche Streifen. Man findet sie im Arraschen und in mehreren Gegenden in Sümpfen und stehenden Seen.

II. Schlangen. Serpentes.

Die letten nennen die Schlangen überhaupt **Tschuschka,** die Ehsten **Us,** auch **Maddo.** Wir haben derselben verschiedene Arten, welche aber alle zu sehen und zu untersuchen, ich noch keine Gelegenheit gefunden habe. Bey dem baltischen Hafen sollen sie sehr häufig seyn, so wie zu Stopinshof bey Riga; jedoch hört man in beiden Gegenden nichts von ihren schädlichen Bissen. Unter einem Gute in der Wieck zählte jemand neun Arten, die er jedoch nicht zu nennen wußte. Hupels Topogr. 2. Th. S. 459. Folgende wenige Arten, die mir selbst vorgekommen, sind, kann ich mit Gewißheit anzeigen.

213) **Gemeine Viper.** Coluber Berus. L. 125. 183. Wulff amphib. boruss. 14. lett. **Ohse.** Ihre Farbe ist dunkelgrau mit einem schwarzen wellenförmigen Bande auf dem Rücken. Im Lande ist sie ziemlich häufig. Ihr Biß ist nach dem Linnee giftig; nach des Laurenti Versuchen aber ist er unschädlich.

214) **Feuerschlange.** Coluber Cherses. L. 125. 184. Wulff amphib. boruss. 15. lett. **Nahzirs.** Sie ist etwa eines guten Fingers lang, und feuerfarben. Ihr Biß ist sehr gefährlich; denn er soll gleich auf der Stelle tödten. Man findet sie im Lennewardenschen. Eine umständliche Beschreibung von ihr giebt der Ritter

ter Linnee in den schwed. Abhandl. fürs Jahr 1749. 4
Quart. S. 246. die Zeichnung T. 6.

215) **Hausnatter.** Coluber Natrix. L. 125. 20.
Wulff amphib. boruss. 16. lett. **Saltis.** Eine schwarze Schlange mit weißen Flecken an den Seiten, dem
Rücken und der Schläfe, mit gelben Flecken an den
Ohrlöchern. Sie kriecht oft in die Häuser und Ställe,
thut aber keinen Schaden. Im Stopiushofschen findet man sie nicht selten. Ihr Biß ist nicht schädlich.

216) **Kupferschlange, Blindschleiche.** An-
guis fragilis. L. 125. 270. Wulff. amphib. boruss. 18.
lett. **Glohdens,** ehstn. **Pawa-us,** auch **Wask-us.**
Sie ist von grauer Farbe mit schwarzem Bauch und
braunrothen Seiten; der Rücken hat in der Mitte eine
dunkelbraune Linie. Sie ist ziemlich gefährlich, aber
nicht häufig. Laurenti hält sie für unschädlich, so wie
Herr Beckmann in seiner Recension dieses Versuchs.
S. physicalisch-ökon. Bibl. 9 B. 1778. 3 St. X.
S. 390. Doch ist bey uns öfters bemerket worden,
daß sie das Vieh gestochen hat, und daß ein starker
Geschwulst darauf gefolget ist.

217) **Wasserschlange, schwärzliche Natter.**
Coluber Prester. L. 125. 185. Wulff. amphib. boruss. 17.
Eine schwärzliche giftige Schlange, die sich zuweilen
auf Wiesen findet.

III. Schwimmende Amphibien. Nantes.

I. Neunauge. Petromyzon. L. gen. 129.

218) **Gemeiner Neunauge, Lamprete.**
P. fluviatilis. L. 129. 2. Wulff. amphib. boruss. 19.
Klein de piscib. Miss. III. §. XXII. 1. lett. **Nehges,**
oder **Neenoges,** auch **Suttini,** ehstn. **Silmud,**
oder **Uebberfa-Silmad,** russisch **Minoggi.** Ein
bey

bey uns bekandter Fisch, der sehr häufig vorkommt. Sein deutscher Name ist ungereimt. Man
hat die an den Seiten befindlichen Luftlöcher, und
mit diesen, und den beiden eigentlichen Augen, neun
Augen gezählt. Man findet sie am Ostseestrande, am
Ausflusse der Bäche, sonderlich bey Riga und Narva
häufig. Die von dem letztern Orte werden für die besten gehalten. In Essig mit etwas Gewürze eingemacht, auch geräuchert, werden sie stark verbraucht,
auch außerhalb Landes, sonderlich nach Polen und
Littauen verschickt.

II. Stör. Acipenser. L. gen. 134.

219) Stör, Stöhr. A. Sturio. L. 134. 1.
Wulff. ichthyol. boruss. 22. Acipenser cute asperri-
ma; quasi tessellata, seriebus tuberculorum rigido-
rum, ad latera quidem minorum et clypeiformium,
unica majorum in dorso; capite in rostrum obtusum
producto. Klein de piscib. Miss. IV. §. VII. 4. 1.
lett. Stohre, ehstn. Tuurkalla, russisch Oßetrina,
der in nordlichen Gegenden bekandt ist. Seine Haut
ist mit knorpelichten, dornichten Hügelchen besetzt, deren auf dem Rücken eilf sind; der Kopf endiget in eine
stumpfe Schnauze, von dem Maul hängen vier flei-
schichte Bartfasern herab. Man fängt ihn zuweilen im
Sommer bey Pernau, auch in der Düna und in der
Jägelschen See, zu Zeiten von beträchtlicher Größe,
die zuweilen zu sechs bis sieben Ellen hinansteigt: doch
erscheint er bey uns nur als ein seltener Gast. Im
Winter wird er uns häufig aus Rußland zugeführt,
und mit Essig und Gewürzen eingemacht für einen
Leckerbissen gehalten.

Vier-

Vierter Abschnitt.

Fische. Pisces.

I. Kahlbaucher, ohne Bauchfloſſen. Apodes.

I. Aal. Muraena. L. gen. 143.

220) **Aal.** M. Anguill. L. 143. 14. Wulff. ichth.
boruſſ. 24. Conger dorſo fuſco, ventre diverſicolo-
re, tubulis breviſſimis in extremitate mandibulae
ſuperioris. Klein de piſcib. Miſſ. III. §. XVIII. 6.
lett. Sußſche, Suttis, ehſtn. Angrias, Angerjas.
Er wird in Strömen, auch in etlichen Seen, ſogar
im hölzernen Canal des baltiſchen Hafens gefangen.
Die man bey Narva fängt, ſind die größeſten und
beſten; doch findet man ſie auch bey Riga oft von beträchtlicher Größe und Dicke. Die Aale gebähren
lebendige Junge. In Fiſchteichen taugen ſie nicht;
denn ſie ſind ſehr begierig auf den Fiſchlaich.

II. Schmelte. Amodytes. L. gen. 147.

221) **Tobis, Sand-Aal.** A. Tobianus.
L. 147. 1. Wulff. ichth. boruſſ. 22. Enchelyopus
labro mandibulae inferioris, ſuperiori mandibula
acuminata longiore; ſubcoeruleus, ex argento toto
ſplendens, haud procul a cervice pinnam longam,
alteram ab ano ad caudam deſcendentem, ad bran-
chias utrinque unam habens; omnes ex argento coe-
rule-

rulescentes. Klein de picibus Miss. IV. §. XXIX. 7,
Tab. XII. fig. 10. Er ist etwa eine Viertel-Elle lang,
und schmal; der obere Kiefer ist spitzig, und kürzer als
der untere. Nicht weit vom Wirbel fängt eine lange
Floßfeder an, und eine andere vom Hintern, die bis
zum Schwanz gehet; hinter den Kiefern stehet gleichfalls eine. Sie sind bläuliche, silberfarben, und fast
dieselbe Farbe hat der ganze Fisch.

II. Halsflosser. Jugulares.

I. Kabliaue. Gadus. L. gen. 154.

222) Dorsch. G, Callarias. L. 154. 2, Wulff.
ichth. boruss. 27. Callarias barbatus lituris maculis-
que varius, gula ventreque albicantibus, iride flavicante, nigro mixta, pinnis fuscis. Klein de pictib.
Miss. V. §. IV. 5. Tab. I. fig. 2. lett. Menza, auch
Dursta, ehstn. Tursk. Unter dem Bauche und dem
Unterkiefer ist er weißlicht, oberhalb hat er dunkle Flecken, und geschlängelte Striche; die Floßfedern sind
dunkelgrau; der untere Kiefer hat eine Bartfaser; der
Schwanz ist fast ungetheilt. Er wird in der Ostsee
und in Flüssen, die in dieselbe fallen, am häufigsten
im baltischen Hafen gefangen.

223) Aalquappe, Aalraupe. G. Lota. L. 154.
14. Wulff. ichth. boruss. 28. Sie ist schwarz und
braun gefleckt; die Kiefer haben gleiche Länge; am
Kinn ist eine Bartfaser; sie wird in der wendischen Gegend in einem arraschen See gefunden.

224) Quappe. G. Mustela. L. 154. 15. lett.
Wehdsele, ehstn. Luts. Sie hat einen großen
breiten Kopf, und am obern Kiefer vier, am untern
eine Bartfaser. Sie werden häufig genug in der Düna und in der Peipus, in der letztern sehr groß gefan-

Naturgesch. von Livl.   Q   gen.

gen. So zart der Fisch auch ist, so wird er doch nicht von jedem geachtet.

225) **Seyn.** G. virens. L. 154. 7. Der Rücken ist grünlicht, an den Seiten mit einem geraden Strich; die Kiefern sind gleichlang, ohne Bartfasern; der Schwanz ist zweytheilig, oder gabelförmig. Bey der Insel Oesel wird er gefangen und gesalzen.

III. Brustbäucher. Thoracici.

I. Knorrhähner. Cottus. L. gen. 160.

226) **Meerochse, Meerbolle, Meerasche.** C. quadricornis. L. 160. 2. Wulff. ichth. boruss. 30. lett. Jurewersch, ehstn. Meerehärg. Seine Größe ist etwa ein Fuß; sein Kopf gleicht fast dem an der Quappe; auf demselben hat er vier erhabene dornichte Knorpeln im Viereck stehen, deswegen ihn einige auch den Vierhörnigen nennen; beide Kinnladen haben feine borstförmige Zähne; der Bauch ist kurz und breit; der übrige Theil des Leibes bis zum Schwanze ist schmal, und hat oben und unterwärts spitzige Floßfedern; auf dem Rücken sitzt eine ähnliche Floßfeder, zwo kleine unten an der Brust, und eine breite an den Ohren. Gewöhnlich kommt er bey uns, da er dann mit Sandaten und Kaulbarschen zusammen gefangen wird. Seine Nahrung sind Wasserinsecten, besonders Flohkrebse, die man fast immer in seinem Magen findet. Dieser Fisch ist in den gelehrten Beyträgen zu den rig. Anzeigen fürs Jahr 1762. XIII. St. umständlich beschrieben.

227) **Donnerkröte.** C. Scorpius. L. 160. 5. Corystion capite maximo et aculeis valde horrido, corpore pro longitudine crasso, versus caudam subrotundam gracilescente, ore amplo, colore ex cine-

ricio

ricio et fuſco varius. Klein de piſcib. Miſſ. IV.
§. XXIV. 11. Tab. XIII. fig. 2. 3. Dem vorigen iſt
er faſt gleich; nur hat er ſtatt der vier Knorpeln, verſchiedene etwas gekrümmte Stacheln auf dem Kopf;
der obere Kiefer iſt etwas länger als der untere.

II. Plattfiſche. Pleuronectes. L. gen. 163.

228) Butte, Flunder. Pl. Fleſus. L. 163. 7.
Wulff. ichth. boruſſ. 31. lett. Buttes, auch Leſ-
ſtes, ehſtn. Läſt und Ramlias. Dieſe bekandte
Fiſchart wird im Frühling am Oſtſeeſtrande und an den
Mündungen der Oſtſee, ſonderlich bey Riga und Reval, ſelten bey Pernau gefangen, geſalzen, geräuchert und häufig verführt, und iſt auch außerhalb landes ſehr beliebt. Das Salz und das Räuchern geben
ihm eine magenſtärkende Kraft.

229) Stachelbutte. Pl. Paſſer. L. 163. 15.
lett. Abte, auch Grabbe. Sie hat das Auge auf
der linken Seite; auf eben der Seite iſt die Haut ſtachelicht. Sie iſt größer, als die vorige, gewöhnliche
Butte.

230) Steinbutte. Pl. maximus. L. 163. 14.
Wulff. ichth. boruſſ. 32. Rhombus maximus colore
cinericio, ſuper flavo variegatus, dextro latere,
quod rhombo ſupinum eſt, albus, et maculis quaſi
dendriticis pictus. Klein de piſcib. Miſſ. IV. §. XVII. 3.
T. VIII. fig. 3. 4. lett. Abtes, wie die vorige Art.
Die Augen ſtehen wie an eben derſelben auf der linken
Seite; die Haut iſt ſcharf, und mit ſcharfen Hügelchen beſetzt. Sie wird oft einen Schuh lang und einen Schuh breit gefangen, kommt aber nur ſelten
vor.

III. Seebrachsen. Sparus. L. gen. 165.

231) Zahnbrachsen, Zahnfisch. Sp. Dentex.
L. 165. 20. Synagris colore rubro varius, interdum
flavicans, maculis coeruleis vel nigris; dorsali pinna aequaliter capiti caudaeque proxima; aculeis 12.
vel 14, reliquis mollibus; ore sat amplo; dentibus
minoribus serratis; superius alis quinis, inferius
octonis, caninis et validis. Klein de piscib. Miss. V.
§, XXXI. 1. lett. Kassin. Sein Bauch ist etwas
zugespitzt, sein Schwanz gabelförmig, aber ausgerun-
det. Er hat den Geschmack und fast die Größe des
Brachsen, in dessen Gesellschaft er auch gefangen wird;
er ist jedoch fetter.

IV. Bärschinge. Perca. L. gen. 168.

232) Barsch, Flußbarsch. P. fluviatilis.
L. 68. 1. Wulff. ichth. boruss. 33. Perca pinnis ventralibus duabus, areolis nigricantibus a dorso ad
ventrem adscendentibus; iride flava; pinnis cauda-
que divisa rubicundis. Klein de piscib. Miss. V.
§. XXV. 1. lett. Assar, Assaris, ehstn. Ahwen.
Die Bauchfloßfedern sind roth; auf jeder Seite hat
er sechs schwärzliche Strichlein. Sie sind bey uns
sehr häufig, besonders bey Pernau und an der Insel
Oesel, wo sie gedorret, und wie Schollen gegessen,
auch geräuchert ins Land herum verschickt werden.
Die von der letztern Gegend sind die größten und
schmackhaftesten.

233) Sandat, Sander. P. Lucioperca.
L. 168. 2. Wulff. ichth. boruss. 34. Perca buccis
crassis carnosis, pinnis ventralibus duabus; totus
ex cinereo argenteus; pinnis dorsalibus maculosis;
capite magis producto; dentibus caninis in utraque

man-

mandibularum extremitate, ſuperiore paulo longiore; iride aurea; linea laterali ſubnigra. Klein de piſcib. Miſſ. V. §. XXV. 2. lett. **Sandats, auch Strahrts, ehſtn. Robba,** ruſſiſch **Sudaki.** Er iſt ganz grau, ſil-berfarben und blaßgefleckt, und hat zwo Bauchfloßfe-dern; die Rückfloßfedern ſind auch gefleckt; die Backen ſind dick und fleiſchicht. Er iſt in verſchiedenen Gewäſſern nicht ſelten, in den mehreſten Flüſſen häufig.

234) **Raulbarſch.** P. Cernua. L. 168. 30. Wulff. ichth. boruſſ. 35. Perca pinnis ſex, anteriore parte dor-ſalis 14, poſt anum duabus ſpinis rigidis ſuffulta, tertia et quarta albiſſimis; poſt ſinum radiis mollibus, dorſo ex viridi flavicante, ventre argenteo; toto corpo-re, pinnis et cauda ſubfuſcis crebisque maculis; operculis branchiarum denticulatis et crenatis, ſqua-mis rigidis, cauda parumper diviſa. Klein de piſcib. Miſſ. V. §. XXVII. 1. lett. **Riſſis,** auch **Ul-lis,** ehſtn. **Rüs.** Der Rücken iſt grüngelb, der Bauch weiß, der Schwanz zweytheilig. Bey Per-nau werden die größten gefangen.

V. Stachelbärſche. Gaſteroſteus. L. gen. 196.

235) **Flußſtechling.** Gaſt. aculeatus. L. 169. 1. Centriſcus duobus in dorſo arcuato aculeis, totidem in ventre. Klein de piſcib. Miſſ. IV. §. XXV. A. 2. Tab. XIII. fig. 4. Auf dem Rücken hat er zween, an dem Bauche eben ſo viel Stacheln; der Schwanz iſt ungetheilt; die Kiefern ſind von gleicher länge.

236) **Seeſtechling, Steckerling, Stachel-fiſch.** G. Pungitius. L. 169. 8. Wulff. ichth. boruſſ. 37. Centriſcus ſpinis decem vel undecim non perpendi-culariter erectis, ſed viciſſim una dextrorſum, al-tera ſiniſtrorſum inclinatis. Klein de piſcib. Miſſ. IV.

§. XXV.

§. XXV. A. 4. ehſtn. **Oggalick** oder **Oggaluuck.** Er hat zehn bis eilf Stacheln, von welchen eine wechſelsweiſe bald rechts, bald links gerichtet iſt.

VI. Makrele. Scomber. L. gen. 170.

237) **Makrele.** Sc. Scombrus. L. 170. 1. Pelamys corpore caſtigato, lateribus et capite argenteis; dorſo ex coeruleo viridi, nigricantibus ductis rectis incurvis et flexuoſis, penicillis quinque, caudae pinna forcipata. Klein de piſcib. Miſſ. V. §. VII. 5. Tab. IV. fig. 1. Ein Seefiſch, der einige Aehnlichkeit mit einem Heringe hat, nur etwas breiter, und etwa einen Fuß lang iſt; am Hintertheile hat er einen kurzen Stachel; die Schwanzfloßfeder iſt gabelförmig. Seine Farbe iſt blaulichtgrau, mit gezogenen ſchwärzlichten Zeichnungen; der Kopf und die Seiten ſind weiß. Er wird zuweilen im Frühling aus der Oſtſee gefangen, aber wenig geachtet. Kurz vor Michaelis wird er am fetteſten befunden.

IV. Bauchfloſſer. Abdominales.

I. Hochſchauer. Cobitis. L. gen. 173.

238) **Schmerling, Flußſchmerling.** C. Barbatula. L. 173. 2. Wulff. ichth. boruſſ. 38. Enchelyopus nobilis cinereus, umbratilibus maculis fuſcis varius; cirris ſex. Klein de piſcib. Miſſ. IV. §. XXX. 3. Tab. XV. fig. 4. Er iſt ſchmal, glatt, und mit dunkeln Flecken gezeichnet, und hat ſechs Bartfaſerchen. Sie werden in verſchiedenen Bächen, als im Jägelſchen Bach im Sonſelſchen und Rodenpoieſchen, im Oberpahlenſchen, im umbachſchen Bach, im Wendenſchen, in der letztern Gegend in dem zur Stadt

Stadt gehörigen Mühlenbache von beträchtlicher Größe gefangen, geſotten, und in die Städte verführt.
Die größeren ſind nicht ſo zart, haben auch zähere
Gräten, als die kleinen. Ehſtniſch heißt er **Kiwwi-
kanna, Merling,** lett **Smerling.**

239) **Steingründel, Dorngründel.** C. Tae-
nia. L. 173. 3. Wulff. ichth. boruſſ. 39. lett. **Akmi-
na grauſia.** Er iſt dem vorigen an Geſtalt und Größe faſt gleich, nur etwas platter. Der Bauch iſt
geblicht weiß, der Rücken bis zur Mitte des Körpers
mit ſchwärzlichten, reihenweiſe geſtellten runden Flecken bezeichnet. Er hat ſechs Bartfaſerchen. Man
pflegt ihn nicht zu eſſen.

240) **Prixter, Schlammbeißer.** C. foſſilis.
L. 173. 4. Enchelyopus lineis latis atro-fuſcis, pun-
ctisque fuſcis ſuper cinereo et ſubflavo varius, pinnis branchialibus rubicundis, cirris evidentibus tri-
bus. Klein de piſcib. Miſſ. IV. §. XXX. 2. Tab. XV.
fig. 3. lett. **Pihkſte.** Ein kleiner Fiſch von gelblichter
Farbe, an jeder Seite mit fünf in die länge gehenden
Strichen, und acht Bartfaſerchen, von welchen drey
merklich lang, die übrigen aber kurz ſind. Er pflegt
durch eine öftere heftige Bewegung die bevorſtehen-
de Veränderung des Wetters anzuzeigen.

II. Welſe. Silurus. L. gen. 175.

241) **Europäiſcher Wels.** S. Glanis. L. 175. 2.
Wulff. ichth. boruſſ. 41. Silurus cirris duobus ſupra
oris angulum, quatuor in mento; cauda flabellata,
flaccidae pinnae poſt anum continua. Klein de
piſcib. Miſſ. IV. §. VI. 1. Tab. I. fig. 1. ehſtn. **Wells,**
lett. **Sams, Wells,** ruſſiſch **Somi.** Im letti-
ſchen wird auch der Teufel Wells genennet; hier aber
iſt der Name aus der teutſchen Sprache entlehnt, in

wel-

welcher der Fisch diesen Namen führet. Es ist also
keine Anspielung auf den schwarzen Menschenfeind. Er
hat einen sehr breiten Kopf, ein stumpfes, sehr breites
Maul, an dem obern Kiefer zwo, und an dem untern
vier Bartfasern. Sein Bauch ist kurz und sehr breit,
und raget unterhalb und an den Seiten hervor. Der
Floßfedern sind sieben, von welchen der Rücken nur
eine hat. Im übrigen ist er der Quappe gleich, aber
weit größer, als diese. Man hält ihn für einen der
größten Fische der süßen Gewässer; bey uns aber ist
er nicht viel über zwo Ellen lang gefunden worden.
Sein Fleisch ist von gutem Geschmack, fast wie das
an der Quappe, jedoch nicht so zart, als diese. Er
kommt hier eben nicht öfters vor. In der Donau
kommt er oft 300 Pf. schwer vor. Car. L. B. a Mei-
dinger icon. pisc. Austriae indigenor. Dec. I. T. IX.

III. Salme. Salmo. L. gen. 178.

242) **Lachs.** S. Salar. L. 178. 1. Wulff, ichth.
boruss. 42. Trutta tota argentea; maculis subcine-
reis a dorso subfusco ultra lineam et in pinnis dorsalibus variegata. Klein de piscib. Miss. V. §. XI.
Tab. 5. fig. 1. lett. **Lassis,** die großen Hackenlachse
Renki, ehstn. **Lohhi kolla.** Er ist bekandt, und
wird fast in allen Seen und Bächen, die sich in die
Ostsee ergießen, gefangen, am häufigsten aber im Sa-
lisbach, der in den rigischen Meerbusen fällt. In der
Mitte des May fängt er an in Flüsse zu steigen, da
er dann auch ziemlich häufig in unsere Düna kommt,
in welcher er immer höher den Strom hinaufgeht, um
seinen Laich auf dem kiesigten Grunde abzulegen, welches im Sommer geschiehet, da er dann häufig gefangen wird. Der in der Düna aufsteigende Lachs liebt
vorzüglich das Wasser der Oger, die aus der Einlei-

tung

tung bekandt iſt. Der rigiſche und narwiſche iſt unter
unſern livländiſchen Lächſen der beſte. Man kauft ihn
friſch, geſalzen in kleine Fäſſer verpackt, und geräuchert.
Der letztere iſt auch Auswärtigen als ein Leckerbiſſen
beliebt. Er wird ſogar in Hamburg geachtet, wo
man doch den ſchönen Elblachs hat, der ſich aber wegen ſeines Fettes geräuchert lange nicht ſo gut hält.
Bey uns wird er nur etwa drey Tage und Nächte,
nicht in Rauchkammern, oder in Schorſteinen, ſondern über angezündetes Erlenholz hangend geräuchert,
wobey viel Aufmerkſamkeit angewendet wird.

Hackenlächſe ſind Lächſe männlichen Geſchlechts
von drey Jahren, und drüber. Im dritten Jahr
fängt die obere Kinnlade an, ſich mehr zu verlängern,
und gegen die untere einzubeugen. Dieſe Verlängerung und Krümmung wird mit dem Wachſen des Lachſes immer mehr ſichtbar, und formirt endlich einen
Hacken. Wir haben verſchiedene gröſſere und kleinere
Abarten des Lachſes; bey allen findet ſich dieſes unter-
ſcheidende Kennzeichen des männlichen Geſchlechts.

Zu Ende des Auguſt 1789 trieb ein ſtarker N. W.
Wind, der einige Tage anhielt, eine ungewöhnlich
groſſe Menge Lächſe in unſern Dünaſtrom. Der Fang
war daher ſo ſtark, daß ein paar Wochen hindurch
einige tauſend auf den Fiſchmarkt gebracht wurden.
In dieſer Zeit traf ich auf einem Spaziergange am
Strom einige Fiſcher an, die ihr Netz auszogen,
und ſelbſt erſtaunten, da ſie 47 groſſe Lächſe und
2 Tainen fanden: denn die älteſten Fiſcher konnten ſich
eines ſolchen ſtarken Fanges nicht erinnern. Lächſe,
die ſonſt mit drey Thalern bezahlt werden, waren um
dieſe Zeit für einen halben Thaler feil.

Daß der M. W. Wind, der aus der Oſtſee zu uns
kommt, uns dieſe ungeheure Menge zugeführt hatte,
iſt gewiß: woher ſie aber entſtanden, das war jeder-

mann unerklärbar: denn daß sie seit Menschendenken
in der See niß so häufig gewesen, als in diesem Jahr,
erhellet daraus, daß dieser Wind gewöhnlich in eben
der Jahreszeit bey uns länger anhält, und oft heftiger
ist, als er in diesem Jahre war: gleichwol ist der Fang
vorher um vieles nicht so ergiebig gewesen, und die ältesten Leute konnten sich dieser Lachsmenge nicht erinnern. Wahrscheinlich war die anhaltende Hitze des
diesjährigen Frühlings, die von keinen Stürmen unterbrochen wurde, ihrer Brut sehr vortheilhaft.

243) **Lachszunge.** S. Eriox. L. 178. 2. Wulff.
ichth. boruss. 43. Er wird auch grauer Lachs genennet,
russisch **Lossossi**, und scheint eine Abänderung des
vorigen zu seyn. Er hat graue Flecken; das Schwanz-
ende ist ungetheilt.

244) **Forelle, Lachsforelle.** S. Fario. L. 178. 4.
Wulff. ichth. boruss. 44. Trutta dentata, vel nigris
maculis parvis, vel nigris et rubris adspersa, ventre argenteo. Klein de piscib. Miss. V. §. XI. 9.
Tab. V. fig. 3. Bis an den Untertheil des Bauches
ist er mit vielen rothen und schwarzen Flecken und großen Tüpfeln bezeichnet. Der Bauch ist silberfarben
und glänzend. Die Kiefern haben Zähne; der unter-
ste ist etwas länger, als der obere. Im rigischen
Stadtgebiete, wenigstens in der Nähe von Riga, wird
er wenig gefangen, tiefer im Lande aber ist er in verschiedenen Gegenden nicht selten. Man findet sie z. B.
im russischen Bach, lett. Kreew-uppe zuweilen,
häufig aber, und oft von beträchtlicher Größe in den
Gewässern der wendenschen und arraschen Kirchspiele;
im Schwarzbach im oppekallnschen Kirchspiel; im lennewardenschen; im nitauschen Bach, und in andern
Gewässern. Sie liebt solche Wässer, die einen reinen
sandigen oder steinigten Grund haben. Er ist ein zarter

ter beliebter Fiſch. Der letzte nennt ihn **Laſſens,** auch **Libgas,** der Ehſte **Norrias,** und **Hörn.**

245) **Taimen.** S. Trutta. L. 178. 3. lett. **Tai⸗ mini,** auch **Tirſini,** ehſtn. **Taumad.** Eine Art kleine Lachſe, die etwas breiter, auch kleiner iſt, als der gewöhnliche Lachs; der Rücken iſt grau, mit ſchwar⸗ zen eckigten Puncten, mit brauner Einfaſſung be⸗ zeichnet; der Bauch iſt weißlicht. Sie ſind zarter als der Lachs, und werden friſch und geräuchert ver⸗ braucht.

246) **Stint, Stinkfiſch.** S. Eperlanus. L. 178. 13. Trutta dentata dorſo obſcuré cineritio, ventre argenteo, ſquamis defluentibus, cauda bifurcata; odore piſculento ferino. Klein de piſcib. Miſſ. V. §. XI. 11. lett. **Stintes, Sallakas,** ehſtn. **Tint,** ein bekandter Fiſch. Er wird in verſchiedenen Gewäſ⸗ ſern, beſonders in der Stintſee, der er wahrſcheinlich den Namen gegeben hat, und bey Pernau häufig ge⸗ fangen.

247.) **Kleiner Stint , Löffelſtint , kurzer Stint.** S. Albula. L. 178. 16. Wulff. ichth. boruſſ. 47. Trutta edentula tota argentea, ſemidiaphana, plerumque trium, raro quinque unciarum. Klein de piſcib. Miſſ. V. §. XII. Tab. IV. fig. 2. lett. **Stin⸗ tites.** Eine kleine bekandte Stintart, die bey uns ſelten über drey Zoll lang vorkommt. Wegen ihres widrigen Geruchs iſt ſie nicht jedermanns leckerbiſſen; doch iſt ſie dem geringen armen Manne wegen ihrer Menge und ſehr wohlfeilen Preiſes eine große Wohl⸗ that.

248) **Siek, Lavaret, Schnäpel.** S. Lavare⸗ tus. L. 178. 15. Wulff. ichth. boruſſ. 46. Trutta edentula, dorſo ex viridi coeruleo et argenteo re⸗ ſplendente, lateribus carinatis, poſt lineam tota argentea ventre cultellato. Klein de piſcib. Miſſ. V.

§. XI.

§. XI. 13. Tab. VI. fig. 1. lett. **Sihha**, ehstn. **Sieg**, auch **Sta halla**. Sein Rücken ist grünblau und weißgemischt, dabey glänzend; der obere Kiefer ist länger, als der untere. Dieser scheinet der Fisch zu seyn, aus dessen Rogen nach des Rosinus Lentilius Bericht, den er davon in seinen Memorabilib. Curlandiae giebt, vormals in diesen Gegenden ein Caviar gemacht worden, den man wenigstens in Curland häufig gegessen hat. Dieser Fisch wird bey Pernau ziemlich häufig gefangen.

IV. Hechte. Esox. L. gen. 180.

249) **Hecht**, E. Lucius. L. 180. 1. Wulff. ichth. borull. 49. Lucius. Klein de piscib. Miss. V. §. XXXX. Tab. XX. fig. 1. 2. lett. **Lihdehes**, ehstn. **Aug**. Man findet ihn in Flüssen, auch in Landseen, wo er zuweilen zwo Ellen lang gefangen wird. Die in Seen haben etwas härteres Fleisch und eine größere Leber.. In Dörpt, Pernau, und an mehreren Orten; wo sie häufig sind, werden sie an der Luft getrocknet, und verführt. In dem Embach werden sie häufig gefangen, besonders im Frühjahr, wann sie aus dem Peipus in das frische Wasser dieses Baches streichen. Eine kleinere Art, die auch verhältnißmäßig schmaler ist, nennet man **Grasehechte**, **Krummhechte**, ehstn. **Purrikad**. In Teichen bey andern Fischen taugt dieser Raubfisch nicht, weil er auf jede kleinere Fischart Jagd macht. Er laicht im April und May. Herr P. Hupel zeigt in seiner Topogr. 2. Th. S. 465. an, daß aus seinem und des Rebses Rogen ein Caviar gemacht werde, der aber dem russischen nachstehe, ob er gleich angenehmer aussehen soll. Die Zubereitung ist folgende. Man reibt den Rogen mit Salz, so daß er schäumet, läßt ihn hierauf einige

Tage

Tage ſtehen, bis er klar wird, und der Schleim ſich davon abſondert. Einige gießen nach dem Klopfen kochendes Waſſer darauf, ſo lange bis es ohne Schleim aus dem Haarſiebe läuft.

250) **Hornfiſch.** Eſox Bellone. L. 180. 6. Maſtaccembelus mandibulis longiſſimis, tenuibus, acutiſſime denticulatis, quarum inferior antecedit ſuperiorem. Klein de piſcib. Miſſ. IV. ſ. X. 1. Er iſt nach Verhältniß ſeines Körpers ſehr ſchmal, gemeiniglich über einen Fuß lang; ſein Rüſſel iſt ſpitzig, etwa eine Spanne lang; oberhalb iſt er grün; auch ſein Fleiſch und ſeine Gräten ſind grün. Er iſt oft eine Elle lang, da dann ſein Schnabel ſechs Zoll lang, der untere aber um einen halben Zoll länger, als der obere iſt. Im Finſtern phoſphoreſcirt er oft. Er wird in der Oſtſee gefunden, und zuweilen an der Mündung der Düna bey Lachszügen gefangen.

V. **Großkopf.** Mugil. L. gen. 184.

251) **Großkopf, Meeralant.** M. Cephalus. L. 184, 1. Ceſtreus dorſo et repando et ſordide viridi, capite latiore reliquorum capitibus, oculis mucagine tam craſſa infectis, ut palpebram dixeris, lineis lateralibus nigris. Klein de piſcib. Miſſ. IV. ſ. XIV. 1. lett. Alata, auch Steepat. Sein Kopf iſt im Verhältniß gegen den Körper ſehr breit, der Rücken ſchmutzig grün, der Bauch weiß.

VI. **Heringe.** Clupea. L. gen. 188.

252) **Strömling.** Cl. Harengus Membras. L. 188. 1. Faun. ſuec. Nr. 357. β. Wulff. ichth. boruſſ. 50. lett. Renge, auch Strinmalas, ehſtn. Silk. Wulff. ichth. boruſſ. 50. Eine Abänderung
der

der Heringe, doch weit kleiner, als diese. Sie werden im Rigischen, Revalschen, auf der Insel Oesel, und im Pernauischen am Ostseestrande in großer Menge gefangen. Bey Reval, wo man sie vorzüglich gut räuchert, werden die fettesten, bey Pernau aber die größesten gefangen. Sie sind wegen ihrer Menge dem gemeinen Mann eine große Beyhülfe, aber auch wegen ihres zarten Fleisches und angenehmen Geschmacks Begüterten willkommen.

253) **Brätling, Breitling**, Cl. Harengus eximibus squamis facillimeque deciduis. Klein de piscib. Miss. V. p. 73. 7. Tab. IX. fig. 5. Latulus, von einigen Sardella livonica genannt. Sie haben fast die Größe und den Geschmack der Strömlinge, sind aber zarter und fetter. Man verbraucht sie mehrentheils geräuchert.

254) **Külloströmling**, ehstn. **Küllosilkud**, ist eine Abänderung des vorigen, nur kleiner und zarter. Im Herbst werden sie im baltischen Hafen, auch bey Reval und Oesel gefangen, und wie Sardellen angemacht, in Fäßchen verführt, das Fäßchen zu einem Rubel.

VII. Karpfen. Cyprinus. L. gen. 189.

255) **Karpfe**. C. Carpio. L. 189. 2. Leske ichth. Lips. p. 22. 2. Wulff. ichth. boruss. 53. Cyprinus cirrosus; mystacibus duobus juxta angulum superioris labri: supra quos aliae penduae breviores parum conspicuae. Klein de piscib. Miss. V. §. XXXIV. 1. Er wird besonders bey Riga in Fischteichen geheget, dahin er aus Curland gebracht wird. Mit Karpfenteichen würden wir wahrscheinlich eben so gut fortkommen, als die Schweden unter ihrem kältern Himmelsstrich. In den gelehrten Beyträgen zu
den

den rig. Anzeigen fürs Jahr 1763. VIII. St. findet
man eine Anzeige, wie sie auch in Liвland anzulegen
und zu unterhalten sind. Sie lieben reines Waßer,
das auf keinichtem Boden fließt, und frischen Zufluß
hat. Ein schlammigter moderigter Boden, zu welchem gemeiniglich kalte Quellen zu laufen pflegen, zeugt
magere Karpfen. Rohr und Gras zeigen schon einen
schlechten Karpfenteich an. Ihre Laichzeit ist der May
und Junius, zu welcher Zeit den Enten der Zugang
verwehret werden muß, weil sie die junge Brut verschlucken. Der Lette nennt ihn Karpa.

256) **Schleye, Schusterfisch.** C. Tinca.
L. 189. 4. Lesko ichth. Lips. p. 30. 4. Wulff. ichth.
boruss. 55. Brama pinnis circinnatis et cauda atris.
Klein de piscib. Miss. V. §. XXXVI. 6. lett. **Lihnis,**
Line Schleye, ehstn. **Linnesk,** auch **Ringsep.**
Seine Farbe ist dunkelschwarzgelb und graulicht.
Die Schuppen sind zart, fast unmerklich, und mit
einem schleimigten Wesen bedeckt. Das Schwanzen-
de ist ungetheilt. Man hat ihn in stehenden Seen und
Teichen. Er ist ein zarter Fisch, der Liebhaber hat.

257) **Gründling.** C. Gobio. L. 189. 3. Leske
ichth. Lips. p. 263. Enchelyopus squamulis parvis
deciduis, ventre argenteo; dorso nigro maculis va-
rio, mystace simplici ad angulos oris utrinque. Klein
de piscib. Miss. IV. §. XXX. 5. Tab. 15. fig. 3. lett.
Pohps auch **Grundulis.** Sie haben etwa die Größe und fast die Gestalt des Kaulbarschen. Der obere
Kiefer ist länger als der untere; das Maul hat zwo
Bartfasern; der Rücken ist schwarzgefleckt, der Bauch
weiß und silberfarben; auf jeder Seite des Rückens
stehet auf einem verloschenen blauen Streifen eine
Reihe dunkler runder Flecken. Der Fisch ist zart, und
hat fast den Geschmack des Schmerlings.

258) **Ras**

258) Karausche, Karusse. C. Caraßus. L. 189. 5. Leske ichth. Lipſ. p. 78. 18. Wulff. ichth. boruſſ. 54. Cyprinus brevis dorſo repando; coloris ſubaurei, pinnis et dorſo fuſcis. Klein de piſcib. Miſſ. V. §. XXXIV. 4. lett. Karruſcha, ehſtn. Karrus, auch Kokker. Man findet ſie häufig in ſtehenden Gewäſſern, Gräben und Teichen. Bey Reval ſind ſie ſehr groß; die größten aber werden unter dem Gute Falkenau im Ekſchen Kirchſpiel bey Dörpat gefangen. Bey Pernau ſollen ſie gar nicht gefunden werden. Die kleine goldgelbe, ſchmackhafte und zarte Zuckerkaruſſe iſt eine Abänderung von ihr.

259) Elritze. C. Phoxinus. L. 189. 10. Cyprinus ſex digitos longus, capite nigricante. Klein de piſcib. Miſſ. V. §. XXXXVIII. 14. ehſtn. Ervel. Er iſt länglicht, etwas ſchmal und rund. Am Anfange des Schwanzes hat er einen ſchwarzen Flecken. Die Floßfedern ſind an ihrem Anfange hellbraungelb.

260) Bitterfiſchchen. C. Aphya. L. 189. 11. Leske ichth. Lipſ. p. 51. 10. Wulff. amphib. boruſſ. 57. ehſtn. Maimud. Er iſt etwas kleiner als der Stint, hat einen grauen Rücken mit dunkelbraunen Flecken; der obere Kiefer iſt etwas länger als der untere; der Schwanz iſt gabelförmig. Er wird wegen ſeines ſchlechten Geſchmackes nicht geachtet, und nur von geringen Leuten gegeſſen.

261) Weißfiſch, Pliete. C. Alburnus. L. 189. 21. Leske ichth. Lipſ. p. 407. Wulff. ichth. boruſſ. 64. Leuciſcus dorſo ex viridi fuſco, quem ſupra lineam in ventre argenteo, ſquamis tenuibus, cauda cito decreſcente. Klein de piſcib. Miſſ. V. §. XXXVIII. 16. Tab. XVIII. fig. 3. lett. Malle, ehſtn. Walgkalla, ruſſiſch Kalunkan. Ein bekann-
ter

ter kleiner Fisch, etwa einen halben Schuh lang,
silberfarben, länglicht, und am Rücken etwas dick.

262) **Stäbs, Muräne.** C. Muraenula.
Wulff. ichth. boruff. 65. Trutta edentula tota, squamis tenuibus, inferiore mandibula refima. Klein
de piſcib. Miſſ. V. §. XII. 16. Tab. VI. fig. 2. ehſtn.
Rábus, ruſſiſch **Rápuſchka,** eine Heringsart, die
in Landſeen, beſonders in der Peipus, in der marienburgſchen und ſadjerwſchen See bis zur Größe eines
holländiſchen Herings gefangen wird. In Dörpat
ſind ſie ſo häufig, daß man oft das Tauſend für dreyßig bis neunzig Copeken (acht, bis vier und zwanzig
gute Groſchen) verkauft. Sie werden geſotten, auch
geräuchert gegeſſen, da ſie dann wohlſchmeckend ſind.
Nach Riga, wo ſie nicht gefangen werden, werden ſie
im Winter bey Schlittenbahn gebracht.

263) **Rothauge, Radaue.** C. Erythrophthal-
mus. L. 189. 19. lett. **Raudi,** ruſſiſch **Plotwi.**
Ein Fiſch, der häufig iſt, aber nicht von jedermann
geachtet wird, weil er weich, und ſehr grätig iſt.
Seine Floßfedern und ſein Schwanz ſind roth, der
Rücken dunkelgrau; eine ſilberfarbene Linie, die zu beiden Seiten ſtehet, unterſcheidet die weiße Farbe, welche über den ganzen Bauch gehet.

264) **Wemgalle, Weingalle.** C. Vimba.
L. 189. 25. lett. **Wimba,** auch **Sebris,** ehſtn.
Wimb, oder **Wimm,** ruſſiſch **Tarann.** Ein
Fiſch, der in Livland nicht ſelten iſt, und in Flüſſen,
die ſich in die Oſtſee ergießen, auch in ſtehenden Seen
gefangen wird. Die Schnauze iſt faſt wie eine aufge-
worfene Naſe geſtaltet. Seine Größe iſt faſt bis zu
einem Schuh. Er iſt weich, und ſehr grätig, und
wird mehrentheils nur geräuchert verbraucht.

265) **Bráchſen, Breſſem, Flußbrachſen.**
C. Brama. L. 189. 27. Leske ichth. Lipſ. p. 73. 16.

Wulff. ichth. boruff. 66. Brama primo radio pinnae dorſalis ſimplici. Klein de piſcib. Miſſ. V. §. XXXVI. 1. lett. Plaudı, Plaudıs, ehſtn. Lattıkas, ruſſiſch Leſtſch. Ein bekandter Fiſch, der ſo wie der Alant bey uns die Stelle des koſtbaren Karpfen vertritt. Er iſt breit, der Rücken iſt gewölbt, der Bauch unterhalb ganz platt, und der Kopf im Verhältniß gegen den Körper klein und kurz; auf dem Rücken iſt er blaulicht ſchwarz, nach dem Bauche zu blaßgelb und glänzend; die Floßfedern ſind ſchwarzblaulicht. In der Peipus ſind ſie am größeſten und fetteſten, und bis jeßo ſo häufig, daß man oft das Hundert für vier bis ſechs Rubel gekauft hat; ſie ſollen aber jeßo anfangen etwas ſeltener und theurer zu werden.

266) Alant, Dunkarpe. C. Dobula. L. 189. 13. Wulff. ichth. boruſſ. 58. Er unterſcheidet ſich vom Brachſen durch ſeinen breiten, etwas mehr gewölbten Rücken. Von dieſem kenne ich zwo Abarten: Die erſte iſt der eigentliche Dúnkarpen. Er hat weißes und zarteres Fleiſch als der Brachſen, dem er auch vorgezogen wird, und kommt oft dem Karpfen an Geſchmack ganz gleich. Er wird in Flüſſen, beſonders in der Dúna gefunden. Die andere, die, ſo viel ich weiß, bey uns nicht vorkommt, hat gelblichtes Fleiſch, das von ſchlechtem Geſchmack iſt, und dem Magen ſchädlich ſeyn ſoll. Meine Muthmaßung alſo, die ich in dem Zuſaß zur erſten Ausg. S. 373. äußerte, als wenn dieſer Fiſch vielleicht des Hrn. Prof. leßke Alant, den er in ſeiner ichth. Lipſ p. 56. Cyprinus rapax nennet, ſeyn könne, man findet ihn in Flüſſen, die ſich in die Oſtſee ergießen, beſonders in der Dúna.

267) Ziege. C. cultratus. L. 189. 28. Klein de piſcib. Miſſ. V. §. XL. 2. Tab. XX. fig. 3. der ihm einen ſehr langen Namen giebt, den ich nicht abſchreiben mag. S. auch Lınnee Schonſche Reiſe,

deut:

deutsche Uebers. S. 108. wo auch Tab. II. fig. 1.
eine Zeichnung gegeben ist. Der Rücken ist gerade,
der Bauch aber sehr gekrümmet, und abhangend, besonders zwischen den Bauch- und Schwanzfloßfedern,
und dabey etwas scharf; der Schwanz ist gabelförmig.
Ich habe ihn nicht über eine Viertel-Elle lang gefunden. Auch bey uns ist er ein seltener Fisch, der nur
zuweilen aus der Ostsee in die Flüsse steigt, besonders
im Frühling. Russisch heißt er Sabla, auch
Tscheschka.

268) Bleyer. C. Ballerus. L. 189. 31. Wulff,
ichth. coruss. 69. Brama ex plumbeo argentei coloris juxta ventrem dilutioris; pinnis ani et caudae
fuscis, radiis 21. in ani pinna, 11. in dorsali, omni-
bus exitu fibrosis. Klein de piscib. Miss. V.
§. XXXVI. 4. lett. Rudulis, ehstn. Sarg, russisch
Skapa. Seine Farbe ist bley- und silberfarben gemischt; die hintern und die Schwanzfloßfedern sind
dunkelbraun. Er ist breit und hat einen kleinen Kopf.
Von diesem scheint der Alantbleyer, lett. Sapals,
eine Abänderung zu seyn. Da ich ihn selbst nicht gesehen habe: so habe ich keine Beschreibung von ihm
geben können. Die verschiedenen deutschen Namen,
machen, so wie in den übrigen Theilen der Naturgeschichte, also auch bey den Fischen viele Verwirrung.
Fast eine jede Gegend giebt ihren Thieren und Pflanzen
ihre eigenen Namen. Diese Localnamen sind gemeiniglich so verworren, daß oft in einem Lande ein Thier
oder ein Gewächs einen Namen hat, der in andern
Gegenden einem ganz andern Naturproducte gegeben
wird.

Fünfter Abschnitt.

Insecten. Insecta.

I. Mit Flügeldecken. Coleoptra.

I. Käfer. Scarabaeus. L. gen. 189.

Ihre Fühlhörner sind am Ende gespalten, und die Vorderschenkel mit Zähnchen besetzt.

Die letten nennen die Käfer überhaupt Bambals, auch Wabbuls, die Ehsten Pörmkad, auch Sittikad, und Sittik.

269) **Einhörniger Käfer.** Sc. naſicornis. L. 189. 15. Er iſt ſchwärzlich braun. Das Männchen hat ein etwas gekrümmetes Horn auf dem Kopfe; das Weibchen hat nur eine ſpitzige Erhöhung.

270) **Miſtkäfer mittlerer Art.** Sc. fimetarius. L. 189. 32. Dieſer iſt ſchwarz, und hat rothe Flügeldecken. Man findet ihn gemeiniglich in friſchem Miſt.

271) **Rothſteiß.** Sc. haemorrhoidalis. L. 189. 33. Dieſer iſt nur klein, glatt, und von ſchwarzer Farbe; die Flügeldecken haben vertiefte Streifen; der Kopf iſt gerundet, und hat einen erhabenen Rand. Auf Schwammarten und in friſchem Pferdemiſt wird er zuweilen gefunden.

272) **Stinkkäfer, Langſchwänziger Miſtkäfer.** Sc. ſtercorarius. L. 189. 42. Ein größer ſchwar-

schwarzer Käfer, der sich im Pferdemist aufhält. Wenn dieser an Sommerabenden in großen Schaaren und mit starkem Gesumme herumfliegt: so pflegt es einen trockenen Tag zu bedeuten.

273) Dreckkäfer. Sc. conspurcatus. L. 189. 34. Er ist klein und schwarzbraun, zuweilen gar schwarz; das Brustschild ist an den Seiten blaßschwefelfarben; die Flügeldecken sind hellblau, und haben schwarze Puncte. An meinem Exemplare waren deren fünf. –Man findet ihn in frischem Pferdemist.

274) Nackenhorn. Sc. nuchicornis. L. 189. 24. Ein kleines Käferchen, dessen Kopf und Bruststück schwarz, die Flügeldecken grau sind, und schwarze gewölkte Flecken haben. Das Weibchen hat ein geradestehendes Horn im Nacken. Es kommt im Kuhmist zuweilen vor.

275) Silberkäfer, Mehlkäfer. Sc. farinosus. L. 189. 64. Er ist schwarzbraun, mit mattem silberfarbenen Staube bedeckt; die Flügeldecken sind kürzer als der Leib. Man sieht ihn in Gärten und Laubwäldern, doch selten.

276) Großer schwarzbrauner Käfer, Unbestand. Sc. variabilis. L. 189. 79. Mir ist von diesem nur ein einziges Exemplar vorgekommen. Es war etwa zehn Linien lang, matt schwarzbraun; auf den Flügeldecken standen zerstreuete weiße Puncte.

277) Baumkäfer. Sc. Horticola. L. 189. 59. lett. Ohsola Bambals. Sein Kopf und Bruststück sind bläulicht, das übrige schwarz. Man findet ihn auf den Blüthen der Obstbäume, denen die Raupe nachtheilig ist.

278) Maykäfer. Sc. Melolontha. L. 189. 60. Ein großer hellbrauner Käfer, der oft in Sommerabenden in Schaaren herumfliegt. Die Larve ist den Kornwurzeln nachtheilig, und macht oft in manchen Ge-

genden unſere Erndte ſehr zweifelhaft. Man kennt ſie
bey uns unter dem Namen des **Kornwurms.** Der
Verfaſſer der bekandten Schrift: über die freye Aus-
fuhr des Getraides in Betracht Ehſtlandes, giebt
von ihr S. 16. folgende Beſchreibung: Im Julius
und Auguſtmonat des Jahres 1767, folglich in
der Zeit, da man hier den Roggen ſäet, fand
ſich auf den Aeckern eine Art von Würmern,
deren Entſtehung unbekandt iſt. Sie hatten
die Geſtalt der Raupen, vorne am Kopf einen
dunkelbraunen Schild, doch ohne Fühlhörnern,
und kleine Augen. Ihre Farbe war dunkelgrau,
nur hin und wieder auf dem Rücken vermengten
Punctchen. In ihrem Munde, der ſich bey ihrer
Freßbegierde ſehr weit öffnete, bemerkte man
ein paar ſichelförmige hornartige braune Zähne,
mit denen ſie das Roggengras dicht an der Wurzel abſchnitten, und es gleich umſtürzten. Sie
hatten ſieben Paar Füße, davon die beiden vor-
derſten dicht unter dem Munde zwar kürzer,
aber doch ſo ſpitzig waren, wie die andern; dagegen die beiden letztern ganz ſtumpf und tatzen-
förmig waren. Der übrige Bau ihres Körpers
beſtund in ſieben an einander gefügten Annular-
gliedern, über welchen queer einige lange gerade
Fibern vom Kopfe bis an die ſehr kleingeſpalte-
ne Extremität lagen. — S. 17. Dieſe Inſecten
waren anfangs klein, wuchſen aber, je mehr ſie
Nahrung fanden, bis zur Größe eines Seiden-
wurms, deſſen Verwandlung nahe iſt. Man
ſahe ſie bis zum Eintritt der ſtrengen Kälte auf
den Aeckern; ob ſie gleich bey mehrerer Wärme
und hellem Sonnenſchein munterer waren.
Man fand ſie im Frühling nicht wieder: aber
im Julius erblickte man die junge Brut von ver-

ſchie-

schiedener Größe, ohne daß man die Alten, die
im vorigen Jahre die Größe eines Stadenwurms
erhalten hatten, wiedersahe. Diese Beschreibung
weicht merklich von der ab, die Rösel von der Larve
des Maykäfers giebt; aber wahrscheinlich hat der vorangezeigte Verfasser die Raupen nur im ersten Jahre,
da sie sich noch nicht gehäutet hatten, und nicht in
ihrer Vollkommenheit gesehen, die sie erst im dritten
Jahr bekommen, da sie sich zur Verwandlung anschi-
cken. Man sahe die Alten im Frühling nicht
wieder. Diese hatten sich vielleicht schon verpuppt,
und waren also unter der Erde verborgen, oder welches wahrscheinlicher ist, waren bereits in Käfer verwandelt, hatten Eyer gelegt, aus welchen die junge
Brut im Junius hervorkam. S. 17. u. f. wird angezeigt, daß diese Maden in einigen Jahren im Revalschen durch ihre unbeschreibliche Freßbegierde dem Roggen besonders, nachher auch der Gerste, auch auf einigen Wiesen, dem Grasewuchs großen Schaden gethan haben.

Der Ehste nennet den Kornwurm Orasse Aja.
S. auch von ihm Hupels Topogr. 2. Th. S. 458. Daß
die Krähen sie zu ihrer Nahrung aufsuchen, findet
man auch in der 484. Nr. der Philosophical Transactions. Auch in Livland will man dieses bemerket
haben, wie man im 2ten Th. der Topogr. S. 443.
findet, und wie ich es bereits oben bey der Krähe angemerkt habe. Der Käfer ist den wällschen Hühnern
ein Leckerbissen. Frisch nennet ihn den Junuskäfer,
Weinblattskäfer. S. Inf. 4. Th. XV.

279) Streifer. Sc. erraticus. L. 189. 29.
Ein schwarzer Käfer, etwa so groß, wie die Stubenfliege; man findet ihn hin und wieder.

280) Gräber. Sc. fossor. L. 189. 31. Er ist
glänzend schwarz, und hat drey Höcker auf dem Rü-

cken.

cken. Seine Größe ist, wie an einer großen Fliege.
Man trifft ihn im Mist und schwarzer Erde an, wo
er sich geschwinde einzugraben weiß.

281) **Bandirter Käfer.** Sc. fasciatus. L. 189.
70. Er ist etwas größer, wie der Gräber. Der ganze Körper ist wollicht, am mehresten der Kopf und das
Brußstück; die Flügeldecken sind schwärzlicht, und haben zween zimmetfarbene Queerstreifen, von welchen
der obere gegen den Leib zu, gekrümmet ist, und sich
durch einen in die Länge fortgesetzten Strich mit dem
andern verbindet. Er kommt auf der Syrene und andern Gewächsen vor.

282) **Juniuskäfer.** Sc. solstitialis. L. 189. 61.
Ein blaßrother Käfer mit drey Streifen auf den Flügeldecken. Sein Aufenthalt sind die Bäume, besonders die Linde.

283) **Goldkäfer.** Sc. auratus. L. 189. 78.
Seine Farbe ist zeisiggrün und glänzend. Er sucht seine Nahrung auf verschiedenen Gewächsen.

284) **Frühlingskäfer.** Sc. vernalis. L. 189.
43. Ein schwarzblauer Käfer, den man zur Frühlings-
zeit häufig im Mist findet. Eine Abänderung davon
ist dunkelgrün; beide haben ihre Farben durchgehends.
Ihre Länge beträgt etwa einen Zoll; die Breite halb
so viel.

285) **Goldkäfer, zwote Art, Edelmann.**
Sc. nobilis. L. 189. 81. Dieser Käfer ist von kupfer-
grüner Farbe, ohne Glanz, und hat runzlichte Flügeldecken. Die Raupe hält sich in faulem Holz auf,
der Käfer auf den Bäumen in Laubwäldern; doch
kommt er in unsern Gegenden eben nicht oft vor.

II. **Feuerschröter.** Lucanus. L. gen. 190.

Sie unterscheiden sich von den übrigen Käferarten
durch ihre lange hervorgestreckte gezähnelte Kiefern,
welche

welche bey etlichen Arten die Gestalt eines Hirsch-
geweihes haben.

286) Fliegender Hirsch, großer Feuerschröter, gehörnter Schröter. L. Cervus. L. 190. 1.
Röf. Inf. 2. Th. Erdk. 1. Kl. 5. T. Sulz. Inf.
1. Kl. 1. T: 4. Fig. Dieses ist der größte Käfer, den
wir in unsern Gegenden finden. Der Kopf und das
Bruststück sind schwarz; die Flügeldecken sind dunkel-
castanienbraun. Er hat ausgestreckte, am Ende mit
Zacken, in der Mitte mit einem Dorn versehene
Kinnbacken, welche einige Gleichheit mit einem Hirsch-
geweihe haben, von brauner Farbe. Seine länge beträgt über drey Zoll, von welcher die Geweihe vollkommen ein Drittel ausmachen. Im Fliegen machen diese
Käfer ein gewaltiges Gesumme. Sie halten sich in
faulem Holze auf. In unsern Gegenden scheinen sie
selten zu seyn: denn ich habe nur drey Exemplare angetroffen, von welchen eines kleiner war, welches ich
für das Weibchen halte.

III. Kleinkäfer. Dermestes. L. gen. 191.

Dieses Geschlecht hat Fühlhörner, die in die
Queere blättericht sind, und einen Kopf, der unter
dem Brustschilde verborgen ist.

287) Speckkäfer, Kleinkäfer. D. lardarius.
L. 191. 1. Er ist so groß, wie die gemeine Fliege; die
vordere Hälfte der Flügeldecken ist grau, mit drey
schwarzen Puncten, das übrige ist schwarz. Die larve wird oft in alten Papieren gefunden, die sie ganz
verwüstet.

288) Violfarbener Kleinkäfer. D. violaceus.
L. 191. 13. Er ist sehr klein, schwarzbraun, und hat
ein haarigtes Brustschild. Man trifft ihn gemeiniglich in Schwammarten und in frischem Pferdemist an.

289) **Mäusefarbener Kleinkäfer, Mäuse-**
käferchen. D. murinus. L. 191. 18. Er ist schwarz,
mit grauen Flecken gewölkt, und wollicht. Man findet
ihn in Aesern.

290) **Kleinkäfer im Unrath, Unrathskäfer-**
chen, Schwarzkopf. D. melanocephalus. L. 191,
16. Ein sehr kleines Käferchen mit grauen Flügeldecken
und braunen Füßen, übrigens schwarz. Man trifft
es in allerley Unrath an.

291) **Kleinkäfer des Pelzwerks, Kürschner.**
D. Pellio. L. 191. 4. Frisch. Ins. 5. Th. S. 22.
T. 8. Fig. 6. Ein kleiner ovalrunder Käfer von schwarzer
Farbe, der auf jeder Flügeldecke und am Rückenschilde
ein weißes Tüpflein hat; die übrigen Fleckchen, welche
in der Faun. svec. Nr. 411. angegeben werden, habe
ich bey unserm Käfer nicht bemerkt. Die Motte hält
sich in wollenem Zeuge, Pelzwerk und in hölzernen
Wandritzen auf. Wohlriechende Sachen sollen sie
vertreiben.

292) **Kleinkäfer der Fichten. Buchdrucker.**
D. typographus. L. 191. 7. Ein kleines erdfarbenes
oder braunes Käferchen, ist etwas haaricht, hat ge-
streifte, und gleichsam benagte und gezähnte Flügeldecken. Es hält sich an Fichtenstämmen und an Zim-
merholz auf, wo es buchstabenähnliche Furchen macht,
und ein zartes Wurmmehl zurückläßt. Es verursacht
an den Fichten großen Schaden.

IV. Bohrkäfer. Ptinus. L. gen. 192.

Die Käfer dieses Geschlechts haben fadenförmige
Fühlhörner, deren letzte Gelenke länger sind, als die
übrigen; der Kopf ist unter dem Bruststück verborgen.

293) **Holzbohrkäfer.** Pt. pertinax. L. 192. 2.
Er ist etwa dreymal so groß, als der Stechfloh, länglicht

licht und rußfarben. Als Made nimmt er seinen Aufenthalt in hölzernem Hausgeräthe, als Stühlen,
Schränken und dergleichen, die er durchbohret.

294) Diebischer Bohrkäfer, Kräuterdieb.
Pt. fur. L. 192. 5. Der Käfer ist klein und hellbraun;
seine Fühlhörner sind fast so lang als der Körper.
Fueßly's Magaz. d. Entomol. 2 B. 2 St. S.
126. u. f. wo aus Meinekens entomologischen Beobachtungen eine ausführliche Beschreibung dieses Insects
geliefert wird. Den Naturaliensammlern ist die Larve
dieses Käfers verhaßt; sie durchbohrt die Kräuter-
sammlungen, Insecten, ausgestopfte Vögel, Felle
und allerley Hausrath; nichts scheint ihr zu hart zu
seyn. Alle Mittel, die man bisher versucht hat, sie zu
vertreiben, sind vergebens gewesen; selbst an die bit-
tersten Sachen scheint sie sich zu gewöhnen; denn ich
habe sie durch Coloquinten nicht abhalten können. Nach
neuern Bemerkungen sollen mineralische Salze, als
Alaun, Salpeter, und das sogenannte Arcanum
duplicatum, das beste Mittel wider ihn seyn, wenn es
unter den Leim oder Kleister gemischt wird. S. Fueßly's neues Magaz. d. Entomol. 2 B. 1 St.
S. 98.

V. Wollenkäfer. Byrrhus. L. gen. 195.

Diese Käfer haben Fühlhörner, welche keulenförmig, dabey etwas zusammengedruckt sind.

295) Wollenkäfer der Braunwurz. B. scro-
phulariae. L. 195. 1. Er ist eyrund; das Bruststück ist verhältnißmäßig breit und etwas gewölbt. Die
Flügeldecken sind schwärzlich und weiß gesprengt, allenthalben roth gesäumt. Er kommt auf verschiedenen schirmförmigen Pflanzen vor.

VI.

VI. Todtengräber. Silpha. L. gen. 196.

Die Fühlhörner an den Käfern dieses Geschlechts haben verdickte Spitzen; das Bruststück ist gesäumt.

296) **Vierfleckigter Todtengräber.** S. quadripustulata. L. 196. 5. Ein länglichtes schwarzes Käferchen mit zween pomeranzenfarbenen viereckigten Flecken auf jeder Flügeldecke. Man findet sie in faulem Holz.

297) **Dunkler Todtengräber, Tuchtrauer.** S. obscura. L. 196. 18. Er ist nicht groß, eyrund, von schwarzer Farbe; die Flügeldecken haben vertiefte Puncte mit drey etwas unmerklichen Streifen; das Brustschild ist vorneher abgestumpft, nach hintenzu abgerundet. Ich habe ihn einmal im Haberfelde angetroffen.

298) **Rostfarbner Todtengräber.** S. ferruginea. L. 196. 19. Ein kleines dunkelrostfarbenes Käferchen, mit zartgestreiften Flügeldecken und Brustschilde.

299) **Eigentlicher Todtengräber.** S. Vespillo. L. 196. 2. Röf. Inf. 4. Th. 1 T. 1. 2. 3. Fig. Ein länglichter schwarzer Käfer mit zween hellbraunen, fast pomeranzenfarbenen ausgezackten Queerstrichen von ungleicher Breite. Sie halten sich in der Damm- und Gartenerde auf, wo sie kleine Aeser, als Mäuse, ganz junge Küchlein, Frösche und dergl. aufsuchen, die sie zu ihrer Nahrung verscharren. Betrachtungswerth ist die Stärke und Emsigkeit, mit welcher ein so kleines Insect weit größere Thiere in einem Tage unter die Erde bringt. Er wird gewöhnlich der Biesamkäfer genennet.

300) **Sandgräber.** S. sabulosa. L. 196. 17. Er ist braun, und an beiden Seiten sind die Flügeldecken

decken durch drey erhabene Streifen stumpf-gezähnelt.
In dürrem sandigen Boden.

301) **Kleinster Todtengräber, Zwergkäfer,
Saamenkorn.** S. Seminulum. L. 196. 8. Ein kleines schwarzglänzendes Käferchen, das sich gerne in
faulem Wasser aufhält.

302) **Wassertodtengräber, Wasserkäfer,
Wasserpatscher.** S. aquatica. L. 196. 25. Ein
dunkelgrauer Käfer mit grünlichtem gerunzelten Brustschilde. Er ist etwa so groß wie eine Wanze, und
hält sich an Gewässern auf.

303) **Ufertodtengräber, Uferkäfer.** S. littoralis. L. 196. 11. Ein mattschwarzer Käfer, etwa
so groß, wie eine mittelmäßige Fliege; man findet sie
an Flußufern, im Moose, und Unrath.

VII. Schildkäfer. Caffida. L. gen. 197.

Die Unterscheidungszeichen dieser Käfer sind:
Fühlhörner, die fast fadenförmig, nach außen zu aber
etwas dicker sind; gerändete Flügeldecken; der Kopf
ist unter dem Brustschilde verborgen.

304) **Grüner Schildkäfer, Grünschild.**
C. viridis. L. 197. 1. Er ist von mittlerer Größe,
von oben grün, von unten schwarz.

305) **Distelkäfer.** C. nebulosa. L. 197. 3.
Goed. infect. ed. Listeri p. 287. Er ist klein, eyför-
mig, braunroth gewölbt, mit schwarzen Fleckchen.
Auf verschiedenen Gewächsen.

VIII. Sonnenkäfer. Coccinella. L. gen. 198.

Diese Käfer haben Fühlhörner, die am Ende
stumpf und dick sind, und einen runden Körper. Die

Arten

Arten unterscheidet man nach dem Grunde der Farben, auf welchen die Puncte oder Flecken stehen, und nach der Zahl der letzteren.

306) **Sonnenkäfer mit zween Puncten.** Zweypunct.   C. bipunctata. L. 198. 7.   Ein kleiner Käfer mit rothen Flügeldecken, auf deren jedem ein schwarzer Punct stehet.   Man findet ihn auf verschiedenen Bäumen, besonders auf Erlen, wo er sich von Pflanzenläusen nährt.

307) **Sonnenkäfer mit vier Puncten.** Vierpunct.   C. 4punctata. L. 198. 9.   Er hat gelbe Flügeldecken; am Rande und in der Mitten hat jede derselben einen schwarzen Punct; unterhalb ist er schwarz.

308) **Sonnenkäfer mit fünf Puncten.** Fünfpunct.   C. quinquepunctata. L. 198. 11. Seine Flügeldecken sind roth, und haben fünf schwarze Puncte, von welchen das in der Mitten, wo die Decken zusammenschließen, das größte ist, die übrigen vier aber weit kleiner sind.   Diese Beschreibung trifft nicht völlig mit der linneischen überein, wie man aus der Vergleichung sehen wird.   Man wird hin und wieder bey meinen Insectenbeschreibungen mehrere Abweichungen finden, die vielleicht von dem Unterscheid des Clima, oder der Nahrung veranlasset sind.   Auf Kirschbäumen.

309) **Sonnenkäfer mit sieben Puncten.** Siebenpunct.   C. septempunctata. L. 198. 15. Dieses Käferchen ist eyrund, und hat einen schwarzen Kopf und weiße Puncte; die rothen Flügeldecken haben jeder zween schwarze Puncte, und einer steht an dem Gelenke des Schildes.   Er kommt auf verschiedenen Pflanzen vor.

310) **Sonnenkäfer mit neun Puncten.**
Neunpunct. C. novempunctata. L. 198. 16.
Man nennet ihn auch den Wacholderwurm; die
Letten nennen ihn Magenmuſch, oder Mahgetmiſch.
Er hat rothe Flügeldecken mit neun ſchwarzen Punc-
ten. Man findet ihn auf Wacholderſträuchen, auch
in Gärten, auf verſchiedenen Pflanzen.

311) **Sonnenkäfer mit zehn Puncten.**
Zehnpunct. C. decempunctata. L. 198. 17. Er
hat gelbbraune Flügeldecken mit ſchwarzen Flecken oder
Puncten. Sie wird auf verſchiedenen Pflanzen gefunden.

312) **Sonnenkäfer mit vierzehn Puncten.**
Vierzehnpunct. C. quatuordecimpunctata. L. 198.
21. Er iſt einer der kleinſten dieſes Geſchlechts.
Seine Flügeldecken ſind blaßgelb und haben vierzehn
ſchwarze Puncte. In der Faun. ſvec. No. 482. wird
ein vierlappiger ſchwarzer Flecken auf dem Bruſtſchilde
angegeben; an unſerm Exemplar aber waren hinten
auf dem Bruſtſchilde drey ſchwarze Puncte, welche
faſt wie ein Kleeblatt zuſammengefloſſen waren. Ich
fand ihn auf der Linde.

313) **Sonnenkäfer mit vierzehn tropfenar-
tigen Puncten. Vierzehntropf. Weidenkäfer.**
C. quatuordecimguttata. L. 198. 34. Er hat feuer-
rothe Flügeldecken und auf jeder ſieben weiße Puncte,
welche in unterſchiedenen Queerreihen ſtehen, als
1. 3. 2. 1. wie auch in der Faun. ſvec. No. 492. angezeiget iſt. Er nährt ſich auf einigen Weidenarten.

314) **Sonnenkäfer mit vier Flecken. Vier-
fleck.** C. quadripuſtulata. L. 198. 43. Er iſt nur
klein, und unterſcheidet ſich von den übrigen durch vier
rothe Flecken, die auf einem ſchwarzen glänzenden
Grunde ſtehen. Auf der Himbeere; doch ſelten und
einzeln.

315)

315) Sonnenkäfer mit sechs Flecken. Sechsfleck. C. sexpustulata. L. 198. 44. Der Kopf, das Bruststück und die Flügeldecke sind schwarz und glänzend; auf jeder Flügeldecke stehen drey rothe Flecken, von welchen die, welche an das Bruststück stoßen, die größten, die aber, welche an der äußersten Spitze stehen, die kleinsten sind. Ich habe ihn einmal auf der Löhne angetroffen.

316) Sonnenkäfer mit zehn Flecken. Zehnfleck. C. decempustulata. L. 198. 45. Ein Käfer mit schwarzen Flügeldecken, auf welchen zehn feuerfarbene Flecken stehen. Er ist nur klein, und wird im Grase gefunden.

317) Gefleckter Sonnenkäfer, Panther. C. pantherina. L. 198. 48. Seine Flügeldecken sind schwarz und haben acht gelbe Flecken, von welchen einige in einander geflossen sind. In Küchengärten; doch selten.

IX. Goldhähnlein. Chrysomela. L. gen. 199.

Ihr Körper ist länglicht rund, wenigstens an den mehresten Arten; die Flügeldecken haben keinen Saum.

318) Kupferfarbenes Goldhähnlein, Kupferhähnlein. Chr. aenea. L. 199. 8. Ein kleiner Käfer von grüner glänzender Kupferfarbe, der auf Erlen vorkommt.

319) Goldhähnlein mit rothen Flügeln, Rothflügel. Chr. haemoptera. L. 199. 11. Ein kleines Käferchen, kaum so groß wie eine Stubenfliege; seine Farbe ist glänzend fahlblau; es hat rothe Flügel. Man findet ihn auf Fichtenbäumen.

320) **Braunes Goldhähnlein, Pimpernüß,**
chen. Chr. ſtaphylaea. L. 199. 6. Der Ritter v.
Linnee hat ihm den lateiniſchen Namen, wegen der
großen Gleichheit ſeiner Farbe mit dem Pimpernußſaa,
men, die dunkel erdfarben, faſt caſtanienbraun iſt,
gegeben. Faun. ſvec. ed. II. No. 518. Dieſe Farbe
hat es durchgehends, und iſt dabey glänzend. Seine
Größe iſt mittelmäßig. Ich fand einmal ein paar in
einem faulen Weidenbaum, unter welchen eines,
wahrſcheinlich das Weibchen, kleiner als das an,
dere war.

321) **Goldhähnlein der Weiden, Wei,**
denhähnlein. Chr. viminalis. L. 199. 31. Der Kopf
und der ganze untere Theil des Körpers ſind ſchwarz;
die Flügeldecken ſind roth; das Bruſtſchild iſt auch roth,
und hat zween glänzende kupferrothe Flecken nächſt an
den Flügeldecken, die man jedoch mit unbewaffneten
Augen nicht leicht erkennet. Auf Weidenbäumen.

322) **Goldhähnlein der Schwämme,**
Schwammhähnlein. Chr. boleti. L. 199. 36.
Dieſer kleine Käfer hat einen rundgebogenen Körper.
Seine Farbe iſt ſchwarz; jede Flügeldecke hat zween
pomeranzenfarbene geſchlungene, oder vielmehr ge,
zackte Queerbänder; ganz am äußern Ende ſtehet ein
kleiner Flecken von eben der Farbe. Man findet ihn
in Baumſchwämmen.

323) **Dotterhähnlein, Dotterkäfer.** Chr.
vitellina. L. 199. 33. Dieſer iſt gleichfalls nur klein.
Seine Farbe iſt glänzendblau ins Grüne ſpielend. Er
kommt auf einigen Weidenarten vor.

324) **Goldhähnlein mit bandirtem Bruſt,**
ſtück. Chr. collaris. L. 199. 37. Die Flügeldecken
ſind ſtahlblau und glänzend, ſo wie das Bruſtſchild,
welches auf beiden Seiten eine rothe Einfaſſung hat.
Auf verſchiedenen Weidenarten.

325) Gesäumtes Hähnlein, Saumflügel.
Chr. marginata. L. 199. 39. Auf den Flügeldecken
hat er eine Erdfarbe mit einem metallischen Glanz;
die Farbe des Bruststücks spielt aus dem Blauen ins
Kupferfarbene. Auf verschiedenen Gesträuchen.

326) Erdhähnlein, Erdfloh. Chr. olera-
cea. L. 199. 51. Dieser kleine springende Blattkäfer
hat eine blaue, ins Grüne spielende Farbe, und findet
sich häufig und zu großem Verdruß der Gärtner im
Frühling in Küchengärten ein, und vernichtet die jungen Blätter verschiedener Küchengewächse, und oft
selbst die Pflanzen gänzlich. Gleichwol ist er mir bey
seiner Menge in der vorigen Ausgabe enthüpft. Ihre
Larven sollen sich nicht in der Erde aufhalten, sondern
zwischen den Rinden der Tannen, und anderer Bäume.
S. Aug. Chr. Kühns Anecdoten zur Insectengesch. im
VI. St. des Naturf. IV. Hier werden auch ein paar
Methoden zu ihrer Vertilgung angegeben, die sich aber
in großen Gärten und auf Feldern wol nicht anbrin-
gen lassen. Ehstnisch heißt er Puttokas, lettisch
Spradschi.

327) Seidenhähnlein. Chr. sericea. L. 199.
86. Ein ganz kleiner grasgrüner, wie Seide glänzender länglichter Käfer, auf dessen Flügeldecken fast
unsichtbare in einander laufende Pünctchen stehen; daher diese auch weniger glänzen, als das glatte Bruststück und der Kopf. Auf Weiden und Löhnen.

328) Lilienhähnlein. Chr. merdigera. L.
199. 97. Ein kleiner Käfer, welcher oben von blasser
braunrother Farbe, unterhalb schwarz ist, bis auf die
Füße, die auch bräunlich sind; die Fühlhörner sind
schwarz. Die Larve findet man am öftersten auf der
Lilienconvallie.

329) **Schwarzes Goldhähnlein, schwarzer Goldkäfer.** Chr. goettingensis. L. 199. 4. Ein glatter eyrunder Käfer mittlerer Größe, von schwarzblauer glänzender Farbe, mit violfarbenen glänzenden Füßen; man findet ihn zuweilen auf trockenen Grasplätzen.

330) **Goldhähnlein des Buchweizens, Buchweizenhähnlein.** Chr. Helxine. L. 199. 58. Ein kleiner kupfergrünfarbener Käfer mit braunem Kopf und erdfarbenen Füßen.

331) **Punctirtes Goldhähnlein, Gelenkpunct.** Chr. sexpunctata. L. 199. 92. Ein länglichtes Hähnlein mit rothen Flügeldecken, auf deren jeder drey schwarze Flecken stehen. Das Brustschild ist roth, und hat zween schwarze Flecken, und am hintern Rande eine schwarze Einfassung.

332) **Schwarzfüßiges Goldhähnlein.** Chr. melanopus. L. 199. 105. Ein länglichtes Hähnlein mit blauglänzenden Flügeldecken, und rothem Bruststück und Füßen.

333) **Goldhähnlein der Erle, Erlenfreßer.** Chr. alni. L. 199. 9. Frisch. Inf. 7 Th. S. 13. T. 8. Er ist eyförmig und violfarben; der Kopf und das Bruststück sind unterhalb schwarz. Diese Farbe haben auch die Fühlhörner und Füße. In Erlenwäldern findet man ihn häufig genug.

334) **Goldhähnlein des Meerrettigs, Meerrettignager.** Chr. armoraciae. L. 199. 16. Ein kleines Käferchen, etwas größer als ein Hanfkorn. Seine Farbe ist blau, und spielt etwas ins Grüne, und glänzet wie Metall. Es soll sich auf dem Meerrettig aufhalten, ich habe es aber nur auf der Brennnessel gefunden.

335) **Blaues Goldhähnlein, Blauflügel.**
Chr. vulgatissima. L. 199. 22. Ein länglicht runder
platter Käfer von blauer glänzender Farbe. Man findet ihn fast in allen Wäldern.

X. Rüsselkäfer. Curculio. L. gen. 202.

Die Käfer dieses Geschlechts haben Fühlhörner,
die auf einem hornartigen Rüssel sitzen.

336) **Grüner Rüsselkäfer, Grünrüssel.** C.
viridis. L. 202. 76. Ein länglichter Käfer mit kurzem Rüssel; oberhalb ist er dunkelgrasgrün, unterhalb
hell zeisiggrün.

337) **Rüsselkäfer der Kirschen, Kirsch-
Käfer.** C. cerasi. L. 202. 11. Ein ganz kleiner
mattschwarzer Käfer mit einem langen Rüssel; zuweilen findet man ihn auf den Blättern der Kirschbäume.

338) **Rüsselkäfer des Getreides, Kornwurm.** C. frumentarius. L. 202. 15. Ein blutro-
thes Käferchen mit langem Rüssel, etwa doppelt so
groß, wie ein Floh, hält sich in Kornbehältnissen auf,
und thut oft vielen Schaden.

339) **Lähmender Rüsselkäfer, Lähmer.**
C. paraplecticus. L. 202. 34. Ein Käfer mit einem
langen Rüssel und schmalen Körper; die Flügeldecken
gehen spitzig zu, und sind so wie das Bruststück und
der Kopf dunkel erdfarben, und haaricht, oder wollicht; unterhalb ist er schmutzig grau. Man findet die
Larve im Pferdesaamen (Phellandrium aquaticum),
doch nur selten.

340) **Silbergrauer Rüsselkäfer.** C. argen-
tatus. L. 202. 72. Ein kleines schmales Käferchen
von glänzender grünen, ins Silberfarbene spielenden
Farbe, das man auf verschiedenen Bäumen und Pflanzen findet.

341) **Nebeligter Rüſſelkäfer, Wollen⸗
decke.** C. nebuloſus. L. 202. 84. Ein Käfer mit
kurzem Rüſſel. Er iſt ſchwarzer und aſchgrauer, ver⸗
ſchiedentlich gezeichneter Farbe.

342) **Rüſſelkäfer der Fichten, Fichtenkäfer.**
C. Pini. L. 202. 19. Ein ſchwarzbrauner Käfer mit
gewölkten grauen Flecken. Er iſt etwa einen halben
Zoll lang, und wird an Fichtenſtämmen gefunden.

343) **Rüſſelkäfer der Eichen, Eichenkäfer.**
C. Quercus. L. 202. 25. Ein ganz kleines Käferchen
von blaßgelber Farbe; auf Eichenlaube.

344) **Rüſſelkäfer der Obſtbäume, Obſt⸗
käfer.** C. pomorum, L. 202. 46. Er iſt klein, und
grau gewölkt. Die Raupe verwandelt ſich in der
Apfelblüthe, daher man ihn ſonſt auch den Apfelſchä⸗
ler zu nennen pfleget.

345) **Rüſſelkäfer der Nüſſe, Nußkäfer.**
C. nucum. L. 202. 52. Ein kleiner gelbbrauner Kä⸗
fer mit einem langen Rüſſel. Die Made nährt ſich
in Nüſſen.

346) **Grauer Rüſſelkäfer, Stumpfdecke.**
C. incanus. L. 202. 81. Ein kleiner länglicht runder
aſchgrauer Käfer, mit weißen Puncten und Streifen.
Man findet ihn auf verſchiedenen Gewächſen.

347) **Deutſcher Rüſſelkäfer.** C. germanus.
L. 202. 58. Ein ziemlich großer länglicht runder
Rüſſelkäfer. Er iſt ſchwärzlich, und hat kleine erdfar⸗
bene Fleckchen. Man findet ihn nur ſparſam.

348) **Rüſſelkäfer mit gefurchtem Rüſſel,
Rinnennaſe.** C. ſulciroſtris. L. 202. 85. Der
Rüſſel hat die länge hinab drey Furchen; die Flügel⸗
decken ſind weißgrau, und haben ſchiefe ſchwärzliche
Queerbinden.

XI. Heuschreckkäfer. Attelabus. L.
gen. 203.

An den Käfern dieses Geschlechts ist der Kopf nach hinten zu dünner; die Flügeldecken werden nach der Spitze zu immer dicker.

349) **Schwärzer Heuschreckkäfer, Rollendreher.** A. coryli. L. 203. 1. Oft siehet man die Blätter der Haselnußstaude zusammengerollt. In diesen Rollen verwandelt sich die Made dieses Käfers. Er ist schwarz, und hat rothe getüpfelte Flügeldecken.

350) **Heuschreckkäfer der Birken, Blattkräusler.** A. betulae. L. 203. 7. Ein schwarzblauer springender Käfer, dessen Made sich in den gekräuselten Blättern der Birke verwandelt.

351) **Weicher Heuschreckkäfer, Sammetrock.** A. mollis. L. 203. 11. Er ist grau, wollicht, und so sfanft und zart wie Sammet anzufühlen. Ueber die Flügeldecken gehen drey blasse, fast weiße Queerbinden, eine an der Spitze, eine in der Mitten, und eine an der Wurzel derselben. Man findet ihn in Wäldern.

XII. Bockkäfer. Cerambyx. L. gen. 204.

Das Bruststück dieser Käfer hat an beiden Seiten höckerichte Erhöhungen. Die mehresten Arten haben krummgebogene Fühlhörner, die sie über den Rücken zusammenschlagen.

352) **Schwarzer Bockkäfer, Pechbock.** Cer. depsarius. L. 204. 12. Er ist glänzend schwarz, und hat kurze rothe Fühlhörner.

353) **Tannenbockkäfer.** Cer. nebulosus. L. 204. 29. Ein dornichter Käfer mit grauem Brustschilde und bogenförmigen Fühlhörnern, die länger
sind

sind als der Körper. Er findet sich an Fichtenstämmen.

354) Biesambockkäfer, Biesamböcklein.
Cer. moschatus. L. 204. 34. Er ist ziemlich groß,
länglicht rund, und hat schwarz getüpfelte Flügeldecken,
durch welche ein glänzendes Grün hervorspielt, so daß
die schwarze Farbe die grüne Grundfarbe zu bedecken
scheint; denn je mehr man die Flügeldecken reibt, desto
mehr kommt die grüne Farbe zum Vorschein; unterhalb ist er von blauer mit Grün vermischter Farbe, die
einen metallischen Glanz hat; das Bruststück hat auf
jeder Seite einen Dorn, und neben demselben einige
Höcker; die Füße sind glänzend grün. Er hat einen
angenehmen Geruch. Man findet ihn auf Weidenbäumen, doch nur sparsam.

355) Grauer Bockkäfer, Schreiner. Cer.
aedilis. L. 204. 37. Er hat ein dornichtes Bruststück
mit vier gelben Puncten, und Fühlhörner, die fünfmal so lang sind, als der Körper. Man findet ihn
einzeln an verschiedenen Baumstämmen, zuweilen auch
in Häusern in hölzernen Wandritzen.

356) Gewölkter Bockkäfer, Stänkerer.
Cer. Inquisitor. L. 204. 49. Er hat ein dornichtes
Brustschild; die Flügeldecken sind aschgrau, und haben
dunkelerdfarbene Wolken oder Flecken, die hin und wieder zerstreuet stehen; die Flügeldecken sind etwa halb
so lang, als der Körper. In Wäldern an verschiedenen
Orten.

357) Hundebockkäfer. C. Carcharias. L.
204. 52. Goed. inf. ed. Listeri fig. 106. Er ist
graubraun, mit wollichtem Wesen bedeckt; auf jeder
Flügeldecke stehen zwo Reihen schwarzer Puncte. Man
findet ihn in Erlenwäldern.

358) Runder Bockkäfer, Rolle. Cer. cy-
lindricus. L. 204. 59. Röf. Inf. 2 Th. Scar. II.

Cl. T. 3. Fig. 6. 7.   Ein schmaler Käfer von schwacher Farbe, etwa vier Linien lang. Ueber die Flügeldecken sowol, als über das Brustschild gehen graue Streifen. Man findet ihn zuweilen in niedrigen Gebüschen an Baumästen.

359) **Finnischer Bockkäfer.** Cer. fennicus. L. 204. 77.   Das Bruststück ist flach, von schwarzer Farbe, und hat kleine, fast unmerkliche blaßrostfarbene Höcker. Die Flügeldecken sind dunkelviolfarben, fast schwarzblau.

360) **Rother Bockkäfer, Blutbock.** Cer. sanguinarius. L. 204. 80.   Er ist schwarz, und hat rothe Flügeldecken.

XIII. Weicher Holzbock. Leptura. L. gen. 205.

Das Bruststück der Käfer dieses Geschlechts ist länglicht rund; die Flügeldecken werden nach hintenzu schmäler.

361) **Wasserholzbock, Wasserschwimmer.** L. aquatica. L. 205. 1.   Er ist glänzend kupferroth, auch messinggelb. Man findet ihn auf verschiedenen Wasserpflanzen, besonders auf der gelben Seeblume.

362) **Holzbock mit vier Bänden, Vierband.** L. quadrifasciata. L. 205. 12.   Er ist fast einen Zoll lang. Die Grundfarbe ist schwarz; über die Flügeldecken gehen vier rostfarbene Queerbänder, von welchen die vordern schräge stehen, die untern aber nur runde Flecken sind, und die mittleten geschlängelt gehen; die Füße sind schwarz; an alten Zäunen und an faulen Baumstämmen habe ich ihn ein paarmal gefunden.

363) **Bogenstrich.** L. arcuata. L. 205. 21. Ein schmaler schwarzer Holzbock mit gelben bogenförmigen

migen unterbrochenen linien. Man findet ihn zuweilen in Gärten.

364) **Schwarzer weicher Holzbock, Schwarzsteiß.** L. melanura. L. 205. 2. Er ist schwarz, hat braune Flügeldecken, welche aber an der Spitze und der Nath schwarz sind.

365) **Widder.** L. arietis. L. 205. 23. Ein Holzbock, der dem Bogenstrich ähnlich ist, nur etwas schmaler; von den gelben Queerstrichen ist der vordere spitzig ausgebogen. Man findet ihn an verschiedenen Bäumen, besonders in Gärten, doch nur einzeln.

XIV. Leuchtender Käfer. Lampyris. L. gen. 207.

Die Flügeldecken sind biegsam; der Kopf ist mit dem flachen Bruststück bedeckt.

366) **Leuchtender Johanniskäfer, Johanniswurm.** L. noctiluca. L. 207. 1. Ein länglichter Käfer mit sehr kleinem Kopf. Das Männchen ist schwarz, hat Flügel und Flügeldecken, welche dem Weibchen, wie an den mehresten Arten dieses Geschlechts, fehlen. Dieses hat eine braune Farbe. Jenes, das Männchen, hat an den beiden äußern Ringen seines Körpers vier Puncte, und leuchtet bey weitem nicht so helle als das Weibchen, dessen unbedeckte äußere Ringe einen mehr leuchtenden Schein von sich geben. Sie halten sich in Gesträuchen auf. Ehstnisch heißt er Käo lehm.

XV. St. Johannisfliege. Cantharis. L. gen. 208.

Ihre Fühlhörner sind borstförmig, das Bruststück ist gesäumt, und kürzer als der Kopf; die Flü-

gel-

gelbecken sind biegsam, und sägezähnigt; die Seiten
des Hinterkörpers sind mit Wärzchen besetzt und
gefaltet.

367) **Braune St. Johannisfliege.** C. livida.
L. 208. 3. Ich habe sie nur von brauner Farbe gefunden. Der Uebersetzer des Linneischen Systems hat
sie oft mit bleyfarbenen Flügeldecken angetroffen. Sie
ist länglicht und schmal, und hat weiche biegsame Flügeldecken. Man findet sie auf trockenen Wiesen.

XVI. Springkäfer. Elater. L. gen. 209.

Sie heißen Springkäfer, weil sie das Vermö-
gen haben, wieder in die Höhe zu springen, wenn
sie auf den Rücken geleget sind. Diese Eigenschaft,
welche daher entstehet, daß die Spitze des Brust-
stückes, welche sich hinten in ein Grübchen des Hinter-
leibes einschließt, durch eine Schnellkraft heraussprin-
get, ist das entscheidendste Kennzeichen dieses Geschlechts.

368) **Stinkspringer, Kopfkamm.** E. pectinicornis. L. 209. 32. Seine Farbe ist grün, schielt
ins Röthliche und ist glänzend; die Fühlhörner sind innerhalb kammförmig. Das Männchen ist mehr grün,
als das Weibchen, die mehr Untermischung von Kupferfarbe hat.

XVII. Sandläufer. Cicindela. L.
gen. 210.

Die hervorragende gezähnte Kiefer, die heraus-
stehende Augen, und die borstförmigen Fühlhörner sind
die Kennzeichen der Käfer dieses Geschlechts.

369) **Grüner Sandläufer, Courier.** C.
campestris. L. 210. 1. Ein schnelllaufender grüner
Käfer

Käfer mit vier weißen Puncten auf den Flügeldecken. Man findet ihn in ſandigen Gegenden.

370) **Schwarzer Sandläufer, Sandjäger.** C. ſylvatica. L. 210. 18. Die Flügeldecken haben ſechs weiße Flecken und Binden. Er hält ſich auf Tannenbäumen auf, und leuchtet im Dunkeln.

XVIII. Stinkkäfer. Bupreſtis. L. gen. 211.

Das Characteriſtiſche der Käfer dieſes Geſchlechts beſtehet darin, daß der Kopf innerhalb des Bruſtſtücks zurückgebogen iſt, daß die Fühlhörner borſtförmig, und ſo lang ſind, wie das Bruſtſchild.

371) **Gemeiner grüner Stinkkäfer.** B. ruſtica. L. 211. 8. Er hat eine grüne glänzende Kupferfarbe, und iſt etwa einen halben Zoll lang.

372) **Grüner Stinkkäfer, grüner Birkennager.** B. viridis. L. 211. 25. Ein kleiner ſchmaler Käfer von lebhafter grüner Farbe, ohne Glanz, den man auf Birken, zuweilen auch auf Weiden findet.

XIX. Waſſerkäfer. Dytiſcus. L. gen. 212.

Ihre Fühlhörner ſind borſtförmig, die Hinterfüße ſind zum Schwimmen geſchickt, platt und ohne Klauen.

373) **Gerändeter Waſſerkäfer.** D. marginatus. L. 212. 7. Er iſt ſchwarz, und hat einen großen linſenförmigen Kopf; das Bruſtſtück und die Flügeldecken haben eine gelbe Randeinfaſſung.

374) **Gefurchter Waſſerkäfer.** D. ſulcatus. L. 212. 15. Das Bruſtſtück iſt dunkel erdfarben, und hat gegen den Kopf ſowol, als da, wo es an die Flügeldecken ſtößt, auch an den Seiten einen gelben Rand, und iſt alſo gelb eingefaßt; in der Mitten hat es einen gelben Strich; die Flügeldecken ſind gleichfalls dunkelerdfarben, ohne Zeichnung.

375)

375) Zweyfleckigter Wasserkäfer; Puncts nacken. D. bipustulatus. L. 212. 17. Er ist klein, schwarz und glatt; am Hintertheile des Körpers gegen das Brustschild stehen zween rothe Flecken, die zuweilen etwas verloschen sind. Man findet es in Wäldern, doch nur einzeln.

376) Großer schwarzer Wasserkäfer, Breits flügel. D. latissimus. L. 212. 6. Er ist über anderthalb Zoll lang, und einen Zoll breit, von schwarzer Farbe; am Rande der Flügeldecken und des Rückenschildes hat er einen gelben Saum. Man findet ihn in Gewässern, wo er schnell auf- und abfähret.

377) Gestreifter Wasserkäfer, Queerstrich. D. striatus. L. 212. 10. Er ist platt, von dunkelbrauner Farbe und mittlerer Größe, und hat seine Queerstreifen auf den Flügeldecken. Man trifft ihn in stehenden Gewässern an.

XX. Erdkäfer. Carabus. L. gen. 213.

Sie haben borstförmige Fühlhörner, und ein herzförmiges Bruststück, das hinten abgestutzt ist.

378) Gartenerdkäfer, Hohlpunct. C. hortorum. L. 213. 3. Er ist etwas schmal, und ohngefähr einen Zoll lang; die Flügeldecken sind dunkelpurpurfarben, und mit drey Reihen hohler goldfarbener Puncte besetzt.

379) Schwarzblauer Erdkäfer, Erdglänzer, Goldleiste. C. violaceus. L. 213. 8. Er hat schwarze Flügeldecken, die am Rande goldgelb sind, und ein violfarbenes Bruststück.

380) Schwarzer Erdkäfer, Pöbelkäfer. C. vulgaris. L. 213. 27. Er ist von schwarzer mit glänzender Kupferröthe vermischter Farbe.

XXI.

XXI. **Baſtardbock.** Necydalis. L. gen. 206.

Die Fühlhörner ſind borſtförmig; die Flügeldecken ſind bey einigen Arten viel kürzer, bey andern
ſchmaler, als die Flügel.

381) **Kleiner Baſtardbock.** N. minor. L.
206. 2. Er hat braungelbe Flügeldecken, die kürzer
ſind als die Flügel, und an der Spitze einen ſchmalen
weißen Strich haben; die Fühlhörner ſind ſehr lang,
und bogenförmig zurückgebogen.

XXII. **Mehlkäfer.** Tenebrio. L. gen. 214.

Sie haben ein geſäumtes hervorragendes Bruſtſtück, einen länglichten Körper und fadenförmige
Fühlhörner.

382) **Schwarzer Mehlkäfer, europäiſcher
Müller.** T. molitor. L. 214. 2. Ein kleiner länglichter ſchwarzer Käfer, in welchen ſich der bekante
Mehlwurm, der den Nachtigallen ein leckerbiſſen iſt,
verwandelt.

383) **Küchenmehlkäfer.** T. culinaris. L.
214. 5. Ein roſtfarbener Käfer von mittlerer Größe
mit geſtreiften Flügeldecken. Man findet ihn oft in
Küchen und Speiſekammern.

XXIII. **Oehlkäfer.** Meloe. L. gen. 215.

Dieſes Geſchlecht hat ein etwas rundes Bruſtſtück, und einen höckerichten gebogenen Kopf.

384) **Zwitterkäfer.** M. Proſcarabaeus. L.
215. 1. Er iſt violetfarben; die Flügeldecken ſind
kurz, und gehen nicht über den ganzen Hinterleib; die
Flügel fehlen. Zeichnungen von ihm findet man in
Goed. inſ. edit. Lliſteri fig. 120. Friſch. Inſ. 6 Th.
T. 6.

T. 6. F. 5. v. Linnee Naturſyſt. deutſche Ueberſ.
5 Th. 1 B. T. 8. F. 4. Sulzers Kennz. d. Inſ.
F. 54. Man findet ihn an verſchiedenen offenen
Stellen, doch eben nicht ſehr häufig.

385) Mayenöhlkäfer, großer Maywurm.
M. majalis. L. 215. 2. Auch dieſem fehlen die Flügel; der hintere Körper hat nur ganz kurze Deck-
ſchilde; an dem Körper hat er rothe Ringe.

XXIV. Raubkäfer. Staphylinus. L.
g. n. 217.

Die Fühlhörner ſind ſchlank und knorrig; die
Flügeldecken ſind in der Mitten getheilt; über dem za-
ckigten Schwanz ſitzen zwei länglichte Bläschen.

386) Miſtrauber. St. murinus. L. 217. 2.
Ein länglicht runder raucher Käfer von graulichter
Farbe mit einem platten Kopf. Der Schwanz hat
zwo haarichte Borſten; unten am Schwanz ſtehen
zwei zurückgebogene Hörnchen. Auf Miſtſtätten.

387) Raubkäfer mit rothem Flügel, Rothflügel. St. erythropterus. L. 217. 4. Er iſt
ſchwarz; auf den Abſchnitten des Unterleibes hat er
auf jeder Seite einen goldfarbenen glänzenden Punct;
Flügel und Füße ſind roth. Man findet ihn gleichfalls auf Miſtſtätten.

388) Uferraubkäfer, Uferrauber. St. ripa-
rius. L. 217. 8. Er iſt roth, bis auf die vier oder
fünf letzten Abſchnitte des Unterleibes; die Flügeldecken
ſind blau; die Größe iſt wie an der gemeinen Ameiſe.
Man findet ihn zuweilen am Seeſtrande im Sande.

XXV.

XXV. Ohrwurm. Forficula. L. gen. 218.

Dieſe haben borſtförmige Fühlhörner; die Flügeldecken gehen bis zur Hälfte der Flügel; der Schwanz iſt gabelförmig.

389) **Großer Ohrwurm.** F. auricularis. L. 218. 1. Er iſt ſchmal, ſeine Farbe iſt braunlich. Man trifft ihn in fetter lockerer Erde an.

390) **Kleiner Ohrwurm.** F. minor. L. 218. 2. Er iſt kaum einen halben Zoll lang, dunkel roſtfarben, übrigens dem großen gleich. In Miſthaufen und Unrath.

XXVI. Kackerlack. Blatta. L. gen. 219.

Die Inſecten dieſes Geſchlechts haben ein ſcheerförmiges Maul, platte Flügel und Flügeldecken, und borſtförmige Fühlhörner.

391) **Orientaliſcher Kackerlack, Torakan.** Bl. orientalis. L. 219. 7. ruſſiſch **Torrakan.** So bekandt dieſes Ungeziefer in unſern nördlichen Gegenden iſt: ſo fremd iſt es vielleicht an einigen Orten Deutſchlandes. Er iſt von caſtanienbrauner Farbe, hat dünne, etwas biegſame Flügeldecken, lange bogenförmige Fühlhörner, und zwo Schwanzſpitzen, die wie Hörner ausgebogen ſind. Er iſt etwas flach oder platt. Seine Länge beträgt ohngefähr dreyviertel Zoll. In Zimmern, wo viel Menſchen beyſammen wohnen, beſonders wenn man die Reinlichkeit nicht achtet, iſt er beſonders häufig, frißt Brodt und andere Eßwaaren an, und verdirbt alle Hausgeräthe und Kleidungsſtücke. Er läuft ſehr ſchnell, beſonders wenn man ihm mit dem Lichte zu nahe kommt. Dieſe Hausplage gehört eigentlich in Aſien zu Hauſe; ſie hat ſich aber ſchon lange in Rußland, Schweden, Finnland, Ehſt- und Livland ausgebreitet.

II.

II. Mit halben Flügeldecken.
Hemiptera.

I. Grille. Gryllus. L. gen. 221.

Die Grillenarten haben ein scheerförmiges Maul, und Füße, die zum Springen geschickt sind, daher sie auch Grashüpfer genennet werden.

392) **Hausgrille, Sprenke, Heimchen, Oehmchen.** Gr. domesticus. L. 221. 12. lett. Zirs zens. Ein bekandtes Insect, das sich in leimenen Wandritzen, besonders in den Ritzen der Backöfen, und in Backstätten aufhält. Der zitternde gellende Ton der Grillen wird von dem Männchen durch eine Bewegung seiner Flügel verursacht, durch welchen laut er das Weibchen zum Begatten herbeylocket. Wegen dieser unangenehmen Musik ist er ein fataler Gast in Zimmern, die er nicht so leicht wieder verläßt, wenn er einmal Quartier genommen hat. Gekochte Erbsen mit Quecksilber vermischt, ist das bekandte sicherste Mittel ihn zu vertreiben. Sie findet ihren Feind an der folgenden, die sie sehr verfolget.

393) **Feldgrille.** Gr. campestris. L. 221. 13. Eine bekandte Grillenart, die sich von der vorigen wenig unterscheidet, und sich in Erdlöchern, auf Aeckern, und andern trockenen leimigten Stellen aufhält. Sie musicirt, wie die vorige. Ehstnisch wird sie Ritsik genennet.

394) **Maulwurfsgrille.** Gr. Gryllotalpa. L. 221. 10. Man nennt ihn auch Schrotwurm, **Reitwurm,** an einigen Orten **Werre.** Ihre Farbe ist graubraun; ihre äußere Gestalt weicht von der übrigen Grillen ihrer ganz ab. Die vordersten Füße sind wie die an dem Maulwurf gestaltet. Mit diesen kann sie die feste Erde durchwühlen und aufwerfen.

Sie

Sie ziehen allezeit unter der Erde fort, deswegen man
sie selten, wenigstens bey Tage nicht, über derselben
antrifft. Man findet sie bis gegen zween Zoll lang.
Das Männchen lockt das Weibchen durch das Schwir-
ren mit den Flügeln zum Begatten, wie die Hausgrille. Aeckern und Wiesen ist sie sowohl wegen ihres
Wühlens, als auch wegen des Benagens der Gras-
und Getreidewurzeln nachtheilig, weil die Gewächse
dadurch welk werden, und ersterben. Bey Riga werden sie nicht selten, doch nur einzeln, angetroffen.

395) Grüne Grille, Grünflügel, grüne
Heuschrecke, Heupferd. Gr. viridissimus. L. 221.
31. Sie ist die größte unter unsern Grillen und Heuschrecken. Die Oberflügel sind grün, wie das Brustschild, das in der Mitten einen röthlichen, oft braunen
Strich hat. Diesen trifft man in waldigten Gegenden und auf Wiesen an; er kommt aber eben nicht
oft vor.

396) Warzenfressende Heuschrecke. Gr.
verrucivorus. L. 221. 33. Weil er die Warzen an
den Händen aufbeißt, und eine Feuchtigkeit hineinläßt,
nach welcher sie vergehen sollen: so hat man ihm diesen
Namen gegeben. Das Bruststück ist platt, und bei-
nahe viereckigt; die Flügel sind grün, und haben braune,
reihenweise gestellte Flecken; der Körper ist oft mause-
farben, zuweilen mit Grünem gemischt; die Hinterfüße sind an ihnen länger, als an andern Heuschreck-
arten. Man findet ihn auf Wiesen und trockenen Feldern, in manchen Jahren häufig genug, in andern
gar nicht.

397) Wanderer, schädliche Heuschrecke.
Gr. migratorius. L. 221. 41. lett. Sisseins, ehstn.
Rossaris, auch Sirts. Ihre Flügeldecken sind gelbbraun, und haben gelbe Flecken und Streifen. Bey
uns findet man sie nur einzeln, daher man von ihren

schädlichen Verwüstungen, welche andere Länder oft hart betreffen, Gottlob! nichts weiß. Warme trockene Witterung pflegt ihre Vermehrung ungemein zu befördern; feuchte Witterung, an der es uns in manchen Jahren nicht mangelt, ist den Heuschrecken überhaupt nachtheilig. Wahrscheinlich steht die starke, immer mehr zunehmende Cultur unsers Landes der Vermehrung dieser Insecten auch sehr im Wege, da wir, große Wälder und weitläuftige Moräste ausgenommen, nicht viel Strecken unbebauter und wüster Gegenden haben, die ihnen sehr zuträglich sind. Von eigentlichen Heuschreckenzügen wissen wir bey uns nichts.

398) **Nußfarbene Grille, Kntscher, Klapperheuschrecke.** Gr. stridulus. L. 221. 47. Sie ist schwärzlich gewölkt; die Flügel haben ein schönes Roth, und sind am Rande schwarzgrün. Man findet sie im Julius auf Wiesen, wo sie beständig schwirret.

399) **Grüne Grille, Weißrand.** Gr. viridulus. L. 221. 54. Sie ist grün; nur sind die Flügel heller; der Leib, der untere Theil des Kopfes und der Brust und die Füße spielen ins Gelbe; an den äußern Seiten der obern Flügel stehet ein weißer Rand.

400) **Graugefleckte Grille.** Gr. rufus. L. 221. 56. Sie ist klein, hat ungefleckte graue Flügeldecken, einen rothen Körper, und ein kreuzförmiges Bruststück. Auf Wiesen.

II. Cikade. Cicada. L. gen. 223.

Dieses Geschlecht hat einen gebogenen Rüssel, und Hinterfüße, die ihnen zum Springen bequem sind.

401) **Gäſchtcikade, Gäſchtheuſchrecke, Schaumwurm, Gäſchtwurm.** C. ſpumaria. L. 223. 24. Oft findet man auf den Blättern der Weide, der Neſſel und anderer Gewächſe einen ſpeichelähnlichen Schaum, in welchem die Heuſchrecke von der Zeit an, da ſie aus dem Ey kriecht, bis zu ihrer Verwandlung verborgen liegt, und welchen ſie aus dem After drucket. Dieſer Schaum ſichert ſie für dem Ausdorren durch den Sonnenſchein, für Spinnen, und andern ſchädlichen Inſecten. Ihre Flügeldecken ſind braun, an der äußern Hälfte grün, ſo wie die Flügel.

402) **Blutrothe Cikade, Blutband.** C. ſanguinolenta. L. 223. 22. Eine kleine ſpringende Cikade von der Größe einer mittlern Fliege; die obern häutigen Flügel ſind ſchwarz, und haben an der Wurzel eine ſchräge, am äußern Ende aber eine etwas gekrümmte blutrothe Binde; in der Mitten einen Flecken von eben der Farbe.

403) **Gelbe Heuſchrecke, Schwefler.** C. flava. L. 223. 34. Sie iſt ganz gelb.

III. **Waſſerwanze.** Notonecta. L. gen. 224.

Sie haben einen umgebogenen Rüſſel. Ihre Füße ſind mit Härchen verſehen, und zum Schwimmen bequem.

404) **Schmale Waſſerwanze, Rückenſchwimmer.** N. glauca. L. 224. 1. Sie iſt von grauer Farbe. Man findet ſie in ſtehenden Seen.

IV. **Waſſerſcorpion.** Nepa. L. gen. 225.

Die Inſecten dieſes Geſchlechts haben einen umgebogenen Rüſſel, und Scheeren an den vordern Füßen.

405)

405) **Europäischer Wasserscorpion.** N. cinerea. L. 225. 5. Sie ist grau mit oberhalb rothem Bauch. Sie findet sich hie und da in stehenden Seen, z. B. in der arraschen See.

406) **Schmaler Wasserscorpion.** N. linearis. L. 225. 7. Ein schmales Wasserinsect mit langen Füßen, zugespitzten Stacheln an den Vorderarmen, und langen Stacheln an den Hinterfüßen.

V. Wanze. Cimex. L. gen. 226.

Sie haben einen umgebogenen Rüssel, einen kleinen Kopf, und eckigte Schultern; ihre Füße sind zum schnellen Laufen bequem gerichtet.

407) **Bettwanze.** C. lectuarius. L. 226. 1. lett. Blakks, ehstn. Luttikas. In Livland ist dieses Ungeziefer, besonders in hölzernen Häusern, sehr häufig, und manche Versuche, sie zu vertreiben, wollen nicht allezeit gelingen. Man tödtet sie mit Kohlendampf; mit Heringslake; mit angezündetem Terpentinöhl, welches aber, besonders in hölzernen Gebäuden, ein sehr gefährliches Mittel ist, indem man leicht das ganze Haus zusammt den Feinden verbrennen kann; mit dem Schleim des Fliegenschwammes, den man in die Ritzen streichet; mit Tobacksöhl, dessen Geruch jedoch nicht jedermann angenehm ist. Frischer Hanf soll sie aus den Betten vertreiben, wenn man ihn hineinlegt. Nothwendig ist bey allen diesen Mitteln, daß, wann dieses Ungeziefer getödtet ist, man ihre Eyer aus den Ritzen sorgfältig hervorsuche und verbrenne, und es nicht für hinlänglich halte, daß man sie blos zertritt. Sie werden wahrscheinlich in moosigten Gegenden erzeuget, durch das Moos, das man zur Verstopfung der Wandritzen braucht, in hölzerne Häuser gebracht, und oft aus diesen durch aller-

ley

len hölzernes Geräthe, Bettstellen und dergl. auch in
steinerne Häuser getragen und ausgebreitet. Durch
Unsauberkeit werden sie oft genährt und vermehrt.
Was in der allgem. Gesch. der Natur 7tem B. 1 Abth.
Berlin 1787. als das einzige beste und wirksamste Mittel wider die Wanzen empfohlen wird, nemlich Reinlichkeit in den Zimmern, vorzügliche Aufmerksamkeit
auf die Bettstellen, Stühle und andere nahe um die
Betten befindliche Meublen, öftere Reinigung derselben mit eiskaltem Wasser und schwarzer Seife, das
Abreiben der Wände mit Ziegelsteinen, und tüchtiges
neues Uebertünchen mit reinem Kalk, ist blos ein vortreffliches Mittel ihrer Einnistung vorzubeugen, aber
nicht hinlänglich sie zu vertreiben, wenn sie einmal
Quartier genommen haben. Bey aller Reinlichkeit,
die in meinen Zimmern sorgfältig beobachtet wird, ent-
deckte ich vor einiger Zeit eine Colonie von diesem Ungeziefer, die durch einen Zufall hineingebracht war.
Ich weiß nicht, ob ich ihre Vertilgung einer Salbe von
dickem Terpentin, Terpentinöhl und Quecksilber, mit
welcher alle Ritzen der Bettstelle, Stühle und Bilder-
rähmen in der Nähe bestrichen wurden, oder der äußerst
sorgfältigen Aufsuchung dieses Geschmeißes, welches
einige Tage vom Morgen bis zur Nacht ohne Aufhö-
rung geschahe, und bey welcher ein ganzes Heer getödtet wurde, zuschreiben soll. Seit der Zeit ist keine
Spur mehr übrig, und für Rekruten werde ich mich
schon hüten.

408) **Bilsenkrautwanze.** C. hyosciami L.
226. 76. Sie ist schön gezeichnet. Oberhalb ist sie
roth, und hat queer über jeden Flügel einen schwarzen
Streifen, welche beide ins Kreuz über einander schlagen; vorne zwischen dem Kreuz ist ein schwarzer rosen-
förmiger Flecken; hinten zwischen demselben sind die

Flü-

Flügelspitzen schwarz.   Man findet ihn auf dem Bil-
senkraut, doch nur selten.

409) **Käferwanze.**   C. scarabaeoides. L.
226. 4.   Sie ist etwas kleiner, als die Bettwanze,
schwarzgrün, mit etwas Kupfergrün gemischt; die Flü-
gelbecken sind gewölbt.   Ich habe sie auf der Nessel
gefunden.

410) **Uferwanze.**   C. littoralis. L. 226. 14.
Sie ist schwarz mit weißgefleckten Flügeldecken.   Man
findet sie an den Ufern verschiedener Gewässer.

411) **Tannenwanze.**   C. Abietis. L. 226.
115.   Sie ist länglicht und gelbgefleckt, und hält sich
auf Tannenbäumen auf.

412) **Hüpfende Wassermücke, Wasser-
wanze.**   C. lacustris. L. 226. 17.   Ein bekanntes
länglichtes Insect, das fast auf allen stehenden Gewässern herumhüpft.

413) **Wanze mit dornigtem Brustschilde,
Zweyzahn.**   C. bidens. L. 226. 23.   Er ist eyförmig, und hat ein spitziges dornigtes Brustschild.   Ich
habe nur zwey Exemplare angetroffen, von welchen
das eine einen schwarzen Flecken am Bauche hatte.

414) **Baumwanze, Schwärmer.**   C. va-
gabundus. L. 226. 19.   Sie ist weiß und braun gefleckt.   Auf verschiedenen Bäumen.

415) **Wacholderwanze.**   C. juniperinus L.
226. 48.   Diese ist grün mit gelbem Rande.   Auf
den Wacholdersträuchen findet man sie ziemlich häufig.

416) **Graswanze.**   C. Prasinus. L. 226. 4.
Sie ist ganz grün, und wird in Wäldern, Gärten und
auf Grasplätzen gefunden.

417) **Waldwanze.**   C. baccarum. L. 226.
45.   Sie ist grün; der Bauch ist am Rande rothge-
fleckt.   Sie findet sich auf verschiedenen reifen Beeren,
besonders auf den Mehlbeeren.

418)

418) **Schwarze Wanze.** C. ater. L. 226.
72. Sie ist ganz schwarz; auf Wiesen und Grasplätzen.

VI. Blattlaus. Aphis. L. gen. 227.

Die Insecten dieses Geschlechts haben einen umgebogenen Rüssel und Fühlhörner, die länger sind als
der Rüssel. Sie sind mehrentheils nur sehr klein.
Es giebt deren bey uns, wie in andern Gegenden, sehr
viele Arten. Fast jede bewohnt ihr eigenes Gewächs,
nährt sich auf demselbigen, und bekommt mehrentheils
von ihm seinen Namen. Sie dienen verschiedenen Insecten zur Nahrung. Alle bekandte Gattungen anzu-
führen, würde zu weitläuftig und ohne Nutzen seyn;
doch will ich kürzlich einige anzeigen.

419) **Johannisbeerlaus.** A. ribis. L. 227. 1.
Ein kleines braunlich graues Insectchen, das in den
rothen aufgetriebenen runzlichten Höhlungen der Jo-
hannisbeerblätter sich aufhält.

420) **Rosenlaus.** A. rosae. L. 227. 9. Sie
ist grün, zuweilen blaßroth. An Rosenstöcken.

421) **Fliederlaus.** A. sambuci. L. 227. 4.
Sie ist klein und schwarzblau, und wohnt oft in großer
Menge auf den Flieder-, Pflaumen- und Kirschbäumen.

422) **Lindenblattlaus.** A. tiliae. L. 227. 11.
Ihre Farbe ist ein schmutziges Gelb, mit vier Reihen
schwarzer Puncten, welche die länge herunter auf dem
Rücken stehen. An den Blattstielen der Linde.

423) **Kohlblattlaus.** A. brassicae. L. 227.
12. Sie ist grün und wie mit einem weißlichten Mehl
gleichsam bestreuet. An den Kohlblättern, wo die
gelbe Farbe der Blätter ihre Gegenwart verräth.

T 4　　　　424)

424) **Eichenlaus.** A. roboris. L. 227. 22.
Die Größe ist wie an einer kleinen Fliege, zuweilen
ist sie noch größer; die Farbe ist schwarzbraun. An
Eichstämmen.

425) **Weidenlaus.** A. salicis. L. 227. 26.
Sie hat auf dem Rücken vier weiße Puncte, an den
Seiten länglichte weiße Puncte. An den Aesten ver-
schiedener Weidenarten.

426) **Löhnenlaus.** A. aceris. L. 227. 31.
Kopf und Brust sind schwarz; der Hinterleib hat ei-
nige Wärzchen und hinten einen herzförmigen braunen
Flecken. Auf den Blättern der Löhne.

VII. Schildlaus. Coccus. L. gen. 229.

Der Rüssel sitzt an dem Bruststück; der Hinterkörper hat Borsten. Das Männchen hat zween Flügel; das Weibchen ist ungeflügelt.

427) **Polnische Cochenille, deutsche Cochenille.** L. 229. 17. An den Wurzeln des Fünffinger-
krauts und einiger andern Gewächse findet man zuweilen in einem Bläschen von der Größe einer Erbse, einen rothen Farbenwurm, welcher der americanischen
Cochenille einigermaßen gleichkommt, auch an Orten,
wo er häufig vorkommt, mit Vortheil zum Färben gebraucht wird. Bey uns ist er nur selten und einzeln
gefunden worden.

III. Schmetterlinge. Lepidoptera.

Diese Insecten haben alle vier Flügel, welche
mit einem zarten mehlartigen Wesen gleichsam bestäu-
bet sind. Daß dieser Staub, durch ein Microscop
betrachtet, in der Gestalt schichtweise über einander ge-
legter Federchen erscheine, und in diesen die Schönheit

der

der Farben bestehe, ist den Infectenkennern bekandt.
Wenn es gleich möglich ist, wie einige behaupten wollen, daß die Schmetterlinge auch ohne diesen Staub fliegen können: so scheinet es doch, daß er ihre Flügel zum Flattern geschickter mache; denn zur bloßen Schönheit ist er ihr wol nicht gegeben. Die Natur thut nichts umsonst, sondern nimmt als eine kluge Haushälterin bey der Schönheit immer auch auf den Nutzen und die Bequemlichkeit ihrer Creaturen Rücksicht.

Die Verwandlung der Raupen in Schmetterlinge, und die Art, in welcher sie sich auf dieselbe vorbereiten, ist zwar allen Schmetterlingsliebhabern, die sie bey diesem Geschäffte zu belauschen Gelegenheit haben, bekandt; aber sie reizet als eine der wunderbarsten Naturbegebenheiten unsere ganze Aufmerksamkeit, die bey dem Liebhaber nie ermüdet, weil sie durch neue Beobachtungen und Entdeckungen immer mehr erweitert wird. Wann die Raupe ihr gehöriges Alter und ihre bestimmte Größe erreicht hat, dann wirft sie die Haut ab, die ihr die Raupengestalt gab, und verwandelt sich in eine Puppe mit einer hornartigen Hülle, die künstlich geformt, und oft schön gezeichnet ist, in welcher er sich gegen jede Witterung, und gegen jede äußere Störung, so viel möglich, und sorgfältig sichert. Aus dieser geht nun der Schmetterling in neuer Schönheit, und in einer Gestalt hervor, die mit seiner vorigen keine Aehnlichkeit hat. Ein Schauspiel, das den Naturliebhaber belustiget, und dem denkenden Christen ein lebhaftes einleuchtendes Bild von der Verklärung menschlicher Leiber ist.

Die Tagvögel, welche sich in der Zeit ihrer Verwandlung an solchen Stellen angehangen haben, die der Sonnenwärme ausgesetzet sind, bedürfen einer kürzern Zeit zu ihrer Verwandlung und Enthüllung, als

T 5 die

die Nachtvögel, welche ihr Gespinst an solchen Stellen
befestigen, die von der Sonne nicht beschienen werden,
oft gar in die Erde verbergen, weil ihre Puppen, wie
mich einige mißgelungene Versuche gelehret haben, die
Sonnenhitze nicht ertragen können.

Die Schmetterlinge nähren sich alle von dem Ho-
nigsaft der Blumen.

In Livland werden sie überhaupt Buttervögel,
und von den Letten Taurihts genennet, von den Ehsten
Kiwid, Hobbose.

Der verstorbene Prof. Eisen erfand einige Jahre
vor seinem Tode eine artige Methode, Schmetterlinge
schön zu erhalten, so wie er es schon vorher mit Blumen gemacht hatte. So viel ich weiß, hat er diese
Erfindung in keiner Schrift bekandtgemacht, deswegen will ich sie hier mittheilen, so wie ich sie bey ihm
selbst gesehen habe. Er verfertigte einen Firniß aus
einem Stof (vierzig Unzen) höchst alcaholisirten Spi-
ritus, zwey Loth Camphor, ein Loth Copaivabalsam,
zwey Loth aufrichtigen Spicköhl, drey Loth venedischen
Terpentin, und einem Pfund in warmen Wasser ge-
waschenen und nachher wohl getrockneten auserlesenen
Sandrak, welches alles er nach einander auflösete.
Hierauf spannte er Schindel oder Karzek, eine Art
durchsichtigen weißen Taffent, in einen Rahmen,
überzog ihn sechsmal mit diesem Firniß, doch so, daß
er es jedesmal so lange anstehen ließ, bis der vorige
Anstrich trocken war. Wenn er einen Schmetterling
einlegen wollte, überstrich er ein Stück von diesem gefirnißten Schindel wieder mit dem Firniß, und so
bald derselbe nach dem Streichen seinen Glanz wieder
bekommen hatte, aber doch noch klebete, legte er den
Schmetterling, dem er, wenn er frisch war, das In-
wendige behutsam ausgedruckt hatte, in seiner gehörigen Lage hin, und ein Stück gefirnißten Schindel von

eben

eben der Größe darüber, drückte sanft mit einem Tuch darauf, preßte es dann in einer Handpresse scharf, sahe aber genau darauf, daß er nicht länger in der Presse lag, als bis der Glanz wieder zum Vorschein kam, weil widrigenfalls die Farben verdorben seyn würden. Nach 24 Stunden überzog er dies Stück wieder von beiden Seiten mit dem Firniß. Auf diese Weise kann man eine schöne Sammlung machen, die beständiger ist, wie bey jeder andern Methode, und von beiden Seiten besehen werden kann, auch nicht vielen Raum einnimmt.

I. Tagvogel. Tagschmetterling. Papilio. L. gen. 231.

Sie unterscheiden sich von den Abend- und Nacht-vögeln durch die Fühlhörner, welche nach dem äußern Ende zu dicker sind, und sich in eine bald knopfähnli-che, bald keulenförmige Figur endigen, und durch die im Sitzen gerade in die Höhe gerichteten Flügel.

428) Schwalbenschwanz, Königinnenpage. P. Machaon. L. 231. 33. Frisch Inf. 2. Th. T. 10. Röf. Insectenbelust. 1. Th. Pap. diurn. Cl. II. Tab. I. Dieses ist ein schöner großer Schmetterling. Seine Flügel sind alle gezähnt, gelb, und haben dunkle Zeich-nungen; die hintern Flügel sind geschwänzt; auf dem Rande aller Flügel stehen gelbe halbmondförmige Zeich-nungen. Auf den Hinterflügeln stehen neben diesen Zeichnungen runde blaue Flecken, und am äußersten Ende auf jedem ein großer runder rother Flecken. Röfels Zeichnung finde ich richtig; auch Sulzers Zeich-nung in seinen Kennzeichen der Inf. T. 13. Fig. 82. kommt mit meinem Exemplar überein. Die Raupe hält sich auf verschiedenen schirmförmigen Pflanzen auf; bey uns ist sie auf der gelben Möhre, die in Lif-

land Burkane genennet wird, gefunden worden. Den Schmetterling trifft man in Tannenwäldern an, wo ich ihn einigemal auf dem Wacholderstrauch gefunden habe. Er kommt nicht selten vor.

429) Segelvogel. P. Podalyrius. L. 231. 36. Rös. Inf. I. Pap. diurn. Cl. II. T. II. Ein schöner großer Tagvogel, der unter den bis jetzo bekandten der größte in unsern Gegenden ist. Mit ausgebreiteten Flügeln ist er über drey und einen halben Zoll breit. Die Grundfarbe der Flügel ist schwefelfarben. Die oberen Flügel haben sechs schwarze, vom vordern Rande breit auslaufende Streifen von verschiedener Länge, die sich schmal und spitzig endigen, und queer durch den Flügel gehen; die Streifen der hintern Flügel sind blasser, und der zweete hat auf einer Seite einen pomeranzenfarbenen Rand. An dem untern Ende dieser Flügel steht ein Spiegel, der schön blau ist, und eine schwarzblaue Einfassung hat, welche nach vorne zu noch mit einem brandgelben Halbcirkel umgeben ist. Diese untern Flügel sind scharf gezackt, und haben blaue, schwarzblau eingefaßte Kanten; an jedem dieser Flügel läuft am Ende von einer dieser Kanten eine geschlängelte schwarzblaue Spitze aus, die am äußern Ende abgerundet und schwefelfarben ist. Dieser Schmetterling ist mir nur einmal vorgekommen.

430) Heuschmetterling. P. Pamphylus. L. 231. 239. Die obern Flügel sind brandgelb, und haben einen bräunlichten Rand; unterhalb sind sie aschgrau; etwas nach unten zu steht ein schwarzes Aeuglein, das inwendig ein weißes Pünctchen hat, die untern Flügel sind vorne dunkel, hinten heller aschfarben. Man findet ihn in Wacholdergesträuchen.

431) Deutscher Apollo. P. Apollo. L. 231. 50. Rös. Inf. 3. Th Pap. diurn. Cl. II. Tab. XLV. Sulz. Kennz. der Inf. T. 13. Fig. 83. Ein großer

ßer weißer Schmetterling. An dem untern Flügel
hat er unten sechs, oben vier rothe Aeuglein, deren
äußere Einfassung schwarz ist; die oberen Flügel haben
jeder fünf fast viereckigte Flecken. Man findet ihn in
Wäldern, doch eben nicht sehr häufig.

432) **Gemeiner Kohlweißling.** P. brassicae.
L. 231. 75. Rös. Inf. 1. Th. Pap. diurn. Cl. II.
T. 4. Er ist weiß mit zween schwarzen Flecken auf
dem obern Flügel, und einem auf dem untern; um die
äußere Ecke des Oberflügels ziehet sich noch ein schwarzer Flecken herum. Von diesem Schmetterling habe
ich verschiedene Spielarten gefunden. Einer Gattung
fehlte der gewöhnliche schwarze Randflecken; eine andere hatte außer demselben noch einen langen schwärzlichen Strich am innern Rande des obern Flügels.
Die Grundfarbe ist bey den mehresten weiß, bey einigen blaßgelb, am seltesten citronengelb. Dieser
Schmetterling entstehet aus der Raupe, die den Kohl-
pflanzen so nachtheilig ist: Einige Landleute glauben,
so wie es auch der Herr v. Hochberg in seinem ade-
lichen Land- und Feldleben behauptet hat, daß
die Kohlraupen durch die Gährung aus dem frischen Mist entstehen, daher er frischen Dünger zu den Kohlgewächsen zu nehmen widerräth;
dieses aber ist wider die bekandten Gesetze der Natur,
nach welchen alle Thiere aus dem befruchteten Ey hervorkommen. Schon Redi, der sich durch wiederholte
behutsam angestellte Versuche überzeuget hatte, hat
die Meinung, daß die Insecten ohne Eyer durch die
Fäulniß erzeuget würden, widerlegt. Alle neuere
Beobachtungen und Erfahrungen haben dieses ganz
außer Zweifel gesetzt.

An diesen Raupen habe ich einmal eine Bemerkung gemacht, die mit ganz ungewöhnlich war. Zu

Aus-

Ausgang des Augustmonats im Jahr 1780, da es eben
viel Kohlraupen gab, bemerkte ich, daß eine sehr große Menge derselben aus einem Kohlgarten, der unterhalb eines Berges lag, hinaufkroch, einen weiten Weg
queer über die sandige Landstraße machte, und an die
Gebäude hinankroch. Ich glaubte, daß sie sich hier
einspinnen würden, und ging hin, dieser Beschäffti-
gung zuzusehen; aber zu meiner großen Verwunderung
sahe ich, daß sie sich an die Wand eines Wohnhauses
und an die Fenster desselben setzten, wo jede vier bis
fünf lebendige Würmer gebahr, die sich gleich mit einem Gewebe umspannen; eine Bemerkung, die mir
ganz fremd war. In Füßly's Magaz. für die Liebh.
d. Entomol. 1. Th. 2. St. S. 254. wird eben dieser
Vorfall an dem P. Atalanta aus Chorherrn Meyers
Bemerkungen über einige Schmetterlingsraus-
pen angezeigt, wo sie als eine Seltenheit erzählt
wird) die dem Verf. vorher nie vorgekommen ist.
Ich erinnere mich auch nicht eine ähnliche Beobachtung irgendwo angemerkt gefunden zu haben. Daß
ein Insect in seinem ersten kindlichen Stabio als Raupe oder Larve sich begatten und gebähren könne, und
daß in diesem Falle die Kohlraupen nicht nach Art der-
mehresten Insecten allemal Eyer legen, sondern zuweilen auch lebendige Jungen zur Welt bringen, dergleichen von andern Insecten schon bekandt ist, und welches also an und vor sich, blos physiologisch betrachtet,
begreiflich wäre, darüber wage ich nicht Muthmaßun-
gen zu äußern. Wir müssen nicht darüber, was die
Natur thun könne, oder nicht, urtheilen, sondern
nur bemerken, was sie wirklich thut, und nach neuen
Bemerkungen unsere Theorien umändern und erwei-
tern, wenn es nöthig ist.

Die sicherste Art, die Kohlraupen auszurotten,
ist diese: daß man die Blätter oft umkehre, und wenn
man

man die gelben Eyerchen des Schmetterlings auf der untern Seite findet, diese Blätter abbreche, und verbrenne. Daß man die Insecteneyer überhaupt nur auf die Erde wirft, und zertritt, oder sie nur der Witterung preisgiebt, ist zur Zerstörung ihrer Bruten noch lange nicht hinreichend.

433) **Deutscher Weißling.** P. Crataegi. L. 231. 72. Röf. Inf. 1. Th. Pap. II. Cl. Tab. III. Frifch. Inf. 5. Th. 5. T. Er ist weiß, mit schwarzen Adern und Rande, und einer der ersten Sommervögel. Die Raupe ist den Obstbäumen in manchen Jahren sehr nachtheilig.

434) **Rübenweißling.** P. rapae. L. 231. 76. Röf. Inf. 1. Th. Pap. Cl. II. T. V. Goed. inf. ed. Lift. fig. 8. Er hat blaßgelbe Flügel mit schwarzen Flecken und Spitzen, und siehet dem Kohlweißling ziemlich gleich, doch ist er etwas kleiner. Man findet ihn auf den Kohlarten.

435) **Senfweißling.** P. Sinapis. L. 231. 79. Die Flügel sind durchgehends weiß, nur an der Spitze der obern Flügel siehet ein dunkelbrauner Flecken. In Wäldern.

436) **Kreßweißling.** P. Cardamines. L. 231. 85. Röf. Inf. 1. Th. Pap. Cl. II. Tab. VIII. Die Flügel haben eine weiße Grundfarbe; die obern Flügel haben an dem Männchen gegen den Rand einen breiten lebhaft feuerfarbenen Flecken, der dem Weibchen fehlet; die untern Flügel haben feine graupunctirte Flecken, und an dem hintern Rande schwarzgraue Puncte.

437) **Pomeranzenpapillon.** P. Hyale. L. 231. 100. Röf. Inf. 3. Th. Pap. Cl. I. Tab. XLVI. fig. 4. 5. Die Flügel sind oberhalb pomeranzenfarben, und haben einen dunkelbraunen Rand, auf welchem gelbe

gelbe Flecken stehen; unterhalb haben die obern Flügel
einen weißen Flecken mit einem röthlichen Ringe.

438) Citronenpapillon P. rhamni. L. 231.
160. Röf. Inf. 3. Th. Tab. XLVI. fig. 1. 2. 3. Die
Flügel sind oberhalb blaßgelb, unterhalb hellgelb, und
haben einen dunkelgelben viereckigten Flecken oder
Punct. Die Raupe nährt sich auf dem Faulbaum.

439) Pfauenauge. P. Jo. L. 231. 131. Röf.
Inf. 1. Th. Pap. Cl. I. Tab. III. Goed. inf. ed. Lift.
fig. 1. Die obern Flügel sind dunkelbraun, und haben
eine graue Einfassung am vordern Rande, an welche
ein Auge stößt, dessen Einfassung gegen den Leib zu
gelb, gegen das äußerste Ende violenblau, mit drey
rundlichen weißen Flecken ist; außerdem hat der Rand
noch drey schwarze Flecken, von welchen einer im Innern des Auges, ein großer dreyeckigter aber dicht
außerhalb desselben stehet, neben welchem sich ein gelber
zeiget; unter dem Auge stehen zwey kleine weiße Puncte.
Der untere Flügel hat fast in der Mitten ein blaues
Auge mit schwarzer Einfassung, und einen äußern
schmutzig gelben; dicht um denselben steht ein schwarzer
schnabelförmiger Flecken. Die Randeinfassung dieser
Flügel ist breiter, wie an den obern; gegen das Bruststück sind diese Flügel mit vielen gelben Tüpfeln besetzt.
Unterhalb sind die Flügel glänzend schwarzbraun, mit
verschiedenen, theils dunklern, theils hellern Queerstrichen; doch haben die untern Flügel noch einen kleinen hellen gelblichten Punct. Der Körper ist dunkelbraun. Die Fühlhörner endigen sich in eine halb kugelrunde Figur. Die Flügel sind alle ausgezackt oder gezahnt.
Diese Beschreibung ist nach einem Exemplar gemacht,
das, wenn es gleich mit Röfels Zeichnung ziemlich
übereinkam, doch beynahe um die Hälfte kleiner war,
wie ich solchen an mehreren Schmetterlingen unserer
Gegenden gefunden habe. Die Raupe nährt sich auf
dem

dem Hopfen und der Brennessel. Bey uns ist sie nicht
sehr gemein.

440) **Graspapillon, kleiner Argus.** L. 231,
141. P. Maera. Die Flügel sind braun, etwas spitzig,
gezähnelt, und mit verschiedenen ganzen und halben
Aeuglein gezeichnet. Man trifft ihn auf verschiedenen
Grasarten an.

441) **Waldargus.** P. Aegeria. L. 231. 147.
Röf. Inf. 4. Th. Tab. XXXIII. fig. 3. 4. Die Flügel
sind gezähnelt, braun mit gelben Flecken; die obern
haben jede ein Aeuglein, die untern auf der obern
Seite drey. Auch diesen findet man auf Grasarten.

442) **Marmorargus.** P. Galathea. L. 231.
147. Röf. Inf. 3. Th. 1. Anh. Tab. XXXVII. fig. 1. 2.
Die Flügel sind blaßgelb und schwarz gefleckt; die vordern Flügel haben unterwärts ein Aeuglein, die hintern vier bis fünf. Man findet ihn auf Wiesen.

443) **Europäischer Atlas.** P. Semele. L. 231.
148. Die Flügel sind gezähnelt, oberhalb dunkelblau,
mit blaßgelben Binden; jeder Oberflügel hat zwey weiße Aeuglein mit einem schwarzen Ringe, und sind unterhalb geblicht. Die untern Flügel haben ein Aeuglein, sind
unterhalb schwarz und weiß gewölkt. Ich habe ihn
einmal in der wendenschen Gegend angetroffen.

444) **Deutscher Atlas.** P. Hermione. L. 231.
149. Röf. Inf. 4. Th. Tab. XXVII. fig. 3. 4. Er
hat braune Flügel mit blassen, schmutziggelben Queerbinden, auf welchen vier schwarze Aeuglein stehen.
Man findet ihn im Junius häufig in Wäldern, an
freyen Stellen, wo viel Heide wächst.

445) **Gelbes Sandauge.** P. Jurtina. L. 231.
155. Röf. Inf. I. Anh. Tab. XXXIV. fig. 7. 8. Die
Flügel sind braun; die vordern haben oberhalb einen
gelblichten Streifen, und jeder ein Aeuglein, wie am
deutschen Atlas gestaltet. An eben denselben Orten.

446) **Distelpapillon, Distelnymphe.** P. Cardui. L. 231. 157. Rös. Inf. 1. Th. Pap. Cl. I. Tab. X. Goed. inf. ed. Lift. fig. 5. 6. Ein großer Schmetterling, dessen Flügel oben schwarz, pomeranzenfarben und weißgefleckt sind. Man findet ihn auf Disteln.

447) **Pappelnymphe.** P. populi. L. 231. 162. Ein schöner großer Schmetterling mit gezahnten Flügeln. Auf der obern Seite der Flügel ist die Grundfarbe dunkelerdfarben, mit weißen, blauen und rothbraunen Binden am untern Rande; die untere Seite ist hellpomeranzenfarben mit blauen und weißen Flecken und blauer Randeinfassung. Am besten wird man sie aus der Zeichnung kennen, welche Rösel in seiner Insectenbel. 3. Th. Pap. Cl. I. Tab. XXXIII. fig. 1. 2. und Espet in seinen Abb. u. Beschr. der Schmetterlinge 1. Th. Tab. XII. fig. 1. geben; nur hat eines von meinen Exemplaren, das eines der kleinsten ist, auf dem untern Flügel zwischen dem weißen durchschnittenen Bande und der Wurzel, einen deutlichen weißen Flecken, der etwas größer als ein Senfkorn und rund ist, und an beiden Abbildungen fehlet.

448) **Violenvogel.** P. Aglaja. L. 231. 211. Esp. Schmett. 1. Th. Tab. XVII. fig. 3. Die Grundfarbe ist auf der obern Seite der Flügel pomeranzenfarben mit schwarzen Puncten und unterbrochenen geschlängelten Queerstrichen; die untere Seite des hintern Flügels ist schmutzig, hellbraun mit Silberflecken auf blaßgrünem Grunde. Die Raupe soll sich auf der Dreyfaltigkeitsblume nähren.

449) **Streupunct.** P. Argiolus. L. 231. 234. Esp. Schmett. 1. Th. T. XXI. fig. I. a. das Männchen, b. das Weibchen. Ich will hier nur kurz jenes beschreiben, weil ich dieses nicht gesehen habe. Seine Flügel sind oberhalb blau, mit schwarzem Rande, unters

terhalb weißgrau mit schwärzlichen Puncten, die ein weißer Ring umgiebt. Er wird nicht selten auf Wiesen gefunden.

450) **Trauermantel.** P. Antiopa. L. 231. 165. Röfel Inf. 1. Th. Pap. Cl. I. Tab. I. Sulz. Inf. Tab. XIV. fig. 85. Sie hat dunkelvioletfarbene Flügel mit blaßgelber Randeinfaffung, um welche eine Reihe blauer Puncte stehen. Nächst dem Schwalbenschwanz ist er der größeste Tagschmetterling in unsern Gegenden; doch habe ich ihn von verschiedener Größe gefunden. Er ist an verschiedenen Stellen, besonders in Tannenwäldern, ziemlich häufig; auch kommt er in Nußgebüschen vor.

451) **Große Aurelia.** P. polychloros. L. 231. 166. Goed. inf. ed. Lift. fig. 3. Sie ist größer als der Brennneffelschmetterling, dem sie übrigens ziemlich gleich siehet. Am Rande jedes Flügels sind zween schwarze Flecken, und auf jedem in der Mitten fünf etwas große schwarze Flecken. Das Exemplar, das mir vorgekommen ist, weicht hierin von der Zeichnung ab, welche Frisch im 6. Th. T. 3. giebet, daß die Randflecken nicht so geschlungen, und die Mittelflecken alle fast viereckigt sind; ein Unterscheid, der bey Infecten oft vorkommt, der aber, da oft ein geringer Umstand entscheidet, nicht unerheblich ist. Ich habe ihn auf den Weiden gefunden.

452) **Kleine Aurelia. Brenneffelschmetterling.** P. Urticae. L. 231. 167. Goed. inf. ed. Lift. fig. 2. Röf. Inf. 1. Th. Pap. Cl. I. Tab. IV. Sie hat pomeranzenfarbene Flügel mit grauen und gelben Flecken und gelbem Rande; die Raupe findet man auf der Neffel; bey uns ist sie nicht selten.

453) **Das weiße C.** P. C. album. L. 231. 168. Röf. Inf. 1. Th. Pap. Cl. I. Tab. V. Es ist dem vorigen fast gleich; nur haben die Hinterflügel unterwärts

wärts einige weiße Zeichnungen, die wie ein kleines c
gestaltet sind.   Auf Nesseln und Johannisbeerlaube
kommt sie zuweilen vor.

454) **Graues Silberauge.** P. Argus. L. 231.
232. Die Flügel des Männchens sind oberhalb himmelblau, unterhalb mit schwarzen Küglein, welche
bläulicht silberfarbene Einfassungen haben; die Hinterflügel haben eine rosenfarbene Binde um den Rand.
Diese nennt man den blauen Argus.   Die Flügel des
Weibchens sind oberhalb glänzend hellbraun.   Man
hält sie sonst immer für zwo besondere Arten, und in
der zwoten Ausgabe der schwedischen Fauna werden sie
noch als zwo besondere Gattungen angezeigt, und das
Weibchen P. Idas genennet.   Sie gehören zu den kleinen Schmetterlingen.   Ich habe sie oft in offenen
Tannenwäldern, seltener auf Heideplätzen gefunden.

455) **Scheckflügel.** P. Atalanta. L. 231. 175.
Sepp. niederl. Ins. 1. Th. 1. St. T. 1. Rös. Ins. 1. Th.
Pap. Cl. I. Tab. VI. Sie hat schwarze Flügel mit
weißen Flecken,   und eine pomeranzenfarbene Binde
und Einfassung.   Man findet ihn auf der Nessel.

456) **Sibylle, Schleyereule.** P. Sibylla.
L. 231. 186. Rös. Ins. 3. Th. Suppl. Tab. LXX.
fig. 1. 2. 3. Sie hat schwarzgraue Flügel mit einer
weißen unterbrochenen Queerbinde.   Sie scheint eine
Art mit dem Bandfleck zu seyn.

457) **Dornraupenschmetterling, Bandfleck.**
P. Camilla. L. 231. 187. Die Flügel sind braun, mit
einer unterbrochenen weißen Binde, hinten mit zween
braunen Flecken.   Von diesem findet man bey uns
noch drey Abänderungen, welche Rösel in seinen Ins-
sectenbel. 3. Th. Cl. V. Tab. XXXIII. und XXXIV.
vorstellet.

458) **Bandirter Mantel.** P. Cinxia. L. 231.
Er hat gezähnelte Flügel von dunkelrother Farbe mit
schwar-

schwarzen Flecken, unterhalb mit drey blaßgelben Binden. Auf verschiedenen Pflanzen.

459) Silberstrich. P. Paphia. L. 231. 209.
Röf. Inf. 1. Th. Pap. Cl. I. Tab. VII. Esp. Schmett.
1. Th. Tab. XVII. fig. 1. 2. Er hat hellbraune Flügel mit schwarzen Flecken. Die hintern Flügel haben
auf der untern Seite silberfarbene glänzende geschlängelte Streifen. Er wird auf Nesseln gefunden, und
kommt nicht selten vor.

460) Fleckenreihe. P. Adippe. L. 231. 211.
Ein kleiner Tagschmetterling. Seine Flügel sind oberhalb dunkelpomeranzenfarben, und haben verschiedene
fast runde schwarze Flecken; an dem inwendigen Rande
sind sie olivenfarben; die obern Flügel haben am äußern Rande drey Silberfleckchen; die Unterflügel
haben unterhalb sechs, sieben bis acht fast länglicht viereckigte Silberflecken, und am Rande steht
eine Reihe von sieben dergleichen Flecken, unter denselben noch sieben ganz kleine silberfarbene Aeuglein mit
rostfarbenen Ringen in einer Reihe. Die Zahl und
Stellung dieser Flecken trifft mit der Beschreibung,
die in der schwedischen Fauna gegeben wird, nicht ganz
überein. Sie ist auf trockenen Wiesen ziemlich
häufig.

461) Nierenfleck. P. betulae. L. 231. 220.
Röf. Inf. 4. Th. Pap. Cl. II. Tab. VI. Er hat schwarze Flügel, auf deren oberen ein gelber nierenförmiger
Flecken stehet. Man findet die Raupe gemeiniglich
auf Birken.

462) Punctband. P. pruni. L. 231. 220.
Röf. Inf. 1. Th. Pap. Cl. II. Tab. VII. Die Flügel
sind dunkelbraun mit zween Zacken; die hintern Flügel
haben einen pomeranzenfarbenen Queerstrich.

463) **Blauschwanz.** P. Quercus. L. 231.221. Röf. Inf. Pap. Cl. II. Tab. IX. Die Flügel sind oben grau, und unten blau mit einem weißen Strich. Man findet die Raupe auf Eichen.

464) **Randpunct.** P. Arion. L. 231. 230. Röf. Inf. 3. Th. Supplem. Tab. XLV. fig. 3. 4. Die Flügel sind oben blau mit schwarzen Flecken und dunkelbraunem Rande, von unten grau, mit verschiedenen schwarzen Flecken, die eine weiße Einfassung haben.

465) **Siebenäugigter brauner Waldschmetterling.** P. Hyperanthus. L. 231. 127. Ein Tagvogel mittlerer Größe. Er hat braune, oder vielmehr schmutzig rostfarbene Flügel mit weißer Einfassung. Auf den Vorderflügeln sind zwey schwärzliche blinde Aeuglein mit weißem Rande; auf den hintern Flügeln stehen deren fünf; nur haben sie in der Mitten des Schwarzen noch einen weißen Punct. Auf offenen grasreichen Waldplätzen.

466) **Feuerpapillon.** P. Virgae aureae. L. 231. 253. Röf. Inf. 3. Th. Suppl. Tab. XLV. fig. 5. 6. Die Flügel sind oberhalb feuerroth, am Rande schmutzig braun; oberhalb haben die Vorderflügel schwarze runde Flecken, von welchen zween zusammenlaufen. Die Hinterflügel sind unterhalb graulich mit schwarzen Tüpfeln und runden weißen Flecken bezeichnet. Ich habe nur zwey Exemplare auf dürren Wiesen gefunden. Beide weichen ein wenig von der Beschreibung, welche in der schwed. Fauna Nr. 1079. gegeben wird, ab; besonders fehlen bey beiden die rothen Halbzirkeln am hintern Rande.

467) **Vielauge.** P. Hippothoe. L. 231. 250. Schäff. A. XCVII. 7. Sie hat blaue Flügel mit einer schwarzen und weißen Einfassung. Noch findet man bey uns, obgleich etwas selten, eine Abänderung von

die-

diesem Schmetterling mit einer gleichfalls weißen Einfassung und pomeranzenfarbenen Flügeln.

468) **Sechsauge.** P. Hero. L. 231. 255. Die Flügel sind braun; die obern Flügel haben zwey, die untern sechs Aeuglein, von weißer, gelber und schwarzer Zeichnung.

469) **Malvenpapillon.** P. Malvae. L. 231. 267. Röf. Inf. 1. Th. Pap. Cl. II. Tab. X. Er hat schwarz und weiß gefleckte Flügel. Die Raupe wird auf der kleinen Pappel gefunden.

II. Pfeilschwanz. Sphinx. L. gen. 232.

Ihre Fühlhörner sind in der Mitten am dicksten, und werden gegen beide Enden zu immer dünner. Die Flügel sind, wann sie sitzen, niedergebogen. Sie fliegen nur des Morgens und des Abends. Man nennt sie daher auch Dämmerungsvögel.

470) **Todtenkopf, Todtenvogel.** Sph. Atropos. L. 232. 9. Von diesem schönen Vogel habe ich im August 1779 nur die Raupe gesehen. Sie kommt bey uns wahrscheinlich nur in anhaltend heißen Sommern, wie dieser war, vor; denn ich habe sie weder vorher, noch nachher gesehen. Sie war vier Zoll lang. Figur und Zeichnung war genau so, wie Röfel sie gegeben hat. Man fand sie auf der Erde kriechen; vermuthlich suchte sie sich eine Stelle aus, wo sie sich verpuppen wollte; denn kurz darauf spann sie sich ein; aber ihre Verwandlung erfolgte nicht. Die Puppe war kastanienbraun, nicht so roth, wie Röfel sie gemahlt hat. Wer die Zeichnung von diesem schön gemahlten Vogel sehen will, der findet sie in Röf. Inf. 3. Th. Suppl. Tab. II. und in Sulzers Kennz. der Inf. 15. T. 8. Fig. Den Namen hat er von der

auf

auf dem Brustschilde befindlichen Figur, die einige Aehnlichkeit mit einem Todtenkopf hat.

471) Hartriegelschmetterling. Sph. ligustri. L. 232. 8. Rös. Ins. 3. Th. Pap. Cl. I. Tab. V. Auch dieser Vogel ist schön. Die Raupen davon sind auf der Syrene und auf dem Caprifolium gefunden worden. Der Schmetterling hielt mit ausgebreiteten Flügeln etwas über drey Zoll, und war also kleiner, als die Zeichnung beym Rösel. Die obern Flügel waren erdfarben, und hatten rußfarbene gewölkte dunklere und hellere Queerstreifen und Zeichnungen, gegen den äußeren Rand eine weiße geschlängelte Queerbinde, der aus zusammenhangenden Halbzirkeln bestand, und über diesen noch einen dunkeln Queerstreifen mit einer weißen Einfassung; die untern Flügel waren rosenfarben, und hatten drey breite schwarze Queerstreifen. Alle vier Flügel waren ganz, und ungezackt. Das Brußstück war rußfarben. Der Leib war rosenfarben wie die untern Flügel, und hatte sieben schwarze Queerlinien, von welchen die vier letztern besonders, gegen die Mitte breiter waren, und fast ein Dreyeck formirten; über alle sieben ging die Länge hinab ein schmutziges gelbes Band, welches in der Mitten unterbrochene schwarze Strichlein hatte. Die Raupe war etwa drey Zoll lang, und kam vollkommen mit Rösels Abbildung überein. Unvollständiger ist die Zeichnung in Goed. inf. ed. List. fig. 1.

472) Glanzauge. Sph. ocellata. L. 232. 1. Rös. Ins. 1. Th. Tab. I. fig. 3. 4. Diesen schönen Abendvogel habe ich nur einmal bey Riga gefunden. Er traf vollkommen mit Rösels Zeichnung überein, deswegen mag ich ihn hier nicht weitläuftig beschreiben. Das lebhafte Rosenroth, und das große blaue Spiegelauge mit schwarzer Einfassung, das auf dem Un-

ter

terflügel ſtehet, geben ihm ein ſehr ſchönes Anſehen.
Die Raupe fand ich auf der Winde.

473) Elephantenrüſſel. Sph. Elpenor. L. 232.
17. Röſ. Inſ. 1. Th. Phal. Cl. I. T. IV. Ein ſchö-
ner und ſeltener Abendvogel. Er hat olivenfarbene
Oberflügeln, welche purpurfarbene Queerbinden haben.
Die hintern Flügel ſind roth, und haben eine ſchmale
weiße Einfaſſung, und an der Wurzel eine ſchwarze
Farbe. Ich habe die Raupe nur einmal bey Riga auf
der großen Neſſel gefunden.

474) Schweinſchnauze. Sph. Porcellus. L.
232. 18. Er iſt dem Elephantenrüſſel faſt gleich;
nur fehlt an den hintern Flügeln die ſchwarze Farbe.
Man nennet ihn auch den Spiegelraupenſchmetterling.
Röſel giebt in ſeinen Inſectenbel. 1. Th. Phal. Cl. I.
Tab. V. eine Zeichnung von ihm. Auch dieſer iſt
ſelten.

475) Tannenpfeilſchwanz. Sph. pinaſtri.
L. 232. 24. Röſ. Inſ. 1. Th. Phal. Cl. I. Tab. VI.
Er iſt erdfarben mit dunkelbraunen Streifen und weißer Einfaſſung, auch drey kleinen ſchwarzen Strichlein
in der Mitten der obern Flügel; der Körper endiget
ſich hinten in eine Spitze. Seine Farbe iſt grau mit
weißen gekrümmeten Binden; auf Fichten und Tannen, doch nicht häufig.

476) Buntſeite. Sph. ſtellatarum. L. 232. 27.
Röſ. Inſ. 1. Th. Phal. Cl. I. Tab. VIII. Die obern
Flügel ſind braungrau, und haben dunkele Streifen;
die untern ſind roſtfarben. Man findet ſie auf trockenen Wieſen, beſonders auf der Wilbröthe.

477) Mückenförmiger Abendſchmetterling.
Sph. culiciformis. L. 232. 30. Fueßli's Magaz. für
die liebh. d. Entomol. 1. St. 1. T. Fig. B. Er iſt
nur ſo groß, wie etwa eine Biene; die Flügel ſind
durchſichtig, und haben einen ſchwarzen Rand; doch

U 5   iſt

ist der äußere Rand der obern Flügel breiter; mit diesen macht ein danebenstehender schwarzer Queerflecken
eine etwas eyförmige Figur; der vierte Ring des Hin-
terleibes ist feuerfarben. Er zeigt sich zuweilen in
Wäldern, doch nur einzeln.

478) Schnakenförmiger Abendschmetter-
ling. Sph. tipuliformis. L. 232. 32. Fueßli's Magaz.
für die Liebh. d. Entomol. 1. B. 1. St. T. 1. Fig. C.
Dieser Schmetterling ist nur klein; das äußere Ende
der Oberflügel hat einen breiten rostfarbenen Rand;
die untern Flügel haben einen stahlfarbenen Rand; der
Hinterleib hat einen breiten Haarbüschel. Die Raupe
nähret sich im Mark des Johannisbeerstrauches.

479) Steinbrechschmetterling. Sph. Filipendulae. L. 232. 34. Röß. Ins. 1. Th. Phal. Cl. II.
Tab. LVII. Sulzers Kennz. d. Ins. Taf. 15.
Fig. 91. Fueßli's Magaz. f. die Liebh. d. Entomol. 1. B. 1. St. 1. Taf. 2. Fig. Ein schöner kleiner Abendvogel mit grünen Oberflügeln, welche sechs
carminfarbene Flecken haben, von welchen immer je
zween neben einander stehen; die der Wurzel am näh-
sten stehen, sind länglicht und gehen in die Queere,
die andern sind fast rund. Die untern Flügel sind
ganz carminfarben, und haben eine ganz schmale, wenig merkliche Randeinfassung. Der Leib ist dunkelgrün und glänzend, wenigstens waren meine Exemplare nicht blau, wie beym Rösel. Ich habe einen
Schmetterling dieser Art, der genau mit Schäffers
Abbildung 16. Taf. 6. 7. Fig. übereinkommt; der
fünfte Flecken am untern Rande steht ganz einzeln,
nicht zusammengeflossen. Er kann also nach der Beschreibung, die in der schwed. Fauna Nr. 1097. steht,
nicht das Welbchen seyn, als dessen fünfter Flecken
aus einem zusammengelaufenen Paar, an der Flügel-
wurzel bestehen soll; gleichwol ist die Raupe auf dem

Stein-

Steinbrech gefunden. In dem Verzeichniß der Schmetterlinge in der Wiener Gegend, wird der Zweifel geäußert, daß Schäffers Abbildung der gemeine Sph. Filipendulae Linn. nicht ſey; ſollte er aber, da die übrigen Kennzeichen übereinſtimmen, nicht wenigſtens eine Spielart ſeyn?

480) **Zahnflügel.** Sph. populi. L. 232. 2. Röſ. Inſ. III. Pap. noct. Cl. I. T. XXX. Die obern Flügel haben zween erdfarbene Queerſtreifen, in deren zweeten ein weißer Winkelflecken ſteht, der aber am Weibchen roſtfarben iſt; die hintern Flügel haben einen breiten dunkelzimmetfarbenen Flecken; der äußere Rand aller vier Flügel iſt ſcharf ausgezackt. Man findet die Raupe zuweilen auf der Eſche.

481) **Windenſchmetterling.** Sph. Convolvuli. L. 232. 6. Röſ. Inſ. I. Pap. noct. Cl. I. T. VII. Der Vorderleib hat auf jeder Seite einen lebhaft pomeranzenfarbenen Flecken, dem eine ſchwarze Queerbinde folgt, in deren Mitten zween aſchfarbene Flecken ſtehen, die auch auf den bis zum Steißende wechſelsweiſe roſtfarben und ſchwarz fortgehenden Queerbinden ſtehen. Die Flügel ſind am hintern Ende unmerklich gezackt, dunkelolivenfarben, aſchgrau und ſtrohfarben verſchiedentlich gezeichnet und ſchattirt. Die untere Randeinfaſſung iſt ſchmuzig hellgrün, und hat kleine weiße viereckigte Flecken. Man findet die Raupe auf der Weide, doch nur ſelten.

III. Nachtſchmetterling. Phalaena.
L. gen. 233.

Die Fühlhörner dieſer Schmetterlinge ſind borſtförmig, und gehen gegen das äußere Ende immer ſpitziger zu. Wenn ſie ſitzen, ſind die Flügel gemeiniglich niedergebogen. Sie fliegen nur des Nachts. Un-

ter

ter allen Thiergeschlechten ist bis jetzo dieses das stärkste geworden; denn ich habe in dieser Ausgabe 56 Arten desselben beschrieben.

482) **Erbblatt.** Ph. quercifolia. L. 233. 18.
Rös. Ins. r. Th. Phal. Cl. II. Tab. XXXVI. Frisch.
Ins. 3. Th. 1. Taf. 3. Fig. Er hat rostfarbene Flügel, und vier schwarze geschlängelte Streifen auf denselben. Man findet ihn auf der gemeinen Weide, und
einigen Grasarten.

483) **Hinbeerblatt.** Ph. rubi. L. 233. 21.
Rös. Ins. Suppl. Tab. XLIX. Das Männchen, das
sich bey mir verwandelte, war blaß rostfarben, nicht
so dunkelbraun, wie beym Rösel; die obern Flügel
hatten hellere Queerbinden, von welchen die untere etwas geschlängelt war. Die Raupe fand ich auf dem
Hinbeerenstrauch; ich habe sie aber mit Lindenblättern,
die ich eben bey der Hand hatte, gefüttert, die sie begierig fraß, und den Weidenblättern vorzog. Das
Weibchen kenne ich blos aus dem Rösel.

484) **Eichensteiger.** Ph. Quercus. L. 233. 25.
Rös. Ins. 1. Th. Phal. Cl. II. Tab. XXXV. a. Goed.
Inf. ed. List. fig. 88. Mit ausgebreiteten Flügeln hält
er über zween Zoll. Die Flügel sind alle dunkelrostfarben mit einer gekrümmten schmutziggelben Linie, nur
die obern Flügel haben jeder einen kleinen weißlichten,
fast runden Flecken. Die Raupe findet man auf
Eichen.

485) **Ochsenkopf.** Ph. bucephala. L. 233. 31.
Rös. Ins. 1. Th. Phal. Cl. II. Tab. XIV. Er hat
graue Flügel mit einem gelben Flecken an der Spitze.
Man nennet ihn sonst auch den Mondvogel oder Was-
senträger. Man trifft ihn auf verschiedenen Bäumen,
am öftersten auf der Linde an.

486) **Pappelvogel.** Ph. populi. L. 233. 34.
Rös. Ins. 1. Th. Phal. Cl. II. Tab. LX. Der Leib ist

braun,

braun, und hat helle gekrümmte Binden. Die Oberflügel sind grau, und haben geschlängelte blaßgelbe
Binden, unter welchen ein kleineres gekrümmtes Band
bis an die Wurzel des Flügels gehet; der untere Flügel ist grau, und hat in der Mitten eine blassere gekrümmete Binde, und eine braune Bandeinfassung.
Er kommt auf verschiedenen Bäumen vor.

487) **Büschelraupenvogel.** Ph. fascellina.
L. 233. 55. Röf. Inf. 1. Th. Phal. Cl. II. Tab.
XXXVII. Die obern Flügel sind grau, und haben
in der Mitten einen braunen Querstreifen, auf welchem ein fast dreyeckigter weißer Flecken, und neben
demselben ein eckigtgeschlungener schwarzer Streifen,
mit einer weißen Einfassung stehen; an den Wurzeln
sind sie weiß, mit kleinen schwarzen Tüpfeln; die untern Flügel sind erdfarben mit schwärzlichen, in die
länge gehenden Streifen. Die Raupe nährt sich auf
verschiedenen Pflanzen, besonders auf Erlen.

488) **Kronenvogel.** Ph. Camelina. L. 233. 80.
Röf. Inf. 1. Th. Phal. Cl. II. Tab. XXVIII. Die
obern Flügel sind rostfarben mit drey verschiedentlich
gezeichneten Querstrichen; die untern Flügel sind blaß
schwefelfarben, und haben gegen den Rand eine braune
Einfassung, auf welche eine äußere blaßgelbe folget;
das äußere Ende derselben hat nicht weit von der Wurzel einen schwarzen dreyeckigten Flecken, und die innere
Ecke nach dem Körper zu einen dergleichen viereckigten;
alle sind gezahnt. Man findet sie auf verschiedenen
Pflanzen.

489) **Kupferflügel, goldener Buchstabe.**
Ph. Gamma. L. 233. 127. Röf. Inf. 1. Th. Phal.
Cl. III. Tab. V. Die obern Flügel haben eine Mischung von dunkelbrauner, grauer und röthlicher Zeichnung, und eine weißlichte Figur, die einem griechi-
schen Gamma einigermaßen gleich siehet; die untern
sind

sind an der Wurzel röthlich, gegen den Rand grau; sie sind alle gezahnt.   Man findet sie auf verschiedenen Gewächsen.

490) **Ringelvogel.** Ph. Neuſtria. L. 233: 35. Röſ. Inſ. 1. Th. Phal. Cl. II. Tab. VI. Friſch Inſ. 1. Th. 2. Tafel.   Sie legt ihre Eyer in mehreren Ringen dicht nebeneinander um dünne Baumäſte, beſonders um die Aeſte der Obſtbäume.   Dieſe Eyer haben eine ſehr harte Schaale, durch welche weder Regen noch Schnee, noch die ſtrenge Kälte dringen, deswegen ſie ſich den Winter hindurch unverſehrt erhalten. Die Meiſen ſollen dieſe Eyer begierig aufſuchen.   Auch die Raupe ſcheuet die Kälte nicht.   Im Frühling 1784, der faſt beſtändig kalt war, und da immer Nordwinde weheten, auch ſpäte Nachtfröſte einfielen, waren ſie ſo häufig, daß ſchon im Anfange des Junius die Lindenblätter faſt ganz verzehret, und die Kirſchenblüthe an vielen Orten ſehr verwüſtet war.   Ich fand einmal eine Menge Raupen, die einen Kirſchbaum anſtiegen, und ſetzte einige zur Verwandlung hin.   Sie ließen ſich mit Lindenblättern füttern, die ſie ſehr begierig fraßen, da ich ihnen eben keine andere vorzuſetzen hatte, bis ſie ſich einſpannen.   Nach ein und zwanzig Tagen kamen die Schmetterlinge hervor.   Sie waren alle kleiner als Röſels Figuren, und in der Zeichnung ſehr verſchieden.   Einige waren am Körper und den Flügeln blaß zimmetfarben, nur hatten die Oberflügel eine breite, etwas gebogene Queerbinde, von dunklerer brauner Farbe; auf der innern Seite der Flügel aber ſtanden am äußern Rande und an der Spitze faſt dreyeckigte Flecken von eben der Farbe; der Kopf war gleichfalls dunkelbraun; der Hinterleib und das Bruſtſtück ſehr haarigt und zottig.   Ein paar andere waren jenen faſt gleich, nur ſtanden auf den obern Flügeln ſtatt der breiten Queerbinde zween dunkele Streifen, welche ſo

welt

weit von einander abſtanden, als jene Queerbinden breit waren. Eine Spielart war gänz braunroth, ohne einige Zeichnung. Dieſe würde ich für eine andere Art gehalten haben, wenn ich nicht ſelbſt ſie aus einerley Raupenart hätte entſtehen geſehen. Ob der Unterſcheid das Kennzeichen des verſchiedenen Geſchlechtes ſey, das kann ich nicht beſtimmen, weil die mehreſten gleich nach der Verwandlung ſtarben.

491) **Naſcher.** Ph. libatrix. L. 233. 78. Röſ. Inſ. 4. Th. Tab. XX. Kopf und Bruſtſtück ſind pomeränzenfarben; die Flügel ſind braunroth; über die obern Flügel gehen zwo weiße etwas geſchlungene Linien queer hinweg; noch ſtehen auf jedem dieſer Flügel zween kleine weiße Puncte, einer dicht am Bruſtſtück, der andere in der Mitten des Flügelrandes; auf jedem Flügel läuft von den Flügelwarzeln ein etwas breiter pomeranzenfarbener Streifen die Länge hinab, bis an den zweyten weißen Queerſtrich. Die Flügel ſind am hintern Rande ausgezackt, ſo daß ſie verſchiedene Spitzen von ungleicher Länge haben. Die untern Flügel ſind ſchmutzighellroth, werden aber gegen den Rand, der einen breiten Saum hat, dunkelaſchfarben. Dieſe ſind völlig ungezackt. Die Raupe findet ſich auf einigen Weidenarten.

492) **Tagling.** Ph. papilionaria. L. 233. 225. Röſ. Inſ. 4. Th. Tab. XVIII. Der Leib iſt aſchfarben, ein wenig ins Grüne ſpielend; das Bruſtſtück iſt blaßgrün; die Flügel haben ein ſchönes Meergrün, und faſt in der Mitten eine ſchmale geſchlängelte weiße Queerlinie; der äußere Rand hat eine ſchmale gelbe Einfaſſung. Die Raupe habe ich nicht geſehen.

493) **Bär.** Ph. Caja. L. 233. 35. Röſ. Inſ. 1. Th. Phal. Cl. II. Tab. I. Friſch Inſ. 2. Th. Tab. IX. Die obern Flügel ſind braun und weißgeſchlän-

schlängelt, die untern sind purpurfarben, und haben schwarze Flecken.

494) **Raumfleck.** Ph. villica. L. 233. 41. Röf. Inf. 4. Th. Tab. XXVIII. fig. 2. Tab. XXIX. fig. 1-4. Frisch Inf. 10. Th. Tab. II. Er hat schwarze Oberflügel mit acht unförmlichen weißen Flecken, und gelbe Unterflügel mit schwarzen Flecken. Die Raupe hält sich auf der Brennessel auf.

495) **Ungleicher Nachtschmetterling.** Ph. dispar. L. 233. 44. Röf. Inf. 1. Th. Phal. Cl. II. Tab. III. Frisch Inf. 1. Th. Tab. III. Man nennt ihn sonst auch den **Großkopf.** Das Männchen hat grau und weiß gefleckte Flügel, das Weibchen weiße mit schwarzen gezähnelten Streifen.

496) **Goldafter.** Ph. Chryforrhoea. L. 233. 45. Röf. Inf. 1. Th. Phal. Cl. II. Tab. XXII. Frisch Inf. 3. Th. Tab. XVIII. Er ist ganz weiß; der Hinterleib ist hellgelb und wolligt. Die Raupe nährt sich auf Obstbäumen.

497) **Weidennachtschmetterling.** Ph. Salicis. L. 233. 46. Röf. Inf. 1. Th. Phal. Cl. II. Tab. IX. Frisch Inf. 1. Th. Tab. IV. Man nennt ihn sonst auch den Ringelfuß. Seine Flügel sind alle weiß, und haben gar keine Zeichnung. Er ist auf einigen Weidenarten, besonders der Bandweide, häufig zu finden. Die Zeit seiner Verwandlung ist zu Ende des Junius.

498) **Bettlerin.** Ph. mendica. L. 233. 47. Ein ganz kleiner Nachtschmetterling mit ganz grauen Flügeln. Ihren Namen hat sie von der beugenden Bewegung der Raupe. Man findet sie hin und wieder in Wäldern.

499) **Eckfleck.** Ph. gonostigma. L. 233. 57. Röf. Inf. 1. Th. Phal. Cl. II. Tab. XLVIII. Die obern Flügel sind grau, und haben hell erdfarbene Zeichnungen; die untern Flügel sind auch grau, haben

aber

aber gar keine Zeichnungen. Alle vier haben am Ran-
be eine weiße Einfassung, doch die untern eine breitere,
als die obern. Man findet ihn auf verschiedenen Gar-
tengewächsen.

500) **Kopfhänger, schamhafter Nachtschmetterling.** Ph. pudibunda. L. 233. 34. Röf. Inf.
1. Th. Phal. Cl. II. Tab. XXXVIII. Er hat graulichte Flügel mit drey dunkelbraunen Querbinden. Im
Sitzen läßt er den Kopf zwischen den Vorderschenkeln
hinabhangen. Man findet ihn auf Obstbäumen.

501) **Zitterschmetterling, Zahnflügel.** Ph.
tremula. L. 233. 58. Die obern Flügel haben am innern Rande einen gezähnelten Flecken. Man findet
ihn auf der Löhne und auf der Espe.

502) **Blaukopf.** Ph. coeruleocephala. L. 233.
59. Röf. Inf. 1. Th. Phal. Cl. II. Tab. XVI. Frisch
Inf. 10. Th. Tab. III. fig. 4. Die Flügel sind erdfarben, und haben zween zusammenfließende nierenförmige Flecken; der äußere Rand hat einen schwarzen
wellenförmigen Streifen. Man findet sie auf den
Blüthen einiger Obstbäume.

503) **Holzdieb.** Ph. Coffus. L. 233. 63. Goed.
inf. ed. Lift. fig. 39. Ein Schmetterling mit grau
und schwarzgewölkten Flügeln; das Brußtück ist vorne weiß, und hat hinten eine schwarze Binde. Die
Raupe hält sich in faulen Holzstämmen auf, die sie
mit sehr vielen Löchern durchbohrt, besonders liebt sie
die Weidenarten.

504) **Das Verwunderungszeichen.** Ph. ex-
clamationis. L. 233. 155. Die Oberflügel sind mau-
sefarben, und haben einige blassere gekrümmete Streifen, gegen die Wurzel einen schwarzen Streifen, und
neben demselben in der Mitten der Flügel einen braunen fast herzförmigen Flecken. Die untern Flügel sind
weiß. Die Raupe hält sich im Grase auf; der

Schmetterling fliegt des Abends häufig herum. Ich habe seine Größe sehr verschieden gefunden.

505) **Grasmäher.** Ph. graminis. L. 233. 70. Er ist grau, und hat weiße Ringe und einen weißen Flecken. Die Raupe spinnet sich um Johannis ein, und verwandelt sich in eine Puppe. Dem Wiesenwuchs pflegt sie sehr nachtheilig zu seyn. Die Krähen, denen sie eine angenehme Nahrung sind, säubern die Wiesen sehr von ihrer Brut, und verhindern ihre starke Vermehrung. Man sieht sie deswegen nicht außerordentlich häufig.

506) **Das Sieb, Siebflügel.** Ph. Cribrum. L. 233. 76. Dieser Schmetterling ist an den Oberflügeln weißlicht, mit schwarzen Puncten, die in die Queere gehen.

507) **Blausieb.** Ph. Aesculi. L. 233. 83. Rös. Ins. 3. Th. Tab. XLVIII. fig. 5. 6. Die Vorderflügel sind weiß, und mit schwarzblauen Puncten bestreuet; die Hinterflügel haben nur am äußern Rande Fleckchen von eben der Farbe. Die Raupe nährt sich auf der Birke, Erle und wilden Castanie.

508) **Lichtflieger.** Ph. lucernea. L. 233. 102. Ein aschgrauer Schmetterling mit drey weißen Streifen, die etwas geschlängelt gehen. Des Abends pflegt er um das Licht herumzuflattern. Er soll den Bienenstöcken sehr nachtheilig seyn.

509) **Die Verlobte.** Ph. nupta. L. 233. 119. Rös. Ins. 1. Th. Phal. Cl. II. Tab. XV. Sie hat graue Oberflügel und rothe Unterflügel mit zween breiten schwarzen Queerstrichen. Die Raupe nährt sich auf den Weidenbäumen.

510) **Gevierter Punct.** Ph. absynthii. L. 233. 133. Rös. Ins. 1. Th. Phal. Cl. II. Tab. LXI. Frisch Ins. 7. Th. Tab. XII. Die Flügel sind grau, und haben

haben schwärzliche Binden, und zwischen denselben stehen vier Puncte im Viereck.

511) Die **Hausmutter**. Ph. Pronuba. L. 233.
121. Goed. inf. ed. Lift. fig. 41. Die Oberflügel sind
fast stahlfarben, und haben einen nierenförmigen braunen Flecken, und neben demselben einen weißlichten
runden Flecken; die untern Flügel sind gelb, und haben neben dem Rande eine schwarze Einfassung. Man
sieht es auf dem Täschelkraut und auf andern
Pflanzen.

512) **Welling**. Ph. Wawaria. L. 233. 219.
Goed. inf. ed. Lift. fig. 12. wo die Zeichnung ziemlich
richtig ist. Der Schmetterling gehört unter die mit-
telmäßigen. Die Flügel sind weißgrau; die Vorderflügel haben oberhalb vier kurze schwarze Queerstrich-
lein, von welchen der zweyte der längste, der letzte
aber der breiteste ist. Man findet die Raupe auf dem
Johannisbeerstrauch; bey uns aber kommt er nur zuweilen vor.

513) **Splitterstrich**. Ph. typica. L. 233. 186.
Röf. Inf. 1. Th. Phal. Cl. II. Tab. LVI. Der Grund
der obern Flügel ist dunkelerdfarben; über diesen gehen
verschiedene unterbrochene Queerstriche und Zeichnungen; sie haben alle eine breite Borte von heller Farbe.
Die untern Flügel sind grau, ohne einige Zeichnung,
und haben eine schmale Randeinfassung von heller Erdfarbe.

514) **Griechisches Psi**. Ph. Psi. L. 233. 35.
Röf. Inf. 1. Th. Phal. Cl. II. Tab. VII. VIII. Frisch
Inf. 2. Th. Tab. II. Es hat graulichte niedergebogene Flügel, von welchen die oberen Zeichnungen haben,
die wie ein griechisches Psi gestaltet sind. Man findet
die Raupe auf Eichen, Erlen und Apfelbäumen.

515) Der **Buckel**. Ph. pinastri. L. 233. 160.
Er hat weiße Flügel mit schwarzen Zeichnungen und
ein

ein höckerigtes Bruststück. - Die Raupe hält sich auf
Fichtenbäumen auf.

516) **Kohleule.** Ph. brassicae. L. 233. 163.
Röf. Inf. 1. Th. Phal. Cl. II. Tab. XXIX. fig. 4. 5.
Sie ist grau und rußfarben gefleckt, und hat zusam-
mengebogene Flügel. Man trifft die Raupe auf dem
Kohl, der tauben Nessel, und andern Gewächsen an.

517) **Weidenwickler.** Ph. Clorana. L. 233.
287. Röf. Inf. 1. Th. Phal. Cl. IV. Tab. III. Ein
kleiner Nachtschmetterling mit grünen ungefleckten Oberflügeln mit weißer Einfassung; die Unterflügel sind
weißlich, und haben aschgraue Streifen. Bey uns
ist dieser Schmetterling selten. Die Raupe nährt sich
auf Weidenbäumen.

518) **Griechisches Chi.** Ph. Chi. L. 233. 136.
Röf. Inf. 1. Th. Phal. Cl. II. Tab. III. Die obern
Flügel sind blaulicht grau, und haben feine schwarze
geschlängelte Zeichnungen, und weiße Flecken; die untern Flügel sind grau, und haben feine dunklere Tüpfelchen. Der Aufenthalt der Raupe ist der Weidenbaum.

519) **Sägerand,** Ph. persicariae. L. 233. 142.
Röf. Inf. 1. Th. Phal. Cl. II. Tab. XXX. Die obern
Flügel sind dunkelerdfarben, und haben eine hellere
Queerbinde gegen den Rand zu, und einen dergleichen
Flecken, in der Mitten einen weißen nierenförmigen
Flecken, auf dem noch ein kleinerer brauner stehet.
Die untern Flügel sind schmutzig violfarben, gegen die
Wurzel geblicht schattirt. Die Raupe nährt sich auf
dem Flöhkraut.

520) **Nesselspanner.** Ph. urticata. L. 233.
272. Röf. Inf. 1. Th. Phal. Cl. IV. Tab. XIV. Die
Flügel sind weiß, und haben schwarzbraune Flecken
und unterbrochene Binden; das Bruststück und der
Steiß sind gelb, und haben breite schwarze Flecken.
Man

Man siehet die Raupe auf Nesseln, der Melte und andern Gewächsen.

521) Nesselwurm. Ph. verticalis. L. 233. 335. Röf. Inf. 1. Th. Phal. Cl. IV. Tab. IV. Die Flügel sind lederfarbengelb, und haben graue wellenförmige Queerzeichnungen. Die große Nessel giebt der Raupe Aufenthalt und Nahrung.

522) Birnmotte, Apfelmotte. Ph. pomonella. L. 233. 401. Röf. Inf. 1. Th. Phal. Cl. IV. Tab. XIII. Die obern Flügel sind grau, und haben dunkle Queerstreifen, und am äußern Rande einen großen braunen Flecken. Sie gehört zu den kleinen Schmetterlingen. Die Made hält sich im Obste auf.

523) Hausmotte. Ph. furcella. L. 233. 489. Die Flügel sind schmutzigbraun; die obern Flügel haben zween schwarze Puncte und einen dunkelbraunen Strich gegen die äußere Spitze. Man sieht sie Abends und Nachts in den Häusern herumflattern.

524) Hülsenfresser. Ph. Pifi. L. 233. 172. Röf. Inf. 1. Th. Phal. Cl. II. Tab. LII. Sie hat stahlblaue Flügel mit hellgrauen Ringen. Die Raupe hält sich auf verschiedenen schotentragenden Gewächsen auf, deren Hülsen sie vernichtet.

525) Flammenflügel. Ph. pyramides. L. 233. 181. Röf. Inf. 1. Th. Phal. Cl. II. Tab. XI. Die Flügel sind dunkelgrau, und haben hellgraue gezähnelte Queerbinden. Die Raupe findet man auf Eichbäumen.

526) Milchflügel. Ph. lactearia. L. 233. 194. Ein kleiner ganz weißer Schmetterling, ohne einige Zeichnung.

527) Nageflügel. Ph. alniaria. L. 233. 205. Röf. Inf. 1. Th. Phal. Cl. III. Tab. I. Die Flügel sind gelb, und mit pomeranzenfarbenem Staube bestreuet, sie haben zwo dunkelbraune Queerlinien, und

　sehen

sehen am Rande wie zernaget, oder vielmehr wie gefranzt aus. Die Raupe hält sich in Erlenwäldern
auf. Im Sommer 1782 fand ich eine Raupe dieses
Schmetterlings, und setzte sie zur Verwandlung hin.
Nach abgestreifter Raupenhaut erschien die Puppe grasgrün, blaßte aber nach ein paar Tagen ab, und wurde meergrün. Nach vier und zwanzig Tagen kam der
Schmetterling zum Vorschein. Er hatte aber eine
andere Zeichnung, als Rösel von ihm gegeben hat.
Die Flügel waren auf der obern Seite durchgehends
dunkel ocherfarben, ohne einige Zeichnung; auf der
untern Seite der obern Flügel ging queer durch die
Mitte ein dunkelbrauner schmaler Streifen, in dessen
Mitten ein kugelförmiger Flecken stand; die Ecke hatte
einen Flecken von eben der Farbe. Da die Raupe
völlig mit Rösels seiner überein kam, und sich vor meinen Augen verwandelte: so war ich überzeuget, daß
der Schmetterling eine Abart der Ph. alniariae sey.
Eine Spielart, die sich zu einer andern Zeit bey mir
verwandelte, kommt mehr mit Rösels Zeichnung überein, ob sie gleich ebenfalls etwas abweichet. Das
Bruststück, der Leib und die Flügel sind blaßocherfarben, am äußern Rande sowol, als am innern, etwas
dunkler; auf dem obern Flügel stehen zween unmerkliche aschfarbene Querstreifen, deren Zwischenraum
graue Tüpfeln hat. Die Raupe fand ich im Birken-
walde.

528) Tintenfleck. Ph. grossulariata. L. 233.
242. Rös. Ins. 1. Th. Phal. Cl. III. Tab. II. wo eine ziemlich richtige Zeichnung gegeben wird. Frisch
Ins. 3. Th. II. Tafel. Der Schmetterling ist von
mittlerer Größe. Sein Körper ist gelb, und hat
schwarze Puncte; die Flügel sind weiß. An den Oberflügeln stehen an der Wurzel einige schwarzbraune runde Flecken, weiterhin am Rande drey dergleichen in
ein-

einandergeflossene; dann geht von dem innern bis in die Mitte ein gekrümmter Queerstreifen, neben welchem einige bis an den äußeren Rand fortlaufen; unter diesen formiren einige dunkele Flecken die zwote Queerreihe; von eben solchen ist auch das äußerste Ende dieser Flügel eingefaßt. Die untern Flügel sind schwarz getüpfelt. Man findet ihn zuweilen in Tannenwäldern; die Raupe aber findet man am häufigsten auf dem Stachelbeerstrauch.

529) Der Pfau. Ph. pavonia. L. 233. 7. Die obern Flügel sind braunroth und blaßpfirschfarben gezeichnet; die untern Flügel sind hellgelb, und haben eine äußere rothbraune Randeinfassung, auf welche innerhalb eine weißlichte folgt, die wieder von einer rothbraunen umgeben ist. Alle vier Flügel haben ein jeder ein schwarzes Aeuglein mit zwey feinen gelblichten Ringlein; die Aeuglein der oberen Flügel stehen auf einem weißen winkeligten Queerflecken. Die Raupe wird zuweilen auf Erlen gefunden.

530) Rittersporneule. Ph. Delphinii. L. 233. 288. Röf. Inf. L. Pap. noct. Cl. II. T. XII. Die Flügel haben purpurfarbene, blaue und rosenfarbene Queerzeichnungen, die verschiedentlich mit einander abwechseln. Die Randeinfassung ist blaßgelb. Die Raupe kommt zuweilen auf dem Rittersporn, doch nur selten, und nicht in allen Jahren vor.

531) Gabelschwanz. Ph. Vinula. L. 233. 29. Röf. Inf. I. Pap. noct. Cl. II. T. XIX. Die Flügel sind blaßgrau, und haben dunkelgraue Streifen, und wellenförmige Zeichnungen, die in die Queere gehen. Man findet die Raupe zuweilen auf der gemeinen Weide.

532) Der Zickzack. Ph. Zickzack. L. 233. 61. Röf. Inf. I. Pap. noct. Cl. II. T. XX. Die obern Flügel sind dunkelerdfarben, die untern weißlicht. Alle

haben

haben schwarze zackigtlaufende Queerbinden. Die Raupe kömmt auf Weidenbäumen vor.

533) **Wollkrautenle.** Ph. Verbasci. L. 233. 113. Rös. Inf. I. Pap. noct. Cl. II. T. XXIII. Die Flügel sind am äußersten Rande gezackt, und haben außerhalb eine schwarze Einfassung, auf welche eine blaßgelbe, dann wieder eine schwarze folget. Die oberen Flügel sind blaßocherfarben mit etwas Weißem gemischt, und haben am vordern und hintern Rande einen dunkeln erdfarbenen breiten Streifen. Die unteren Flügel sind dunkelaschgrau, gegen die Wurzel mit etwas Gelbem gemischt. Man sieht die Raupe auf dem Wollkraut, zuweilen auf der gemeinen Weide.

534) **Meltensauger.** Ph. Atriplicis. L. 233. 173. Rös. Inf. I. Pap. noct. Cl. II. T. XXXI. Die Flügel sind gezackt, dunkelbraun, und haben feine, graue, gelblichte und weiße Queerzeichnungen, welche durch eine breite gelbe Zeichnung, die in der Mitten stehet, erhöhet werden. Auf der Melte.

535) **Glitschfuß.** Ph. lubricipeda. L. 233. 69. Rös. Inf. I. Pap. noct. Cl. II. T. XLVI. Ich habe nur das Männchen gesehen, das an einer offenen Waldstelle herumschwärmete. Es hat weiße Flügel, die mit schwarzen Puncten bestreuet sind, und am vordern Rande eine linienförmige schwarze Einfassung, am hintern Rande eine breitere blaßgraue haben. Der Körper ist lebhaft hellgelb, und hat in der Mitten und an den beiden Seiten viereckigte schwarze Fleckchen in Reihen bis an das Steißende hinunter stehen.

536) **Jacobäerin.** Ph. Jacobeae. L. 233. 111. Rös. Inf. I. Pap. noct. Cl. II. T. XLIX. Die oberen Flügel sind schwarz, und haben am hintern Rande zween fast rautenförmige karminfärbene Flecken; längs dem vordern Rand läuft ein schmaler Streifen von derselben Farbe; die hintern Flügel sind karminfarben,

und

und haben eine schwarze Einfassung. Der Körper ist schwarz. Die Raupe nährt sich auf dem St. Jacobs-kraute. Dieser schöne Nachtvogel ist jedoch bey uns äußerst selten, und wird in manchen Jahren gar nicht gesehen.

537) Das Pflaumenblatt. Ph. pruni. L. 233. 22. Röf. Inf. I. Pap. noct. Cl. II. T. XXXVI. Die Flügel sind dunkelpomeranzenfarben, am Rande ge-zackt, mit einer schmalen schwarzen Einfassung, welcher nach einem breiten Zwischenraum ein dergleichen gezäh-nelter Queerstreifen, und dann weiter oberwärts noch zween, weit von einander abstehende glatte Striche von eben derselben Farbe folgen; in der Mitten der obern Flügel steht ein unförmlicher weißer Flecken mit einer schmalen dunkeln Einfassung. Man findet die Raupe auf Apfelbäumen.

538) Haselnußeule. Ph. coryli. L. 233. 50. Röf. Inf. I. Pap. noct. Cl. II. T. XLVI. Die obe-ren Flügel sind vorne aschgrau, und haben wellenför-mige Zeichnungen und Linien, und ein schwarzes, in-wendig weißgetüpfeltes Aeuglein; der äußere Rand aller vier Flügel ist gesaumt. Man findet die Raupe in Nußgehegen.

539) Kahlsauger. Ph. elinguaria. L. 233. 211. Röf. Inf. I. Pap. noct. Cl. III. T. IX. Die oberen Flügel sind schwefelfarben, die untern noch mehr blaßgelb; an jenen ist in der Mitten eine breite blaßbraune Queerbinde mit einem schwarzen Tüpfel. Die Raupe pflegt auf Obstbäumen vorzukommen.

540) Grünwickler. Ph. viridana. L. 233. 286. Röf. Inf. Pap. noct. Cl. IV. T. I. Die oberen Flügel sind grasgrün, die unteren sind weißlicht, und haben zarte, aschfarbene Streifen; jene haben rings-herum eine weiße Randeinfassung, mit einer schmalen grauen Borte, diese haben eine graue Randeinfassung. Ich

X 5

habe

Oberflügel haben drey dunklere schräge Streifen; die untern haben gegen das äußere Ende einen blassern Queerstreifen. Man trifft die Raupe in Küchengärten an.

549) **Tuchmotte.** Ph. vestionella. L. 233. 370. Die Flügel sind aschfarben, am Rande weiß. Die Made hält sich in tuchenen Kleidungsstücken auf, die sie verwüstet.

550) **Tapetenmotte.** Ph. tapezella. L. 233. 371. Die obern Flügel sind schwarz, hinterwärts weißlicht; die untern Flügel sind grau. Die Made verbirgt sich in wollenen Kleidern, Fellen und Tapeten, die sie zerfrißt.

551) **Pelzmotte.** Ph. pellionella. L. 233. 372. Rös. Ins. 1 Th. Phal. Cl. IV. Tab. XVII. Die Flügel sind grau, und haben in der Mitte einen schwarzen Punct. Die Motte hauset im Pelzwerk sehr übel.

552) **Kleidermotte.** Ph. sarcitella. L. 233. 373. Rös. Ins. 1 Th. Phal. Cl. IV. Tab. XVII. Sie hat graue Flügel, und auf jeder Seite des Bruststücks einen weißen Punct. Die Motte hält sich in allerley Kleidungsstücken auf.

553) **Harzmotte.** Ph. resinella. L. 233. 406. Rös. Ins. 1 Th. Ph. Cl. IV. Tab. XVI. Frisch. Ins. 10 Th. 9 Tafel. Ein kleiner Nachtschmetterling mit grauen Oberflügeln, welche braune Queerflecken haben, und mit braunen Unterflügeln, welche eine weiße Einfassung haben. Die Raupe trifft man oft in den Harzbeulen der Fichtenzweige an.

IV. Mit aderigten Flügeln.
Neuroptera.

I. Waſſernymphe. Libéllula. L. gen. 234.

Sie haben vier ausgeſpannte geaderte Flügel,
kurze Fühlhörner, und ein vielkieferiges Maul. Das
Männchen hat einen gabelförmigen Schwanz. Mücken
und Fliegen ſind ihre Nahrung.

554) Vierfleckigte Waſſernymphe. L. qua-
drimaculata. L. 234. 1. Dieſe Gattung war im Jahr
1779 zu Ende des May nnd zu Anfange des Junius
bey uns einige Tage lang ſo außerordentlich häufig,
daß man ſich ihrer kaum erwehren konnte. Man ſahe
ſie, beſonders des Vormittags in vielen Schaaren,
allenthalben, auch in der Stadt herumfliegen. Sie
kamen zwar mit der, in der ſchwediſchen Fauna No.
1459. gegebenen Beſchreibung nicht völlig überein;
aber das entſcheidende Kennzeichen, welches darin beſtehet, daß ſie außer dem ſchwarzen Punct an dem
äußern Flügelrande noch einen länglichten ſchwarzen
Flecken haben, war an dieſen allen deutlich zu ſehen.
An jedem Seitenrande des Kopfes ſtanden zween gelbe
Fleckchen, und an jeder Seite des untern Kiefers einer.
Einige hatten ſtatt der ſchwarzen Flügelflecken, dunkelbraune Flecken, die ſich in ein gewölktes Blaßbraun
verlohren; an allen waren die Flügelwurzeln gelb: nur
ſtand an den hintern Flügeln unter dem Gelben ein
großer ſchwarzer Flecken. Unſere Fiſcher verſprachen
ſich bey ihrer großen Menge einen ſehr reichen Lachsfang; aber ihre Hoffnung wurde getäuſcht; denn er
war kaum ſo ergiebig, als er in andern Jahren zu ſeyn
pflegt.

555) Gelblichte Waſſernymphe. L. flave-
ſcens. L. 234. 2. Röf. Inſ. 2 Th. Aquat. Cl. II.
Tab,

Tab. V. Der Körper ist oberhalb gelbgrün, und hat einen die länge hinuntergehenden schwarzen Streifen, über welchen einige schwarze Queerstreifen gehen; die Flügel sind am Grunde blaßgelb. Man findet sie zuweilen an Gewässern.

556) **Braune Waffernymphe.** L. rubicunda. L. 234. 4. **Röf. Inf.** 2 **Th.** Aquat. Cl. II. Tab. VII. fig. 4. Der Körper ist braunroth, und hat oberhalb schwarze Queerstreifen, und schwarze, in die länge gehende Striche. Die Flügel sind am Grunde schwärzlich. Auch diesen findet man an Gewässern.

557) **Breitleibige Waffernymphe.** L. depressa. L. 234. 5. Ihre Flügel sind am vordern Rande schwärzlicht. Das Bruststück hat zwo gelbe Queerlinien, und der kurze platte leib an den Seiten gelbe Flecken.

558) **Gemeine Waffernymphe, Gottespferdchen,** in livland: **Gottessperling.** L. vulgatissima. L. 234. 6. Der Ehste nennet sie **Lidrik.** Sie ist hinlänglich bekandt, und in manchen Jahren sehr häufig.

559) **Gegitterte Waffernymphe, Gitterbauch.** L. cancellata. L. 234. 7. Die Brust ist ziegelfarben, und hat oben zwo schwarze linien, und an den Seiten zween Flecken. Der Körper ist hellbraun, und hat auf dem Rücken und an den Seiten unterbrochene gelbe linien. Sie ist fast so groß, wie die gemeine Waffernymphe.

560) **Kupfergrüne Waffernymphe.** L. aenea. L. 234. 5. Der Körper ist glänzend kupfergrün; die Flügel sind am äußern Rande hellbraun, und haben einen länglichten dunkeln Flecken; an der Wurzel sind sie gelblicht.

561)

561) **Große Wassernymphe**, oder **Wasser-hure**, **Riesin.** L. grandis. L. 234. 9. Sie hat bläulicht graue Flügel.

562) **Schmale Wassernymphe**, **Jungfer.** L. virgo. L. 234. 20. Ihre vordern Flügel haben in der Mitte ein schönes Blau. Eben diese Farbe hat der schmale Körper. Man hat verschiedene Abänderungen von dieser Art.

563) **Mägdchen.** L. Puella. L. 234. 21. Sie hat glasfarbene Flügel, die am äußern Rande einen kleinen dunkelbraunen Flecken haben. Es giebt deren auch bey uns verschiedene Abarten. Am häufigsten sind die, mit blauem Körper, seltener die mit grünem Körper. Eine Abänderung mit blauen Flügeln und Körper kommt am seltensten vor.

II. Tagthierchen. Ephemera. L. gen. 235.

Die Insecten dieses Geschlechts haben aufgerichtete Flügel, von welchen die hintern ganz klein sind; ihr Schwanz ist borstförmig.

564) **Gemeines Tagthierchen**, **Uferaas.** E. vulgata. L. 235. 1. Es ist etwa dreymal so groß als eine Mücke; die Flügel sind braun, und haben zween dunkle gewölkte Flecken auf dem obern Flügel. Man findet ihn an Gewässern. Sie halten sich viele Monate in großen Schaaren im Wasser auf, wo sie sich mehrere male häuten, kommen endlich hervor um die letzte Haut abzustreifen, da sie dann gleich darauf herumfliegen, sich begatten, Eyer legen, und sterben, welches alles das Geschäffte eines einzigen Tages ist. Viele verunglücken bey der letzten Häutung, fallen ins Wasser, und kommen um. An unsern Stranden sind sie oft so außerordentlich häufig, daß sie, wie z. B. im August 1788 bemerkt wurde, einen halben Fuß

über

über einander, an den Dünastrand und auf die Schiffs-
brücke fielen; viele wurden eben bey der letzten Häutung
angetroffen.

565) **Gelbes Tagthierchen.** E. lutea. L.
235. 2. Er hat einen gelben Körper; die Flügel sind
braun geadert; der Schwanz hat drey lange Borsten.

566) **Stundenthierchen, Haftwurm.** E.
horaria. L. 235. 9. Es ist so groß, wie eine kleine
Fliege, und hat weiße Flügel mit einem schwärzlichen
Rande. Es hält sich am Seestrande im Wasser häufig
auf. Sein Leben währet sehr kurz, nur einige Stunden; dies hat ihm den deutschen Namen gegeben.

III. Wassereulchen. Phryganea. L. gen. 236.

Sie haben niedergebogene Flügel, von welchen
die untern gefaltet sind; ihre Fühlhörner sind länger,
als das Brustück.

Von diesen Insecten findet man auch bey uns
verschiedene Arten, die man aber wegen ihrer Klein-
heit nicht leicht von einander unterscheiden kann. Ihre
aus Sande gebauten Puppenhäuser findet man im
Frühjahr an den Wassergräben häufig genug.

567) **Sechsfüßiges Wassereulchen.** Phr.
rhombica. L. 236. 8. Es hat gelbe geaderte Flügel,
von welchen die vordern, jeder zween weiße Flecken
haben.

568) **Schwarzblaues Wassereulchen.** Phr.
nigra. L. 236. 11. Die Flügel sind dunkel stahlblau,
etwas ins Grüne spielend; die Fühlhörner sind mehr
als doppelt so lang, als der Körper. Man siehet sie
zuweilen Abends haufenweise in der Luft herumschwärmen.

569) **Gestreiftes Wassereulchen.** Phr. striata. L. 236. 5. Er ist gegen einen Zoll lang, und hat breite rostfarbene schwarzgestreifte Flügel. Auch diesen siehet man des Abends oft in Schaaren herumfliegen.

IV. Stinkfliege. Hemerobius. L. gen. 237.

Sie haben niedergebogene Flügel, ein gewölbtes Bruststück, und ausgestreckte borstförmige Fühlhörner, die länger sind, als das Bruststück.

570) **Kleine Stinkfliege, kleiner Stinker, Blattläusefresser.** H. Perla. L. 237. 2. Er ist zeisiggrün, und hält sich auf verschiedenen Pflanzen auf, wo er sich von Blattläusen nähret.

571) **Goldaugige Stinkfliege, Goldauge.** H. Chrysops. L. 237. 4. Sie ist schwarz und grün gefleckt. Ihren Namen hat sie von dem stinkenden Saft, den sie von sich giebt, wenn man sie mit der Hand berühret.

572) **Gassenstinkfliege, Rothfliege.** H. lutarius. L. 237. 14. Diese Fliege hat lange weiße braungestreifte Flügel, und einen schwarzen Körper. Die Larve hält sich im Mist und Gassenkehricht auf.

V. Bastardjungfer. Myrmeleon. L. gen. 238.

Die Insecten dieses Geschlechts haben niedergebogene Flügel, und einen zangenförmigen Schwanz.

573) **Ameisenlöwe.** M. formicarum. L. 238. 3. Die Flügel haben am hintern Rande einen Flecken von weißer Farbe. Das Männchen ist nicht so groß, als das Weibchen. Die bewundernswürdige und schlaue

Naturgesch. von Livl.   Y   Art,

Art, mit welcher die Made dieses Insects die Ameisen und andere kleine Insecten erhascht, wie auch ihre Gestalt und Verwandlung, beschreibt Rösel in seinen Insectenbel. 3 Th. S. 101. u. f. Suppl. Tab. XVI. XVIII. XIX. XXI. wo gute Zeichnungen sind.

VI. Scorpionfliege. Panorpa. L. gen. 239.

Der Schnabel dieser Insectarten ist walzenförmig, und hat zwey Fühlerchen; die Fühlhörner sind länger als das Bruststück; die Schwanzspitze des Männchens hat die Gestalt einer Krebsscheere.

574) **Gemeine Scorpionfliege, Scheerenschwanz.** P. communis. L. 239. 1. Die Flügel sind weiß, und haben große schwarze Flecken; der Körper ist gelb, und hat oberhalb und am Bauche länglicht viereckigte dunkelbraune Flecken; der Schwanz bestehet aus drey hellbraunen Ringen, von welchen der letztere bey dem Männchen zween Hacken hat. Ich habe ihn auf der großen Brennessel gefunden.

V. Mit membranösen Flügeln. Hymenoptera.

I. Gallapfelwespe. Cynips. L. gen. 241.

Die Wespen dieses Geschlechts haben keinen Rüssel. Ihr Legestachel ist spiralförmig gebogen. Vermittelst dieses Stachels legen sie ihre Eyer in das Mark der Blätter verschiedener Pflanzen. Hierauf erfolget ein Auswuchs wie ein Gallapfel, in deren Mittelpunct sich die Made befindet, welche mit der Galle wächst, und wann diese reifet, sich in eine Wespe verwandelt, die sich dann von dem Mittelpunct bis zur äußeren Fläche

Fläche eine runde Oeffnung zum Ausſchlüpfen bohrt, und davon fliegt.

575) **Gallapfelweſpe des Gundermanns, Gundrebenweſpe.** C. Glechomae. L. 241. 2. Sie verwandelt ſich in den grünen Gallen, die man oft auf den Blättern des Gundermanns oder der Gundrebe findet.

576) **Gallapfelweſpe der Bandweide, Bandweidenweſpe.** C. viminalis. L. 241. 13. Auf den Blättern der Bandweide, und anderer niedrigen Weidenarten findet man Auswüchſe, welche anfänglich blaßgelb, nachher, wenn ſie reifen, roth ſind, und an Größe und Geſtalt der Mehlbeere gleichen. In dieſen verwandelt ſich die Weſpe. Die Weiden an den Dämmen im Dänaſtrom hangen im Sommer nach Johannis voll mit dieſen rothen Auswüchſen.

577) **Gallapfelweſpe der Eichen.** C. Quercus. L. 241. 5. Sie wird auf der untern Blattſeite der Eichen in runden graulichten, zuweilen röthlichen glatten Gallen gefunden.

578) **Palmweidenweſpe.** C. Capreae. L. 241. Sie findet ſich in braunen Auswüchſen, die wie Gerſtenkörner geſtaltet ſind, und auf den Blättern der Palmweide, nicht ſelten auch der Linde, vorkommen.

II. Blattweſpe. Tenthredo. L. gen. 242.

Sie haben einen ſägeförmigen Stachel, und eine zweyklappige Scheide. Man findet deren auf verſchiedenen Gewächſen unterſchiedene Arten, von welchen ich nur folgende wenige anführe.

579) **Erlenblattweſpe, gelbe Blattweſpe.** T. lutea. L. 242. 3. Dieſe Weſpe iſt groß und hat einen

Y 2　　　　dicken

dicken Hinterleib, der von gelber Farbe ist, und verschiedene schwarze Queerstreifen hat.

580) **Rosenblattwespe.**   T. Rosae. L. 242.
30. Sie ist gelb, und entstehet aus der anfänglich
grünen, nachher gelben Made, welche in manchen
Jahren an den Rosenstöcken sehr häufig ist.

581) **Weidenwespe.**   T. Capreae. L. 242. 55.
Goed. inf. ed. List. p. 125. fig. 49.   Sie ist gelb,
und hat schwarze Abtheilungen.   Sie legt ihre Eyer
auf die Blätter der Bruchweide, wo auch die Maden
sich nähren.

III. Holzwespe. Sirex. L. gen. 243.

Diese Wespen haben einen sägeförmigen Legestachel, der am letztern Bauchgelenke befindlich ist.

582) **Große Holzwespe.**   S. Gigas. L. 243. 1.
Der Unterleib ist rostfarben: die Flügel sind gefleckt.

IV. Raupentödter. Ichnevmon. L. gen. 244.

Dieses Geschlecht hat einen hervorstehenden Stachel mit einer Scheide, die zwo Klappen hat.   Bey
dem Männchen fehlt der Stachel, oder er ist wenigstens nicht sichtbar hervorstehend.   Die Fühlhörner
haben mehr als dreißig Gelenke.

583) **Gelber Raupentödter.**   I. luteus. L.
244. 55.   Er ist von gelber Farbe, und den Nacht-
schmetterlingslarven nachtheilig.

584) **Puppenmörder, kleine grüne Schlupf-
wespe.**   I. puparum. L. 244. 66.   Sie ist von blau
glänzender Farbe; der Unterleib ist grünglänzend.   Er
ist den Schmetterlingspuppen nachtheilig.

V.

V. Baſtardweſpe. Sphex. L. gen. 245.

Die Fühlhörner beſtehen aus zehn Gelenken; die Flügel liegen bey beiden Geſchlechtern flach auf, und ſind ungefaltet; der Legeſtachel ſteckt verborgen.

585) **Wegebaſtardweſpe.** Sph. viatica. L. 245. 15. Eine große ſchwarze Baſtardweſpe, die ſich in dürren Gegenden aufhält.

586) **Sandbaſtardweſpe.** Sph. ſabuloſa. L. 245. 1. Sie iſt etwa einen Zoll lang, ſchwarz, und hat ein rauhes Bruſtſtück; der zweete und dritte Ring iſt bey einigen ganz ſchwarz, bey andern roſtfarben. Dies ſcheint den Unterſchied des Geſchlechts zu beſtimmen.

VI. Weſpe. Veſpa. L. gen. 247.

Die Weſpen haben gefaltete Oberflügel, und einen verborgenen ſtechenden Angel; am Munde hat ſie Kinnladen ohne Saugrüſſel.

Sie bauen ſich pappartige Wohnungen und Neſter, die aus ſechsſeitigen Zellen beſtehen, und mit verſchiedenen Blattlagen umzogen ſind. Dieſe Neſter befeſtigen ſie theils an Baumäſte; theils an Decken oder Wände unbewohnter hölzerner Gebäude, verſchiedene Arten in der Erde. Die Bauart dieſer Neſter, zu welcher ſie den Stoff von verfaultem Holz nehmen, und die Art und Weiſe, mit der ſie dieſen Bau verrichten, iſt eine der wunderbarſten, und verdient eben ſo viel Aufmerkſamkeit, als die Bauart der Bienen, ob ſie gleich unnütz und größtentheils ſchädlich ſcheinen.

587) **Gemeine Weſpe.** V. vulgaris. L. 247. 4. lett. Lapſenes, ehſtn. Arrilane. Sie nährt ſich mehrentheils von Fliegen.

588) Horniß. V. Crabro. L. 247. 3. lett. Dunderis, ehstn. Wablane, Hörlane. Sie hält sich an den Baumwurzeln und in Baumhölen auf, und ist den Bienen nachtheilig.

589) Gesellige Wespe. V. parietum. L. 247. 6. Sie ist bekandt, und hält sich in hölzernen Wandritzen auf.

590) Feldwespen. V. campestris. L. 247. 13. Sie ist schwarz, und hat am Hinterleibe vier gelbe Queerbänder. Man sieht sie hin und wieder, besonders im freyen Felde.

VII. Biene. Apis. L. gen. 248.

Die Bienen haben einen stechenden Angel, glatte Flügel, und Kinnladen nebst einem Saugrüssel.

591) Honigbiene. A. mellifera. L. 248. 22. lett. Bittes, ehstn. Messilane, auch Lind, d. i. Vogel. Herr P. Hupel handelt in seiner Livl. To-pogr. 2 Th. S. 478. umständlich von unserer livlän-dischen Bienenzucht. Es scheint, daß in älteren Zei-ten, schon vor der Ankunft der Deutschen, von den Ein-wohnern des Landes mehr Honig gebauet worden sey, als jetzo. Daß die Bienenzucht den alten Liven wich-tig gewesen sey, beweiset die ehmalige Todesstrafe, die auf die Beraubung eines Bienenstocks gesetzt war, wie Franz Neustädt im 3ten Cap. seiner livl. Chronik uns berichtet. Der Eindruck dieser Strafe, oder viel-mehr der Abscheu für einen so schändlichen Diebstahl hat sich auch auf die Nachkommen fortgepflanzet; denn noch jetzo wagt es niemand einen Bienenstock zu bestehlen, den der Bauer oft sicher in den Wäldern hält. Dieser Nation war der Bienenbau so wichtig, daß er unter dem Schutze gewisser Gottheiten stand. Babiles war der Gott der Bienen; Austeja ihre Göt-tin.

tin. In der Bukowschen Gegend bey Riga soll ein besonderer Ueberfluß von Bienen gewesen seyn. Man leitet auch den Namen dieses Kirchspiels von Bitter, Biene her, welches bald in Bickes, und mit der Zeit wirklich in Bikern verwandelt seyn soll. In vorigen Zeiten, da bey uns gleichwol mehr Meth getrunken wurde, als jetzo, wurde viel Honig nach Deutschland geschiffet, welches jetzo nicht mehr geschiehet; doch wird noch Wachs außerhalb Landes geschickt; welches aber seit einigen Jahren im Preise merklich gestiegen ist. Den alten Liven war der Gebrauch des Wachses unbekandt; sie warfen es daher als eine ganz unbrauchbare Waare weg, und wunderten sich, daß die deutschen Handelsleute es sorgfältig aufhoben. S. Th. Hiärne Lyff-Ehst- und Lettl. Gesch.

In Livland werden die mehresten Bienen in Stöcken, oder ausgehöhlten Klötzen, weniger in Körben geheget, obgleich im livländischen Landwirthschaftsb. 2 Ausg. S. 644. u. f. den letztern der Vorzug gegeben wird. Viele bauen auch in Wäldern in hohlen Bäumen, wo sie ihre Nahrung an den Blüthen der Bäume und Pflanzen hinlänglich finden. — Bey uns schwärmen sie kurz vor, oder bald nach Johannis, selten später, welches auch Bienenfreunde nicht gerne sehen, weil die spätern Schwärme gewöhnlich geringe sind, und bey unsern kurzen Sommern nur wenig Zeit gewinnen, für ihren Wintervorrath zu sorgen.

Daß die Verschiedenheit des Geschmacks beym Honig von den Blüthen abhange, zu welchen sich die Bienen halten müssen, haben nicht nur verschiedene Landwirthe bey uns bemerkt, sondern man hat es auch in entferntern Gegenden gefunden. So wird z. B. in der Provinz Gallura in Sardinien, wo viel Wermuth wächst, bitterer Honig gefunden; andere schreiben es der Daphne cneoron L. zu, welche bittere Beeren hat.

Ein

Ein reicher Besitzer vieler Bienenstöcke daselbst hat bemerkt, daß nur im Herbst, wann dieses Gewächs blühet, der Honig bitter sey. Gött. Magaz. 2 Jahrg: 5 St. S. 213.

Von dem Ueberfluß des Heidekrautes hat unser Honig die gelbe Farbe, weil er der Bienen vornehmste Nahrung ist, die sie noch spät, im September, da es lange blüht, haben können. Kleeblumen geben weißen Honig. Wer seine Bienenstöcke an Wiesen, die viel Klee haben, oder an blumenreichen Gärten anlegen kann, wird weißen Honig bekommen.

Den Geschwulst, der gewöhnlich auf einen Bienenstich erfolgt, vertreibet man dadurch, daß man sogleich nach dem Stich einige Tröpfen von der Milch aus einem aufgeritzten Möhnkopf auf den leidenden Theil fallen läßt. J. E. Fueßli's Magaz. für die liebh. d. Entomol. 2 B. 1 St. S. 95.

592) **Erdbiene.** Cl. rostrata. L. 248. 25. ehstn. Manes sillane. Man findet sie in Sandhügeln, wo in jedem Neste ein Junges liegt. S. v. Linnee Reisen durch Oeland und Gothl. deutsche Ueberf. S. 263, wo sie genau beschrieben wird.

593) **Erdhummel.** A. terrestris. L. 248. 41. Sie hält sich tief unter der Erde auf.

594) **Steinhummel, Streichhummel.** A. lapidaria. L. 248. 44. Sie hält sich unter Steinhaufen auf.

595) **Waldbiene.** A. sylvarum. L. 248. 45. Sie wird in waldigten Gegenden gefunden. Der Ehste nennt sie Kunnalanne.

596) **Mooshummel.** A. muscorum. L. 248. 46. Sie hält sich unter dem Erdmoose auf.

597) **Höhlenbiene.** A. cunicularis. L. 248. 23. Man findet sie in trockner Erde in Höhlen, mehreren

rentheils in horizontalen, mit mehreren Ausgängen,
wo jede abgesondert wohnt.

598) **Gartenhummel.** A. hortorum. L. 248.
Sie ist schwarz, und mit kleinen Borstchen besetzt,
und hat am äußern Ende des Bruststücks und des Lei-
bes eine gelbe Binde.   Man findet sie in Gärten und
Wäldern.   Im Jahr 1779. fing sie schon den 14
März an zu schwärmen, und verkündigte den frühen
Sommer, den wir in diesem Jahre hatten.

VIII. Ameise. Formica. L. gen. 249.

Sie haben zwischen dem Vorderleibe und Bauche eine hervorstehende Schuppe; die Männchen und
Weibchen haben Flügel; die Arbeitsameisen (neutrae)
sind ungeflügelt, und haben einen stumpfen Stachel.
Die letten nennen die Ameisen überhaupt Skudde-
ris, die Ehsten Sibblikas.

599) **Pferdeameise.** F. herculanea. L. 249. 1.
Eine große schwarze Ameise, die man selten haufenweise, fast immer einzeln herumlaufen siehet.   Sie
hält sich in vermoderten Baumstämmen auf.   Sie
sticht nicht.

600) **Braunrothe Ameise.** F. rufa. L. 249. 3.
Dies ist die bekannte gemeine Ameise, die man in Tannenwäldern in vielen Haufen findet, und deren Eyer
der Nachtigallen angenehmste Nahrung sind.   Sie
bauen ihre Wohnungen von den Nadeln der Tannen
und Fichten.   In den physical. Belust. 3 Th.
S. 1076. wird eine Methode angegeben, nach welcher
man diese Eyer am bequemsten und häufigsten sammlen kann.   Ehstnisch heißt sie: Russekuklenne.

601) Schwarze Ameise. F. nigra. L. 249. 5.
Sie ist glänzend schwarz, und unter den bey uns
bekannten Arten die kleinste.

Y 5   602)

602) **Rothe Ameise.** F. rubra. L. 249. 7.
Sie hält sich auf Grasplätzen dicht an den Graswurzeln auf. Sie ist etwas kleiner, als die folgende,
auch etwas röther. Ihr Stich verursacht ein empfind-
liches Brennen.

603) **Schwarzbraune Ameise.** F. fusca.
L. 249. 4. Sie ist kleiner als die braunrothe Ameise.
Man trifft sie auf den Bäumen, besonders in Gärten
an, wo sie die junge Raupenbrut aufzusuchen pfleget.
Sie sticht nicht, wenn man sie beunruhiget.

Von dem Gebrauch, den man in Livland von
den Ameisen zu machen pfleget, s. Hupels Topogr.
2 Th. S. 480. Das, was man gewöhnlich das Amei-
senen nennet, ist die eingehüllete Made des Thierchens.

VI. Mit zween Flügeln. Diptera.

I. Brömse. Oestrus. L. gen. 251.

Statt des Mundes haben sie drey Puncte, wodurch sie ihre Nahrung einsaugen. Sie sind den Thieren beschwerlich und schädlich. Der Sählspeck soll sie
von den Pferden abhalten, wenn man die Geschirre
damit schmieret.

604) **Hornviehbrömse.** Oe. bovis. L. 251. 1.
lett. Spahre, ehstn. Parm, auch Seggelane. Sie
ist so groß wie eine große Fliege.

605) **Pferdebrömse.** Oe. nasalis. L. 251. 3.
Sie findet sich oft in den Schlünden der Pferde. Ehstnisch heißt sie Hobbose kun.

606) **Darmbrömse.** Oe. haemorrhoidalis.
L. 251. 4. Sie kriecht den Pferden durch den Hintern in die Gedärme.

607) **Schaafbrömse.** Oe. ovis. L. 251. 5.
Sie legt oft ihre Eyer in die Nasenlöcher des Hornviehes,

viehes, beſonders der Schaafe. Die daſelbſt ausgebrütete Maden kriechen durch die Fächer des Siebkno-
chens, in die Hölen des Stirnknochens, wo ſie ſich
ernähren, wachſen und verwandeln. S. Hr. Prof.
N. G. 1ſte Abth. vom Drehen der Schaafe §. 8.
S. 14. 15.

II. Langfuß. Tipula. L. gen. 252.

Das Maul hat eine gewölbte obere Kinnlade,
einwärts gekrümmete Freßſpitzen, welche länger ſind,
als der Kopf, und einen ſehr kurzen, in die Höhe gekrümmten Saugrüſſel.

608) **Langfuß mit kammförmigen Fühlhörnern, Kammhorn.** T. pectinicornis. L. 252. 1.
Er hat kammförmige Fühlhörner, und einen ſchwarzen Flecken an denſelben. Man findet ihn auf trockenen Grasplätzen und an offenen Waldſtellen.

609) **Bachlangfuß, Bachmücke.** T. rivoſa.
L. 252. 2. Ihre Farbe iſt graubraun; die Flügel
ſind weißlicht, und haben braune Adern, und einen
weißen Flecken.

610) **Gartenlangfuß, Gartenmücke, Gar-
tenwühler.** T. hortorum. L. 252. 6. Sie iſt grau,
und hat graue gewölkte Flügel. Ihr Aufenthalt iſt in
Gärten.

611) **Safranfarbiger Langfuß.** T. crocata.
L. 252. 4. Er iſt ſchwarz und hat lebhaft gelbe
Queerbinden an dem Hinterleibe; die Flügel haben am
Rande einen dunkelbraunen Flecken. Man trifft ihn
auf grasreichen Feldern, und in Gärten auf den Jo-
hannisbeerſträuchen an.

612) **Federigter Langfuß.** T. plumoſa. L.
252. 26. Goed. inſ. ed. Liſt. fig. 140. Der Leib
iſt braun, das Bruſtſtück hellgrün; die Flügel ſind
durch-

durchsichtig und haben schwarze Puncte an der Mitte
des äußern Randes. Sie ist fast so groß, wie die
gemeine Mücke. Ich habe sie zuweilen an Flußgestaden, öfterer am Rande sumpfigter Gräben gefunden.

613) Brauner Langfuß, braune Erdmücke.
T. oleracea. L. 252. 5. Goed. inf. ed. Lift. fig. 139.
Frisch Inf. 4 Th. Tab. XII. Sie hat braune Flügel,
und einen hellbraunen Hinterleib.

614) Frühlingslangfuß, Frühlingsmücke.
T. regelationis. L. 252. 21. Diese ist etwas größer,
als die gemeine Mücke, von der sie außerdem die langen Füße leicht unterscheiden. Der Körper ist schmal,
von Farbe dunkelgrau; die Flügel sind durchsichtig,
glänzend, und haben rothbraune Aederchen. Man
findet sie gleich zu Anfange des Frühlings in fetter Erde,
besonders in Miststätten; auch siehet man sie oft in
Schaaren in der Luft herumschwärmen.

615) Langbeiniger Erdschnack. T. corni-
cina. L. 252. 12. Röf. Inf. 2 Th. Musc. Tab. L
Der Leib ist gelb, und hat drey die Länge hinab gehende braune Streifen; die Flügel sind durchsichtig,
und glasfarben, und haben gegen den Rand zu einen
dunkelbraunen Punct. Man findet ihn in dürren
Gebüschen.

616) Schmetterlingsartiger Langfuß. T.
phalaenoides. L. 252. 47. Eine sehr kleine Mücke
mit weißgrauen Flügeln, die nach dem Verhältniß
mit dem Körper dieses kleinen Thierchens sehr lang sind,
und an den Seiten niederhangen, wodurch sie die Gestalt eines Abendschmetterlings bekommt.

617) Strandlangfuß, Strandschwärmer.
T. littoralis. L. 252. 27. Er ist blaßgrün und hat
weiße Flügel. Er hält sich in Sandhügeln auf.

618)

618) **Sumpflangfuß, Sumpfschwärmer, Sumpfbrummer.** T. paluſtris. L. 252. 54. Er iſt ſchwarz, und etwas größer wie ein Floh. Man findet ihn in Sümpfen und auf verſchiedenen Gewächſen.

619) **Wieſenlangfuß, Wieſenmücke.** T. pratenſis. L. 252. 10. Friſch Inſ. 4 Th. Tab. XII. wo eine richtige Zeichnung gegeben iſt. Man findet ſie auf Wieſen und an andern offenen Orten.

620) **Langbeinige Erdmücke.** T. terreſtris. L. 252. 11. Friſch Inſ. 7 Th. Tab. XXII. Der Hinterkörper iſt am Rücken grau; die Flügel ſind glasfarben, und haben einen braunen Punct am Rande.

III. **Fliege.** Muſca. L. gen. 253.

Der weiche fleiſchigte Saugrüſſel und zween Seitenlappen unterſcheiden dieſes Geſchlecht von den übrigen Inſecten mit zween Flügeln.

621) **Chamäleonsfliege.** M. Chamaeleon. L. 253. 3. Röſ. Inſ. 2 Th. Muſc. Tab. V. Dieſe Fliege hat eine mittlere Größe und ein oberhalb ſchwarzes, unterhalb und auf beiden Seiten pomeranzenfarbenes Bruſtſtück. Eben dieſe Farbe hat auch der Leib; nur hat jeder Abſatz einen ſchwärzen Queerſtreifen. Man findet ihn an Gewäſſern.

622) **Kleine Goldfliege.** M. trilineata. L. 253. 6. Sie iſt etwas kleiner, als die gemeine Fliege, von glänzender grüngelber Farbe, und hat drey Queerbinden auf dem Bruſtſtück. Man ſiehet ſie an offenen Waldſtellen.

623) **Fenſterfliege.** M. feneſtralis. L. 253. 14. Eine kleine ſchwarze Fliege, die ſich an den Fenſtern aufhält. Der Bauch iſt oben runzeligt, und mit weißen Strichen beſetzt.

624)

624) **Pfützenfliege.** M. pendula. L. 253. 28.
Frisch Inf. 4 Th. Tab. XIII. Der Hinterleib hat
drey, zuweilen vier unterbrochene gelbe Bänder; auf
dem Brustück stehen vier gelbe Strichlein. Man
findet sie an stehenden Gewässern.

625) **Gelbe schmale Fliege.** M. scripta. L.
253-54. Rös. Inf. 2 Th. Musc. Tab. VI. Sie
hat einen schmalen Hinterleib mit gelben Queerbinden;
das Brustück hat gelbe Streifen; das Schildlein ist
gelb. Man findet sie auf verschiedenen Blumen.

626) **Birnmadenfliege.** M. pyrastri. L. 253.
51. Goed. inf. ed. Lift. fig. 134. Sie hat einen
schwarzen Hinterleib mit sechs mondförmigen gelben
Flecken, von welchen zween und zween neben einander
stehen. Die Made hält sich auf Obstbäumen auf, und
nährt sich von Blattläusen.

627) **Wetterfliege.** M. meteorica. L. 253.
88. Eine kleine schwarze Fliege mit graulichtem Unterleibe; die Flügel sind an der Wurzel gelblicht. Bey
bevorstehendem Regen fliegen sie in Schaaren auf den
Wegen um die Pferde herum.

628) **Hundstagsfliege.** M. canicularis. L.
253. 80. Sie ist kleiner, als die gemeine Fliege,
schwärzlich und behaart. In heißen Sommermona-
ten fliegt sie an stillen Tagen in Schaaren unter den
Bäumen.

629) **Große Fliege.** M. grossa. L. 253. 75.
Diese ist die größte unter unsern einheimischen Fliegen.
Sie ist schwarz und behaart, und hat einen gelben
Kopf. Man sieht sie auf Viehtriften und im
Viehmist.

630) **Schwarze glänzende Fliege, Pech-
fliege.** M. picea. So nenne ich eine Fliege, die so
groß ist, wie die gemeine Fliege. Ich finde sie weder
beym Linne, noch sonst bey irgend einem Entomologen.

Der

Der Hinterleib ist glänzend und tiefschwarz, ohne einige Bänder und Zeichnungen; der Kopf und das Bruststück sind dunkelrostfarben; nur hat das letztere einige braune Punkte. Ich habe sie einigemal auf der Linde angetroffen.

631) **Honigfliege.** M. mellina. L. 253. 35. Eine kleine Fliege mit schwärzlichtem, ins Braune spielenden Brüststück, und schwarzem schmalen Hinterleibe mit gelblichten Flecken.

632) **Polirfliege.** M. polita. L. 253. 98. Sie ist klein, und hat einen starken Metallglanz; der Kopf ist grün, das übrige ist oft stahlblau, zuweilen grün. Vielleicht unterscheiden die Farben die beiden Geschlechte von einander.

633) **Frühfliege.** M. germinationis. L. 253. 122. Sie ist nur halb so groß wie die gemeine Fliege, und von Farbe schwarz; die Flügel sind glasfarben, und haben eine schwarze Randeinfassung, und in der Mitten einige schwarze Flecken.

634) **Brennesselfliege.** M. urticae. L. 253. 123. Sie ist so groß, als die gemeine Fliege, schwarz, und hat einen rostfarbenen Kopf; die Flügel sind weiß, und haben an der Spitze einen braunen Punct, und drey schwarzbraune Queerbinden.

635) **Waldfliege.** M. nemorum. L. 253. 30. Sie ist größer, als die Stubenfliege; am Bauche stehen drey weiße Gürtel. Man findet sie auf verschiedenen Gewächsen.

636) **Cloakfliege.** M. tenax. L. 253. 32. Sie ist rauch, und am Vorderleibe grau, am Bauche braun. Sie kommt häufig in stinkenden Sümpfen und in Cloaken vor.

637) **Doppelauge.** M. diophthalma. L. 253. 43. Sie ist schwarz, und hat gelbe Tüpfeln auf dem Bruststück. Man trifft sie auf verschiedenen Blumen an.

638)

638) **Glanzfliege.** M. Caesar. L. 253. 64. Sie ist doppelt so groß, als die gemeine Fliege; der Körper hat eine schöne glänzende grüne Farbe; die Füße sind schwarz. Die Made findet man in Aesern.

639) **Aasfliege.** M. cadaverina. L. 253. 65. Der Vorderleib ist blau, der Bauch grün. Ihr Aufenthalt ist um den Aesern.

640) **Speyfliege.** M. vomitoria. L. 253. 67. Der Vorderleib ist schwarz, der Hinterleib blau glänzend. Sie findet sich gleichfalls häufig bey den Aesern ein.

641) **Schmeißfliege, Fleischfliege.** M. carnaria. L. 253. 68. Der Bauch ist mit grauen und schwarzen Flecken gewürfelt. Sie schwärmt häufig um die Fleischschranken herum. Ihre Eyer legt sie in faules Fleisch, in welchem sich nachher die Maden nähren.

642) **Gemeine Fliege, Stubenfliege.** M. domestica. L. 253. 69. lett. **Muscha**, im Wendenschen **Muhsa**, wiewol der lette alle Fliegen so nennet, ehstn. **Korbis.** Ihre larve hält sich im Pferdemist auf.

643) **Regenfliege.** M. pluvialis. L. 253. 83. Auf dem Bruststück sind fünf schwarze Flecken, und auf dem Hinterleibe dreyzackigte Flecken. Diese findet man auf verschiedenen Pflanzen, besonders an offenen trockenen Stellen. Bey bevorstehendem Regen kann man sich ihrer auf den Landstraßen nur mit Mühe erwehren.

644) **Käsemadenfliege.** M. putris. L. 253. 89. Die Made hält sich im Käse auf, die Fliege auf Miststätten. Sie ist glänzend schwarz, und hat rothbraune Augen. Sie ist so groß, wie eine Mücke.

645) Rothfliege. M. stercoraria. L. 253.
105. Sie ist haarigt, und von Farbe gelblicht grau;
auf den Flügeln steht ein schwarzer Punct. Sie findet sich häufig im Unflath.

646) Erdfliege. M. terrestris. L. 253. 110.
lett. Spradsis. Sie ist eben so groß, wie die gemeine Fliege, aber mehr schwarzbraun; der Bauch
ist unten gestreift. Sie hält sich in, und dicht über
der Erde auf.

IV. Viehbrehme. Tabanus. L. gen. 254.

Der weiche fleischigte Rüssel endiget sich in zwo
Lippen; die Schnauze hat zwen pfriemenförmige spitzige
Fühlerchen, welche parallel auf dem Rüssel sitzen.

647) Ochsenbrehme, Pferdefliege. T. bovinus. L. 254. 4. Sie ist sehr groß, und hinlänglich
bekandt. Den Pferden so wohl, als dem Hornvieh
ist sie äußerst beschwerlich. Der Ehste nennet sie
Kül.

648) Regenbrehme. T. pluvialis. L. 254.
16. Sie ist nur so groß, wie die gemeine Fliege, von
brauner Farbe, und hat graue Flügel mit weißen
Tüpfelchen und einem dunkeln größeren Flecken am
Rande. Sie ist dem Hornvieh beschwerlich.

649) Glanzäugigte Brehme. T. coecu-
tiens. L. 254. 17. Sie ist braun; die Seiten des
Körpers sind gelb; die Flügel haben weiße und schwarzbraune Flecken; die Augen sind sehr glänzend. Sie
ist etwas größer als die gemeine Fliege.

V. Mücke. Culex. L. gen. 255.

Das Maul hat borstartige Stacheln, die in einer biegsamen Scheide stecken.

650) **Gemeine Mücke.** C. pipiens, L. 255. 1. tett. Ohde, ehstn. Sääs. Die Larve hält sich in stehenden Wässern auf, und dient den Fröschen zur Nahrung.

651) **Pferdemücke.** C. equinus. L. 255. 6. Eine kleine schwarze Mücke, mit weißem Vorderkopf, die sich auf den Wegen um den Pferden aufhält.

652) **Rothmücke.** C. stercorarius. L. 255. 7. Sie ist gelblich grau; die Flügel sind netzförmig; auf den vordern Beinen steht eine, und auf dem Bauch drey schwärzliche Linien. Sie hält sich auf Miststätten und im Unflath auf.

653) **Flohmücke.** C. pulicaris. L. 255. 4. Sie ist so groß, wie eine kleine Mücke, hat einen braunen Körper und weiße Flügel, mit drey verloschenen braunen Flecken am äußern Rande. Sie sticht empfindlich. Ihr gewöhnlicher Aufenthalt ist der Wald.

VI. Hüpfer. Empis. L. gen. 256.

Die Insecten dieses Geschlechts haben ein Maul, das größer ist, als das Bruststück, und aus einem hornartigen Rüssel mit zwo horizontal liegenden Klappern bestehet.

654) **Hüpfer mit gefedertem Fuß, Federfuß.** E. pennipes. L. 256. 2. Sie ist etwa halb so groß, wie die gemeine Fliege, und hat einen schmalen Leib; die Hinterfüße sind sehr lang, und an dem Weibchen gefedert. Man siehet sie auf dem Waldstorchschnabel, Flachskraut und andern Gewächsen.

VII. Stechfliege. Conops. L. gen. 257.

Dieses Geschlecht unterscheidet sich von den eigentlichen Fliegenarten dadurch, daß das Maul aus

einem

einem hervorgeſtreckten Rüſſel beſtehet, der aus verſchiedenen Gliedern zuſammengefuget iſt.

655) Wadenſtecher. C. calcitrans. L. 257. 2.
Bloß der hervorſtehende Rüſſel unterſcheidet ihn von
der gemeinen Fliege, der er ſonſt an Größe und Geſtalt vollkommen gleich iſt. Sie ſind allenthalben häufig, und machen ſich, bey bevorſtehendem Regen beſonders, unſern Waden ſehr überläſtig. Sie veran-
laſſen auch das beſtändige Fußſtampfen des Hornviehes
im Freyen, indem ſie ihnen unaufhörlich mit dem Rüſſel
an den Beinen liegen.

656) Rückenſtechfliege. C. irritans. L. 257. 3.
Sie iſt der vorigen in allem gleich, doch nur halb ſo
groß. Dem Rindvieh iſt ſie ſehr beſchwerlich, denn
ſie ſich in warmen Tagen häufig auf den Rücken
ſetzet.

VII. Ohne Flügel. Aptera.

I. Holzwurm. Termes. L. gen. 263.

Dieſes Geſchlecht hat borſtartige Fühlhörner,
zween Kinnladen, und ſechs Füße.

657) Todtenuhr, Wandſchmied. T. pul-
ſatorium. L. 263. 2. lett. Kirpis. Ein kleines In-
ſectchen, deſſen Weibchen ſich durch das Klopfen in
faulem Holz hören läſſet. Abergläubige Leute verkündigen einen nahen Todesfall, wenn ſie ihn hören.
Er verwüſtet Kleidungsſtücke, Bücher und Kräuter-
ſammlungen.

II. Laus. Pediculus. L. gen. 264.

Deren ſind verſchiedene Arten. Faſt jedes le-
bende Geſchöpfe wird von ſeinem, ihm eigenen Gaſt

Z 2   beun-

beunruhiget; auch der Mensch ist von ihm nicht befreyet. Der einer Wandlaus ähnliche Holzbock frißt sich oft in die menschliche Haut ein.

Der lette nennt die Laus überhaupt Utte, Utts.

III. Floh. Pulex. L. gen. 265.

658) **Stechfloh, Bettfloh, Nachtwecker.** L. 265. 1. lett. Blusse, ehstn. Kirb. Daß das mit Quecksilber gekochte Wasser ein zuverlässiges Mittel sey, das die Flöhe vertreibt, wie ich in der 1 Ausg. S. 165. angezeigt habe, dies haben wiederholte Versuche nicht bestätigen wollen. Es ist auch daher nicht wahrscheinlich, weil bekandt ist, daß das Wasser aus dem Quecksilber nichts extrahire.

IV. Milbe. Acarus. L. gen. 266.

659) **Schaafmilbe, Schaafzacke.** A. reduvius. L. 266. 3. Sie ist der Schaafwolle nachtheilig. Zuweilen schlüpft sie auch in den Hintern der Ochsen und Hunde.

660) **Ruhmilbe.** A. Ricinus. L. 266. 7. Sie ist etwas über ein viertel Zoll lang, länglicht und braunroth, und hat acht Füße.

66r) **Käsemilbe.** A. Siro. L. 266. 15. Man trifft sie in faulem Käse an.

662) **Zweigenmilbe, Zweigenwürmlein.** A. geniculatus. L. 266. 19. Eine schwarze Milbe, die man an den Aesten verstorbener Bäume findet.

663) **Kleine rothe Wassermilbe.** A. aquaticus. L. 266. 21. Sie sieht einer kleinen Spinne ziemlich gleich, und ist blutroth. Man findet sie im Wasser, daher sie auch Wasserspinne genennet wird.

664)

664) Baummilbe, kleines Straußmilbchen.
A. baccarum. L. 266. 33. Eine sehr kleine rothe
Milbe, die gleichfalls einer kleinen Spinne gleich sie=
het. Diese trifft man auf verschiedenen beerentragen=
den Sträuchern an.

665) Käfermilbe, laufende Käferlaus. A.
coleoptratorum. L. 266. 27. Sie sind sehr klein und
rostfarben. Sie kommen auf verschiedenen Käfer=
arten vor.

666) Dunkelrothe Milbe, dunkelrothes
Schwammwürmlein. A. fungorum. L. 266. 31.
Eine braunrothe Milbe, mit einem runden platten
Leibe. Man siehet sie auf verschiedenen Erd=
schwämmen.

667) Rothe Sammetmilbe. A. holofericus.
L. 266. 27. Eine kleine platte Milbe von lebhafter
Scharlachfarbe, die etwas fein= und kurzwolligt ist,
und wie rother Sammet aussiehet. Man findet sie in
Gärten in und über der Erde, oft auf dem Johannis=
beerlaube, welches seine Nahrung zu seyn scheint.

V. Krebsspinne. Phalangium. L. gen. 267.

Die Spinnen dieses Geschlechts haben acht Füße;
auf dem Wirbel stehen zwey Augen dicht neben einan=
der, und zwey an den Seiten; die Stirne hat zwey
fußförmige Fühlhörner; der Hinterleib ist rund.

668) Langbeinige Krebsspinne. Ph. Opilio.
L. 267. 2. Sie hat einen runden Körper, der oben
bräunlich, unten weiß ist, und sehr hohe Beine. Sie
hält sich in Wandritzen, zuweilen auch in Gärten auf.

669) Krebsartige Spinne, Ritzenspinne.
Ph. cancroides. L. 267. 4. Frisch. Ins. 8 Th.
Tab. I. Eine kleine braune Spinne mit krebsscheer=

Z 3   ähnli=

ähnlichen Fühlhörnern. Sie ist fast so groß, wie die
Bettwanze, und geht oft rückwärts, wie der Krebs.
Man findet sie in alten Häusern und Kellern, zwischen
den Ritzen der Lagen, doch sparsam.

VI. Spinne. Aranea. L. gen. 268.

Sie haben acht Füße, und eben so viel Augen;
statt des Maules haben sie ein klauenförmiges Werk-
zeug, mit dem sie die Insecten angreifen, und aussaugen. Die Ehsten nennen die Spinnen überhaupt
Amblack.

670) Gemeine Spinne. A. domestica. L. gen.
268. 9. lett. Simeklis.

671) Wasserspinne. A. aquatica. L. 268. 39.
Sie hält sich im Wasser auf.

672) Sumpfspinne. A. palustris. L. 268. 41.
Man findet sie in unsren Sommern in ausgetrockneten
Pfützen.

673) Kreuzspinne. A. Diadema. L. 268. 1.
Ihr Körper ist fast rund, von Farbe dunkelbraun;
auf dem Rücken sieht man eine kreuzähnliche Figur.
In Häusern.

674) Braune Spinne. A. holosericea. L.
268. 29. Sie ist gelbbraun. Man findet sie auf
den Blättern verschiedener Bäume und Pflanzen, die
sie zusammenwickelt, und darin heckt.

675) Wegespinne, Gartenspinne. A. viatica.
L. 268. 42. Der Rücken ist pomeranzenfarben, und
hat an den Seiten rothe Queerstreifen; die Füße sind
sehr lang.

676) Sackspinne. A. saccata. L. 268. 40.
Sie ist dunkel rostfarben. Ihren Eyersack schleppt sie
allenthalben mit sich. Man findet sie auf der Erde,
oft auch in alten Schränken und Mauerritzen.

677) **Grüne Spinne.** A. virescens. L. 268.
42. Sie ist von mittelmäßiger Größe, und ganz hellgrün. Der Körper ist länglicht rund. Man findet
sie zuweilen in Gärten.

678) **Punctspinne.** A. bipunctata. L. 268. 6.
Der Leib ist rund, und von schwarzer Farbe, und hat
zween Puncte, zwischen welchen eine erdfarbene Linie
gehet; an Wänden, zuweilen auch an Fenstern.

679) **Rothfüßige Spinne.** A. rufipes. L.
268. 20. Der Hinterleib ist dunkelbraun, das Bruststück ist schwarz; die Füße sind braunroth. Man sieht
sie auf Nesseln, der Melte und andern Gewächsen.

680) **Gesäumte Spinne** A. fimbriata. L.
268. 23. Der Leib und das Bruststück sind schwarz,
und haben auf jeder Seite einen weißen Streifen.

681) **Baumspinne, Leichtfüßer.** A. laevi-
pes. L. 268. 44. Sie ist von mittlerer Größe, und
wird an Baumstämmen, Zäunen und Weidenbäumen
gefunden.

VII. **Krebs.** Cancer. L. gen. 270.

Die Krebsarten haben gemeiniglich vier paar
Füße, selten mehr oder weniger; außer diesen haben
sie noch ein paar Vorderfüße mit Scheeren, zwey weit
von einander abstehende, hoch hervorragende Augen,
die auf einem Stielchen stehen, zwey Fühlerchen mit
Scheeren, und einen aus Gliedern bestehenden Schwanz
ohne Stacheln.

682) **Flußkrebs.** C. Astacus. L. 270. 63. lett.
Wähsis, auch **Wehsche,** ehstn. **Wähk.** Sie
kommen in Livland in Flüssen, stehenden Seen, und
Bächen, besonders wo der Grund thonigt ist, häufig,
und oft von beträchtlicher Größe vor. Die aus den
Seen sind blasser und magerer als die Bachkrebse,

wahr-

wahrscheinlich, weil die Bäche immer Zufluß von frischem Wasser haben, der den stehenden Seen fehlet. Von vorzüglicher Größe werden sie im umbächschen Bach im Oberpahlenschen, ehstn. Põltsama jõggi, gefangen. Die schönsten Krebse sind die aus dem Kirchspiel Jacobi in Wierland, die weit herum verführet werden. Auf thonigtem Boden sollen sie größer und fetter werden, als auf steinigtem. In einigen Gegenden findet man Krebse in Bächen, in Landseen fast gar nicht, die auf dem Rücken oder einer Scheere einen schwarzen Flecken haben, der nach dem Kochen wie eine gebrannte Wunde aussieht. In einigen Bächen sind alle Krebse so gezeichnet. S. Hupels Topogr. 2 Th. S. 483.

683) **Garnelenkrebs, Bärenkrebs. C. Squilla.** L. 270. 66. Dies ist eine kleine Krabbenart, die eine graue Schaale, und einen glatten Rückenschild hat; die Schnauze hat oberhalb drey Spitzen oder Zähne. Er kommt in der Ostsee vor, und hält sich nicht weit vom Strande auf, z. B. bey Oesel.

684) **Flohkrebs, Seefloh.** C. Pulex. L. 270. 81. lett. **Semmes wehsis, Kirelis.** Röf. Inf. 3 Th. Tab. LXII. Ein ganz kleiner Krebs von weißlichter Schaale, mit zusammengedrücktem Leibe, ohne Brustschild, mit zugespitztem Schwanz, der an der Stirne vier fast gleich lange Hörner hat. Seine Länge ist von etwa einem Zoll, zuweilen sind sie länger. Im Frühjahr 1785, da er in so ungewöhnlicher Menge ausgezogen wurde, daß der gemeine Mann Wunder und Zeichen daraus machte, wurden Exemplare über zween, gegen drey Zoll lang gefunden. Sein Aufenthalt ist an den Ufern der Ostsee, und der Flüsse, die in dieselbe fallen. Gewöhnlich wird er bey den Strömlingsfängen häufig ausgezogen. Der **Meerochse,** Cottus quadricornis Linn. lett. **Jurewersch,** ein

See-

Seefisch, der an seinem Orte angezeiget wurde, scheint sich von ihm zu nähren; denn er wird öfters in seinem Magen gefunden.

VIII. Schildfloh. Monoculus. L. gen. 271.

Sie haben zwey Augen, die dicht neben einander stehen, und zwölf Füße, von welchen zehn scheerenför- mig sind.

685) **Fischlaus.** M. piscinus. L. 271. 2. Ein kleines weißgraues Insectchen mit einem herzförmigen Schilde. Man findet ihn zuweilen auf dem Dorsch.

686) **Blutwasserwurm.** M. pulex. L. 271. 4. Ein kleines rothes flohähnliches Insect, das man oft auf süßen Wassern herumhüpfen siehet. Wo er häu- fig ist, giebt er dem Wasser eine blutrothe Farbe.

IX. Kellerwurm. Oniscus. L. gen. 272.

Der Körper ist länglicht rund; sie haben borstför- mige Fühlhörner und vierzehn Füße.

687) **Wasserasselwurm.** O. aquaticus. L. 272. 11. Er ist dem bekandten Kellerwurm sehr gleich, nur etwas schmaler. Man findet ihn in der Düna, auch in andern Flüssen. Wer die nöthige Vorsicht gebraucht, das Trinkwasser vorher im Glase abstehen zu lassen, wird ihn zuweilen auf dem Boden herumlaufen sehen.

688) **Kellerwurm.** O. Asellus. L. 272. 11. Er ist bekandt genug. Man findet ihn häufig an feuch- ten Wänden, besonders in gemauerten Kellern.

X. Asselwurm. Scolopendra. L. gen. 273.

Sie haben einen langen glatten Körper und viele Füße.

689) **Scheernase.** Sc. forficata. L. 273. 3. Er ist dunkelbraun, etwas über einen halben Zoll lang,

und

und hat auf jeder Seite funfzehn Füße. Man sieht ihn zuweilen in Gärten unter verfaultem Laube.

XI. Vielfuß. Julus. L. gen. 274.

Der Körper ist beynahe walzenförmig. Sie haben viele Füße, und an jedem Ringe des Körpers sitzen deren zwey paar.

690) **Erdvielfuß.** J. terrestris. L. 274. 3. Er ist einen Zoll lang, zuweilen drüber, und so dick wie ein mäßiger Bindfaden. Die Farbe ist verschieden, doch mehrentheils braunröthlich. Er hat bis hundert Füße. Man trifft ihn in fetter Erde an.

Folgende Insecten sind an ihren Stellen einzuschalten.

691) **Schwimmender Drehkäfer.** Gyrinus Natator. L. 194. 1. Er ist klein, fast eyförmig, schwarz, glatt und glänzend. Seine Fühlhörner sind wie bey allen dieses Geschlechts fast keulenförmig und kürzer als der Kopf; er hat Schwimmfüße. Man findet ihn auf stehenden Gewässern, wo er bey heiterem Wetter und hellem Sonnenschein schnell im Wirbel herumschwimmet.

692) **Rothes Johanniswürmchen.** Cantharis fusca. L. 208. 2. Er hat ein rothes gesaumtes Bruststück mit einem schwarzen Flecken und braune Flügeldecken.

Sechster

Sechster Abschnitt.

Würmer. Vermes.

Sie sind kriechende Thiere, mehrentheils ohne Füße.

A. Ganz einfache, ohne Glieder, und bloß Inteſtina.

I. Fadenwurm. Gordius. L. gen. 277.

Die Würmer dieſes Geſchlechts haben einen glatten fadenförmigen Körper.

692) **Waſſerfadenwurm.** G. aquaticus. L. 277. 51. Er iſt von brauner Farbe, und lebt in friſchem Waſſer, zuweilen auch im Leim oder Thon. Ruſſiſch heißt er Woloſſätik.

II. Runder Wurm. Lumbricus. L. gen. 277.

Der Körper iſt wirbelförmig, d. i. gerundet und lang, geringelt, mit einem etwas erhabenen Gürtel umgeben, in die länge holpericht, an den Seiten mit einem loch.

693) **Regenwurm.** L. terreſtris. L. 277. 1. lett. Slenka, ehſtn. Wihma us. Sie halten ſich in fetter Erde auf, und dienen den Maulwürfen, Hühnern und andern Thieren zur Nahrung. Daß ſie ſich

wie

wie die Polypen durchs Zerschneiden vermehren lassen, wie Bonnet und Lyonet nach wiederholten Versuchen bemerkt haben, verdient Aufmerksamkeit. Gartenliebhaber würden inzwischen ihre Vermehrung nicht wünschen, da ihre Menge die Maulwürfe nur mehr zusammenlocken würde.

III. Bindwurm. Fasciola. L. gen. 278.

Das Characteristische dieser Wurmart bestehet darin, daß sie flach oder platt sind, und an dem äußern Ende eine Oeffnung oder Maul, und am Bauche ein Loch oder einen Durchgang haben.

694) Leberwurm, Egelschnecke. F. hepatica. L. 278. 1. Er ist platt, länglicht rund, vorne etwas breiter, und hat fast die Figur einer Fischmilch; das Maul ist ausgehöhlt. Nach hinten zu hat er eine mehrere Rundung, und am Bauche eine Oeffnung. Er ist von weißer Farbe, und mit vielen feinen Queerstrichen bezeichnet, die am Hinterleibe weiter von einander abstehen. Sie findet sich in Fischen und in den Lebern der Schaafe. S. Linnee Reisen durch Gothl. und Oeland, deutsche Uebers. S. 200. 201. Anm. u. S. 268. Wenn Schaafe ihn aus Teichen verschlucken, bekommen sie bald darnach die Wassersucht, die, wenn man die Ursache zeitig entdeckt, durch das gemeine Küchensalz vertrieben wird.

IV. Saugigel. Hirudo. L. gen. 280.

Sie sind länglicht rund, und bewegen sich, indem sie das Maul mit dem Schwanze in einen Kreis drehen.

695) Blutigel. H. medicinalis. L. 280. 2. lett. Dehle, ehstn. Raam. Er ist schwarzbraun; auf dem Obertheil des Körpers hat er auf jeder Seite vier gelbe Randstreifen. Man findet ihn in verschiedenen Gegenden in Seen und Teichen, z. B. im Kabbaferschen in

in einem zum Gute Kudding gehörigen See, in welchem keine Fische sind, im Raanjärw im harrischen Kreise. In Karauschen-Teichen sollen sie der Vermehrung dieser Fische im Wege stehen, und ihren Geschmack verändern. Man soll Salz in die Teiche werfen, darnach sie schnell verschwinden. Eidechsen vertreibt man auf dieselbe Art. Schwed. Abhandl. 8. Th. S. 221. 22. Die beste Zeit, sie zu fangen, soll in der ersten Frühlingswärme seyn, wann die Fische laichen. J. G. Krünitz öcon. Encycl. 6. Th. S. 14.

Er soll eine Art eines lebendigen Barometers seyn. Wenn man ihn in einer mit Wasser gefüllten Flasche hält, soll er bey heiterem Wetter ruhig, in einer Schneckenlinie gekrümmet, auf dem Boden der Flasche liegen bleiben; bey bevorstehendem Regen soll er einige Stunden vorher an die Oberfläche des Wassers steigen, und da so lange liegen, bis es sich wieder aufkläret; wann Wind wehen will, soll er das Gefäß sehr unruhig durchlaufen, bis es wieder stille wird; bey bevorstehendem Gewitter soll er Zuckungen bekommen. Man muß ihm aber wöchentlich frisches Wasser geben. Ebend. S. 16.

696) Schwärzlicher Saugigel. H. sanguisuga. L. 280. 3. Man findet sie in Bächen und in stehenden Gewässern, wo auch zuweilen eine graue Art vorkommt. In den Wässern und Stauungen im St. Johannis Kirchspiel im Fellinschen sind sie besonders häufig. Junge Gänse und Enten muß man zu solchen Wässern nicht lassen, weil sie sie aussaugen und tödten, wie sie es auch den Fröschen thun. Auch diese würde man mit Salz vertreiben können.

B. Weis

B. Weiche Würmer mit Gliedmaßen ohne
Schaale. Mollusca.

I. Schneckenthier ohne Haus. Limax.
L. gen. 282.

697) Waldschnecke, schwarzes Schneckenthier, Schattenschnecke. L. ater. L. 282. 1. Sie
ist schwarz und runzlicht. Man findet sie im Thau
und nach dem Regen, mehrentheils in feuchten Laubgebüschen.

698) Ackerschnecke. L. agrestis. L. 282. 6.
Ein kleines graues Schneckenthier, welches man in
manchen Jahren in Gärten unter den Küchengewächs-
sen ziemlich häufig findet.

II. Seelicht, Seenymphe. Nereis.
L. gen. 286.

699) Seelicht, leuchtende Nereide. N. noctiluca. L. 286. 1. Ein ganz kleines Seenymphchen,
das man mit bloßen Augen kaum siehet, wenigstens
nicht erkennet. Man siehet es häufig in der Ostsee,
auch in einiger Entfernung von unsern Seegestaden.
Im Finstern giebt es einen leuchtenden blitzenden Schein
von sich, besonders, wenn das Wasser etwas bewe-
get wird.

III. Klemenwurm. Lernaea. L. gen. 293.

700) Karauschenwurm. L. cyprinacea.
L. 293. 2. Man findet ihn in Teichen, wo er sich in
die Haut der Fische, besonders der Karauschen, ansetzt,
und wenn er herausgezogen wird, blutige Oeffnungen
nachläßt. Im Kremonschen sind zuweilen verschiedene

us an den Karauschen gefunden worden, die sich tief
ins Fleisch gesetzt hatten. Sehr oft findet man diese
Fische mit rothen Flecken; dieses sind die Stellen, die
dieser Wurm ausgesogen hat.

C. Schaalthiere. Testacea.

a. Zweyschaalige. Bivalvia.

I. Klaffermuschel. Mya. L. gen. 303.

701) Schmale Klaffermuschel, Mahlermuschel. M. pictorum. L. 303. 28. Dies ist eine
länglicht runde, etwas schmale Muschel, außerhalb
dunkel olivenfarben, zuweilen braun. Man findet sie
von dünner Schaale, bis zu einem halben Fuß lang;
andere, die eine dickere Schaale haben, sind nur bis
zween Zoll lang. Sie werden in verschiedenen Flüssen
gefunden. Die kleinere wird von Mahlern gebraucht,
ihre Farben darin aufzubehalten.

702) Perlenmuschel. M. margaritifera. L. 303.
29. Hier wäre wol die Stelle, von unsern livländischen Perlenmuscheln, ihrer Gestalt, Erzeugung der
Perlen, und dem Fange derselben eigene Erfahrungen
und Bemerkungen herzusetzen. Da ich aber die Perlen
an ihren Geburtsörtern zu untersuchen, oder nur in
ihrer Schaale zu sehen, keine Gelegenheit gefunden habe,
ich auch aus Gegenden, wo sie gefunden werden, keine Nachricht habe einziehen können; da, wenn man
in einer Sache etwas gründliches vortragen will, eine
richtige, durch wiederholte Erfahrungen bestä-
tigte Kenntniß dazu gehöret; so werde ich wahrscheinlich den mehresten Lesern einen Gefallen thun, wenn
ich sie mit einer ungewissen, aus lauter Muthmaßun-
gen genommenen Beschreibung verschone. Damit ich
jedoch

jedoch nichts von dem weglaſſe, was ich zuverläſſiges von
der Geſchichte der Perlenfiſcherey in Livland zu liefern im
Stande bin, wenn es gleich von Fremden entlehnt iſt;
ſo mögen ein paar Auszüge ſie einigermaßen entſchädi-
gen. Da ich vermuthe, daß die beiden Werke, aus
welchen ich die Nachrichten genommen habe, in weniger livländer Händen ſind: ſo dürfte die Bekandtma-
chung manchem Leſer vielleicht nicht unangenehm ſeyn,
oder überflüſſig ſcheinen.

Jedoch, dadurch, daß ich dieſe beiden Stellen
anführe, will ich der Meinung, die ihre Verfaſſer
von der Perlenerzeugung äußern, keinesweges beytre-
ten, ſo wie ich ſie auch ſchon in der vorigen Ausgabe
nicht als gewiß und ungezweifelt angenommen habe;
ſondern ich nehme ihre Meinungen nur in ſo weit mit,
als ſie das, was zur Geſchichte der livländiſchen Perlenfiſcherey gehöret, erläutern, da man von beiden
Verfaſſern keine gegründete Theorie von der Perlenerzeugung erwarten kann.

Der erſte Auszug, den ich hier mittheile, iſt aus
Mylii memorabil. Saxon. ſubterran. 2. Th. S. 20.
u. f. wo die Nachricht einem ungenannten Schriftſteller
abgeborgt iſt. Sie iſt alſo aus einem Zeitalter, da
über die Naturgeſchichte nur noch ein ſchwaches Licht
ausgebreitet war, deswegen darf man hier keine gegründete Theorie erwarten. Dieſer zeigt an, daß
die livländiſchen Perlen ſchon zu ſchwediſchen Zeiten die
Regierung aufmerkſam gemacht haben. Der unge-
nannte Schriftſteller, ſagt er, habe im Jahr 1700
in Riga einen ſchwediſchen Inſpector über die livländiſche Perlenfiſcherey, Namens Arey, geſprochen, welcher ihm einen Bericht und umſtändliche Beſchreibung
von derſelben mitgetheilet habe. Nach deſſen Anzeige
würden die Perlen nur in kleinen Flüſſen und Bächen
gefiſcht,

gefischt, und waren vormals nur den Bauren bekandt,
welche die Fischerey heimlich trieben, und alle Perlen
nach Moskau verhandelten.   Hierauf hat der König
von Schweden verordnet, daß hinführo niemand Perlen nach Moskau verhandeln, sondern gegen einen gewissen Preiß an die königlichen Bedienten abliefern
solle, worauf zwar keine Perlen mehr nach Moskau
gebracht worden; aber es sind auch wenige oder gar
keine an die königlichen Commissarien geliefert worden,
und die Fischerey ist fast ganz ins Stecken gerathen.
Die Commissarien haben sodann mit vieler Schwierig-
keit Leute gefunden, welche die Stellen gewußt, und
mit der Perlenfischerey umzugehen verstanden haben.
Hiezu sind die Bauren die geschicktesten gewesen. Von
diesen hat man erfahren, daß die Perlen nur in solchen
Bächen und Flüssen zu finden sind, die reines Quell-
wasser haben, und sonderlich in solchen, in welchen sich
Schmerlinge und Forellen aufhalten.   In solchen
Bächen sollen sie in tiefen Tümpfen, wo viel Sand
und Gries ist, tief eingescharret dicht übereinander
liegen. Sie dürfen aber nicht eher, als von der Mitte
des Julius bis zur Mitte des August gefischet werden,
weil sie eher keine reife Perlen haben, und diese von
ihnen als Eyer ausgeleget worden, und junge Muscheln daraus gehecket sind.   Dieses sey ihre einzige
Heckzeit im ganzen Jahre.   Man findet, sagt
er ferner, in diesen Lagen die Muscheln beiderley
Geschlechtes, welche die Perlenfischer gleich durchs
Fühlen und Sehen an ihrer äußeren Gestalt unterscheiden könnten. Die Weibchen sollen allein Perlen
haben, und zwar drey bis vier, von welchen die vordersten die größten, und die folgenden immer kleiner
seyn sollen. Die Fischer wußten diesen Muscheln so
behende beyzukommen, ehe sie sich schlossen, daß sie
die Perlen, ohne die Muschel mit Gewalt aufzureißen,

oder sonst zu verletzen, ausstreifen, und die Muschel
wieder ins Lager bringen konnten; da sie dann lebendig
blieben, und in einem andern Jahre wieder Perlen
hatten: Die Männchen wurden nicht aufgemachet,
sondern gleich wieder zurückgeleget. Gleichwol hat es
sich auch zuweilen gefunden, daß die Weibchen keine
Perlen hatten, von welchen er behauptet, daß sie entweder unfruchtbar gewesen, oder daß sie die Eyer bereits von sich geleget hätten. Bey einigen, die schon
Eyer zu legen angefangen hatten, sind zwo, drey, oder
eine Perle im Legedarm gefunden worden. Die Perlen, welche von der Mutter ausgeleget worden, sollen
schnell wachsen, lebendig und zu einer Muschel werden,
daher auch schwerlich außerhalb der Mutter eine brauch-
bare Perle gefunden werde. Diese seine Theorie von
der Perlenerzeugung, nach welcher die Perlen nichts
anders als die Eyer des Muschelthiers seyn sollen, zu
beweisen, führt er diese Geschichte an. Ein Perlenfischer habe einem livländischen Edelmann eine schöne
ausgelegte Perle gebracht, welche dieser auf den Tisch
geleget, und mit Verwunderung gesehen habe, daß
sie sich von selbst auf- und zugethan, und die Gestalt
einer jungen Muschel angenommen habe.

Nach diesem Begriffe von der Perlenerzeugung
haben die Fischer immer einige Lagen der Muscheln in
den Bächen geheget, da sie dann in solchen ausgeheck-
ten Lagen die mehresten jungen Muscheln gefunden haben, welche anfänglich von außen perlenfarben, und
schön seyn sollen. So weit dieser Auszug.

Der andere ist aus Fr. Chr. Jetze Anhang von
Perlen, welche in Livland gefischt werden, den
er seiner physic. Betrachtung über die weißen Hasen in
Livland beygefüget hat. Da seine Nachrichten nicht
aus Autopsie und eigenen Beobachtungen geflossen sind,
sondern der Verf. nur das, was er von andern gehöret,

rei, niederschrieb: so wird man hier auch keinen gründlichen Unterricht von der Perlenerzeugung erwarten,
sondern sich nur mit Nachrichten von der Fischerey derselben begnügen lassen. Jetzt die Anzeige.

Es sind nicht länger als drey Jahr (der
Verf. schrieb im Jahr 1749), daß in Livland
Perlen gefischet werden, die an Größe und
Glanz den orientalischen ziemlich nahekommen.
Es erzählet zwar Kelch in seiner Liefländischen
Chronik, welche er dem König Carl dem eilf-
ten in Schweden zugeschrieben hat, daß man
schon vor seiner Zeit Perlen im Menzenschen
Bache gefunden habe, die eine Gleichheit mit
den morgenländischen hätten. Allein weder die
schwedische Regierung, noch die Besitzer der
Güter haben sich diese Anzeige zu Nutze gemacht, und zur Zeit der Russischen Regierung
hat gleichfalls keiner daran gedacht, bis die jetzi-
ge Kaiserin Elisabeth sich entschloß, dieselben
mit vielen Kosten fischen zu lassen.

Die Gelegenheit dazu gab ein Schwede,
Namens Hedenberg, welcher vor diesem von
Gothenburg aus nach Ostindien gereiset war.
Dieser war Postcommissarius auf der Loopschen
Station, oder Postirung, wie es dort heißet,
und seines Dienstes entlassen, welches in Ehst-
und Liefland weiter nichts bedeutet, als daß die
damit beladene Person die Pferde bewahret,
welche die Ritterschaft des Landes auf den Post-
stationen hält, und die dabey vorfallende Verrichtungen abwartet, dafür derselben jährlich
dreyßig Rubel Geld, und nothwendiges Korn
und andere Lebensmittel gereichet werden. Der
abgesetzte Hedenberg gedachte nun wieder
nach seinem Vaterlande zurückzureisen, und

Aa 2 ver-

verfügte ſich deswegen nach Reval, um ſich in
das erſte Schiff zu ſetzen. Allein ſein Geld wurde zu zeitig verzehret. Die Noth lehrete ihn
alſo ein neues Mittel, etwas zu verdienen. Er
verfügete ſich zu dem Grafen Steenbock, nach
ſeinem Gute Kolk im Wierländſchen unweit
der Loopſchen Poſtſtation, und machte ſich an-
heiſchig, in den auf ſeinem Grund und Boden
befindlichen Seen Perlen zu fiſchen, wenn er
ihm dafür funfzig Rubel zu ſeiner vorhabenden
Reiſe nach Schweden geben wollte; der Graf
aber wollte ſeinem Vortrage kein Gehör geben.
Dieſe abſchlägige Antwort, und die Noth, die
ihn drückte, erzeugten in ihm eine Entſchließung,
die eine Frucht der Verzweifelung war. Er
ging nach Petersburg, und that dem Senat
Vorſtellung, wie er erbötig ſey, in Bächen und
ſtehenden Seen Ehſt- und Lieflandes Perlen
von hohem Wert, zu fiſchen, wenn man ihm
dazu Vollmacht und Geld geben wolle. Der
Senat achtete auf dieſe Vorſtellung. Er bekam
beides, und zugleich eine Anzahl Soldaten, unter deren Bedeckung er anfing, alle Seen und
Bäche durchzuſuchen, und zuerſt in der Kolk-
ſchen See zu fiſchen, in welcher er etliche ſchöne und koſtbare Perlen fand, die ſogleich der
Kaiſerin zur Probe überſchickt, und von Ihr
hochgeſchätzt wurden. Dieſes machte, daß be-
ſagtem Hedenberg noch dreyhundert Rubel zu
ſeiner Beſoldung zugeleget, und die Oerter, wo
man Muſcheln fand, in welchen man Perlen
vermuthen konnte, mit Soldaten beſetzt wurden.

Ihro Majeſtät, die Kaiſerin, wollten die
Perlenfiſcherey nicht zu einem Regale machen,
ohne

ohne den Besitzern der Güter, in deren Grän=
zen sie gefunden, davon ein Antheil genießen zu
lassen. Sie haben deswegen beliebet, daß für
jedes Loth Perlen erster Größe sechzig, und
für jedes Loth der kleinen Sorte dreyßig Rubel
dem jedesmaligen Besitzer bezahlet werden soll=
en. Dieses würde nun einigen Herren der Gü=
ter ein ziemliches einbringen, und könnten sie
damit wol zufrieden seyn, wenn die Kaiserin
daraus ein Gesetz machte, das auch ihre Nach=
kommen verbinden könnte. Sie dürfen aber auch
alsdann nicht selbst auf das Perlenfischen bedacht
seyn, und müssen leiden, daß die Seen und Bä=
che, worin man Perlen, oder auch nur Mu=
scheln ähnlicher Art entdecket hat, beständig von
Soldaten bewahret werden, welche die Fische
zugleich herauslangen würden.

Anfangs wußte man die Muscheln, worin
reife Perlen waren, von den andern nicht zu un=
terscheiden, deswegen eine große Menge verloh=
ren ging, weil man sie ohne Unterscheid öffnete,
und oft unter hunderten nicht eine reife Perle
fand. Es ward zwar allenthalben kundgemacht,
daß derjenige eine reiche Belohnung zu gewar=
ten haben sollte, der, ohne die Muscheln zu öff=
nen, den Unterscheid zwischen den reifen und
unreifen Perlen zu treffen wüßte. Es fand sich
aber keiner, daher der erste Erfinder durch öf=
tere Versuche und Bemerkungen endlich die
Kennzeichen des Unterscheides entdecket hat. Er
hat, wie ich aus dem Munde seines Bruders
habe, der gleichfalls Inspector über die Perlen=
fischerey geworden ist, bemerket, daß die Perle
zu der Zeit, wann sie reif ist, aus ihrem Lager
sich abwärts nach dem Bauche der Muschel

senke,

senke, der sich dann öffne, und die Muschel heraus
auswerfe. Wann dies vorgehe, so fließe ein
rother Saft herunter zu dem Orte, wo sie ausgeworfen wird, den man alsdann deutlich bemerken könne, ohne die Muscheln ganz zu öffnen. Ich habe ein paar Muscheln, woraus
reife Perlen genommen sind, und befinde daran
die beschriebenen Merkmale.

Was aber eigentlich den Unterscheid der
Muscheln betrifft, worin Perlen befindlich sind,
von denen, die keine Perlen haben: so führt er
davon Kennzeichen an, denen nicht widerspro-
chen werden kann, weil sie die Erfahrung be-
stätigt. Es werfen nemlich die in den Muscheln
befindliche Thiere ihre alte Muscheln ab, und
bekommen ganz neue, welche allmählig unter
den alten wachsen. Alsdann wird die alte ganz
mürbe und brockigt, und siehet eben so aus,
wie die übereinanderliegenden Schichten in Schie-
ferbrüchen. Zu der Zeit nun, wann sie neue
Muscheln bekommen, wächset die Perle, welche zu der besten Größe und Reife gedeihet,
wann man an etlichen Orten schon die neue
Schaale durch die alte hervorscheinen siehet.
Wenn sie nun solche Muscheln finden, und daran zugleich das vorige Kennzeichen erblicken:
so öffnen sie dieselben, und bekommen die schönsten Perlen.

Was den Vortheil des Perlenfischens betrifft: so ist derselbe nicht geringe, wiewol bisher der Hof dieselben für sich allein behalten hat.
Es giebt in Ehst- und Liefland überhaupt fünf
und vierzig Bäche und stehende Seen, worin
man sie fischet; jedoch in Liefland mehr als in
Ehstland. Es kostet dieses Werk zwar viel,
beson-

besonders; wenn die Krone jedes Loth, wie ge-
saget, bezahlen sollte. Indeß hat doch bishero
noch die Anzahl derselben die darauf gewandte
Kosten überwogen. Als die Kaiserin 1746. mit
einem großen Theil des Hofes der angenehmen
Sommerluft in Ehstland genossen, wurden ihr
etliche Stücke der ersten Größe überreichet,
welche man kurz vorher gefunden hatte, und
welche von Ihr sehr hochgeschäßet und bewun-
dert sind. So viel ist indeß gewiß, daß man in
einem so kalten Lande, als Liefland ist, wol
schwerlich Perlen von der Beschaffenheit vermuthen würde, wenn nicht die Erfahrung es be-
zeugte. So weit dieser Verfasser.

Daß das vorangezeigte Kennzeichen des Verf.
von der Reife der Perlen, welches darin bestehen soll,
daß zu der Zeit, wann sie reifet, ein purpurrother
Saft von der Perle zu dem Orte, da sie ausgeworfen wird, herunterfließe, untrüglich und entscheidend
sey, das kann man wol nicht behaupten, da sich wol
nicht leicht eine Verbindung dieses Saftes mit der
Perlenreifung angeben läßet.

Diese Perlenfischerey nun hat man nachher wieder nachgelassen, wahrscheinlich weil man keinen so
großen Vortheil dabey fand, als der letztgenannte
Verfasser vermuthet; denn wenn gleich zuweilen Perlen von der ersten Größe gefunden wurden, die, wie
man versichert, den morgenländischen nichts nachga-
ben, so waren sie doch wol nur sehr seltene Erscheinun-
gen; die mehresten waren von schlechtem Wasser, schief
und nicht groß, so wie man sie noch jetzo zuweilen siehet. So viel ist inzwischen bekandt, daß der Schwarzbach im oppekallnschen Kirchspiel im Walkschen
Kreise wegen der Perlenfischerey immer der berühmteste gewesen ist. Herr P. Hupel nennt ihn in seiner

Aa 4 liefl.

Weſtl. Topogr. I. S. 134. einem perlenreichen Bach.
Er ſagt ferner: Viele, und man kann ohne Bedenken ſagen, vierzig Seen und Bäche geben
Perlen; aber bey den mehreſten belohnt es kaum
die Mühe ſie zu fiſchen. Inzwiſchen ſind aus
einigen, ſonderlich aus dem Schwarzbach, bisweilen vortreffliche Perlen einer Erbſe groß gefiſcht worden, aber die mehreſten unreif.

Mißgelungene Verſuche, vielleicht auch die Arbeiten des Landmannes, die ſich bey unſern kurzen
Sommern ohnehin ſo ſehr häufen, halten die Beſitzer ab, darnach zu ſuchen, und einen gewiſſen Vortheil dem ungewiſſen aufzuopfern.

Daß man im vorigen Jahrhundert auf die Perlenfiſcherey in Rußland aufmerkſam geweſen ſey, beweiſet ein Mandat Königes Carl XI. d. Stockholm den
22. Dec. 1694, das zu Riga bey Johann George
Wilken gedruckt iſt, und das ich vor mir habe, in
welchem dieſe Perlenfiſcherey zu einem Regale gemacht,
und ein Inſpector darüber verordnet worden. Nach
dieſem Befehl durfte auf den Kronsgütern in Liv-,
Ehſt- und Ingermannland, niemals, ohne Rückſicht
auf Stand oder einiges Verhältniß, weder Arrendator, noch Prieſter, Officier, Bürger oder Bauer,
ohne des Inſpectors Einwilligung, und ſeine oder
ſeiner Bedienten Gegenwart, Perlen fiſchen: der Inſpector aber, und deſſen Gehülfen, durften frey in
allen Strömen nachſuchen.

Die Beſitzer der Privatgüter durften, jedoch nach
Anweiſung des Inſpectors, Perlen fiſchen: ſie mußten
aber die gefundenen Perlen erſt dem Inſpector für die
Krone zum feilen Kauf anbieten, und wenn dieſer
ſie nicht annahm, konnten ſie ſolche nach eigenem Be-
lieben verkaufen. Bey dem Verkauf an die Krone
mußten die Veriſicationen, von wem die Perlen gekauft,

kauft, und was dafür bezahlt worden, mit beglaubten Beweisthümern dargethan werden.

Nächst dem Schwarzbach ist wol die Tirse der merkwürdigste Fluß, in welchem Perlen gefischt worden sind. Eine alte Baurenschenke unter dem Gute Druenen im Tirsenschen Kirchspiel Walkschen Kreises hat von undenklichen Jahren her den Namen: Perletroghs. Hier hatte Hedenberg seinen Hauptsiß.

Alle diese angezeigte Nachrichten geben die Vermuthung, daß oft in Livland Perlen von einigem Werth gefunden worden sind; daß aber wol die Kosten ihren Werth überstiegen haben. Jetzo ist die Perlenfischerey frey; nur sollen die größern gehörigen Ortes angezeiget werden.

Ob die Perlen, wie Eberhard in seiner Abhandlung von dem Ursprung der Perle S: 11 α u. f. behaupten wollte, ein unzeitiges Ey sey, das sich von der Mutter losgemacht hat, oder ob sie nach der Meinung anderer aus einer kalkartigen Feuchtigkeit, welche sich in dem Leibe schaalenweise ansetzen soll, und wie die Steine in andern Thieren erzeuget werden, das werde ich hier nicht ausmachen.

Die Muscheln, in welchen unsere Perlen gefunden werden, sind länglicht eyrund und dickschaaligt, inwendig perlmutterfarben, auswendig schwarzbraun.

II. Tellmuschel. Tellina. L. gen. 305.

703) **Rothe Bohne.** T. balthica. L. 305. 68. Eine kleine dünne etwas runde Muschel, etwa so groß wie eine wällsche Bohne. Sie hat ganz feine Queerstreifen, und ist von blaßrother Farbe. Man findet sie zuweilen bey uns an Gestaden bey den Mündungen, die in die Ostsee fallen.

704) **Sumpftelline.** T. cornea. L. 305. 72.
Eine kleine runde Muschel, die undurchsichtig und fast
hornfarben ist. Man findet sie in stehenden Seen und
Sümpfen bis zur Größe einer Erbse.

III. Mießmuschel.   Mytilus. L. gen. 315.

705) **Entenmießmuschel.** M. anatinus. L. 315.
258. Sie ist länglicht rund, etwas bauchigt von ungleichen Seiten, sonst der Mahlermuschel fast gleich,
nur ein wenig breiter, hat auch eine dünnere Schaale,
deren Farbe dunkel olivenfarben ist. Sie wird in stehenden Seen, auch in Flüssen, z. B. in der Aa
gefunden.

b. Einschaalige gewundene Schnecken.
Univalvia.

I. Schnirkelschnecke.   Helix. L. gen. 328.

706) **Der scharfe Rand.** H. Albella. L. 328.
658. Chemnitz syst. Conchyliencab. 9. Th. Fig. 1105.
1106. Eine Schnecke, die etwa so groß ist, wie eine
Moschatennuß, doch mehr länglicht, von drey Gewinden, an den Gewinden platt, unten bauchigt, mit
einem scharfen etwas zerbrochenen Rande, und halb-
herzförmiger Mündung. Ihre Farbe ist verschieden,
mehrentheils weißlicht mit braunen Querbinden. Man
findet ihn bey dem baltischen Hafen am Strande zwischen den Steinen.

707) **Scheibenschnecke.** H. planorbis. L. 328.
662. Eine kleine glatte Schnecke von brauner Farbe,
mit fünf Gewinden. Die Mündung ist an beiden
Seiten scharf, so wie der Rand. Sie kommt in Flüssen und stehenden Seen vor.

708) **Flußhörnlein.** H. complanata. L. 328.
663. Chemnitz syst. Conchyliencab. 9. Th. Fig. 1121 —
1123. Sie ist von dünner durchsichtiger Schaale von
graulichter oder vielmehr schmutzigbrauner Farbe, unterwärts genabelt, oberwärts erhaben rund, und unten platt, von fünf Gewinden. Man findet sie in
verschiedenen stehenden Gewässern und Gräben. In dem
Graben am Stadtweidendamm und andern Weg-
dammgräben wird sie von verschiedener Größe gefunden.

709) **Waldhorn.** H. cornea. L. 328. 671.
Chemnitz syst. Conch. 9. Th. Fig. 1113 bis 1120.
Die Gewinde sind walzenförmig, an der Zahl vier,
und flach in einander gewunden, und formiren oben in
der Mitten ein nabelförmiges Loch; oben und unten
sind sie platt; der Schnirkel geht einmal herum. Ihre
Farbe ist schwärzlicht. Man findet sie in Flüssen und
stehenden Seen nicht selten.

710) **Baumschnecke.** H. arbustorum. L. 328.
680. Chemnitz syst. Conch. 9. Th. Fig. 1202. Sie
ist von braunlichter Farbe, und hat weißgelbe Adern
und Zeichnungen. Oben ist sie stumpf, spitzig gewunden; die Mündung hat einen doppelten Rand. Sie
kommt in Wäldern, zuweilen auch auf feuchten Wiesen vor.

711) **Waldschnecke, Livereyschnecke.** H.
nemoralis. Chemnitz syst. Conch. 9. Th. Fig. 1196 —
1198. Sie ist rundlich und bauchigt, von glatter,
durchsichtiger, bald hellbrauner, bald dunklerer Schaale, mit zwa oder mehreren, zuweilen gelben, seltener
weißen, oft schwarzbraunen Queerbinden. Sie wird
in feuchten Erlenwäldern, auch in Gärten gefunden.

712) **Amphibienschnecke.** H. putris. L. 328.
705. Chemnitz syst. Conch. 9. Th. Fig. 1248. Eine
stumpfgewundene Schnecke mit drey Gewinden von
sehr

sehr dünner zerbrechlicher durchsichtiger Schaale und
gelber Farbe, mit einer enförmigen Mündung. Sie
ist fast eyrund. Man findet sie in stehenden Seen,
auch in tiefen Wassergräben.

713) **Wirbelschnecke, Schnirkelschnecke.**
H. Vortex. L. 328. 667. Chemnitz syst. Conch. 9. Th.
Fig. 1127. Eine kleine sehr flache Schnecke von brauner glatter Schaale und fünf Gewinden, mit einem
scharfen ausgeschweiften Rande und enförmiger Mündung. Sie wird in Sümpfen und Gräben gefunden.

714) **Tillsaame.** H. spirorbis. L. 328. 672.
Diese Schnecke ist sehr klein, und hat eine weiße durchsichtige Schaale von fünf Gewinden, die in eine verlän-
gerte Spitze ausgehen. Man findet sie in Gräben.

715) **Dünnschaale.** H. fragilis. L. 328. 704.
Eine sehr kleine länglichte Schnecke von weißer durchsichtiger, sehr zerbrechlicher Schaale mit sechs Gewinden und länglicht runder Mündung; sie wird in Sümpfen gefunden.

716) **Gothländer.** H. balthica. L. 328. 710.
Eine kleine bauchigte Schnecke mit vier Gewinden,
von welchen die letzte so klein ist, daß man sie mit bloßen Augen kaum sehen kann. Sie hat eine weite enförmige Mündung. Man findet sie am Seestrande.

717) **Wasserschnecke.** H. stagnalis. L. 328.
703. Chemnitz syst. Conch. 9. Th. Fig. 1237. 1238.
Die Schaale ist gelblich, dünne, durchsichtig, und
hat sechs Gewinde, von welchen das erste das größte,
und etwas bauchigt ist, die übrigen sich in eine lange
scharfe Spitze endigen. Man findet sie oft an den
Gestaden der Flüsse und Landseen.

718) **Mausohr.** H. Auricularia. L. 328. 708.
Chemnitz syst. Conch. 9. B. Fig. 1241. 1242. Eine
enförmige, gelbe, durchsichtige Schnecke, etwa so
groß, wie die größte Haselnuß. Sie ist sehr bauchigt,

und

und hat vier Gewinde, von welchen die letztern in eine
kurze scharfe Spitze auslaufen, und eine erweiterte
Mündung. Sie kommt in Flüssen und stehenden
Seen vor.

719) **Hörnerschnirkelschnecke.** H. tentaculā-
ta. L. 328. 703. Chemnitz syst. Conch. 9. B. Fig. 1248.
Sie ist länglicht, etwa eines kleinen Fingergliedes lang,
von gelblichtgrauer undurchsichtiger Schaale mit fünf
Gewinden und einer rundlichen Mündung. In Flüssen kommt sie zuweilen vor.

720) **Sumpfschnecke, Morastkriecher.** H.
limosa. L. 328. 706. Chemnitz syst. Conch. 9. B.
Fig. 1246. 1247. Sie ist gegen zwey Zoll lang, etwas länglicht, von gelber, durchsichtiger, leichtzer-
brechlicher Schaale mit fünf Gewinden und einer eyförmig runden Mündung. Man findet sie zuweilen in
Flüssen.

721) **Gartenschnecke, Weinbergschnecke.**
H. Pomatia. L. 328. 677. Chemnitz syst. Conch. 9. B.
F. 1138. Sie ist etwas größer, als eine wällsche Nuß,
von dicker, halbdurchsichtiger Schaale mit fünf Gewinden, von welchen das erste sehr groß und bauchigt,
das letzte sehr klein ist, und in eine stumpfe Spitze ausgehet. Das Exemplar, das ich vor mir habe, ist
graulich, und hat verschiedene rothbraune Streifen
von ungleicher Breite die länge hinunter, und zwischen
denselben viele zarte vertiefte Streifen. Sie gehört
zu den linksgewundenen. Sie kommt in Gärten und
schattigten Gängen unter den Bäumen vor.

II. Schwimmschnecke. Nerita. L. gen. 329.

722) **Flußnerite.** N. fluviatilis. L. 329. 723.
Eine kleine grüngelbe gefleckte Schnecke von runzlichter
Schaale.

Schale. Sie kommt in verschiedenen Flüssen vor, die in die Ostsee fallen, doch nur einzeln.

723) Strandschwimmschnecke. N. littoralis. L. 329. 724. Eine kleine Schnecke die bey uns bis zur Größe einer Moschatennuß vorkommt. Sie hat eine glatte dunkelbraune Schaale, und wird oft am Ostseestrande gefunden.

724) Sumpfschwimmschnecke. N. lacuſtris. L. 329. 725. Eine ganz kleine schwärzliche Schnecke von etwas durchsichtiger Schaale. Sie wird in stehenden Gewässern gefunden.

III. Schüsselmuschel. Patella. L. gen. 331.

725) Gemeine Schüsselmuschel. P. vulgata. L. 331. 758. Eine kleine einschaaligte Muschel, die einer Schüsselstülpe nicht ganz ungleich siehet, jedoch etwas eckigt iſt. Sie findet sich zuweilen im baltischen Hafen von stahlblauer Farbe mit weißen, die lange hinablaufenden Streifen, und wird zuweilen aus der Ostsee an unsern Strand geworfen.

726) Morastpatelle. P. lacuſtris. L. 331. 769. Eine dergleichen kleine einschaaligte Muschel, von dünner, durchsichtiger, brauner Schaale, die man oft in stehenden Seen findet.

Diese wenigen Schaalthiere habe ich nur zu untersuchen Gelegenheit gehabt. Man findet deren mehrere in Flüssen, stehenden Seen, und am Ostseestrande, die ich aber selbst nicht gesehen habe.

D. Pflanzenthiere. Zoophyta.

I. Polype. Hydra.

Der Polype weichet als ein Pflanzenthier, sowol in Hinsicht auf den Bau seines Körpers, als auch besonders

sonders auf seine Fortpflanzung, von den übrigen Thierarten ab. Alle andere Thiere werden aus dem Ey erzeuget; dieser aber pflanzet sein Geschlecht durch Nebensprossen fort, welche aus dem Hauptstamm hervorgehen, bis zur gehörigen Größe wachsen, dann sich
von demselben absondern, und darauf belebet sind.
Er hält sich im Wasser auf, wo er sich mit einem Ende an Gewächse oder faules Holz anhänget, mit dem
andern aber frey herumschwimmt, und seine Nahrung
fängt, die in kleinen Wasserinsecten bestehet. Man
hat deren verschiedene Arten; folgende habe ich hier
nur gefunden:

727) **Blaßgelber Polype,** gelber Armpo-
lype. H. pallens. L. 349. 4. Rös. Ins. 3. Th. Suppl.
T. LXXVI. LXXVII. Ein fadenförmiger Polype,
vier und mehr Linien lang, mit sechs bis sieben Armen,
die ihm zum Fange seines Raubes dienen. Man findet ihn in stehenden Gewässern, Gräben und Teichen,
an den Wurzeln der Wassergewächse; er kommt aber
nicht allezeit bey uns vor; denn in manchen Sommern
habe ich ihn vergeblich gesucht.

Zwote

Zwote Abtheilung.

Pflanzen. Vegetabilia.

Erste Classe.

Einmännige, mit einem Staubgefäße. Monandria.

I. Mit einem Stempel. Monogynia.

Tannenwedel Hippuris.

Der Kelch und die Blumenblätter fehlen; der Staubgang ist spitzig, der Griffel pfriemenförmig, und länger als das Staubgefäß; der Saamen ist rundlich, bloß und einzeln.

1) **Gemeiner Tannenwedel.** Hippuris vulgaris. Diese Pflanze hat viele kleine Blüthen, die ohne besondere Stengelchen in den Anwachswinkeln sitzen. Die Blätter wachsen wirbelförmig um den Stengel herum. Man findet ihn an Wassergräben, Sümpfen und Flüssen.

II. Mit

II. Mit zween Stempeln. Digynia.

Wasserstern. Callitriche.

Der Kelch fehlt; die Blume hat zwey gekrümmte, gegen einander stehende Blätter; der Staubfaden ist lang, zurückgebogen, und trägt einen einfachen Staubbeutel; die beiden Griffel sind haarförmig, zurückgebogen, und haben spitzige Staubwege.

2) **Frühlingswasserstern.** Callitriche verna. Die Pflanze ist nur klein; die Blätter sind länglichtrund, an den Stengelspitzen fast ganz rund; die Blümchen sind klein, und haben kurze zugespitzte Blättchen; die männlichen und weiblichen Fruchtwerkzeuge stehen in besondern Blumen, jedoch auf Einer Pflanze. Es wächst in Gräben und andern stillen Gewässern, und blühet gleich im Frühling.

3) **Herbstwasserstern.** Callitriche autumnalis. Die Blätter stehen gegen einander am Stempel, sind linienförmig, und endigen sich in zwo kurze Spitzen. Er trägt Zwitterblummen. Er wächst in stehenden Gewässern und Sümpfen, und blüht zu Anfange des Septembers.

———————

Zweyte Classe.

Zweymännige, mit zwey Staubgefäßen. Diandria.

I. Mit Einem Stempel. Monogynia.

Hexenkraut. Circaea.

Der Kelch hat zwey eyförmige hohle zurückgebogene Blättchen, welche nachher abfallen; die Blumenkrone hat zwey verkehrt-herzförmige Blätter; die Staubfäden sind haarförmig, und haben runde Beutel.

4) **Weißblümigtes Hexenkraut.** Circaea lutetiana. Die Blätter sind eyförmig und zugespitzt, und stehen gegen einander auf kurzen Stielen am Stengel; aus den Blattwinkeln kommen lange Seitenstengel, an welchen die blaßröthlichen Blumen traubenförmig an hinabgebogenen Stengeln hangen. Es wächst in Gebüschen, und blüht im Julius.

Liguster. Ligustrum.

Der Kelch bestehet aus Einem Blatt, das vier Einschnitte hat; die Blume ist trichterförmig, und bestehet aus einem viertheiligen Blatt; die Staubfäden sind einfach, und haben aufrechte Beutel; der Griffel ist nur kurz; der Staubweg ist gespalten.

5) Ge=

5) **Gemeiner Liguster, Hartriegel.** Ligu-
strum vulgare. Die Blume ragt über den Kelch hervor, und ist von Farbe weiß; sie hat eine viertheilige
Mündung. Der Strauch hat hartes Holz. Man
findet ihn einzeln in erhabenen Wäldern.

Ehrenpreiß. Veronica.

Die Blumenlippe ist viertheilig, und hat tiefe
Einschnitte, und eyförmige Lappen; der untere Lappen
ist schmaler, als die übrigen; der Griffel ist fadenförmig, und so lang wie das Staubgefäß, und niederge-
beuget; die Saamenkapsel ist zweyfächerigt.

6) **Ehrenpreiß mit herzförmigen Blättern.**
Veronica agrestis. Die Pflanze wächst etwas niedrig;
die Blätter sind herzförmig und feingezahnt: die Blumen sind hellblau, und sitzen einzeln auf langen
Stengeln, die aus den Blattwinkeln hervorkommen.
Die Blüthezeit ist zu Anfange des Junius. Es kommt
auf Aeckern und andern gebauten Stellen vor.

7) **Gemeiner Ehrenpreiß.** Veronica officinalis. lett. Semmes appini, ehstn. Joſtla rohhi.
Die Blumenähren sitzen an den Seiten des Stengels
auf Nebenstengelchen; die Blätter stehen gegen einander, und die Stengel sind hinuntergebogen. Die
Blume ist blaßblau, und kommt im Julius hervor.

8) **Langblättriger Ehrenpreiß.** Veronica
longifolia. Die Blumenähren sitzen oben an der Spitze; die Blätter sind lanzettenförmig, am Rande gezahnt und spitzig, und stehen gegeneinander. Er blüht
etwas später, als der vorige.

9) **Feldehrenpreiß.** Veronica arvensis. Die
Blätter sind denen am gemeinen Ehrenpreiß gleich;
die Blumen sind blaßviolfarben, und sitzen einzeln auf
kurzen Stengelchen. Es wächst auf trockenen Fel-

dern;

dern; die Blume kommt zu Anfange des Junius
hervor.

10) **Ehrenpreiß mit kleinen Blümchen.** Veronica verna.   Dieſe Pflanze wächſt nur niedrig; die
Blätter ſtehen zerſtreut, und ſind fingerförmig getheilt;
die Blumen ſind klein und blau; ſie ſtehen einzeln auf
kurzen Stengelchen, die aus den Blattwinkeln hervorkommen; an erhabenen trockenen Stellen; die Blüthezeit iſt der Junius.

11) **Ehrenpreiß mit Quendelblättern.** Veronica ſerpyllifolia.   Dieſes iſt ein kriechendes Gewächs mit glatten, am Rande gekerbten eyförmigen
Blättern; die Blümchen ſind blaulicht, inwendig weiß,
und mit purpurfarbenen Linien durchzogen, und ſitzen
traubenförmig an den Stengelenden, faſt wie an einer
Aehre.   Es blühet im Junius, zuweilen ſpäter, und
wird in Wäldern gefunden.

12) **Breitblättriger Ehrenpreiß, wildes
Gamanderlein.** Veronica latifolia.   Eine hohe geradeſtehende Pflanze mit herzförmigen, gezahnten,
runzligten, gegen einanderſtehenden Blättern; aus
den oberen Anwachswinkeln der Stengel kommen zwey,
zuweilen vier lange Nebenſtengel mit traubenförmig
gewachſenen großen blauen Blumen.   An offenen erhabenen Waldſtellen, auch auf Aeckern.   Es blüht
nach Johannis.

13) **Ehrenpreiß mit kurzer Aehre.** Veronica
ſpicata.   Jeder Stengel trägt oben eine Aehre mit
blaßblaulichten Blümchen; die Blätter ſtehen gegen
einander, und ſind ſtumpf und gekerbt; der Stengel
geht etwas gekrümmt in die Höhe.   Man findet es an
Kornfeldern an verſchiedenen Orten, z. B. im Bickerſchen, bey der Bauerſtelle Lapping.

14) **Bergehrenpreiß.** Veronica montana.   Die
Blätter ſtehen auf Stielen, ſind eyförmig und runzeligt;

ligt, die Blumen stehen an traubenförmigen Straußen an den Stengelseiten.　Es wächst auf fruchtbaren Hügeln.

15) **Bachbungen, Wassersalat.** Veronica
Beccabunga, lett. Tuhku sahles.　Der Blumenstengel hat kurze Nebenstengelchen; die Blätter sind eyrund und flach; der Stengel ist niedergebogen.　Es
wächst auf sumpfigten Wiesen, an verschiedenen Orten häufig.

16) **Gamanderehrenpreiß.** Veronica Chamaedrys, ehstn. Korri kessed.　Der Blumenstengel hat
kurze Nebenstengelchen; die Blätter sind eyrund, gezahnt, runzligt, und wachsen an Stielen; der Stengel ist dünne.　Man findet ihn auf Wiesen und in
Wäldern häufig.　Er blüht im May und Junius, und
trägt blaue Blumen.

17) **Hühnerdarm mit Epheublättern.** Veronica hederifolia.　Jedes Stengelchen trägt nur
Eine Blume; die Blätter sind herzförmig, flach und
in Lappen getheilt.　Man findet es hin und wieder an
offenen Stellen.　Es blüht im May.

18) **Schmalblättriger Ehrenpreiß.** Veronica scutellata.　Die Blätter sind linienförmig, ungekerbt, und stehen gegeneinander; die Blumentragen-
den Nebenstengel stehen wechselsweise, an welchen die
violfarbenen Blumen traubenförmig auseinandergebreitet auf abwärtsgebogenen Stengelchen hangen.　Es
wird an Wassergräben gefunden.　Die Blüthezeit ist
der August.

19) **Meerehrenpreiß.** Veronica maritima.
Die Blätter sind lanzenförmig, ungleich sägeförmig
gezahnt, und sitzen deren immer drey am Stengel bey
einander; die Blumen sind blau, und sitzen in etlichen
ausgebreiteten Aehren oben am Stengel.　Man findet
es an Seegestaden, wo es nach Johannis blüht.

　　　20)

20) **Langblättrige Bachbungen.** Veronica Anagallis aquatica. Die Blätter ſind lanzenförmig und ſägeförmig gezahnt, und ſtehen gegen einander am Stengel; die Blumen ſitzen traubenförmig an den Seitenſtengeln, und ſind blaßblau. An Teichen und Waſſergräben.

21) **Hühnerraute.** Veronica triphyllos. Die Blätter ſind fingerförmig getheilt, und kürzer als die Blumenſtengel; die Blumen ſind dunkelblau, und ſtehen einzeln an den Stengeln. Es wächſt auf Anhöhen, und bleicht zu Anfange des Junius.

Gnadenkraut. Gratiola.

Die Blumenlippen ſind ungleich; der Staubgefäße ſind zwar vier, doch ſind zween davon unfruchtbar; der Kelch hat ſieben Blätter, von welchen die zwey äußeren auseinandergeſperret ſind; die Saamenkapſel hat zwey Fächer.

22) **Gottesgnadenkraut.** Gratiola officinalis. Die Blätter ſind lanzettenförmig, am Rande ſägeförmig gezahnt; die Blumen ſitzen an kurzen Stengelchen.

Fettkraut. Pinguicula.

Die Blume iſt zweylippicht, und hat ein gehörntes Saftbehältniß; der Kelch hat zwo Lippen, die in fünf Theile geſpalten ſind; die Saamenkapſel iſt einfächerigt.

23) **Gemeines Fettkraut.** Pinguicula vulgaris. lett. Dſegguſe Seetawas. Das Gewächs iſt nur niedrig, hat dunkelblaue, faſt violfarbene Blumen mit einem walzenförmigen Saftbehältniß, das ſo lang iſt als die Blumenblätter; es blüht im May.

Waſſer-

Wasserschlauch. Utricularia.

Der Kelch bestehet aus zwey kleinen hohlen eyförmigen Blättern; die Oberlippe der Blumenkrone ist stumpf, steht gerade in die Höhe, und ist kleiner als die Unterlippe; die Staubfäden sind kurz und gekrümmt, und haben kleine Beutel, die mit einander zusammenhangen.

24) **Gemeiner Wasserschlauch.** Utricularia vulgaris. Die Blumen haben eine rachenförmige Mündung, und hangen nur wenige am Schaft; ihr Saftbehältniß, das dicht an der Unterlippe hervorkommt, ist pfriemenförmig; an den Wurzeln stehen kleine offene Bläschen, mit denen sie das Wasser einsaugen. Es kommt zuweilen in stehenden Seen vor.

Eisenhart. Verbena.

Die Blume ist trichterförmig und etwas gekrümmt; der Kelch hat einen stumpfen Zahn; der Staubgefäße sind vier, von welchen zwey kürzer sind; sie stecken innerhalb der Blumenröhre; die Staubbeutel sind gekrümmt; die Saamen liegen bloß im Kelche.

25) **Eisenkraut.** Verbena officinalis. Die Blume sitzt in fadenförmigen Aehren, die auf verschiedenen Nebenstengeln stehen; die Blätter sind vielmal eingeschnitten, und sitzen an einzelnen Stengeln; die Blume ist pfirschblüthenfarben, und kommt im August hervor. Es wächst an einigen fruchtbaren Stellen, doch eben nicht häufig. Der Ehste nennt es: Raud rajo rohhi.

Wolfsfuß. Lycopus.

Der Kelch ist röhrenförmig, und besteht aus einem fünftheiligen Blatt mit schmalen spitzigen Lappen;

die

die Blume ist an der Mündung in vier lappen getheilt, von welchen der obere breiter, und an der Spitze ausgeschnitten ist; die Staubfäden stehen nebeneinander gegen den obern lappen geneigt; die Staubbeutel sind klein; der Griffel ist fadenförmig, und steht aufrecht.

26) **Europäischer Wolfsfuß, Wasserandorn.** Lycopus europaeus. Die Blätter sind sägeförmig gezahnt, und haben ausgeschweifte Zahnlappen; die Blumen sitzen wirbelförmig um den Stengel. Die Blüthezeit ist im August. Man findet es am Rande der Wassergräben und an stillen Gewässern.

Salbey. Salvia.

Der Kelch ist röhrenförmig und wird oberwärts allmählig breiter und platt; die Mündung hat zwo lippen, von welchen die obere drey, die untere zween Zähne hat. Die Blumenröhre ist oberhalb breit und platt; hat eine gaffende Mündung; ihre Oberlippe ist ausgeschweift, hohl, gekrümmet, und zusammengedrückt; die Staubfäden sind zweytheilig; an dem einen längern Theil, der unter der Oberlippe verborgen steckt, sitzt der Staubbeutel; der Griffel ist fadenförmig und sehr lang; der Staubbeutel ist zweytheilig.

27) **Wilde Salbey.** Salvia pratensis. Die Blätter, von welchen die obern den Stengel umgeben, sind länglicht herzförmig; die Blumen sind violfarben, und sitzen in Wirbeln. Man findet sie hie und da in Wäldern, wo sie im Julius blüht. Die Spielart mit weißer Blume ist mir in unsern Gegenden nicht vorgekommen.

II. Mit

II. Mit zween Stempeln. Digynia.

Ruchgras. Anthoxantum.

Der Kelch besteht aus zwey Bälglein, und trägt eine Blume; diese ist gespizt, und besteht gleichfalls aus zwey Bälglein; die Staubfäden sind haarförmig, und sehr lang; die Griffel sind fadenförmig.

28) **Wiesenruchgras.** Anthoxantum odora-tum. Die Aehre ist länglicht enförmig, und trägt büschelweise wachsende Blumen, die länger sind als die Aehre, und an kurzen Stengelchen sitzen. Es gehört zu den Gräsern. Man findet es auf verschiedenen Wiesen, denen es einen angenehmen Geruch giebt. Einige legen ihn in den Schnupftoback, und finden den Geruch angenehm.

Dritte Classe.

Dreymännige, mit drey Staubgefäßen. Triandria.

I. Mit Einem Stempel. Monogynia.

Baldrian. Valeriana.

Der Kelch fehlt, die Blume ist einblätterig, und hat eine etwas gekrümmte Röhre; die Staubfäden sind pfriemenförmig, gerade, und so lang, als die Blumen, zuweilen drey, oft weniger; der Griffel ist fadenförmig, und so lang als die Staubgefässe; der Saamen ist einzeln.

Bb 5   29)

29) **Waſſerbaldrian.** Valeriana Phu. Die Blumen haben drey Staubgefäße; die Stengelblätter ſind gefedert, die Wurzelblätter ungetheilt. Der Nebenſtengel hat mehrere Blätter an der gemeinſchaftlichen Ribbe ſitzen.

30) **Großer Baldrian.** Valeriana officinalis. lett. Buldriam, ehſtn. Ulekáia rohhi. Die Blumen haben drey Staubgefäße; die Blätter ſitzen alle paarweiſe an der gemeinſchaftlichen Ribbe, und ſind alſo gefiedert. Es wächſet in ſchattenreichem ſumpfigen Erdreich, bey Riga am Graben am Stadtweidendamm; die Blüthezeit iſt der Junius. Die Pferde ſcheuen dieſe Pflanze, die ihnen ſchädlich iſt.

31) **Kleiner Baldrian.** Valeriana dioica. Die Blumen haben drey Staubgefäße, und die männlichen und weiblichen ſitzen in verſchiedenen Pflanzen dieſer Art von einander abgeſondert. Man findet ihn an feuchten Orten, wo er im Junius blühet. Die männlichen Blumen ſind ungleich größer, als die weiblichen, welche dicht zuſammengedrängt ſtehen. Ruſſiſch nennt man es: Buldrian, an einigen Orten Mann, an andern Semlánoi ladan.

32) **Ackerſalat, Winterrapunzel.** Valeriana Locuſta. Die Blumen haben drey Staubgefäße; der Stengel iſt einigemal in zwey Theile getheilt; die Blätter ſind linienförmig; die Blumen ſind blaßblau, und kommen im Junius hervor. Man findet dieſe Pflanzen hin und wieder auf Aeckern.

Schwerdtel. Iris.

Die Blume iſt ſechsmal getheilt, und hat tiefe Einſchnitte; ihre Blätter ſind wechſelsweiſe eines um das andere zurückgebogen, ſo daß drey geradeſtehen,

unb

und drey gekrümmet sind; die Staubfäden sehen wie
Blättchen aus; der Kelch fehlt.

33) Schwerdtlilie. Iris germanica, lett. Wil-
ka sohbeyes. Die Blumen sind bärtig oder haarigt;
der Stengel, welcher höher steht, als die Blätter,
trägt mehrere Blumen; die untern Blumen aber sitzen
auf Stielchen.

34) Siberische Schwerdtlilie. Iris sibirica.
Die Blätter sind linienförmig; die Blumenblätter sind
glatt, ohne Härchen oder Borsten, und niedergebogen; ihre Farbe ist violfarben. Man findet es auf
Wiesen, doch nur selten.

35) Wasserlilie, Wasserschwerdtel. Iris
Pseudacorus, russisch Petuschock, lett. Sabinus-
sahles, Saules rassinas, ehstn. Wohhomäck.
Die Blumen haben keine Härchen; die innern Blätter
sind kürzer als der Stäubweg; die Stengelblätter sind
schwerdtförmig. Es wächset in Sümpfen, Wassergräben, und auf morastigen Wiesen, bey Riga in den
sumpfigen Gräben an den Heuschlägen bey Charlotten-
thal. Es trägt im Junius gelbe Blumen.

Binsengras. Scirpus.

Die Kelche oder Bälglein bestehen aus eyförmigen, dicht aneinandergewachsenen Schuppen; die Blumen fehlen; der Saame ist etwas haarigt und
einzeln.

36) Torfbinsen, Weiherbinsen. Scirpus cae-
spitosus. Der Halm ist gestreift, und trägt keine
Blätter; die Aehre ist so lang als das Bälglein, und
kommt zwischen zwey Schuppchen oder Blättchen hervor. Es wächset auf Morastlande. Wann dieser
Binsen verfaulet, und mit andern Sumpfgewächsen,
Moosarten und zarten Wurzelfibern vermischt, aufgelöset,

gelöſet, und in grobe Erde verwandelt iſt: ſo entſtehet daraus der Torf. Verſchiedene Landwirthe geben
es als ein ganz ſicheres Kennzeichen von Torf an, wenn
auf Moraſtgrunde Porſt oder wilder Roßmarin wächſet. Daß auch ein dürrer mit etwas Heidekraut be-
wachſener Boden, der, wenn man mit dem Fuße hart
darauf ſtampfet oder ſpringt, bebet, einen Torfbo-
den anzeige, iſt bekandt, wenigſtens wird es in unſern
Gegenden für das Kennzeichen eines guten Torfes angenommen.

In den Gegenden unſerer Stadt ſowol, als auch
in entferntern im Lande wird ein hinlänglicher Vorrath
davon gefunden. Seit etlichen Jahren fängt man
auch wieder an, ſowol im Rigiſchen Stadtgebiete, wo
deſſen an mehreren Stellen viel gefunden wird, als
auch unter verſchiedenen Gütern im Lande Torf zu ſte-
chen. Wir dürfen alſo nicht befürchten, daß irgend
eine Gegend auch bey dem äußerſten Holzmangel ohne
Feurung bleiben werde. Schon unſere Vorfahren
haben ihn bequem genutzet, beſonders wenn der Nothfall es erfoderte. Die Moräſte an den Morgenſtern-
und Brauershoffſchen Gränzen lieferten im Sommer
1700, da die Sachſen Riga belagerten, und den
Dünaſtrom ſo beſetzt hielten, daß weder Holz noch
einige andere Waaren den Strom hinunterkommen
konnten, einen Vorrath, der faſt zu allen Bedürfniſſen hinreichte. Die Moräſte gegen die Stintſee lieferten ihn auch, aber in weit geringerer Menge. Da
man vor vielen Jahren die Bickerſchen Moräſte unter-
ſuchte, fand man einen Torf, der an Farbe braun
und gelb, dabey leicht war, und geſchwinde verbrann-
te. Er beſtand aus Moos und deſſen zarten Wurzeln,
und war mit verfaulten Holzreiſern vermengt. Gel.
Beytr. zu d. Rig. Anzeigen auf d. Jahr 1762. St. XVII.
S. 132. 33. Wahrſcheinlich waren die Moräſte dieſer

ser Gegenden vormals niedrige Wälder; die noch übri
gen starken Wurzelspuren scheinen dieses zu beweisen.
Der Torf, der jetzo nahe bey Riga, auf der sogenannten Hoßmanns Purre gestochen wird, ist mehrentheils leicht und röthlich, und bestehet aus Moos,
Graswurzeln, und vermodertem Strauchwerk, die
durcheinander gewachsen sind; diese Gattung aber pflegt
geschwinder und leichter zu verbrennen, und nicht so
stark zu glühen, als der schwerere schwarze. Die
Kennzeichen eines guten Torfes sind außer der Farbe,
daß er im Feuer lange glühe, und nach dem Verbrennen in eine weiße Asche zerfalle. Zur Sparung des
Holzes ist er besonders bey dem Brandweinbrennen,
und beym Destilliren, mit mehrerem Vortheil als
Holzkohlen zu gebrauchen, indem er lange glühet, und
eine gleiche Hitze unterhält.

Der Verf. der Abhandl. von der Nutzung der
Torf-Asche in den gel. Beytr. zu den Rig. Anzeigen für
d. Jahr 1762. St. XX. empfiehlet die Torf-Asche zur
Verbesserung des Ackerlandes und der Wiesen, und
zeiget die nöthige Vorsicht bey dessen Anwendung an.
Merkwürdig und nachahmungswerth ist der Versuch,
den einer seiner Leute machte, und den er hier anzeigt.
Dieser hatte einen sehr unfruchtbaren Platz, der nur
hartes Moorgras trug, das so kurz war, daß es nicht
gemähet werden konnte, und der keine Spur von
Kleegras zeigte. Nachdem dieser Platz mit Torf-Asche
bestreuet worden, trug er noch in demselben Jahr statt
des schlechten Moorgrases den schönsten weichen Klee,
und that es nachher immerfort.

37) Waldbinsen. Scirpus sylvaticus. Der
Stengel ist dreyeckigt und stark, mit hohlen Blättern
besetzt; der Blumenstrauß ist ausgebreitet, ebenfalls
mit Blättern besetzt, und trägt viele zusammenge-
dräng-

drängte grüne Aehrchen.   Man findet es auf ſum-
pfigtem Waldgrunde.

38) **Sumpfbinſen, Binſengras.** Scirpus paluſtris.   Der Halm iſt walzenförmig rund, und hat
keine Blätter; an der Spitze ſtehen mehrere enförmige
Aehrchen an kurzen Stengelchen.   Man findet es in
Sümpfen und ſtehenden Seen häufig.   Es wird, beſonders vom gemeinen Mann, zu bequemen Binſenbetten, die die Stelle der Mabrazen füglich vertreten,
gebrauchet.   In Gegenden, wo es häufig wächſt,
würde man es zum Decken der Dächer brauchen können, ſtatt des Strohes, das dem Landmann in manchen Jahren, beſonders nach langen Wintern, ſo koſtbar iſt.   Man müßte ſie im September ſchneiden, da
ſie am ſtärkſten ſind.   Der Ehſte nennt die Binſen
überhaupt: Jänneſe lugga.

39) **Kleinſtes Binſengras, nadelförmiges
Binſengras.** Scirpus acicularis.   Eine ganz niedrige
Binſenart, deren Halm keine Blätter hat, die an der
Spitze   e einzige enförmige Blumenähre trägt.   Es
kommt in Gewäſſern an den Ufern vor.

40), **Teichbinſen.** Scirpus lacuſtris.   Der
Stengel wächſt hoch, und iſt dem an den Sumpfbinſen gleich, ebenfalls ohne Blätter; an der Spitze
ſitzen-verſchiedene enförmige Aehrchen.   Man findet
dieſe Art in Teichen und an den Ufern ſtehender Seen.
Auch dieſe werden zu Binſenbetten gebraucht.

Siegwurz. Gladiolus.

Die Blume iſt durch ſechs tiefe Einſchnitte getheilet, ſo daß ſie faſt ausſiehet, als hätte ſie ſechs
Blätter; die oberen drey Blättchen ſtehen dicht aneinander geneigt, die unteren mehr auseinander gebreitet;
ſie ſind unten in ein krummes Röhrchen zuſammenge-
wach-

wachsen; die Staubfäden sind pfriemenförmig, und haben länglichte Beutel.

41) **Rothe Schwerdtlilie.** Gladiolus communis. Die Blätter sind schwerdtförmig; die rothen Blumen stehen alle in einer Reihe, und nach einer Seite zugekehrt am Stengel hinunter. Ich habe sie einmal im Hinzenbergischen, nicht weit von dem Kupferhammer am Ausgange eines Waldes, und im Kokenhusenschen im Walde gefunden. Man pflegt sie in Gärten zu ziehen. Der Blumensaft giebt mit Alaun gekocht eine schöne grüne Tinte.

Strickgras. Schoenus.

Die Blume hat sechs lanzenförmige spitzige gegen einander geneigte Blätter; die Staubfäden sind haarförmig, und haben länglicht runde geradestehende Staubbeutel; der Griffel ist borstförmig.

42) **Agh.** Schoenus Mariscus. Der Halm ist wirbelförmig: die Blätter sind lang und schmal, am Rande und an der hintern Seite der mittlern Blattribbe stachelicht. Auch diese Pflanze erzeuget einen Torf. Sie wächst in Sümpfen.

43) **Weißes Strickgras.** Schoenus albus. Der Halm ist fast dreyeckigt, und mit Blättern besetzt; die Blätter haben feine Borsthärchen; die Blumen sind weiß, und stehen in Büscheln, oder vielmehr Köpschen zusammengedrängt.

Wollgras. Eryophorum.

Einige länglichte dachziegelförmig liegende Schuppen machen den Kelch aus; die Blume fehlt; die Staubfäden sind haarförmig; die Beutel sind länglicht rund; der Griffel ist fadenförmig, und so lang,

als

als die Kelchſchuppen; der Saame iſt einzeln, und
mit ſehr langen zarten Härchen verſehen.

44) Dunengras, Wollgras. Eryophorum po-
lyſtachion, lett. Melgalve. Es hat runde Halme,
flache Blätter und kurze Aehrchen, die an langen
Stengeln ſitzen, und im May Blumen tragen.
Ihre Saamen haben ſehr zarte flachsähnliche Federkronen. Herr Pr. Güldenſtädt hat in ſeinem diſcours
academique ſur les produits de Ruſſie propres etc.
gerathen, die Wolle mit dem vierten Theil rechter
Wolle oder Baumwolle zu vermengen, da dann gute
Tücher und Strümpfe daraus verfertiget werden
könnten. Es wächſt hie und da auf Wieſen, die nicht
gar zu feucht ſind, auch an Waſſergräben, doch nicht
in allen Jahren gleich häufig. Der Herr v. Fiſcher
hat in ſeinem liefl. Landwirthſchaftsb. die Bemerkung gemacht, daß es in den Jahren 1749. 50. 53. 58.
ſich gar nicht habe ſehen laſſen, und daß in eben dieſen Jahren die Viehſeuche immer und größtentheils
heftig gewüthet habe, daß in den Jahren 1751 und
54. da die Seuche gelinder geworden, es ſich im
Frühling wieder habe ſehen laſſen, und daß 1752, da
es häufig wuchs, keine Seuche geſpüret worden.
S. 2. Aufl. S. 387. 388. 389. 398. 401. 451.

II. Mit zween Stempeln. Digynia.

Hirſengras. Milium.

Das Bälglein trägt nur Eine Blume; die Spelzen ſind enförmig, etwas bauchigt, und größer als die
Blumenkrone.

45) Ausgebreitetes Hirſengras. Milium effu-
ſum. Die Blumen ſtehen in Büſcheln, etwas aus-
ein-

einander gebreitet. Es hat einen angenehmen Geruch. Man findet es in schattigten Laubwäldern.

Strauchgras. Agrostis.

Das Bälglein ist zweyklappigt, und trägt nur Eine Blume, die kaum so lang ist, als der Kelch; die Staubgefäße sind haarförmig, und ragen aus der Blume hervor; die Staubgänge sind die Länge hinunter mit zarten Härchen besetzt.

46) Hundegras. Agrostis canina. Die Bälglein sind alle gleich lang; der Strauß ist ausgebreitet, und hat kleine Blüthchen, die weit kürzer als die Aehren sind. Die Halme sind am untern Theile niedergebogen, und haben wenige Nebenstengel. In feuchten waldigten Gegenden, auch zuweilen auf feuchten Wiesen. Die Ehsten glauben, daß dieses Gewächs Quellen und Wasseradern anzeige.

47) Feldstraußgras. Agrostis Spica venti. Eine hohe Grasart, mit langem, weitausgebreiteten Blumenstrauß, welcher an verschiedenen zweymal getheilten Nebenstengeln kleine weitläuftig hangende grüne Blümchen trägt. Es kommt auf Aeckern vor, und blüht um Johannis.

48) Haarigtes Straußgras. Agrostis capillaris. Der Strauß ist etwas auseinander gebreitet, und hat feine haarförmige Stengelchen; die kleinen Bälglein sind braunlich und grün gemengt; die Spelzen sind weißlicht. Man findet es auf trockenen Wiesen, wo es um Johannis blüht.

49) Rothes Straußgras. Agrostis rubra. Die Blumenbüschel sind auseinandergebreitet; die Aehre wird im Herbst, wann sie verblüht ist, röthlich. Es kommt hin und wieder auf feuchten Wiesen vor.

50) **Sprossendes Straußgras.** Agrostis stolonifera. Der Halm kriecht auf der Erde; die Aestchen des Blumenstraußes stehen auseinandergebreitet. Man findet es zuweilen an ungebaueten Stellen.

51) **Wiesenhabergras.** Agrostis arundinacea. Der Blumenstrauß oder Büschel ist länglicht; die Blumenblätter sind am äußern Rande haarigt; die Aehre ist gekrümmet, und länger als der Kelch. Es wächst in schattigten Gegenden.

Schmelen. Aira.

Das Bälglein bestehet aus zwo Spelzen, und trägt zwo Blumen mit drey haarförmigen Staubfäden; der Griffel ist borstartig.

52) **Blaulichte Schmelen.** Aira coerulea. Es hat flache, etwas haarigte Blätter, und einen durch Nebenstengeln getheilten Blumenbüschel mit blauen dichtzusammengedrängten Blumen, welche vor dem Aufblühen dicht ineinandergewickelt sind; auf trockenen Wiesen und Aeckern.

53) **Ackerschmelen, Ackerriedgras.** Aira cespitosa. Die Blätter sind an der innern Seite scharf, und gefurcht, an der äußern Seite glatt; die Blumen stehen an ausgebreiteten Büscheln; die Hälme sind hoch. Man findet es an feuchten Orten. Es blüht nach Johannis.

54) **Graue Schmelen.** Aira canesens. Ein niedriges Gewächs mit grauen schmalen kurzen Blättern; die Blumen stehen an etwas zusammengedrängten Straußen. Es wächst auf sandigen Stellen, und blüht mit dem vorigen zu gleicher Zeit.

55) **Biegsame Schmelen.** Aira flexuosa. Die Blätter sind schmal und borstig; die Blumensträuße

sind

sind weitläuftig, und stehen auf dünnen biegsamen Stengeln. In gebirgigten Gebüschen.

Lieschgras. Phleum.

Der Kelch bestehet aus zwey länglichten gerade stehenden Bälglein, und endiget sich in zwo Spitzen; jedes trägt ein Blümchen, das niedriger ist, als der Kelch; die drey Staubfäden sind länger, und ragen aus dem Kelch hervor; die Griffel sind zurückgebogen.

56) **Wiesenlieschgras.** Phleum pratense. Der Halm wächst aufrecht; die Aehre ist sehr lang, walzenförmig, und mit Härchen versehen; die Blumen stehen dicht zusammengedrängt. Es wird an offenen trockenen Stellen gefunden.

Perlgras. Melica.

Die Bälglein sind hohl und eyförmig; von den Spelzen, welche auch eyförmig sind; ist eine flach, die andere hohl; die Staubfäden sind haarförmig.

57) **Schwankendes Perlgras.** Melica nutans. Die obere Fläche der Blätter ist rauch; die Blumen sind ziemlich groß und roth, und hängen abwärts an einzelnen Nebenstengeln an einer Seite des Halmes. Es wächst in Gebüschen.

Glanzgras. Phalaris.

Der Kelch bestehet aus zween nachenförmigen Spelzen; jedes Bälglein trägt nur Eine Blume, die kleiner ist, als der Kelch, und haarförmige Staubfäden mit länglichten Staubbeuteln hat.

58) **Fenchelartiges Glanzgras.** Phalaris phleoides: Die Blumenähre ist lang, und dicht mit Blumen besetzt; die Stengelblätter sind glatt, und haben einen scharfen Rand. Das Gewächs ist nur niedrig, und kommt in Laubwäldern vor, wo es um Johannis blüht.

59) **Rohrartiges Glanzgras.** Phalaris arundinacea. Der Blumenbüschel ist bauchicht, und hat einige zusammengedrängte Blumenährchen. Man findet es an Bächen. Es blüht nach Johannis.

Schilf. Arundo.

Das Bälglein bestehet aus zwo steifen Schuppen oder Blättchen; die Blümchen stehen zusammengedrängt, und sind mit wolligten Härchen umgeben; die Staubfäden sind haarförmig, so wie auch die Griffel.

60) **Gemeiner Schilf, Rohr.** Arundo Phragmites, lett. **Needra,** auch **Duhni,** ehstn. **Roog,** auch **Pilli roog.** Es hat einen ausgebreiteten Blumenbüschel, und jeder Kelch trägt fünf Blumen. Man findet es in Sümpfen und stehenden Gewässern. Wir haben in Livland Rohr, das zu Oypslagen tauglich ist.

61) **Sandschilf, Helm.** Arundo arenaria. Die Kelche tragen nur eine Blume; die Stengel sind spitzig zusammengerollt, so daß sie einem Pfriemen gleich sehen. Es wächst häufig an Seegestaden, und blüht im Junius. Man braucht es an einigen Orten in Livland zum Dünger.

Kammgras. Cynosurus.

Die Bälglein sind schmal und spitzig, an Größe einander gleich. Von den beiden Blumenspelzen ist die äußere

äußere hohl, die innere flach und stumpf; die Staubfäden sind haarförmig, und haben länglichte Staubbeutel; die Griffel sind zurückgebogen und haarigt.

62) **Blaues Kammgras.** Cynosurus coeruleus. Eine kleine Grasart mit fast stahlfarbenen Blättern und kurzen dicken Aehren mit purpurfarbenen
Blümchen; die Blätter an den Nebenstengeln, die unter den Blumen stehen, sind ungekerbt. Man findet
es auf trockenen unfruchtbaren Wiesen, und auf Hei-
deland. Die Blüthe bricht im May hervor.

63) **Gefedertes Kammgras.** Cynosurus cristatus. Die Blüthen stehen an einer Seite des Stengels; unter jedem Kelch, der bis fünf Blüthen trägt,
steht ein federförmig eingeschnittenes Blatt; die Aehren
sind grün, und geben mit den rothen Staubbeuteln
dem Gewächs ein artiges Ansehen. Es wächst auf
feuchten Wiesen, und blüht im Julius.

Fuchsschwanz. Alopecorus.

Der Kelch bestehet aus zwey Bälglein; die Blumen haben zween haarförmige Staubfäden, und zween
Griffel, die über den Kelch hervorragen.

64) **Wiesenfuchsschwanz.** Alopecorus pratensis. Diese Grasart hat einen aufrechten Halm,
und auf demselben eine lange walzenförmige Aehre;
auf Wiesen und Aeckern, auch in gutem Boden an
Wegen.

65) **Knotiger Fuchsschwanz.** Alopecorus
geniculatus. Eine niedrige Grasart mit kurzen gera-
bestehenden Blättern; die Blumenähre ist kürzer als
das Bälglein. Es wird auf feuchten Wiesen gefunden.

Rispen-

Riſpengras. Poa.

Das Bälglein beſtehet aus 2 Blättchen, und trägt mehrere Blumen, die Spelze iſt eyförmig, von der Seite zuſammengedrückt und hohl; die Staubfäden ſind haarförmig; die Griffel haarigt.

66) Dreyblüthiges Riſpengras, Viehgras. Poa trivialis. Der Strauß iſt ausgebreitet; die Bälglein tragen jedes drey grüne Blüthen. Man trifft es auf Wieſen an. Die Blüthezeit iſt um Johannis.

67) Waſſerriſpengras, Waſſerviehgras. Poa aquatica. Dies iſt eine hohe Grasart mit länglichten Blättern, die am Rande und an der Mittelribbe ſcharf ſind; der Blumenſtrauß iſt lang, und etwas zuſammengedrängt; in jedem Kelch ſtehen ſechs bräunliche Blüthen. Es wächſt an Waſſergräben und Sümpfen, und blüht um Johannis.

68) Riſpengras, oder Viehgras mit ſchmalen Blättern. Poa angustifolia. Der Büſchel iſt auseinandergebreitet, und trägt mehrere vierblüthige mit Härchen verſehene Aehren; der Halm ſtehet gerade, und iſt walzenförmig rund.

69) Wieſenriſpengras. Poa pratensis. Die Blätter ſind etwas breit, und am Rande ſcharf; der Halm ſtehet aufrecht; die Blüthen ſitzen in Aehrchen, welche häufig an den Nebenſtengeln ſtehen; jeder Kelch hat gemeiniglich fünf Blüthen. Man trifft es auf Wieſen an, wo es um Johannis blüht.

70) Sommerriſpengras. Poa annua. Eine niedrige Grasart mit einem kurzen ausgebreiteten Strauß mit ſtumpfen Aehrchen; jeder Kelch hat fünf, zuweilen auch ſechs weißgrünlichte Blüthen. Es wird an einigen ungebaueten Orten gefunden, wo es faſt den ganzen Sommer hindurch blüht.

71) **Rispengras**, oder **Viehgras** mit zusammengedrängten Büscheln. Poa compressa. Die Blumenährchen sitzen in zusammengedrängten Büscheln an einer Seite des Halmes; die Aehrchen sind fast eyförmig, und jedes trägt sieben Blüthchen. Es wächst auf dürren Glasplätzen.

Zittergras. Briza.

Das Bälglein bestehet aus zwo Schuppen, und trägt mehrere Blumen; das Spelzlein ist in zwey Theile von ungleicher Größe getheilet; die Schuppenblättchen sind stumpf herzförmig; die Staubfäden sind haarförmig, und haben länglicht runde Staubbeutel; die Griffel sind gleichfalls haarförmig, und zurückgebogen.

72) **Hasengras, Zittergras.** Briza media. Es hat kurze breite Aehrchen; die Kelche sind kürzer als die Blümchen. Jedes Lüftchen verursachet wegen der zarten Stengelchen, und daran hangenden schweren Aehrchen, eine schwankende Bewegung. Es wird zuweilen in gebirgigen waldigten Gegenden gefunden. Es pflegt um Johannis zu blühen.

Hundegras. Dactylis.

Die Bälglein sowol, als die Spelzen sind länglicht, schmal, und von ungleicher Größe, dabey nachenförmig gestaltet.

73) **Hundegras** mit zusammengedrängten Büscheln. Dactylis glomerata. Der Halm schließt oberwärts einzelne lange Nebenstengel aus, die sich wieder, jedes in ein paar kurze Stengelchen theilen, an welchen die dicken graulichtgrünen, zusammengedrängten Büschel auf einer Seite stehen. Man trifft

es auf trockenen Grasplätzen, und an ungebaueten Orten an. Es blüht in der Mitte des Junius.

Schwingel. Feſtuca.

Das Bälglein hat Blättchen; die Spelzlein ſind länglicht rund, etwas walzenförmig, und haben zugeſpitzte Bälglein; die Staubfäden ſind haarförmig und kürzer als die Blume; ihre Staubbeutel ſind länglicht-rund; die Griffel ſind kurz, und niederwärts gebogen.

74) Schaafſchwingel, Schaafgras. Feſtuca ovina. Der Strauß iſt dicht zuſammengedrängt, faſt ährenförmig, und nach einer Seite zu gekehrt; der Halm iſt viereckigt, und hat ſehr wenig Blätter; die Blätter ſind borſtig. Man ſieht es in gebirgigten Gegenden, wo es um Johannis blüht.

75) Schwadengras, Mannagras, Zimmelsthau. Feſtuca fluitans, ehſtn. Partſi hein. Der Büſchel ſteht gerade, und iſt in Nebenſtengel getheilt, und hat gemeiniglich drey, oft mehrere, an den Stengel anſchließende lange rundliche Aehrchen. Der Stengel iſt ſo zähe, daß er der Sichel widerſtehet. Es trägt die bekandte Manna- oder Schwadengrütze, die zur Speiſe gebraucht wird, und im Junius reifet. In Ehſtland wird es auf verſchiedenen feuchten Heuſchlägen gefunden.

76) Rother Schwingel. Feſtuca rubra. Die Blätter ſind ſchmal; die Blumenbüſchel ſitzen an einer Seite des Halmes; jeder Kelch hat gemeiniglich ſechs Blüthen, die braunroth ſind, ſo wie der Halm und die Stengeln. Es liebt trockene Stellen.

77) Harter Schwingel. Feſtuca duriuſcula. Die Blumenbüſchel ſind etwas zuſammengedrängt, und haben kurze einzelne, nach einer Seite zugekehrte Nebenſtengel; die Blumen ſind grün, und ſitzen deren

bis

bis sechs in einem Kelch. Es kommt in feuchten Laubwäldern vor, und blüht im Julius.

Trespe. Bromus.

Die Bälglein sind länglicht eyförmig, und bestehen aus zwo Schuppen; das Spelzlein ist in zwey
Theile getheilt, länglicht rund und walzenförmig; das
äußere Spelzlein ist hohl, und hat eine getheilte Spitze,
das andere lanzenförmig und flach; die Staubfäden
sind haarförmig und kürzer, als die Blumenkrone;
ihre Staubbeutel sind länglicht rund; die Griffel sind
kurz, zurückgebogen und haaricht.

78) Drespe, Trespe, Roggentrespe. Bromus secalinus. lett. Latschu aubfas, Luftes dir-
schu, auch Dschlieghi, ehstn. Luftiad. Dieses
bekandte Gewächs hat einen weitläuftigen, ausgebreiteten Büschel, mehrentheils mit einem einzigen großen starken Aehrchen. Es wächst zum Verdruße des Landmannes häufig auf Aeckern, besonders auf Roggenfeldern;
doch wird es lieber gesehen, als das Thaugras, weil
dieses einen schlechten, jenes aber einen guten Boden
anzeiget. Bey nasser und kalter Witterung wuchert
und gedeiht die Trespe am stärksten, weil diese ihr vortheilhaft ist; bey warmer und trockener Witterung aber
wird sie mehr vom Korn erstickt.

79) Dächertrespe. Bromus tectorum. Die
Blätter sind lang, etwas haarigt und scharf; die Blumenbüschel hangen mit ihren ganz schmalen Aehrchen
schwankend hinab. Es wächset auf trockenen Anhöhen.

80) Ackertrespe. Bromus arvensis. Der Blumenstrauß stehet ausgebreitet an dem hohen Halm; die
Nebenstengel sind lang und dünne, und tragen jeder etliche
schmale, etwas länglicht runde Aehrchen. Da diese
Aehrchen etwas schwer sind, so verursachen sie, daß

die dünnen ſchwachen Stengel faſt beſtändig ſchwanken. Es wächſt an Kornfeldern, und blüht zu Ausgange des May.

Haargras. Elymus.

Die äußere Spelze iſt groß, zugeſpitzt, und mit
einer Granne beſetzt, die innere iſt flach; die drey
Staubfäden ſind haarförmig, und ſehr kurz.

81) Sandhaargras. Elymus arenarius. Die
Blätter ſind lang, und haben eine ſcharfe Spitze; die
Blüthen ſitzen in Aehren. Es wird in ſandigen Ge-
genden gefunden.

Haber. Avena.

Der Kelch oder das Bälglein beſtehet aus zwey
Schuppchen, und trägt viele Blümchen; aus dem Rücken der oberen Spelze geht eine gebogene Granne;
die Staubfäden ſind haarförmig, die Griffel haarigt.

82) Wildhafer. Avena fatua. Er hat einen
Strauß mit dreyblümigten Kelchen, deren Blümchen
am äußeren Ende haarigt ſind; die Aehren ſind durchgehends glatt.

83) Sandhaber, Wieſenhaber. Avena pu-
beſcens. Der Strauß iſt gemeiniglich enge, doch
auch zuweilen mehr ausgebreitet. Die Bälglein tragen mehrentheils drey Blüthen, und ſind am Grunde
haarigt; die Blätter ſind flach und mit Härchen verſehen. Es wächſt am Oſtſeeſtrande im Revalſchen in
niedrigem Sandlande. Seine Aehren, die lang und
voll ſind, geben den Pferden gute Nahrung. Seine
Wurzeln, die ſich weit herum ausbreiten, binden den
Sand, und befeſtigen das Erdreich. Es ſcheint die

Feſtu-

Festuca aristata perennis esthonica zu seyn, deren im 9ten B. der schweb. Abhandl. gedacht wird.

84) **Erhabenes Habergras.** Avena elatior. Die Blüthen stehen in etwas langen schwankenden Aehren; jeder Kelch trägt zwo Blüthen. Man findet es zuweilen, doch nicht häufig, an Flußgestaden. Es pflegt um Johannis zu blühen.

85) **Wiesenhabergras.** Avena pratensis. Die Blüthen stehen in aufrechten Aehren, in welchen jeder Kelch vier bis fünf Blüthen trägt. Es kommt zuweilen auf trockenen Wiesen vor.

Gerste. Hordeum.

In jedem Strauß stehen drey Kelche, von welchen jedes aus zwey schmalen linienförmigen Blättchen bestehet, und nur Eine Blume trägt.

86) **Mausegerste.** Hordeum murinum. Die Blüthe ist ährenförmig, und in jedem Aehrchen sind drey Blüthen. Es wächst in Gärten und auf Feldern, auch an Zäunen und an andern ungebaueten Orten häufig.

Lulch. Lolium.

Der Kelch hat ein spitziges Bälglein; die Blume hat zwo Spelzen, von welchen die äußere eng, spitzig, lanzenförmig, und gleichsam zusammengewickelt, die innere aber kürzer, linienförmig und stumpf ist.

87) Beständiger Lulch, perennirender Lulch. Lolium perenne. Die Blüthe ist ährenförmig, und bestehet aus vielen längeren und kürzern Aehrchen, welche wechselsweise und ohne Stengeln dicht an dem Halm anliegen, und ihn so einbiegen, daß er fast schlangenförmig gekrümmet ist. Die Blüthen sind grün und pur-

purpurfarben. Es wächſet auf Wieſen, und blüht
in der Mitten des Julius.

Weizen. Triticum.

Der Kelch hat zwey Blättchen, ſteht einzeln,
und trägt gemeiniglich drey Blumen; die Staubfäden ſind haarförmig, wie die beiden Griffel, welche
umgebogen ſind.

88) **Queckengras.** Triticum repens. lett.
Wahrpu ſahle. Die Kelche ſind pfriemenförmig
zugeſpitzt, und tragen nur Eine Blume; die Stengelblätter ſind glatt. Dieſe Grasart findet man an allen
offenen fruchtbaren Stellen häufig. Die Wurzeln
geben einen ſüßen Saft, der jedoch keinen feſten Zucker
giebt. A. S. Marggrafs chym. Schr 2. Th.
§. 21. Sie würden eine ſehr nahrhafte Beyhülfe bey
dem Viehfutter ſeyn, wenn man ſie geſchnitten unter
daſſelbe miſchte. Sie ſind nicht nur nahrhaft, ſondern
auch dem Vieh wegen des ſüßen Geſchmacks angenehm.
Sie müſſen erſt gewaſchen, und gut getrocknet, darauf zu Heckſel geſchnitten, und mit untergemiſch tem
Strohheckſel angebrühet werden. Den milchenden
Kühen ſoll dieſes Futter beſonders nahrhaft ſeyn, und
die Butter davon eine gelbe Farbe und einen Geſchmack
wie von jungem Graſe bekommen. Allgem. deutſche
Bibl. 25. B. 1. St. S. 279. 280. Auch den Schweinen ſind ſie ein angenehmes Futter. Dieſe Wurzeln,
die ſich ſehr ausbreiten, werden bey dem Umackern der
Felder oft in großer Menge aus der Erde geriſſen.
Daß es Regen, oder ungeſtümes Wetter bedeute,
wenn die Hunde Gras freſſen, iſt eine irrige Sage.
Der Naturtrieb führt ſie, wenn ihr Magen über-
laden oder verdorben iſt, zum Queckgraſe, das ihnen

Erbre-

Erbrechen verursachet, und Erleichterung verschafft.
Ehstnisch heißt es Oide, auch Orras rohhud.

III. Mit drey Stempeln. Trigynia.

Spurre. Holosteum.

Der Kelch hat fünf eyförmige Blättchen, die
Blume fünf stumpfe gespaltene Blätter; die Staubfäden sind kurz, und haben runde Beutel; die Griffel
sind fadenförmig; die Staubwege sind stumpf.

89) Schirmförmige Spurre. Holosteum
umbellatum.   Die Pflanze wächst nur niedrig; die
Stengel sind mit einigen Knoten versehen, an deren
jedem zwey ungestielte Blätter stehen; oben theilen
sie sich in etliche schirmförmige Nebenstengel, auf
welchen die weißen Blumen einzeln stehen. Es wird
auf Aeckern gefunden, und blüht zu Ausgange des
May.

Vierte Classe.

Viermännige, mit vier Staubgefäßen. Tetrandria.

I. Mit Einem Stempel. Monogynia.

Maßlieben. Globularia.

Der gemeinschaftliche Kelch ist dachziegelförmig, der besondere eines jeden einzelnen Blümchens röhrenförmig; die obere Mündung der Blümchen ist zweytheilig, und hat tiefe Einschnitte; die untere Mündung ist dreytheilig; die Staubfäden sind so lang, als die Blümchen; der Griffel ist so lang, als die Staubgefäße; der Fruchtboden bestehet aus schmalen übereinander gelegten Blättchen.

90) **Blaue Maßlieben.** Globularia vulgaris. Die Wurzelblätter sind dreyzahnig; die Stengelblätter sind lanzenförmig. Die Blume ist blau, fast kugelförmig, und steht auf einem langen einfachen geradestehenden Stengel. Es wächst an trockenen erhabenen Stellen, und blüht nach Johannis.

Scabiose. Scabiosa.

Der gemeinschaftliche Kelch ist vielblättrig, und trägt viele Blumen; der besondere Kelch ist doppelt,

und

und ſitzt auf dem Eyerſtock; der Fruchtboden iſt an einigen Arten blätterig, an andern bloß.

91) Schmalblättrige Scabioſe. Scabioſa columbaria. Die Blumen ſind oft purpurblau, zuweilen roſenfarben; ſie haben fünf Einſchnitte; die Wurzelblätter ſind eyförmig und gekerbt; die Stengelblätter ſind gefiedert, und mit etwas ſteifen Härchen beſetzt. Man findet es in waldigten Gegenden auf niedrigen Hügeln, wo es im Julius blüht.

92) Ackerſcabioſe. Apoſtemkraut. Scabioſa arvenſis. Auf jedem Stengel ſitzt nur eine blaßviolfarbene Blume im gemeinſchaftlichen Kelch, deren beſondere Blümchen viertheilig ſind; die Stengelblätter ſind eingeſchnitten, und die Einſchnitte wieder gezahnt; der Stengel iſt rauch. Es wächſet an erhabenen fruchtbaren Stellen, auch an gebirgigten Aeckern. Die Blumen kommen um Johannis hervor. Die Ehſten nennen es Jammakas.

93) Teufelsabbiß. Scabioſa ſucciſa. lett. Raſſu oder Wilku mehle, ehſtn. Peibe lehhed. Die beſonderen Blümchen ſind viertheilig und gleichförmig; der Stengel hat aufrechte, am Hauptſtengel in die Höhe gehende Nebenſtengel; die Blätter ſind länglicht eyförmig. Die Blumen ſind blaulicht, und kommen im Auguſt hervor. Man findet dieſes Gewächs an erhabenen ſchattenreichen Stellen, z. B. auf dem großen Kanger und an mehreren Orten. Den deutſchen Namen hat es daher bekommen, weil ſeine Wurzel unten an den Faſern wie abgebiſſen ausſiehet, welches das Mährchen veranlaſſet hat, daß der Teufel, der den armen Sterblichen nichts Gutes gönnen ſoll, dieſe Wurzel, weil ſie der Peſt und jedem Gift widerſtanden, unter der Erde weggebiſſen, und bloß die dünnen Fäſern nachgelaſſen habe.

94) **Blaßgelbe Scabioſe.** Scabioſa ochroleuca. Die Wurzelblätter ſind doppelt gefedert, die Stengelblätter einfach, die letzteren haben ſchmale linienförmige Blättchen; die Blattſtiele ſind mit einem breiten blätterförmigen Rande am Stengel umgeben. Die Blumen ſind blaßgelb und ſitzen an langen Stengelchen. Es wächſet in trockenen Stellen, und blüht bald nach Johannis.

Karden.   Dipſacus.

Der gemeinſchaftliche Kelch beſtehet aus vielen Blättchen; der kleine beſondere Kelch ſitzt auf dem Eyerſtock, und beſtehet aus einem kleinen Häutchen; die Staubfäden ſind haarförmig, und länger als die Blume, auf welchen die Staubfäden faſt in derſelben Richtung liegen, wie bey der Tulpe; der Griffel iſt bodenförmig, und ſo lang, wie das Blümchen; der Fruchtboden iſt mit Blättchen beſetzt.

95) **Kardendiſtel, Weberdiſtel.** Dipſacus fullonum, ruſſiſch **Sukonnaja, Tſchotka.** Die Blätter ſind ſägeförmig gezahnt, und ſitzen ohne Stiele an den Stengeln; die Blume iſt violetfarben, und kommt erſt im Auguſt hervor. Aus den ſtacheligten Köpfen dieſes Gewächſes, die man Karden nennet, machen die Tuchmacher ihre Bürſten oder Kardetſchen. Man findet ſie an Waſſergräben und auf feuchten Wieſen; doch nur ſehr ſparſam.

Wegebreit.   Plantago.

Der Kelch iſt viertheilig und klein; die Blume iſt in vier Lappen getheilt, und hat eine zurückgebogene Mündung; die Staubbeutel ſind platt, und liegen auf den Staubfäden; der Griffel iſt fadenförmig, und

nur

nur halb so lang als die Staubgefäße; die Saamenkapsel hat zwen Fächer.

96) Spitzwegebreit, kleines Wegebreit.
Plantago lanceolata. lett. Maury, ehstn. Lambu
kelid. Die Blätter sind lanzenförmig; die Aehre ist
bloß, kurz und fast eyförmig. Der Schaft ist eckigt.
Man findet es auf Feldern und an andern offenen trockenen Stellen häufig. Die Blüthezeit ist im Man,
zuweilen auch später.

97) Wegebreit mit rauhen Blättern. Plantago media. Die Blätter sind wolligt, und daher
von Farbe graulich; die Blumen sind röthlich, und haben sehr lange purpurfarbene Staubfäden und blaßrothe Staubbeutel. Man findet es auf verschiedenen
trockenen Wiesen und Grasplätzen, wo es gegen das
Ende des Frühlings blüht.

98) Breitblättriges Wegebreit. Plantago
latifolia. Die Blätter sind länglicht rund, zugespitzt,
und mit Härchen dicht bewachsen; die Blumenähren
sind walzenförmig, und tragen röthliche Blumen.
Es kommt auf trockenen Wiesen vor, und blüht im
May.

99) Großblättriges Wegebreit. Plantago
major, lett. Zellelappu, ehstn. Teelebhed. Die
Blätter sind eyförmig, aber etwas zugespitzt, dabey
glatt; der Schaft ist rund; die Aehre bestehet aus
dachziegelförmig stehenden röthlichen Blumen mit einer
kleinen Mündung. An Wegen und offenen trockenen
Stellen ist es fast allgemein.

Megerkraut. Asperula.

Die Blume ist einblätterig, lang und trichterförmig; die Staubgefäße sitzen oben am Ende der
Röhre; der Griffel ist fadenförmig, und oben gespal-

ten; die Frucht beſteht aus zwo zuſammengewachſenen
Beeren mit eben ſo viel runden Saamen.

100) **Farbenmegerkraut.** Aſperula tinctoria.
Ein kriechendes Gewächs mit linienförmigen Blättern;
die Blumen ſind dreyſpaltig, von Farbe weiß. Es
wird an fruchtbaren Hügeln gefunden, und blüht mitten im Sommer.

101) **Waldmeiſter.** Aſperula odorata, ruſſiſch.
Schwesdopetſchenaja trawa. Die Blätter ſind
lanzenförmig, und ſitzen in Wirbeln um den viereckigten Stengel herum; gemeiniglich hat jeder Wirbel acht
Blätter. Die Blumen ſind klein, von Farbe weiß,
und ſitzen in Büſcheln an kurzen Stengelchen. Es
wächſet nur an einigen Orten, z. B. im Oberpahlenſchen um das Johannispaſtorat. Die Blumen ſind
wohlriechend. Getrocknet dienen ſie zu einem Hygro-
meter; denn ſie zeigen durch ihren balſamiſchen Geruch
den bevorſtehenden Regen an, verlieren aber dieſen
Geruch, ſobald trockene Witterung einfällt. Man
nähet ſie zu dieſem Gebrauch in leinene Beutel. In
den ſchwed. Abhandlungen für das Jahr 1742.
wird dieſes Gewächs als ein Mittel gegen die Motten
empfohlen, die deſſen Geruch nicht ſollen ertragen
können.

Labkraut. Galium.

Der Kelch iſt klein und vierzahnig; die Blume
iſt flach und einblätterig; die vier Staubgefäße ſind
pfriemenförmig, und kürzer als die Blume; der Griffel iſt fadenförmig, halb geſpalten, und ſo lang als die
Staubgefäße.

102) **Wildröthe.** Galium boreale, ehſtn.
Maddarad. Die Blätter, deren je vier ſternförmig
um einen Stengel ſitzen, ſind lanzenförmig, glatt, und
haben

haben drey Ribben; der Stengel steht gerade; die
Saamen sind rauch. Bey uns ersetzet sie wenigstens
in vielen Gegenden die Stelle der auswärtigen Fär-
berröthe (Rubia tinctorum), franz. Garance, engl.
Madder, holl. Kräpp. Die rothe fadenähnliche Wurzeln dieser Wildröthe werden gemahlen, und mit ge-
mahlenem Malz vermischt zum Färben der Wolle gebraucht. Sie geben ein dauerhaftes Roth. Sie hat
weiße Blümchen, die um Johannis hervorbrechen.
Man findet dieses Gewächs auf Wiesen.

103) Waldstroh, gelbes Meyerkraut. Galium verum, russ. Siworotschnaja trawa. Die
Blätter sind schmal, linienförmig, gefurcht, und
sitzen deren allezeit acht in einem Wirbel um den Stengel herum. Die Nebenstengel sind kurz, und tragen
häufige gelbe Blümchen. Diese Blümchen scheinen
viel Säure zu haben; denn sie machen die Milch ge-
rinnen. Man findet diese Pflanze auf trockenen Wiesen und an den Füßen der Berge.

104) Sumpfmeyerkraut. Galium uliginosum.
Die Blätter, deren je sechs um den Stengel sitzen,
sind schmal, lanzenförmig, zugespitzt und ziemlich
steif; die Blumen sind weiß, und ragen aus dem Kelch
hervor. Es wird auf feuchten Wiesen und an stehenden Seen gefunden.

105) Weißes Meyerkraut. Galium Mollugo.
Die Blätter sind eyförmig, dabey etwas spitzig, zuweilen am Rande ein wenig sägezähnig; die Nebenstengel stehen so ausgedehnt, daß sie einen spitzigen
Winkel machen. Der Stengel ist so dünne und schwach,
daß ihn selbst die kleinen Blümchen, die er trägt, niederbeugen. Es wächset an trockenen gebirgigten Orten. Die Morduanen brauchen die Wurzeln dieses
Gewächses, russisch Morjana, zum Rothfärben.
S. Pallas physik. Reisen durch Rußland 1. Th. S. 62.

Db 2 106)

106) **Wassermeyerkraut.** Galium paluftre.
Die Blätter sind eyförmig, ungleich, und machen je vier
einen Stern um den Nebenstengel aus. Die Blümchen
sind weiß, und kommen nach Johannis hervor. Man
findet es an Wassergräben und auf feuchten Wiesen.

107) **Weißes Klebekraut.** Galium Aparine,
russisch **Smolnaja trawa.** Die Blätter sind lanzenförmig, scharf, und haben rückwärts stehende Stacheln; es sitzen deren acht, zuweilen nur sechs in einem
Stern um den Stengel herum; die Blumen sind weiß,
und zeigen sich um Johannis. Dieses Gewächs hän-
get sich mit seinen Stachelchen an allerley Pflanzen an,
die um ihn herumstehen. Die Beeren sind gleichfalls
scharf. Man findet es an Hecken und Zäunen häufig
genug. Ehstnisch heißt es **Winn.**

Harten. Cornus.

Die Blumendecke bestehet mehrentheils aus vier
Blättern; die Blume hat eben so viele länglichte spitzige Blätter; die Staubfäden sind pfriemenförmig, und
länger als die Blume; die Staubfäden liegen auf der
Spitze derselben, und sind rundlich; der Griffel ist fadenförmig, und so lang als die Blume; die Frucht ist
ein Steinobst mit einer Nuß.

108) **Beinholz, Cornelbaum.** Cornus fangui-
nea, russisch **Shimoloft proftaja.** Ein Strauch
mit aufrechtstehenden Nebenstengeln. Die Blumendecke hat keine Blätter. Man findet ihn auf schattigten Hügeln, doch bey uns nur sparsam. Im Anfange des Junius trägt es weiße wohlriechende Blumen,
und im October dunkelgrüne Beeren. Das Holz ist
sehr hart, und zu verschiedenen Arbeiten brauchbar.

Sinau.

Sinau. Alchemilla.

Der Kelch ist in acht Lappen getheilt, von welchen vier wechselsweise kleiner sind; die Blumenkrone fehlt; die Staubfäden sind klein, pfriemenförmig, und stehen aufrecht an der Mündung des Kelches; der Griffel ist dünne und zart, und so lang wie die Staubfäden; der Kelch trägt nur Einen Saamen.

109) **Löwenfuß, Frauenmantel, Bettlers mantel.** Alchemilla vulgaris, russisch Swowo lappa, lett. Rassa sahle, auch Krohke lappis, und Dartschi, ehstn. Karkadsad, Karklus, Krokse lehhed, auch Karkuma. Seine Blätter sind rund, am Rande in einige Lappen getheilt, und die Lappen gekerbt, dabey etwas wollig; die aus der Wurzel hervorkommen, stehen auf langen Stielen, und sind groß; die Stengelblätter sind kleiner, und sitzen an kurzen Stielen. Die Blumen sitzen an den Stengel enden, und sind grünlichgelb; die Blüthezeit ist im May. Auf trockenen Wiesen und andern ungebauten Stellen wächst es ziemlich häufig.

II. Mit zween Stempeln. Digynia.

Flachsseide. Cuscuta.

Der Kelch ist durch vier Einschnitte getheilt; die Blume ist einblätterig und enzförmig; die Staubfäden sind pfriemenförmig, und so lang als der Kelch; die Griffel sind kurz, und stehen aufrecht; die Saamen kapsel hat zwen Fächer.

110) **Gemeine Flachsseide, Nesselwinde.** Cuscuta europaea, lett. Jdit, ehstn. Wörm. Die Blumen haben keine besondere Stengel, sondern sitzen an den Pflanzenstengeln angeschlossen. Es wird in

Dd 3 Gär-

Gärten und auf Feldern häufig gefunden, und windet ſich um alle Pflanzen und Sträucher, die in ſeiner Nähe wachſen.

III. Mit vier Stempeln. Tetragynia.

Saamkraut. Potamogeton.

Die Pflanzen dieſes Geſchlechts haben weder Kelch noch Griffel; die Blume hat vier Blätter, welche rundlich, ſtumpf und hohl ſind; die Staubfäden ſind ſtumpf und ſehr kurz; der Stempel beſtehet aus vier zugeſpitzten Eyerſtöcken; der Saamen ſind vier.

111) Seegras, Seetang, eigentlich Seedung oder Dünger, Flußkraut. Potamogeton marinum. Die Blätter ſind linienförmig, ſtehen gegen einander, und formiren unterwärts eine länglichte Röhre, die den Stengel umſchließet, wie an den mehreſten Grasarten. Die Blumenſtengel ſind einzeln, und tragen ganz blaßrothe Blumen. Es wird aus der Oſtſee auf unſern Strand geworfen, und an einigen wenigen Orten, z. B. auf der Inſel Oeſel, von mehreren Landwirthen zur Düngung der Felder gebrauchet; denn es zieht von verfaulten Thieren, und dem Schlamm, der den Bodenſatz der See ausmacht, viele fette Theile in ſich. Ob es gleich ſandigen Aeckern ſehr zuträglich iſt; ſo dienet es doch nicht auf leimigten Feldern.

112) Schwimmendes Saamkraut. Potamogeton natans. Die Blätter ſind länglicht eyenförmig, und ſitzen auf langen Stielen; die Blumen ſind blaßroth. Man findet es in ſtehenden Gewäſſern, wo ſeine Blätter auf dem Waſſer ſchwimmen, und die Blumenähren über demſelben hervorragen. Es blüht in den Hundstagen.

113) **Saamkraut mit durchwachſenden Blättern.** Potamogeton perfoliatum. Die Blätter ſind herzförmig, ungeſtielt, und ſtehen wechſelsweiſe dicht um den Stengel herum, den ſie umſchließen; die Blumen ſind weißlicht, und ragen mit ihren Aehrchen, die auf Nebenſtengeln ſtehen, über dem Waſſer hervor. Es wird in Teichen und ſtehenden Seen, doch nur einzeln gefunden.

Vierling. Sagina.

Der Kelch hat vier Blätter, und die Blume eben ſo viel ſtumpfe, flach ausgebreitete Blätter, die kürzer ſind, als der Kelch; die Staubfäden ſind haarförmig, und haben rundliche Staubbeutel; die Griffel ſind pfriemenförmig, umgebogen, und mit zarten Härchen beſetzt; die Saamenkapſel hat vier Fächer, und trägt viele Saamen.

114) **Schmalblättriger Vierling, oder Vogelkraut.** Sagina procumbens. Ein kleines Gewächs mit niedergebogenen Stengeln, ſchmalen, grasähnlichen Blättern, und weißen Blümchen. Es wächſt auf feuchten Stellen, die vielen Schatten haben, und blüht in der Mitte des Sommers.

Fünf-

Fünfte Claſſe.

Fünfmännige, mit fünf Staubgefäßen.
Pentandria.

I. Mit Einem Stempel. Monogynia.

Natterkopf.   Echium.

Die Blume hat eine ungleiche Mündung, eine kurze Röhre, und iſt am Schlunde, d. i. an dem Theile, der zwiſchen der Mündung und der Röhre iſt, bloß; die Staubfäden ſind pfriemenförmig und ſo lang, wie die Blume; die Staubbeutel ſind länglicht rund, und liegen auf den Staubfäden; der Griffel iſt dünne, und ſo lang wie die Staubgefäße.

115) **Schlangenhaupt, wilde Ochſenzunge.**
Echium vulgare.   Der Stengel hat verſchiedene rauhe Erhöhungen, und trägt rauhe lanzenförmige Blätter; die Blumen ſtehen ährenförmig, und nach einer Seite zugekehrt; ihre Farbe iſt ſchön blau.   Man findet es auf Aeckern und an Wegen ziemlich häufig. Es blüht um Johannis.

Krummhals.   Lycopſis.

Die Blume hat eine gekrümmte Röhre; an der Krümmung ſtehen die ſehr kurzen Staubfäden mit
ihren

ihren ganz kurzen Staubbeuteln, welche von den Schlundschuppen bedeckt sind; der Griffel ist dünne, und so lang, wie die Staubgefäße.

116) Blauer Krummhals, wilde blaßblaue Ochsenzunge. Lycopsis arvensis. Die Blätter sind scharf und lanzenförmig, und sitzen wechselsweise. Es wird an trockenen fruchtbaren Stellen gefunden.

Ochsenzunge. Anchusa.

Die Blume ist trichterförmig und am Schlunde geschlossen; die Staubfäden, deren kleine Staubbeutel auf der Spitze liegen, sind sehr kurz, und sitzen im verschlossenen Schlunde; der Griffel ist fadenförmig, und so lang wie die Staubgefäße.

117) Blaue Ochsenzunge. Anchusa officinalis, russisch Wolowei jasük, lett. Wehrschu mehles. Die Blumen sind blau, wachsen fast ährenförmig, und sind nach einer Seite hingekehrt, und eine über die andere angelegt. Sie blühen im Junius und Julius. Man findet sie auf Aeckern, an Wegen, und andern offenen trockenen Stellen häufig. Der Blumensaft giebt, mit Alaun gesotten, eine grüne Tinte. Im Frühling dienen die grünen Blätter zum Kohl.

Hundezunge. Cynoglossum.

Die Blumen dieses Geschlechts sind trichterförmig, und haben einen verschlossenen Schlund; der Griffel ist pfriemenförmig und so lang, wie die Staubgefäße; die Saamenkerne sind platt, und nur mit einer Decke versehen, die innerhalb an den Griffel befestiget oder angewachsen ist.

118) Gemeine Hundezunge. Cynoglossum officinale, lett. Sunnisches, Sunni mehles. Die

Dd 5   Blät-

Blätter sind lang, und breit lanzenförmig, und von wolligter Textur; sie haben keine eigene Stiele, sondern sind an den Stengel dicht angewachsen. Die Blumen sind purpurfarben, und haben eine sehr kurze Röhre, und kommen nach Johannis hervor. Es wächst auf Aeckern, und an verschiedenen ungebaueten Stellen.

Lungenkraut. Pulmonaria.

Die Blume ist trichterförmig, und hat einen durchgehends offenen Schlund, in welchem die kurzen Staubfäden mit ihren gegen einander geneigten Beuteln sitzen; der Griffel ist dünne; die Röhre des Kelchs ist eckigt, und hat an der Mündung fünf Zähne.

119) **Lungenkraut.** Pulmonaria officinalis. Die Wurzelblätter sind eyförmig, fast herzförmig, hin und wieder mit steifen Knorpelchen besetzt, und haben mehrentheils weiße Flecken. Es wächst in Wäldern; doch kommt es ziemlich sparsam vor. Im May trägt es rothe Blumen.

Steinsaamen. Lithospermum.

Die Blume hat eine walzenförmige Röhre und einen offenen Schlund, in welchem die kurzen Staubfäden mit ihren länglicht runden Beuteln stehen; der Griffel ist fadenförmig, und so lang, wie die Blumenröhre; der Kelch ist fünftheilig.

120) **Meersteinsaamen, Meerhirse.** Lithospermum arvense. Die Blumen sind weiß, und ragen sehr wenig, kaum merklich aus dem Kelch hervor, und sitzen einzeln in den Anwachswinkeln der Nebenstengel; die Saamen sind runzligt. Man findet es auf trockenen Feldern, doch nicht eben sehr häufig.

Bein-

Beinwelle. Symphytum.

Die Mündung der Blume ist bauchigt, endiget sich aber in eine gerade Röhre; der Schlund ist durch fünf pfriemenförmige, kegelförmig zusammenlaufende Körper verschlossen, und verbirgt die kurzen pfriemenförmigen Staubfäden mit ihren spitzigen Staubbeuteln; der Griffel ist fadenförmig, und so lang als die Blume.

121) Gemeine-Beinwelle, Schwarzwurz, Fettwurz. Symphytum officinale, lett. Gluhme, auch Taukn sahles. Es hat etwas breite, lanzettenförmige Blätter, die an dem Stengel hinunterlaufen. Die Blume ist blaß purpurfarben, zuweilen weiß, und bricht im Junius hervor. An schattigten fetten, auch an feuchten Stellen findet man es. Es dient wider den Durchfall des Rindviehes. Fischers ließl. landwirthschaftsb. 2. Aufl. S. 425.

Klebekraut. Asperugo.

Die Mündung der Blume ist nur klein, die Röhre kurz; der Schlund verschließt die sehr kurzen Staubfäden mitsamt den Staubbeuteln; der Griffel ist sehr dünne und kurz; nach der Blüthe ist der Kelch ganz platt zusammengedruckt.

122) Klebekraut mit blauen Blumen. Asperugo procumbens. Die Blätter sind enförmig und zugespitzt, dabey etwas länglicht; die Stengel sind ausgebreitet, und legen sich mehrentheils nieder; die Blumen sind blau, und sitzen derselben zwo, selten drey in den Anwachswinkeln der Stengel. Man findet es an verschiedenen ungebaueten Stellen, wo es gleich zu Anfange des May, oft erst zu Ende dieses Monats blühet.

Mäu=

Mäuſeohr. Myoſotis.

Die Blume iſt fünftheilig, und hat eine kurze Röhre und eine flache Mündung; die Staubfäden ſind ſehr kurz und ſtecken im Schlunde verſchloſſen; der Griffel iſt dünne, und ſo lang wie die Röhre.

123) **Vergiß mein nicht.** Myoſotis Scorpioides, ruſſiſch **Dukowka**, auch **Licharodſchnaja trawa**, d. i. Fieberkraut. Seine Blätter ſind lanzettenförmig und rauch; die Blumen ſind ſchön himmelblau, und die hochgelben Schlundſchuppen geben ihnen ein lebhaftes Anſehen. Man findet es auf Heuſchlägen und feuchten Wieſen häufig genug. Den Pferden iſt dieſe Pflanze ſchädlich.

124) **Kleine blaue Hundezunge.** Myoſotis Lappula. Die Blätter ſind lanzettenförnig und haarigt; die Blumen ſind ſehr klein, von Farbe hellblau; die Saamen haben Stacheln mit zurückgebogenen doppelten Borſten, mit welchen ſie ſich allenthalben anhängen. Man findet es an offenen Stellen häufig.

Weidrich. Lyſimachia.

Die Blume iſt flach, und hat keine Röhre, und iſt in fünf länglichte Lappen getheilt; die Staubfäden ſind pfriemenförmig, am Grunde faſt zuſammengewachſen, und nur halb ſo lang, als die Blume; ihre Staubbeutel ſind ſpitzig; die Saamenkapſel iſt kugligt, dabey zugeſpitzt.

125) **Gelber Weidrich.** Lyſimachia vulgaris. Die Blumen wachſen büſchelförmig; ſie ſind groß und gelb, und ſitzen an den Spitzen der Stengel. Er wächſt auf feuchten Wieſen, und pflegt in der Mitte des Julius zu blühen.

126) Straußförmiger Weidrich. Lyſimachia thyrſiflora. Die Blumen ſind gelb und rund, und ſtehen in Straußen, die oben ſchmaler ſind, als unten, an den Seiten der Stengel. Er wächſet an Waſſergräben, und blüht bald nach Johannis.

127) Pfennigkraut. Lyſimachia Numularia, ruſſiſch Tſchai lutſchoway. Die Stengel breiten ſich auf der Erde aus, und tragen gegeneinanderſtehende faſt runde Blätter; die Blumen ſind gelb und ziemlich groß, und kommen einzeln aus den Anwachswinkeln auf langen Stengeln hervor. Es wächſt an feuchten Orten, und blüht im Julius.

Gauchheil. Anagallis.

Die Blume iſt flach, und hat keine Röhre; die Staubfäden ſtehen gerade, ſind unten haarigt, und kürzer als die Blume; der Griffel iſt fadenförmig, und ein wenig gebogen; die Saamenkapſel iſt kugelförmig, und ſpringt in die Queere auf.

128) Rother Gauchheil. Anagallis arvenſis. Die Blätter ſind eyförmig, am äußern Ende ſpitzig; die Stengel ſind niedergebogen; die Blumen ſind hell purpurfarben. Man findet ihn an verſchiedenen trockenen Stellen. Die Blüthe kommt gleich nach Johannis hervor.

Mannsharniſch. Androſace.

Die Blumenhülle iſt röhrenförmig, fünfeckigt, und beſtehet aus einem fünfzahnigen Blatt; die Blume hat eine in fünf verkehrt herzförmige Lappen getheilte Krone; die Staubfäden ſind ſehr klein, und haben ſpitzige Beutel; der Griffel iſt fadenförmig.

129) **Nordlicher Mannsharniſch.** Androſa-
ce ſeptentrionalis. Die Blätter ſind lanzenförmig,
gezahnt und glatt; die Blumenhülle iſt kürzer, als die
Blume. Sie wächſt bey Narva an gebirgigten Geſtaden. de Gorter fl. Ingr. pag. 29.

Schlüſſelblume.   Primula.

Die Blumendecke oder der Kelch iſt röhrenförmig; die Blumenröhre iſt walzenförmig, am Halſe
bauchigt, an der Mündung in fünf faſt herzförmige
Lappen getheilt; die Staubfäden ſind ſehr kurz, und
haben ſpitzige, gegeneinander geneigte Beutel; der
Griffel iſt fadenförmig.

130) Gemeine Schlüſſelblume, Himmels-
ſchlüſſel. Primula veris, lett. Gailu bikſes, Paſla-
was, Elkuſchni, ehſtn. Härja kadſad, Kotſid
wina lilli, Nurma nudkud. Es hat gelbe Blumen, die im May hervorbrechen, und länglicht eyrunde, gerunzelte, am Rande gekerbte Blätter. Man
findet ſie auf trockenen Wieſen häufig. Bey uns wird
der Schlüſſelblumenwein nicht geachtet.

131) Rothe Schlüſſelblume, Mehlblume.
Primula farinoſa. Die Blätter ſind glatt und ungleich
gekerbt, von der unteren Seite weiß, wie mit Mehl
beſtreuet; die Blumen ſind hellroth, und an der Mündung flach. Sie blühet mit der vorigen Art zu gleicher Zeit, kommt auch an eben den Stellen vor; ſie
wird aber weit ſparſamer gefunden.

Zottenblume.   Menyanthes.

Die Mündung der Blume iſt mit Härchen verſehen; die Staubfäden ſind pfriemenförmig und kurz;
ihre Beutel ſind unten geſpalten; der Griffel iſt walzenförmig,

förmig, und faſt ſo lang wie die Blume; der Staubweg iſt zweytheilig, und die Saamenkapſel einfächerigt.

132) **Bieberklee, Bitterklee, Dreyblatt.**
Menyanthes trifoliata, lett. Puplaſchki, Puppu
lappa, auch Rehwu puppes, ehſtn. Ubba lehhed. Von den Blättern ſitzen allezeit drey an einem
Stiel; die Blumen ſind weiß mit Roſenfarbe gemiſcht,
und ſitzen auf Nebenſtengelchen. Man findet es auf
Heuſchlägen und feuchten Wieſen häufig.

Hottone. Hottonia.

Der Kelch iſt in fünf linienförmige Lappen getheilt; die Blumenkrone iſt flach, und in fünf länglichte ausgeſchweifte Lappen getheilt, und ſteht auf der
Röhre, die unter den Staubfäden ſteht.

133) **Sumpfhottone.** Hottonia paluſtris.
Die Blätter ſind doppelt gefedert, und haben ſehr fei-
ne linienförmige Blättchen, und ſtehen unter dem
Waſſer; die Blumen ſind weißlicht, und ſtehen wir-
belförmig in etlichen Reihen an langen Stengeln an der
Spitze des über dem Waſſer hervorragenden Stengels,
der keine Blätter trägt. Es kommt in Teichen und
Waſſergräben vor, und blüht um Johannis.

Winde. Convolvulus.

Die Blume iſt glockenförmig und gefaltet; die
Staubfäden ſind halb ſo lang, als die Blume, und
haben enförmige platte Beutel; der Griffel iſt fadenförmig, ſo lang, wie die Staubgefäße, und hat
zween lange und breite Staubwege; die Saamenkapſel hat zwey Fächer.

134) **Ackerwinde, Zaunglocke.** Convolvulus arvenſis, ehſtn. **Rutte kadlad, d. i. Kranichs-
glocke.** Sie hat pfeilförmige an beiden Enden zugeſpitzte Blätter; die Blumenſtengel tragen mehrentheils
nur Eine Blume von weißer, zuweilen blaßrother Farbe. Eine Spielart nennt der Ehſte Raſſi kappeid,
und weil ſich der Stengel ſo wie bey der andern Art
windet, Jokſia rohhi, d. i. Lauffkraut. Es wächſt
auf Aeckern, an Zäunen, Hecken und Wegen häufig,
und umſchlingt alle Gewächſe, die es erreicht, wo es
aber allein wächſt, kriecht es auf der Erde fort.

135) **Große Winde.** Convolvulus ſepium.
Dieſe Art hat auch pfeilförmige Blätter, die aber an
den hintern Enden zugeſtumpft ſind; die Nebenſtengel
ſind viereckigt, und tragen jeder nur eine große weiße
Blume. Es ſchlingt ſich zur halben Mannshöhe, oft
höher hinan.

Stechapfel. Datura.

Der Kelch iſt röhrigt, eckigt, und fällt eher ab,
als die Blume; dieſe iſt trichterförmig und gefaltet;
die Staubfäden ſind pfriemenförmig und ſo lang, wie
der Kelch; ihre Beutel ſind länglicht, ſtumpf und etwas platt; der Griffel iſt zart und ſtehet aufrecht; die
Saamenkapſel hat zwey Fächer.

136) **Stachelnuß, Tollkraut, Tollkörner.**
Datura Stramoneum. Die Blumen ſind groß, von
Farbe weiß, und ſtehen einzeln auf kurzen Stengeln;
ihre Fruchtbehältniſſe ſind eyförmig, geradeſtehend und
ſtachelligt; die Blätter ſind eyförmig und glatt. Man
findet es in Gärten und an andern fruchtbaren etwas
feuchten Stellen, doch nur ſparſam und einzeln. Es
blühet zu Ende des Sommers.

Tollkraut. Hyoſciamus.

Die Blume iſt trichterförmig, und hat eine kurze Röhre, und iſt in fünf ſtumpfe Lappen getheilt; die Staubfäden ſind pfriemenförmig, gebogen, und haben rundliche Beutel; der Griffel iſt fadenförmig, und ſo lang, wie die Staubgefäße; die Saamenkapſel hat zwey Fächer, und iſt oben mit einem Deckel verſehen.

137) Bilſenkraut, Schlafkraut, Tollkraut. Hyoſciamus niger, lett. Drigganes, ehſtn. Rörra poti rohhi, auch Hällo köra rohhi, Marro hain. Die Blätter ſind lang, ſtark ausgeſchweift, und haben keine Stiele, ſondern umgeben mit ihrem untern Ende den Stengel. Die Blumen ſind ſchmutzig blaß gelb, und mit rothbraunen Adern durchzogen; ſie haben faſt gar keine Stengel. Es wächſet häufig an Wegen, Zäunen und andern offenen trockenen Orten, und blüht im Julius. Schon ſein widriger Geruch verräth ſeine Schädlichkeit. Das Rindvieh pflegt es nicht anzurühren. Die Wurzel ſoll die Mäuſe vertreiben.

Fackel. Verbaſcum.

Die Blume hat eine ſehr kurze Röhre, und iſt in fünf ungleiche ſtumpfe Lappen getheilt; die Staubfäden ſind pfriemenförmig, und kürzer als die Blume; ihre Beutel ſind rundlich und etwas platt; der Griffel iſt dünne und gebogen; die Saamenkapſel hat zwey Fächer.

138) Königsfackel, Königskerze, Wollkraut. Verbaſcum Thapſus, lett. Pehtera ſahles, auch Saul ſwezze, d. i. Sonnenlicht, ehſtn. Ubhekſa mehle wäggi, Ubhekſa weggine, und Walliſed, auch im Dörptſchen Tülkad. Die Blätter ſind groß, länglicht, auf beiden Seiten wolligt, und laufen am Stengel hinunter.

Der Stengel iſt hoch, ſteht gerade, und treibt nur zuweilen Nebenſtengel. Die Blumen ſind gelb, und fallen bald nach dem Aufblühen ab; ſie kommen im Julius und Auguſt hervor. Man findet es an verſchiedenen trockenen Stellen, beſonders an offenen Waldſtellen nicht ſparſam. Die in Gärten gezogen wird, ſchießt höher, treibt auch einen ſtärkeren Stengel und mehrere Blumen, als die wildwachſende.

139) **Schwarzes Wollkraut, Kerzenkraut.** Verbaſcum nigrum. Es hat länglichte herzförmige Blätter, die an Stielen ſitzen, und blüht im Julius; die Blumen ſind gelb, mit etwas purpurfarbenem gemiſcht. Scopoli empfiehlt die Wurzeln in ſeinem anno quarto hiſt. natur. wider die Entzündung der Lungen der Kühe. Man findet es auf Aeckern, doch ſparſam.

140) **Kerzenkraut mit länglichten Blättern, Neunmannskraft.** Verbaſcum Lychnitis. Die Blätter ſind länglicht, dabei keilförmig; die Blumen ſind klein und gelb. Es kommt an verſchiedenen ſchattigten Stellen vor.

Rapunzel. Phytheuma.

Der Kelch iſt fünftheilig; die Blume iſt ebenfalls fünftheilig, und hat ſchmale ſpitzige Lappen; die Staubfäden mit ihren länglicht runden Beuteln ſtehen kürzer als die Blumenkrone; der Griffel iſt fadenförmig, zurückgebogen, und ſo lang als die Blumenkrone.

141) **Rundährigte Rapunzel.** Phytheuma orbicularis. Die Wurzelblätter ſind herzförmig, die am Stengel ſitzen, ſind lanzenförmig und ungeſtielt; die Blumen ſind weiß, und in eine rundliche Aehre zuſammengedrängt. Es wächſt in Laubgebüſchen, und blüht um Johannis.

142)

142) **Langährigte Rapunzel.** Phyteuma
Spicata. Die Blätter sind denen an der vorigen Art
fast gleich, nur sind die an den Stengeln sitzende gestielt; die Blumen sind weiß, und stehen in einer länglichten dichten Aehre zusammengedrängt. Sie wächst
neben der vorigen Art, mit der sie auch zu gleicher
Zeit blüht.

Nachtschatten. Solanum.

Die Blume ist flach, und hat eine kurze, fast
unmerkliche Röhre; die Staubfäden sind sehr kurz und
pfriemenförmig; ihre Beutel stehen dicht nebeneinander, und sind mit dem äußeren Ende gegen einander
gebogen; der Griffel ist dünne, und länger als die
Staubgefäße; die Frucht ist eine Beere mit zwey
Fächern.

143) **Gemeiner Nachtschatten.** Solanum nigrum, lett. Naktskattes, ehstn. Knepäwa rohhi,
d. i. Sechstagekraut. Der Stengel ist glatt, und
perenniret nicht; die Blätter sind eyförmig, und am
Rande eckigt gezahnt; die Blumen sind weiß, und
wachsen fast traubenförmig an gegeneinander stehenden,
etwas schwankenden Nebenstengeln. Man findet es
an Zäunen, Wegen und andern ungebauten Oertern
häufig; die Blühzeit ist im Junius. Im Herbst
trägt es schwarze Beeren.

144) **Tollmachender Nachtschatten.** Solanum insanum. Der Stengel ist stacheligt; die Blätter sind eyförmig und wolligt; die Blumenstengel sind
gegen die Blumen zu, etwas dicker, als unterhalb, und
abhangend, die Kelche sind stacheligt; die Frucht bestehet aus einer schwarzen Beere, deren Genuß Unsinn
verursachet. Man findet es in entfernten Wäldern,
doch sparsam.

145) **Alfranken, Bitterſüß.** Solanum Dulca-
mara, ruſſiſch Slatkoi gorkoi, nach dem Deutſchen,
lett. Bebrakahrkles, im Rigiſchen Bebrakärping,
ehſtn. Moeka willad. Der Stengel iſt holzigt,
faſt glatt, windet ſich hin und her, und perennirt.
Die oberen Blätter ſind ſpießförmig, die unteren herzförmig. Die Blumen ſind bläulicht, und hangen an
Seitenſtengeln, theils ſchirmförmig, theils zerſtreut
in ungleicher Richtung. Man findet es in buſchigten
Gegenden häufig, wo es bald nach Johannis blüht.

Speerkraut. Polemonium.

Der Kelch beſtehet aus einem bis zur Hälfte fünftheiligen trichterförmigen Blatt. Die Blume beſtehet
aus einem Blatt, das in fünf rundliche Lappen getheilt,
breit und flach iſt, und hat eine kurze Röhre. Die
Staubfäden ſind fadenförmig, kürzer als die Blume,
und haben rundliche Beutel, welche mit der Mitte auf
der Spitze der Staubfäden liegen, ohngefähr ſo, wie
bey der Tulpe; der Griffel iſt fadenförmig, ſo lang,
als die Blume.

146) **Speerkraut mit weißer Blume.** Pole-
monium album. Die Blätter ſind gefedert; die Blumen ſtehen aufrecht an den Stengelſpitzen; die Kelche
ſind länger als die Blumenröhre. Man findet ſie mit
weißen und mit blauen Blumen. Von beiden Spielarten ſind ein paar Exemplare auf einem Engelhards-
hoffſchen Kornfelde im rigiſchen Kreiſe gefunden worden. Die mit blauer Blume wird zur Zierde in Gärten gezogen.

Glöcklein. Campanula.

Die Blume iſt glockenförmig, am Grunde geſchloſſen; die Staubfäden ſind kurz, und kommen aus

der

der Spitze der im Grunde befindlichen Saftbehältniſſe
hervor, und haben kurze Beutel; der Griffel iſt dünne,
und länger als die Staubgefäße; der Staubweg iſt
etwas dick, und beſtehet aus drey zurückgerollten Lappen; die Saamenkapſel ſitzt unter dem Fruchtboden,
und iſt eckigt, bey einigen Arten hat ſie drey, bey andern fünf Fächer.

147) **Breitblättriges Glöcklein.** Campanula
latifolia, ruſſiſch **Kolokoltſchick.** Die Blätter ſind
eyförmig, und lanzenförmig geſpitzt; der Stengel hat
gar keine Nebenſtengel; die Blumen ſind himmelblau,
und kommen einzeln auf ihren Stengeln hervor. Es
wächſt an offenen Waldſtellen, und blüht nach Johannis. Die Frucht hängt abwärts. Ehſtniſch heißt ſie
Kurre kella.

148) **Glöcklein mit Neſſelblättern.** Campanula Trachelium. Die Blätter ſehen denen an der
Neſſel gleich, ſind herzförmig, am Rande gekerbt,
rauch, und ſitzen an Stielen; die Blumenſtengelchen
ſitzen gemeiniglich drey nebeneinander in einer Reihe am
Stengel. Die Blumen ſind blau. Es wird an Fruchtfeldern und offenen Waldſtellen gefunden, und blüht
um Johannis.

149) **Kleinglöcklein.** Campanula Cervicaria.
Die Pflanze iſt rauch; die Blumen ſind klein und blau,
und kommen oberhalb ohne Stengeln in runden Büſcheln hervor; die Blätter ſind lang, ſchmal und lanzenförmig, gegen den Rand hin und zurückgebogen.
Es wächſt in Wäldern, doch ſparſam.

150) **Zuſammengedrängtes Glöcklein.** Campanula glomerata. Die Blätter ſind länglicht enförmig, faſt herzförmig; der Stiel iſt eckigt und röthlich;
die Blumen ſind hellblau, und ſtehen in den Anwachswinkeln in einer langen Reihe hinauf ohne Stengelchen; am oberen Stengelende ſtehen deren einige dicht

neben-

nebeneinander in einem Häuptchen verſammlet. Es
wächſet in trockenen Gebüſchen häufig, und blüht nach
Johannis.

151) **Rundblättriges Glöcklein.** Campanula
rotundifolia.   Die Wurzelblätter ſind nierenförmig,
die an den Stengeln ſitzen, ſind linienförmig. Es iſt
kleiner als das breitblättrige, und trägt um Johannis
blaue Blumen. Man findet es auf trockenen Wieſen,
Grasplätzen und Aeckern.

152) **Glöcklein mit Pfirſichblättern.** Campanula perſicifolia. Die Wurzelblätter ſind verkehrt
herzförmig, und ſitzen an Stielen; die Stengelblätter
ſind ſchmal, lanzenförmig, am Rande etwas ſägezahnig, und haben keine Stiele. Der Stengel iſt lang,
und trägt nur wenige etwas blaue Blumen. Man
findet es zuweilen, doch nur einzeln, in Wäldern, wo
es um die Johanniszeit blüht.

153) **Offenſtehendes Glöcklein.** Campanula
patula. Die Blätter ſind eyförmig und lanzenförmig
zugeſpitzt; die Blumen ſind purpurfarben, und ſtehen
weit offen und aus einander an den Stengelſpitzen.
Es wird auf Fruchtfeldern, doch ſparſam gefunden.
Es blüht im Junius.

154) **Krausblättriges Glöcklein.** Campanula Rapunculus. Der Stengel treibt viele Nebenſtengel; die Blätter ſind lanzenförmig; die unteren ſind
geſtielt, etwas breit, die oberen ungeſtielt, und ſchmaler, alle am Rande gekrauſet, oder wellenförmig gebogen. Die Blumen ſind klein und blau, und kommen um Johannis hervor.

Lonicere. Lonicera.

Die Blume beſtehet aus Einem Blatt, und iſt an
der Mündung in fünf zurückgebogene Lappen getheilt,

von welchen der eine weit von dem andern abſteht; die
Staubfäden ſind pfriemenförmig, und haben länglichte
Beutel; der Griffel iſt fadenförmig; die Beere ſitzt
unter dem Kelch; ſie hat zwen Fächer, und trägt vielen Saamen.

155) **Strieſenholz, Beinholz.** Lonicera
Xyloſteum, lett. Sauſſerdes, ehſtn. Rukkepu, auch
Rukke kuusma. Ein Strauch, der etwa die Höhe
eines Fadens bekommt. Die Blätter ſind eyförmig,
und wolligt; jeder Blumenſtengel trägt zwo weiße
Blumen. Man findet es in Wäldern, wo es im May
blühet. Der gemeine Mann iſſet die reifen rothen
Beeren. Das Holz braucht er wegen ſeiner Härte
zu Pfeifenröhren, Stricknadeln und Peitſchen-
ſtielen.

Kreuzdorn. Rhamnus.

Der Kelch fehlt; die Blume iſt trichterförmig,
und hat fünf kleine Schuppchen; die Staubfäden
ſind pfriemenförmig, und haben kleine Beutelchen;
der Griffel iſt dünne, und ſo lang wie die Staubgefäße. Die Frucht iſt eine rundliche Beere.

156) **Kreuzdorn, Schwarzdorn.** Rhamnus catharticus, ehſtn. Turna, auch Ritſepu. An
den äußern Enden der Stengel ſtehen Dornen; die
Blumen ſind weiß, und durch vier Einſchnitte getheilt;
die männlichen und weiblichen ſitzen jede auf einem beſondern Strauch; die Blätter ſind eyförmig; der
Stengel ſteht gerade. Es hat ſehr feſtes Holz, welches der Bauer zu Meſſerſtielen braucht. Dieſer
Strauch iſt auch zu Hecken dienlich, weil er dicht an
einander wächſet, und ſeine Stacheln dem Vieh und
Geflügel den Durchgang verwehren. Die Blüthezeit
iſt zu Ende des May. Die Beeren werden im Sep-

tember

tember reif. Aus dieſen wird das Saftgrün gemacht,
das in der Mahlerey gebraucht wird. Man findet es
an Hecken und Zäunen, doch etwas ſparſam.

157) Faulbaum. Rhamnus Frangula. Die-
ſes iſt nicht der Baum, den man bey uns gewöhnlich,
aber unrecht, den Faulbaum nennet, und der in der
XII. Claſſe unter dem eigentlichen Namen Elſenbeer-
baum vorkommt. Dieſer, von dem ich hier rede,
hat ungekerbte Blätter, und keine Stacheln an den
Aeſten. Die Blumen kommen einzeln an kurzen Stengelchen hervor, dagegen jene traubenförmig ſitzen.
Der Baum hat keine Knoſpen, welches ſonſt an Bäumen in unſern nordlichen Gegenden etwas ungewöhnliches iſt. Man findet ihn in Wäldern, wo es im
May blühet. Ruſſiſch wird der Baum Kruſchniz
genennet.

Spillbaum. Evonymus.

Die Blume hat fünf Blätter, und iſt länger als
der Kelch; die Staubfäden ſind pfriemenförmig und
haben doppelte Beutel; der Griffel iſt kurz; die Saamenkapſel iſt braun und fünfeckigt, hat fünf Fächer;
der Saamen iſt mit einer Decke verſehen.

158) Spillbaum, Spindelbaum. Evony-
mus europaeus, lett. Seedenſch, ruſſiſch Swida,
Sedlini, Beresdren. Die Blume iſt mehrentheils
in vier Theile getheilt, ihre Farbe iſt grüngelb; die
Blüthezeit iſt im Junius. Das Holz von dieſem Baum
iſt gelb. Man macht Spindeln, Weinlöffel, Zahn-
ſtocher und andere Kleinigkeiten daraus.

Strauß-

Straußbeere. Ribes.

Die Blume hat fünf Blätter; die Staubgefäße stehen auf dem Kelch; die Staubfäden sind pfriemenförmig, und ihre Beutel liegen auf der Spiße derselben. Der Griffel ist gespalten oder zweytheilig; die Beere steht unter dem Fruchtboden, und trägt vielen Saamen.

159) **Rothe Johannisbeere.** Ribes rubrum, lett. **Süstrini**, ehstn. **Söstra**, auch **Harraka marjad**. Dieser Strauch ist so bekandt, daß eine Beschreibung ganz überflüssig seyn würde. Er wird in Wäldern, besonders in Ehstland, wildwachsend gefunden. Die Blätter brauchen wir bey dem Einmachen der Gurken statt des Weinlaubes. Aus den Beeren wird auch bey uns ein gegohrner Wein gemacht, der, wenn er gut gerathen ist, dem rothen Burgunderwein am Geschmack ziemlich gleichkommt. Man läßt den Saft der Beeren mit gleichen Theilen Zucker und Wasser gähren. Auf die gehörige Abwartung des Gährens, die beym warmen Wetter schneller erfolgt, als bey kühlem, kommt das mehreste an. In Linnée Reisen durch Schonen, deutsche Uebersetzung, wird auch eine Methode angezeigt, nach welcher man einen wohlschmeckenden Johannisbeerwein bereiten kann. Von dem im Gefäße nachgebliebenen Hefen kann man einen Brandwein destilliren, der so gut ist, als der Franzbrandwein.

160) **Schwarze Johannisbeere, Bocksbeere.** Ribes nigrum, lett. **Mellni süstrini.** Die Blumenstengel sind haarigt, und tragen die Blumen traubenförmig, wie die vorige Art. Die Blätter haben einen Geruch, der etwas widrig ist, und die Beeren schmecken auch nicht jedermann. Sie werden zu einer Art

Kofent

Koſent oder dünnem Bier gebraucht. Man findet ſie gleichfalls in Wäldern.

161) **Wilder Stachelbeerſtrauch.** Ribes uva criſpa, ruſſiſch **Kriſchowmk.** Die Stengel des Strauches ſind ſtacheligt; die einzelnen Blumenſtengel, die nur allezeit Eine Blume tragen, haben unter dem Kelche ein Blatt, das ſie ganz umgiebt; die Beeren ſind glatt.

162) **Wilde Corinthen.** Ribes alpinum, lett. **Sarkane Wilkune.** Die Stengelblätter ſind etwas kleiner, als an der rothen Johannisbeere. Die Beeren ſind roth, aber ſo unſchmackhaft, daß auch der gemeine Mann ſie nicht achtet; ſie ſehen übrigens der Johannisbeere ſehr gleich, wachſen auch traubenförmig, faſt wie dieſe. Es wächſt in gebirgigten trockenen Wäldern, wo die Beere im Julius reift.

Epheu. Hedera.

Der Kelch iſt fünfmal getheilt, doch nur ſo leicht, daß ſeine fünf Lappen kaum merklich ſind; er umgiebt die Frucht, aus welcher eine runde Beere wird; die Blume hat fünf länglichte, an der Spitze gekrümmete Blätter.

163) **Gemeiner Epheu.** Hedera Helix. Die Pflanze ſchlingt ſich mit ihren biegſamen Stengeln um Bäume und allerley Gewächſe. Die Blätter hangen wechſelsweiſe an langen Stielen, und ſind eyförmig, oberwärts glänzend, unterhalb dunkelgrün, und haben ſtarke Adern. Die Blumen ſind grün, und ſtehen ſchirmförmig oben am Stengel. Es wird in Wäldern gefunden, doch in Livland nur ſelten.

II. Mit

II. Mit zween Stempeln. Digynia.

Bruchkraut. Herniaria.

Der Kelch ist durch tiefe Einschnitte in fünf lappen getheilt; die Blume fehlt; außer den fünf fruchtbaren Staubgefäßen stehen noch fünf andere da, denen die Staubbeutel fehlen; die Griffel sind so kurz, daß man sie kaum erkennen kann. Die Saamenkapsel trägt nur einen einzelnen Saamen.

164) **Bruchkraut.** Herniaria glabra. Eine rankende liegende Pflanze mit vielen ohne Ordnung abgetheilten Stengeln, welche kleine spitzige glatte Blätter, und eine große Menge Blumen mit gelben Kelchen tragen. Diese letztern geben der Pflanze, da die Blüthen sie fast ganz bedecken, ein gelbes Aussehen. Es wächset in erhabenen, etwas gebirgigten Gegenden, und blüht im Junius und Julius.

Gänsefuß. Chenopodium.

Der Kelch ist fünfeckigt, und hat fünf Blätter; die Blume fehlt; die Staubfäden sind pfriemenförmig, und so lang, als die Kelchblättchen; ihre Beutel sind runblich, und haben eine Furche, so daß sie aussehen, als wären sie doppelt; die beiden Stempel sind kurz; die Frucht ist ein linsenförmiger Saamen, der sich ohne Fruchtbehältniß im Kelche befindet.

165) **Guter Heinrich.** Chenopodium Bonus Henricus. Russisch wird es Gussmaja Lappa genennet. Diese Pflanze hat dreyeckigte, fast pfeilförmige ungekerbte Blätter; die Blümchen sind klein und grün, und kommen aus den Winkeln, den die Stengel mit den Nebenstengeln machen, haufenweise ohne

ohne Stengeln hervor. In gutem Boden findet man es an Zäunen und Wegen ziemlich häufig.

166) **Rother Gänsefuß.** Chenopodium rubrum. Diese Blätter sind herzförmig, dabey etwas dreyeckigt, ein wenig stumpf, am Range mit sägeförmigen Zähnen. Die Blumenbüschel stehen gerade und häufig an den Nebenstengeln, und sind kürzer, als der Stengel; die Blüthen sind roth, und zwischen denselben stehen schmale Blätter. An Zäunen und ungebaueten offenen Stellen ist es nicht selten.

167) **Mauergänsefuß.** Chenopodium murale. Die Blätter sind eyförmig, spitzig und gezahnt; die Blüthen sind grün, und sitzen in Sträußen, zuweilen traubenförmig. An ungebaueten Orten.

168) **Weißer Gänsefuß.** Chenopodium album. Die Blätter sind fast rautenförmig, doch dabey etwas dreyeckigt, oberhalb ausgeschweift, unterhalb am Rande ganz; die Blüthen sind weißlicht grün, und sitzen traubenförmig zusammengedrängt. Man siehet es auf Aeckern und andern ungebaueten Orten.

169) **Gemeiner Gänsefuß.** Chenopodium viride. Die Blätter sind fast rautenförmig, gezahnt, und haben an den Seiten ausgebreitete Lappen, die obern Blätter sind lanzenförmig, und gehen mit ihren Nebenstengeln längs dem Stengel hinauf. Man findet es an fruchtbaren offenen Stellen.

Ulmbaum. Ulmus.

Der Kelch ist an der Mündung durch fünf Einschnitte getheilt; die Blume fehlt; die Staubfäden sind pfriemenförmig, und noch einmal so lang als der Kelch; die Staubbeutel sind kurz, und durch vier Furchen getheilt, die Griffel sind kürzer, als die Staubgefäße,

gefäße, und zurückgebogen. Die Frucht ist eine trockene Beere ohne Saft, die zusammengedruckt und mit einer etwas durchsichtigen Haut umgeben ist.

170) **Ulmbaum, Rüstern, Röstern.** Ulmus campestris, russisch Ilm, lett. **Gohbe, Blusche,** auch **Sauswesche,** ehstn. **Jallakas.** Die Blätter dieses Baumes sind eyförmig, spitzig, und doppelt sägeförmig gezahnt, so daß jeder größere Zahn mehrere kleine hat, und sind mit dem Ende, mit welchem sie am Stiele sitzen ungleich, indem der eine Theil sich länger erstrecket, als der andere. Dieser Baum wächset in verschiedenen Gegenden nicht sparsam, z. B. im Tolkenhoffschen im wendenschen Kreise, auf der Insel Oesel, unter Luhde im walkschen Kreise, und an mehreren Orten. Er macht eine gute Krone, und seine Blätter haben ein gutes Grün, und geben vielen Schatten. Gemeiniglich nimmt er fast mit jedem Erdreich vorlieb; doch ist ein feuchter schwarzer Boden ihm am zuträglichsten; in gar zu morastigem Lande pflegt er nicht wohl fortzukommen. Sein Holz fault langsam. Tischerarbeit daraus gemacht, fällt wegen seiner schönen Adern, die denen vom Nußbaum gleichen, sehr gut in die Augen. Eine weiße Spielart hat härteres Holz, und wird zu Stellmacherarbeit gebraucht. Die langen Saugwurzeln haben weder Knoten noch Aeste; man kann daraus leichte biegsame Spazierstöcke, und gute Pfeifenröhren machen, die sehr geschmeidig sind.

Asclepiade. Asclepias.

Der Stengel windet sich und ist schwankend gebogen; der Kelch und die Blume sind fünftheilig; die Blumenlappen sind eyförmig, spitzig und etwas gebogen; die Staubfäden und Griffel sind so klein, daß sie
kaum

kaum zu erkennen ſind; die fünf Saftbehältniſſe ſind
eyförmig, hohl, gebogen, am Ende mit einem Sporn
oder kleinen Hornchen verſehen.

171) Schwalbenwurz. Aſclepias Vince-
toxicum, ruſſiſch Tſchortowa borroda, d. i. Teu-
felsbart, auch Liſtawitſchei koren, ehſtn. Anges
warrad. Die Blätter ſind eyförmig, am Ende haarigt, übrigens glatt, und ſtehen paarweiſe einander
entgegen; die Blumen ſind weiß, und kommen Schirme, welche andere Nebenſchirmchen ausſchießen,
hervor. Man findet es in gebirgigten Gegenden.

Gentiane. Gentiana.

Die Blume beſtehet aus einem Blatt, das bey
einigen Arten in vier, bey andern in fünf Theile geſpalten iſt; die Staubfäden ſind pfriemenförmig, kürzer als die Blume, und haben einfache Beutel; die
Griffel fehlen; die beiden Staubwege ſind eyförmig;
die Saamenkapſel beſtehet aus einem einzigen Fach.

172) Tauſendgüldenkraut. Gentiana Cen-
taureum, lett. Wine putke, Drudſu ſables, Fieberkraut, auch Menga ſables and Angſtini, ehſtn.
Poeld hummalad, d. i. Feldhopfen. Die Blumen ſind trichterförmig, und fünftheilig; die Stengel
ſind in verſchiedene Nebenſtengel getheilt. Das ſchöne
rothe Blümchen kommt im Anfange des Junius hervor.
Es wächſt auf Feldern, in manchen Jahren häufig,
in andern bekommt man es faſt gar nicht zu ſehen.

173) Gentianelle, in Livland blauer Dorant.
Gentiana campeſtris. Die Blumen ſind an der Mündung in vier Theile getheilt, und am Schlunde mit
Härchen verſehen. Ihre Farbe iſt violet, zuweilen
him-

himmelblau. Es kommt an offenen Waldstellen vor, z. B. im Stubenseensthen, und blüht im Julius. Die Russen nennen es Starodubka.

174) **Amarelle.** Gentiana Amarella. Die Blätter sind kurz, lanzenförmig, und sitzen ohne Stiele gegen einander am Stengel; die Blumen sind fünftheilig, von Farbe blau; ihr oberer Theil ist flach über der Röhre ausgebreitet; ihr Schlund ist bärtig. Es kommt auf Feldern, und an andern trockenen gebaueten Orten vor, doch sparsam. Sie blüht im September.

Sanikel. Sanicula.

Die Schirme oder Dolden sind voll, und von Blumen gleichsam zusammengedrängt; fast jeder besondere Schirmstengel trägt Nebenschirmchen; die Staubfäden stehen gerade, und sind noch einmal so lang, als die Blume; sie haben rundliche Beutel; die Griffel sind pfriemenförmig, und zurückgebogen; der Blumenteller hat männliche Blüthen; die Saamen sind rauch und scharf.

175) **Sanikel.** Sanicula europaea. Die Wurzelblätter sind in fünf sägeförmig gezahnte Lappen getheilt; die am Stengel stehen, sind tiefer getheilt; die Blumen sind klein, und schmutzig weiß, und stehen in verschiedenen besonderen Schirmen dicht neben einander. Man findet es in erhabenen trockenen Wäldern, doch sparsam.

Möhren. Daucus.

Die Blumenhülle ist klein, und hat federförmige, in kleine Blättchen getheilte Blätter; die Blume hat fünf herzförmige gebogene Blätter, von welchen die äußeren etwas

etwas gröſer ſind, als die übrigen; die Staubfäden ſind
haarförmig, und haben einfache Beutel; die Griffel
ſind zurückgebogen, und haben ſtumpfe Staubwege.

176) **Wilde Möhren.** Daucus Carota. Die
Blätter ſind doppelt gefedert, indem die Blättchen wieder eingeſchnitten ſind; die Blume iſt weiß. Dies Gewächſe ſchießt hoch auf, und wird um Narva herum
häufig in Wäldern gefunden. De Gorter fl. Ingr.
pag. 41.

Schierling. Conium.

Die gemeinſchaftlichen ſo wohl als die beſonderen Schirmdecken oder Hüllen haben drey, zuweilen
mehrere Blätter, und auseinander gebreitete Strahlen. Die Frucht iſt rundlich, hat fünf Streifen, und
iſt ungleich gezahnt.

177) **Schierling.** Conium maculatum, ruſſiſch **Boligolow, Omegg,** lett. **Sunniſchi ohbri,
Willnorattin,** ehſtn. **Koerputk.** Die Blätter ſind
dunkelgrün, oberwärts dreyfach, unterwärts doppelt
gefedert, d. i. mit Blättchen am Blattſtengel, und
die Blättchen ſind wieder gezahnt; der Stengel iſt mit
Flecken beſprengt, ſo daß er als von Flöhen beſchmiſſen
ausſieht. Die Blumen ſind weiß, und kommen im
Auguſt hervor. Man findet ihn hin und wieder an
feuchten fetten Stellen, z. B. im Kirchholmſchen und
in andern Gegenden.

Hirſchwurz. Athamanta.

Die Blumenhülle hat verſchiedene ſchmale Blätter; die Blume hat fünf herzförmige, eingebogene
Blätter von ungleicher Gröſſe; die Staubfäden ſind
haar-

haarförmig, so lang als die Blume, und haben runde
Beutel. Die Griffel mit ihren stumpfen Staubwegen
stehen aus einander gesperrt.

177) **Hirschheilwurz.** Athamanta Libanotis.
Die Blätter sind doppelt gefedert, und haben schmale
eingeschnittene Blättchen; der Blumenschirm hat eine
halbkugelförmige Figur; die Blumen sind schmutzig
weiß. Es wird um Narva in Wäldern gefunden.
De Gorter flor. Ingr. pag. 41.

178) **Berghirschwurz.** Athamanta Oreose-
linum. Die Blätter sind doppelt gefedert, und haben
kurze, drey bis vierfach eingeschnittene Blättchen;
die Blumen sind weiß, und stehen in einem flachen
Schirm. Es wächset an Bergen und auf trockenen
Wiesen, und blüht zu Anfange des Augustmonats.

Haarstrang. Peucedanum.

Die Blumenhülle ist klein und fünfzahnig; die
Blume hat fünf länglichte Blättchen; die Staubfäden
sind haarförmig, und haben einfache Beutel; die Griffel sind klein, und haben stumpfe Staubwege.

179) Peucedanum Silaus. Die Blätter sind
gefedert, und haben lanzenförmige Blättchen; die
Blumen sind gelb, auswendig weiß. Es kommt um
Narva herum in Wäldern vor. De Gorter fl. Ingr.
pag. 42.

Heilkraut. Heracleum.

Die Blumenblätter sind gebogen; die Mündung
der Blume hat ungleiche Lappen, und ist etwas her-
umgebogen; die Blätter der gemeinschaftlichen Hüllen
fallen bald ab; die Staubfäden sind länger als die Blu-

mentrone; die Staubbeutel sind klein; die Griffel sind
kurz; die Saamen sind eyförmig, plattgedruckt und
gestreift.

180) Bärenklau, Gäschtkohl, Saukraut.
Heracleum Sphondylium, lett. Bahrksches, ehstn.
Natid. Die Blätter sind einfach gefedert, so daß
sie queer in länglichte, am Rande gekerbte Lappen getheilt sind; die Blumen haben eine grünliche Farbe.
Es ist eines der ersten Frühlingskräuter, und wird,
wann es noch zart ist, mit jungen Nesseln vermischt,
statt des Kohles gegessen; wann es aber grösser wird,
ist es so hart und unschmackhaft, daß das Vieh es
auch nicht anrühret.

Angelike. Angelica.

Die gemeinschaftlichen so wohl, als die besonderen Schirme sind fast kugelförmig, und haben viele
Strahlen; die besonderen Schirme sind zur Blüthezeit
mehr rund; die Blumen haben eine gleiche Mündung;
ihre Blätter sind etwas gekrümmet; der Saamen ist
rundlich, an den Enden etwas zugespitzt.

181) Wilde Angelik. Angelica sylvestris.
lett. Saules sakkenes, Sirdse nasi, ehstn. Hein-
putkid, russisch Deigielnik, welches wahrscheinlich
aus dem deutschen Angelik entstanden ist. Die Blätter
sind doppelt gefedert, und haben eyförmige Blättchen
von gleicher Größe, die am äußern Ende spitzig, am
Rande sägeförmig gezahnt sind. Es wächst auf erhabenen buschigten Stellen.

Merk. Sium.

Die Schirmdecken haben viel Blätter; die Blumenblätter sind herzförmig; die Staubfäden und ihre
Blu-

Beutel sind einfach; die Griffel sind zurückgebogen; die Saamen sind fast eyförmig und gestreift.

182) **Breitblättriger Wassermerck, oder Wassereppich.** Sium latifolium, ehstn. Murck. Die Blätter sind gefedert; die Blumenschirme stehen am obern Theile des Stengels, und tragen weiße Blumen, die im Julius hervorkommen. Man findet es an Wassergräben.

183) **Kurzblättriger Wassermerck.** Sium nodiflorum. Die Blätter sind gefedert, und haben viel kurze lanzenförmige Blättchen, die tief gezähnt sind, und an der Grundfläche einen Ansatz; sie kommen ohne Stielen aus den Winkeln hervor, die der Stengel mit den Nebenstengeln macht; die Blumen sind weiß, und stehen an den Stengelenden und in den Blattwinkeln. Es wächset an Teichen und stehenden Seen.

Wützerling. Phellandrium.

Die Blumen sind klein, und haben gebogene herzförmige Blätter; die Staubfäden sind haarförmig, und länger als die Blume; ihre Beutel sind rundlich; die Griffel stehen aufrecht, sind pfriemenförmig, und bleiben mit dem Kelch auf der Frucht sitzen; die Saamen sind eyförmig und glatt.

184) **Pferdesaamen, Wasserfenchel.** Phellandrium aquaticum. Die Nebenstengel der Blumen nehmen verschiedene unbestimmte Richtungen, so daß sie bald einen stumpfen, bald einen rechten Winkel machen. In unsern Gegenden kommt es nur selten vor. Zuweilen ist es den Pferden schädlich, aber nur alsdann, wann, wie es verschiedene Versuche gelehrt haben, die Larve eines Rüsselkäfers, den man den Läh-

mer

mer nennet (Curculio paraplecticus) ſich an dem untern Theile der Pflanze befindet.   Das Gegenmittel iſt der Schweinekoth.   v. linnee Reiſen durch Schonen, deutſche Ueberſ. S. 189. und deſſen Syſt. nat. ed. XII. Tom. I. gen. 203. 34.   Es wächſet an feuchten Orten, beſonders an Waſſergräben.

Wütherich, Schierling. Cicuta.

Die gemeinſchaftlichen ſo wohl als die beſondern Schirme haben viele Strahlen, dieſe aber feine und gleich lange, daher ihre runde Figur; die Blume hat fünf eingebogene eyformige Blätter; die Staubfäden ſind haarförmig, und länger als die Blume, und haben einfache Beutel; die Griffel ſind fadenförmig, gleichfalls länger als die Blume, und bleiben auf der Frucht ſitzen; der Saamen iſt eyförmig, und haben vertiefte Streifen.

185) Waſſerſchierling. Cicuta viroſa.   Die Blätter ſind dunkelgrün und doppelt gefedert, am Rande ſägezahnig; die Schirmblättchen ſtehen einander entgegengeſetzt.   Man findet es an Gräben.   Den Kühen iſt es tödtlich.

Gleiß. Aethuſa.

Der gemeine Schirm hat viel Strahlen; die beſonderen Schirme ſind klein, und ſtehen ausgebreitet; die Blumenblätter ſind herzförmig, eingebogen, und ungleich; die Staubfäden ſind einfach, und haben rundliche Beutel; die beiden Griffel ſind zurückgebogen; die Staubwege ſind ſtumpf.

186) **Hundepeterlein.** Aethusa Cinapium.
Die Blätter sind gefedert, zwey bis dreyfach getheilt,
und haben zerschnittene glänzende Blättchen von
schwarzgrüner Farbe; die Blumen sind weiß, und sitzen
schirmförmig. Es wächst auf erhabenen Grasplätzen,
und blüht im May.

Kerbel. Scandix.

Die Dolden sind gestirnt; die Blumen haben
herzförmige eingebogene Blätter; in der Mitte stehen
Zwitterblumen, ringsum weibliche.

187) **Wilder Kerbel.** Scandix Anthriscus.
Die Blätter sind dreyfach gefedert, und haben kleine,
rund herum eingeschnittene Blättchen; die Blumen
sind weiß und klein, und brechen im May hervor.
Man findet es hin und wieder an ungebaueten
Orten.

Bibernell. Pimpinella.

Die gemeinschaftlichen sowol, als die besonderen
Schirme haben viele Strahlen; doch diese mehr als
jene; die Staubfäden sind einfach, und länger als das
Blümchen; die Beutel sind rundlich, die Griffel sehr
kurz; die Blumenblätter sind eingebogen, und herzförmig; die Saamen sind länglicht eyförmig, gegen die
Spitze zu dünner.

188) **Gemeiner Bibernell.** Pimpinella saxifraga. lett. Sirds sahle, Notagge. Die Blätter sind alle gefedert, aber von ungleicher Gestalt; die
lappen der Wurzelblätter sind rundlich, die an den
obern Blättern schmal und linienförmig. Es wächset
in trockenen erhabenen Gegenden, z. B. nahe bey dem

Städt-

Städtchen Wollmar, und im Walde bey der Alexanderschanze, wahrscheinlich auch an andern Orten.
Der Ehste nennt sie Nåred.

Strenzel. Aegopodium.

Die gemeinschaftlichen und besonderen Schirme
haben viele Strahlen, von welchen diese flach, jene
rund sind; die Staubfäden sind einfach, und haben
rundliche Beutel; die Griffel stehen gerade, und sind
so lang, als die Blume; diese hat hohle eyrunde Blätter; der Saame ist länglicht, eyförmig und gestreift.

189) Giersch., in Livland Snittkohl. Aego-
podium Podagraria, russisch Snitt. Die oberen
Stengelblätter bestehen aus drey auseinander gebreite-
ten Lappen von gleicher Größe; die Blume ist weiß.
Man findet es an Zäunen und andern ungebaueten offenen Stellen häufig. Es blüht im Junius.

Kälberkern. Chaerophyllum.

Der gemeinschaftliche und der besondere Schirm
haben fast gleich viel Strahlen; die Blume hat fünf
herzförmige eingebogene Blätter, von welchen die äußeren etwas größer sind, als die übrigen.

190) Waldkälberkern. Chaerophyllum sylvestre. Der Stengel ist gefurcht; die Blätter sind
doppelt gefedert, und haben große, länglichte, vielmal
eingeschnittene Blättchen; die Blumen sind weiß, und
brechen im May hervor. Man findet es auf Feldern,
und an Zäunen.

191) Knotiger Kälberkern. Chaerophyllum
tremulum. Die Blätter sind doppelt gefedert, wie an
der vorigen Art, doch sind die Blättchen an dieser etwas

was größer, wie an jener; der Stengel ist scharf an=
zufühlen, und an jedem Knoten, da wo ein Blatt
hervorschießt, merklich dicker, als an den übrigen Stel=
len; die Blumen sind weiß. Man trifft es in Küchen=
gärten, und an ungebaueten Orten an. Die Blüthe=
zeit ist um Johannis.

192) **Wilder Kälberkern mit glattem kno=
tigen Stengel.** Chaerophyllum bulbosum. Der
Stengel schließt hoch, und ist mit braunen Flecken be=
sprengt; die Blätter sind vielfach gefedert, und haben
sehr feine länglichte glatte Blättchen; die Blattstiele
und die Nebenstengel sind an der untern Seite mit
langen weißen Härchen besetzt; die Blumen sind weiß,
und haben verkehrt herzförmige Blätter. Die Blüthe=
zeit ist um Johannis. Es wird auf trockenen Gras=
plätzen gefunden.

Pastinak. Pastinaca.

Die besondere Hülle ist flach, und hat viele
Strahlen; die Blume hat fünf lanzenförmige ge=
krümmte Blätter; die Staubfäden sind haarförmig,
und haben rundliche Beutel; die Griffel sind zurückge=
bogen, und haben stumpfe Staubwege.

193) **Wilde Pastinak.** Pastinaca sativa. Die
Blätter sind einfach gefedert, und haben länglichte,
oberhalb gezahnte Blätter; die Blumen sind gelb.
Es wächst um Narva in Wäldern. De Gorter flor.
Ingr. p. 45.

Carven. Carum.

Die Schirmdecke ist einblätterich; die Blumen=
blätter sind hohl ausgebogen; die Staubfäden sind

haar=

haarförmig, und ſo lang als die Blume, und haben
ganz kleine rundliche Beutel; die Griffel ſind ſehr
kurz; der Saamen iſt länglicht eyförmig, zugeſpitzt
und geſtreift.

194) **Kümmel.** Carum Carvi, lett. **Kümmenes,** ehſtn. **Römmlid.** Dies Gewächs und ſein
Saamen ſind bekandt. Bey uns kommt er häufig
wild vor, und könnte leicht in Menge gezogen werden. Da er zum Brandweinbrennen und andern
Bedürfniſſen gebraucht wird, auch einen Handlungszweig ausmacht; ſo würde es die Mühe wohl belohnen.
Die zarten Blätter werden im Frühling ſtatt des Kohles gegeſſen. Man findet es hin und wieder auf trockenen Wieſen. Die zarten Wurzeln dienen in Spei-
ſen ſtatt des Paſtinaks.

III. Mit drey Stempeln. Trigynia.

Holunder. Sambucus.

Der Kelch iſt fünftheilig, und hat tiefe Einſchnitte; die Blume iſt in fünf zurückgebogene lappen
getheilt; die Staubfäden ſind pfriemenförmig, und ſo
lang als die Blume, und hat rundliche Beutel; ſtatt
der Griffel ſteht eine bauchigte Drüſe; die Frucht iſt
eine ſaftige Beere mit drey Saamenkernen.

195) **Krautholunder, Attich.** Sambucus
Ebulus, ehſtn. **Lodja,** auch **Korra wispu,** ruſſiſch,
Janoscha Busina. Die Blumenſchirme ſind unvollkommen, und beſtehen aus drey Nebenſchirmen;
die Schuppen an den Blumenſtengeln ſind blätterigt;
der Stengel wintert nicht. In Ehſtland wächſt er
mehr als in Lettland. Die Beeren werden von gemei-

nen

nen Leuten gegessen; wann sie den Winter hindurch unter dem Schnee gestanden haben, schmecken sie besser,
sind auch gesunder, als im Herbst, da sie Durchfälle
erregen. Der Bauer, der sich am liebsten mit einfachen Arzeneymitteln behilft, preßt sie, und legt sie auf
Wunden, da sie kühlen, Schmerzen lindern und heilen. Man findet es hin und wieder auf Aeckern. Der
Lette nennet es Kruhkli.

196) **Holunder, Flieder.** Sambucus nigra,
lett. Pluschu kohks, auch Pleder. Die Blumenschirme haben fünf Nebenschirme. Der Baum ist
übrigens so bekandt, daß er keiner Beschreibung bedarf. Auf der Insel Oesel und in der Wieck wächset
er wild, trägt auch immer reife Beeren, so wie auch
an einigen Orten in Lettland, dagegen sie an andern
Orten, auch in Gärten, nicht in allen Jahren reif werden. Der wilde Fliederbaum, lett. Irbenai, der
nicht so hoch schießt, wie der gewöhnliche, liefert Pfeifenröhren, die so gut sind als die türkischen Orduinen,
indem sie das Tobacksöhl in sich ziehen, und die Röhren geschmeidig machen. Der Ehste nennt den Fliederbaum Holundri pu.

Schneeballen. Viburnum.

Der Kelch ist fünfzahnigt; die Blume ist bis zur
Hälfte in fünf Theile getheilt; die Staubfäden sind
pfriemenförmig, und haben runde Beutel; die Griffel
fehlen; der Eyerstock sitzt unter der Blume.

197) Schneeballen. Viburnum Opulus. Die
Blätter sind vorne in drey am Rande gezähnte Blätter
getheilt; die weißen schirmförmigen Blumen kommen
im Anfange des Frühlings hervor; in der Mitte stehen die kleinern Zwitterblumen, und rund herum die

großen

großen männlichen. Dieses Bäumchen wächset in Strauchwerken, wird auch zuweilen in Gärten verpflanzt.

Vogelkraut. Alsine.

Der Kelch hat fünf Blätter, und eben so viel Blätter, die einander gleich sind, hat die Blume; die Staubfäden sind haarförmig und haben rundliche Beutel; die Griffel sind fadenförmig; die Saamenkapsel steckt im Kelch verborgen, ist einfächerig, und hat vielen Saamen.

198) **Vogelkraut, Hühnerdarm.** Alsine media, lett. Mauring. Die Blumenblätter sind ganz tief eingeschnitten, so daß sie fast als zehnblätterig aussehen. Die Stengelblätter sind eyrund, fast herzförmig. Man findet es fast überall, auf Feldern, in Gärten, an offenen Wegen und andern ungebaueten Stellen. Die Blumen sind weiß und klein, und zeigen sich fast den ganzen Sommer hindurch, indem der Saame geschwinde reifet, ausfällt, und neue Pflanzen hervorbringt, die bald wieder blühen, daher es nicht leicht auszurotten ist. Der Saamen dient verschiedenen kleinen Vögeln zur Nahrung.

IV. Mit vier Stempeln.

Leberblume. Parnassia.

Der Kelch ist durch tiefe Einschnitte in fünf Blättchen getheilt; die Blume hat fünf hohle offenstehende rundliche Blätter, und eben so viel herzförmige, mit Borsten, die an der Spitze kugelförmig sind, versehene

sehene Saftbehältnisse; die Staubfäden sind pfriemenförmig, und so lang als die Blume, und haben platt
aufliegende Beutel; die Griffel fehlen; die vier
Staubfäden sind stumpf; die Saamenkapsel hat vier
Ecken.

199) **Weiße Leberblume.** Parnassia palustris, lett. Petrasahles, auch Akuna abbing, ehstn.
Maksa robhud. Jeder Stengel, deren einige aus
der Wurzel hervorwachsen, hat ein herzförmiges Blatt
ohne Stiel, das den Stengel umschließt, und eine
einzige weiße Blume, die erst im September hervorbricht. Man findet es auf feuchten Wiesen.

V. Mit fünf Stempeln. Pentagynia.

Flachs. Linum.

Der Kelch und die Blume haben fünf Blätter;
die Staubfäden sind pfriemenförmig, und so lang als
der Kelch; die Beutel sind pfeilförmig; die Griffel sind
zart und dünne, und so lang wie die Staubgefäße;
die Saamenkapsel ist fünfeckigt, hat zehn Fächer, und
in jedem Fach einen Saamen.

200) **Purgierflachs.** Linum catharticum.
Die Blätter sind eyförmig, am Ende zugespitzt, und
stehen paarweise ohne Stiele am Stengel, aus welchem verschiedene mit mehreren zweytheiligen Nebenstengeln versehene Seitenstengel hervorgehen. Die
Blumen sind weiß, und haben spitzige Blätter. Ihre
Zeit ist um Jacobi. Es wird hin und wieder auf un-
beschatteten Hügeln gefunden.

Son-

Sonnenthau. Drosera.

Der Kelch ist bis zur Hälfte in fünf Theile gespalten; die Blume hat fünf fast eyrunde stumpfe
Blätter, die etwas länger sind, als der Kelch; die
Staubfäden sind pfriemenförmig, und haben kleine
Beutel; die Griffel sind so lang, als die Staubgefäße;
die Saamenkapsel ist einfächerigt, an der Spitze fünfeckigt, und trägt vielen Saamen.

201) **Rundblättriger Sonnenthau.** Drosera
rotundifolia, lett. Sauluni sahles, auch Arschu
plahkstini. Die Blumen wachsen ährenförmig, und
sind von Farbe weißlicht; die Stengel tragen keine
Blätter. Diese kommen auf rothen haarigten Stielen aus der Wurzel hervor, sind rund, und so wie der
Blumenstengel mit rothen Härchen oder Faserchen besetzt, die allezeit eine Feuchtigkeit haben. Die Blume
bricht im September hervor. Diese Pflanze wird
auf einigen feuchten Wiesen gefunden.

202) **Langblättriger Sonnenthau.** Drosera longifolia. Dieses Gewächs unterscheidet sich
von dem vorigen bloß dadurch, daß es länglichte Wurzelblätter hat. Auch dieses hat eine zähe Feuchtigkeit
an den Fasern der Blätter. Diese Feuchtigkeit scheinet aus den zarten Blatthöhlen hervorzuquellen, und
soll Hühneraugen und Warzen vertreiben. Auch diese
Art wächst auf feuchten Wiesen. Diese beide Gattun-
tungen sollen wegen ihrer Schärfe den Schaafen äußerst schädlich seyn.

VI.

VI. Mit vielen Stempeln. Polygynia.

Mäuseschwanz. Myosurus.

Der Kelch hat fünf Blättchen; der Saftbehältnisse sind eben so viel; sie sind blätterartig und pfriemenförmig; die Staubfäden sind so lang, als der
Kelch; die Beutel sind länglicht rund; die Griffel fehlen; die Staubfäden sind einfach; der Fruchtboden
trägt vielen Saamen.

203) **Kleiner Mäuseschwanz.** Myosurus
minimus. Die Pflanze ist nur klein, hat schmale,
grasähnliche linienförmige Blätter und weiße Blümchen, die einzeln auf kurzen Stengelchen stehen. Nach
der Blüthe wird der Fruchtboden so sehr verlängert,
daß er wie eine schmale Aehre gestaltet ist. Er wächset hin und wieder auf trockenen Feldern, auch auf
trockenen Grasplätzen.

Sechste

✦✦✦✦✦✦✦✦✦✦✦✦✦✦✦✦✦✦✦✦✦

Sechste Classe.

Sechsmännige, mit sechs Staubfäden.
Hexandria.

━━━━━━━━━━━━

I. Mit Einem Stempel. Monogynia.

Lauch. Allium.

Der Kelch bestehet aus einer Hülse, die gleich bey der Blüthe verwelkt. Die Blume ist sechstheilig, und hat tiefe Einschnitte und ausgebreitete Lappen; die Staubfäden sind pfriemenförmig, und so lang als die Blume; die Staubbeutel sind länglicht rund; der Griffel ist einfach; die Saamenkapsel hat drey Fächer, und sitzt über dem Fruchtboden.

204) Wilder Lauch, Ackerlauch, Ranis. Allium ursinum, lett. Rassu kiploki. Der Schaft ist fast walzenförmig, und hat keine Blätter; die Wurzelblätter sind lanzenförmig; der Schirm geht gerade, und seine Stengel sind von so gleicher Höhe, daß die Blumen oben so flach als eine Scheibe stehen. Es wird am Seestrande in Harrien, besonders auf Kalksteingrunde gefunden, und von einigen zur Speise gebraucht. Die Milch der Kühe pflegt einen lauchartigen Geschmack anzunehmen, wenn sie an solchen Stellen geweidet haben, wo dieses Gewächs häufig ist; doch pflegt es eine nahrhafte Weide anzuzeigen.

205) **Ackerknoblauch.** Allium vineale. Der Stengel trägt zwey walzenförmige Blätter; die Blumen sind violetfarben, und stehen schirmförmig; zwischen ihnen stehen Zwiebelchen, die vor der Blume hervorkommen; drey von den sechs Staubfäden sind breiter als die übrigen, und endigen sich jeder in drey Spitzen, auf deren mittelsten die Staubbeutel stehen. Es wird hin und wieder auf trockenen Wiesen gefunden, und blüht nach Johannis.

Vogelmilch. Ornithagalum.

Die Blume hat sechs lanzenförmige Blätter; die Staubfäden sind pfriemenförmig, halb so lang, als die Blume, und haben einfache Beutel; der Griffel ist pfriemenförmig, und bleibt auf der Frucht sitzen.

206) **Ackerzwiebel.** Ornithagalum luteum. Der Schaft ist viereckigt und hat zwey Blätter, und theilt sich in etliche schirmförmige Nebenstengel mit einigen gelben Blumen, die zu Anfange des Frühlings hervorbrechen. Es wächset auf Kornfeldern und in Gebüschen.

207) **Kleine Ackerzwiebel.** Ornithagalum minimum. Der Stengel ist bis an die Mitte einfach, wo er zwey schmale Blätter hat, und sich darauf in etliche schirmförmige Nebenstengel theilet, welche wie der einige Aeste absetzen; auf jedem derselben steht eine einzelne gelbe Blume. Es wächset an verschiedenen gebaueten Stellen, und blüht gleich zu Anfange des May.

Mayblume. Convallaria.

Die Blume ist sechstheilig, und hat keinen Kelch; die Staubfäden sind pfriemenförmig, und haben länglichte

ächte Beutel; der Griffel ist fadenförmig und länger
als die Staubgefäße; die Frucht ist eine gefleckte Beere
mit drey Fächern.

208) Lilienconvallien, kleine Mayblume.
Convallaria majalis, lett. Wehschu aubsas, Weh-
schocki, Wehsche putki, Wehsche ausini, ehstn.
Wina lillid, oder Lildsid, im Dörptschen Karri
kellad. Sie hat zwey eyförmige breite zugespitzte
Blätter, und weiße glockenförmige wohlriechende Blumen. Sie wächset an schattigten Orten in feuchtem
Boden, z. B. im Stubenseenschen, Schmiesingschen,
im Rodenpoisschen und in verschiedenen andern Gegenden häufig. Seit einiger Zeit ist mir eine Abänderung vorgekommen, welche schmalere, gleichfalls
zugespitzte Blätter, und kleinere Blumen von schwä-
cherem Geruch hat, die auch schon in der liefl. Topogr.
2 Th. S. 504. angezeiget worden. Diese Art nennt
der lette Spidsenaji, Gailini, der Ehste Lilkas,
Lilkesfed. Beyde Arten blühen im May, und zu
Anfange des Junius. In Gärten gezogen bekommt
sie größere Glocken. Auch zieht man sie von andern
Farben, so fand ich z. B. vor ein paar Jahren in einem hiesigen Garten eine Art mit schön himmelblauen
Glocken, die aber klein waren, und einen schwachen
Geruch hatten.

209) Weißwurz, Salomonssiegelwurz.
Convallaria Polygonatum, lett. Malenenn sahles,
ehstn. Petrid, auch Rüttoewe rohhi, d. i. Kraut
wider die Knochenschmerzen. Die Blätter stehen wechselsweise ohne Stiele am Stengel, den sie
ganz umgeben; sie sind glatt, stumpf und zweyschneidig. Die Blumenstengel kommen aus dem Winkel,
den der Pflanzenstengel mit dem Blatte macht, mit
einzelnen, selten zwo weißen, an der Spitze blaßgrünen Blumen mit enger Röhre hervor. Auf die Blume
folgt

folgt eine schwarze Beere. Man findet es an offenen Waldstellen an den Füßen der Gebirge und Hügel, wo es im Junius blüht. Der gemeine Mann braucht es für das Vieh, auch, besonders im Dörptschen, wider die Gliederschmerzen. Das von der Wurzel abgezogene Wasser braucht unser Frauenzimmer zum Waschen, und erwartet davon eine weiße zarte Haut.

210) **Zweyblatt.** Convallaria bifolia. Die Blätter, deren gemeiniglich nur zwey sind, sind herzförmig, und das eine, welches später hervorkommt, als das andere, ist kleiner. Die Blumen sind klein, weiß, und haben vier Blätter und eben so viel Staubgefäße; sie sind von angenehmen Geruch. Die Blührzeit ist um Johannis. Man findet die Pflanze in Wäldern.

Spinnenkraut. Anthericum.

Der Kelch fehlt; die Blume hat sechs länglichte, stumpfe, ganz ausgebreitete Blätter; die Staubfäden sind pfriemenförmig, und stehen aufrecht, und haben kleine vierfurchigte aufliegende Beutel; der Griffel ist einfach und so lang als die Staubfäden; der Staubweg ist einfach und stumpf.

211) **Astiges Spinnenkraut.** Anthericum ramosum. Die Blätter sind linienförmig und flach; der Saft theilt sich in verschiedene Nebenstengel, welche kleine weiße Blumen straußförmig tragen. Es wächset an erhabenen Orten, und blüht gleich nach Johannis.

Spargel. Asparagus.

Der Kelch fehlt; die Blume ist glockenförmig, und hat sechs Blätter; die Staubfäden sind fadenför-

Naturgesch. von Livl.　　Gg　　mig;

mig; die Staubbeutel ſind rund; der Griffel
iſt kurz.

212) **Gemeiner Spargel, Küchenſpargel.**
Aſparagus officinalis. Dieſe Pflanze, welche wegen
ihrer zarten Sprößlinge beliebt, und bekandt iſt, wird
auch an einigen Orten in Livland wildwachſend gefunden, z. B. in der Gegend um Wolmar, wo das
Bauervolk ſich an Sonn- und Feſttagen mit deſſen
Sträußen zu ſchmücken pflegt. Auch in Curland hat
Herr Prof. Ferber ſie wildwachſend angetroffen, vorzüglich in der Gegend von Schleck an der Windau,
und im fürſtlichen Amte Suhrs, ebenfalls an der
Windau, auf Heuſchlägen und Ebenen in ſolcher
Menge, daß man ihn dort abſticht, und auf die Tafeln bringt. Auch in Litthauen wird er auf Wieſen
und Feldern gefunden. Die litthauiſchen Bauren nennen ſie Gotteskraut, und umhangen damit an Feſttagen die Bilder ihrer Heiligen, gehen auch mit
Sträußen davon in die Kirche.

Calmus. Acorus.

Der Blumenſtengel geht gerade aus der Hülſe
hervor, und iſt walzenförmig und mit Blümchen bedeckt; dieſe haben ſechs Blätter, und keinen Kelch;
die Staubfäden ſind pfriemenförmig, etwas dick, und
ragen nur eben aus der Blume hervor; ihre Beutel
ſind doppelt, und gleichfalls etwas dick; der Griffel
fehlt; der Staubweg iſt ſehr klein; die Saamencapſel
hat drey Fächer.

213) **Gemeiner Calmus.** Acorus Calamus,
lett. Kalmus ſakkenes, auch Karweles, und Ka-
rili, ehſtn. So ingwer. Dieſe Pflanze iſt hinlänglich bekandt. Bey uns wächſt ſie in moraſtigen Gräben, auf naſſen Heuſchlägen und in Sümpfen häufig.
Die Blüthezeit iſt um Johannis.

Milch-

Milchkraut. Peplis.

Der Kelch ist an der Mündung zwölfspaltig und glockenförmig; die Blume hat sechs kleine Blättchen auf dem Kelch stehen; die Staubfäden sind pfriemenförmig, kurz, und haben rundliche Beutel; der Griffel ist sehr kurz; die Saamencapsel hat zwey Fächer.

214) **Milchkraut mit rundlichen Blättern.** Peplis Portula. Ein kleines Gewächs, an welchem immer zwey und zwey Blätter gegen einander am Stengel sitzen. Die Blume ist roth, und hat keine Blätter. Man findet es in Sümpfen und stehenden Gewässern.

Berberize. Berberis.

Dieses Pflanzengeschlecht hat einen sechsblättrigen Kelch; die Blume hat sechs Blätter, deren jedes am untern Ende eine Honigdrüse hat, die aus zween rundlichen Körperchen bestehet; die Staubfäden sind platt, stehen aufrecht, und haben zween Staubbeutel auf der Spitze sitzen; der Griffel fehlt; die Beere trägt zween Saamenkerne.

215) **Gemeiner Berberizenstrauch.** Berberis vulgaris. Er ist jedermann hinlänglich bekannt. Man findet ihn tiefer im lande hin und wieder in Wäldern und Hecken wild; bey Riga habe ich ihn nur ein einzigesmal wildwachsend gefunden. In Gärten und Gehegen wird er häufig gezogen. Die Blüthe erscheint zu Anfange des Junius; die Beeren werden spät im Herbst reif. Eine Abänderung hat keine Saamenkerne. Mit der Rinde des Strauchs wird in Polen das leder gelb gefärbt. Russisch heißt er Berberys.

Bin-

Binsen. Juncus.

Der Kelch hat sechs Blätter; die Blumenkrone fehlt; die Staubfäden sind kurz, haarförmig, und haben länglichte aufgerichtete Beutel; der Griffel ist kurz und fadenförmig, und hat lange haarigte eingebogene Staubwege; die Saamencapsel ist einfächerigt.

Aus einigen Binsenarten lassen sich Strohtellern, Strohhüte und dergl. verfertigen.

216) **Zwiebelartige Binsen.** Juncus bulbosus. Die Blätter kommen haufenweise aus der Wurzel hervor, sind linienförmig und lang, an der oberen Seite rinnenförmig hohl; der Halm hat in der Mitte ein langes Blatt, das aus einer breiten Scheide hervorgehet, und oben, wo der kleine Blumenstrauß hervorkommt, zwey Blätter, von welchen das eine länger ist, als das andere; die Saamencapseln sind rundlich und glänzend, und haben eine etwas zwiebelförmige Figur; die Blumen sind hellbraun. Man findet diese Art hin und wieder auf Heuschlägen. Die Blüthezeit ist um Johannis.

217) **Fadenförmige Binsen, fadenförmiges Krötengras.** Juncus filiformis. Eine kleine Binsenart, die einen fadenförmigen biegsamen Halm ohne Blätter hat; der Blumenstrauß kommt an den Seiten des Halms hervor, ist etwas ausgebreitet, und trägt nur sehr wenige Blumen. Man trifft es in sumpfigten Gegenden an, wo es im Julius blüht.

218) **Haarigte Binsen, haarigtes Krötengras.** Juncus pilosus. Die Wurzelblätter sowohl, als die Halmblätter, sind breit, flach und haarigt; der Halm theilt sich oben in verschiedene lange Sten-

Stengel, welche wieder kurze Nebenstengel ausschließen, an welchen die rothbraunen Blumen einzeln sitzen. Es findet sich in Wäldern, und blüht im May.

219) **Feldbinsen.** Juncus campeſtris. Die Blätter ſind flach und etwas haarigt; die Blüthen ſitzen in Aehrchen oder Büſcheln dicht zuſammenge- drängt. Die Aehrchen haben Stiele; zwiſchen dieſen geſtielten aber ſitzen allezeit etliche ungeſtielte. Sie wachſen hin und wieder an erhabenen Stellen.

220) **Dochtbinſen.** Juncus conglomeratus, lett. Oſchi, ehſtn. Aſſi, auch Dumi. Er hat zähe, biegſame Stengel ohne Blätter, und einen runden Buſch von zuſammengedrängten Blumen, die an der Seite des Stengels hervorgehen. Es wächſet in Sümpfen. Das Mark wird ſtatt des Dochtes in Nachtlampen gebraucht, und verbrennt ſehr langſam.

221) **Gegliederte Binſen, gegliedertes Krö-** **tengras.** Juncus articulatus. Der Halm iſt durch Knoten unterſchieden; an jedem derſelben ſteht ein ſtumpfes röhrenförmiges Blatt, das in viele kurze Gliederchen abgetheilet iſt, die man aber, ſo lange die Pflanze friſch iſt, nicht leicht erkennen kann; die Blu- men ſind braun, und ſitzen an dem oberen Ende des Halmes in einem Strauße. Man findet es in Pfützen. Es blüht zu Ausgange des Julius.

222) **Kriechende Binſen, kriechendes Krö-** **tengras.** Juncus bufonius. Die Halme, deren meh- rere aus der Wurzel hervorkommen, theilen ſich oben einigemal in Nebenſtengel; die Blumen ſind weiß, und ſitzen einzeln in den Stengelwinkeln, an den Sei- ten, und an den Spitzen der Stengel. Es wächſt an feuchten Orten und blüht um Johannis.

223) Riedgras, Sumpfkrötengras. Juncus effusus, Gribses, auch Smilgas, ehstn. Joeswesein, auch Roog. Der Stengel ist wie an den Dochtbinsen gestaltet; an der Seite derselben kommt ein ausgebreiteter Blumenbüschel hervor. Man findet es in Sümpfen, und braucht es zu Fischreusen, das Mark in Lampen. Wegen dieses Markes dient es auch zur Düngung, weil er den Mist in sich saugt, besonders, wenn die Binsen dem Vieh vorher untergestreuet worden.

II. Mit drey Stempeln. Trigynia.

Ampfer. Rumex.

Der Kelch hat drey Blätter; die Blume hat eben so viel Blätter, die sich gegen einander neigen, und fast an einander schließen, dabey eyförmig sind; die Staubfäden sind haarigt, sehr kurz, und haben aufrechte doppelte Beutel; die Griffel sind haarförmig, zurückgebogen, und stehen aus den Ritzen der zusammenstoßenden Blumenblättchen hervor; der Saame ist einzeln, dreyeckigt, und hat eine glänzende Fläche.

224) Spitzblättrige Mengelwurz, spitziger Ampfer. Rumex acutus. Die Blumen sind klein, von grünlicher Farbe, und kommen wirbelförmig um die Stengelchen hervor; die Stengelblätter sind groß und breit, oben zugespitzt, und mit Ribben durchzogen. Es wächst an Wassergräben und andern nassen Orten.

225) Meerampfer. Rumex maritimus. Die Blätter sind fadenförmig; die Blumen sind klein und gelb-

gelblicht, und kommen in der Mitte des Julius hervor. Es wächst gewöhnlich an Flußgestaden.

226) **Grindwurz, krausblättriger Ampfer.** Rumex crispus. Er trägt Zwitterblumen von grünlicher Farbe. Die Pflanzenblätter sind lanzenförmig, an der äußeren sowohl, als inneren Seite gekrümmt gebogen, am äußeren Ende zugespitzt. Die Blumen brechen zu Ende des Julius hervor. Die Pflanze liebt feuchte Stellen. Ehstnisch heißt sie Oblikad.

227) **Sauerampfer.** Rumex Acetosa, lett. Sakku kahposti, d. i. Haasenkohl, ehstn. Happo oblikas, Jämase oblikad, Haasensauerampfer, weil ihn die Haasen gern fressen. Die männlichen und weiblichen Blumen stehen nicht beysammen in einer Pflanze; ihre Farbe ist röthlich; die Pflanzenblätter sind länglicht und pfeilförmig. Es wächset in dürren Gebüschen, am häufigsten unter Wacholdersträuchern, auch an Erdwällen, und auf trocknen Grasplätzen häufig. Es blüht um Johannis.

228) **Schaafampfer, Bergampfer, kleiner Sauerampfer.** Rumex Acetosella. Die Blumen sind klein und röthlich; die männlichen Blumen stehen von den weiblichen abgesondert in andern Pflanzen dieser Art. Die Stengelblätter sind lanzenförmig, und haben unten zween Blattflügel oder Ansätze. Es wird in dürren gebirgigten Gebüschen gefunden, und blüht vor Johannis.

Scheuchzerie. Scheuchzeria.

Der Kelch hat sechs länglichte, zugespitzte, offenstehende, ausgebogene Blättchen; die Blumenkrone fehlt; die Staubfäden sind haarförmig und sehr kurz;

die

die Staubbeutel ſind lang, ſtumpf, und ſtehen aufrecht; die Griffel fehlen; die Staubwege ſind
ſtumpf.

229) **Sumpfſcheuchzerie.** Scheuchzeria paluſtris. Der Stengel treibt keine Nebenſtengel;
unten hat er zwey pfriemenförmige binſenartige
Blätter; die Blüthen ſind gelbgrün, und kommen einzeln aus den Blattwinkeln auf ſchwachen geradeſte-
henden Stengeln hervor. Man findet es in
Sümpfen.

Dreyzack. Triglochin.

Der Kelch hat drey ſtumpfe rundliche hohle
Blätter; eben ſo viele und eben ſo geſtältete Blätter hat die Blume; die Staubfäden ſind ſehr kurz,
und kaum ſichtbar; die Staubbeutel ſtehen innerhalb der Blume verborgen; der Griffel fehlt; die
Staubwege ſind befedert und zurückgebogen; an einigen Arten ſind deren nur drey, an andern ſechs; die
Saamencapſel iſt länglicht eyrund und ſtumpf, und
bey jeder Art ſind ſo viel Fächer, als ſie Staubwege
hat; in jedem Fach iſt nur Ein Saamen.

230) **Sumpfdreyzack, Sumpfwaſſergras.**
Triglochin paluſtre. Der Stengel ſchießt ziemlich
hoch; die Blätter ſind linienförmig und lang; die Blumen hangen in einer langen Reihe an kurzen Stengelchen am Hauptſtengel. Man findet es zuweilen an
Waſſergräben und ſumpfigten Orten. Es blühet
um die Mitte des Auguſtmonats, und trägt
kleine Blumen, welche ſammt den Kelchblättern braun-
ich ſind.

231) **Meerdreyzack, Meerwassergras.**
Triglochin maritimum. Dies ist eine hohe Grasart,
welche lange schmale Blätter hat. Die Blumen
sind klein und braun, und sitzen häufig und in
einer Reihe an kurzen Stengelchen. Diese Art hat
sechs Staubwege, da die vorige nur drey hat. Es
wächset an Seegestaden.

III. Mit vielen Stempeln. Polygynia.

Froschlöffel. Alisma.

Der Kelch hat drey Blätter; der Blumenblätter,
welche über dem Kelch hervorragen, sind eben so viel;
die Staubfäden sind pfriemenförmig, kürzer als die
Blume, und haben rundliche Staubbeutel; die Griffel sind einfach; die Saamencapsel ist glatt.

232) **Wasserfroschlöffel, Wasserwegerich.**
Alisma Plantago aquatica. Die Blätter sind groß,
ziemlich breit, und am äußeren Ende zugespitzt; die
Saamencapseln sind dreyeckigt; die Blumenblätter sind
weiß und sehr zart. Es wächst häufig an Sümpfen
und Wassergräben, z. B. am Graben an Stadtweidendamm bey Riga. Den Pferden ist es
schädlich.

Siebente Claſſe.

Siebenmännige, mit ſieben Staub-gefäßen. Heptandria.

I. Mit Einem Stempel. Monogynia.

Schirmkraut. Trientalis.

Der Kelch hat ſieben Blätter; die Blume iſt in ſieben tief eingeſchnittene eyförmige zugeſpißte Lappen getheilt, welche ſternförmig ausgebreitet ſtehen; die Staubfäden ſind haarförmig, und haben kleine Beutel; der Griffel iſt fadenförmig, und ſteht ſo hoch, wie die Staubgefäße; die Frucht iſt eine Beere ohne Saft.

733) Mayblume, gemeines Schirmkraut. Trientalis europaea. Die Blätter ſind lanzenförmig, ohne Einſchnitte und Abſäße, und ſtehen deren acht, zuweilen mehr, öfters weniger, um die Mitte des Stengels; zwiſchen dieſen kommen einige lange Nebenſtengel hervor, von welchen jeder eine weiße Blume trägt. Es wächſet in Fichtenwäldern, und blühet kurz vor Johannis. Dieſe iſt die einzige Pflanze aus dieſer Claſſe, die ich in Livland gefunden habe.

Achte

Achte Claſſe.

Achtmännige, mit acht Staubfäden. Octandria.

I. Mit Einem Stempel. Monogynia.

Weidrich. Epilobium.

Der Kelch iſt viertheilig; die Blume hat vier rundliche, auswärts breitere, ausgeſchweifte Blätter; die Staubfäden ſind pfriemenförmig, und wechſelsweiſe kürzer, und haben flache eyförmige Beutel; der Griffel iſt fadenförmig; die Saamencapſel iſt länglicht rund, und ſitzt unter dem Fruchtboden; die Saamen haben eine Federkrone.

234) **Rauher Weidrich.** Epilobium hirſutum. Die Blätter ſind etwas breit, lanzenförmig, ſägeförmig gezahnt und rauch, ungeſtielt, und laufen vom Stengel hinab; die Blumen ſind ziemlich groß, von Farbe roth. Es kommt auf feuchten Wieſen vor, und blüht in der Mitte des Julius.

235) **Weidrich mit viereckigtem Stengel.** Epilobium tetragonum. Der Stengel iſt viereckigt; die Blätter ſind lanzenförmig, glatt, und am Rande gezahnt; die unteren ſtehen gegen einander, die oberen wechſelsweiſe; die Blumen ſind klein und blaßroth, und kommen im Auguſt hervor. Man findet es in feuchten Laubwäldern.

236)

236) **Schotenweidrich mit ſchmalen Blättern.** Epilobium anguſtifolium. Die Blumen ſind an der Mündung ungleich, und haben ſchmale linienförmige Blätter, und ſitzen zerſtreut am Stengel. Man findet es an gebirgigten Orten, doch nur ſelten. Es trägt gegen Johannis purpurfarbene Blumen.

237) **Glatter Schotenweidrich.** Epilobium montanum. Die Blätter ſtehen gegen einander, und ſind gezahnt; die Blumen ſind blaßroth, und brechen im Julius hervor. Gebirgigte Stellen ſind die Geburtsörter dieſer Pflanzen.

238) **Waſſerweidrich.** Epilobium paluſtre. Die Blätter ſtehen gegen einander an den Stengeln, und ſind ungetheilt und ganz, ohne Einſchnitte und lappen; die Blume iſt weiß, und hat ausgebogene Blätter; der Stengel ſteht aufrecht und gerade. Es wächſt an feuchten Orten, und blüht bald nach Johannis.

Preußelbeere. Vaccinium.

Der Kelch ſitzt auf dem Eyerſtock; die Blume beſtehet aus einem vierſpaltigen Blatt; die Staubfäden ſind klein, und haben zwenhörnige Beutelchen, die am Rücken mit zwo auswärtsſtehenden Spitzen verſehen ſind; der Griffel iſt länger als die Staubgefäße.

239) **Blaubeere, Heidelbeere.** Vaccinium Myrtillus, lett. Glaſenes, Sillenes, ehſtn, Sinnikud, So marjad. Die Blumenſtengel tragen jeder nur Eine röthliche Blume; die Stengelblätter ſind ehförmig, und haben feine Sägezähne; der Stengel iſt eckigt. Die auf trockenem Grunde wächſet, wird von gemeinen leuten häufig gegeſſen; die auf Moraſtgrunde ſtehet, wird zwar größer, hat aber von dem oft neben ihm wachſenden Porſt oder wilden Rosmarin einen

üblen

übeln Geruch und Geschmack, der Uebelkeiten und Erbrechen erreget. Eine Abänderung der Blaubeere ist
die Schwarzbeere, Vitis idea fructu nigricante,
lett. Mellenes, ehstn. Mussikud. Sie ist dunkel-
schwarzblau, und hat einen dunkel violfarbenen Saft,
ist wohlschmeckender und weit gesunder, als die gewöhnliche Blaubeere.

240) Strickbeere, Preußelbeere. Vaccinium vitis idea, russisch Brunza, lett. Bruklenes,
ehstn. Polkad, Pallako marjad. Die Blätter sind
etwas länglicht; die Blumen sind fleischfarben, und
sitzen an den Enden der schwankenden, abwärts gebogenen Stengel. Es wächset in trockenen etwas sandigen Wäldern auf einem niedrigen Strauch. Wir
haben in Livland zwo Gattungen: die mit kleinen Beeren, die man isset und zu Muuß kochet, und die mit
größeren Beeren, deren Strauch auch etwas größer
ist, und die der Ehste Sea pojid auch Leisikad nennet, weil sie nur von Schweinen gefressen wird.

241) Moosbeere, in Livland Krahnsbeere,
Vaccinium Oxycoccos, lett. Dsehrwenes, ehstn.
Kurremarjad, d. i. Kranichsbeere, auch Jähwikud.
Die Blätter dieses Strauches sind eyförmig und ungekerbt, am Rande etwas zurückgebogen, und haben
lange dünne kriechende Stengel. Die Beeren sind
wegen ihres häufigen Saftes (russisch: Glukwa) und
dessen angenehmer und gesunden Säure, welche in allen
Krankheiten vollkommen denselben Nutzen schafft, den
die Citronensäure giebt, und in Getränken eben so
kühlend und erquickend ist, beliebt. Viele Punschlieb-
haber finden diesen Saft eben so angenehm, als den
Citronensaft. Er wird daher auch zu diesem Getränke
viel gebraucht. Aeußerlich auf Wunden gelegt, lindern sie die Hitze und heilen, welches wiederholte Versuche bestättiget haben. Die, welche den Winter hindurch

durch unter dem Schnee gelegen haben, sind weit saft-
reicher, und von angenehmern Geschmack, als die,
welche man im Herbst sammlet. Sie werden daher
auch erst im Frühjahr gleich nach Abgang des Schnees
gepflückt, und häufig zum Verkauf gebracht. Die letten sowohl als die Ehsten erfahren oft die heilsame
Wirkung dieser Beeren in hitzigen und andern Krankheiten. Jeze beschreibt einige Zufälle, bey welchen sie
an dem gemeinen Mann außerordentliche Hülfe geleis-
stet haben. S. dessen 2ten Anhang zur Abhandlung von den weißen Haasen in Liefland.

242) **Sumpfbeere.** Vaccinium uliginosum.
Ein Strauch mit eyförmigen glatten stumpfen Blättern, und einer weißlichten Blüthe auf jedem Stengel,
auf welche eine große fast unschmackhafte blaue Beere
folgt. Er wächset auf Morastgrunde, besonders auf
magerem. Die Beeren sind ungesund, weil sie Erbrechen und Uebelkeit verursachen, wenn man ihrer ein
wenig zu viel genießt. Sie sehen der oben beschriebenen Morastblaubeere so gleich, daß ich sie für dieselbe
Art halten würde, wenn die Blätter gekerbt wären.

Heide. Erica.

Der Kelch hat vier Blätter; die Blume ist bauchigt, und in vier Theile gespalten; die Staubfäden
sind haarförmig, und stehen auf dem Fruchtboden,
und tragen Staubbeutel, die an der Spitze gespaltene
Beutel; der Griffel ist fadenförmig, und höher als
die Staubgefäße; die Saamencapsel hat vier Fächer.

243) **Gemeine Heide, Heidekraut** Erica
vulgaris, lett. Gahrsche, Sille, ehstn. Kannar-
pick, Rannarick. Diese Pflanze ist in Livland hinlänglich bekandt, und so häufig, daß sie ganze Gegenden bedeckt. Nach ihr nennet der Lette den September
Sillu

Sillu mehnes, Heidemonat, weil sie alsdann oft noch in voller Blüthe stehet. Die Blumen sind blaß purpurfarben. Die mit weißer Blume findet sich zuweilen, doch sehr selten, neben jener wachsend. Von beiden kann man mit Gewißheit auf einen schlechten Boden schließen, weil ein dürres ohnsaftiges Gewächs keine andere als dürre unfruchtbare Erde geben kann. Das Vieh frißt jedoch im Frühjahr die weichern Spitzen dieser Pflanze. Den Bienen dienet sie vor andern Gewächsen zur Nahrung, da sie häufig wächset, und noch im September, wann schon andere Blumen mehrentheils verblühet sind, sind die vom Heidekraut ihre Zuflucht.

Man fängt seit einiger Zeit an, das Heidekraut mit vielem Vortheil beym Wegebau zu brauchen, wozu es besser und bequemer ist, als die Faschinen; von welchen die starken Aeste, wenn der Weg häufig befahren wird, und durch den Wind, leicht vom Sande entblößet werden, und Reisenden fast eben so unbequem sind, als die sogenannten Knüppelbrücken, dagegen die Heide den Weg eben bahnet.

Seiland. Daphne.

Der Kelch fehlt; die Blume ist an der Mündung in vier Blättchen gespalten; die kurzen Staubfäden, von welchen vier wechselsweise niedriger sind, stehen in der Röhre eingeschlossen; ihre Beutel sind rundlich, stehen gerade, und sind zweyfächerigt; der Griffel fehlt; der Staubweg ist flach; die Frucht ist eine Beere mit einem Saamen.

244) Kellerhals, eigentlich Quälerhals. Daphne Mezereum, lett. Saltenais. Ein kleiner Strauch, dessen rothe Blumen, je drey, ohne besondere Stengel an den Aesten sitzen, und eher hervorbre-

brechen als die Stengelblätter; diese sind lanzettenförmig, und fallen eher ab als die Frucht reif wird. Die
Bluthezeit ist gleich zu Anfange des Frühlings. Das
Holz hat verschiedene stark wirkende Eigenschaften:
denn wenn man die Zähne damit stochert, verursachet
es den Speichelfluß und das Ausfallen der Zähne; die
Rinde, auf die bloße Haut geleget, zieht Blasen; den
Kälbern um den Hals gebunden vertreibt es die Läuse;
die Blätter und Beeren, wenn man sie eine Weile ge-
kauet hat, verursachen ein starkes, lange anhaltendes
Brennen im Halse. Der innere Gebrauch der Frucht,
der von Unerfahrnen oft wider das kalte Fieber ange-
rathen wird, ist gefährlich. Es wächset hin und wieder in Wäldern, besonders in Ehstland, wo es, wenn
ich nicht irre, Naßina, oder Naßina nepu genennet wird.. Man findet es auch im Stubenseeschen,
Wendenschen, Pebalgschen und auf dem großen Kanger, auch im Kirchspiel Salisburg.

II. Mit drey Stempeln. Trigynia.

Knöterich. Polygonum.

Der Kelch fehlt; die Blume wird unten enger,
und bestehet aus einem Blatt, das durch tiefe Einschnitte in vier Blättchen getheilet ist; die Staubfäden
sind sehr kurz und pfriemenförmig, und haben aufliegende rundliche Beutel; die Griffel sind fadenförmig
und sehr klein; der einzelne dreyeckigte Saamen sitzt in
der Blume.

245) Wasserpfeffer. Polygonum Hydropi-
per. Die Blumen sind purpurfarben, und haben nur
sechs Staubgefäße, auch nur Einen Griffel, der bis
zur

zur Hälfte gespalten ist. Die Stengelblätter sind lanzettenförmig; die Stengelschuppen sind nicht ganz spitzig, etwas stumpf. Es wächset in Sümpfen und blüht im August.

246) **Spitziges Saamkraut.** Polygonum amphibium. Es wächset in Teichen und stehenden Seen, wo seine lange schmale Blätter über dem Wasser schwimmen; die Blumen sind fleisch= farben, und stehen in einer Aehre. Die Blüthezeit ist der Junius.

247) **Vogelgras, Wegetritt.** Polygonum aviculare. Die Blumen haben acht Staubgefäße und drey Stempel, und kommen oberhalb des Win= kels, den der Stengel mit den Nebenstengeln macht, hervor, und sind von Farbe weiß, zuweilen, doch selten, röthlich; die Stengelblätter sind lanzettenför= mig. Die Pflanze ist überhaupt nur klein, und hat einen kriechenden Stengel. Es findet sich auf allen Wegen und Fußtritten, auf Gartenbetten und Feldern häufig. Es blüht einigemal im Sommer. Von seinem Saamen nähren sich verschiedene kleine Vögel, daher man es auch Zehrgras zu nen= nen pfleget.

248) **Flöhkraut.** Polygonum Persicaria, lett. Blussenes, auch Surens, ehstn. Turbo rohhi. Die Blumen haben sechs Staubgefäße und drey Stempel, und stehen in länglichten Aehren, die Stengelblätter sind lanzettenförmig; die Stengel= schuppen sind am Rande mit Borsten besetzt. Die Blumen sind roth; eine Abänderung aber hat weiße Blumen. Beide Abarten findet man häufig an Zäu= nen auf Feldern und an offenen Wegen. Die Blüthe=

zeit iſt im Julius und Auguſt. Dem Hornbieh iſt
es ein geſundes Futter; auf Aeckern taugt es
nicht.

249) Natterwurz. Polygonum Biſtorta.
Die Blätter ſind länglicht eyrund, und laufen mit
ihren Fortſätzen, die ihnen ſtatt der Stiele dienen,
vom Stengel hinunter; die Blumen ſind hochroth,
und ſitzen zuſammengedrängt in einer Aehre an der
Stengelſpitze. Sie kommt auf trockenen Wieſen vor,
doch nur ſelten.

250) Buchwinde. Polygonum Convolvulus.
Der Stengel iſt eckigt, und ſchlängelt ſich um alle
Gewächſe, die ihm nahe ſtehen, in die Höhe hinauf.
Die Blumen ſind weiß, und haben violetfarbene
Staubbeutel; die Blüthezeit iſt im Junius. Es wird
auf Fruchtfeldern gefunden.

251) Spitziges Saamkraut. Polygonum
amphibium. Es wächſet in Teichen und ſtehenden
Seen, wo man ſeine langen ſchmalen Blätter über
dem Waſſer ſchwimmen ſiehet; die Blumen ſtehen in
einer Aehre, und ſind fleiſchfarben. Die Blüthezeit
iſt der Junius.

III. Mit vier Stempeln. Tetragynia.

Einbeere. Paris.

Der Kelch hat vier Blätter; eben ſo viel ſchmale
zugeſpitzte Blätter hat die Blume; die Staubfäden
ſind pfriemenförmig, und die langen ſchmalen Staubbeutel an beiden Seiten angewachſen; die Griffel ſind
kürzer als die Staubgefäße; die Staubwege ſind ein-
förmig; die Frucht iſt eine Beere mit vier Fächern.

252)

252) **Einbeerkraut, Wolfsbeere.** Paris quadrifolia, lett. Wiebuli, ehstn. Hora mârjad. Es hat einen einfachen Stengel, der oberhalb vier Blätter hat, die ins Gevierte stehen; über diesen sitzt die blaßgrüne Blume, auf welche eine Beere folgt. Es wird in Wäldern gefunden, und blüht im Junius.

Biesamkraut. Adoxa.

Der Kelch ist zweytheilig, und sitzt unter dem Eyerstock, und über demselben eine vier-, zuweilen fünftheilige Blume; zwischen diesen beiden sitzt die Beere angewachsen; sie hat vier, oft fünf Fächer.

253) **Biesamkraut.** Adoxa moschatellina. An der Stengelspitze sitzt eine Blume mit acht Staubfäden, und dicht an derselben vier andere nach den Seiten gekehrte mit zehn Staubfäden. Alle fünf Blumen sind dicht zusammengedrängt. Ihre Farbe ist grünlicht, ihr Geruch wie Biesam. Man findet es in Ehstland, besonders am baltischen Hafen in Wäldern.

Neunte

Neunte Claſſe.

Neunmännige, mit neun Staubfäden. Enneandria.

I. Mit ſechs Stempeln. Hexagynia.

Binſenſchwertel. Butomus.

Der Kelch fehlt; ſtatt deſſelben haben die Blumen Schirmdecken; ſie haben ſechs hohle ſtumpfe Blätter, von welchen drey wechſelsweiſe kleiner ſind; die Staubfäden ſind pfriemenförmig, und drey ſtehen mehr innerhalb der Blume; die Staubbeutel ſind rundlich, und haben zwo flache Seiten; die Eyerſtöcke ſind länglicht, und endigen ſich in ſpitzige Griffel und Staubwege.

254) Zyperſchwerdtel, Blumenbinſen. Butomus umbellatus, ruſſiſch Sipnoi zwet. Es trägt große blaßrothe Blumen, die auf hohen Stengeln ſtehen und zu Anfange des Julius hervorbrechen. Es wird hin und wieder in Waſſergräben gefunden; in den Stadtgräben um Riga häufig.

Zehnte

Zehnte Classe.

Zehnmännige, mit zehn Staubfäden. Decandria.

I. Mit Einem Stempel. Monogynia.

Rostkraut. Ledum.

Der Kelch ist klein und fünfzähnig; die Blume ist flach, offenstehend, und durch tiefe Einschnitte in fünf Theile getheilt; die Staubfäden sind fadenförmig, so lang als die Blume, und haben länglichte Beutel; der Griffel ist fadenförmig, so lang als die Staubgefäße; der Staubweg ist stumpf; die Saamenkapsel hat fünf Fächer.

255) Porst, Porsch, wilder Rosmarin. Ledum palustre, russisch Bakun, lett. Wahwerin, Wouwarinsch, ehstn. Porsad, Porst. Die Blätter gleichen denen am Rosmarin, sind aber auf der untern Fläche rostfarben; die Blumen sind weiß, und haben, wie die ganze Pflanze, einen widerlichen Geruch, den sie auch den um sie herumwachsenden Gewächsen mittheilen. Daß einige das Bier mit dem Porst, oder auch nur mit einem Theil desselben, mit Hopfen vermischt, kochen, verdient Tadel; es berauscht stark, macht Uebelkeit, oft Unsinn, allezeit aber heftiges Kopfweh. Man hat noch eine Spielart dieses Gewächses, die kleiner ist, und dem ächten Rosmarin

Hh 3 mehr

mehr gleich ſiehet, aber einen ganz widrigen Geruch hat, den ſie, wie die erſte Gattung, den neben ſie wachſenden Beeren ſo reichlich mittheilet, daß ſie, ſo wie ſie ſelbſt, Beſchwerden verurſachet. Die letztere Art wird bey Kälbern wider die Läuſe gebraucht. Die Ehſten nennen dieſe: Soe kaled oder kailud. Beide wachſen an feuchten Orten, und blühen im Julius. Der Porſch widerſteht den Motten, wenn man ihn zwiſchen die Kleider legt.

Andromede. Andromeda.

Der Kelch iſt klein, ſpitzig, gefärbt, und tief in fünf Theile geſpalten; die Blume iſt eyförmig, aufgeblaſen, fünftheilig, und hat zurückgebogene Lappen; die Staubfäden ſind kürzer als die Blume, pfriemenförmig, und haben zwey hornige ſchwankende Beutel; der Griffel iſt walzenförmig, länger als die Staubgefäße, und hat einen ſtumpfen Staubweg.

256) Vielblättrige Andromede. Andromeda polyfolia. Die Blumen ſind eyförmig, purpurfärben, und ſitzen an verſchiedenen zuſammengedrängten Stengeln; die Blätter ſind lanzenförmig, zurückgebogen, und ſtehen gegen einander; es wächſet in ſumpfigten Gebüſchen, beſonders wo Torfgrund iſt.

Sandbeere. Arbutus.

Die Blume iſt eyförmig, am Ende durchſichtig, und hat eine fünftheilige Mündung mit kleinen ſtumpfen zurückgerollten Lappen; die Staubfäden ſind pfriemenförmig, bauchigt, und halb ſo lang als die Blume; die Staubbeutel ſind durch eine ganz leichte Furche in zwo Flächen abgetheilt, und ſchwanken; der Griffel iſt walzenförmig, und ſo lang als die Blume; der Staubweg

weg ist stumpf und etwas dick; der Kelch ist fünftheilig, und hat tiefe Einschnitte; die Beere hat fünf Fächer.

257) **Mehlbeere.** Arbutus uva urſi, ruſſiſch Tolujanik, lett. Miltens, ehſtn. Mähk marjad. Der Stengel ist holzigt; die Blätter ſind glatt, und am Rande fein ſägezahnig; die Beeren ſind roth, inwendig mehligt und unſchmackhaft, und haben viele Saamen, ſonſt unterſcheiden ſie ſich bey dem äußerſtichen Anſehen wenig von der Strickbeere. In trockenen etwas erhabenen Tannenwäldern, wenigſtens um Riga herum, wachſen ſie häufig. Die Blätter geben dem Rauchtoback, wenn man ſie damit vermiſcht, einen angenehmen Geſchmack, ziehen die Speicheldrüſen zuſammen, und verhindern den gar zu ſtarken Ausfluß des Speichels. Zuerſt wurden ſie zu dieſem Gebrauch unter dem Namen Jakashaput zerſchnitten aus Nordamerica gebracht. Man fand endlich, daß es die in den nordlichen Gegenden ſo häufig wachſende Mehlbeetblätter waren. Schwed. Abh. 1. B. S. 235. Die Corduaner brauchen die Blätter, welche mit Zuſatz von Vitriol ſchwarz färben. In verſchiedenen Gegenden Rußlands, beſonders im Caſanſchen Gouvernement, werden ſie mit Nutzen in der Gerberey gebraucht, weil Safflane und andere dünne Felle damit geſchwinde und gut durchgegorben werden. Pallas phyſik. Reiſen durch Rußland 1 Th. S. 11.

Wintergrün. Pyrola.

Der Kelch iſt durch tiefe Einſchnitte in fünf Theile getheilt; die Blume hat fünf rundliche hohle offenſtehende Blätter; die Staubfäden ſind pfriemenförmig, und kürzer als die Blume; die Beutel ſind groß,

schwan-

ſchwankend und oben zweyhornig; der Griffel iſt fadenförmig, und länger als die Blume; der Staubweg
iſt etwas dick; die Saamenkapſel iſt fünfeckigt, hat
fünf Ecken, und ſpringt an den Ecken auf.

258) **Rundblättriges Wintergrün.** Pyrola
rotundifolia, lett. **Seemzeſchi, ehſtn. Lambe kör-**
wad. Die Staubgefäße gehen mit einiger, faſt un-
merklicher Krümmung in die Höhe; der Griffel iſt niedergebogen; die Blumen ſind weiß; die Blätter ſind
rund, und kommen auf langen Stielen aus der Wurzel hervor; ſie ſind etwas ſteif, und behalten ihre
grüne Farbe auch im Winter. Es wird in Wäldern
gefunden.

259) **Kleinblättriges Wintergrün.** Pyrola
minor. Es ſieht dem vorigen gleich, nur ſtehen die
Staubfäden ſowol als der Griffel gerade; die Blumen
ſind nicht ſo ſehr aneinander gedrängt, hängen auch mehr
abwärts als an dieſem; die Stengelblätter ſind länglicht rund, etwas zugeſpitzt, doch ſind die oberen ſtüm-
pfer, als die unteren. Es wird in dürren Wäldern
gefunden.

260) **Wintergrün, mit Blumen, die nach**
einer Seite gekehret ſind. Pyrola secunda; die Blätter ſind eyformig, etwas gekerbt, und ſtehen auf
etwas kurzen Stielen; die Blumen ſind weiß, und ſtehen nach einer Seite des Stengels. Es wird in
Laubgebüſchen gefunden.

261) **Einblümiges Wintergrün.** Pyrola uni-
flora, ruſſiſch **Relikeika.** Die Blätter ſind faſt
rund; jeder Stengel trägt nur Eine Blume. Es
kommt in Wäldern vor, und blüht zu Anfange des
Julius.

II. Mit

II. Mit zween Stempeln. Digynia.

Milzkraut. Chryfofplenium.

Der Kelch ift gelbgrün, in vier, zuweilen in fünf Theile getheilt; die Blume fehlt; der Staubfä= den find acht bis zehn; fie find fehr kurz, und haben kleine runde Staubbeutel; die Griffel find kurz und pfriemenförmig; die Staubwege find ftumpf; die Saa= menkapfel hat zwo Spitzen, ift einfach, und trägt viele Saamen.

262) Güldener Steinbrech, Milzkraut mit Wechfelblättern. Chryfofplenium alternifolium. Die Pflanze wächft nur niedrig, wie auch die folgende. Die Blätter find rund, tiefgekerbt, und ftehen wech= felsweife auf langen Stielen; die Blumen find gelb, und ftehen oben zufammen auf kurzen Stengeln. Man findet es in Wäldern, wo es im May blühet.

263) Milzkraut mit gegeneinanderftehenden Blättern. Chryfofplenium oppofitifolium. Die Blät= ter find wie an der vorigen Art, und ftehen gegenein= ander auf kürzeren Stielen; die Blumen find gelb: Es hat mit dem vorigen gleichen Geburtsort, und die= felbe Blüthezeit.

Steinbrech. Saxifraga.

Der Kelch ift kurz, und in fünf Blätter gethei= let; die Blume beftehet aus fünf flachen, unterwärts fchmalern Blättern; die Staubfäden find pfriemenför= mig und wechfelsweife kürzer; die Beutel find rundlich; der Eyerftock ift rundlich, fpitzig, und endiget fich in zween kurze Griffel mit ftumpfen Staubwegen; die Saamenkapfel hat zwo lange Spitzen, und trägt vie= len Saamen.

264) **Weißer Steinbrech.** Saxifraga. granulata. Die Stengelblätter sind nierenförmig, und in
kleine runde Lappen getheilt; die an den Nebenstengeln
sitzen, sind schmal; die Blumen sind weiß; die Wurzeln haben viele kleine zwiebelähnliche Knorren. Es
wächset auf grasigten Hügeln, und blüht im May.

Knawel.　　Scleranthus.

Der Kelch ist röhrenförmig, und besteht aus einem oberhalb in fünf nicht tiefe Einschnitte getheilten
Blatt mit spitzigen Lappen; die Blumenkrone fehlt; die
Staubfäden sind klein, pfriemenförmig, aufrechtste-
hend, und sitzen in dem Kelch; die Staubbeutel sind
rundlich; die Griffel sind haarförmig, stehen aufrecht,
und sind so lang als die Staubgefäße; die Staubwege sind einfach.

265) **Knawel, Knaul.** Scleranthus annuus.
Die Kelche sind grün, spitzig, und stehen etwas offen;
die Stengel kriechen, und tragen ganz schmale linienförmige Blätter. Man findet es auf sandigen Feldern
und in trockenen Ebenen nicht selten.

266) **Knawel mit geschlossenem Kelch,
Perlenkraut.** Scleranthus perennis. Die Blätter
sind weißlicht, an Gestalt den Grasblättern gleich; die
Kelche sind auch weißlicht, und mehr geschlossen als
an der vorigen Art. Es wird an dürren offenen Stellen gefunden, und blüht zu Ende des Julius.

Seifenkraut.　　Saponaria.

Der Kelch ist länglicht, und bestehet aus einem
Blatt, das in fünf Einschnitte getheilet ist; die Blume hat fünf Blätter, welche an dem untern Theile
mit dem Grunde zusammenhangen; die Staubfäden
sind

sind pfriemenförmig und so lang als die Röhre; die Beutel sind platt, länglicht, und liegen auf der Spitze der Staubfäden; die Griffel stehen gerade, und sind so lang als die Staubgefäße; die Staubwege sind spitzig.

267) **Gemeines Seifenkraut.** Saponaria officinalis. Die Kelche sind walzenförmig, die Stengelblätter sind glatt, etwas eyrund und lanzenförmig; die Blume ist weiß, zuweilen blaß pfirschfarben. Die Blüthezeit ist im Junius. Es wächst an schattigten Orten, doch ziemlich sparsam, z. B. bey Aga auf dem Silberberge, einer kleinen erhabenen Insel in der Stintsee.

Nelke. Dianthus.

Der Kelch ist walzenförmig, lang, gestreift, und bestehet aus einem Blatt, das oben fünfzähnig ist; unten hat er vier Schuppen, von welchen zwo niedriger stehen; die Blumenblätter, deren fünf sind, haben lange Nägel oder Klauen; die Staubfäden sind pfriemenförmig, so lang als der Kelch, und oben auswärts gebogen, und haben länglichte platte, aufliegende Beutel; die Griffel sind pfriemenförmig, und länger als die Staubgefäße; die Staubwege sind spitzig und zurückgekrümmet; die Saamenkapsel ist länglicht und einfächerigt.

268) **Feldnelke mit kleinen Schuppen.** Dianthus deltoides. Die Blumen sind fein gezackt, von schöner hochrother Farbe, und sitzen einzeln an den Stengeln; die Kelchschuppen sind lanzettenförmig. Sie blüht im Julius, und wird auf Hügeln und dürren Wiesen gefunden.

269) **Feldnelke.** Dianthus superbus. Die Blumen sind weiß; ihre Blätter sind am Rande in

fünf

fünf ſchmale Theile tief zerſchnitten, und gleichſam gefranzt; jedes hat nahe am Schlunde eine purpurfarbene Zeichnung, welche alle zuſammen eine ſternförmi-
ge Figur machen; doch iſt eine Spielart ganz weiß.
Jeder Nebenſtengel trägt nur Eine Blume, die einen
angenehmen Geruch hat.   Man findet ſie in offenen
Tannenwäldern, wo ſie bald nach Johannis blüht.

270) **Rothe Feldnelke.** Dianthus prolifer.
Die Blumen ſind klein, und ſchön roſenfarben; die
Blumenſtengelchen ſtehen nebeneinander, und jeder
trägt eine Blume.   Man findet es an Aeckern, und
auf offenen Waldſtellen.

271) **Federnelke.** Dianthus plumarius. lett.
Meſcha naglini, Feldnelke.   Die Blumen ſind
weiß, ihre Blätter ſind durch viele Einſchnitte getheilt,
und haben am Schlunde kurze Härchen; ſie haben faſt
eyrunde, ſehr kurze Kelchſchuppen, und ſtehen einzeln
an den Stengeln. Sie blühen im Junius, und wachſen an erhabenen trockenen Stellen. Sie haben einen
angenehmen, doch etwas ſchwachen Geruch. Eine
röthliche Spielart kommt zuweilen neben dieſer vor.

272) **Sandnelke.** Dianthus arenarius. Die
Blumen ſitzen gemeiniglich, nicht allezeit, einzeln am
Stengel; die Kelchſchuppen ſind eyrund, an der Spitze ſtumpf; die Blumenblätter ſind vielmal geſpalten;
die Stengelblätter ſind ſchmal; die Blume iſt weißlicht,
und bricht um Johannis hervor. Sie wird hier und
da in ſandigen Gegenden gefunden.

III. Mit drey Stempeln. Trigynia.

Leinkraut. Silene.

Der Kelch iſt etwas länglicht, bauchigt und
fünfzähnig; die Blume hat fünf Blätter mit Nägeln,
die

die so lang sind, als der Kelch; diese Blätter haben am Halse zween Zähnchen, welche zusammen eine Krone formiren; die Staubfäden sind pfriemenförmig, und sitzen wechselsweise an den Nägeln der Blätter, kommen aber einer um den andern später hervor, und haben länglichte Beutel; die Griffel, deren bey diesem Geschlechte drey, zuweilen fünf sind, sind länger als die Staubgefäße; die Saamenkapsel hat drey Fächer.

272) **Weiße Marienröslein, schwankende Marienröslein,** Silene nutans, russisch **Swätaja Maria Zwet.** Die Blumen sitzen in einer Reihe an kleinen Stengelchen, nach einer Seite gekehrt, und hinunter schwankend; von Farbe sind sie weiß. Die Pflanzenblätter sind lang, und haben keine Stiele. Die Blüthezeit ist im Junius. Man findet es hin und wieder an offenen Waldstellen. Ehstnisch wird es **Raud reia rohhud** genennet.

Taubenkropf. Cucubalus.

Der Kelch ist aufgeblasen, und hat fünf Zähne, ist dabey etwas länglicht; die Blume hat fünf Blätter mit langen Nägeln und einer Krone am Schlunde; die Staubfäden sind so wie bey dem vorigen Geschlecht beschaffen, und haben länglichte Beutel; die Griffel, deren bey einigen Arten drey, bey andern fünf sind, sind pfriemenförmig, und länger als die Staubgefäße; die Saamenkapsel hat drey Fächer.

273) **Rother Taubenkropf.** Cucubalus Otites. Die Blätter sind linienförmig und ungetheilt; die Staubgefäße stehen von den Stempeln abgesondert in besonderen Blumen, doch in derselben Pflanze; der Stempel sind fünf; die Blumen sind purpurfarben, und kommen im Junius hervor. Es wird an erhabenen trockenen Orten gefunden.

274) **Klebender Taubenkropf.** Cucubalus viscosus. Die Blumen stehen an einer Seite, und hangen hie und da ohne Ordnung hinab; die Stengel sind ungetheilt; ihre Blätter sind unten zurückgebogen. Die Blüthezeit ist um Johannis. In der Nacht geben die Blumen einen angenehmen Geruch.

275) **Wiederstoß.** Cucubalus Behen. Die Kelche sind fast kugelrund, glatt und netzförmig geadert. Die Blumen sind weiß, und kommen im August hervor; die Saamenkapsel hat fünf Fächer. Es findet sich zuweilen an erhabenen fruchtbaren Stellen.

Sternblume. Stellaria.

Der Kelch hat fünf lanzenförmige, offenstehende Blätter; die Blume hat fünf Blätter, die in zwey Theile geschnitten sind. Die Staubfäden sind fadenförmig, wechselsweise kürzer, und haben runde Staubbeutel; die Griffel sind haarförmig, und stehen auseinander gebreitet; die Saamenkapsel hat nur Ein Fach, und trägt viele Saamen.

276) **Sternblume mit lanzenförmigen Blättern.** Stellaria Holostea. Die Blätter sind lanzenförmig, am Rande sägeförmig gezahnt. Die Blumen sind weiß, und stehen auf langen Stengeln. Diese Pflanze wächset in Wäldern, und blüht zu Anfange des Junius.

277) **Sternblume mit Grasblättern.** Stellaria graminea. Die Stengelblätter gleichen denen an den Grasarten, und stehen gegeneinander. Die Blumen sind weiß, und wachsen in einem Büschel. Man findet sie mit der vorigen Art an gleichen Stellen, mit der sie auch zu gleicher Zeit blühet.

278) **Waldsternblume.** Stellaria nemorum. Die Blätter sind herzförmig, rauch, und stehen gegenein-

einander, die unteren auf Stielen, die oberen ohne
Stiele; die Blumen stehen in einem weitläuftigen
Strauß, und sind von Farbe weiß. Es wird in Gebüschen gefunden, wo es in der Mitte des Junius
blüht.

Sandkraut. Arenaria.

Der Kelch hat fünf offenstehende Blätter; die
Blume hat fünf ungetheilte eyförmige Blätter, die
Staubfäden sind pfriemenförmig, und stehen wechsels-
weise innerhalb der Röhre, und aus derselben hervor, und
haben rundliche Beutel; die Griffel sind gebogen; die
Saamenkapsel hat nur Ein Fach mit vielen Saamen.

279) Sandkraut mit Quendelblättern. Arenaria serpillifolia. Die Blätter sind fast eyförmig,
zugespitzt, und sitzen ohne Stiele am Stengel. Die
Blumen sind weiß und kürzer als die Kelche. Man
findet es an Bergen. Es blüht im May.

280) Sandkraut mit dreyribbigten Blättern. Arenaria tripervia. Die Blätter sind eyförmig, spitzig, mit drey Ribben durchzogen, und stehen
an den Stengeln einander gegenüber auf Stielen. Es
wird an Bergen gefunden, und blüht im May.

281) Sandkraut mit Portulakblättern.
Arenaria peploides. Aus den Wurzeln, die weit in
der Erde herumkriechen, kommen verschiedene niedrige
Stengel mit vierfachgewachsenen, dicken fleischigten
Blättern, wie am Portulak, ohne Stengel, deren
Spitzen gegen alle vier Seiten gekehrt sind; die Blu-
men sind weiß, und kommen theils an den Spitzen
der Nebenstengel, theils in den Blattwinkeln an kurzen
Stengelchen hervor. Es wächst an Flußufern, und
blüht zu Anfange des Septembers.

IV. Mit

IV. Mit fünf Stempeln. Pentagynia.

Zumpenkraut. Sedum.

Der Kelch ist fünftheilig; die Blume hat fünf Blätter; die Saftbehältnisse oder Honiggrübchen bestehen aus fünf Schuppen, und stehen unten am Grunde des Eyerstocks; die Staubfäden sind pfriemenförmig, und so lang als die Blume; sie haben rundliche Beutel; die Eyerstöcke sind länglicht, und endigen sich in dünne Griffel, die kürzer sind, als die Blume; der Saamenkapseln sind fünf.

282) **Kleines Hauslauch.** Sedum hexangulare, sonst Sempervivum minus. Es hat fast eyförmige, ohne Stielen dicht um den Stengel sechsfach wachsende Blätter, die gerade stehen, und etwas höckerigt sind. Die Blumen sind citronenfarben, und kommen bald nach Johannis hervor. Man findet es an trockenen sandigen Orten häufig.

283). **Fette Henne.** Sedum Telephium. Es hat saftreiche, ziemlich glatte, am Rande sägeförmig gezahnte Blätter; die Blumen sind grüngelb, und formiren einen flachen Strauß, dessen Stengel einige Blättchen hat. Die Blüthezeit ist im Junius. Man findet es auf verschiedenen trockenen Anhöhen. Dieses Gewächs ist so saftreich, daß es, wenn es schon einige Zeit abgeschnitten gewesen ist, und in eine Presse gethan worden, noch immer zarte Sprossen treibt.

284) **Steinzumpenkraut.** Sedum rupestre. Eine kleine kriechende Pflanze mit pfriemenförmigen fleischigten Blättern, die ohne Stiele am Stengel sitzen; die Blumen sind gelb, und stehen in unvollkommenen Schirmen. Es wächst an Gebirgen, kommt jedoch selten vor.

285) **Mauerpfeffer.** Sedum acre. Diese Pflanze wächset nur niedrig. Sie hat fast eyförmige, höckerigte aufrechte Blätter, die ohne Stiele am Stengel stehen. Der Schirm ist unvollkommen und dreytheilig, und trägt oben gelbe Blumen. Es wächst an trockenen, etwas sandigen Stellen, und blüht im Junius. Ehstnisch wird es Rukke marjad genennet.

Sauerkraut. Oxalis.

Der Kelch hat fünf Blätter; die Blume hat fünf Blätter, welche am untern Ende mit einander verbunden sind; die Staubfäden sind haarförmig, stehen gerade, und die äußeren sind kürzer, als die übrigen; die Staubbeutel sind rundlich und gefurcht; die Griffel sind fadenförmig, und so lang als die Blume. Die Saamenkapsel ist fünfeckigt, und springt an den Ecken auf.

286) **Sauerklee.** Oxalis Acetosella, russisch Saitschaitschawel, lett. Sakku kahposti, d. i. Haasenkohl. Ein kleines niedriges Gewächs, das eine feine angenehme Säure hat. Die Blätter, welche einzeln an verschiedenen langen Stielen aus der Wurzel kommen, gleichen den Kleeblättern, und haben herzförmige Blättchen, die sich bey bevorstehendem Regen zusamenlegen. Jedes Stengelchen trägt nur eine Blume, welche von Farbe weiß sind, und blaßrothe Adern haben. Aus dem Saft dieser Pflanze wird das bekandte Sauerkleesalz gemacht, welches Tintflecken aus der Wäsche nimmt. Es wächset häufig in Wäldern, und blüht um Johannis. Ehstnisch heißt er Jännese oblikad.

Raben. Agroſtemma.

Der Kelch iſt von häutiger Textur, und beſtehet aus Einem Blatt; die Blume hat fünf Blätter, die an dem untern Ende vermittelſt langer Nägel mit einander verbunden ſind, und eine ſtumpfe ungetheilte Mündung haben; die Staubfäden ſind pfriemenförmig, und fünf von ihnen kommen ſpäter hervor, als die übrigen; die Beutel ſind einfach; die Griffel ſind fadenförmig, von gleicher länge mit den Staubgefäßen, und ſtehen gerade; die Saamenkapſel hat nur Ein Fach.

287) Ackerraden. Agroſtemma Githago, lett. Kohkali, ehſtn. Eiakad, auch Robbo heinad. Die Pflanze iſt rauch, und hat einzelne rothe Blumen, die faſt gar nicht aus dem Kelch hervorragen; die Blumenblätter ſind ungetheilt und glatt. Man findet es auf Fruchtfeldern. Es blüht um Johannis.

Wiederſtoß. Lychnis.

Der Kelch iſt länglicht, etwas bauchigt, und beſtehet aus einem fünfzahnigen Blatt. Die Blume hat fünf Blätter, deren unteres Ende durch lange Nägel mit einander verbunden iſt; die Staubfäden ſind borſtförmig, und länger als der Kelch; an jedem Nagel der Blume ſtehet einer, und fünf derſelben kommen ſpäter hervor; die Beutel liegen auf den Staubfäden; die Griffel ſtehen gerade, und höher als die Blume; die Saamenkapſel hat fünf Fächer.

288) Kukuksblume. Lychnis flos cuculi. Die Blume hat fünf Blätter, von welchen jedes in fünf Theile geſchnitten iſt. Kelch und Blumen ſind roth. Auf die Blume folgt eine rundliche Saamenkapſel. Sie ziert um Johannis unſere Wieſen hin und wieder.

289)

289) **Klebenelke.** Lychnis viscaria, russisch Smilka, ehstn. Törwe lilled. Die Blumenblätter sind roth von Farbe, und nur wenig gekerbt; die Blüthezeit ist im Junius. Man findet sie in Wäldern und auf trockenen Wiesen.

290) **Wiederstoß ohne sichtbare Blume.** Lychnis apetala. Die Beschreibung in der ersten Ausgabe ist unvollständig, und durch einen Druckfehler gar entstellt worden; denn es sollte heißen: die **Blumen sind kürzer als der Kelch.** — Der Kelch ist aufgeblasen, und bauchigt; der Stengel ist einfach, ohne einige Nebenstengeln, und trägt nur eine Blume, welche ganz innerhalb des Kelches verborgen steckt, von Farbe weiß ist, und an der Spitze des Stengels sitzt. Die Stengelblätter sind schmal, lanzenförmig; die oberen etwas kürzer, als die übrigen. Außer diesen stehen noch unten vier breitere Wurzelblätter. Man findet sie auf trockenen Stellen, wo sie im Julius blüht.

291) **Wiederstoß mit getrenntem Geschlecht.** Lychnis dioica. Die Blätter sind lanzenförmig, weich und haarigt; die Blumen sind weiß, und haben tiefgespaltene am Rande gekerbte Blätter; die Kelche sind mehrentheils blaßpurpurfarben; die männlichen und weiblichen Blumen stehen in abgesonderten Pflanzen.

Hornkraut. Cerastium.

Der Kelch und die Blume haben fünf Blätter, und die letzteren sind in zwey Theile gespalten; die Staubfäden sind fadenförmig, wechselsweise kürzer, und haben rundliche Beutel; die Griffel sind haarförmig, und stehen gerade; die Saamenkapsel bestehet aus einem einigen Fach.

292) **Kleines rauhes Hornkraut, Vogel-**
kraut. Ceraſtium ſemidecandrum.   Von den zehn
Staubfäden ſind nur fünf mit Staubbeuteln verſehen,
die übrigen unfruchtbar; die Blumen ſind weiß, und
haben ausgeſchweifte Blätter.   Man findet es an verſchiedenen trockenen Orten.   Es blüht vor Johannis.

293) **Gemeines Hornkraut.** Ceraſtium vul-
gatum.   Es treibt häufige, auseinandergebreitete abhangende Nebenſtengel; die Blätter ſind eyförmig,
lanzenförmig zugeſpitzt, und ungeſtielt; die Blumen
ſind weiß, und kommen einzeln an der Stengelſpitze
auf Nebenſtengeln, und aus den Blattwinkeln hervor.
Auf Kornfeldern; es blüht im Auguſt.

294) **Klebrigtes Hornkraut.** Ceraſtium vi-
ſcoſum.   Die Stengel ſtehen mehr aufrecht, als an
der vorigen Art, ſind rauch und klebrigt, und treiben
mehr Nebenſtengel; die Blätter ſind mehr lanzenförmig; die Blumen ſind ebenfalls weiß, und zeigen ſich
im Frühling.

295) **Feldhornkraut.** Ceraſtium arvenſe. Die
Blätter ſind ſchmal, lanzenförmig und zugeſpitzt; die
Stengel ſind rauch, und theilen ſich in Nebenſtengel,
aus welchen oben über zwey kleinen Schuppchen einige
Blumenſtengel mit großen weißen Blumen hervorkommen.   Es wächſt an trockenen fruchtbaren Orten, und
blüht im Frühling.

296) **Waſſerhornkraut.** Ceraſtium aquaticum.   Die Stengel ſind rauch, und treiben aus den
Blattwinkeln Nebenſtengelchen hervor, auf welchen
die weißen Blumen einzeln ſtehen, die weit über dem
Kelch hervorragen.   Man findet es an Teichen, und
in moraſtigen Laubwäldern.

Spark.

Spark. Spergula.

Der Kelch hat fünf Blätter; die Blume hat eben
so viele offenstehende, eyförmige Blätter; die Staubfäden sind pfriemenförmig, kürzer als die Blume, und
haben rundliche Beutel; die Griffel sind fadenförmig,
und etwas niedergebogen.

297) **Wiesenspark.** Spergula arvensis. Die
Blätter sind schmal, linienförmig, und sitzen in Wirbeln um den Stengel herum. Die Blumen sind weiß
und ziemlich groß, und hangen an Stengelchen, die
an den Nebenstengeln hervorkommen, abwärts gebogen. Diese Pflanze liebt Wiesen, die etwas feucht
sind, und blüht zu Ausgange des August.

298) **Sumpfspark.** Spergula nodosa. Auf
dieser ganz kleinen Pflanze stehen die Blätter an dem
in viele Glieder abgetheilten, ganz einfachen Stengel,
der allenthalben eine gleiche Dicke hat, einander gegenüber; sie sind etwas pfriemenförmig, schmal und glatt.
Die Blume ist weiß, und steht einzeln an der Stengelspitze. Es wächst an feuchten Orten, und blüht in
der Mitte des August.

Eilfte

✦◆✦◆✦◆✦◆✦◆✦◆✦◆✦◆✦◆✦◆✦◆

Eilfte Claſſe.

Zwölfmännige, mit zwölf Staubfäden.
Dodecandria.

I. Mit Einem Stempel. Monogynia.

Haſelwurz.   Aſarum.

Der Kelch iſt in drey, zuweilen in vier Blätter
getheilt, und ſitzt auf dem Eyerſtock; die Blume fehlt;
die Staubfäden ſind pfriemenförmig, und halb ſo lang,
als der Kelch, und haben länglichte Beutel; der Griffel iſt walzenförmig, und ſo lang, als die Staubgefäße; die Saamenkapſel iſt häutig, oder lederartig,
und hat in der Runde einen breiten Rand, wie eine
Krone.

299) Gemeine Haſelwurz. Aſarum europae-
um, ruſſiſch Diskorperez, lett. Pallagsdi, Kum-
melu pehdas, auch Zucku pippares, ehſtn. Mets-
piper. Dieſe Pflanze wächſt nur niedrig, und hat
runde nierenförmige Blätter, deren allezeit zwey beyſammen ſitzen. In den Wäldern kommt es ziemlich
häufig vor.

Weidrich.   Lythrum.

Der Kelch iſt walzenförmig, am obern Ende in
zwölf ſpitzige Zacken getheilt; die Blume hat ſechs
Blät-

Blätter, welche oberhalb an dem Kelch angewachsen sind; die Staubfäden sind fadenförmig, und so lang als der Kelch, doch sind die oberen kürzer, als die unteren; die Beutel sind einfach, und stehen aufrecht; der Griffel ist pfriemensörmig, und so lang als die Staubgefäße; die Saamenkapsel hat zwey Fächer, und trägt vielen Saamen.

300) **Rother Weidrich.** Lythrum Salicaria. Die Blätter sind herzförmig, und gehen am äußern Ende spitzig aus, und stehen gegen einander an den Stengeln. Die Blumen wachsen ährenförmig, sind purpurfarben, und haben zwölf Staubgefäße. Man findet ihn an stehenden Seen, auch an andern Orten, wo feuchter Boden ist. Die Blüthezeit ist der Junius.

II. Mit zween Stempeln. Digynia.

Obermennig. Agrimonia.

Der Kelch ist fünfzahnig, und von einem andern größeren umgeben; die Blume hat fünf Blätter; die Staubfäden sind haarförmig, und kürzer als die Blume, und haben kleine, platte, doppelte Beutel; die Griffel sind einfach, und so lang, als die Staubgefäße; der Kelch trägt zween Saamen.

301) **Obermennig.** Agrimonia Eupatorium, russisch **Repika,** lett. **Ski dadschi, Dadatschi, Rettejuni,** ehstn. **Krassid.** Die Stengelblätter sind gefiedert, und haben eyförmige, tiefgezahnte Blättchen; die zwischen diesen an der Mittelribbe sitzenden sind viel kleiner. Die Blumen sind klein und gelb, und sitzen an einer langen dünnen Aehre. Die Saamenkapsel ist borstartig. Diese Pflanze wächset in Wäldern, und an anderen trockenen Orten, und blühet im Julius und August. Es ist den Pferden schädlich, die es auch nicht gern anzurühren pflegen.

III. Mit

III. Mit drey Stempeln.　Trigynia.

Wau.　Reſeda.

Der Kelch iſt tief vierſpaltig; die Blume hat drey Blätter, von welchen das obere in ſechs, die an den Seiten ſtehenden aber nur in drey Theile geſpalten ſind; die Staubfäden ſind kurz, und haben ſtumpfe aufrecht ſtehende Beutel; die Griffel ſind ſehr kurz; die Saamenkapſel hat nur Ein Fach, und ſpringt an der Mündung auf.

302) Färberwau, Wouw, Weyde, Streichkraut. Reſeda Luteola. Dieſes Gewächs, das als ein Färbekraut bekandt iſt, hat lanzenförmige Blätter ohne Abſätze, die am Rande an jeder Seite einen ſpitzigen Lappen haben; die Kelche ſind viertheilig; die Blumen ſind klein und gelb, und ſitzen in herabhangenden Aehrchen, die ſich gegen die Sonne neigen. Es wächſt an trockenen Orten, und blüht um Johannis.

Wolfsmilch.　Euphorbia.

Die Blume hat gemeiniglich vier, zuweilen fünf Blätter, welche dick und höckerigt, und mit ihren Nägeln in dem Rande des Kelches angewachſen ſind; der Kelch iſt bauchigt, gefärbt, und hat immer ſo viel Zähnchen, als Blumenblätter ſind; die Staubfäden ſind länger, als die Blume, und kommen nicht auf einmal hervor; ſie haben runde doppelte Beutel; die Griffel ſind zweytheilig; die Frucht iſt eine Kapſel mit drey Fächern.

303) Sonnewendewolfsmilch. Euphorbia helioſcopia. Der Schirm hat fünf Stengeln mit fünf Schirmblättern; dieſe Stengel theilen ſich wieder in drey Nebenſtengel, welche jeder drey Blätter tragen.

Die

Die Blumen sind gelb. Man trifft es auf Feldern an, wo es zu Ende des Julius blüht.

304) **Wolfsmilch mit schmalen Blättern,** Euphorbia Esula. Der Schirm ist vieltheilig; die Blumen sind gelb, und haben halbmondförmige Blätter; die Stengelblätter stehen wechselsweise, und hängen abwärts, sie sind lang und linienförmig. Es wächset auf Feldern. Die Blüthezeit ist der Junius.

305) **Runde Wolfsmilch.** Euphorbia Peplus. Der Schirm hat drey Stengel, die sich wieder etniger mal in zween Stengel abtheilen; die Schirmdecken sind eyförmig; die Blätter sind gekerbt, rund, dabey herzförmig; die Blumen sind gelblicht, und kommen aus den Winkeln der Stengel einzeln hervor; ihre Zeit ist um Johannis. Man findet sie an gedüngten Stellen, in Küchengärten und an andern Orten. Der Lette nennet sie: Peeminnes, d. h. du wirst daran gedenken.

306) **Sumpfwolfsmilch, Sumpfeuphorbien.** Euphorbia palustris. Die Blätter sind lanzenförmig, und sitzen wechselsweise; der gemeinschaftliche Schirm hat viel eyförmige Blätter zur Schirmdecke und viele Stengel; die besonderen Schirme haben nur vier ebenfalls eyförmige Blätter und vier Stengel, von welchen jeder in mehrere zweyfache Stengel getheilt ist; die Blumen sind gelb, und bestehen aus männlichen und Zwitterblumen. Man findet es bey Narva auf Wiesen. de Gorter fol. Ingr. p. 135.

IV. Mit zwölf Stempeln. Dodecagynia.

Hauslaub. Sempervivum.

Der Kelch ist in zwölf Blättchen getheilt; die Blume hat zwölf Blätter; die Staubfäden sind pfriemenförmig und zart, und haben rundliche Beutel; die

zwölf

zwölf Eyerſtöcke ſtehen im Kreiſe herum, und endigen
ſich in eben ſo viel Griffeln mit ſtumpfen Staubwegen.
Es hat zwölf Saamenkapſeln, die gleichfalls im Kreiſe
herumſtehen.

307) **Großes Hauslaub.** Sempervivum tectorum, ehſtn. Maria ſannajalg. Dieſes bekandte Gewächs, deſſen ſaftige dicke Blätter am Rande mit ge-
radeſtehenden Borſtchen verſehen ſind, wächſt an trockenen Stellen, beſonders an offenen Waldſtellen ſehr
häuſig. Der gemeine Mann ſetzt viel Vertrauen in
dieſes Gewächs, und braucht es in verſchiedenen Krankheiten. Zum Johannisfeſt werden Kränze und Kronen daraus gewunden, welche von geringen leuten an
die Decken ihrer Stuben gehangen werden; da ſie
dann ſich das gänze Jahr hindurch friſch erhalten und
grünen, auch viele Nebenpflänzchen ausſproſſen.

In der landwirthſchaft verdient es einige Aufmerkſamkeit. Da ſeine Wurzeln der Erde eine Feſtig-
keit geben, da ſeine dicke Blätter ſich ſtark ausbreiten,
und die Sonnenſtrahlen nicht leicht durchdringen laſſen:
ſo würde es ſehr vortheilhaft ſeyn, die Dächer, beſonders unſerer Eiskeller, damit zu bepflanzen; denn es
erhält ſich ohne einige Wartung Menſchenalter hindurch, dagegen die gewöhnlichen Raſen vom Sonnen-
ſcheine, von Hühnern, und anderem größeren und kleineren Geflügel bald verderbet werden. Wenn unſer
Bauer auch ſeine Hütte und Wirthſchaftsgebäude damit beſetzte, wie in Schweden und an) einigen Orten
in Deutſchland geſchiehet: ſo würde er wenigſtens das
Stroh beſparen, das ihm oft, beſonders nach langen
Wintern, zur Unterhaltung ſeines Viehes ſo koſtbar iſt.

Zwölf=

Zwölfte Claſſe.

Zwanzigmännige, mit zwanzig, oft mehreren Staubgefäßen, die innerhalb des Kelches angewachſen ſind. Icoſandria.

I. Mit Einem Stempel. Monogynia.

Pflaume. Prunus.

Der Kelch iſt glockenförmig, hat fünf Einſchnitte, und ſitzt unter dem Fruchtboden; die Blume hat fünf Blätter; die Staubfäden, deren fünf und zwanzig bis dreyßig ſind, ſind pfriemenförmig; und faſt ſo lang, als die Blume, und haben kleine doppelte Beutel; der Griffel iſt fadenförmig; die Frucht enthält eine Nuß mit hervorragenden Säumen oder Näthen.

308) **Vogelkirſche.** Prunus avium, lett. Reſſebehru kohks. Eine bekandte wilde Kirſchenart, die in Livland an einigen Orten, z. B. bey Sagnitz und Folks im Dörptſchen in kleinen Gehegen, auch auf dem großen Kanger wildwachſend gefunden wird. Sie blühet mit denen in Gärten zu gleicher Zeit. Die Frucht dient den Vögeln zur Nahrung. Einige erhöhen den Geruch des Schnupftobackes mit dem abgeſochten Waſſer von dieſen Kirſchblättern, das einen tonkaähnlichen Geruch haben ſoll.

309) **Elsenbeerbaum.** Prunus Padus. Dieses ist der Baum, der bey uns unter dem uneigentlichen Namen Faulbaum bekandt ist. Die Blumen sind weiß, und wachsen traubenförmig; sie haben einen strengen Geruch, der nicht jedermann angenehm ist. Er wächst in Wäldern, wird auch an Zäune und andere Stellen gepflanzt, um Schatten zu bekommen. Er blühet gleich zu Anfange des Frühlings. Das Holz ist weich und leicht, und dient zu Flintenschäften. Die Aeste lassen sich zu Pfeifenröhren aushöhlen.

310) **Schlehdorn.** Prunus spinosus, russisch Tern. Ein Strauch, dessen Blätter glatt, lanzenförmig, und sägezahnig sind; die Blumenstengel kommen einzeln hervor, und tragen weiße Blumen, auf die eine schwarzblaue Frucht folgt; die Aeste endigen sich in eine dornigte Spitze. Die Blüthezeit ist im May. Man findet es im Ronneburgschen in Wäldern.

II. Mit zween Stempeln. Digynia.

Hagedorn. Crataegus.

Der Kelch ist in fünf Blättchen getheilt; die Blume hat fünf Blätter; die Staubfäden sind pfriemenförmig, an der Zahl zwanzig; sie haben runde Beutel; die Griffel stehen gerade, und sind fadenförmig; die Beere ist unter dem Blumenboden, und enthält zween Saamen.

311) **Weißdorn, Hagedorn.** Crataegus Oxyacantha, russisch Bojarka Derewo, hekschki, auch Paehrkschkis, ehstn. Würpu, im Dörptschen Lämmo pu. Die Blätter sind stumpf, in drey kurze Lappen getheilt, und am Rande sägeförmig gezahnt; der Strauch hat viele lange Stacheln; die

die Blumen sind weiß, und kommen um Johannis hervor; die Beeren sind roth. Man trifft ihn in Hecken und offenen Wäldern an, z. B. im Kirchspiel Saara im pernauschen Kreise.

III. Mit drey Stempeln. Trigynia.

Sperberbaum. Sorbus.

Der Kelch ist oben fünftheilig; die Blume hat fünf Blätter; der Staubfäden sind zwanzig, sie sind pfriemenförmig, und haben rundliche Beutel; Griffel sind fadenförmig, und stehen gera e Fr ist eine Beere mit drey Saamenkernen, und sitzt unter dem Blumenboden.

312) **Sperberbeerbaum, Vogelbeerbaum, Ebereschbeerbaum, Pihlbeerbaum,** Sorbus aucuparia, lett. **Pihladsie, Puttenes, Sehrmänkschi, Krukles,** ehstn. **Pihlakas.** Der Baum ist bekandt, und wächset bey uns häufig. Auch dieses Holz wird zu Flintenschäften gebraucht, und vertritt bey dieser Arbeit die Stelle des Nußbaumholzes. Die Blüthe kommt gegen die Mitte des Maymonats hervor, und dienet den Waldbienen zur Nahrung. Die Beeren, die zu Anfange des Augustmonats, zuweilen etwas später reifen, geben dem Baum ein schönes Ansehen, und dienen verschiedenen Vögeln zur Nahrung, geben auch einen guten Brandwein, doch nur in geringer Menge. Wildwachsend wird er unter andern im Marienburgschen, luhdeschen und auf der Insel Oesel gefunden.

IV. Mit

IV. Mit fünf Staubfäden. Pentagynia.

Birnbaum. Pirus.

Der Kelch ist bis zur Hälfte fünftheilig; die Blume hat fünf Blätter; die Staubfäden, zwanzig an der Zahl, sind pfriemenförmig, kürzer als die Blume, und haben einfache Beutel; die Griffel sind fadenförmig, und so lang als die Staubgefäße; die Frucht ist ein Kernobst mit fünf Fächern und vielen Saamen, und sitzt unterhalb des Fruchtbodens.

313) Holzapfel, wilder Apfelbaum. Pirus Malus, lett. Ahbeles, ehstn. Auna pu, im Dörptschen Umwin, russisch Jablok. Er ist hinlänglich bekandt. Man findet ihn in verschiedenen Wäldern wildwachsend. Daß man ihn schon vor Ankunft der Deutschen in Livland angetroffen habe, wie Paul Einhorn versichert, ist sehr wahrscheinlich, weil der Baum so wenig bey uns, als in allen nordlichen Gegenden, wo man ihn häufig in Wäldern antrifft, gepflanzet zu seyn scheinet. Schon in älteren Zeiten wußten die Letten die Aepfel zu ihrem Getränke zu nutzen. S. Einhorns hist. lett. 9 Cap. Der Baum blüht im May. Die Aepfel sind klein und herbe. Mit Zucker zu Muuß gekocht, haben sie eine angenehme Säure und eine schöne rothe Farbe. Den Schweinen sind sie ein sehr nahrhaftes Futter. Zu diesem Gebrauche werden sie besonders auf der Insel Moon, wo sie häufig wachsen, angewendet. Wilde Birnbäume habe ich in Livland nicht angetroffen. Ich zweifle auch, daß sie bey uns gefunden werden. Sie sind wahrscheinlich von den Deutschen zu uns ins Land gebracht; denn die Letten haben in ihrer Sprache keinen Namen für die Birnen, sondern nennen sie deutsche Aepfel.

Spier=

Spierstaude. Spiraea.

Der Kelch hat fünf spitzige Lappen; die Blume hat fünf rundliche flache Blätter; die Staubfäden sind pfriemenförmig, zwanzig an der Zahl, und sind kürzer, als die Blume; sie haben rundliche Beutel; die Griffel sind fadenförmig, so lang als die Staubgefäße; die Saamenkapsel trägt viele Saamen.

314) **Bocksbart, Geißbart.** Spiraea Ulmaria, lett. **Wigriſtgaili.** Die Blätter sind gefedert mit Blättchen von ungleicher Größe; das obere Blatt ist größer als die übrigen, und gemeiniglich in drey Lappen getheilt; sie sitzen wechselsweise; die Blumen sind weißlicht, und haben einen unvollkommenen Schirm. Der Geruch ist strenge und nicht jedermann angenehm. Den Pferden ist es schädlich, die es auch wegen des strengen Geruchs zu meiden scheinen. Es wächset auf niedrigen, feuchten, schattenreichen Stellen, z. B. im Wäldchen dicht an dem Schmergel bey Riga an der St. Petersburgschen Heerstraße. Es blühet im Julius.

315) **Rother Steinbrech,** in Liefland Formen. Spiraea Filipendula, ehſtn. **Angerpiotid,** auch **Wörmid, Wormid.** Die Blätter sind gefedert, und haben gleichförmige, am Rande sägeförmig gezahnte Blättchen; die Blumen sind röthlich, und haben einen unvollkommenen Schirm; zuweilen findet man die Blumen auch weiß; sie kommen im Julius hervor. Dieses Gewächs ist an niedrigen feuchten Orten zu finden, und säet sich jährlich durch den Saamen, indem die Pflanze im folgenden Sommer keine Sprossen treibt.

V. Mit

V. Mit vielen Stempeln. Polygynia.

Roſe. Roſa.

Der Kelch iſt bauchigt, oben in fünf Theile, die wie zugeſpitzte Blättchen ſtehen, getheilet, er iſt markigt, und wird am Halſe dünner; an der innern Seite deſſelben ſitzen viele mit Borſten beſetzte Saamen; die Blume hat fünf Blätter; der Staubfäden ſind ſehr viel, ſie ſind kurz, und ſtehen in dem Halſe des Kelches; ihre Beutel ſind faſt dreyeckigt; der Griffel ſind auch ſehr viel, ſie ſind kurz und haarigt.

316) Heckenroſe, wilde Roſe, Hagebuttenſtrauch. Roſa canina, lett. Ehrtſch, Ehrtſchu ohges, Wilkahbole. Der Eyerſtock iſt eyrund; die Blumenſtengel haben keine Stacheln; der Hauptſtengel aber und die Blattſtiele ſind mit Stacheln beſetzt. Sie iſt übrigens hinlänglich bekandt. Ihre Blüthezeit iſt zu Anfange des Junius. Sie iſt die Vorläuferin der Gartenroſen, die gleich auf ſie folgen. In Livland wächſet ſie allenthalben wild, beſonders auf den Inſeln Oeſel und Moon häufig.

en Stacheln beſetzt; die Blumenſtengel ſind
die Blumen ſind weiß; die Frucht, oder Hageiſt ſchwärzlich, faſt rund. Sie wächſet am

den. Sie blühet mit der vorigen zu gleicher Zeit.

Brombeere. Rubus.

Der Kelch iſt oberhalb in fünf Blättchen getheilt; die Blume hat fünf Blätter, die ſo lang ſind, als der Kelch; der Staubfäden ſind ſehr viel, ſie ſind kürzer

als

als die Blume, und haben platte rundliche Beutel; die Griffel sind haarförmig und kurz; die Frucht ist rund, innerhalb hohl, aus vielen runden Beeren fast traubenförmig zusammengesetzt; jedes einzelne Beerchen hat einen Saamenkern.

318) Himbeere, in Livland Madebeere, wahrscheinlich weil sich leicht Maden darin erzeugen, und sie bald verdirbt. Rubus Idaeus, russisch Malinni, lett. Ahwenes, Aweschi, ehstn. Waarmarjad, auch Warikud. Die Blätter sind gefedert, und haben drey oder fünf gekerbte Blättchen; der Strauch ist etwas stachelig, und die Blattstiele durch eine die länge hinablaufende Furche gleichsam ausgehöhlt. Man findet es hin und wieder in Wäldern nicht sparsam; doch ist mir nur die Gattung mit rothen Beeren vorgekommen. Nach des Jetze 2tem Anhang, der von der Krahnsbeere handelt, muß auch die weiße Himbeere wenigstens in Ehstland nicht selten seyn. Von den rothen Beeren wird auch bey uns auf eben die Art, wie von den Johannisbeeren, ein sehr angenehmer gegohrner Wein gemacht.

319) Schellbeere. Rubus Chamaemorus, russisch Maroschki, lett. Lahzenes, ehstn. Murakad, bey Reval Karlad, im Dörptschen Kabbarad. Ein bekandter Strauch, dessen Blätter in auseinanderstehenden Blättchen bestehen, und dessen Stengel nur jeder Eine Frucht tragen. Er wächset auf beschattetem Morastgrunde, und wird wenig geachtet.

320) Kratzbeeren. R. Caesius. Ein niedriger, stacheliger Strauch, dessen Blätter in drey Blättchen getheilt, und sägezahnig sind. Die Blumen sind weiß, die Beeren schwarzbraun. Tiefer im Lande findet man sie zuweilen in Hecken.

321.) Brombeere. Rubus fruticosus, lett. Kasenes, ehstn. Pöld oder Kutsemarjad, d. i. Felds

oder Ziegenbeeren. Die Beere ist bekandt. An der
Spitze des Blattstengels sitzen drey bis fünf Blättchen;
sowol der Strauch, als auch die Blattstiele sind stacheligt. Im Harrischen District in Ehstland wachsen
sie häufig, sparsamer in Lettland, z. B. im Rigischen
und Wendenschen.

322) **Steinbeere, kriechende Brombeere.**
Rubus saxatilis, ehstn. Tillakad, Kunnuskad. Ihre Ranken kriechen auf der Erde herum, und perenni-
ren nicht. Jeder Blattstiel trägt drey glatte unbehaar-
te Blättchen. Die Frucht ist schwarzbraun. Man
findet sie in sandigen Wäldern und an bergigten Orten.

Erdbeere. Fragaria.

Der Kelch ist bis zur Hälfte in zehn, wechselsweise schmalere Blättchen getheilt; die Blume hat fünf
rundliche offenstehende Blätter; im Kelche stehen zwanzig
pfriemenförmige Staubfäden mit mondförmigen Beuteln; die Griffel sind einfach; der Fruchtboden wird eine
runde erhabene Beere, die leicht abfällt, und auf ihrer
Oberfläche die Saamen trägt.

323) **Gemeine Erdbeere.** Fragaria vesca, russisch Klupniza, lett. Semmenes, Semmes ohga,
Semmin ohga, ehstn. Makisa rohhi. Sie hat kriechende Ranken, und ist übrigens bekandt. Man findet bey
uns eine Spielart, die von einigen Muhl- oder Maul-
beere, lett. Spradsenes, ehstn. Mulakad genennet
wird. Diese ist purpurfarben, hat eingedruckte Saamenkerne, und einen gewürzhaften, dabey etwas sü-
ßern Geschmack, als die gewöhnliche Erdbeere. In
Harrien sind sie häufig. In Gärten verpflanzt, werden sie sehr groß.

Fünf-

Fünffingerkraut. Potentilla.

Der Kelch ist bis zur Hälfte fünftheilig; die Blu-

förmig,   an der Zahl; sie haben m
daben e   chte Beutel; die Griffel sind fabenförmig   glatt, rundlich, etwas
zugespißt,   chtboden.

　　　　　　　　　　　　　Anserina, lett.
Staipakle,   Kalkuni rohhi.

Ein niedriges Gewächs mit gefiederten Blättern, deren Blättchen gezahnt sind; seine Stengel kriechen auf
der Erde; jeder Blumenstengel trägt nur Eine Blume
von gelber Farbe. Oft, aber nicht in jedem Erdreich,
findet man die Blätter auf der untern Seite silberfarben. Diese Farbe scheinet einen leimigten Boden anzuzeigen, weil man auf Grasplätzen, wo das Erdreich
nicht mit Thon gemischt ist, die Blätter auf beiden
Seiten grün findet. Es wächset auf Wiesen und trockenen Grasplätzen häufig, und blüht im Junius und
Julius.

325) Kriechendes Fünffingerkraut. Potentilla reptans. Die Blätter sind fingerförmig, und an
jedem Stiele sitzen fünf Blättchen; die Blumen sind
gelb, und jeder Stengel trägt nur Eine Blume; der
Stengel kriecht. Es wächset auf trockenen Stellen,
sowol in Wäldern, als an offenen Orten.

326) Steinfünffingerkraut. Potentilla argentea, russisch Tscherweschnick. Die Blätter stehen je fünf an einem Stiel, und sind oberhalb eingeschnitten, unterhalb wollig; die Blumen sind klein,
gelb, und sitzen oberhalb des Stengels. An trockenen
offenen Orten findet man es, jedoch nicht häufig.

327) Frühlingsfünffingerkraut. Potentilla
verna. Die untern Blätter bestehen aus fünf scharf

sägeförmig gezahnten Blättchen; die obern aber sind
rundlich und stumpf; die am Stengel sitzen, haben drey
dergleichen Blättchen; der Stengel ist niedergebogen;
die Blumen sind gelb. Es wächset an trockenen erhabenen Stellen, und blüht im Frühling.

328) **Niedriges Fünffingerkraut.** Potentilla
supina. Ein niedriges Gewächs mit gefiederten Blättern, dessen Stengel allezeit in zween Nebenstengel,
die einen rechten Winkel machen, getheilet ist; die
Blumen sind gelb. Die Pflanze kriecht auf der Erde
herum. Man findet es auf Grasplätzen, Wiesen und
in Gärten.

Tormentill. Tormentilla.

Der Kelch ist bis zur Hälfte achttheilig; die Blume hat fünf Blätter; der Staubfäden sind sechszehn;
sie sind pfriemenförmig; und haben einfache Beutel;
die Griffel sind fadenförmig; die Saamen sind rundlich, glatt, und sitzen auf dem trockenen Fruchtboden.

329) **Aufrechtstehender Tormentill.** Tormentilla erecta, lett. Darad, Retteime, ehstn. Tödre
maddarad. Der Stengel ist fast geradestehend;
seine Blätter haben keine Stiele; die Blumen sind
gelb, und sitzen einzeln an Nebenstengeln. Er blüht
im Julius, und wird an trockenen erhabenen Stellen
häufig gefunden.

330) **Kriechender Tormentill.** Tormentilla
reptans, ehstn. Hobbo maddarad. Der Stengel
kriecht auf der Erde herum; seine Blätter sitzen an
Stielen; die Blumen sind gelb. Man findet es an
trockenen offenen Stellen. Die Blüthezeit ist im
Julius.

Bene-

Benedictenwurz. Geum.

Der Kelch ist in zehn Blättchen zerschnitten, von welchen fünf wechselsweise sehr klein sind; die Blume hat fünf Blätter; die Staubfäden sind pfriemenförmig, ihrer sind viel; sie haben kurze, etwas breite Staubbeutel; die Griffel sind lang und haarigt; die Saamen sitzen in dem Fruchtboden, welcher länglicht-rund, etwas ährenähnlich, und mit Zwischenknötchen versehen ist.

331) Bergbenedictwurz, Nelkenwurz. Geum urbanum, ehstn. Ma Mölad. Die Blumen sind braungelb, und stehen aufrecht gegen den Horizont gekehret, und sitzen oberhalb des Stetigels an einigen Nebenstengeln; die Fruchtkapseln sind kugeligt und haarigt; die Stengelblätter sind in Lappen von verschiedener Größe getheilet, so daß die oberen größer, die untern aber kleiner sind, und weiter abstehen. Es kommt in hügeligten Gegenden häufig vor, und blüht zu Ausgange des Maymonats.

332) Wasserbenedictwurz. Geum rivale. Die Blumen sind außerhalb blaßroth, innerhalb blaßgelb, und schwanken an den Stengeln; der Saamenkopf ist länglicht und die Griffel haarigt. Man findet es zuweilen auf feuchten Wiesen, wo es zu Anfange des Junius blüht.

Fünfblatt. Comarum.

Der Kelch ist bis zur Hälfte in zehn wechselsweise kleinere Blättchen zerschnitten; die Blume hat fünf Blätter, und ist weit kleiner, als der Kelch; die Staubfäden sind pfriemenförmig, und haben mondförmige Beutel; ihrer sind zwanzig; die Griffel sind einfach und kurz; der Fruchtboden ist eyrund und schwammigt.

333)

333) **Wasserfünfblatt.** Comarûm paluftre.
Die Blätter sind gefiedert, und am Rande gezahnt,
unterwärts weißlicht; die Blumen sind groß, von Farbe dunkelpurpurfarben. Man findet es auf Morästen
und an den sumpfigen Gestaden stehender Seen, doch
nur sparsam und einzeln. Bey uns blühet es gewöhnlich
nach Johannis.

Dreyzehnte Classe.

Vielmännige, mit Staubgefäßen, deren Zahl zwanzig und drüber ist, und die auf dem Fruchtboden stehen. Polyandria.

I. Mit Einem Stempel. Monogynia.

Schellkraut. Chelidonium.

Der Kelch hat zwey, die Blume vier Blätter; der
Staubfäden sind bis dreyßig; sie sind flach, oberwärts
breiter, und kürzer als die Blume, und haben länglichte, platte und stumpfe Beutel; der Griffel fehlt;
die Schote ist lang und schmal und einfächerigt.

334) **Großes Schellkraut.** Chelidonium majus, russisch Loftowitschanaja trawa, auch
Tschistäk bolschoi, lett. Warduli. Ein bekanntes
Gewächs mit gelben Blumen, die schirmförmig wachsen; die Blätter sind vielfach gefiedert. Man
findet es häufig an offenen fetten Stellen, in Gärten,
auf

auf Feldern, und an Wegen. Es blühet im May.
Ehstnisch. heißt es One röbbi rohhi.

Mohn. Papaver.

Der Kelch hat zwey, die Blume vier Blätter;
die häufigen Staubfäden sind haarförmig und weit
kürzer als die Blume; die Beutel stehen aufrecht, und
sind stumpf und platt; der Griffel fehlt; die Saamenkapsel ist einfächerig, und rund, hat viele kleine Saamen, und öffnet sich durch die Löcherchen unter den
Strahlen des Staubweges.

335) Wilder Mohn, Klatschrose. Papaver
rhoeas, russisch Mack, lett. Maggons, ehstn.
Maggunad. Ein bekanntes Gewächs, mit rother
Blume und glatter, kugelrunder Saamenkapsel, haarigten Stengeln und angeschnittenen gefederten Blättern. Es wächset häufig auf Feldern, und blüht im
Junius und Julius.

336) Argemonröslein. Papaver Argemone.
Die Blätter sind dreyfach gefedert, und haben linienförmige gezahnte Blättchen; die Blumen sind blaßroth,
und kleiner als an der vorigen Art, und haben rauche
Stengel. Es wird auf Früchtfeldern gefunden, doch
selten. Die Blüthezeit ist gleich nach Johannis.

Seeblume. Nymphaea.

Der Kelch hat vier bis fünf Blätter; die Blume
hat fünfzehn bis zwanzig Blätter; der Staubfäden sind
bis siebenzig; sie sind platt, oberhalb breit, und kürzer
als die Blume; die Beutel sind länglichtrund, und
sitzen an der innern Fläche ihrer Fäden; der Griffel
fehlt; die Frucht ist eine eyförmige stumpfe Beere mit
vielen Fächern.

Kk 4 337)

337) **Weiße Seeblume, Waſſerlilie.** Nymphaea alba, ruſſiſch **Wodanoz Lelei, Rubiſches,**
lett. **Leepas baltas, Leepu lappa,** ehſtn. **Wal-**
gad kappa, (kuppo) lehhed. Die Blätter ſind groß,
herzförmig, ungekerbt und glatt. Man findet ſie in
tiefen Waſſergräben und ſtehenden Gewäſſern, wo ſie
um Johannis blühet. In Lungenentzündungen der
Kühe iſt ſie ein gutes Mittel. Scopoli.

338) **Gelbe Seeblume.** Nymphaea lutea.
lett. **Leepas dſeltanas,** ehſtn. **Kelſed kuppo leh-**
hed. Die Blätter ſind wie an der vorigen Art, nur
ſind ſie dicker; der Kelch iſt viel größer als die Blume,
und gelb; die Blume iſt glänzend goldgelb. Es wächſet mit der vorigen an gleichen Stellen, und blühet mit
ihr zu gleicher Zeit.

Linde. Tilia.

Die Blume hat fünf Blätter; der Kelch iſt bis
über die Hälfte fünfſpaltig; die Staubfäden, deren bis
dreißig und drüber ſind, ſind pfriemenförmig, und
haben einfache Beutel; der Griffel iſt fadenförmig;
die Frucht iſt eine kugelförmige trockene Beere mit
fünf Fächern, und öffnet ſich unten am Grunde.

339) **Gemeine Linde.** Tilia europaea, lett.
Leepa, ehſtn. die junge **Löhnus,** die ältere **Pewa,**
auch **Ninepu.** Dieſer bekandte Baum wächſet in unſern Wäldern, und wird häufig in Gärten und auf
Spaziergänge verpflanzt, auch Hecken und bedeckte
Gänge davon gezogen. Man findet in Livland Linden
von ſo guten Stämmen und Kronen, daß wir die theu-
ren holländiſchen leicht entbehren können, die ohnedem
an unſer Clima nicht gewohnt ſind. Das Holz und
die Rinde des ältern Baumes braucht der Bauer zu
Schlitten, die Schaale des jüngern zu ſeinen Som-
mer-

merschuhen (Pasteln) und zu Stricken. Aus dem Bast, der unter der harten Rinde sitzt, werden die Matten gemacht, die bey uns einen Handelszweig ausmachen. Das Holz dient zu Tischer-, Drechsler- und Bildhauerarbeit. Man brennt auch Reißkohlen daraus. Zu Brennholz wird es wenig gebraucht. Die Kohlen geben das beste Schießpulver; denn sie sind leicht und sehr entzündbar.

Cisten. Cistus.

Der Kelch hat fünf rundliche hohle Blätter, von welchen die beiden untern kleiner sind; die Blume hat eben so viele rundliche flache offenstehende Blätter; der Staubfäden sind sehr viel; sie sind haarförmig, und kürzer als die Blumenkrone, und haben kleine rundliche Beutel.

340 Sonnencisten, Sonnengünzel. Cistus Helianthemum. Die Stengel sind röthlich, schwach, und niedergebogen; ihre Blätter sind schmal, länglicht und spitzig, mit einigen wenigen Härchen bedeckt; die Blumen haben rundliche gelbe Blätter, und stehen oben an den Stengeln. Man findet es auf trockenen Grasplätzen, doch nur sparsam und einzeln. Die Blühezeit ist um Johannis.

II. Mit drey Staubfäden. Trigynia.

Rittersporn. Delphinium.

Der Kelch fehlt; die Blume hat fünf ungleiche Blätter, von welchen das obere sich hinterwärts in einen langen Sporn endiget, in welchem sich das Saftbehältniß befindet; der Staubfäden sind fünfzehn bis dreyßig; sie sind pfriemenförmig, sehr klein, und am

Kk 5　　　　　　　Grun-

Grunde breiter, als oberwärts, und haben kleine aufrechtstehende Beutel; die Griffel sind kurz, ein bis
drey an der Zahl; die Frucht bestehet aus eben so viel
pfriemenförmigen Schoten, als Griffel sind.

341) **Gemeiner Rittersporn.** Delphinium
Consolida. Die Blumen sind jedem bekannt; an den
wildwachsenden ist die Farbe blau. Man findet ihn
auf Fruchtfeldern, besonders in Roggenlande, wo er
im Junius blüht. Der Ehste nennet ihn **Kukku ka-
nukseo, páso kesse kallad, Ritta kamusse.**

III. Mit sechs Stempeln. Hexagynia.

Afteraloe. Stratiotes.

Die Blumenhülse bestehet aus zwey Blättern;
der Kelch ist dreytheilig; die Blume hat drey Blätter,
die weit größer sind, als der Kelch; der Staubfäden
sind zwanzig an der Zahl; sie haben einfache Beutel;
die Griffel sind gespalten; die Frucht ist eine länglich-
runde sechseckigte Beere, welche vielen Saamen trägt.

342) **Wasserafteraloe, Wassersichel.** Stra-
tiotes Aloides. Sie hat lange, aufrechtstehende,
schwerdtförmige, dreyschneidige, am Rande die länge
hinunter mit borstigen Stacheln besetzte Blätter, die
ohne Stiele aus der Wurzel hervorkommen, und um
den Blumenstengeln herumstehen. Die Blumen sind
weißlicht, etwas groß, und jeder Stengel, deren mehrere aus der Wurzel hervorkommen, trägt nur Eine
Blume. Ehe sie hervorbricht, ist ihre Hülse platt
zusammengedruckt, und jede Blattspitze etwas gekrümmt gegeneinander gebogen, so daß es aussieht,
als wenn die Blume zwischen einer Krebsscheere her-
vorkäme. Man findet sie an einem Teiche bey der rothen Dúpa. Sie blüht im Junius.

IV. Mit

IV. Mit vielen Stempeln. Polygynia.

Windblume. Anemone.

Der Kelch fehlt; die Blume hat sechs, zuweilen neun Blätter, von welchen allezeit drey in einer Reihe, oder in einem Kreise stehen; die häufigen Staubfäden sind haarförmig, und kürzer als die Blume, und haben doppelte, aufrechtstehende Beutel; die Griffel sind spitzig und sehr kurz; der Fruchtboden trägt viele Saamen.

343) **Edle Leberblume, Güldenklee.** Anemone Hepatica, russisch Tribstimch tschesnoi, lett. Ukkuna abbolung, auch **Pallagodi.** Die Blätter sind in drey ungekerbte, beynahe herzförmige Lappen getheilt; jeder Stengel trägt nur Eine Blume, von blauer Farbe, die zeitig im Frühling hervorbricht. Wegen ihrer Schönheit wird sie oft in Gärten verpflanzt, da sie dann größer und schöner, oft auch gefüllt erscheint.

344) **Küchenschelle.** Anemone Pulsatilla, ehstn. Karro keppad. Sie ist hinlänglich bekannt, und an offenen sandigen Orten häufig. Die Blumen sind blau, und mit unter den ersten im Frühling. Ihr ausgepreßter Saft giebt eine grüne Tinte.

345) **Kleine oder schwärzliche Küchenschelle.** Anemone pratensis. Die Stengelblätter sind doppelt gefedert, und haben zwey bis dreymal eingeschnittene Blättchen; die Blumen sind innerhalb grünlich, außerhalb purpurfarben; ihre Blätter sind an der Spitze ausgebogen, dagegen die an der vorigen Art gerade stehen. Es wächset auf trockenen, etwas sandigen Ebenen. Die Blüthezeit ist zu Ende des April, nach Verhältniß der Witterung auch früher oder später.

346)

346) **Weißer Waldhahnenfuß.** Anemone nemorosa. Die Blätter sind doppelt gefedert, so daß jedes Blättchen wieder in mehrere kleinere getheilet ist. Jeder Stengel trägt nur Eine Blume, deren Farbe weiß ist. Man findet ihn in Wäldern, wo er zu Anfange des Frühlings blühet.

347) **Gelber Waldhahnenfuß, große gelbe Ranunkel.** Anemone ranunculoides. Die gefederten Blätter sind spitzig zerschnitten; jeder Stengel trägt nur Eine, zuweilen auch zwo, gelbe, fast runde Blumen. Er kommt in Wäldern ziemlich häufig vor, und blüht im May oder zu Anfange des Junius.

Wiesenraute. Thalictrum.

Der Kelch fehlt; die Blume hat vier bis fünf Blätter; die häufigen Staubfäden sind platt, oberwärts breiter, und länger als die Blume; die Beutel sind doppelt und länglicht; die Griffel, deren auch viele sind, sind kurz.

348) **Gelbe Wiesenraute.** Thalictrum flavum. Der Stengel ist gefurcht, und mit breiten Blättern besetzt. Die Blumen sind grünlichgelb, und stehen an einem großen aufrechten Strauße, der aus vielen Büscheln bestehet. Man findet sie hin und wieder auf feuchten Wiesen und Heuschlägen. Sie blüht im Julius.

349) **Kleine Wiesenraute, kleines Umkettkraut.** Thalictrum minus. Die Blätter sind sechstheilig, und haben kurze, unten spitzige, oben breitere, etwas gezähnte Blättchen, die an der Spitze purpurfarben sind. Die Blümchen sind gelb, und hängen abwärts und sparsam an dem ausgebreiteten Büschel. Es kommt auf Wiesen vor, wo es im Julius blüht.

350)

350) **Schmalblättrige Wiesenraute.** Thalictrum angustifolium. Die Blätter sind gefiedert, und haben lange, schmale, lanzenförmige ungekerbte Blättchen. Die Blumen haben vier blaßgelbe Blätter, sechszehn Staubgefäße und sieben Stempel; sie stehen in einem zusammengedrängten Blumenstrauße. Ich fand sie einmal auf einer Wiese nach Johannis, da sie eben blühte.

351) **Wiesenraute mit Ackeleyblättern.** Thalictrum aquilegifolium. Die Blätter haben viele Aehnlichkeit mit denen an der Ackeley, die wir in Gärten ziehen, und Glockenblumen nennen, doch sind sie etwas kleiner. Die Blumen haben vier Blätter, und sind samt ihren Staubfäden purpurfarben und wohlriechend, und stehen in einem etwas engen Strauße; der Stempel sind sechszehn. Man trifft es auf Wiesen an, wo es um Johannis blüht.

Hahnenfuß. Ranunculus.

Der Kelch hat fünf Blätter; die Blume hat eben so viele stumpfe Blätter, die ihre Honiggrübchen unten an den Nägeln haben; sie hat viele Staubfäden, die nur halb so lang sind, als die Blume, und länglichte, stumpfe, doppelte aufrechtstehende Beutel haben; die Griffel fehlen; doch sind viel Eyerstöcke mit kleinen zurückgebogenen Staubwegen da.

352) **Hahnenfuß mit nierenförmigen Blättern.** Ranunculus auricomus. Die Blätter sind nierenförmig, am Rande tiefgekerbt; die oberen Stengelblätter sind ungestielt, linienförmig, und fingerförmig, in einige schmale Blättchen getheilt. Die Stengel sind zwey-, zuweilen dreymal getheilt, und tragen viele gelbe Blumen. Man findet es auf trockenen Wiesen, wo es im Frühling blüht.

353)

353) **Wasserhahnenfuß.** Ranunculus Flammula. Die Blätter sind eyförmig, am äußern Rande zugespitzt, und sitzen an Stielen; der Stengel ist niedergebogen. Es wächst auf morastigen Wiesen, und trägt nach Johannis glänzende goldgelbe Blumen.

354) **Vielblümiger Hahnenfuß.** Ranunculus polyanthemus. Die Blätter sind vielfach zerschnitten; die Stengel sind gefurcht, stehen aufrecht, und tragen häufige gelbe Blumen mit offenstehenden Kelchblättern. Es wächst auf Heuschlägen hin und wieder, und blüht im May.

355) **Gelber Hahnenfuß, Waldhähnlein, gelbe Ranunkel.** Ranunculus acris. Die Kelchblätter stehen offen; die Blumenstengel sind wirbelförmig, rund; die Stengelblätter sind in drey Blättchen getheilt, welche wieder durch verschiedene Einschnitte getheilt sind; die oberen Blätter sind nierenförmig. Es wächset auf feuchten Wiesen, und trägt im May und Junius gelbe Blumen.

356) **Kriechender Hahnenfuß.** Ranunculus repens, lett. Gailu kajas, Gallu pehdas, ehstn. Tullikad. Die Kelchblätter stehen offen; die Blumenblätter sind gefurcht; die Stengelblätter sind getheilt, und durch mehrere Einschnitte wieder in Blättchen zerschnitten. Es schießt Nebensprossen, die auf der Erde herumkriechen. Die Blumen sind gelb, und kommen zugleich mit der vorigen Art hervor; zur Regenzeit schließen sie sich. Man findet sie auf trockenen Wiesen und Fruchtfeldern.

357) **Scharbockkraut, kleines Schellkraut,** in Livland Fettgittgen. Ranunculus Ficaria, russisch Tschistäk menschoi, lett. Tuhkumesahle. Dieses Gewächs ist niedrig, und kriecht auf der Erde, und hat herzförmige, am Rande gekerbte Blätter, die an Stielen sitzen; die Blumenstengel tragen jeder nur Eine

Blume,

Blume, die an Farbe gelb ist. Es liebt schattenreiche
Gegenden, und blüht im May. Ehstnisch Suddas
merohhud.

358) **Langblättriger Zahnenfuß.** Ranunculus Lingua. Die Blätter sind lanzettenförmig und
ungetheilt; der Stengel steht aufrecht; die Blumen
sind gelb; ihre Zeit ist der Julius. Es wächst in
Sümpfen.

359) **Wasserhähnlein, weißer Zahnenfuß.**
Ranunculus aquatilis. Es wächset in Teichen und
andern stehenden Gewässern. Die unter dem Wasser
stehenden Blätter sind haarigt und vielfach zerschnitten;
die über dem Wasser hervorragen, sind mit der Fläche

der Stadtweide, der über
wächst im Graben eine Spielart, die fast bis an den
Kelch im Wasser steckt, und deren Blätter, die oberen, wie die unteren, einander gleich sind. Die Blumen an beiden Arten sind nach der Spitze zu weiß, um
das Innere aber, oder um die Fruchtwerkzeuge zu,
sind sie gelb. Es blüht um Johannis, in frühern
Frühlingen schon im May.

360) **Zahnenfuß mit länglichten Blättern.**
Ranunculus sceleratus. Die unteren Blätter sind
vielfach getheilt, doch so, daß die Blättchen zusammenhangen; die oberen sind länglicht und fingerförmig getheilt; das Saamenköpfchen ist länglicht. Die Blumen sind gelb, und brechen um Johannis hervor. Man
trifft es in Sümpfen und Wassergräben an.

361) **Ackerhahnenfuß.** Ranunculus arvensis.
Die Stengelblätter sind einigemal in schmale linienförmige Blättchen zerschnitten; die Wurzelblätter sind
dreyzackigt; an den Saamen sind die gekrümmten
Staubwege sichtbar, und so steif, daß sie fast stacheligt

ligt sind; die Blumen sind gelb. Man siehet es auf Fruchtfeldern um und nach Johannis blühen.

362) **Hahnenfuß mit runder Wurzel. Ranunculus bulbosus.** Die Blätter sind klein und haarigt, in drey Blättchen getheilt, welche wieder durch drey kleinere Einschnitte getheilet sind; die Kelchblätter sind zurückgebogen; die Blumen, deren auf jedem Stengel nur Eine steht, sind gelb. Es wächst an trockenen Stellen, und blüht vor Johannis.

Trollblume. Trollius.

Der Kelch fehlt; die Blume hat ohngefähr vierzehn, in verschiedenen Reihen stehende, gegen einander gekehrte Blätter; die häufigen kurzen borstigen Staubfäden haben aufrechte Beutel; die Griffel fehlen; die Frucht bestehet aus vielen eyförmigen Saamenkapseln, deren jede nur Einen Saamen trägt.

363) **Gelbe Trollblume, gelbe unächte Niesewurz. Trollius europaeus.** Die Blumenblätter stehen gegen einander geneigt, so daß man die Blume selten offen siehet; die Saftbehältnisse sind so lang, wie Staubgefäße; die Blumen sind groß und gelb, und zeigen sich um Johannis. Es wächst auf verschiedenen fruchtbaren Stellen, doch eben nicht sehr häufig.

Schmalzblume. Caltha.

Der Kelch fehlt; die Blume hat fünf Blätter, und keine Saftbehältnisse; die vielen fadenförmigen Staubfäden sind kürzer als die Blume; die Beutel stehen aufrecht, und sind platt und stumpf; die Griffel fehlen; die Frucht bestehet aus verschiedenen Saamenkapseln, deren jede mehrere Saamen trägt.

364)

364) **Dotterblume, Ruhblume.** Caltha paluſtris, lett. **Klingeri,** auch **Jдri.** Sie hat groſſe runde, am Rande gekerbte Blätter, von welchen die unteren auf Stielen stehen, die oberen aber um den Stengel schließen. Die Blumen sind groß und gelb, und brechen gleich zu Anfange des Frühlings hervor. Auf feuchten Wiesen und Heuschlägen wächset es ungemein häufig. Man nennt es auch **Filzkraut,** und unächten Flachs.

Vierzehnte Claſſe.
Mit vier ungleichen Staubfäden, von welchen allezeit zween kürzer sind, als die beiden übrigen. Didynamia.

I. Ohne Kapſel. Gymnoſpermia.

Gamander. Teucrium.

Die Oberlippen der Blumen dieses Geschlechts sind in zwey spitzige Theile getheilt, und da, wo die Staubgefäße stehen, aus einander gesperrt; die Staubfäden sind pfriemenförmig, und haben kleine Beutel; der Griffel ist fadenförmig.

365) **Laachenknoblauch.** Teucrium Scordium, lett. **Embutti,** auch **Embures.** Die Blätter sind länglicht rund, und haben keine Stiele, und sind am Rande sägeförmig gezahnt; die Blumen sind blaßröthlich, und stehen je zwo gegen einander im Wirbel an

kurzen Stengelchen; die Pflanzenſtengel ſtehen auseinandergebreitet. Die ganze Pflanze hat einen ſtrengen knoblauchartigen Geruch. Es wächſet in Sümpfen und Waſſergräben, beſonders aber in feuchten Niedrigungen, wo ſich Schneewaſſer und Regen geſammlet haben. Zum Arzneygebrauch wird es in Gärten gezogen.

366) **Feldgamanderlein.** Teucrium Chamaedrys. Dieſe Pflanze hat liegende Stengel, und etwas haarigte, länglicht eyrunde, geſtielte Blätter; die Blümchen ſind blaßpurpurfaben, und ſitzen faſt wirbelförmig um den Stengel, allezeit drey nebeneinander. Man findet es auf trockenen Aeckern und in ſandigen Gegenden. Es blüht zu Anfange des Auguſtmonats.

Günſel. Ajuga.

Die Oberlippe iſt klein und faſt unmerklich; die Staubfäden ſind pfriemenförmig, und ragen mit ihren doppelten Beuteln über die Oberlippe hervor; der Griffel iſt fadenförmig.

367) **Güldengünſel.** Ajuga pyramidalis. Aus der Wurzel ſchießen verſchiedene Stengel mit entgegengeſetzten lanzenförmigen Blättern, die am Rande gezahnt ſind, und keine Blattſtiele haben; die Blumen ſtehen wirbelförmig um den Stengel, und beſtehen nur aus einem Blatt, deſſen Oberlippe zween, die Unterlippe drey lappen hat; ſie haben eine ſchöne blaue Farbe; der Kelch iſt fünfſpaltig. Man findet es bey Riga um Brauershof.

Stinkende Münze. Nepeta.

Der Kelch iſt an der Mündung fünfzahnig; die untere lippe der Blume iſt an dem mittelſten lappen
gezahnt;

gezahnt; der Schlund hat einen zurückgebogenen Rand;
die Staubfäden sind pfriemenförmig, und stehen unter der Oberlippe dicht aneinander; sie haben liegende
Beutel, der Griffel ist fadenförmig.

368) **Katzenmünze.** Nepeta Cataria, russisch
Koschiza Mehta, lett. **Kakku mehters.** Die
Blumen sind weiß, und sitzen in dicht aneinanderste-
henden ährenähnlichen Wirbeln auf kurzen Stengelchen; die Blätter sind herzförmig, am Rande sägezahnig, und sitzen an Stielen. Sie liebt schattenreiche Stellen, und hat einen sehr widrigen Geruch,
dem die Katzen gern nachgehen. Den Flöhen soll diese Pflanze zuwider seyn; der Geruch dieser Pflanze ist
aber so unangenehm, daß viele lieber ein anderes Gegenmittel wählen würden. Sie blüht im August.
Wenn sie an feuchten Stellen häufig ist, soll sie Wasserquellen anzeigen.

Betonien. Betonica.

Der Kelch hat oben fünf spitzige Zähne; die obere
Blumenlippe steht aufgerichtet, und ist etwas flach;
die Röhre ist walzenförmig, dabey etwas gekrümmet;
die Staubfäden sind pfriemenförmig, und haben rundliche Beutel; der Griffel ist so lang, wie die Staubgefäße.

369) **Gemeine Betonien.** Betonica officinalis, lett. **Brunpetnis, Kupetis,** auch **Sahrme-
nes,** ehstn. **Tönnikes oder Tönnised.** Die Bumen
stehen in verschiedenen unterbrochenen Wirbeln so nahe
an einander, daß sie eine kurze Aehre formiren; der
mittlere Lappen der Blumenlippe ist ausgebogen; die
Blumen sind blaßpurpurfarben, und kommen im Junius, auch später, hervor. Es wächst an erhabenen
schattenreichen Orten.

Zahn-

Zahnlose. Ballota.

Der Kelch ist länglicht, fünfeckigt, und hat fünf zahnförmige Blättchen; die Blumenröhre ist so lang, als der Kelch; die Oberlippe der Krone ist gewölbt, die untere stumpf; der mittlere Lappen ist ausgeschweift.

370) **Schwarze Zahnlose, schwarzer Andorn.** Ballota nigra. Die Blätter sind herzförmig, am Rande sägezahnig, und stehen auf Stielen; die Blumen sind purpurfarben, etwas ins Blaue spielend, und sitzen an den Stengelseiten. Es wächst an ungebauten Orten, und blüht im August.

Münze. Mentha.

Der Kelch ist fünfzahnig; die Blume ist bis auf die Hälfte in fünf Theile gespalten, und die Oberlippe den drey Lappen der Unterlippe fast gleich, doch ist der obere etwas gekerbt und breiter; die Staubfäden sind pfriemenförmig; die beiden längeren stehen innerhalb, alle vier aber stehen etwas auseinander, und gerade in die Höhe; sie haben rundliche Beutel; der Griffel ist fadenförmig.

371) **Wilde Münze, Ackermünze.** Mentha arvensis. Die Blätter sind eyförmig, spitzig und gezahnt; die Blumen sind pfirschfarben, und stehen in Wirbeln an den Seiten der Stengel. Der Geruch ist nicht so stark wie an der Krausemünze; doch nimmt die Kuhmilch einen starken Geschmack an, wenn das Vieh davon gefressen hat. Die Blüthezeit ist im Julius und August. Es wird auf Aeckern und an offenen Waldstellen gefunden. Der Ehste nennt es: **Rönna münnd.**

372) **Waſſermünze,** Mentha aquatica, lett. **Ratku mehters,** wie die Katzenmünze. Die Blumen ſtehen wirbelförmig auf Stengeln, und formiren kurze Aehrchen; die Blätter ſind eyförmig geſägt, und ſitzen an Stielen; die Staubfäden ſind länger als die Blume, und ragen aus derſelben hervor. Sie liebt feuchte waldigte Stellen, und blüht im Auguſt.

373) **Krauſemünze.** Mentha criſpa, ruſſiſch **Mehta,** lett. **Krubſe mehters,** ehſtn. **Müntidt.** Die Blumen ſtehen faſt wie an der vorigen; die Stengelblätter ſind faſt herzförmig, am Rande ſägezahnig, und gegen den Rand auf- und wieder niederwärts gebogen, daher ſie eine gekräuſelte Figur haben; ſie ſitzen an Stielen. Sie wächſet an einigen Orten wild, doch ſparſam, z. B. im Oberpahlenſchen, an fetten Stellen.

374) **Grüne Bachmünze.** Mentha viridis. Die Blätter ſind länglicht, am Rande gezähnt, und ſitzen ungeſtielt gegen einander am Stengel; die Blumen ſind fleiſchfarben, und ſitzen oben wirbelförmig zuſammen in länglichten Aehrchen. Es wächſt an Teichen und Pfützen, und blüht im Auguſt.

Gundelrebe, Glecoma.

Der Kelch iſt ſehr klein, röhrenförmig, und bis zur Hälfte fünfſpaltig; die Blumenröhre iſt etwas platt; die untere Lippe iſt größer, als die obere, und ihr mittlerer Lappen ausgeſchwelft; die Staubfäden ſtehen unter der Oberlippe; von den vier Beuteln ſchlagen immer zween ins Kreuz übereinander; der Griffel iſt fadenförmig, und unter die Oberlippe gebogen.

375) **Gundermann, Gundelrebe.** Glecoma hederacea, lett. **Udra,** auch **Sehtas loſchi,** ehſtn. **Raſſi näred.** Die Blätter ſind nierenförmig, und rund gezackt; die Blumen ſind dunkelblau. Den Schaafen iſt es ſehr heilſam, den Pferden ſchädlich. Auf Fel-

dern

dern und an andern offenen trockenen Stellen; es blühet
um Johannis.

Löffelblume. Lamium.

Die obere Lippe der Blume ist wie ein Kelch ausgehöhlt, und ungetheilt; die untere ist kürzer, und hat
drey Lappen; der Schlund ist an beiden Seiten gezahnt;
die Staubfäden stehen unter der Oberlippe verborgen,
und sind pfriemenförmig; die Beutel sind länglicht und
rauch; der Griffel ist fadenförmig.

376) Taube weiße Nessel. Lamium album,
lett. Baltas Nahtres.   Die Blätter sind herzförmig
zugespitzt, am Rande gezähnt, und sitzen auf Stielen;
in dem Wirbel stehen zwanzig ziemlich große weiße
Blumen mit blaßgelben Flecken.   Man siehet es an
Zäunen und andern ungebaueten Orten häufig.

377) Taube rothe Nessel. Lamium purpureum, lett. Sarkanas Nahtres.   Die Blätter sind
stumpfer, wie die an der vorigen Art; die Blumen
sind roth, und samt den Stengelblättern kleiner, wie
an jenen.   Es wird fast auf allen ungebaueten trockenen Stellen gefunden.

378) Taube Nessel mit zweyerley Blättern.
Lamium amplexicaule.   Die Blätter an den Blumenstengeln sind stumpf gekerbt, und haben keine Stiele, sondern umschlingen den Stengel, die Wurzelblätter sind auch stumpf, aber nicht so tief gekerbt, als
jene, und stehen auf Stielen; die Blumen sind roth,
und stehen mit ihrer langen Röhre weit über dem Kelch
hervor; ihre Blüthezeit ist im May und Junius. Man
findet es an Zäunen und auf Grasplätzen, doch sparsamer, als die beiden vorigen Arten.

Taube Nessel. Galeopsis.

Die obere Lippe ist hohl, rundlich, an der Spitze etwas gekerbt, und vorwärts gebogen; die untere Lippe ist oberhalb in drey Lappen getheilt; die Blumenröhre ist kurz; die Staubfäden sind pfriemenförmig, unter der Oberlippe verborgen, und haben rundliche zweythei= lige Beutel; der Griffel ist fadenförmig.

379) **Gelbe taube Nessel.** Galeopsis Galeob= dolon. Jeder Wirbel hat sechs Blumen, und unter dem Wirbel stehen vier schmale spitzige Blätter; die Lippe der Blume hat keine Lappen oder Zähne. Mit weißgefleckten Blumen findet man es auch bey uns zu= weilen in Wäldern. Es blüht um Johannis.

380) **Taube Nessel mit stacheligtem Kelch.** Galeopsis Tetrahit. Die Blumen stehen in Wirbeln, von welchen die oberen dichter aneinander gestellt sind, als die unteren; die Stengel haben unter jedem Wir= bel einen Knoten; die Blätter sind eyförmig, zuge= spitzt, am Rande gezähnt, und schwanken an langen Stielen. Die Blumen sind blaßgelb, nur der mittle= re Lappen der Unterlippe ist blaßpurpurfarben. Eine Spielart mit rothen Blumen und einem weißen Fle= cken an dem mittleren Lappen der Unterlippe ist seltener. Die Blüthezeit ist im Julius.

381) **Rothwurth.** Galeopsis Ladanum. Es hat rothe Blumen, die einen gelben Flecken auf dem mittelsten Lappen der unteren Lippe haben. Die Blu= men stehen in Wirbeln, doch etwas entfernt von ein= ander. Es kommt zuweilen in Kornfeldern und offe= nen trockenen Gegenden vor, und blüht in der Mitten des Augustmonats.

Ll 4

Bul=

Bulkiskraut. Stachys.

Der Kelch ist röhrigt, eckigt und fünfzahnigt; die Oberlippe der Blume ist gewölbt, oder löffelförmig gestaltet, die untere Lippe ist an den Seiten zurückgebogen; der mittlere Lappen ist der größeste, und ausgeschweift; die Staubgefäße sind pfriemenförmig und biegen sich nach dem Verblühen seitwärts zurück; der Griffel ist fadenförmig.

382) **Waldnessel.** Stachys sylvatica. In jedem Wirbel stehen sechs braunrothe Blumen; die Stengelblätter sind herzförmig, und haben keine Stiele. Sie liebt feuchte buschigte Stellen, und blühet im Julius.

383) **Brauner Wasserandorn.** Stachys palustris. Jeder Wirbel trägt sechs purpurfarbene Blumen mit weißen Flecken an dem mittelsten Lappen; die Blätter sind schmal, lanzenförmig, ungestielt, und umschlingen fast den Stengel. Man findet es in Sümpfen und Wassergräben, wo es im August blühet.

384) **Feldandorn.** Stachys arvensis. Jeder Wirbel trägt sechs Blumen, die gleiche Länge mit dem Kelch haben; die Stengelblätter sind etwas rauch und stumpf. Es wird an trockenen Stellen gefunden.

385) **Deutsches Bulkiskraut.** Stachys germanica. Es treibt einen hohen Stengel; die unteren Blätter sind herzförmig, die oberen lanzenförmig, am Rande gezahnt, alle sind rauch, wie der Stengel; die Blumen sind roth, und haben eine gefleckte Unterlippe, und stehen nahe an einander in Wirbeln. Man findet es zuweilen auf Aeckern.

Schildkraut. Scutellaria.

Die Blume hat eine sehr kurze zurückgebogene Röhre und einen langen platten Schlund; die Oberlippe

lippe hat drey Lappen, deren mittlerer hohl und etwas geschweift ist; die Seitenlappen sind flach, etwas spitzig; die Staubfäden sind von der Oberlippe verdeckt; der Griffel ist fadenförmig.

386) Schildkraut mit haarigten Blättern, Fieberkraut. Scutellaria galericulata. Die Blätter sind lanzenförmig, unterhalb herzförmig, haarigt, und stehen an kurzen Stielen gegeneinander an dem Stengeln. Die Blumen kommen einzeln aus den Anwachswinkeln hervor, und sind von Farbe bläulicht. Man findet es hin und wieder auf feuchten Wiesen und Heuschlägen. Die Blüthezeit ist der August.

Andorn. Marrubium.

Der Kelch ist nach unten zu schmal, und wird oberwärts weiter, hat zehn Streifen, und eben so viel wechselsweise kleinere Zähne; die obere Blumenlippe ist linienförmig, in zwey Theile getheilet, und stehet aufrecht; die Unterlippe ist etwas breiter, und umgebogen; die Staubfäden mit ihren einfachen Beuteln stehen unter der Oberlippe; der Griffel ist fadenförmig.

387) Weißer Andorn. Marrubium album. Der Kelch hat zehn mit Borsten besetzte Zähnchen; die Blumen sind weiß und klein, und kommen im Julius hervor. Man findet ihn an erhabenen Stellen, doch nur sparsam und einzeln.

Wolfstrapp. Leonurus.

Der Kelch ist röhrigt, eckigt und fünfzähnig; die Blumenröhre ist enge; der Schlund ist lang; die Oberlippe ist hohl, lang und oben haarigt; die Unterlippe ist dreytheilig, und hat spitzige zurückgebogene Lappen; die Staubfäden stehen unter der Oberlippe, und

Ll 5 haben

haben länglichte aufliegende Beutel, die mit glänzenden erhabenen Pünctchen beſtreuet ſind; der Griffel iſt fadenförmig.

388) Herzgeſpann, Engeltrank. Leonurus Cardiaca, ruſſiſch Serdeſchanajei trawa, lett. Mahters, Pulwerley, ehſtn. Weiſteſiddana rahhi. Der Stengel hat lanzenförmige Blätter, die in drey ſpitzige Lappen getheilt ſind, und rothe Blumen, die in verſchiedenen Wirbeln ſtehen. Es wächſt an vielen ungebaueten Stellen häufig, und blüht bald nach Johannis.

Wirbeldoſten.   Clinopodium.

Der Kelch iſt etwas gekrümmet und zweylippig; die Blumenröhre iſt kurz, und erweitert ſich allmäh- lig in den Schlund; ihre Oberlippe iſt ſtumpf und hohl; die Unterlippe iſt ſtumpf und dreytheilig; die Staubfä- den ſtehen unter der Oberlippe; der Griffel iſt fadenför- mig, ſo lang wie die Staubgefäße; der Staubweg iſt ſpitzig und zuſammengedruckt.

389) Gemeiner Wirbeldoſten. Clinopodium vulgare. Die Blätter ſind eyförmig, an der untern Seite haarigt, und ſitzen an kurzen Stielchen; unter den dicken Blumenwirbeln ſitzen feine Borſtchen, wel- che die Schirmdecke ausmachen; die Blumen ſind roth, und haben ſcharfe rauhe Kelchſpitzen. Es wird an offenen trockenen Waldſtellen gefunden, und blüht zu Anfange des Auguſt.

Doſten.   Origanum.

Der Kelch hat fünf Zähne; die Blumenröhre iſt platt; die Oberlippe iſt flach, aufgerichtet, und etwas ausgeſchweift; die Lappen der Unterlippe ſind einander faſt

fast gleich; die Staubfäden sind, fadenförmig, und haben einfache Beutel; der Griffel ist fadenförmig, und gegen die Oberlippe gebogen.

390) **Gemeiner Dosten, Wohlgemuth.** Origanum vulgare, russisch Duschiza, auch Mate rinka, und Maternik, lett. Dsarkanas raudas, Sarkenes, ehstn. Punnad. Die Blumenbüschel sind rundlich, dicht zusammengedrängt, und tragen röthlichweiße wohlriechende Blumen; die an den Spitzen der Nebenstengel sitzen; unter dem Kelch sitzen braune Blättchen, die länger sind, als der Kelch. Dies Gewächs liebt erhabene und schattenreiche Stellen, und blüht im Junius und Julius. Aus den Blättern dieser Pflanze soll sich ein Thee bereiten lassen, der dem chinesischen an Geschmack, Geruch und Gestalt so gleichkommt, daß man ihn schwer davon unterscheiden kann. S. v. linnee Westgothl. Reise, deutsche Uebers. S. 227. 228.

Quendel. Thymus.

Der Kelch hat zween lappen; sein Schlund ist mit Härchen besetzt, und gleichsam verschlossen; die obere lippe der Blume steht aufrecht, und ist flach, stumpf und ausgeschweift; die untere lippe ist drey theilig, und länger als jene; die Staubfäden sind so krümmet, und haben kleine Beutel; der Griffel ist fadenförmig.

391) **Quendel, Feldkümmel.** Thymus Serpyllum, ehstn. Rawwanduffc. Die Stengel krie chen auf der Erde, und haben kleine eyförmige, am Rande mit feinen Härchen besetzte Blätter; die Blumen sind purpurfarben, und stehen in Wirbeln. Um Riga herum wächst es auf sandigen, etwas erhabenen Stellen häufig, und verbreitet einen angenehmen bal-

samt-

ſamiſchen Geruch um ſich herum, den man oft in ziemlicher Entfernung bemerkt.　Dem Potpourri giebt er
einen Wohlgeruch; ſeine Blumen dienen den Bienen
zu einem balſamiſchen Honig.　Wir haben eine niedrige, und eine etwas hochwachſende Art.　Beide blühen im Junius.　Noch findet ſich hin und wieder eine
Spielart, mit weißen Blumen, die aber nur einzeln
und ſelten vorkommt.

392) **Kleine Bergmünze, Steinpoley, wil-**
de Baſilien. Thymus Acynos.　Die Blumen ſtehen
in Wirbeln, und jeder einzelne Blumenſtengel trägt
nur Eine Blume; die Stengel haben nur wenige Nebenſtengel, mit kleinen ſpitzigen, am Rande ſägeförmig gezahnten Blättern; die Farbe der Blumen iſt
braun.　Der Geruch dieſer Pflanze iſt angenehm, faſt
wie an der Baſilie.　Es wächſet hin und wieder auf
Bergen.

Meliſſe.　Meliſſa.

Der Kelch ſieht dürre und welk aus, iſt oben
etwas flach, und hat zween faſt gleiche Lappen an der
Oberlippe, welche löffelförmig ausgehöhlet iſt; die Unterlippe iſt dreytheilig, und hat in der Mitte einen herzförmigen Lappen; die Staubfäden ſind pfriemenförmig,
und haben gegeneinander gebogene Beutel; der Griffel iſt fadenförmig.

393) **Bergmünze.** Meliſſa Calamintha.　Die
Blumenſtengel kommen oberhalb des Winkels, den
der Stengel mit den Nebenſtengeln macht, hervor,
und ſind in zween, zuweilen mehrere Stengel getheilt.
Die Blumen ſind blaßbraun oder etwas röthlich.　Dieſes Gewächs blüht im Junius.　Die Geburtsörter
ſind erhabene Stellen.

Brau=

Braunelle. Prunella.

Der Kelch hat zween Lappen; die obere Lippe der Blume ist hohl, ungetheilt und vorwärts gebogen; die untere Lippe ist dreytheilig, stumpf und zurückgebogen; die Staubfäden sind an der Spitze zwenspaltig; unterhalb dieser Spitze stehen die Staubbeutel an der Seite; der Griffel ist fadenförmig.

394) **Gemeine Braunelle**, oder **Prunelle**. Prunella vulgaris, russisch **Gortanaja trawa**, lett. **Silgalwini**, ehstn. **Kurku robbi**. Ein bekanntes Gewächs mit purpurfarbenen Blumen und länglicht eyrunden Blättern, die an Stielen sitzen. Es wächset sowol in Wäldern, als an vielen offenen Stellen häufig, bey Riga im Schmiesingschen. Es blüht im Junius.

II. Mit einer Kapsel. Angiosperma.

Klapper. Rhinanthus.

Der Kelch ist bauchigt und vierzahnig; die Oberlippe der Blume ist helmförmig, zusammengedruckt und enge; die Unterlippe ist flach und offenstehend; die Staubfäden mit ihren liegenden, an einer Seite gespaltenen Beuteln stecken unter der obern Lippe; der Griffel ist fadenförmig; die Saamenkapsel ist rundlich, platt zusammengedruckt, und hat zwey Fächer.

395) **Wiesenklapper, Hahnenkamm**. Rhinanthus crista galli, lett. **Plikting, auch Plakke**. Die Blumen sind gelb, und brechen um Johannis hervor; sie stehen an der Spitze der Nebenstengeln, auch in den obern Anwachswinkeln. Es wächset auf grasreichen Wiesen. Wann der Saame reif ist, und in der Schote klappert, pflegt er einigen Landwirthen eine Anzeige zur Heuärndte zu seyn.

Läu-

Läuſekraut.   Pedicularis.

Der Kelch iſt bauchigt und fünfſpaltig, die obere Lippe iſt helmförmig, und oben ausgeſchweift, die untere flach und ſtumpf; die Staubfäden mit ihren rundlichen, platten, liegenden Beuteln ſtehen unter der Oberlippe; der Griffel iſt fadenförmig, und länger als die Staubgefäße.

396) **Karlsſcepter.** Pedicularis Sceptrum carolinum.   Der Stengel iſt durchgehends von gleicher Dicke; von den Blumen ſtehen allezeit drey in einem Wirbel; ihre Farbe iſt gelb, an der Mündung roth. Es wächſt auf ſumpfigten Wieſen, unter den Zäunen; z. B. im Olaiſchen bey Riga.

397) **Waldläuſekraut.** Pedicularis ſylvatica. Die Stengel haben viele Nebenſtengel; die Blumen ſind purpurfarben, und ſitzen an ſehr kurzen Stengelchen in eckigten, länglichten Kelchen in den Blattwinkeln.   Man findet es in feuchten Wäldern, doch ſparſam. Es blüht um Johannis.

398) **Wieſenläuſekraut.** Pedicularis paluſtris, lett. Uttrebunge.   Die Kelche ſind länglicht, eckigt, und etwas knorpeligt; die Blumen ſind roth, und haben gekrümmte Lappen; der Stengel hat verſchiedene Nebenſtengel.   Es wächſet auf moraſtigen Wieſen, und blüht um Johannis.

Augentroſt.   Euphraſia.

Der Kelch iſt walzenförmig, in vier ungleiche Theile getheilt; die obere Lippe iſt hohl und ausgeſchweift; die untere Lippe ſtehet offen, und hat ſtumpfe Lappen; die Staubfäden ſind fadenförmig, und haben in zwey Läppchen getheilte Beutel, von welchen ſich an den beiden unteren das untere Läppchen in eine

Spitze

Spitze endiget; der Griffel ist fadenförmig; die Saamenkapsel, ist länglicht eyförmig, platt und zweyfächerig.

399) **Weißer Augentrost.** Euphrasia officinalis. Die Blätter sind klein, eyförmig und scharf gezahnt; die Blumen sind weiß, zuweilen mit etwas röthlichem gemischt. Es liebt schattenreiche Anhöhen, und blüht im August.

400) **Brauner Augentrost.** Euphrasia Odontides. Die Blätter sind linienförmig, schmal, und am Rande sägeförmig gezahnt. Man sieht es hin und wieder auf trockenen Wiesen, z. B. im Bickerschen und Schmiesingschen. Es blüht mit dem vorigen.

Schuppenwurz. Lathraea.

Der Kelch ist vierspaltig; die obere Lippe ist helmförmig, hohl, breit, an der Spitze schmal; die untere Lippe ist klein, zurückgebogen, stumpf und dreytheilig; die Staubfäden sind pfriemenförmig, und haben stumpfe, platte, gegeneinander geneigte Beutel; der Griffel ist fadenförmig; der Eyerstock hat am Ende seiner Nath Drüsen, die mit einer Feuchtigkeit angefüllt sind; die Saamenkapsel ist einfächerigt.

401) **Schuppenwurz.** Lathraea squamaria. Die Blätter sind kurz, fast eyförmig, weißlicht, und stegen dicht an dem Stengel, so daß sie wie Schuppen aussehen. Gegen die Spitze der Stengel kommen große blaßrothe an kurzen Stengeln schwankende Blumen mit einer weißen Unterlippe hervor. Man findet es in dichten Laubgebüschen. Es blüht im May. Ehstnisch heißt es Lemma rohhud.

Kuh-

Kuhweizen. Melampyrum.

Der Kelch iſt röhrigt, und bis zur Hälfte in vier Theile geſpalten; die obere Lippe der Blume iſt helmförmig zuſammengedruckt, an den Seiten umgebogen; die untere Lippe iſt flach, ſo lang wie jene, und hat gleiche ſtumpfe Lappen, auf deren mittleren zwo Erhöhungen ſind; die Staubfäden ſind pfriemenförmig und gekrümmet, und haben länglichte Beutel; der Griffel iſt einfach; die Saamenkapſel iſt platt und länglicht, und hat zwen Fächer.

402) **Kuhweizen, Wachtelweizen, ſchwarzer Weizen.** Melampyrum arvenſe, ruſſiſch **Pwan, Damarja.** Die Blumenähren ſind etwas kegelförmig und weitläuftig ausgebreitet; die Blätter an den Blumenſtengeln ſind ſägeförmig gezähnt und purpurfarben; die Blumen ſind purpurfarben und gelb. Man findet es auf Aeckern, auch an offenen Waldſtellen; die Blüthezeit iſt um Johannis. Das Mehl giebt ein blaues Brodt, wenn das Korn mit vielem Wachtelweizen vermengt iſt.

403) **Blauer Wachtelweizen, blauer Kuhweizen.** Melampyrum nemoroſum. Die Blumen ſind gelb, und ſtehen in den Anwachswinkeln nach einer Seite zu gekehrt; die zwiſchen den Blumen ſtehende Blätter der Blumenſtengel ſind dunkel violfarben, und geben der Pflanze ein artiges Anſehen. Man nennet es daher auch **Tag und Nacht.** Es wird in offenen Wäldern angetroffen, und blüht mit dem vorigen zu gleicher Zeit.

404) **Wieſenkuhweizen.** Melampyrum pratenſe. Der Stengel ſchließt lange Nebenſtengel; die Blätter ſind lanzenförmig, und ſtehen ohne Stiele gegen einander am Stengel; die Blumen ſind klein, und haben eine weiße Röhre, und gelbe geſchloſſene Lippen.

Lippen. Man findet ihn in buschigten Gegenden, wo er nach Johannis blüht. Der Butter pflegt er eine gelbe Farbe zu geben, wenn die Kühe die Stellen wählen, wo er häufig wächst.

405) Kammförmiger Kuhweizen. Melampyrum cristatum. Die Blätter sind schmal; die Blumen sind gelblich, und stehen in dichten Aehren, die eine etwas viereckigte Figur haben. Es wächst auf trockenen Grasplätzen, und blüht im Julius.

406) Waidkuhweizen. Melampyrum sylvaticum. Die Blätter sind lanzenförmig, etwas breit; der Stengel ist niedergebogen; die Blumen sind gelb, und haben auseinandergebreitete Lippen. Es wächset in schattenreichen Wäldern.

Orant. Antirrhinum.

Der Kelch hat fünf Blätter, die obere Lippe der Blume ist gespalten, und nach den Seiten zu gebogen; die untere Lippe hat drey stumpfe Lappen, und hat inwendig einen hohlen Höcker, der die Röhre verschließt; die Staubfäden haben gegen einander geneigte Beutel; der Griffel ist einfach; das Saftbehältniß ragt unterwärts wie ein Horn hervor; die Saamenkapsel hat zwey Fächer.

407) Großer Orant. Antirrhinum majus. Die Blätter sind breit und lanzenförmig; die röthlichen Blumen stehen in kurzen Aehren; am Saftbehältniß haben sie einen fast unmerklichen Sporn. Man findet ihn an offenen Waldstellen. Er blüht zu Anfange des August.

408) Orant, Löwenmaul. Antirrhinum purpureum, ehstn. Sappi rohhud. Der Stengel stehet aufrecht, und trägt seine purpurfarbenen Blumen in einer kurzen Aehre; die Blätter sind schmal, und

stehen

ſtehen je vier beyſammen. Man trifft es zuweilen, doch etwas ſelten, in offenen Gebüſchen an, wo es nach Johannis zu blühen pflegt.

409) **Frauenflachs, Flachskraut.** Antirrhinum Linaria, ruſſiſch Dikoi Lenn. Die Blätter ſind ſchmal und lanzettenförmig, und ſtehen dicht an einander am geraden Stengel; oben ſtehen die gelben Blumen in einer kurzen Aehre ohne Stengeln; ſie haben ein Saftbehältniß, das wie ein langer Sporn hinten hinausgehet. Es wird faſt an allen offenen, trockenen Stellen, beſonders wo es etwas ſandig iſt, häufig gefunden, und blüht im Junius und Julius.

Braunwurz. Scrophularia.

Der Kelch iſt in fünf Theile geſpalten; die Blume iſt faſt kugelig, und ihr unterſter Lappen zurückgebogen; die Staubfäden ſind linienförmig, zurückgebogen, und haben flachgeſpaltene Beutel; der Griffel iſt einfach; die Saamenkapſel hat zwey Fächer.

410) **Braunwurz.** Scrophularia nodoſa, ehſtn. Sealona rohhud. Die Blätter ſind herzförmig, laufen oben in eine Spitze aus, und ſind am Rande ſägeförmig gezahnt; der Stengel hat ſtumpfe Ecken; die Blumen ſind dunkel olivenfarben. Es wird in erhabenen buſchigten Gegenden gefunden, z. B. auf dem ſogenannten Silberberge, einer kleinen Inſel in der Stintſee. Es blüht im Julius.

411) **Waſſerbraunwurz.** Scrophularia aquatica. Die unteren Blätter ſind geſtielt, die oberen ſind ungeſtielt, und laufen vom Stengel hinab, alle ſind

sind sägeförmig gezahnt; die Blumen sind bräunlich, und stehen in einem Büschel vertheilt. Es wird zuweilen in Erlenwäldern gefunden. Es blüht nach Johannis.

Fingerhut. Digitalis.

Der Kelch ist über die Hälfte fünfspaltig; die Blume ist glockenförmig, und hat eine große offenstehende bauchigte Röhre; oben ist sie in vier Lappen von ungleicher Größe und Gestalt getheilet; die Staubfäden sind pfriemenförmig, und haben zweytheilige Beutel; der Griffel ist einfach; die Saamenkapsel ist enförmig, und hat zwey Fächer mit vielen kleinen Saamen.

412) Gelber Fingerhut. Digitalis lutea. Die Blume wird nach ihrer Gestalt, die einem Fingerhut gleichsiehet, also genennet. Die Kelchblättchen sind lanzettenförmig, und haben etwas zugespitzte gelbe Blumen, deren oberer Lappen in zwey Theile getheilet ist; die Stengelblätter sind lanzenförmig, und haben keine Stiele. Es wächst ziemlich hoch, und liebt trockene, etwas sandige Stellen. Es pflegt gleich nach Johannis zu blühen.

Fünf-

Funfzehnte Classe.

Mit sechs ungleichen Staubfäden, von welchen vier länger sind, als die übrigen beiden. Tetradynamia.

I. Mit kurzer Schote. Siliculosa.

Dotter. Myagrum.

Der Kelch hat vier Blätter; die Blume hat eben so viel rundliche Blätter; die Staubfäden haben einfache Beutel; der Griffel ist fadenförmig, und so lang, wie der Kelch; die Schote ist mit dem kegelförmigen Griffel besetzt. Die Saamenkapsel hat an einigen Orten ein, an anderen mehrere Fächer.

413) **Leindotter.** Myagrum sativum, lett. Pehrkohne. Die Blumen sind gelb, und sitzen einzeln an kurzen Stengelchen; die Schoten sind länglicht, und tragen vielen Saamen. Man findet ihn auf Feldern, besonders bey dem Flachs häufig. Aus seinem Saamen läßt sich ein Oel pressen. In Livland nennet man es Döddersaat, und füttert die Buchfinken in Käfichten damit. Ehstnisch Tuddar.

414) **Büschelförmiger Dotter.** Myagrum paniculatum. Die unteren Blätter sind länglicht rauch, und umschlingen den Stengel; die oberen schmalen sind unten

unten röhrenförmig; die Blumen sind gelb, und sitzen auf ganz kurzen Stengelchen. Man findet es auf Gerstenfeldern, wo es nach Johannis blüht.

Bramen. Subularia.

Der Kelch hat vier eyförmige hohle Blätter, die bey dem Verblühen abfallen; die Blume hat eben so viele fast eyförmige, kreuzförmig gegeneinanderstehende Blätter, die etwas über dem Kelch hervorragen; vier Staubfäden sind kürzer, als die Blume, die diesen gegenüberstehende zween noch kürzer, als jene; die Beutel sind einfach.

415) **Wasserbramen.** Subularia aquatica. Die Pflanze ist nur klein, und hat schmale spitzige Blätter; die Blumenblätter sind nur sehr wenig, fast unmerklich gefärbt. Sie wächst in stehenden Seen und Teichen unter dem Wasser.

Hungerblume. Draba.

Kelch und Blume haben vier Blätter; die Blumenblätter sind länglicht, und haben kleine Nägel; die Staubfäden haben einfache Beutel; der Griffel ist so klein, daß man ihn kaum bemerket; die Schote ist länglicht rund, und hat platte Wände.

416) **Frühlingshungerblume, kleines Taschenkraut.** Draba verna. Diese Pflanze wächst nur niedrig; der Stengel hat gar keine Blätter; die Blätter, die aus der Wurzel hervorkommen, sind ein wenig gezahnt. Die Blumen sind klein und weiß, und sitzen an kurzen Stengelchen. Es wächset an dürren sandigen Orten, und trägt zu Anfange des May seine Blumen.

417) **Graue Hungerblume.** Draba incana. Aus der Wurzel kommen viele dicke fleischigte Blätter; der Stengel ist einfach, und trägt herzförmige, zugespitzte, an beiden Seiten mit einem Zähnchen versehene Blätter, die ungestielt sind, und samt dem Stengel eine graue Farbe haben; die Blumen sind weiß, und zeigen sich im May.

418) **Mauerhungerblume.** Draba muralis. Der Stengel theilt sich in verschiedene einzelne kurze Seitenstengel; die Blätter sind herzförmig, gezahnt, haben keine Stiele, sondern umschlingen den Stengel; die Blumen sind weiß, und stehen in ausgedehnten Büscheln. Es kommt mit dem vorigen auf Grashügeln vor.

Kresse. Lepidium.

Der Kelch hat vier Blätter; die Blume hat eben so viele verkehrt eyförmige Blätter, die noch einmal so lang sind, als der Kelch; die Staubfäden sind pfriemenförmig, und haben einfache Beutel; der Griffel ist einfach, und so lang, wie die Staubgefäße; die Schote ist herzförmig, von den Seiten zusammengedruckt, und voll Saamen; die Wände sind gegeneinander ausgebogen.

419) **Wilde Kresse, klein Besenkraut, Hundeseife.** Lepidium ruderale. Die Blume weicht von den übrigen in dieser Classe darin ab, daß sie nur zween Staubfäden hat; die Blumenblätter fehlen; die unteren Stengelblätter haben keine Zähnchen, die oberen sind ungezahnt, alle schmal und linienförmig. Man findet es an Wegen und ungebaueten Orten. Es blüht im May.

Täschel-

Täschelkraut. Thlaspi.

Der Kelch hat vier Blätter; die Blume hat eben so viel verkehrt herzförmige Blätter mit schmalen Nägeln; die Staubfäden tragen spitzige Beutel, und die längsten von ihnen stehen niedriger, als die Blumenblätter; eben so lang ist der Griffel; die Schote ist am Rande ausgeschweift, verkehrt herzförmig, und trägt viele Saamen.

420) **Bauernsenf**, Thlaspi arvense, ehstn. **Harra kadwad.** Die Blätter sind länglicht, gezahnt und glatt; die Blumen sind weiß, und kommen um Johannis hervor; die Schoten sind rundlich. Man findet es auf Feldern, besonders auf Brachfeldern häufig. Die Milch und Butter, auch das Fleisch des Hornviehes soll einen sehr unangenehmen Geschmack annehmen, wenn es davon genossen hat. Schwed. Abhand. 12. Th. S. 102. Diese Pflanze scheint einen thonigten Boden anzuzeigen. Mit dem frischen Kraut sollen, wann es zerquetschet ist, und man, so saftig, als es ist, gleich die Fugen und Ritzen, auch so viel möglich die Bretter des Holzgeräthes damit einreibet, die Bettwanzen sicher vertrieben werden. S. Ehrhards ökon. Pflanzenhist. 4. B. S. 313. 14. der den Versuch selbst gemacht hat.

421) **Pfennigkraut.** Thlaspi campestre. Die Blätter sind glatt, länglicht, am Rande gezahnt; die kleinen häufigen Schoten sind tellerförmig und rundlich. Man findet es fast allenthalben an offenen trockenen Stellen.

422) **Täschelkraut, Hirtentäschel.** Thlaspi Bursa pastoris, russisch Tschischef glas, lett. Plikstini, auch Wisbuli, ehstn. Hire körwad, Kassi tüttarad, Robbi robbi, im Dörptschen Lüsseldeshein. Die Schoten sind verkehrt herzförmig;

die

die Wurzelblätter haben tiefe Einſchnitte; die Blumen ſind ſehr klein und weiß. Es wächſt an trockenen offenen Stellen häufig, und blüht im May. Die Schaafe lieben die Weiden, auf welchen dieſe Pflanze häufig wächſt, weil ſie unter ihr angenehmſtes und nahrhaftes Futter gehört. Einige Ehſten glauben, daß ſie Waſſeradern anzeige. Hupels topogr. Nachr. von Liefl. 2. Th. S. 514. Eine kleine Spielart wächſt niedrig, hat wenige Stengelblätter, doch mehrere unten auf der Erden kriechende Blätter.

Löffelkraut. Cochlearia.

Kelch und Blume haben vier Blätter; die pfriemenförmigen Staubfäden haben platte ſtumpfe Beutel; der Griffel iſt ſehr kurz; die Schote iſt am Rande ausgebogen, aufgeblaſen, rauch, und hat ſtumpfe, höckerigte Wände.

423) Cochlearia Coronopos. Die Blätter ſind in die Queere in länglichte lappen getheilt; der Stengel kriecht ein wenig. Man findet es auf trockenen Grasplätzen und an Wegen einzeln.

424) Meerrettig. Cochlearia Armoracia, lett. Marrutki, Marrat, auch Lelt rutki, ehſtn. Madda reikas. Die Wurzelblätter ſind lanzenförmig, die Stengelblätter ſind eingeſchnitten. Es wird in Gärten gepflanzt, wächſet auch hin und wieder auf feuchten Stellen wild.

Iberis.

Der Kelch hat vier Blätter, eben ſo viel ſind der Blumenblätter; von welchen jedoch die beiden äuſſeren größer ſind, als die innern; die Staubfäden ſind pfriemenförmig, und ſtehen gerade; ſie haben rundliche

che Beutel; der Griffel ist sehr kurz; die Schote hat einen scharfen gespaltenen Rand und zwen Fächer.

425) **Steinkresse, wilde Kresse.** Iberis pudicaulis. Die Wurzelblätter sind ausgeschweift, und haben an den Seiten ausgebreitete Lappen, und breiten sich auf der Erde aus; die Stengel sind kurz, und haben keine Blätter; die Blümchen sind weiß und klein. Man siehet es auf Feldern. Es blüht um Johannis.

Alyssen. Alyssum.

Der Kelch bestehet aus vier länglicht enförmigen stumpfen Blättern; die Blume hat vier flache ausgebreitete Blätter; die zween kürzeren Staubfäden haben an den mehresten Gattungen ein Zähnchen; der Griffel ist so lang, als die Staubfäden; die Schote, auf welcher der Griffel sitzen bleibet, ist fast kugeligt, und hat zwen Fächer.

426) **Graue Alyssen, große Wegekresse.** Alyssum incanum. Es wächset aufrecht und ziemlich hoch, und hat getheilte Stengel mit grauen lanzenförmigen, am Rande ungetheilten und ungezahnten Blättern; die Blumen sind weiß, und stehen in platten Sträußen. Es findet sich an trockenen, etwas sandigen Orten. Es blüht gleich zu Anfange des May, und lange Zeit hernach.

427) **Alyssen mit beständigem Kelch.** Alyssum calicinum. Eine niedrige Art mit grauen, ganz zart behaarten kurzen lanzenförmigen Blättern, und kleinen gelblichten, zuweilen weißen Blumen; die Kelchblätter fallen bey dem Verblühen nicht ab. Es wird an trockenen Orten gefunden, und blüht im May.

II. Mit längerer Schote. Siliquoſa.

Gauchheil. Cardamine.

Der Kelch hat kleine ſtumpfe Blätter; die Blume hat weit offenſtehende Blätter mit langen Nägeln; die Staubfäden ſind pfriemenförmig und haben kleine Beutel; der Griffel fehlt; wann die Schote reif iſt, dann ſpringt ſie auf, und rollt die Wände zuſammen; der Staubweg iſt ungetheilt.

428) Wieſenkreſſe. Cardamine pratenſis. Die Blätter ſind alle gefedert, die Wurzelblätter mit rundlichen, die an den Stengeln mit lanzettenförmigen Blättchen; die Blumen ſind weiß, oft blaßroth, und kommen im Frühling hervor. Sie wächſt auf feuchten Wieſen.

429) Bitterkreſſe. Cardamine amara. Die Blätter ſind gefedert; die Blumen ſind purpurfarben. Es wächſt an feuchten ſchattenreichen Orten. Die Blume kommt zu Anfange des Junius hervor.

Rauken. Siſymbrium.

Der Kelch und die Blume ſtehen offen, und beide haben vier Blätter; die Staubfäden haben einfache Beutel; der Griffel fehlt. Die Schote ſpaltet ſich mit ihren langen, ein wenig gekrümmten Wänden auf.

430) Waſſerkreſſe. Siſymbrium Naſturtium aquaticum, ruſſiſch Wodanoia Kreß, lett. Owoti Kreſſi. Die Blätter ſind gefedert, und haben Blättchen, die etwas herzförmig ſind; die Blumen ſind niedergebogen. Es blüht gleich zu Anfange des Frühlings, und wächſt auf feuchten moraſtigen Wieſen.

431) Großes Beſemkraut. Siſymbrium Sophia. Die Blumenblätter ſind gelb, und kleiner als
der

der Kelch; die Stengelblätter sind vielfach in feine
schmale Zähnchen zerschnitten. Man findet es an offenen trockenen Orten. Es blüht im Julius.

432) **Wasserrauken.** Sisymbrium amphibium.
Die Blätter haben viele tiefe Einschnitte, die fast bis
an die Mittelribbe gehen; die unteren Blätter, die im
Wasser stecken, sind schmal und gefedert, die oberen
sind lanzenförmig, und sägezahnig; die ganz oben sitzen,
sind sehr schmal und ungetheilt. Die Blumen sind
gelb. Es wächset in Wassergräben und stillen Gewässern, und blüht um Johannis.

433) **Rauher Rauken.** Sisymbrium Loeselii.
Die Pflanze ist rauch und haarigt, und treibt hohe
Stengel; die Blätter sind in spitzige ungleiche unter-
halb breitere Blättchen getheilt; die Blumen sind gelb.
Es wächst an ungebaueten Orten, und blüht im An-
fange des Junius.

434) **Sandrauken, Heidesenf.** Sisymbrium
arenosum. Der Stengel trägt oben einige Nebenstengel, welche neben einem schmalen zugespitzten Blatt
stehen; die Wurzelblätter sind rauch, kurz und leyerförmig ausgeschweift, und breiten sich in einigen Reihen über einander auf der Erden aus; die Blumen sind
blaß violfarben. Er wächset in sandigen Gegenden,
und blüht mit dem vorigen zu gleicher Zeit.

435) **Waldrauken, Uferrauken.** Sisymbrium sylvestre. Die Blätter sind lang und gefedert,
und haben breite lanzenförmige, sägeförmiggezahnte
Blättchen; die Blumen sind klein, und von gelber
Farbe. Es wächst an Wassergräben, Bächen und
auf feuchten Wiesen, und blüht nach Johannis.

Hederich. Erysimum.

Der Kelch hat vier Blätter, die gegen einander
geneigt und gefärbt sind; die Blumenblätter, auch
vier

pier an der Zahl, sind länglicht rund und stumpf; die Staubfäden haben einfache Beutel; der Griffel ist sehr kurz; die Schote ist lang, gerade, säulenförmig und viereckigt.

436) **Baurensenf, Wegesenf.** Erysimum officinale, russisch Gortschitza polewaja. Die Blumen sind klein und gelb; die Stengelblätter sind scharf und rauch, und verschiedentlich gestaltet; die Schoten liegen oben dicht am Stengel an. Es wächst auf allen trockenen Stellen häufig, und blüht im Junius.

437) **Winterkresse.** Erysimum Barbarea. Die Blätter sind leyerförmig, oder zur Hälfte gefedert, und in die Queere in Läppchen getheilt, von welchen die oberen und äußeren die größten sind, die unteren aber am weitesten abstehen. Die Blumen sind größer als an der vorigen Art. Die Schoten stehen vom Stengel ab. Es wächst hin und wieder auf feuchten Wiesen.

438) **Knoblauchkraut.** Erysimum Alliaria. Die unteren Blätter sind groß und herzförmig, die oberen kleiner und mehr rundlich; beide geben einen knoblauchartigen Geruch, wenn man sie mit der Hand reibt; die Blumen sind weiß, und kommen vor Johannis hervor. Es wird hin und wieder an schattenreichen Orten gefunden.

439) **Leindotter mit langen Schoten.** Erysimum cheiranthoides. Die Blätter sind lanzettenförmig, und haben am Rande keine Einschnitte. Die Blumen sind gelb. Es wächst auf Feldern, und blüht im Julius.

Thurnkraut. Turris.

Der Kelch hat geschlossene Blätter, vier an der Zahl, welche länglicht eyförmig sind; die Blumenkrone hat

hat vier aufrecht stehende enförmige stumpfe Blätter;
von den sechs pfriemenförmigen Staubfäden reichen
vier bis an die Röhre, die übrigen beiden sind kürzer;
der Griffel fehlt; der Staubweg ist stumpf.

440) **Glattes Thurnkraut.** Turritis glabra.
Die Wurzelblätter sind scharf und sägeförmig gezahnt;
die Stengelblätter sind ungezahnt, glatt und zugespitzt,
haben keine Stiele, und umschlingen den Stengel;
die Blumen sind weiß. Man trifft es auf Grasplätzen an; es blüht um Johannis.

441) **Rauhes Thurnkraut.** Turritis hirsuta.
Die Blätter sind rauch, gezahnt, ungestielt, und umfassen den Stengel; die Blumen sind weiß, und tre-
ben Schoten, die zusammengedrängt stehen. Es
wächst in Laubwäldern, und blüht zu Anfange des
Junius.

Thurnsenf. Arabis.

Der Kelch hat vier Blätter, von welchen die
zwen, welche gegeneinander stehen, größer als die
übrigen, hohl, länglicht enrund, und unten höckerigt,
die übrigen beiden aber kleiner und linienförmig sind;
die Blumenkrone hat vier enförmige, ins Kreuz gegen-
einandergestellte, offenstehende Blätter; die Staubfäden haben herzförmige Beutel; der Griffel fehlt.

442) **Kleiner Thurnsenf.** Arabis thaliana.
Aus der Wurzel schießen häufige kleine haarigte ungekerbte Blätter, die sich mit ihren Stielen auf der Erde
ausbreiten. Die Stengel, deren viele aus der Wurzel hervorkommen, sind haarigt, einfach, und haben
rauhe, ungestielte Blätter; die Blumen sind weiß.
Man trifft es an verschiedenen, etwas erhabenen Orten an. Die Blüthe bricht im Anfang des May
hervor.

Senf.

Senf. Sinapis.

Der Kelch steht offen, und hat vier rundliche, flache, offenstehende und ausgebreitete Blätter; die Staubfäden haben spitzige Beutel; zwo Honigdrüsen stehen zwischen den kürzeren Staubfäden und dem Stempel, und zwo stehen, zwischen den längeren Staub- fäden und dem Kelch; der Eyerstock ist länglicht, und so lang als der Griffel; die Schote ist länglicht, und hat zwen Fächer.

443) Ackersenf, Hedrich. Sinapis arvensis, lett. Perkohnes, auch Perkauhn, d. i. Donner- kraut, und Pakulahnis, ehstn. Harrakaladwad. Die Blätter sind tief ausgeschnitten; ihre untern Lap- pen sind klein, die oberen größer; sie stehen auf Stie- len; die Blumen sind gelb; auf diese folgen hernach lange, vieleckigte, verschiedentlich aufgeblasene Scho- ten, die mit zwenschneidigen Schnäbeln versehen sind. Dies Gewächs ist übrigens dem Landmann als ein häu- figes und beschwerliches Unkraut hinlänglich bekandt. Sonderlich macht es ihm in Gerstenfeldern vielen Ver- druß, wo es am häufigsten vorkommt, und oft so sehr überhand nimmt, daß die Felder davon ganz gelb aussehen. Herr Pastor Hupel erzählt in seiner liefl. Topogr. 2. Th. S. 499. daß ben einem Versuch mit einer gewöhnlichen Handpresse eine Tonne seines Saa- mens fünf Stof (fast vier Kannen) Oehl gegeben habe. Wenn man diesen Saamen so nutzbar anwendete: so würde man noch den Vortheil haben, daß durch dessen Einsammlen die starke Vermehrung dieses schädlichen Unkrautes verhindert würde, und man es mit der Zeit gar würde vertilgen können; doch müßte man ihn un- reif ausgäten, da er sonst, wenn er auf den Stengeln reifet, und ausfällt, sich immermehr ausbreitet. Da dieses Gewächs häufigen Saamen trägt, der sich lange

in

in der Erden erhält; so wird seine Ausrottung um
desto schwerer. Das erste Mittel wäre also wol, daß
man dies Unkraut, wenn es anders ohne Nachtheil
der Kornpflanzen geschehen kann, ausraufte, wann
der Saame noch halb reif ist, und ehe die Schote sich
öffnet.

444) **Schwarzer Senf.** Sinapis nigra. Auch
dieses Gewächs ist hinlänglich bekandt. Es wird hin
und wieder an Wegen und andern ungebaueten Orten
wildwachsend gefunden.

Kohl. Brassica.

Der Kelch hat vier hohle, unten höckerigte, länglichte Blätter; die Blume hat vier rundliche ungetheilte flache offenstehende Blätter; die Staubfäden sind
pfriemenförmig, stehen aufrecht, und tragen spitzige
Beutel; der Griffel ist kurz; die Honigdrüsen stehen
wie bey dem vorigen Geschlecht; die Schoten sind lang
und rundlich, und haben zwey Fächer mit kugelrunden
Saamen.

445) **Ackerkohl.** Brassica campestris. Der
Stengel und die Wurzeln sind dünne; die Stengelblätter sind alle herzförmig, und haben keine Stiele;
die Blumen sind gelb. Es wächst auf Kornfeldern,
und besonders unter dem Sommerkorn. Es blüht
gewöhnlich im Julius.

446) **Wilde Rüben.** Brassica napus. Der
Stengel ist gestreift; die unteren Blätter sind federförmig, und am oberen großen Lappen gezackt; die
Stengelblätter sitzen ohne Stiele um den Stengel, den
sie umschließen, und sind länglicht herzförmig, nicht
scharf gezahnt. Die Blumen sind gelb. Es wächset
hin

hin und wieder auf Aeckern, die etwas sandig sind, und blüht um Johannis.

Rettich. Raphanus.

Der Kelch bestehet aus vier länglicht runden, angeschlossenen, gefärbten Blättchen; die Blume hat vier gleichförmige Blätter, von welchen je zween ins Kreutz gegeneinander stehen; die Staubfäden sind pfriemenförmig; zwischen den kürzern Staubfäden und dem Eyerstock sitzen zwo Honigdrusen, und eben so viel zwischen den längern und dem Kelch; der Griffel ist kurz und kaum zu sehen; die Saamenschote ist länglicht und höckerigt.

447) **Wilder Rettich.** Raphanus Raphanistrum. Diese Pflanze kriecht dicht auf der Erde herum, an die es sich gleichsam anschließet, und schießt verschiedene Nebenstengel aus, die in der Erde Wurzeln faßen; aus diesen kommen mehrere einzelne gerade stehende Stengel hervor; die Blätter sind lebhaft grün, und tief ausgeschnitten. Es wächst in Gerstenfeldern, und trägt blaßgelbe Blumen, die man zu Ausgange des Junius siehet.

Sechszehnte Classe.

Mit Staubfäden, die in einen Büschel zusammengewachsen sind. Monadelphia.

I. Mit zehn Staubfäden. Decandria.

Storchschnabel. Geranium.

Kelch und Blumen haben fünf Blätter; die Staubfäden sind pfriemenförmig, und wechselsweise länger, und haben länglichte, losaufliegende bewegliche Beutel; der Griffel ist pfriemenförmig; die Saamenkapsel hat die Figur eines langen, schmalen, geradestehenden Vogelschnabels, und enthält fünf Saamen.

448) Rundblättriger Storchschnabel. Geranium rotundifolium. Die Blätter sind rund, am Rande gekerbt, und an den untern Seiten grau; die Stengel sind haarigt und niedergebogen; die Blumenkrone hat kleine rothe Blätter, die so lang sind, wie der Kelch; jeder Blumenstengel trägt zwo Blumen. Es wird an trockenen Orten gefunden, und blüht kurz vor Johannis.

449) Stinkender Storchschnabel. Geranium robertianum, lett. Mattusahles, ehstn. Kulli kunsid, Kurssu kud, auch Ma alüssu rohhi. Die Blumenstengel tragen jeder zwo Blumen von rother Farbe. Die Kelche sind haarigt, und haben zehn Ecken

Naturgesch. von Livl.   Nn   oder

ober Streifen. Er wächst in offenen trockenen Wäldern, und auf trockenen Wiesen und Grasplätzen. Die Blüthe zeiget sich im Junius.

450) Blutwurz. Geranium sanguineum. Die Blumenstengel tragen jeder nur Eine rothe Blume; die Stengelblätter sind rund, bis an den Grund in fünf Theile gespalten, und jedes Theil wieder in drey lappen zerschnitten. Sie wächst an offenen trockenen Stellen, zuweilen auch in Büschen.

451) Wiesenstorchschnabel. Geranium pratense, russisch Schuratelinoi Nos. Die Blumenstengel tragen jeder nur Eine Blume von heller Violfarbe. Die Stiele sind lang, und die Blätter fast an der untern Seite der Blattscheibe mit den Stielen befestiget, sind runzeligt, spitzig, und in viele Theile zerschnitten. Es ist auf trockenen Wiesen zu finden, und blüht im Julius.

452) Sumpfstorchschnabel. Geranium palustre. Die Stengel sind lang und haarigt; die Blätter haben fünf lappen, die wieder zerschnitten sind; die Blumenstengel sind sehr lang, und tragen jeder zwo dunkelrothe Blumen. Nach der Blüthe sind die Blumenstengel abwärts gebogen. Es kommt in feuchten Gebüschen vor, und blüht nach Johannis.

453) Waldstorchschnabel. Geranium sylvaticum. Die Blumenstengel tragen jeder zwo purpurfarbene Blumen; die Blätter sitzen wie an der vorigen Art an Stielen, sind tief in fünf lappen geschnitten, und diese wieder in etliche Theile getheilt; die Blumenblätter sind herzförmig, am Rande etwas eingebogen. Die Blüthezeit ist um Johannis. Es wächst in buschigten Gegenden.

454) Taubenstorchschnabel. Geranium columbinum. Die Blumenstengel sind sehr lang, und länger als die Blätter; jeder trägt zwo große rothe Blu-

Blumen; die Stengelblätter sind in fünf Lappen, und diese wieder in verschiedene kleine Theile zerschnitten; die Kelchblätter gehen oben spitzig aus; die äußere Saamenhaut ist glatt. Man findet ihn auf trockenen Grasplätzen, er blüht zu Anfange des Julius.

455) **Kleiner glatter Storchschnabel.** Geranium cicutarium. Die Stengel tragen viele kleine rothe Blumen mit fünf fruchtbaren, und fünf unfruchtbaren Staubfäden; die Blätter sind gefedert, und haben vielfach eingeschnittene stumpfe Blättchen; die Stengel theilen sich in einige Nebenstengel. Es wächst auf trockenen Grasplätzen, und blüht zu Anfange des Junius.

II. Mit vielen Staubfäden. Polyandria.

Pappel. Malva.

Die Blumen dieses Geschlechts haben einen doppelten Kelch; der äußere hat drey Blätter, der innere ist größer und fünftheilig; die Blume hat fünf unten zusammengewachsene Blätter; die häufigen Staubfäden sind unten in einen walzenförmigen fünfeckigten Körper zusammengewachsen; der Griffel ist walzenförmig und kurz; die Frucht bestehet aus vielen Behältnissen, die zusammen einen platten, runden, nach dem Mittelpunct zu, etwas eingedruckten Körper formiren.

456) **Gemeine Pappel.** Malva sylvestris, russisch Proskurat, lett. **Pappeles, Saule lapping.** Ein bekandtes Gewächs mit geradestehendem Stengel und fünflappigten Blättern; Stengel und Blattstiele sind haarigt; die Blume ist weiß, sehr wenig blaßroth, und wird fast den ganzen Sommer hindurch gesehen. Man trifft diese Pflanze an Wegen, Zäunen,

auf

auf trockenen Grasplätzen, und fast auf allen ungebaueten Stellen häufig an.

457) **Rundblättrige Pappel.** Malva rotundifolia. Eine kleine kriechende Pappelart mit fast runden Blättern, indem ihre fünf Lappen kaum merklich
sind; die Blümchen sind blaßröthlich, und zeigen sich
fast den ganzen Sommer hindurch. Es wird an ungebaueten Orten häufig.

458) **Siegmarskraut.** Malva Alcea. Die
Stengel stehen gerade in die Höhe; die Blätter sind
rauch, scharf und vielmal getheilt; die Blumen sind
roth, und kommen im August hervor.

Siebenzehnte Classe.

Mit Staubfäden, die in zween Bü-
schel gewachsen sind. Diadelphia.

I. Mit sechs Staubbeuteln. Hexandria.

Erdrauch. Fumaria.

Der Kelch hat zwey kleine Blätter; die Blume hat
eine gäffende Mündung, indem die obere und untere
Lippe auseinander gesperret stehen; sie hat zwey Staub-
fädenbüschel, von welchen jeder drey Beutel hat; der
Griffel ist kurz.

459) **Gemeine Hohlwurz.** Fumaria bulbosa.
Die Blätter stehen wechselsweise am Stengel, sind in
drey Blättchen getheilt, von welchen jedes seinen besonderen Stiel hat, und wieder in ungleiche Lappen
zer-

zerschnitten ist; die Blumen sitzen traubenförmig, und
sind hellroth. Man findet sie an offenen Waldstellen,
wo sie im May blühet.

460) **Erdrauch, Taubenkropf.** Fumaria officinalis, russisch **Semlanja Orech,** ehstn. **Emma
Tus,** im Dörptschen **Punnard.** Die Blümchen
sind klein und blaßroth, und sitzen fast traubenförmig
um die kleinen Stengelchen herum, etwa wie an dem
Johannisbeerstrauch. Auf diese folgen die runden
Fruchtbehältnisse, die nur Einen Saamen bringen.
Die Stengel breiten sich auseinander, und legen sich
nieder, oder hängen sich an andere Gewächse. Die
Stengelblätter sind tief eingeschnitten, und haben abgerundete Lappen, und stehen auf langen Stielen wechselsweise an den Stengeln. Es wächset auf Fruchtfeldern, in Gärten, wo es sich gern an Erbsen und
andere Küchengewächse anhänget, und an offenen
Waldstellen. Es pflegt nach Johannis zu blühen.

II. Mit acht Staubbeuteln. Octandria.

Kreuzblume. Polygala.

Der Kelch hat drey Blätter, von welchen zwey
gefärbt und flügelähnlich sind, und unter der Blume
stehen, das dritte aber über derselben ist. Die acht
zusammengewachsenen Staubfäden stehen mit ihren
einfachen Beuteln innerhalb des Kahnes; die Saamenhülse ist platt, umgekehrt herzförmig, und hat
zwey Fächer.

461) **Weiße Kreuzblume.** Polygala vulgaris. Von dieser werden verschiedene Abänderungen
gefunden. Eine Gattung hat blaßblaue Blumen, die
wächst auf grasreichen Hügeln. Eine andere wächst
auf fetten Gebirgen; die scheint sich nur an einen erha-

benen

benen Boden zu halten, denn auf Niedrigungen findet
man ſie nie. Eine dritte Art mit blaßrothen Blumen
findet man zuweilen auf Ebenen. An allen dieſen Arten ſtehen die Blumen traubenförmig. Die Stengel
ſind ungetheilt und niedergebogen; ihre Blätter ſind
ſchmal und lanzenförmig. Man kann ſie daher alle
für eine einzige Art anſehen; die Verſchiedenheit der
Farbe an den Blumen ſcheint von der Veränderung
des Bodens abzuhangen. Die Blüthezeit iſt der
Junius.

III. Mit zehn Staubfäden. Decandria.

Geniſte. Geniſta.

Der Kelch hat zwo lippen; das untere kahnför-
mige Blumenblatt iſt länglicht und von dem Stempel
und den Staubgefäßen abwärts hinuntergebogen.

462) Wilde Geniſte. Geniſta tinctoria, ruſſiſch Drock. Die Blätter ſind lanzenförmig und glatt;
die Stengel ſind wirbelförmig rund, und durch Furchen, die faſt unmerklich ſind, geſtreift, und ſtehen
gerade; ſie tragen gelbe Blumen. Dieſe Pflanze
kommt an Aeckern und in gebirgigten Gegenden, doch
ſparſam, vor. Sie blüht im Julius.

Linſe. Ervum.

Der Kelch iſt in fünf linienförmige ſpitzige lappen getheilt; die Fahne iſt rundlich, flach, und ein
wenig zurückgebogen, um die Hälfte länger, als die
Flügel; der Kahn iſt noch kürzer und ſpitzig.

463) Rauhe Linſen. Ervum hirſutum. Die
Stengel ſind lang, und ſchießen häufige Nebenſtengel
aus; die Blätter ſind gefedert, und haben viel kleine
linien-

linienförmige, stumpfe Blättchen, welche wechsels-
weise sitzen; jeder Blumenstengel trägt viel Blumen.
Man siehet es auf Aeckern, wo es zu Anfange des
August blühet.

Robinie. Robinia.

Der Kelch ist glockenförmig und viertheilig, oder
vielmehr vierzahnig, und der obere vierte Zahn ist breiter als die übrigen; die Blume ist schmetterlingsför-
mig, und hat eine rundlichte Fahne, länglichte Flügel
und einen halbrunden Kahn; die Schote ist lang,
schmal, etwas aufgeblasen.

464) Sibersche Robinie, siberischer Erb-
senbaum. Robinia Caragana. Die Blumenstengel
sind einfach, und haben keine Nebenstengel; die Blätter sind gefedert, und haben kärglicht runde Blättchen;
die Blumen sind klein und gelb; die Schoten sind
schmal und lang, ein wenig aufgeblasen. Dieser
Baum ist zwar eigentlich bey uns nicht einheimisch,
weil er nirgend wildwachsend angetroffen wird; da
man aber an einigen Orten bereits anfängt, wilde Ge-
hege von ihm zu ziehen, da er in unserm Livland so
gut fortkommt, wie in seiner Heimath Siberien, mit
vieler Geschwindigkeit in die Höhe schießet, und ohne
einige Beschützung die Winterkälte so gut, als irgend
ein Baum in unsern Wäldern verträgt: so habe ich
ihm hier die Stelle nicht versagen mögen. Er könnte
bey uns mit leichter Mühe häufig angebauet werden,
und ist seines Nutzens wegen sehr zu empfehlen. Verschiedene Gartenliebhaber in Riga haben in wenigen
Jahren schon beträchtliche Hecken von diesem Baum
gezogen. Für Landwirthe würde sein Nutzen ausgebreitet seyn. Feldern, besonders solchen, die dem
Nordwinde zu sehr ausgesetzet sind, würde er eine

dien-

dienliche Schutzwehre ſeyn, und die Güterbeſitzer, die
einigen Holzmangel haben, oder für die Zukunft zu
befürchten haben, würden mit Bequemlichkeit, ohne
mühſame Pflege und Wartung, welche ſonſt bey
Baumpflanzungen erfodert wird, Wälder anbauen
können, und alſo ihren Nachkommen eine vortheilhaf-
te Erbſchaft hinterlaſſen.   Wegen ſeiner kleinen
blaßgrünen Blätter giebt dieſer Baum zwar wenigeren Schatten, als die Linde und andere Bäume
mit großen Blättern; aber ſein Laub dienet dem Hornvieh zum Futter, und iſt ihm ſo angenehm und nahrhaft, als das beſte Kleegras; ein Vortheil, der allein
ſeinen Anbau empfiehlet. Seine Erbſen, die er im
Ueberfluß trägt, machen ihn auch ſehr brauchbar.
Sie würden wenigſtens dem Bauer und andern dürf-
tigen Leuten eine ſehr willkommene Nahrung ſeyn; denn
ſie dürfen nur abgenommen und ausgehülſet werden;
eine Arbeit, die durch Kinder beſtellet werden kann.
Wie er ausgeſäet, verſetzet und gewartet werden müſſe,
das findet man im 1. B. der Abhandl. der freyen ökon.
Geſellſch. zu St. Petersb. S. 45. u. f.   Sie verdient von jedem Landwirth, dem der Holzanbau nothwendig iſt, geleſen zu werden; doch finde ich etwas in
Hinſicht auf den Boden dabey zu erinnern.   Es wird
geſagt, daß er im ſandigen Boden am liebſten wachſe,
wenn der Sand nur mit ein wenig Erde vermiſcht
wird und gut durchgearbeitet worden; aber wiederholte
Verſuche haben gelehret, daß ihm ein guter fruchtba-
rer Boden der vortheilhafteſte ſey.   Ich habe Bäume
geſehen, welche in gutem Erdreich in ſechs bis ſieben
Jahren einen Stamm von der Dicke eines Mannes-
armes, und eine beträchtliche Höhe erreichet hatten,
da andere in demſelben Jahre gepflanzte dieſen an
Stärke und Höhe weit nachſtanden.   Das Holz hat
eine ſchöne gelbe Farbe, und dient zu Drechslerarbeit.

Pelz-

Peltschen. Coronilla.

Der Kelch ist flach und klein; die Fahne ist herzförmig und zurückgebogen; die Flügel sind eyförmig und stumpf; der Kahn ist platt.

465). Ackerpeltschen. Coronilla varia. Die Blätter sind gefedert, und haben glatte Blättchen, die fast so wie an der Wicke gestaltet sind; hauptsächlich unterscheiden sie sich dadurch von jenen, daß der Stiel sich mit einem ungeraden Blatt endiget; die Blumen haben sie oben an den Stengelspitzen in einem Häuptchen und abwärts; ihre Fahne ist röthlich; Flügel und Kahn sind weißlicht, nur hat der letztere eine braunrothe Spitze. Es wächset auf Fruchtfeldern, und blüht um Johannis.

Vogelfuß. Ornithopus.

Der Kelch ist röhrenförmig, und hat fünf Zähne; die Fahne ist herzförmig; die Flügel sind eyförmig; der Kahn ist platt und klein.

466) Kleiner Vogelfuß. Ornithopus perpusillus. Die Blätter sind gefedert, und haben ein ungleiches Blättchen am Stielende; die Blätter sind klein, und mit kurzen Härchen so dicht besetzt, daß sie davon grau aussehen; es stehen deren zehn, zuweilen mehr Paar am Stiel gegen einander; die kleinen gelblichten Blumen, deren gemeiniglich sechs sind, hangen beisammen an der Stengelspitze an kurzen Stengelchen. Die Hülsen sind gegliedert, und haben einige Aehnlichkeit mit einer Vogelklaue. Es wächst an sandigen Orten, und blüht um Johannis.

Hau

feldern, besonders ist es in der oberpahlenschen Gegend ziemlich häufig. Es blüht in der Mitte des Jullus.

474) **Breitblättrige oder wilde Küchern.** Lathyrus latifolius. Die Blätter sind lanzenförmig, etwas groß, und vier bis sechs sitzen an jedem Stiel; am Ende des Stiels stehen ein, zuweilen zwey Gabelchen, die der Pflanze zum Ranken dienen; die Blumen sind purpurfarben, und stehen deren etliche am Stengel. Es wächst in Wäldern, und blühet zu Anfange des Junius.

Wicke.   Vicia.

Der Kelch ist röhrenförmig, und bis zur Hälfte in fünf Theile gespalten; die Staubfäden stehen so, wie fast an allen Pflanzen dieser Ordnung; ihre Beutel sind vierfurchig, und stehen gerade; der Griffel ist kurz; die Schote ist lang und einfächerigt.

475) **Wilde Wicke.** Vicia sativa. Die Blätter sind gefedert, und haben viele breite oberwärts ausgeschweifte etwas herzförmige Blättchen; die Stengelschuppchen und Ohren haben einen braunen Flecken; in jedem Anwachswinkel sitzen zwo Blumen ohne Stengel; die Blumen sind roth, und kommen im Junius hervor. Sie wird in waldigten Gegenden gefunden.

476) **Vogelwicke.** Vicia Cracca, lett. Lehzes, ehstn. Hägeherned. Die Stengel tragen viele violfarbene, dicht aneinanderliegende Blümchen; die Blätter sind mit lanzenförmigen haarigten Blättchen gefedert, und die Blattansätze getheilt. Man findet es in Gärten und auf Feldern, wo es sich an verschiedene Gewächse anhängt. Es pflegt bald nach Johannis zu blühen.

477) **Zaunwicke.** Vicia sepium. Die Blätter sind mit eyformigen ungezackten Blättchen gefedert,

von

von welchen die unteren an jedem Stiel weit größer
sind, als die oberen; der Blumen sitzen mehrere an
kurzen Stengelchen beysammen; sie sind violetfarben,
an Bäumen und auf Aeckern findet man sie, wo sie im
Junius und Julius zu blühen pflegt.

478) Wilde blaue Wicke. Vicia dumetorum.
Die Blätter sind mit eyförmigen zugespitzten Blättchen gefedert; die Blattansätze sind zahnförmig; die
Blumen, deren mehrere an einem langen Stengel
sitzen, sind purpurblau. Sie blühet zu Ende des Junius. Man findet sie in Wäldern, auch an offenen
Stellen.

Pfriemen. Spartium.

Der Kelch ist klein, röhrenförmig, und in zween
ungleich gezahnte Lappen getheilt; die Fahne ist herzförmig, und zurückgebogen; die Flügel sind länglicht eyförmig; der Kahn ist getheilt, und länger als die
Flügel; die Staubfäden sind an den Fruchtknoten angewachsen, und kommen aus dem Kahn hervor; die
Staubbeutel sind länglicht; der Griffel ist pfriemenförmig; der Staubweg ist spitzig und gebogen.

479) Besenpfriemen. Spartium scoparium.
Ein kleiner Strauch mit eckigten Stengeln und Aesten,
und kleinen lanzenförmigen Blättern, von welchen einige dreyfach nebeneinander an kurzen Stielchen, andere einzeln stehen. Die Blumen sind gelb, und stehen einzeln an kurzen Stengeln. Man findet es zuweilen in Fichtenwäldern; es blüht nach Johannis.

Wollblume. Anthyllis.

Der Kelch ist fast eyrund, etwas bäuchigt, und
an der Mündung fünfzahnigt; die Staubfäden sind
ein-

einfach, und eben so der Griffel; die Schote ist rundlich, zweyklappig, und steckt innerhalb des Kelches
verdeckt.

480) **Wundklee.** Anthyllis vulneraria. Die
Blätter sind gefedert, und haben länglichte schmale
Blättchen; das obere ist ungerade, auch größer und breiter, als die übrigen; an der Spitze eines jeden Stengels stehen zwey Häuptchen mit weißen Blumen nebeneinander. Die mit gelben Blumen ist in Livland seltener. Man sieht es auf einigen trockenen Wiesen.
Es pflegt im Junius zu blühen.

Bockdorn. Astragalus.

Der Kelch ist röhrenförmig, und hat fünf spitzige Zähne; die Staubbeutel sind rundlich; der Griffel
ist pfriemenförmig; die Saamenhülse ist höckerigt, und
hat zwey Fächer mit nierenförmigem Saamen.

481) **Wildes Süßholz.** Astragalus glyziphyl-
lus. Dieses Gewächs hat lange Stengeln, die sich
niederlegen und ranken; die Blätter sind gefedert, und
haben länglicht runde Blättchen, die länger sind, als
die Blumenstengel; die Blumen sind blaßgelb; die
Saamenschoten sind etwas gekrümmet, und haben
drey Seiten. Die Blüthezeit fällt in den Anfang des
August. Es wird im Schmiesingschen in buschigten
Gegenden gefunden.

Klee. Trifolium.

Die Blumen aus diesem Geschlecht sitzen fast
dicht beysammen in einem Köpfchen und ohne Stengeln auf dem Fruchtboden; die Beutel sind einfach;
der Griffel ist pfriemenförmig; die Saamenhülse ist
sehr

sehr kurz, wenig länger als der Kelch; sie springt nicht
auf, sondern fällt bald ab.

482) Ächter weißer Klee. Trifolium repens,
lett. Abboles, ehstn. Harjapea lehhed, auch Häu-
ja pääd. Die Blumenköpfchen sind schirmförmig,
weiß und wohlriechend; die Hülsen sind mit dem Kelch
bedeckt; die Stengel kriechen auf der Erde herum.
Von dieser Kleeart findet man auch eine Abänderung
mit röthlicher Blume. Sie wird auf Grasplätzen
und trockenen Wiesen, zuweilen auch in dürren Laubgebüschen gefunden. Die Blühzeit ist um Johannis,
zuweilen auch etwas später.

483) Brauner Wiesenklee. Trifolium pratense. Die Blumen sitzen in einem länglichten Köpfchen beysammen, welches mit zweyhäutigen gegen ein-
anderstehenden Schuppchen eingefaßt ist. Diesen
Klee findet man häufig auf Wiesen.

484) Meliloten, Steinklee. Trifolium Meli-
lothus officinalis. Der Stengel stehet aufrecht; die
Blumen stehen traubenförmig an kurzen Stengelchen.
Der mit weißen Blumen ist in allen trockenen Gegenden häufig, weit seltener ist der mit gelben Blumen.
Beide wachsen auf trockenen Stellen, und blühen im
Junius und Julius. Getrocknet giebt diese Pflanze
einen starken Geruch, den viele angenehm finden, und
ihn deswegen statt eines Potpurri in die Zimmer stellen, da er dann bey bevorstehendem Regen am stärksten riecht. Das cohobirte Wasser von dieser Pflanze
giebt dem Toback einen angenehmen tonkaähnlichen
Geruch.

485) Zopfenklee. Trifolium agrarium. Die
Blumen stehen in länglichten Köpfchen beysammen,
und sind von gelber Farbe; ihre fahnförmigen Blätter
sind niedergebogen, und fallen später ab, als die übrigen Blumenblätter; der Stengel steht aufrecht. Man
siehet

stehet es an trockenen erhabenen Stellen; die Blumenköpfchen kommen im Julius hervor.

486) **Liegendes Dreyblatt.** Trifolium procumbens. Die Stengel sind lang, und kriechen auf
der Erde; die Blumenähren sind länglicht rund, und
tragen gelbe Blumen. Es wird auf trockenen Heuschlägen gefunden, wo es gegen das Ende des Junius
blüht.

487) **Bergklee.** Trifolium montanum; die
Stengel stehen aufrecht; die Blätter sind länglichte,
und etwas starke; die Blümchen sind weiß, haben vier
Blätter, und stehen in länglicht runden Köpfchen.
Man findet es auf trockenen Wiesen und in Gebüschen.

488) **Aufrechter Klee.** Trifolium hybridum.
Eine niedrige Kleeart mit aufrechten Stengeln und
lanzenförmigen Blättern; die Blumen sind weiß, und
stehen in einem Häuptchen beysammen; in erhabenem
Strauchwerk; es blüht am Johannis.

489) **Haasenklee.** Trifolium arvense. Die
Blumenköpfchen sind länglicht rund und haarigt. Die
Zähne des Kelchs sind lang, schmal und borstig, einander gleich; von innen sind sie roth, sonst sind die
Blumen weiß, etwas wenig röthlich. Es ist auf
trockenen Grasplätzen zu finden, und blühet im Julius,
auch später.

Schotenklee. Lotus.

Der Kelch ist röhrenförmig, bis zur Hälfte fünfspaltig; die Staubbeutel sind klein; der Griffel ist einfach; die Saamenhülse ist walzenförmig und gerade;
die Blumenflügel schlagen sich der länge nach, in die
Höhe zusammen.

490) **Gelber Schotenklee.** Lotus cornicula-
tus. Die Blumen sind klein und gelb, und stehen in
einem

einem flatten Köpfchen beysammen; die Blumenstengel beugen sich nieder, und kriechen auf der Erde; die Hülsen sind walzenförmig, und stehen, nachher auseinander. Es wird auf trockenen Wiesen gefunden, und blühet im Anfange des Junius.

Schneckenklee. Medicago.

Der Kelch ist bis zur Hälfte fünftheilig; der Kahn, aus welchem der Enerstock hervorgehet, biegt die Fahne zurück; die Staubfäden, die aus zween Büscheln bestehen, sind fast bis oben zusammengewachsen; die Staubbeutel ist sehr klein; der Giffel ist kurz und pfriemenförmig; die Saamenhülse oder Schote ist platt, und löffelförmig gekrümmet.

491) Schneckenklee. Medicago lupulina. Die Blumen sind blaßgelb, und stehen in kurzen, länglicht runden Köpfchen; die Saamenhülsen sind nierenförmig, und tragen nur Einen Saamen. Es wächset auf etwas erhabenen trockenen Stellen, doch kommt es bey uns nur sehr sparsam vor. Es pfleget zu Ausgange des May zu blühen.

492) Sichelklee. Medicago falcata. Die Stengel kriechen; die Blätter sind länglicht, oben breiter und unten, wo sie spitzig sind, und etwas gekerbt; die Blumen sind gelb, und wachsen traubenförmig. Es wächst auf Aeckern, und blüht nach Johannis.

Fast alle Kleearten geben eine nahrhafte und gesunde Weide.

Achtzehnte Classe.

Mit Staubfäden, die in viel Bündel zusammengewachsen sind, Polyadelphia.

I. Mit vielen Staubgefäßen. Polyandria.

Hartheu. Hypericum.

Der Kelch ist über die Hälfte fünftheilig; die Blume hat fünf Blätter und viel haarförmige Staubfäden, die am Grunde in fünf Büschel zusammengewachsen sind; die Staubbeutel sind klein; die drey Griffel sind so lang, als die Staubgefäße; die Saamenkapsel ist rund, und hat drey Fächer.

493) St. Johanniskraut. Hypericum perforatum, russisch Swerebol, lett. Jahne sahles, auch Ragguna kaules. Der Stengel ist fast zweyschneidig; die Blätter sind fast eyrund, und mit kleinen durchsichtigen Pünctchen bezeichnet. Seine Blumen sind gelb, und kommen um Johannis hervor. Es wächset auf Feldern in erhabenen Gegenden. Letten und Ehsten haben zu diesem Gewächs viel Vertrauen in verschiedenen Krankheiten, besonders wenn es in der Johannisnacht eingesammlet ist, wobey jedoch viel Aberglaube mit unterläuft. Den Pferden ist es schädlich. Ehstnisch wird es Punnad, auch Ollaskad genennet.

Neunzehnte Classe.

Mit zusammengewachsenen Staubbeuteln.

I. Mit zusammengewachsenen Zwitterblumen. Polygamia aequalis.

In dieser Ordnung stehen viele Blümchen, welche mit allen Fruchtwerkzeugen versehen sind, in einem Blumenbehältnisse bey einander; die Staubbeutel sind zusammengewachsen.

Bocksbart. Tragopogon.

Der Kelch bestehet aus acht Blättern, welche eines um das andere nach innenzu stehen; die Blume bestehet aus vielen dachziegelförmig übereinanderliegenden Zwitterblüthen, von welchen die äußeren etwas länger sind; die Staubfäden sind kurz und haarigt, fünf an der Zahl; die Beutel sind walzenförmig; der Griffel ist fadenförmig; die Federkrone an den Saamen ist vielästig; der Fruchtboden ist bloß und glatt.

494) Wiesenbocksbart. Tragopogon pratense. Die Kelchblätter sind so lang, zuweilen länger als die Blume; die Blätter sind lang, ungetheilt und gerade; die Blumen sind groß und gelb, und stehen nur des Morgens offen. Es wächset hin und wieder einzeln auf Wiesen, und blüht um Johannis.

Schlän-

* Schlangenkraut. Scorzonera.

Der Kelch ist dachziegelförmig, indem funfzehn Schuppen in verschiedenen Reihen übereinanderliegen, welche am Rande eine etwas durchsichtige Haut haben. Die Blume bestehet aus vielen übereinanderliegenden fünfzähnigen Zwitterblümchen, von welchen die äußeren die längsten sind. Die Staubgefäße mit den Griffeln sind wie bey der vorigen Art. Der Fruchtboden ist bloß; die Saamen haben eine Federkrone.

495) Schlangenmord, Natterkraut. Scorzonera humilis. Der Stengel trägt zuweilen wenige einzelne Blätter; die Wurzelblätter sind breit, lanzenförmig und mit Ribben durchzogen. Man siehet es an verschiedenen offenen Waldstellen. Es trägt nach Johannis große gelbe Blumen. Man findet es im Brauershoffischen bey Riga unter Gesträuchen.

Gänsedistel. Sonchus.

Der Kelch ist bäuchigt, und hat viele schmale ungleiche Schuppen; die Blume hat viele fünfzähnige Zwitterblümchen von gleicher Länge; die fünf kurzen Staubfäden sind haarförmig, und haben walzenförmige Beutel; der Griffel ist fadenförmig; der Fruchtboden ist bloß; die Saamen haben eine Federkrone.

496) Sumpfgänsedistel. Sonchus palustris. Die Blätter sind gefedert, und haben spießförmige Lappen; die Blümchen sind gelb, und sitzen auf kurzen fast schirmförmig gestellten Stengelchen, etwas auseinandergebreitet. Es wächset auf feuchten Wiesen, doch nur sparsam.

497) Große Gänsedistel, Saudistel. Sonchus arvensis. Die Kelche sowol, als die Stengel sind borstig und scharf; die Blumen wachsen fast schirm=

schirmförmig zusammen und ausgebreitet, und sind von Farbe gelb. Die Blätter sind runzligt und hin und hergebogen, am Stengel fast herzförmig. Es wird auf Aeckern gefunden, wo es gleich nach Johannis blüht.

498) Gemeine Gänsediſtel, Haſenkohl. Son-chus oleraceus. Die Stengel mit Wolle gleichsam durchwebt; die Kelche sind glatt, und größer als die Blumen. Dieses Unkraut findet sich fast an allen tro-ckenen offenen Stellen häufig, und blüht fast den gan-zen Sommer hindurch. Eine Art bey uns hat glatte, breite, eine andere, rauhe, verschiedentlich zerschnitte-ne Blätter. Beide tragen gelbe Blumen.

Lattich. Lactuca.

Der Kelch ist länglicht eyrund, und hat dachzie-gelförmigliegende Schuppen, die Blume besteht aus vielen vier- bis fünfzahnigen Blüthen, die kürzer sind, als der Kelch; der Fruchtboden ist bloß; die Feder-krone der Saamen ist einfach, und mit einem Stiel-chen an den Saamen befestiget.

499) Wilder Lactuc, wilder Sälat. Lactu-ca perennis. Die Blätter sind linienförmig, und ha-ben Seitenlappen, welche nur oberwärts gezahnt sind; die Blumen sind blau, und kommen im Julius hervor. Es wächset in gebirgigten Gegenden, z. B. im Wen-denschen, doch etwas sparsam.

Löwenzahn. Leontodon.

Der Kelch hat gebogene, dachziegelförmigliegen-de Schuppen; die Zwitterblümchen sind fünfzahnig, und von gleicher Länge; die Staubfäden sind sehr kurz, und haarförmig, fünf an der Zahl; ihre Beutel sind

wal

walzenförmig; der Griffel iſt fadenförmig; der Fruchtboden iſt bloß; die Federkrone der Saamen ſitzt auf
einem Stielchen.

500) **Löwenzahn, Pfaffenröhrchen.** Leontodon Taraxacum, ruſſiſch **Popowo gumet,** lett.
Peens. Deutſch wird es bey uns in Livland auch
Butterblume genennet. Die Blätter ſind in große
ſcharfe Zähne zerſchnitten. Die Kelchſchuppen ſind
unterwärts zurückgebogen. Die Blumen ſind gelb,
und zeigen ſich ſchon im May; die Federkronen der
Saamen ſtehen beyſammen, und formiren eine runde
Kugel. Auf Grasplätzen und trockenen Wieſen findet
man es häufig. Die zarten Blattſproſſen werden
gleich zu Anfange des Frühlings, da ſie noch eine gelinde angenehme Bitterkeit haben, ſtatt des Salates
gegeſſen, und ſind unter dem Namen Piſen lit bekandt. Die Holländer nennen es Piſſebedde, und
von den Alten wurde es Lectiminga genennet. Alle
dieſe Namen ſind von ſeiner harntreibenden Eigenſchaft
hergenommen. Unſer Landmann nennet es wilde Ci-
chorien. Die Wurzeln werden geröſtet, gemahlen,
und mit zwey Drittheil Caffee vermengt getrunken.
Man merket eben keinen veränderten Geſchmack, und
empfindet wenigere Wallung, als nach dem unver-
mengten Caffee. Vor einigen Jahren ſchickte man
uns dieſe Wurzeln gemahlen als eine fremde Waare
herein; aber, da wir ſie gleich kannten, fanden ſie
keinen Abgang; denn wir fanden es nicht für gut, die
Wurzeln, die wir ſelbſt im Ueberfluß haben, den Ausländern theuer zu bezahlen.

501) **Rauher Löwenzahn.** Leontodon hiſpi-
dum. Die Blätter ſind rauch, gezähnt, zuweilen
tief eingeſchnitten, und haben feine Borſtchen; die
Blumen ſind gelb, und ſtehen auf einfachen Stengeln.

Es

Es wächst in erhabenen Fichtenwäldern, und blüht nach Johannis.

502) Herbstlöwenzahn. Leontodon autumnale. Die Stengel haben verschiedene Nebenstengel; die Blumenstengel sind schuppigt, und tragen gelbe Blumen; die Pflanzenblätter sind glatt, lanzenförmig und gezahnt. Es wird in gebirgigten Gegenden in Wäldern gefunden, z. B. in der wendenschen Gegend.

Habichtkraut. Hieracium.

Der Kelch hat viele schmale ungleiche Schuppen; die vielen Zwitterblümchen haben eine gleiche Länge; die fünf Staubfäden sind haarförmig, und haben maizenförmige Beutel; der Griffel ist fadenförmig; der Fruchtboden ist bloß; die Saamen haben eine einfache Federkrone ohne Stiel.

503) Mäuseöhrlein. Hieracium Pilosella, lett. Mauraggas. Die Blätter sind eyförmig, und ungetheilt, unterhalb wolligt; die Sprossen kriechen auf der Erde; der Schaft trägt nur Eine Blume, welche schwefelgelb, außerhalb feuerfarben ist. Es wächset auf sandigen Grasplätzen und an Gebirgen, und blüht im May, zuweilen auch später. Russisch wird es Mischi Uschby genennet.

504) Habichtkraut. Hieracium alpinum. Die Blätter sind ungetheilt, gezahnt und länglicht rund; der Schaft hat wenige Blättchen, und trägt nur Eine Blume von gelber Farbe; der Kelch ist haarigt, und ehe die Blume sich entwickelt, bauchigt. Sie wird in verschiedenen gebirgigten Gegenden gefunden.

505) Sumpfhabichtkraut. Hieracium paludosum. Die Wurzelblätter sind länglicht, gestielt, und am Rande gezahnt; die Stengelblätter sind auch

gezahnt,

gezahnt, ungeſtielt, und umfaſſen den Stengel; die
Blumen ſind gelb, und haben borſtförmige Kelche,
und ſtehen in einem Strauße. Es wächſet in feuchten Laubgebüſchen, und blüht gegen das Ende des
Julius.

506) **Mauerhabichtkraut.** Hieracium muro-
rum. Die Wurzelblätter ſind eyförmig; am Rande
gezahnt; der Stengel iſt rauch, und hat ein kleineres
kurzgeſtieltes Blatt; die Blumen ſind gelb, und ſtehen
an der Spitze verſchiedener Nebenſtengel, die der
Hauptſtengel ausſchießt. Es wächſt in Wäldern, und
blüht nach Johannis.

507) **Großes Mauſeöhrlein.** Hieracium Auricula. Die Blätter ſind lanzenförmig, rauch, und
am Rande ganz; der Stengel iſt gleichfalls lang,
rauch, und hat nur zwey kurze Blätter; aus der Wurzel kommen mehrere; die Blumen ſind gelb, und ſtehen
an der Stengelſpitze auf kurzen Stengelchen. Es
wird auf trockenen Feldern einzeln gefunden, und blüht
um Johannis.

508) **Schmalblättriges Habichtkraut.** Hieracium umbellatum. Die Blätter ſitzen zerſtreuet an
den Stengeln, ſind lanienförmig, und haben wenige
kurze Zähnchen; die Blumen ſind gelb, und ſtehen
ſchirmförmig an den Stengelenden, und außer dieſen
ſtehen noch einzelne Blumen in den Winkeln der oberen
Blätter auf Stengelchen. Es kommt in hügeligten
Gegenden vor, wo es im Auguſt zu blühen pflegt.

Ferkleinkraut. Hypochoeris.

Der Kelch iſt rundlich, am Grunde bauchigt;
die Blume hat viele fünfzahnigte Zwitterblüthen; die
fünf Staubfäden ſind haarförmig, ſehr kurz, und haben walzenförmige Staubbeutel; der Griffel iſt fadenförmig;

förmig; die Saamen haben eine gestielte Federkrone;
der Fruchtboden hat schmale linienförmige Blättchen.

509) **Geflecktes Ferkleinkraut.** Hypochoeris maculata. Es wird, leicht und oft, mit dem Wolverley (Arnica montana) verwechselt, denn es ganz
eigentlich gleichsiehet, und von welchem es sich blos
dadurch unterscheidet, daß es auf dem Fruchtboden
zwischen den Blüthen linienförmige Blättchen hat, der
dagegen bey dem Wolverley bloß ist. Sonst haben
Blumen und Blätter kein Unterscheidungszeichen. Es
wird auf sandigen Anhöhen gefunden.

510) **Großes Ferkleinkraut.** Hypochoeris
radicata. Die Blätter sind rauch, zahnförmig ausgeschweift, und theilen sich auf der Erde aus; die
Stengel haben keine Blätter, und theilen sich in Nebenstengel; nur sitzt in jedem Stengelwinkel ein Schuppchen, und an den Blumenstengeln stehen auch einige;
die Blumen sind gelb.

Pipau. Crepis.

Der Kelch ist noch von einem andern äußeren
eingefaßt; die Schuppen des letzteren fallen bald ab;
die Blume hat viele fünfzahnige Zwitterblümchen von
gleicher Länge; die Staubgefäße und der Griffel sind
wie bey dem vorigen gestaltet; der Fruchtboden ist
bloß; die Saamen haben eine gestielte Federkrone.

511) **Dächerpipau, gemeines Habichtkraut.**
Crepis tectorum. Die Stengelblätter sind lanzenförmig, ungetheilt, glatt, und ohne Stiele. Die
Wurzelblätter sind in gezahnte Seitenlappen zerschnitten; die Blume ist klein und blaßgelb. Es
wächst an trockenen Orten, und blühet im Junius.

Do 5

Kra-

Kranichkraut. Hyoseris.

Der gemeinschaftliche Kelch hat zehn lanzenförmige Blätter, und unter denselben etliche lanzenförmige Schuppen; der besondere Kelch, der auf dem Eyerstocke sitzt, ist kurz, und hat fünf spitzige Blättchen; die Blumen bestehen aus fünf schmalen linienförmigen Zähnchen; der Fruchtboden ist bloß.

512) **Kleines Kranichkraut.** Hyoseris minima. Eine kleine Pflanze mit länglichten, zahnförmigen, rauhen, kriechenden Blättern, und dünnen glatten Stengeln, ohne Blätter, der sich in zween dickere hohle Nebenstengel theilet, von welchen jeder eine kleine blaßgelbe Blume trägt. Man findet es hin und wieder am Rande der Fruchtfelder. Es blüht im August.

Rainkohl. Lapsana.

Der Kelch ist doppelt, eyförmig und glatt; oben stehen acht hohle eyförmige Schuppen; unten stehen sechs kleine, von welchen drey wechselsweise sehr klein sind; die Blume hat etwa sechzehn Zwitterblümchen; der Fruchtboden ist platt und bloß.

513) **Gemeiner Rainkohl.** Lapsana communis. Die unteren Blätter sind gestielt, und am Rande verschiedentlich gezahnt; die Blätter an den Nebenstengeln sind ungestielt und ungetheilt; der Stengel theilt sich in viele dünne Nebenstengel, die kleine gelbe Blumen tragen. Es pflegt auf Fruchtfeldern zu wachsen, und blüht um die Johanniszeit.

Klette. Arctium.

Der Kelch ist kugeligt, und seine Schuppen endigen sich in gekrümmte spitzige Haaken; die Blume beste

bestehet aus gleichförmigen Zwitterblümchen; der
Staubfäden sind fünf; sie sind haarförmig und kurz,
und haben walzenförmige Beutel; der Griffel ist fadenförmig.

514) **Gemeine Klette.** Arctium Lappa, russisch **Lapuschnick,** lett. **Dadschis,** ehstn. **Kobbro**
lehhed. Eine bekandte Pflanze mit großen herzförmigen, scharfen, gestielten Blättern; die Blumen
sind mehrentheils braunroth. Sie hängt sich mit ihren steifen hakenförmigen Kelchschuppen an alles an,
was ihr in den Weg kommt. Man findet sie an Zäunen, an den Wegen, und auf andern offenen ungebaueten trockenen Stellen gar häufig. Sie blüht
im Junius.

Schartenkraut. Serratula.

Der Kelch ist fast walzenförmig, länglicht, unten bauchigt, dachziegelförmig, und hat kurze lanzenförmige Schuppen; die Blume hat gleichförmige Zwitterblümchen mit gebogener Röhre und bauchigter, fünf-
zahniger Mündung; Staubgefäße und Griffel sind
fast wie an der Klette; die Saamen haben eine ungestielte Federkrone.

515) **Gemeine Distel, Ackerdistel.** Serratula
arvensis, russisch **Ossot.** Die Blätter sind gezahnt
und stacheligt; die Blumen sind hellbraun, und kommen im August hervor. Es wächset auf Aeckern.
Die Pflanze wird im Frühjahr aus der Erde gestochen,
und zerhackt den Schweinen vorgeworfen. Man
kocht sie auch zu dieser Zeit für die Kühe, die davon
viel Milch geben sollen. Physik. Zeit. auf das Jahr
1784. S. 96.

Distel.

Diſtel. Carduus.

Der Kelch iſt bauchigt, und hat viele dachziegelförmig liegende ſtachelichte Schuppen; die Blume hat viele gleiche trichterförmige Zwitterblüthen mit ſchmaler Röhre und trichterförmiger Mündung; die Staubfäden ſind haarförmig und kurz; die Beutel ſind walzenförmig; der Griffel iſt fadenförmig; der Fruchtboden iſt haarigt.

516) **Schwankende Diſtel.** Carduus nutans. Der Stengel iſt ſtachelicht; die Blätter ſind gleichfalls ſtachelicht, und laufen vom Stengel hinab; die Blumen ſind braun, haben ausgebreitete Kelchſchuppen, und hangen niederwärts. Es wächſet an trockenen Stellen, doch ſparſam.

517) **Sterndiſtel.** Carduus paluſtris. Die Blätter ſind gezahnt, am Rande ſtachelicht, und laufen vom Stengel hinab; die Blumen ſtehen traubenförmig und aufrecht. Ihre Stengel haben keine Stacheln. Es wächſt an feuchten Stellen.

518) **Diſtel mit knorrigter Wurzel.** Carduus tuberoſus. Die Blätter laufen ein wenig vom Stengel ab, ſind queer in ſtumpfe Lappen geſchnitten, und haben ſehr lange Stacheln; die Blumen ſind braun; ihre Kelchſchuppen haben keine Stacheln. Es kommt an Waſſergräben vor, und blüht nach Johannis.

519) **Speerdiſtel.** Carduus lanceolatus. Seine Blätter ſind lang, ſtachelicht, haben kurze Lappen mit Spitzen, die an den Seiten auseinander ſtehen, und laufen vom Stengel hinunter. Die Kelche ſind eyförmig, mit Haaren und Stacheln beſetzt; der Stengel iſt haarigt, die Blumen ſind purpurfarben. Es iſt hin und wieder an ungebauten Orten zu finden.

520) **Mariendiſtel.** Carduus Marianus, lett. Zauurduruſahles, Dſeltanes, Dſelknes, ehſtn.

Püſſo

Püsso robbi. Die Blätter sind halbförmig gefedert, haben lange Stacheln und weiße milchfarbene Flecken auf der Fläche derselben; sie haben keine Stiele, sondern umschließen den Stengel. Die Blume ist röthlich. Es wächset auf trockenem, etwas erhabenem Boden.

521) Kleine krause Wegediftel. Carduus crispus, lett. Guschenes. Die Blätter haben Lappen, die an den Seiten ausgeschwefft sind; sie sind sehr stachellgt, und laufen den Stengel hinab. Die Blumen sitzen an den Stengelenden beysammen; die Kelchschuppen sind fast spreßförmig und stachellgt. Es wird an vielen ungebaueten Orten häufig gefunden. Die Blumen sind braun, und werden in der Mitte des Sommers gesehen.

Zellblume.   Onopordum.

Der Kelch ist rundlich und bauchigt, und hat viele stacheligte Schuppen. Die Blume hat viele trichterförmige, gleichförmige Zwitterblümchen, mit sehr dünner Röhre, und fünfzähnigter bauchigten Mündung. Die Staubfäden sind haarförmig und sehr kurz, und haben walzenförmige Staubbeutel; der Griffel ist fadenförmig; der Fruchtboden ist platt und bloß.

522) Große Wegediftel. Onopordum Acanthum. Die Kelchschuppen stehen alle auseinandergebreitet, und offen; die Blätter sind etwas länglicht, eyförmig, und haben Lappen, die an den Seiten ausgebreitet sind. Die Blumen sind braun, zuweilen weiß. Es wird an Wegen und andern offenen Stellen gefunden.

Zwey-

Zweyzahn. Bidens.

Die Kelchschuppen liegen dachziegelförmig; die Blume hat trichterförmige Zwitterblümchen mit aufrecht stehender fünftheiliger Mündung; die Staubfäden sind sehr kurz und haarförmig, fünf an der Zahl; die Staubbeutel sind walzenförmig; der Griffel ist einfach; der Fruchtboden ist mit Blättchen besetzt; der Saamen hat zwo federförmige Spitzen.

523) Wasserzweyzahn, Wasserhanfkraut. Bidens tripartita, russisch Tschergoda. Die Blätter bestehen aus drey, zuweilen auch aus fünf Blättchen; die Kelche sind mit etlichen Blättchen bedeckt; die Blumen sind braun, und kommen im August hervor. Dieses Gewächs wird hin und wieder an Teichen und Wassergräben gefunden. Diese Pflanze färbt pomeranzenfarben.

Apfkraut. Eupatorium.

Der Kelch ist länglicht rund, und hat dachziegelförmig liegende Schuppen; die Blümchen sind trichterförmig; die Staubfäden sind haarförmig und sehr kurz; die Staubbeutel sind walzenförmig; der Griffel ist fadenförmig, und sehr lang, oberwärts gespalten; der Fruchtboden ist bloß, die Saamen haben eine Federkrone.

524) Cunigundenkraut. Eupatorium cannabinum. Die Blätter bestehen aus drey gezahnten Blumen, sind blaßroth, und sitzen in einem Büschel beysammen; der Stengel ist hoch, und in Nebenstengel getheilet. Es wächset an Wassergräben und Teichen, und pflegt in der Mitte des August zu blühen.

II. Mit

II. Mit zusammengesetzten Zwitter- und weiblichen Blumen. Polygamia superflua.

In dieser Ordnung stehen in der Mitte Zwitterblumen, im Umkreise weibliche Blumen; die Staubbeutel sind um den Griffel zusammengewachsen.

Rainfarn. Tanacetum.

Der Kelch hat dachziegelförmigliegende Schuppen, und fast die Figur einer Halbkugel; die weiblichen Blumen sind dreyzahnig; in der Mitte stehen viel Zwitterblümchen; der Fruchtboden ist bloß; die Saamen haben keine Faderkrone.

525) Gemeiner Rainfarn. Tanacetum vulgare, Ktt. Bischukrehsle, auch Wehdera fahlesy ehsin. Reimoltere hain. Ein bekanntes Gewächs, mit länglichten, tief sägeförmig eingeschnittenen Blättern, und goldgelben Blumen, die an den Stengeln in einem Strauße beysammenstehen. Man findet es auf Kornfeldern und an andern offenen trockenen Stellen häufig. Es blüht im August. Es ist ein sehr zuverlässiges Mittel wider die Drüsen, auch wider die Würmer des Pferden. Der strenge Geruch des Mistes, des Harnes, besonders des Schweißes, beweisen, daß die wirksamen Theile dieses Gewächses in die festesten Gefäße des thierischen Körpers dringen. Physik. Zeit. auf das J. 1784. 11. St. Mär. S. 96.

Beyfuß. Artemisia.

Der Kelch ist dachziegelförmig, und hat zweyliche Schuppen, die gegen einander gebogen sind; die im Umkreise stehende Blumen haben keine Blätter;

der

der Fruchtboden ist bey einigen Pflanzen dieses Geschlechts etwas haarig, bey andern nicht, die Saamen haben keine Haarkrone.

526) Wilde Stabwurz. Artemisia campestris. Man nennt es auch rothen Beyfuß. Die Blätter sind in viele schmale linienförmige Blättchen zerschnitten; die Stengel haben viel dünne Nebenstengel, und beugen sich nieder; die Blumen sind klein und röthlich, und sitzen traubenförmig an den Stengeln, doch jede von einander abgesondert. Es wächset an Wegen, Zäunen und andern offenen Stellen häufig, und blüht im August.

527) Wermuth. Artemisia Absynthium, russisch Palin, lett. Wehrmele, ehstn. Koi rohhi d. i. Mottenkraut. Ein ganz bekanntes Gewächs mit vielfach zerschnittenen Blättern, halbkugeligten hangenden Blümchen, und haarigtem Fruchtboden. Man findet ihn an verschiedenen offenen Stellen häufig genug.

528) Meerbeyfuß. Artemisia maritima. Aus dem kurzen Hauptstengel schießen lange wiedergebogene Stengel; die Blätter sind in kleine schmale Blättchen zerschnitten, die unter ein wollistes Gewebe haben; die Blumen sind weiß, und hangen traubenförmig beysammen. Man trifft es an Seestaden an. Es blüht zu Anfange des Septembers.

529) Gemeiner Beyfuß, weißer Beyfuß. Artemisia vulgaris, russisch Tschernoi Bilnik, lett. Birwohtes, Wihbotes, ehstn. Punjo, Pujus, auch Poi rohhi. Die Blätter sind gefedert, und haben zahnförmige Blättchen; die Blumen sitzen traubenförmig; der weiblichen Blumen sind fünf. Es wächset häufig an Zäunen und auf trockenen Feldern.

Ruhr-

Ruhrkraut. Gnaphalium.

Der Kelch ist dachziegelförmig, und hat eyrunde Schuppchen, von welchen die oberen mehr auseinander gebreitet stehen, und gemeiniglich gelb oder braun sind. Einige Arten haben Zwitter= und weibliche Blumen, andere haben blos Zwitterblümchen; sie haben fünf kurze haarförmige Staubfäden mit haarförmigen Beuteln, und einen fadenförmigen Griffel; der Fruchtboden ist bloß; die Saamen haben eine Federkrone.

530) **Mottenkraut, Rainblume.** Gnaphalium arenarium, russisch Soletschnoje Soloeta, ehstn. Rassi koppe kessed. Es hat lanzenförmige, weiße wolligte Blätter; die unteren Blätter sind etwas stumpf; die Blumen sind gelb, und wachsen straußförmig, und jeder Hauptstrauß trägt mehrere Sträußchen dicht nebeneinander. Die Blumen behalten ihre lebhafte, glänzende, gelbe Farbe auch getrocknet sehr lange, deswegen die Puppenmacher sie zu Ausgierungen allerley Spielwerks zu brauchen pflegen. Die Stengel gehen in gleicher Richtung bis nach oben zu. Es wächst auf Sandlande, und blüht im Junius.

531) **Katzenpfötlein.** Gnaphalium dioicum, russisch Gorlanka, Hals= oder Kehlkraut, weil es in Halskrankheiten zum Gurgeln gebraucht wird, auch Roschetschu Lapki. Die Stengel sind niedrig und wolligt, wie die Blätter; die Sprossen kriechen auf der Erde; die Blumen sind weiß, und stehen in einfachen Sträußen. Eine Spielart mit blaßrosenfarbenen Blumen ist nicht selten. Man findet beide in sandigen Gegenden, wo sie im May und Junius blühen. Ehstnisch heißt es Raosi käppa kesse.

532) **Sumpfruhrkraut.** Gnaphalium uliginosum. Die Pflanze wächset niedrig, und hat viele ausgebreitete Nebenstengel mit länglichten Blättern;

die Blumen stehen oben in schwarzgrauen Köpfchen versammlet. Es wird in sumpfigtem Lande gefunden, und blüht im Junius.

533) **Waldruhrkraut.** Gnaphalium sylvaticum. Der Stengel ist lang, und steht gerade; die Blätter sind lang, linienförmig und wollig; die Blumen sind weißlicht, und stehen häufig in einer langen Reihe am Stengel hinauf; die Kelchschuppen sind braun. Es wird in Wäldern gefunden, und blüht im August.

Dürrwurz. Conyza.

Der Kelch ist rundlich, und hat dachziegelförmig-liegende Schuppchen; die im Umkreise stehende Blumen sind in drey Theile gespalten; der Fruchtboden ist bloß; die Federkrone der Saamen ist einfach; die in der Mitte stehenden Zwitterblümchen sind fünftheilig; die am Umkreise stehenden weiblichen Blumen sind dreytheilig, beide sind trichterförmig.

534) **Schuppichte Dürrwurz, großes Beruskraut.** Conyza squarrosa. Die Blätter sind lanzenförmig und zugespitzt; die Blumen stehen straußförmig; die Kelchschuppen sind allenthalben auseinander gebreitet. Es kommt an ungebaueten Stellen vor.

Huflattig. Tussilago.

Die Kelchschuppen sind einander alle gleich, und reichen bis an den Rand der Blume, und bestehen aus Häutchen, die etwas durchsichtig sind; der Fruchtboden ist bloß; die Haarkrone der Saamen ist einfach und gestielt.

535) **Huflattig, Roßhuf.** Tussilago Farfara, lett. **Tschuschku lappa, Kummula pehdas, Wals-lapus**

lapus und Trummes, ehstn. Paiso lehhed. Der
Stengel ist mit kleinen übereinanderliegenden Schuppen besetzt; die Blätter sind herzförmig, etwas eckigt,
gezahnt, und mehr rund, auch auf der unteren Fläche weniger wolligt und weiß, als an der folgenden
Art, mit der sie sonst so viele Aehnlichkeit hat, daß
sie von einigen damit verwechselt wird. Die Blume
ist gelb, und wächset nur einzeln am Stengel. Sie
bestehet aus röhrigten Zwitterblümchen, die in der
Mitte stehen, und aus geschweiften weiblichen Blümchen, die im Umkreise stehen; sie wächset nur einzeln
am Stengel. Es wird auf feuchten Stellen gefunden,
die etwas leimigt sind, und blüht gleich zu Anfange
des Frühlings, so bald der Schnee weg ist, und warme
Tage kommen. Man hält ihn daher für den ersten
Frühlingsboten.

536) **Pestilenzwurz.** Tussilago Petasites, lett.
Wahzemmes Dadsche. Die Blumen stehen dicht
aneinander in einem eyrunden Büschel; sie sind blaßgelb, und bestehen aus lauter Zwitterblümchen. Die
Blätter sind fast herzförmig, und haben ausgebreitete,
gegen den Stiel zu, etwas zugespitzte Lappen; auf der
untern Fläche sind sie sehr wolligt, und ganz weiß.
Sie ist gleichfalls eine der ersten blühenden Pflanzen,
und wächst auf niedrigem Sandlande häufig. Diese
und die vorige Art bringt erst die Blumen, und nachher die Wurzelblätter, daher die Alten sie auch filium
ante patrem, oder filiam ante matrem nenneten.

537) **Weißer Huflattig.** Tussilago alba.
Er unterscheidet sich von der vorigen Art dadurch, daß
in der Mitte der Blumen röhrigte Zwitterblümchen,
und im Umkreise weibliche ohnblättrige Blüthen stehen.
Die Blumen sind auch blasser, und stehen auf längeren Stengeln, und in einem mehr zugespitzten Büschel;
die Stengelblätter sind auch breiter. Die Wurzelblät-

ter

ter sind groß, unterhalb weißlicht, und kommen, wie
bey den vorigen beiden Arten nach der Blüthe hervor.
Man findet es an offenen Waldstellen, wo es gleich
zu Anfange des Frühlings blüht.

Flöhkraut.   Erigeron.

Der Kelch hat pfriemenförmige Schuppen; die
Zwitterblumen sind trichterförmig, und haben eine
fünfzahnige Mündung; die geschweiften Blümchen
sind schmal und pfriemenförmig; der Fruchtboden ist
bloß; die Saamen haben eine lange Haarkrone.

538) **Scharfes Flöhkraut,** blaue Dürrwurz. Erigeron acre. Die Blumen sitzen einzeln an
den Stengeln, die aus den Blattwinkeln hervorkommen; ihre Farbe ist röthlich. Es wächset an erhabenen Stellen, und blühet im Julius.

539) **Canadisches Flöhkraut.** Erigeron ca-
nadense. Es gehört eigentlich im nördlichen Amerika
zu Hause, ist aber bey uns einheimisch geworden, und
wächst hier nicht nur in Gärten von selbst, sondern
breitet sich auch durch seinen fliegenden Saamen wild
aus. Ich habe es z. B. an den Anhöhen der Wassergräben bey dem großen Feldhospital bey Riga häufig
gefunden. Die Blüthe stehet in Büscheln, ist
sehr blaßfleischfarben, klein, und ragt nur eben aus
dem Kelch hervor; die Stengelblätter sind schmal, lanzenförmig, am Rande mit Härchen besetzt.

Kreuzwurz.   Senecio.

Der Kelch ist walzenförmig, und wird von einem kleineren äußeren umgeben; seine Schuppen sehen an der Spitze wie verwelkt aus; die Blumen ragen aus dem Kelch hervor; die häufigen röhrigen Zwit-

ter-

terblümchen haben eine zurückgebogene fünfspaltige
Mündung; die geschweiften weiblichen Blümchen haben eine dreyzahnige Mündung; bey einigen Arten
aber fehlen die weiblichen. Der Fruchtboden ist bloß;
die Federkrone der Saamen ist lang und einfach.

540) **Kreuzkraut.** Senecio vulgaris. Diese
Pflanze ist sehr allgemein. Sie hat gelbe Blümchen,
deren Blüthen alle röhrigt sind. Die Stengelblätter
sind federförmig ausgeschnitten, haben keine Stiele,
sondern umschlingen den Stengel. Es kommt an allen offenen ungebaueten Orten sehr häufig vor, und
blüht fast den ganzen Sommer hindurch.

541) **Krötenkraut, St. Jacobskraut.** Senecio Jacobaea, russisch Jakowa trawa. Die
Blumen sind gelb, die in der Mitte stehenden Blümchen sind röhrigt, die im Umkreise stehenden sind an
der Mündung ungleich; sie stehen einzeln auf ihren
Stengelchen, welche an der Spitze des ziemlich hohen,
geradestehenden Hauptstengels häufig hervorkommen;
die Blätter sind gefedert, in die Queere in lappen getheilt, von welchen die oberen etwas groß, die unteren aber kleiner sind, und etwas weiter abstehen; diese
Lappen sind wieder in kleinere Läppchen getheilt. Man
findet es an offenen Stellen häufig. Die Blüthe zeigt
sich im Julius.

542) **Sumpfkreuzkraut.** Senecio paludosus.
Der Stengel schießt hoch, und steht aufrecht; die
Blätter sind schwerdtförmig und schmal, fein gezackt,
und unterhalb haarigt; die Blumen sitzen oberwärts
und einzeln; die röhrigten Zwitterblümchen sind gelb,
die weiblichen geschweiften sind weiß. Es wird in
Laubwäldern gefunden, und blüht nach Johannis.

543) **Gülden Wundkraut.** Senecio saraco-
nicus. Die Blätter sind glatt, lanzenförmig, und
sägezahnig ausgeschnitten. Die Blumen sind groß

und

und gelb, und ſtehen in einem platten Strauße; aus den Blattwinkeln kommen lange Nebenſtengel, die auch Blumen tragen. Man findet es in niedrigen Gebüſchen; aber nicht ſehr häufig; beſonders wächſt es um die Mündung des Narvaſtromes in Weidenge-büſchen. de Gorter flor. Ingr. p. 135.

Sternblume.   After.

Die häufigen Zwitterblümchen ſind trichterför-mig, und haben eine fünfzahnige Mündung; die weib-lichen Blumen ſind flach ausgebreitet, zehn und meh-rere an der Zahl, und ſtehen im Umkreiſe; der Kelch iſt dachziegelförmig; der Fruchtboden iſt bloß, etwas flach; die Saamen haben eine Federkrone.

544) Straußförmige Sternblume. After Tripolium. Die Blätter ſind lanzenförmig, unge-kerbt, glatt und markigt, und wachſen an ungleichen Nebenſtengeln; die Blumen ſtehen in platten Sträu-ßen, von blauer Farbe. Es wächſt an Bachufern, doch ſparſam; die Blüthe bricht im Auguſt hervor.

Goldruthe.   Solidago.

Die Kelchſchuppen liegen dachziegelförmig, und ſind geſchloſſen; die röhrigten Zwitterblumen ſtehen häufig, und ſind trichterförmig; ſie haben eine fünf-ſpaltige Mündung; der geſchweiften Blumen im Um-kreiſe ſind fünf, zuweilen mehrere; der Fruchtboden iſt bloß; die Saamen haben eine einfache Haarkrone.

545) Heidniſches Wundkraut. Solidago Virga aurea, ruſſiſch Roſtſchiwutſchaja trawa. Der Stengel iſt hoch, etwas gebogen, und eckigt; die Blumenbüſchel ſtehen dicht aneinander, und faſt traubenförmig am Stengel; und tragen gelbe Blu-men.

men. Es wächset an erhabenen schattigten Stellen, und blüht im August.

Wolverley. Arnica.

Die im Umkreise stehenden Blumen haben fünf Staubfäden ohne Beutel; die in der Mitte stehenden Zwitterblümchen, deren sehr viele sind, haben fünf ganz kurze Staubfäden mit walzenförmigen Beuteln; der Fruchtboden ist bloß; die Saamen haben eine einfache Haarkrone.

546) **Gemeiner Wolverley.** Arnica montana, lett. Truhkume sahles. Die Blätter sind eyförmig, etwas lang und rauch, und sitzen je zwey gegeneinander am Stengelende; der Stengel ist hoch und haarigt, und bekommt oben an der Spitze eine große gelbe Blume, und neben dieser auf jeder Seite eine auf kürzern Nebenstengeln. Die Blumen wenden sich beständig nach der Sonne. Das Rindvieh pflegt dieses Gewächs nicht anzurühren. Es wächst in erhabenen sandigen Gegenden, z. B. bey Riga im Neuermühlenschen; im Walde bey der Alexanderschanze, und an den Luchten am Embach. Es blüht im Julius.

Aland. Inula.

Der Kelch ist dachziegelförmig; die röhrigten Zwitterblümchen haben eine gleiche Höhe, und stehen häufig auf dem Blumenteller; die schmalen weiblichen Blumen stehen auch häufig und zusammengedrängt im Umkreise; an jedem Staubbeutel sitzen unten zwo lange Borsten; der Fruchtboden ist bloß; die Saamen haben eine einfache Haarkrone.

547) **Gemeiner Alant.** Inula Helenium. Der lettische Bauer nennet ihn nach dem Deutschen: Alant. Die Blätter sind eyförmig, runzeligt, unterhalb wolligt, und haben keine Stiele, sondern schlingen sich um den Stengel; die Kelchschuppen sind eyförmig. Die Blumen sind groß und gelb, und bestehen aus häufigen röhrigten Zwitterblümchen, und vielen geschweiften Blüthen. Sie kommen im August hervor. Es wird an verschiedenen Orten in gutem Boden, wo er etwas feucht ist, gefunden.

548) **Große Dürrwurz.** Inula dysenterica. Die Blätter sind lanzenförmig, rauch, und haben keine Stiele, sondern umfassen den Stengel; dieser ist röthlich, mit Haaren besetzt, und trägt gelbe Blumen, die straußförmig stehen. Es kommt zuweilen an Wassergräben vor.

549) **Sumpfalant.** Inula salicina. Die Blätter sind lanzenförmig, glatt, scharf, sägezahnig, ungestielt, und schmiegen sich um den Stengel. Die Blumen sind gelb, und sitzen einzeln an den Stengeln. Es wird auf morastigen Wiesen gefunden.

550) **Kleiner Alant.** Inula pulicaria. Die Stengel kriechen auf der Erde; die Blätter sind länglicht, zugespitzt, haarigt, und von einer Seite zur andern gebogen. Die Blumen sind fast kugelförmig. Es wächset an ungebaueten feuchten Orten, und blühet zu Ende des August. Ehstnisch wird er Alanti genannt.

Maßlieben.　Bellis.

Der Kelch ist einfach, steht gerade, und hat lanzenförmige Schuppen; die geschweiften Blümchen sind lanzenförmig; die röhrigten Zwitterblümchen sind trichterförmig; der Fruchtboden ist bloß, erhaben, fast

fast kugelförmig; die Saamen sind eyförmig, und haben keine Haarkrone.

551) **Rothe Maßlieben, Gänseblume.** Bellis perennis. Die Pflanze wächst niedrig, und hat länglichte eyförmige Blätter; der Schaft trägt keine Blätter; die Blumen sind gelb, roth und weißgesprengt, und stehen an mehreren einfachen Stengeln. Trockene Stellen sind ihre Geburtsörter. Es blüht fast den ganzen Sommer hindurch. Der Lette nennet es Spidehle, der Ehste Hanne perseo.

Wucherblume. Chrysanthemum.

Der Kelch hat fast die Figur einer Halbkugel, und ist dachziegelförmig, mit dicht übereinanderliegenden Schuppen, von welchen die innersten sich in ein durchsichtiges Häutchen endigen; die Zwitterblumen sind trichterförmig, die geschweiften länglicht und dreyzähnig; der Fruchtboden ist bloß; die Saamen haben keine Federkrone.

552) **Wucherblume, große Gänseblume.** Chrysanthemum Leucanthemum. Die Blätter sind länglicht, und umgeben den Stengel; die oberen sind sägeförmig, die unteren gezähnt; die Blumen sind weiß und gelb, indem die röhrigten Blümchen weiß, und die geschweiften gelb sind. Diese Pflanze liebt offene trockene Stellen, und blüht im Julius.

553) **Goldblume.** Chrysanthemum segetum. Die Blätter sind verschieden; denn einige sind am Rande nur sägezahnig, andere in Lappen zerschnitten, und umfassen den Stengel, indem sie keine Stiele haben. Die Blumen sind gelb. Man findet dieses Gewächs auf Kornfeldern, wo man es fast den ganzen Sommer hindurch blühen siehet.

Mut-

Mutterkraut. Matricaria.

Der Kelch iſt halb kugelförmig, und hat dachziegelförmig übereinanderliegende Schuppchen; die
Zwitterblümchen ſind trichterförmig, und haben eine
fünfzähnige Mündung; die weiblichen Blumen ſind
lang und drenzahnig; der Fruchtboden iſt bloß; die
Saamen haben keine Federkrone.

554) **Camille, Chamomille, Romeyblume.**
Matricaria Chamomilla, lett. **Kummeles, Lauſchu-**
kummeles, ehſtn. **Sakſa kanna parſed.** Dieſe
Pflanze iſt allgemein bekandt, und bedarf keiner Beſchreibung. Sie wächſt im Freyen auf gutem Boden,
beſonders auf Fruchtfeldern wild, und blüht um Johannis.

Camille. Anthemis.

Der Kelch iſt halbkugelförmig, und hat gleichförmige Schuppen; die Zwitterblümchen ſind trichterförmig; die geſchweiften, deren ſechs, acht und mehrere
ſind, ſind lanzenförmig, zuweilen drenzahnig; der
Fruchtboden iſt durch Blättchen unterſchieden; die
Saamen haben keine Federkrone.

555) **Feldcamille, Krötendill.** Anthemis
arvenſis. Die Blätter und Blumen gleichen denen
an der folgenden Art; nur ſind die Stengel mehr auseinandergebreitet, und die Blumenſtengel länger, die
Blätter ſind auch etwas größer, und haben einen
ſchwächeren Geruch; die Blättchen des Fruchtbodens
ſind ganz ſchmal. Man findet es auf Fruchtfeldern,
wo es im Julius blüht.

556) **Stinkende Camille, Kuhdille, Zun-**
decamille. Anthemis Cotula, lett. **Sunniſchi, auch**
Sirgu kummelis, Pferdecamille, ehſtn. **Kanna-**
perſed.

perfed. Der Fruchtboden ist erhaben, kegelförmig, und durch schmale borstige Blättchen unterschieden. Die größeren Blumen und der widrige Geruch unterscheiden sie von der ächten Camille. Die Kröten sollen dieses Gewächs so sehr lieben, daß sie da, wo es häufig gefunden wird, sich in Menge aufhalten, und demselben gar nachgehen sollen. S. v. Linnee Reise durch Westgothl. deutsche Ueberf. S. 236. Es wird auf trockenen Grasplätzen und an andern ungebaueten Orten gefunden.

Garbenkraut. Achillaea.

Der Kelch ist länglicht, eyförmig und dachziegelförmig; der Zwitterblümchen in der Mitte sind viel; im Umkreise stehen fünf und mehrere weibliche Blumen; der Fruchtboden ist durch Blättchen unterschieden; die Saamen haben keine Federkrone.

557) Schaafgarbe. Achillea Millefolium, lett. pelli asches, Kettrejumi, ehstn. Raudreia rohhud, russisch Gretscha dikaja. Auch dieses Gewächs ist so allgemein bekandt, daß eine Beschreibung ganz überflüßig seyn würde. Die gewöhnliche Farbe der Blumen ist weiß, zuweilen ist sie blaßröthlich; die von hochrother Farbe kommt nur selten und einzeln vor, und scheint einen sehr leimigten Boden anzuzeigen. Man findet dieses Gewächs an allen offenen trockenen Stellen sehr häufig. Es blüht um Johannis.

558) Weißer Rainfarn, Dorant. Achillaea. Ptarmica, ehstn. Sappi rohhud. Die Blätter sind lanzenförmig, spitzig und am Rande scharf sägeförmig gezahnt; die Blumen sind weißlich, und stehen in einem platten Strauße. Es wächset hin und wieder in trockenem Boden, und pflegt in den ersten Tagen des August zu blühen.

III. Mit

III. Mit zuſammengeſetzten Zwitter- und geſchlechtloſen Blumen.
Polygamia fruſtranea.

In der Mitte ſtehen Zwitterblümchen, deren Staubfäden um den Griffel zuſammengewachſen ſind; im Umkreiſe ſtehen geſchlechtloſe Blumen.

Coreopſis.

Der Kelch hat viele Blätter, die in zwo Reihen ſtehen; die in der Mitte ſtehenden röhrigten Zwitter- blümchen ſind fünfzahnig; im Umkreiſe ſtehen acht vier- zahnige, geſchweifte, geſchlechtloſe Blümchen; der Fruchtboden iſt durch Blättchen unterſchieden; die Saamen haben oben zwey Spitzchen oder Hörnchen.

559) **Waſſerwundkraut.** Coreopſis bidens. Die Blätter ſind lanzenförmig, ſägezahnig, ſtehen gegen einander, ſind ungeſtielt, und umſchlingen den Stengel. Die Blumen ſind braungelb, und brechen zu Ende des Sommers hervor. Man findet es in Waſſergräben.

Flockblume. Centaurea.

Der Kelch iſt rundlich und dachziegelförmig; die geſchlechtloſen Blümchen ſind trichterförmig, und ha- ben eine ungleich getheilte, länglichte, ſchmale Mün- dung, und ſind länger, als die in der Mitte ſtehenden Zwitterblümchen; der Fruchtboden iſt mit kleinen Blätt- chen beſetzt.

560) **Kornblume, Roggenblume.** Centau- rea Cyanus, lett. Rudſi puttes, ehſtn. Rukki lil- led, auch Gargapead. Die untern Blätter dieſes
Gewächs

Gewächſe, ſind zahnförmig ausgeſchnitten; die oberen
ſind linienförmig, und haben keine Einſchnitte; die
Blume iſt bekandt. Man findet ſie in Kornfeldern
häufig. Sie blüht um Johannis, in fettem thonigtem lande aber den ganzen Sommer hindurch, obgleich
nur einzeln. Die mit weißer Blume iſt mir in Livland nur einmal vorgekommen. Der Saft der Blume giebt eine gute blaue Tinte.

561) Flockblume mit gefranztem Kelch,
Centaurea Scabioſa. Die Blätter ſind gefedert, und
haben lanzenförmige Blättchen, die auf den Seiten
wieder in einige Lappen zerſchnitten ſind; die Blumen
ſind purpurfarben und ziemlich groß; die Kelchſchuppen
ſind am Rande und an den Spitzen gefranzet, oder
ausgezackt, und von brauner Farbe. Es wächſt auf
Gebirgen, und blüht im Auguſt.

562) Flockblume, Dreyfaltigkeitsblume.
Centaurea Jacea, lett. Besdelligas azzes, Schwal-
benauge. Die Kelche ſehen wie verdorret aus, und ihre
Schuppen ſind ungleicher Größe und Geſtalt; die oberen
Blätter ſind lanzenförmig; die unteren am Rande tief
zahnförmig ausgeſchweift; die Stengel ſind eckigt; die
Blumen ſind roth. Es wächſet auf erhabenem Bo-
den, und blühet zu Ende des Sommers.

563) Schwarze Flockblume. Centaurea nigra. Die unteren Blätter ſind gefedert, tief ausgeſchnitten, und haben lange, ſchmale Blättchen; die
oberen Blätter ſind lanzenförmig und ſägeförmig gezahnt; die Blumen ſind purpurfarben und groß; die
Kelchſchuppen ſind ſchwärzlicht. Es wird auf ebenen
Gebirgen gefunden, und blüht im Auguſt.

IV. Mit

IV. Mit zusammengesetzten männlichen und weiblichen Blumen.
Polygamia necessaria.

Fadenkraut. Filago.

Der Kelch bestehet aus dachziegelförmig übereinanderliegenden Schuppen; der Blumenteller trägt viele Zwitterblümchen, denen jedoch der Eyerstock fehlet, daher sie für männliche zu halten sind, ob sie gleich einen Griffel und Staubwege haben; die weiblichen Blumen sind ganz klein, und sitzen im Umkreise zwischen den Kelchschuppen.

564) Deutsches Fadenkraut. Filago germanica. Diese Pflanze ist mit weißem wollenem Gewebe gleichsam überzogen; die Stengel sind getheilt; die Blätter sind klein, lanzenförmig zugespitzt; die Blumen sind auch klein, rundlich, und sitzen in den Blattwinkeln, und an den Spitzen. Man findet es an frenliegenden Anhöhen. Es blühet zu Anfange des August.

565) Ackerfadenkraut. Filago arvensis. Das ganze Gewächs ist wolligt, und fast grau; es treibt viele Nebenstengel; die Blätter sind etwas lang und linienförmig; die Blumen sitzen straußförmig an den Stengeln. Es blüht im September, und wird auf dürren Anhöhen gefunden.

V. Mit einfachen Blumen. Monogamia.

In dieser Ordnung trägt jeder Kelch nur Eine Blume, bey welcher die Staubfäden um den Griffel zusammengewachsen sind.

Viole.

Viole. Viola.

Der Kelch ist kurz, und hat fünf Blätter; die Blumen haben eben so viel Blätter, und sind ungleich; ihr oberes Blatt ist das breiteste, und endiget sich in ein hornförmiges Saftbehältniß, das zwischen den Kelchblättern hervorraget. Die Saamenkapsel ist fast dreyeckigt, und bestehet aus einem einzigen Fach.

566) **Blaue Viole**, Viola odorata. Sie ist die gewöhnliche bekandte Märzviole; der angenehme Bote des Frühlings. Die Blätter sind herzförmig; die Nebensprossen kriechen auf der Erde. Diese wohlriechende Blume kommt bey uns nur selten und einzeln vor, und zeigt sich nicht in allen Jahren wildwachsend; in kalten, lange anhaltenden Frühjahren sieht man sie nicht. Ihre gewöhnliche Zeit ist gegen das Ende des April, zuweilen früher, oft später, nachdem die Witterung es erlaubt.

567) **Hundeviole.** Viola canina. Der Stengel an dieser kleinen Pflanze ist ziemlich hoch, und geht gerade in die Höhe. Die Blätter sind länglicht, herzförmig; die Blumen sind blaßblau. Es wächset in schattigten Gegenden, und blüht im May.

568) **Sumpfviole.** Viola palustris. Die Blätter sind nierenförmig, am Rande fein gekerbt; die Blumen sind blaßblau, und haben an dem untern Blatt purpurfarbene Strichlein. Es wächset in sumpfigten Gebüschen, und blüht zu gleicher Zeit mit den übrigen Violarten.

569) **Dreyfaltigkeitsblume**, **Stiefmütterchen**, **Freysamkraut**, **dreyfarbigte Viole**. Viola tricolor, lett. Atrannites, d. i. fremde Sorgen, oder Wittwe.

Grind-

Grindkraut.　Jaſione.

Der gemeinſchaftliche Kelch, in welchem die Blumen auf kurzen Stengelchen verſammlet ſtehen, hat zehn Blätter, von welchen fünf wechſelsweiſe niedriger ſind. Die Blumen haben fünf Blätter und eine gleichförmige Mündung; die Saamenkapſeln ſitzen unter den beſonderen Kelchen, und haben zwey Fächer.

570) **Schaafgrindkraut.** Jaſione montana. Die Wurzelblätter ſind ſchmal, kraus und rauch; der Stengel treibt verſchiedene Nebenſtengel mit einzelnen weißen Blumen, die aus geſammleten Blümchen beſtehen. Dieſes Gewächs liebt gebirgigte Gegenden, und blüht zu Ende des Sommers. Man findet es aber nicht in allen Jahren.

Springſaamen.　Impatiens.

Der Kelch hat zwey ſehr kleine rundliche, gefärbte, geſpitzte, gleichförmige Blätter; die Blume beſtehet aus fünf ungleichen Blättern, und hat ein Saftbehältniß, das ſich unten in ein Horn endiget; der Staubfäden ſind fünf; ſie ſind kurz und ſehr gekrümmet; die Saamenkapſel iſt einfächerig, und hat fünf Wände. Wann der Saamen reif iſt, ſpringt die Kapſel bey der geringſten Berührung von ſelbſt auf, rollet ſich zuſammen, und ſtreuet den Saamen aus.

571) **Springſaamenkraut, Rühr mich nicht an.** Impatiens Noli me tangere. Die Blumenſtengel tragen viele große gelbe Blumen; die Stengelblätter ſind eyrförmig, und ſägezähnig; die Stengelknötchen ſind erhaben und bauchigt, dick. Man findet es an verſchiedenen ſchattenreichen feuchten Orten.

Zwan=

Zwanzigste Classe.

Mit Staubfäden, die mit den Stempeln zusammengewachsen sind.
Gynandria.

I. Mit zween Staubfäden. Diandria.

Knabenwurz. Orchis.

Der Kelch fehlt; die Blume sitzt auf dem Eyerstock, und hat fünf Blätter, von welchen drey außerhalb, und zween innerhalb stehen, die sich oben helmförmig gegen einander neigen; das Saftbehältniß hat eine ganz kurze, aufrecht stehende Oberlippe, eine große offenstehende und breite Unterlippe, und eine hornförmige herabhangende Röhre. Die Staubfäden sind kurz und sehr dünne, und sitzen auf dem Stempel; die Staubbeutel sind eyförmig, stehen aufrecht, und werden von der Oberlippe des Saftbehältnisses verdeckt; der Griffel ist sehr kurz, und an die Oberlippe des Saftbehältnisses angewachsen; der Staubweg ist stumpf und glatt. So sind fast alle Blumen in dieser Ordnung beschaffen; nur ist das Saftbehältniß verschieden, und macht die Characteristik der Geschlechter aus.

572) **Langhörnige Händleinwurz,** oder **Knabenwurz.** Orchis sonopsea. Die Blätter sind

etwas schmal; die äußeren Blumenblätter sind ausgebreitet, die innere helmförmig zusammengebogen; die
untere Hälfte des Saftbehältnisses bestehet aus drey
ungekerbten Lappen; das Horn ist sehr dünne; die Farbe der Blumen ist roth. Sie kommen um Johannis.
Diese Pflanze kommt an sumpfigten schattenreichen
Orten hervor.

573) Ungefleckte Knabenwurz. Orchis
mascula. Der Stengel schießt sehr hoch, und trägt
viele Blumen, welche blaßroth und weiß gesprengt sind;
die Unterlippe des Saftbehältnisses ist in vier Lappen
getheilt; das Horn ist stumpf; die Stengelblätter sind
ungefleckt. Es wird in feuchten offenen Wäldern gefunden, und blüht um Johannis.

574) Kurzhörnige gefleckte Knabenwurz.
Orchis maculata. Die Stengelblätter sind mit braunen Flecken besprengt. Die Blumen sind gemeiniglich
rothbunt, seltener weiß, und haben flache Lippen, ihre äußere Blätter stehen aufrecht; die innern sind zusammengebogen. Die Unterlippe des Saftbehältnisses
ist flach, und hat drey Lappen, von welchen der mittlere schmal, die äußeren beiden breiter und feiner gezackt sind; das Horn des Saftbehältnisses ist kürzer
als der Eyerstock. Man findet es auf feuchten Wiesen,
wo es nach Johannis blüht.

575) Breitblättrige Knabenwurz. Orchis
latifolia. Die Stengelblätter sind breit; die Blumen
sind röthlich; das Horn des Saftbehältnisses ist kegelförmig; die Unterlippe ist mit rothen Tüpfelchen und
feinen Zeichnungen geziert, in drey Lappen getheilt, und
an den Seiten zurückgebogen. Es kommt in morastigen Gegenden vor, und blüht im May.

576) Zweyblättrige Knabenwurz, Biesamkraut. Orchis bifolia, russisch Kokuschini Slesi,
Dsegguses lappas, auch Pohtiini, ehstn. Juda
kappa,

kappa, Pōi rōhhi. Die Unterlippe des Saftbehältnisses ist lanzenförmig und ungetheilt; das Horn
ist sehr lang; die Blumenblätter stehen auseinandergebreitet und offen; ihre Farbe ist ganz blaßgrünlich.
Man findet sie auf feuchten Wiesen und in niedrigen
Laubgebüschen. Die Blumen erscheinen kurz vor Johannis, und geben zur Nachtzeit einen angenehmen
Geruch, deswegen man sie auch in Livland wilde Nacht-
violen nennet.

578) Gefleckte Knabenwurz, gefleckte Fin-
gerwurz, gefleckte Händleinwurz, hörnigte
Händleinwurz. Orchis Morio. Die Unterlippe des
Saftbehältnisses ist viertheilig; das Horn ist stumpf,
und stehet in die Höhe; die Blumen sind purpurfarben,
und haben stumpfe zusammengebogene Blätter; die
Stengelblätter sind mit braunen Flecken besprengt.
Sie liebt feuchte Wiesen und Gebüsche, und blüht
nach Johannis.

Bocksgeilen. Satyrium.

Das Saftbehältniß ist aufgeblasen, und durch
eine wenig merkliche Furche etwas getheilt, so daß
es einem Hodensack einigermaßen gleichsiehet.

579) Schwarze Bocksgeilen, schwarzes
Knabenkraut. Satyrium nigrum. Die Blätter sind
linienförmig; die Lippe des Saftbehältnisses ist drey-
lappig und umgebogen, so daß die obere Seite gegen
die Wurzel gekehrt stehet; die Bollen sind der Länge
nach in verschiedene, fast gleiche Theile getheilet, daß
sie also einige Aehnlichkeit mit einer flachen Hand haben.
Man findet sie auf feuchten Wiesen. Die Blumen
sind purpurfarben. Ehstnisch heißt es: Jannese
munned.

Kna-

Knabenkraut.   Ophrys.

Das Saftbehältniß ist länger, als die Blumen blätter, hinterwärts kahnförmig und herabhangend, auf die Hälfte zweytheilig, und unterwärts auf jeder Seite mit einem Zähnchen versehen.

580) **Zweyblatt.** Ophrys ovata, russisch **Dwa listnich.** Unten am Stengel sitzen zwey eyförmige Blätter. Die Blume ist grün, hat einen angenehmen Geruch, und bricht im Junius hervor; die Wurzel ist faserigt. Man findet es auf feuchten Heuschlägen.

581) **Vogelnest.** Ophrys nidus avis. Der Stengel ist einfach, mit Schuppen bedeckt, und ohne Blätter; die Blumen sind braun, und haben am Saftbehältniß eine zweytheilige Lippe. Es wächset in Laubwäldern, und blüht zu Anfange des Junius.

Stendelwurz.   Serapias.

Das Saftbehältniß ist so lang, als die Blume, eyförmig, unten höckerigt; der mittlere von seinen drey Blumen ist stumpf und herzförmig.

582) **Wilde schmalblättrige Niesewurz.** Serapias longifolia. Die Blätter sind schwerdtförmig, etwas schmal, und ungestielt; und umschließen den Stengel; von den Blumenblättern sind die äußeren schmutzig weiß, die inneren blaß purpurfarben; das Saftbehältniß hat rothe Strichlein. Die Blumen hangen dicht an einander vom Stengel hinab. Die Ballen sind faserigt. Es wird an feuchten Orten, besonders wenn sie schattenreich sind, gefunden. Es blüht um Johannis.

583) **Wilde Niesewurz.** Serapias Helleborine. Die Blumen stehen in einer langen Reihe oben am Stengel, und haben grüne Blätter, doch sind die beiden

beſden oberen, auf den Seiten ſtehende Blätter blaßroth; die untere Lippe iſt dreytheilig; die unteren Blätter ſind eyförmig, die oberen länglicht und ſchwerdtförmig. Es wird in Erlenwäldern gefunden, doch ſparſam, und blüht um Johannis.

Kuckucksſchuh. Cypripedium.

Das Saftbehältniß iſt ſtumpf, aufgeblaſen, hohl,
und kürzer als die Blumenblätter, doch breiter.

584) Gemeiner Kuckucksſchuh, Marien-
ſchuh. Cypripedium Calceolus, ruſſiſch Kokuſchni
ſapaſchki. Die Stengelblätter ſind lanzenförmig,
dabey etwas breit; die Wurzeln ſind faſerigt. Man
ſiehet es hin und wieder in Wäldern.

II. Mit vielen Staubfäden. Polyandria.

Aron. Arum.

Die Hülle des Blumenträgers (Spatha) iſt einblätterig, länglicht, und hat am Ende zuſammengebo-
gene Seiten; der ſäulenförmige Blumenträger (Spa-
dix) iſt oberhalb bloß, und trägt in der Mitten männliche, unterhalb weibliche Blumen, ohne Blumenkrone; die Staubbeutel ſind viereckigt, und ſitzen ohne
Staubfäden auf dem Blumenträger.

585) Aronwurz. Arum maculatum. Die
Blume hat keinen eigentlichen Stengel; die Blätter
ſind ſpießförmig, ungekerbt, hellgrün, ſaftig, etwas
breit, und ſtehen auf langen Stielen; der Blumenſtengel iſt keilförmig, und trägt auf ſeiner Spitze eine
große häutige Hülle, wie eine Scheide, in welcher
die Fruchtwerkzeuge ſtehen. Ich habe ſie einmal bey
Riga unter Stubenſee im Walde gefunden.

Dra-

Drachenwurz. Calla.

Die Blumenhülſe iſt groß, enförmig, ſpitzig, und
ſteht offen; aus dieſer gehet der Fruchtträger hervor,
der mit Fruchtwerkzeugen bedeckt iſt.   Kelch und Blu=
menblätter fehlen; die Frucht iſt eine einfächerigte vier=
eckigte Beere mit vielen Saamen.

586) Waſſerdrachenwurz, Waſſeraron.
Calla paluſtris.   Die Hülſe iſt flach; der Blumenträ=
ger iſt fingerförmig, und mit Zwitterblümchen bedeckt;
die Wurzelblätter ſind groß, herzförmig, und ſtehen
auf langen Stielen.   Man findet es in verſchiedenen
Moräſten, beſonders in beſchatteten, z. B. im Mo=
raſte bey dem ſogenannten Hagenshofſchen philoſophi=
ſchen Gange jenſeit der Düna, und an andern Orten,
doch nur einzeln; wahrſcheinlich im Lande in den weit=
ſträfigen Moräſten häufiger.

Tang. Zoſtera.

Der Blumenträger iſt ſchmal, linienförmig, und
trägt Fruchtwerkzeuge, welche aus ganz kurzen Staub=
fäden und länglicht erunden Beuteln beſtehen, ohne
Blumenkrone.

587) Seetang. Zoſtera marina.   Die Blät=
ter ſind linienförmig, ſtumpf, und ſchwimmen mit
dem äußeren Ende auf dem Waſſer.   Die Beſchrei=
bung und Zeichnung in des Hrn. von Linnee Reiſe durch
Weſtgothl. deutſche Ueberſ. S. 193. T. IV. machen
dieſe Pflanze ganz kenntlich.   Es wächſet in der Oſtſee,
und wird häufig an unſern Strand geworfen; zuweilen
findet man es auf Steinen befeſtiget, auf welchen es
wie aufgeleimt vorkommt.

Ein

Ein und zwanzigſte Claſſe.

Männliche Blüthen von den weiblichen abgeſondert, jedoch in Einer Pflanze. Monoecia.

I. Mit Einem Staubfaden. Monandria.

Waſſerſchaftheu. Chara.

Die männliche Blüthe hat weder Kelch noch Krone; die weibliche hat einen vierblättrigen Kelch, und keine Blumenkrone; der Staubbeutel ſitzt ohne Staubfäden auf dem Fruchtboden; der Staubwege ſind drey; der Griffel fehlt.

588) **Gemeines Waſſerſchaftheu.** Chara vulgaris. Ein ſtinkendes Waſſergewächs mit ſchmalen linienförmigen, an der Spitze getheilten Blättern, die in vielen Wirbeln um den langen Stengel herumſtehen, und nachher mit dem reifen rothen Saamen faſt ganz bedeckt werden. Man findet es in Waſſergräben und andern ſtehenden faulen Gewäſſern, wo man es ſchon von weitem riechen kann.

Qq 4 II. Mit

II. Mit zween Staubfäden. Diandria.

Waſſerlinſen. Lemna.

Die männliche Blüthe hat einen rundlichen Kelch ohne Blumenkrone; die Staubfäden ſind pfriemenförmig, und haben doppelte runde Beutel... Die weibliche Blüthe hat gleichfalls einen runden Kelch ohne Blumenkrone; der Griffel iſt kurz, und der Staubweg einfach.

589) **Kleine Waſſerlinſen.** Lemna minor. Aus der zarten Wurzel, die im Waſſer hanget, kommt ein rundes Blättchen, welches flach über dem Waſſer ſchwimmet; am Rande dieſes Blättchens wachſen mehrere nach, und das Gewächs breitet ſich ſo ſehr aus, daß es eine beträchtliche Waſſerfläche bedecket. Man ſiehet es auf vielen Waſſergräben, und andern ſtehenden Gewäſſern, auch auf einigen Flüſſen, an den Geſtaden häufig.

590) **Höckerigte Waſſerlinſe.** Lemna gibba. Es unterſcheidet ſich von der vorigen kleinen Art dadurch, daß die Blätter auf der oberen Fläche platt, auf der unteren Seite höckerigt, oder vielmehr halbkugelförmig erhaben ſind. Es wächſt in ſtehenden Gewäſſern.

591) **Vielwurzeligte Waſſerlinſe.** Lemna polyrrhiza. Die Blätter ſind oberhalb grün, unterhalb dunkel purpurfarben; jedes Blatt hat mehrere Wurzeln; ſonſt iſt ſie den beiden vorigen Arten gleich. Sonderbar iſt die Bemerkung, welche Linnee gemacht hat, daß die Waſſerlinſen ſich bey der Ankunft der Schwalben zeigen, und bey ihrem Abſchiede vergehen, oder, wie er ſich ausdrückt, untertauchen.

III. Mit

III. Mit drey Staubfäden. Triandria.

Igelsknoſpen. Sparganium.

An der männlichen Blüthe iſt das Kätzchen rundlich; der Kelch hat drey Blätter; die Blume fehlt; die
Staubfäden ſind haarförmig. An der weiblichen Blüthe iſt das Kätzchen gleichfalls rundlich; der Kelch hat
drey Blätter und keine Blume; der Griffel iſt kurz und
pfriemenförmig.

592) Igelsknoſpen. Sparganinm erectum.
Die Blätter ſind ſchwerdtförmig und dreyſchneidig; die
Staubwege ſind ſteif, und bleiben noch auf der Frucht
ſitzen, daher dieſe etwas ſtacheligt iſt. Es wächſet in
Sümpfen und Waſſergräben, und blüht im Julius.

Kolben. Typha.

An den häufigen männlichen Blüthen iſt das Kätzchen walzenförmig; der Kelch iſt faſt unmerklich, und
hat drey feine Blättchen; die Blumenkrone fehlt; die
Staubfäden ſind haarförmig; die Beutel ſind länglicht, und hangen an den Staubfäden. An den
weiblichen Blüthen, welche unter den männlichen ſitzen,
iſt das Kätzchen gleichfalls walzenförmig; der Kelch
beſtehet aus einem Haarbüſchel; die Blumenkrone
fehlt.

593) Rohrkolben, Narrenkolben. Typha
latifolia, lett. Wahlit. Die Blätter ſind faſt
ſchwerdtförmig; die weiblichen Blüthen dicht unter den
männlichen; die Kolben wachſen an hohen Stengeln,
ſind walzenförmig, eines guten Fingers lang, oft auch
länger; anfangs ſind ſie braun, nachher aber, wann
ſie reifen, ſchwarz. Man findet ſie in Moräſten

und

und an Wassergräben häufig. Ehstnisch heißt er:
Soe tölw, Hunni kurrikad.

Cyperngras. Carex.

An den männlichen Blüthen ist das Kätzchen länglicht, mit Schuppen dachziegelförmig bedeckt; der
Kelch ist einblätterigt, und hat keine Blumenkrone;
die Staubfäden sind borstförmig, und stehen aufrecht,
und haben lange schmale Beutel. An den weiblichen
Blüthen ist das Kätzchen und der Kelch, wie an jenen,
ebenfalls ohne Blume. Das Saftbehältniß ist aufgeblasen und dreyzahnigt; der Griffel ist sehr kurz, und
trägt zween bis drey haarigte Staubwege; der einzelne Saame ist dreyeckigt, und sitzt innerhalb des Saftbehältnisses.

594) **Sumpfcyperngras, Sumpfriedgras.**
Carex vulpina. Die Aehren mit den Blumen stehen
an verschiedenen Nebenstengeln, doch unterwärts mehr
auseinandergebreitet; die besonderen Aehrchen sind eyförmig, und in eine gemeinschaftliche Aehre zusammengedrängt; sie tragen männliche und weibliche Blumen,
von welchen jene abwärts stehen. Man trifft es in
Sümpfen und stehenden Seen an den Gestaden an.
Es pflegt um Johannis zu blühen.

595) **Fingerförmiges Riedgras, oder Cy-**
perngras. Carex digitata. Das Gewächs ist niedrig, und hat einen dreyeckigten Stengel; die Blätter
sind kahnförmig; die Blumenähren sind schmal; die
weibliche, die über der männlichen sitzt, ist grünlich-
braun und länger als jene; die männliche ist fast zimmetfarben. Es kommt in Laubgebüschen vor, doch
selten, und blüht im Anfange des Junius.

596) **Schwarzes Cypern- oder Riedgras.**
Carex atrata. Der Stengel ist dreyeckigt; die Blumen

menchrchen sitzen an der Spitze des Gewächses auf
Stengelchen; die männlichen Blüthen stehen aufrecht,
die weiblichen schwanken hinunter; die Kelche sind
schwärzlicht. Es wächset an erhabenen Stellen.

597) **Cyperartiges Riedgras.** Carex Pseudo-
cyperus. Der Stengel ist dreyeckigt, und hat scharfe
Ecken; die männliche Blumenähre ist weißlicht, und
steht auf einem langen und dünnen Stengel über den
weiblichen; diese schwanken an einem langen dünnen
Stengel, der aus dem Winkel eines langen schmalen
Blattes hervorgeht. Es wächset in feuchten Gebüschen, und blüht bald nach Johannis.

598) **Cyperngras mit kurzen Aehren.** Carex
canescens. Die Aehren sitzen in langen walzenförmigen Kätzchen, von welchen jede drey ganz kleine viertheilige offene Blumen trägt. Es wird auf sumpfigten Wiesen gefunden.

599) **Spitziges Riedgras.** Carex acuta. Die
männlichen Blüthen sitzen oberwärts, und unter demselben die weiblichen in gefärbten Aehrchen ohne Stengel. Die Stengelblätter sind nachenförmig, etwas
bläulicht. Es kommt in verschiedenen stehenden Gewässern am Ufer vor.

600) **Blasenartiges Ried- oder Cypern-**
gras. Carex vesicaria. Die Blätter sind fahnförmig, lang und etwas scharf; die Stengel sind dreyeckigt, gleichfalls scharf. Oben in den Winkeln etlicher schmaler Blätter sitzen bis vier braungelbe männliche Aehren; unterwärts in den Winkeln einzelner langer Blätter stehen eben so viel weibliche Aehren, jede
auf einem eigenen Stengel, und etwas von einander
entfernt. Es wächst in morastigem Boden.

601) **Stacheligtes Cypern- oder Riedgras.**
Carex muricata. Die Blätter sind fahnförmig; die
Aehre ist kurz, und bestehet aus etlichen eyförmigen

Aehr-

Aehrchen, die jede in dem Winkel eines kurzen feinen Blättchens von einander abgesondert stehen, und jede männliche sowol, als weibliche Blüthen enthält. Wann diese Aehren reifen, werden sie stachelicht. Es wächst in feuchten Gebüschen.

662) **Sandriedgras.** Carex arenaria. Die Aehre bestehet aus einigen zusammengesetzten Aehrchen, in deren jedem männliche und weibliche Blüthen neben einander stehen; die unteren Aehrchen stehen etwas weiter abgesondert, in dem Winkel eines langen Blattes. Der Stengel oder Halm ist dreneckigt. Es wird am Seestrande im Sande gefunden.

IV. Mit vier Staubfäden. Tetrandria.

Birke. Betula.

Die männliche Blüthe hat einen einblättrigen dreytheiligen Kelch; jeder Kelch trägt drey kleine viertheilige Blumen; die weibliche Blüthe hat einen einblättrigen Kelch mit drey Einschnitten, der zwo Blumen trägt. Der Saame hat auf jeder Seite eine geflügelte durchsichtige Haut.

603) **Gemeine Birke.** Betula alba, lett. Behrses, Bärse, ehstn. Kask, im Dörptschen Rosna. Ein bekandter Baum mit eyförmigen, zugespitzten, sägezahnigen Blättern und weißer Rinde. In Livland wächst er fast in allen Laubgebüschen, auch in Nadelwäldern häufig; doch liebt er vorzüglich einen mäßig feuchten Boden. Seine Blätter braucht unser Bauer häufig, die Wolle gelb zu färben. Aus dem jungen kleberigten Laube machte der verst. Prof. Eisen eine Art Potpourri. Er bestillirte das Wasser davon, cohobirte es einigemal, und setzte es dann im Winter in einem Glase auf den Ofen, da es einen angenehmen Geruch

Geruch gab, wie im May das junge Birkenlaub. Die äußere Rinde dieses Baumes wird an Dächern, bey Zaunpfählen, und überhaupt bey Gebäuden, wo man den Eindrang des Wassers verhindern will, gebraucht. Aus der Rinde wird auch der bekandte Deggot, ein brandiges empyrevmatisches Oel getrieben. Der Birkensaft giebt eine Art von Manna. U. S. Marggrafs chym. Schr. 2. Th. §. 21. Herr P. Hupel führt in seiner liefl. Topogr. 2. Th. S. 490. verschiedene Spielarten mit den ehstnischen und lettischen Namen an, als:

a) Hangelbirke. Betula pendulis virgulis. Loes. a. Bor. p. 26. Hauptsächlich verursachen die schwachen schwankenden Nebenzweige, welche dieser Baum treibt, das Herunterhangen der Zweige; welches diesen Baum nebst seiner weißen Rinde schon in der Ferne von andern Bäumen unterscheidet.

b) Morastbirke, ehstn. Sosast. Sie soll dunkle Blätter, und härteres Holz haben, als die übrigen Arten. Sie scheint die Betula fragilis folio subnigro lanuginoso Linn. fl. svec. 859. 8. zu seyn.

c) Ackerbirke, ehstn. Arro kask. Diese soll weicheres Holz, als die gewöhnlichen Arten haben.

d) Tarnepu. So nennet der Ehste eine besondere Abänderung, die zwo Meilen von Oberpahlen auf Morastgrunde wächset, und selten über eine Elle hoch wird. Sie soll sehr hartes Holz haben. Aus den Blättern würde man bestimmen können, ob es nicht die Zwergbirke, Betula Nana Nr. 604. sey, wie ich fast vermuthe.

Die Knorpen an dem untern Stamm der Birke nennen wir Birkenmasern. Wegen ihrer Härte und guten Adern werden sie zu verschiedener Drechslerarbeit gebraucht. Das Birkenwasser fließt im April, daher die Letten diesem Monat den Namen: Sullu mehnes,

mehnes, d. i. Fluß- oder Saftmonat geben. Aus diesem Wasser wird mit Zusatz von Zucker, etwas Citronenschaalen und Violenwurzel ein gegohrnes Getränk gemacht, das wie der Champagnerwein brauset, kühlet, und sich gut erhält. Die Birke blüht gewöhnlich im May. Das junge wohlriechende Birkenlaub, das einige zur Erfrischung in die Zimmer setzen, nennet man in Livland Mayen, so wie auch in Curland, und an einigen Orten in Preußen. Wenn das Birkenlaub im Herbst, nachdem es schon eine rothe Farbe bekommen hat, noch einige Zeit an den Zweigen hangen bleibet; dann erwartet unser Landmann einen beständigen harten Winter; doch diese Witterungsprophezeyung trügt, wie mehrere andere.

604) **Zwergbirke.** Betula nana. Sie hat kleine runde Blätter, und wächst auf Morastgrunde, deswegen man sie auch **Morastbirke** nennet; häufiger aber findet man sie auf thonigem Boden. Selten erlangt sie Mannshöhe. Sie wird bey der Neuermühlenschen Postirung im Morast gefunden. Ich zeige dies deswegen an, weil einige ihre Gegenwart in Livland bezweifeln.

605) **Erle,** in Livland **Eller.** Betula Alnus, lett. **Elschnis,** auch **Alkschnis,** ehstn. **Lep.** Sie ist bey uns häufig und bekandt, und liefert das mehreste Brennholz. Die Morast- oder röthlichen Ellern sind unser gewöhnlichstes Tischerholz. Die mit weißer Rinde, Betula Alnus incana, eigentlich **Gräu-Eller,** lett. **Baltnissi,** hält man für die beste; sie wächst aber nur niedrig; ihre Blätter schmaler, spitziger und nicht so glatt, wie an der gewöhnlichen Art. Die Busch-Eller wächst niemals hoch, weil dieser Baum einen niedrigen etwas feuchten Boden verlangt. Sie ist unser gewöhnlichstes Strauchwerk, und zeigt einen zum

Feld-

Feldbau tauglichen Boden an. Ruffisch nennt man
fie Olsza.

Neffel. Urtica.

Die männliche Blüthe hat einen vielblättrigen
Kelch ohne Blumenkrone, an deren Stelle ein sehr
kleines trichterförmiges Saftbehältniß da ist. Die
Staubfäden sind pfriemenförmig, und haben zweyfä-
cherigte Beutel. An der weiblichen Blüthe ist der
Kelch zweyblätterig, und hat keine Blumenkrone; der
Griffel fehlt; der Saamen ist rund und glänzend.

606) Große Brennneffel. Urtica dioica, lett.
Sihkas, auch Swehtas Nahters, ehstn. Raud
nögge sid. Die Blätter sind herzförmig, gezahnt,
und stehen gegeneinander. Die Blumenbüschel stehen
paarweise neben einander; die männlichen und weiblichen Blüthen stehen jede auf besonderen Pflanzen. Sie
kommt an Wegen, Zäunen, und anderen ungebaueten Orten häufig vor.

607) Kleine Neffel. Urtica urens, lett. Alles,
auch Akli. Sie wächset in fettem Erdreich häufig,
und ist allgemein bekandt. Im Frühling werden die
zarten Blätter statt des Kohls gegessen.

V. Mit fünf Staubfäden. Pentandria.

Elffen. Xanthium.

Die röhrenförmigen männlichen Blumen stehen
zusammen in einem vielschuppigten Kelch, und formiren eine Halbkugel; sie sind bis zur Hälfte in fünf Theile
gespalten. Die weiblichen Blumen stehen unter den
männlichen in einer zweyblättrigen Schirmdecke, je
zween, ohne Blumenkrone. Die Frucht ist eine trockene stacheligte zweyfächerige Beere.

608)

608) **Kleine Klette, Bettlersläuse.** Xanthium Strumarium. Die Blätter sind am Rande zahnförmig ausgeschweift, und haben drey Ribben; die Kletten sitzen straußförmig in den Winkeln. Es wächset an offenen ungebaueten Orten.

Tausendschön. Amaranthus.

Die männlichen und weiblichen Blüthen stehen traubenförmig zusammen. Der männliche Kelch hat bey einigen Arten fünf, bey andern nur drey spitzige lanzenförmige gefärbte Blättchen, aber keine Blume; die Staubfäden sind haarförmig. Der weibliche Kelch ist wie der männliche ohne Blume; die Griffel sind pfriemenförmig und kurz, drey an der Zahl.

609) **Wilder Fuchsschwanz.** Amaranthus Blitum. Eine Pflanze, die auf allen ungebauten Stellen, besonders in Küchengärten, als Unkraut häufig vorkommt. Die Blätter sind eyförmig, an der Spitze ausgeschnitten, und stehen wechselsweise auf langen Stielen. Auf der Spitze stehen die männlichen Blüthen mit den weiblichen vermischt, doch jede in besonderen Kelchen. Ehstnisch heißt er **Rebbose hând.**

610) **Grüner Fuchsschwanz.** Amaranthus viridis. Der Stengel ist roth und gestreift, und hat viele Nebenstengel; die Blätter sind eyförmig, an dem oberen Ende ausgeschnitten; die Blüthen sind grün, und kommen aus den Anwachswinkeln hervor. Es wird an offenen Wegen gefunden und blüht im August.

VI. Mit

VI. Mit vielen Staubfäden. Polyandria.

Hornblatt. Ceratophyllum.

An der männlichen Blüthe ist der Kelch vielmal tiefer geschnitten; die Blume fehlt; der Staubfäden sind sechszehn bis zwanzig, an einigen Arten auch mehrere. Bey der weiblichen Blüthe ist der Kelch wie an jener, gleichfalls ohne Blumenkrone, und hat einen Stempel, keinen Griffel, und einen bloßen Saamen.

611) Hornblatt. Ceratophyllum demersum. Die Nebenstengel sind einigemal in zween Stengel getheilt, und haben an der Spitze vier Blätter, welche je zween und zween nebeneinander stehen. Der Saamen hat drey Stacheln. Es wächset in stehenden Gewässern, Wassergräben und Teichen unter dem Wasser.

Federball. Myriophyllum.

Der Kelch der männlichen Blüthe hat vier Blätter, keine Blume, und acht haarförmige Staubfäden. Der Kelch der weiblichen Blüthen hat gleichfalls vier Blätter und keine Blume, vier haarigte Staubfäden, keinen Griffel; der Saamen sind vier.

612) Wasserfederball. Myriophyllum spicatum. Die männlichen Blüthen stehen in etlichen Aehren um den Stengel, unter welchen die weiblichen Blüthen stehen, die mehr auseinandergebreitet sind, als jene. Man findet es hin und wieder in Sümpfen und seichten Seen.

Hagebuche. Carpinus.

Die männliche Blüthe stehet in einem walzenförmigen, die weibliche in einem länglicht runden Kätzchen;

chen; beide ſind in einer Pflanze beyſammen.   Die
Frucht iſt eine ecklgte einförmige Nuß.

613) **Gemeine Hagebuche.** Carpinus Betu-
lus.   Die Blätter ſind eyförmig, zugeſpitzt, ſägezahnig, und mit ſtarken Ribben durchzogen.   Das Holz
iſt hart und ſehr zähe.   Dieſen Baum findet man in
den Hochroſenſchen und Ronneburgſchen Gegenden,
doch nicht häufig.   Er ſchießt nicht ſehr hoch.

Pfeilkraut. Sagittaria.

An der männlichen Blüthe hat der Kelch drey,
und die Blumen eben ſo viel Blätter, und bis vier und
zwanzig, zuweilen weniger, in einem Köpfchen zuſammengewachſene pfriemenförmige Staubfäden mit aufrechten Beuteln.   An der weiblichen Blüthe haben
Kelch und Blumen eben ſo viel Blätter.   Sie hat
viele Stempel und viele bloße Saamen.

614) **Pfeilkraut, Rattins.** Sagittaria ſagitti-
folia.   Die Blätter ſind groß, und pfeilförmig zugeſpitzt.   Die Blumen ſind weiß.   Man findet es häufig in Waſſergräben und an den moraſtigen Ufern ſtehender Seen, bey Riga in dem Dünaarm am gewöhnlichen alten Hagenshoffſchen Wege am Geſtade in
Menge.

Eiche. Quercus.

Der Kelch der männlichen Blüthe iſt vier bis
fünftheilig; und hat keine Blume; der Staubfäden
ſind fünf bis zehn; ſie ſind ſehr kurz, und haben doppelte Beutel.   Der Kelch der weiblichen Blüthe beſtehet aus einem Blatt ohne Einſchnitte; die Blume
fehlt; der Griffel ſind zween, an einigen Arten fünf.
Die Frucht iſt länglicht eyrund:

615)

615) **Gemeine Eiche.** Quercus Robur, lett. Ohfols, ehftn. Tam. Ein bekandter Baum mit glatten, etwas länglichten, verschiedentlich ausge- schweiften, oberwärts breiter, als gegen den Stiel zu, gewachsenen Blättern. Da man mit unserm Holz- vorrath so unwirthschaftlich umgehet; da viele Bäume zu geringen Bedürfnissen umgehauen werden, und un- genutzt verfaulen: so muß man sich nicht wundern, daß in Livland ein alter, dickstammiger Eichenbaum eine etwas seltene Erscheinung ist; gleichwol findet man auch hin und wieder, ja fast in allen Wäldern, die nur etwas beträchtlich sind, einzelne Eichen, von wel- chen viele, wie man aus ihrer Höhe und Dicke schlie- ßen kann, sich ein paar Jahrhunderte hindurch erhal- ten haben. Bey Riga, auch tiefer im Lande findet man dergleichen in verschiedenen Gegenden. Ich habe einige gefunden, welche Stämme von funfzehn bis sechszehn Fuß im Umfange hatten. Auf dem gebir- gigten Ufer der Düna an der Alexanderschanze, und längs des ganzen Ufers des Dünaarms, den man die rothe Düna nennet, stehen Eichen von ansehnlicher Höhe, welche der höchstselige Kaiser Peter, der Große, da er die beiden Kaiserlichen Gärten anlegete, da hinsetzen ließ. — Wir haben zwar in einigen Ge- genden von Livland artige Eichenwälder: doch kann das Holz nicht so, wie das auswärtige genutzet wer- den, weil es weicher ist, und mehr Poros hat, als das auswärtige. Es wird deswegen nur zu eini- ger Böttcherarbeit, als zu Biertonnen, Buttergefä- ßen und dergleichen verbraucht. — Eichelmast wird bey uns nicht gebraucht; wir können sie auch nicht nu- tzen, weil die Eicheln spät reifen, und die Regengüsse, die wir im Herbst gemeiniglich häufig haben, es nicht verstatten, die Schweine in die Wälder zu treiben. Ehstland, besonders Wierland, hat mehrere und erheb-

lichere

lichere Eichenwälder, als Lettland. — Die Eiche
liebt hohe gebirgigte Gegenden; niedriger Boden, besonders wenn er moraftig ist, ist ihr ganz nicht zuträglich.   Das Eichenholz hat die besondere Eigenschaft, daß es, wenn es eine lange Zeit im Wasser gelegen hat, schwarz und ungemein dicht wird.   Tischerarbeit daraus gemacht, nimmt eine vortreffliche Politur an.   Man braucht es in Livland zuweilen zu Särgen: es ist aber kostbar, und wird mit vierzig bis
funfzig Rubeln bezahlt.   In der Gegend zwischen
Wenden und Walk wächset eine Eichenart, die sehr
festes dichtes Holz giebt.   Unsere Tischer nennen sie
uneigentlich Steineiche, wahrscheinlich wegen der Härte ihres Holzes: die eigentliche Steineiche aber ist der
Ilex Aquifolium, ein Bäumchen, das bey uns in
Gewächshäusern gezogen wird.   Unsere einheimische
sogenannte Steineiche wird, obgleich ihr Holz sehr
dicht und fest ist, weil es, wie die Tischer sich ausdru-
cken, sehr wetterwendisch ist, d. h. sich bey jeder Veränderung des Wetters wirft und krümmt, nur zu
Särgen gebraucht.

Buche.   Fagus.

Der Kelch der männlichen Blüthe ist glockenförmig, und bis zur Hälfte fünftheilig, ohne Blume;
die Staubfäden sind borstförmig, an der Zahl zwölf.
An der weiblichen Blüthe bestehet der Kelch aus einem
vierzähnigen Blatt; die Blume fehlt; der Griffel sind
drey, sie sind pfriemenförmig.   Aus dem Kelch entstehet eine Saamenkapsel mit vier Wänden, die mit
Stacheln besetzt ist, und zween Saamen hat.

616) Buche, Rothbuche. Fagus sylvatica,
lett. Wihkse, Wohdsennes, ehstn. soll sie Saksama saar, deutsche Buche heißen.   Russisch heißt
sie

se Rysel. Sie hat eyförmige, am Rande nur wenig sägeförmig gezahnte Blätter. Man findet sie in den mehresten Gegenden nur einzeln und sparsam; nur im lennewardenschen Gebiete ist sie nicht selten. Sie wird dort in dem fast durchgehends morastigen Walde, der in einiger Entfernung von der Düna anhebt, und den größten Theil des Gebietes einnimmt, mit Birken, Eschen, Ellern, Espen, Gränen und Haselnußsträuchern vermischt angetroffen. Der Versuch eines hiesigen Landwirths, sie aus dem Saamen zu ziehen, wollte nicht gelingen; denn sie erfroren alle im ersten Winter, vermuthlich weil sie frey gestanden, und dem Nord= oder Ostwinde zu sehr ausgesetzet waren. Auf dem arraschen Pastorat erfroren im harten Winter 1740. ein paar sehr alte Buchen, die dem Nordwinde bloßgestellet waren.

Haselstaude. Corylus.

Der männliche Kelch bestehet aus einem schuppigten, einblättrigen Kätzchen, das in drey Theile gespalten ist, und nur Eine Blüthe trägt, der die Blumenblätter fehlen; die Staubgefäße sind sehr kurz, und haben länglicht runde Beutel; ihrer sind an der Zahl acht. Der weibliche Kelch hat zwey Blätter, die in ungleiche Lappen zerschnitten sind, und als gefranzt aussehen; die Blumenkrone fehlt; die Griffel sind borstförmig und gefärbt; ihrer sind zween. Die Frucht ist eine eyförmige Nuß.

617) Haselnußstrauch. Corylus Avellana, lett. Reeksts, auch Lagsda, ehstn. Sarra, auch Pähkla pu. Seine Blätter sind rundlich, am Rande gekerbt; die Schuppen der Blumenstengel sind eyförmig und stumpf. Der Baum ist übrigens bekannt. Wir haben ganze Wälder davon voll. In Harrien

soll

soll er das gewöhnliche Brennholz liefern. Das Oel aus den Nüssen wird bey uns nicht gepreßt, ob es gleich nutzbar ist, und besonders in Harrien die Mühe wohl belohnen würde. Vier Pfund reife Nüsse geben gegen zwey Pfund Oehl. Aus den einjährigen zweyzackigten Zweigen dieses Baumes wird die Wünschelruthe geschnitten, die auf Metall schlagen soll. Am liebsten wächst dieser Baum in einem trockenen Boden, besonders wenn er dabey etwas steinigt ist. Der Nußbaum pflegt zu Anfange des May zu blühen.

VII. Mit verwachsenen Staubfäden.
Adelphia.

Fichte.   Pinus.

An den männlichen Blüthen, welche traubenförmig zusammenstehen, hat der Kelch vier Blätter und keine Blume, viele Staubgefäße; die Staubbeutel stehen aufrecht. Bey den weiblichen Blumen stehen die Kelche in Zapfen, von deren Schuppen jede zwo Blüthen trägt, an welchen die Blumenblätter fehlen; der Griffel ist pfriemenförmig; der Staubweg ist einfach.

618) Fichte, Föhre, Kiefer. Pinus sylvestris, lett. prehde, Sunku kohks, ehstn. Män. Bey uns wird der Name gemeiniglich vermischt, und die Fichte Tanne genennet, da doch die Schuje die eigentliche Tanne ist. Von dieser unterscheidet sie sich dadurch, daß ihre Blätter oder Nadeln paarweise in einer Scheide stecken, und daß ihre Aeste geradestehen, dagegen die an der Schuje hinunter hangen. Die Fichte liefert uns das beste Bauholz, und das mehreste Brennholz zum Backen und Brauen, auch zu andern Bedürfnissen, die einen großen Holzaufwand erfodern.

Nächst

Nächst der Eiche ist sie der höchste Baum in Livland. Wir haben beträchtliche Fichtenwälder, die sich in einigen Gegenden auf viele Meilen weit erstrecken. Sie liebt einen erhabenen trockenen Boden.

619) Grünbaum, Tanne, im Rigischen Schuje. Pinus Abies, lett. besonders im Rigischen Skuje, sonst auch Egle, ehstn. Kuste pu, ist unser gewöhnlichstes Bauholz. Seine spitzige pfriemenförmige Blätter oder Nadeln sitzen einzeln in einer Scheide. In Gärten verpflanzt, will dieser Baum nicht allezeit fortkommen; er giebt aber, wenn er unter der Scheere gehalten wird, schöne Kronen und Pyramiden, auch gute Hecken, die wegen des schönen lebhaften Grünes der Nadeln sehr gut ins Auge fallen. Bey dem Versetzen muß man Acht haben, daß man den Wurzeln immer dieselbe Lage gebe, die sie vorher hatten, und sie nicht flacher, auch nicht tiefer setze; besonders aber muß man dahin sehen, daß die Seite des Baumes, welche gegen Mittag gestanden hat, wieder dahin gekehret werde; eine Vorsicht, welche überhaupt bey dem Baumversetzen empfohlen wird. Die Zweige dieses Baumes haben bisher den Bauren, welche nahe an Städten, besonders um Riga herum wohnen, einen ziemlich beträchtlichen Vortheil verschafft, der sie für ihre entferntere Brüder verhältnißmäßig bereicherte, weil man die Zimmer, und die Wege zu Leichenbegängnissen und andern Processionen mit diesen zerhackten Zweigen, und Sägespähnen von Fichten bestreuete; jetzo aber, da man jede Abweichung von den Gebräuchen unserer Vorfahren für Verfeinerung ansieht, scheint dieser Gebrauch allmählig zu schwinden. Die Rinde wird von unsern Gerbern gebraucht; auch schlechte Gebäude werden damit bedeckt. Die jungen Knospen dienen den Pferden zur Arzeney;

Rr 4　　　　　　　die

die Reiſer können ſtatt des Futters gebraucht werden, wenn ſie vorher zerhackt, gequetſchet und im Waſſer erweicht ſind.   Die im Moraſt wachſen, ſollen feſter ſeyn; man hat aber bemerkt, daß das Holz ſich leicht wirft, Riſſe bekommt, und fault.   Die Schuje liebt einen etwas leimigten Boden; ſie nimmt aber auch mit moraſtigem Erdreich vorlieb, daher er in den faſt durchgehends moraſtigen Wäldern im Leenwardenſchen nicht ſelten iſt, dagegen dort faſt keine Fichte geſehen wird.

Zwey und zwanzigſte Claſſe.

Die männlichen und weiblichen Blüthen ſind von einander abgeſondert, und zwar in zwo beſondern Pflanzen.
Dioecia.

I. Mit zween Staubfäden. Diandria.

Weide.   Salix.

Die männlichen Kätzchen beſtehen aus länglichten, flachen, offenſtehenden Schuppchen; ſtatt der Blüthe iſt ein druſigtes Saftbehältniß da.   Die weiblichen Blüthen beſtehen auch aus Schuppchen; die Blume fehlt; der Griffel iſt zweytheilig; die Saamenkapſel beſtehet aus zwo Wänden, und hat nur Ein Fach; die Saamen haben eine wollichte Federkrone.

620) **Gemeine Weide.** Salix alba, rufſiſch Wetla, lett. Wihtols, ehſtn. Pao pu, auch Pa jo und Rämmel. Die Blätter ſind lanzenförmig zugeſpitzt, am Rande ſägezahnigt, und auf beiden Seiten wolligt. Bey uns wächſet ſie häufig, beſonders in feuchtem Boden. Ihre Wurzeln befeſtigen den Rand der Waſſergräben, deswegen ſie auch an Dämme gepflanzet wird. Am beſten wird dieſer Baum durch Satzweiden vermehrt. So nennet man die Aeſte, welche im Frühling abgehauen werden, und etwa zehn bis zwölf Fuß lang, und ſo dick ſind, wie die Hopfenſtangen zu ſeyn pflegen. Sie werden erſt mit dem Ende, das in die Erde kommen ſoll, ins Waſſer geſetzt, und nach einigen Tagen in die dazu gemachten Gruben verpflanzt, und mit guter Erde bedeckt, da ſie dann Wurzeln ſchlagen, und ſehr ſchnell wachſen. Aus dieſer Weidenart beſtehen die Spaziergänge an unſerer Stadtweide. Bey trockener Frühlingswitterung ſiehet man die Haarkronen des reifen Saamens wie zartes wolligtes Weſen weit herumfliegen. Die Rinde ſoll, wenn ſie in kupfernen Keſſeln gekocht wird, der Wolle und Seide eine blutrothe Farbe geben. S. Gleditſch ſyſt. Einl. in die neuere, aus ihren eigenthüml. Gründen hergel. Forſtwiſſenſch. 2. Th. S. 765.

621) **Bruchweide.** Salix fragilis. Die Blätter ſind groß, länglicht, eyförmig und ſpitzig, am Rande ſägezahnig, dabey glatt und glänzend, und haben zahnförmige Druſen an den Stielen. Der Baum wächſt ſehr hoch, und wird an Bächen und andern feuchten Stellen gefunden. Sie iſt in Livland unter dem Namen hohe Bachweide bekandt, wird aber wenig genutzet. Die Rinde hat Hr. Prof. Gleditſch ſchon ſeit vielen Jahren vor der Quaſſia, auch vor der Chinarinde bewährt gefunden. S. deſſen

Rr 5   ſyſt.

syft. Einl. in die n. aus ihren eigentl. Gk. hergel.
Forstw. Ehstn. heißt sie Rämmal, Rämalkas.

622) Bandweide. Salix viminalis. Dies ist
eine niedrige Weibenart mit langen, schmalen, lanzenförmigen, zugespitzten, am Rande etwas wellenförmig gebogenen, ein wenig sägeförmig gezahnten,
unterwärts wolligten Blättern, und hangenden Zweigen, die wegen ihrer Stärke und Zähigkeit zu verschiedenen Bedürfnissen statt der Stricke gebraucht werden.
Der Baum treibt keinen starken Stamm.

623) Palmweide, Saalweide, richtiger
Seilweide. Salix caprea, russisch Losa. Die Blätter sind eyförmig, runzeligt, an der unteren Seite
wolligt, etwas wellenförmig gebogen, am oberen Ende gewöhnlich etwas gekerbt. Sie wird an offenen
Waldstellen gefunden. Die Zweige dieser Weidenart
sind von den übrigen zum Siebmachen tauglich.

624) Liegende Weide. Salix incubacea. Diese Weidenart wächset nur niedrig, und kriecht mit ihren Zweigen fast immer auf der Erde herum. Die
Blätter sind schmal, lanzenförmig, ungekerbt, unterhalb weiß, haarigt und glänzend.

625) Fünfmännrige Weide. Salix pentandra.
Dieser Baum wächst nur niedrig, selten viel über einen
Klafter hoch; die Blätter sind glatt, am Rande sägeförmig gezahnt; die Blumen haben fünf Staubgefäße;
sie liebt einen feuchten Boden.

626) Sandweide. Salix arenaria. Diese
Weidenart wächst gleichfalls nur niedrig. Die Blätter sind eyförmig, etwas zugespitzt, oberwärts ein wenig haarigt, unterwärts mit wolligtem Wesen gleichsam durchwebt.

627) Weide mit Rosmarinblättern. Salix
rosmarinifolia. Eine ganz niedrige kriechende Weidenart mit kleinen, schmalen, oben glatten, unterhalb

halb zartwolligten, glänzenden, am Rande ungezackten Blättern. Ich habe sie nur einmal am Ufer des
Schmerlflusses im Rigischen Stadtgebiete gefunden.

628) **Großblättrige Weide.** Salix filicifo-
lia. Sie wächst zu einem mäßigen Baum. Ihre Blätter
sind schmal, zugespitzt, glatt und gezahnt, aberhalb
grasgrün, unterhalb mattgrün. Sie kommt hin und
wieder in Wäldern vor.

629) **Braune Weide.** Salix fusca. Eine niedrige kriechende Weidenart mit kleinen eyförmigen,
unterhalb mit wenigen weißen glänzenden Härchen be-
setzten Blättern und braunen Zweigen. Sie wird auf
feuchten Wiesen gefunden.

630) **Weide mit dem Mandelblatt.** Salix
amygdalina. Der Baum wächst nur mäßig hoch.
Seine Blätter sind länglicht, etwas breit, oben zugespitzt, und am Rande gezahnt; ihre obere Fläche ist
glänzendgrün, die untere blasser und mattgrün. Sie
wird an Bächen gefunden.

631) **Großblättrige Morastweide.** Salix repens. Eine niedrige Weidenart, die zuweilen in
Morästen gefunden wird. Sie hat lanzenförmige,
ungekerbte, auf beiden Flächen etwas wolligte Blätter
und hangende Zweige, welche unser livländischer Bauer
bey seinem Fuhrwerk, Pfluge und Umzäunungen statt
der Stricke zu brauchen pflegt. Aus den Schaalen
der Rinde macht er seine Bastschuhe, die er Pasteln
nennt. Sie wächst an feuchten etwas morastigen
Stellen.

632) **Geohrte Weide.** Salix aurita. Die
Blätter sind fast eyrund, und auf beiden Seiten rauch;
jedes hat an der Stengelwurzel zween Blattansätze.
Man findet sie in trockenen Wäldern.

II. Mit

II. Mit drey Staubfäden. Triandria.

Rausch. Empetrum.

Die männliche Blume hat drey länglichte Blätter, drey hangende lange haarförmige Staubfäden, und einen tief vierzahnigen Kelch. Die weibliche Blume hat neun Staubwege, ohne merkliche Griffeln. Kelch und Blume haben dieselbe Gestalt, welche die männlichen haben. Die Frucht ist eine Blume mit neun Saamenkernen.

633) **Liegender Rausch, beerentragendes Zeidekraut.** Empetrum nigrum. Es hat dünne, holzartige Stengel, die sich weit herum ausbreiten; die Blätter sind schmal und etwas dick; die Blumen sind klein, weißlicht, und sitzen einzeln an den Spitzen der Nebenstengel. Auf die Blüthe folgen schwarze Beeren, welche die letten Nisen nennen, und deren häufiger Genuß Kopfweh verursacht. Es wächst an etwas niedrigen sumpfigen Orten häufig; die Blumen brechen um Johannis hervor.

III. Mit vier Staubfäden. Tetrandria.

Mistel. Viscum.

An der männlichen Blüthe ist der Kelch in vier eyförmige Blättchen tief gespalten; die Blumen und Staubfäden fehlen; die Staubbeutel sind länglicht, spitzig, und jeder an ein Kelchblättchen angewachsen. An der weiblichen Blüthe hat der Kelch vier Blättchen, und sitzt auf dem Eyerstock; der Griffel und die Blumenblätter fehlen; die Frucht bestehet aus einer Beere mit einem herzförmigen Saamen.

634) **Mistel, Eichenmistel.** Viscum album, lett. Weja florina, auch Ahmals. Die Blätter sind lanzenförmig, oben abgerundet; die Stengel theilen sich in etliche fortgesetzte zweytheilige Nebenstengel, an deren äußerem zwey Blätter je eines gegen das andere an der Spitze stehen. Die Blüthen sind gelblicht, und sitzen in Aehrchen, welche aus den Winkeln, die die Stengel mit den Nebenstengeln machen, hervorgehen. Der Mistel gehört unter die Schmarotzerpflanzen, und wächst auf verschiedenen Bäumen zwischen den Aesten, besonders auf Eichen, zuweilen auf dem Haselstrauch, auch auf der Weide, nie in der Erde. Die Saamenkerne kleben sich vermittelst eines zähen Leimes zwischen den Baumästen an, da sie dann keimen, und die Pflanze in die Höhe schießt. Aus den reifen Beeren wird der Vogelleim gemacht. Sie werden so lange in Wasser gekocht, bis sie weich werden und zerplatzen, dann stößt man sie in einem Mörser, und wäscht sie so lange im Wasser, bis die Hülsen und Kerne heraus sind. Die beste Zeit dazu ist der März oder April.

Gagel. Myrica.

Das männliche sowol, als das weibliche Kätzchen haben hohle mondförmige Schuppen; beiden fehlt die Blume; die Staubfäden, deren zuweilen, doch selten sechs sind, sind kurz, und haben große zweyklappige Beutel. Das weibliche Kätzchen hat zween fadenförmige Griffel; die Frucht ist eine einfächerige Beere mit einem einzigen Saamen.

635) **Gagel, Porst, Post, Porsch.** Myrica Gale. Er wird sonst auch Sumpfmyrthen genennet. Dies ist ein vielästiger Strauch mit langen

zenförmigen, etwas sägezahnigen Blättern, dessen
Stengel überwintert, und im Frühling neue Sproß-
sen treibt.

IV. Mit fünf Staubfäden. Pentandria.

Hanf.   Cannabis.

An der männlichen Blüthe hat der Kelch fünf länglichte hohle Blätter; die Blume fehlt; die Staubfäden sind haarförmig und sehr kurz, sie tragen länglicht
viereckigte Beutel.   An der weiblichen Blüthe ist der
Kelch einblätterig, länglicht und spitzig, ungetheilt,
an einer Seite der länge nach mit einer Oeffnung;
die Blumenblätter fehlen; die Griffel sind pfriemenförmig und lang, an der Zahl zween.   Die Saamenhülse hat zwo Wände, und sitzt im Kelch verschlossen.

636) Wilder Hanf. Cannabis sativa, russisch
Kanopel, lett. Kannapu. Nichts unterscheidet
ihn von dem, den wir auf Feldern bauen, und der bey
uns ein Handlungszweig ist.   Er ist zu bekandt, als
daß er einer Beschreibung bedürfte.   Er säet sich selbst
an Zäune, in Gärten, und auf Aeckern, auch an andern offenen Stellen häufig, und blüht um Johannis.
Er liebt einen guten fetten Boden.   Daß der Hanf
Erdflöhe und Raupen vertreibe, das haben auch bey
uns wiederholte Versuche nicht bestättigen wollen.

Hopfen.   Humulus.

637) Hopfen, wilder Hopfen, Buschho-
pfen. Humulus Lupulus, russisch Chmel, lett. Ap-
peni, ehstn. Hummal.   Er wächst bey uns in laubgebüschen häufig wild, und schlängelt sich um Gesträuche

che und Bäume so hoch wie der Gartenhopfen. Zwar
ist er nicht so gut, wie der, welchen der Landmann in
Gärten ziehet; doch bekommt er durch das Verpflan-
zen eben so große Trauben, wird auch zu eben der
Güte gebracht, welche der Gartenhopfen hat. Der
Bauer vermischt ihn auch mit dem Gartenhopfen, und
verkauft ihn. Der Braunschweigische Hopfen hat
nach verschiedenen vorsichtigen Versuchen in unsern
kalten Gegenden nicht fortkommen wollen. Unter den
einheimischen Gattungen wird der wierländische Hopfen
für den besten gehalten. Aus den Reben des Hopfens
läßt sich feines Garn spinnen, aus welchem recht feine
Leinewand gemacht wird. Die Methode wird in den
schwed. Abhandl. 12. Th. S. 220. angegeben.

V. Mit acht Staubfäden. Octandria.

Espe. Populus.

Die männliche Blüthe hat länglichte, walzenförmige, haarigte Kätzchen, deren Schuppen am Rande
gefranzt sind; die Blüthe ist kreiselförmig, und in jeder Schuppe steht eine ohne Blumenkrone. An der
weiblichen Blüthe sind Kelch und Blume eben so gestaltet; der eyförmige spitzige Eyerstock trägt einen
kurzen kaum merklichen Griffel; die Saamenkapsel
hat zwey Fächer, und trägt viele fliegende haarigte
Saamen.

638) Espe, Bebespe. Populus tremula, lett.
Aspe, ehstn. Aaw oder Haaw. Die Blätter sind
rundlich, am Rande eckigt, und ungleich ausgeschnitten, auf beiden Seiten glatt; die Blattstiele sind
lang, an der Spitze platt und dünne, welches bey
dem geringsten Lüftchen eine schwankende zitternde Bewegung

wegung verursachet. Diesen Baum findet man in
verschiedenen Wäldern, besonders ist es im lennewardenschen häufig. Das Holz ist weich, und
wird zu Gebäuden nicht gebraucht; denn es wird
leicht wurmstichig; doch braucht man es zu Tischer-
und Drechslerarbeiten, auch werden Schüsseln,
Mulden und dergleichen Kleinigkeiten daraus gemacht.

639) **Schwarzer Pappelbaum, Aalbeer-
baum**, schwarze Espe. Populus nigra, lett.
Pehpeles, ehstn. Rûna pâpu, oder Saksama
aaw. Die Blätter sind groß, verschoben würfel-
licht, zuweilen am Rande sägeförmig gezahnt, oft
ganz, zugespitzt, und sitzen an langen Stielen. Das
Holz ist härter und nicht so weiß, wie an der Bebespe. Aus der Rinde fließt zuweilen ein Harz. Der
Baum kommt zuweilen in Wäldern vor; doch ist er
bey uns eben nicht häufig.

VI. Mit neun Staubfäden. Enneandria.

Bingelkraut. Mercurialis.

Der männliche Kelch ist durch tiefe Einschnitte
in drey Theile getheilet, und hat keine Blumenkrone;
der Staubfäden sind neun; zuweilen zwölf; sie sind
haarförmig, und so lang als der Kelch; die Staubbeutel sind kugligt, und durch eine leichte Furche in
zwey Theile getheilt. Der weibliche Kelch ist wie der
männliche, auch ohne Blumen; der Griffel sind zween,
sie sind zurückgebogen und mit starren Borstchen besetzt; die Saamenkapsel hat zwey Fächer, und in jedem
nur Einen Saamen.

640) **Bingelkraut.** Mercurialis perennis, ehstn.
Selja rohhi, d. i. Rückenkraut. Der Stengel
geht

geht ohne Nebenstengeln in gerader Richtung in die Höhe; die Blätter sind mit steifen Hügelchen besetzt. Es wächst hin und wieder in erhabenen Gebüschen, und blüht gleich zu Anfange des Frühlings.

VII. Mit verwachsenen Staubfäden.
Monadelphia.

Wacholder. Juniperus.

Der männliche Kelch bestehet aus einem kurzen Kätzchen, in welchem zehn Schuppchen sind, in deren jedem eine Blüthe sitzt; die Staubfäden sind pfriemenförmig, und unten zusammengewachsen, drey an der Zahl. Der weibliche Kelch ist klein, und durch tiefe Einschnitte in drey Blättchen gespalten; der Blumenblätter sind drey, und der Griffel eben so viel; sie sind einfach. Die Frucht ist eine runde Beere mit drey Saamen.

641) **Wacholder, Raddig, Raddick.** Juniperus communis, russisch Moschtschawell, lett. Paegle, ehstn. Raddakas, im Dörptschen Radajas. Der Blätter oder Nadeln kommen allezeit drey auf einer Stelle hervor, die mit der Spitze auseinanderstehen, und über der Beere hervorragen. Dieser Strauch ist übrigens in Livland häufig, und hinlänglich bekandt. Oft findet man ihn zehn Ellen und drüber hoch, und von beträchtlicher Dicke. An verschiedenen Orten wird das Holz zum Ofenheizen und zum Räuchern des Fleisches, wozu es besonders tauglich ist, gebrauchet, auch werden verschiedene Kleinigkeiten, als Becher, Spielwerke für Kinder und andere Sachen daraus gedrechselt. Die Beeren werden außer dem Arzeneygebrauch wenig genutzt; sie dienen in-

zwiſchen vielem Federwild und kleinen Vögeln zur Nahrung.

Taxbaum. Taxus.

Die männliche ſowol als die weibliche Blumenhülle beſtehet aus drey Blättern; an beiden fehlt die
Blumenkrone. Die männliche Blüthe hat viele unten
zuſammengewachſene Staubgefäße; die weibliche hat
keinen Griffel; die Frucht iſt eine Beere mit einem
Saamen.

642) Gartentaxbaum, Beerentragender
Eibenbaum. Taxus baccata. Dieſer Strauch oder
Bäumchen hat ſchmale, ſpitzige, ſtarre, dicht aneinandergedrängte Blätter, die beſtändig grün ſind. Ge-
ſchoren wird er häufig zu Gärtenverzierungen gebraucht.
Man findet ihn bey Pernau in Wäldern; wahrſcheinlich kommt er auch in andern Gegenden vor; denn unſer
Clima kann ihm nicht entgegen ſeyn, da er nach Hr.
Prof. Ferbers Erfahrung in Curland, und nach Linn.
fl. ſuec. ed. II. Nr. 1006. gar in dem weit kälteren
Schweden wild wächſet. Das Holz iſt glatt und ſehr
zähe, und dient ſehr gut zu feiner Tiſcher- und Drechslerarbeit. In Mitau habe ich Commoden von inlän-
diſchem Taxusholz geſehen. Laub und Blume haben eine
ſchädliche betäubende Kraft.

Drey und zwanzigste Classe.

Zwitterblumen mit männlichen oder weiblichen vermischt. Polygamia.

I. Auf einer Pflanze beysammen. Monoecia.

Roßgras. Holcus.

An der Zwitterblume bestehet der Kelch aus einem doppelten Bälglein, von welchen das eine größere das kleinere umgiebt; die Blüthe hat zwey kleinere haarigte Bälglein; die Staubfäden, deren drey sind, sind haarförmig, und haben länglichte Beutel; die zween Griffel sind gleichfalls haarförmig. Der männliche Kelch hat zwo Bälglein oder Scheiden ohne Blumenkrone; der Staubgefäße sind drey; sie sind nebst ihren Beuteln eben so gestaltet, wie die an der Zwitterblume.

643) **Weiches Roßgras.** Holcus mollis. Eine Grasart mit glatten, am Rande scharfen Blättern; der Blumenstrauß ist kurz, von Farbe weißlicht; jedes Bälglein trägt eine Zwitter- und eine männliche Blume. Es wird an offenen Waldstellen gefunden.

644) **Wohlriechendes Roßgras, Mariengras.** Holcus odoratus. Dieses ist eine niedrige Grasart, die einen angenehmen Geruch hat. Die

Bälg-

Bälglein haben keine Aehren; ſie ſind ſpitzig, und tragen drey Blumen, von welchen die mittlere eine Zwitter⸗ blume mit zween Staubfäden, die beiden äußeren aber männliche ſind. Man findet es auf trockenen Wieſen und in Wäldern, beſonders in Harrien. Wegen ſeines guten Geruchs wird es von einigen zum Schnupftoback gelegt. Es blüht im May. Der Ehſte nennet es Marja heinad oder rohhud.

645) **Wolligtes Roßgras.** Holcus lanatus. Die Blätter ſind lang, grasartig, weich und wolligt. Die Nebenſtengel, deren einige an einer Stelle her⸗ vorkommen, ſind kurz, der Strauß etwas zuſammen⸗ gedrängt; in jedem Kelch ſitzt eine männliche und eine weibliche Blüthe von blaſſer Purpurfarbe. Man findet es auf Wieſen, wo es bald nach Johannis blüht.

Melte. Atriplex.

An der Zwitterblüthe iſt der Kelch hohl, und hat fünf Blätter; die Blume fehlt; der Staubgefäße ſind fünf; ſie ſind pfriemenförmig, und haben runde dop⸗ pelte Staubbeutel; der Griffel iſt zweytheilig und kurz; der Saamen iſt platt. An der weiblichen Blüthe hat der Kelch zwen große eyrunde, flache, zuſammenge⸗ drückte, ſpitzige Blätter; die Blumenblätter fehlen; der Griffel iſt zweytheilig; der Saamen iſt platt.

646) **Wilde Melte.** Atriplex patula, ruſſiſch Lebeda, lett. Greaſtewas, ehſtn. Maltſad. Die⸗ ſes bekandte Gewächs hat lanzenförmige Blätter mit einem oder zween an der Seite hervorragenden Zäh⸗ nen; die Stengel ſtehen etwas auseinandergebreitet; der Saamen ſteckt im Kelche, deſſen Blätter einige Zähnchen haben. Man findet es in Gärten, auf Fel⸗ dern,

bern, und fast an allen offenen trockenen Orten. Es blüht um Johannis.

647) **Meermelte.** Atriplex laciniata. Von den Blättern sind einige fast eyförmig, andere lanzenförmig, alle am Rande stumpf gezahnt, und auf der unteren Seite mehligt und weiß; die Blüthen sind roth. Die Zwitterblumen sitzen an den Stengeln in Aehren; die weiblichen in den Blattwinkeln. Es wächst an Flußufern, und blüht im Julius.

Ahorn. Acer.

Der Kelch der Zwitterblume hat fünf spitzige Blätter; die Blume hat eben so viel Blätter, acht kurze pfriemenförmige Staubfäden mit einfachen Beuteln, und zwo bis drey Saamenkapseln mit häutigen Flügeln, in deren jeder ein Saamen steckt. Kelch, Blume und Staubgefäße sind an der männlichen, wie an der Zwitterblume.

648) **Löhne, Linenbaum.** Acer Platanoides, russisch Klöhn, Kleen, lett. Klawa, ehstn. Wahsher; auch Wahtra pu. Die Blätter sind in fünf oben zugespitzte, spitzig gezahnte Lappen getheilt, und glatt. Die Blumen stehen straußförmig, und haben eine blaß grüngelbe Farbe. Dieser Baum ist eine Ahornart, und wächst in Lettland häufiger, als in Ehstland. Der Saft des Stammes ist süß, wird aber leicht schleimigt und zähe. Er muß nach dem ersten Frost abgezapfet werden. Man kann damit bis zum Anfange des Jänners, aber länger nicht fortfahren, damit der Baum durch Mangel des Saftes keinen Schaden leide. Daß man einen Versuch gemacht hat, aus diesem Saft Canditzucker zu kochen, wie in Hr. P. Hupels Topogr. 2. Th. S. 503. angezeiget wird, und wie schon vor langer Zeit in Canada, und seit einigen Jahren in den österreichschen Landen

Ss 3   aus

aus dem Ahorn gemacht worden, das verdienet Beyfall.   Das Holz wird bey uns zu Mühlwerken, zu
Schlittensohlen und dergl. gebraucht; es ist auch zu
verschiedener Drechslerarbeit tauglich.   Ausserhalb an
Gebäuden taugt es nicht, weil es an der Luft, und
bey einiger Nässe leicht faulet.   Das Laub, das auch
leicht fault, giebt einen guten Dünger.   In einem
feuchten Boden, der aber dabey locker seyn muß, gedeihet die Löhne am besten.   Wo sie ein gutes Erdreich
findet, und wo ihrer Ausbreitung nichts im Wege stehet, da breitet sie ihre Aeste weit aus, gewinnt auch
eine ausserordentliche Höhe und Dicke.   In Riga stand
vor vielen Jahren eine, deren Stamm zween Männer
kaum umklaftern konnten.

II. In zwo Pflanzen. Dioecia.

Esche. Fraxinus.

An den Gewächsen dieses Geschlechts fehlen Kelch
und Blume.   Die Zwitterblüthe hat zween kurze
Staubfäden mit länglichten Beuteln, die durch vier
leichte Furchen getheilt sind, und einen walzenförmigen
aufrechtstehenden Griffel; der Saamen ist lanzenförmig, und sieht einer Vogelzunge gleich.   An der
weiblichen Blüthe sind Griffel und Saamen wie an der
Zwitterblüthe.

649) Gemeine Esche. Fraxinus excelsior,
russisch Jäsen. lett. Ohsche, Ohsis, ehstn. Saar.
Ein bekandter Baum, der hoch schießt, und einen geraden Stamm bekommt.   Seine Blätter sind lanzenförmig, am Rande sägeförmig gezahnt.   Das Holz
wird zum Brennholz gefället.   Es ist hart, und liefert uns das beste Tischlerholz.   An niedrigen, etwas
feuchten Orten kömmt er besser fort, als an erhabenen

Stellen,

Stellen, wo er wenigstens eine beträchtliche Höhe erreicht. Wir haben zwo Arten; beide wachsen in Laubgebüschen mit Birken und Ellern vermischt, jedoch eben nicht sehr häufig; sie blühen zu Ende des May. Wenn die Bemerkung der Alten richtig ist, daß das Eschenholz den Wanzen widerstehe; so wäre es sehr gut, daß man es zu hölzernen Gebäuden brauchte, besonders aber die Bettstellen daraus verfertigte. Der Baum wird besonders im Luhdschen, Erlmoschen, Gerbigallschen, Lennewardenschen, auch auf der Insel Oesel gefunden. Wo er einen Boden findet, der locker genug ist, daß sich seine starke Wurzeln, die mit einer dicken Rinde überzogen sind, weit genug ausbreiten können, da pflegt er eine beträchtliche Höhe zu gewinnen.

Vier und zwanzigste Classe.
Mit unkenntlichen Fruchtwerkzeugen.
Cryptogamia.

I. Größere Blätter mit unkenntlichen Fruchtwerkzeugen.
Farrnkräuter. Filices.
Pferdeschwänze. Equisetum.

Die Fruchtwerkzeuge sitzen in einem länglicht enförmigen Aehrchen oben am Stengel versammlet, und bestehen aus vielseitigen Kapselchen, welche, wann sie reif sind, aufspringen, und den staubigten Saamen ausstreuen.

650) **Ratzenzahl.** Equisetum arvense, russisch Roschkoi chwost, d. i. **Ratzenschwanz,** lett. Robs sas, auch Aschke, wie bey den Lappländern, ehstn. Lamba nissad, d. i. **Schaafszitzen.** Ihre Blätter sind lang, schmal, fast viereckigt, haben abgesetzte Glieder, und stehen wirbelförmig um den Stengel herum. Man findet ihn auf Wiesen und Feldern.

651) **Schachtelhalm, Schaftheu.** Equisetum hiemale, lett. Aschas, Aschenes, Aschki, ehstn. Körbeosjad. Die Stengel sind scharf, haben gezähnte Glieder, aber keine Blätter. Es wächst in sumpfigten Wäldern, und wird von Tischern, Maklern und Laquirern zum Poliren gebraucht.

652) **Sumpfschaftheu.** Equisetum palustre. Der Stengel ist eckigt, und hat ganz kurze wirbelförmigstehende Blätter oder Borstchen. Es wächst an sumpfigten Orten.

653) **Langblättriges Schaftheu, Flußschaftheu.** Equisetum fluviatile. Der Stengel ist gestreift, und hat lange Blätter, die in dichten Wirbeln herumstehen. Man findet es an verschiedenen feuchten Stellen.

654) **Pfützenschaftheu.** Equisetum limosum. Der Stengel ist glatt, und hat gar keine Blätter. Es liebt sumpfigte Waldgegenden.

655) **Zunkraut, Scheuerkraut.** Equisetum sylvaticum. Die Aehre mit den Fruchtwerkzeugen sitzt oben am Stengel; die Blätter sind lang, und durch gezähnte Glieder unterschieden. Man findet es an verschiedenen schattigten Stellen.

Anmerkung. Eine von den Gattungen des Schaftheues, die ich nicht bestimmen kann, hat tief kriechende Wurzeln, und an deren Enden verschiedene Knorren, die oft so groß sind, wie eine wälsche Nuß. Diese Knorren, welche eine Art von
Trüf-

Trüffeln sind, werden von den letzten Glossi genennet. Ich vermuthe, daß dieses die Erdgewäch-
se sind, welche P. Kalm in Schweden als eßbar
angetroffen hat. S. dessen Reise nach dem nordl.
America 1. Th. S. 24.

Taubenfarrn. Osmunda.

Die Fruchtwerkzeuge bestehen aus runden Kapselchen, welche staubenförmig, und dicht um den
Stengel herumstehen; Sie streuen den reifen Saamen, wie das vorige Geschlecht aus.

656) Mondraute. Osmunda Lunaria, russisch
Lunaja. Sie hat nur einen Stengel mit einem gefiederten Blatt, das aus einigen gerade gegeneinanderste-
henden halbmondförmigen Blättchen bestehet; oberhalb des Stengels stehen die Kapselchen, die aus kleinen Kügelchen bestehen, an kurzen Nebenstengelchen
in Reihen herum. Diese Pflanze wächst nur niedrig,
und wird an feuchten Orten gefunden.

Streifenfarrn. Asplenium.

Die Fruchtwerkzeuge sitzen in Streifen oder Linien
von verschiedener Richtung auf der unteren Blattseite.

657) Mauerraute. Asplenium Ruta muraria.
Die Blätter sind gefedert, und haben keilförmige, an
der Seite etwas gezackte Blättchen, die einander gegenüber stehen. Man findet es auf Anhöhen, doch
etwas sparsam.

Vollblütiges Farrnkraut. Acrostichum.

Die Fruchtwerkzeuge bedecken die ganze untere
Blattseite allenthalben.

Ss 5   658)

658) **Glattes vollblütiges Farrnkraut.** Acro-
ftichum thelypteris.   Die Blätter kommen ohne
Stengel aus der Wurzel hervor, ſind gefedert, und
haben lange ſchmale Blättchen, welche wieder von
beiden Seiten mit kleinen kurzen Blättchen dicht beſetzt
ſind.   Es wird in feuchten Gebüſchen gefunden.

Saumfarrnkraut.   Pteris.

Die Fruchtwerkzeuge der Pflanzen dieſes Geſchlechts ſitzen in Reihen auf den Rändern der untern
Blattſeite.

659) **Fliegenfarrnkraut.** Pteris aquilina, ruſſiſch Tſchornoi Paporotnik, lett. Pappehrbes,
Paparîſchi, ehſtn. Sanna jalg. Dieſe bekannte
Pflanze wächſt zum Verdruß des Landmannes in ſehr
vielen Gegenden auf Buſchländern häufig.   Sie hat
große weitläuftige, dreyfach gefederte Blätter, deren
Blättchen angekerbt ſind, und von welchen die, welche an der Spitze des Stieles ſtehen, kleiner ſind, als
die übrigen.   Dieſe Blätter kommen einzeln auf langen Stielen aus der Wurzel hervor.

Punctfarrnkraut.   Polypodium.

Die Fruchtwerkzeuge ſtehen in rundlichen Puncten auf der unteren Blattſeite.

660) **Farrnkrautmännlein.** Polypodium Filix
mas.   Die Blätter ſind doppelt gefedert, und haben
ſtumpfe gekerbte Blättchen.   Dieſe Pflanze iſt gleichfalls allgemein, und wird häufig in Wäldern gefunden.

661) **Zerbrechliches Punctfarrnkraut.** Polypodium fragile.   Die Blätter ſind doppelt gefedert,
und haben rundliche, etwas gekerbte Blättchen, welche von einander entfernt ſtehen, ihre untere Seite
hat

hat schwarze Pünctchen, welche die Fruchtwerkzeuge sind. Es findet sich in dürren Gegenden, doch eben nicht häufig.

662) Farnkrautweiblein. Polypodium Filix foemina. Die Blätter sind doppelt gefedert, und ihre Blättchen haben andere spitzigere Läppchen. An diesen habe ich durch ein Microscop die Fruchtwerkzeuge deutlich gesehen. Es stehen viele Staubgefäße um einen Stempel herum. (Polyandria Monogynia.)

663) Brunnenfarrnkraut. Polypodium fontanum. Diese kleine Art hat gefederte Blätter, deren Blättchen etwas von einander abstehen, rundlich, und mit kleineren, feingezackten Blättchen besetzt sind, welche unten zusammenlaufen. Es findet sich an Wasserquellen.

664) Feinblättriges Farrnkraut. Polypodium rhaeticum. Die Blätter sind doppelt gefedert, und haben wechselsweise stehende, von einander etwas entfernte Blättchen, deren Blättlein schmal, lanzenförmig, und tief gezahnt sind. Es wächst in Gebüschen.

Pillenkraut. Pilularia.

Die männlichen Fruchtwerkzeuge stehen unter dem Blatt; die weiblichen an der Wurzel.

665) Kugeligtes Pillenkraut. Pilularia globulifera. Eine rankende Wasserpflanze, welche über jedem Stengelknoten zwey bis drey fadenförmige Blätter, und zwischen denselben ein kleines klares Kügelchen hat, in welchem der Saamen steckt. Dillenius giebt in seiner hist. muscor. T. LXXIX. eine richtige Zeichnung. Es wird in der Ewst gleich am Ufer gefunden.

II. Mit

II. Mit kleinern Blättern und einem Staub-beutel.   Moose.   Musci.

Kolbenmoos.   Lycopodium.

Der Staubbeutel ist nierenförmig, zweyklappig, und sitzt in den Blattwinkeln ohne Stengel; die Saamen sitzen in dem Kelch der weiblichen Blüthe, die sich mit der männlichen auf Einer Pflanze befindet.

666) Bärlapp, Wolfsklau, Streupulver-moos. Lycopodium clavatum. Die Blätter sind fabenförmig, und sitzen ohne Ordnung ganz dicht übereinander um den Stengel herum. Die Blumenähren sind fast säulenförmig, und sitzen je zwo nebeneinander an den Spitzen der Nebenstengel. Der Saame, den diese Pflanze in Menge von sich streut, ist das bekannte Streupulver. Herr Prof. Kölreuter will in seinem entdeckten Geheimniß der Cryptogamie S. 67. u. f. behaupten, daß dieses Pulver nicht der Saamenstaub, wofür ihn die mehresten Kräuterkenner bis dahin gehalten haben, sondern der wirkliche Saamen sey. In Livland, wenigstens im Rigischen Gebiete, findet man dieses Gewächs in Wäldern ziemlich häufig.

667) Hexenkraut, Lycopodium Selago, lett. Abdehresahles, ehstn. Kallad, Naja kallad, Naja rohhi, d. i. Hexenkraut. Von den Blättern kommen allezeit acht aus einem Winkel hervor; der Stengel ist gerade, und wird einigemal in Nebenstengel getheilet, aus deren jedem wieder einigemal zwey hervorgehen, und oberhalb, wo sie zusammentreffen, so gerade, und von so gleicher Höhe sind, als wenn sie beschoren wären. Die Fruchtwerkzeuge stehen ohne Ordnung vertheilt. Es wird von Letten und Ehsten als eine Arzeney für Menschen und Vieh gebraucht.

Wenn

Wenn sie eine Krankheit überfällt, die jeden andern Hausmittel widerstehet, und die sie nicht beurtheilen können: so halten sie dafür, daß sie auf Anstiften ihrer Feinde von Zauberern behext sind, und kochen dieses Gewächs in Dünnebier oder Kosent, und trinken das Decoct, welches sie für ein ganz bewährtes Mittel halten. Sehr oft hilft ihnen das Vertrauen zu dieser Arzeney, oder die Natur, oder irgendwo ein Zufall zu der vorigen Gesundheit. Einige machen Kränze daraus, und hangen sie in ihren Wohnzimmern an den Wänden und an der Decke auf, und glauben dabey, daß die Blätter sich bewegen, so oft ein Zauberer oder eine Hexe hineintritt. Es wächst in Wäldern an trockenen Orten häufig.

668) **Kriechendes Kolbenmoos.** Lycopodium inundatum. Es kriecht dicht auf der Erde herum, an die es sich gleichsam anschließt, und schießt verschiedene Stengel aus, die in der Erde Wurzeln schlagen. Aus diesen kommen verschiedene einzelne geradestehende Stengel hervor. Die Blätter sind lebhaft grün. Es wird in sumpfigten Gegenden gefunden.

669) **Waldcypressenmoos, glatter Bärlapp.** Lycopodium complanatum, russisch Seleniza. Eine aufrechtstehende Moosart, deren Stengel sich in Nebenstengel vertheilen, auf deren Spitzen je zwo Blumenährchen sitzen. Es kommt auf buschigten Gebirgen vor.

Hüllmoos. Fontinalis.

Die männliche Blüthe bestehet aus einem länglichten Staubbeutel mit gefranzter Mündung und einem spitzigen Deckel, über welche noch eine Hülle von halbgedeckten Blättchen gehet.

670)

670) **Zahnigtes Hüllmoos.** Fontinalis anti-
pyretica.   Die Stengel ſind lang und dünne, ſchwärzlich, getheilt, und ſchwimmen auf dem Waſſer.   Die
Blätter ſind ſchmal, ſpitzig und durchſichtig, und ſtehen mehrentheils gegen einander; am untern und mitt-
tern Theile der Zweige ſind ſie größer, als am oberen
Theile; die Fruchtwerkzeuge ſtehen in den Blattwinkeln.   Die Zeichnung in Dill. hiſt. muſc. T. XXXIII.
f. h. iſt ganz richtig.

Torfmoos.   Sphagnum.

Der Staubbeutel iſt kugeligt, und hat einen
ſtumpfen Deckel, keinen Stengel; die weibliche Blüthe
iſt unbekandt.
671) **Waſſertorfmoos, Waſſermoos.** Spha-
gnum paluſtre.   Es hat herabhangende Nebenſtengelchen, die mit kurzen weißen Blättchen beſetzt ſind.
Bey Erbauung hölzerner Gebäude wird es zu Ver-
ſtopfung der Fugen gebraucht, wie es in Livland und
in Rußland geſchieht.   Man findet es in ſchattenreichen ſumpfigten Gegenden, am häufigſten in verwach-
ſenen Seen.

Haarmoos.   Polytrichum.

Der Staubbeutel hat einen Deckel, der in der
Mitte einen Stiel hat, und platt iſt; über dieſem
ſteht noch ein kegelförmiger haarigter Hut; die weibliche Blüthe, die auf einer anderen Pflanze dieſer Art
ſtehet, beſteht aus einem rothen Kelch, und fadenförmigen gegliederten Stempeln.
672) **Gegliederter Wiederton.** Polytrichum
commune, ruſſiſch Kokuſchkk Lenn, lett. Adſpehre
ſahles, auch ojeggunes Lunn.   Die männliche
Pflanze

Pflanze hat einen langen Stengel, welcher mit vielen kleinen dicht übereinanderliegenden spitzigen Blättchen besetzt ist, aus deren Spitze ein braunrother Stengel hervorgehet, der einen vierseitigen säulenförmigen Staubbeutel mit einem pomeranzenfarbenen Hut trägt. Man pflegt ihn auf Morastgrunde zu finden.

Bartmoos. Phàscum.

Die männliche Blume hat keine Kappe oder Kelch, und bestehet aus einem eyförmigen Staubbeutel, der an der Mündung gefranzt ist, und einen spitzigen Deckel hat.

673) Ohnstengligtes Bartmoos. Phascum acaulon. Dieses ist eine vielfach zusammengewachsene kleine Moosart ohne Stengeln, die aus spitzigen zusammenschließenden Blättern bestehet, zwischen welchen die Fruchtwerkzeuge stecken.

Sternmoos. Mnium.

Der Staubbeutel hat einen kegelförmigen Deckel und einen länglichten zugespitzten Hut; die weibliche Blüthe, die sich bald auf derselben, bald auf einer anderen Pflanze befindet, bestehet aus Stempeln, die in der Mitte des Kelchs zusammengedrängt stehen.

674) Grabensternmoos. Mnium fontanum. Eine kleine Moosart mit aufrechtstehendem ungetheilten röthlichen Stiel. Man findet es zuweilen an Gräben und wasserreichen Stellen.

675) Durchsichtiges Sternmoos. Mnium pellucidum. Eine kleine Moosart, etwa einen Zoll hoch, welche viele einfache röthliche Stengelchen und eyförmige Blätter hat. Sie wird auf feuchten Heuschlägen gefunden.

676)

676) Sumpfſternmoos. Mnium paluſtre. Eine größere geradeſtehende Moosart mit zweyzackigten Aeſtchen, die mit länglichten, zugeſpitzten, kahnförmigen, gelblich grünen Blättchen dicht beſetzt ſind. Es wächſt auf Moraſtgrunde.

677) Wetterverkündigendes Sternmoos, kleines güldenes Wiederton. Mnium hygrometricum. Eine kleine Moosart ohne merklichen Stengel mit breiteren zuſammengedrängten Blättern; aus der Mitte derſelben kommt ein röthlicher Stengel, welcher bey feuchtem Wetter zurückgebogen, bey trockener Witterung aber aufgerichtet ſtehet, und einen herabhangenden goldfarbenen Staubbeutel, und einen faſt viereckigten Hut hat. Die weibliche Blüthe ſteht auf einer andern Pflanze. Es wächſt in trockenen Wäldern, beſonders an faulen Baumſtämmen.

678) Purpurfarbenes Sternmoos. Mnium purpureum. Eine kleine Moosart mit zweytheiligen Stengeln, die mit vielen ſchmalen kahnförmigen Blättchen beſetzt ſind; an den Stengelwinkeln kommen lange, dünne, fadenförmige, purpurfarbene Blüthenſtengel mit aufrechten grünen Staubbeutelchen hervor, welche einen kurzen, etwas ſpitzigen röthlichen Deckel haben. Es wird in Wäldern und auf Wieſen gefunden.

679) Dreyeckigtes Sternmoos. Mnium triquetrum. Die Blätter ſind kahnförmig, zugeſpitzt, und ſitzen in drey Reihen; die Blüthenſtengel ſind purpurfarben oder röthlich, kommen einzeln hervor, und tragen gelbe Staubbeutel mit einem zugeſpitzten Hut. Es wächſt auf Moraſtgrunde.

680) Sternmoos mit Quendelblättern. Mnium ſerpillifolium. Die Blätter ſind eyförmig, ſtumpf und getüpfelt, und ſtehen wechſelsweiſe um den Stengel; die Blüthenſtengel ſind röthlich, lang, und wachſen

sen haufenweise nebeneinander; sie tragen schwankende
Staubbeutel mit einem zugespitzten Deckel. Es wird
auf feuchten Wiesen gefunden.

Knotenmoos. Bryum.

Der Staubbeutel hat eine gefranzte Mündung,
einen Deckel, und über demselben einen glatten spitzigen
Hut, der schief stehet; der Staubfaden kommt aus
einer kleinen Erhöhung am Grunde der Blüthe hervor.

681) Kleines Erdmoos, Dächermoos.
Bryum rurale. Die Staubbeutel sind länglicht, und
stehen etwas aufrecht; die Blätter sind an den Enden
mit einer zurückgebogenen haarigten Spitze versehen.
Man findet es in gebirgigten Gegenden.

682) Besenförmiges Knoten:moos. Bryum
scoparium. Die dünnen Staubbeutel stehen auf einigen zusammengedrängten Blüthenstengelchen; die
Blätter stehen nach einer Seite gerichtet; der Stengel kriecht ein wenig. Es kommt in dichten Gebüschen vor.

683) Baumknotenmoos, Steinknoten-
moos. Bryum apocarpum. Eine dunkelgrüne Moosart mit ästigen Stengeln, und dachziegelförmigliegen-
den Blättchen; die Staubbeutel haben einen kleinen
rothen Hut, und sind ohne Stengel. Es wird in
hohlen Bäumen und auf Felssteinen gefunden.

684) Knotenmoos mit rother Blüthe.
Bryum truncatulum. Eine ganz kleine Moosart mit
länglichten Blättchen. Es trägt häufige kurze Blüthenstengelchen mit rothen Staubbeuteln, die einen zugespitzten Deckel haben. Es wächst in offenen Wäldern und an ungebauten Orten auf der Erde.

Astmoos.   Hypnum.

Der Staubbeutel hat eine gefranzte Mündung und einen Deckel, über welchem ein glatter länglichter Hut stehet; die weibliche Blüthe bestehet aus kleinen Federchen, die in den Blattwinkeln sitzen.

685) Cypressenförmiges Erdmoos oder Ast= moos. Hypnum cupressiforme. Die Blätter sind klein, an der Spitze pfriemenförmig, niedergebogen, und nach einer Seite hingekehret; die Stengel sind wie in einander verwickelt. Es wächset in Wäldern, und an Baumwurzeln. Auch dieses Moos braucht man bey Erbauung hölzerner Gebäude zu Verstopfung der Wandritzen.

686) Sprossendes Astmoos, Wandmoos. Hypnum proliferum. Eine kriechende Moosart mit vielen Nebenstengeln, welche viele gefederte Seiten= stengel tragen. Es wird an erhabenen Orten ge= funden.

687) Gespitztes Federmoos. Hypnum crista castrensis. Die Stengelchen haben verschiedene Aest= chen, welche dicht aneinandergedrängt stehen, und an den Spitzen zurückgebogen sind. Man findet es in waldigten Gegenden, doch nur sparsam.

688) Seidenartiges Astmoos. Hypnum velu= tinum. Es hat kriechende Stengel, welche wieder hin und wieder Wurzeln schlagen, und viele aufrecht= stehende, dicht aneinander hervorsprossende Nebensten= gel tragen; welche mit kurzen grünen glänzenden Blätt= chen bedeckt sind. Die Blüthenstengel kommen unten am Grunde der Nebenstengel hervor, und haben schwankende Staubbeutel. Man findet es in Wäl= bern am untern Theile der Baumstämme, die es oft ganz wie mit einer Tapete überzieht.

689) **Stumpfblättriges Astmoos.** Hypnum purum. Die Stengel sind in Nebenstengel getheilt, und mit zarten, stumpfen, eyförmigen, gelblichten, glänzenden Blättchen bedeckt. Die Blüthenstengel sind lang und roth von Farbe, und kommen aus dem unteren Theile der Zweige hervor; ihre Staubbeutel sind etwas schwankend.

III. Gewächse, deren Wurzeln, Stengel und Blätter Einen Körper ausmachen.

Fasergewächse. Algae.

Jungermännien. Jüngermannia.

Die männliche Blüthe geht aus dem röhrenförmigen Stiel an einem langen Stengel hervor; an der weiblichen Blüthe sind weder Kelch noch Fruchtwerkzeuge sichtbar.

690) **Kriechendes Jungermannisches Aftermoos, kriechende Jungermannie.** Jungermannia dilatata. Auch diese Moosart theilet sich in Zweige; die Blättchen haben unterhalb kleine Schuppchen; die Blüthen sitzen an ganz kurzen Stengelchen. Es wird in Laubgebüschen an Baumrinden gefunden.

Marchantien. Marchantia.

Die Blüthe hat einen gemeinen schildförmigen Kelch, welcher an der unteren Seite Blümchen trägt.

691) **Verschiedentlich gestaltetes Marchantisches Aftermoos.** Marchantia polymorpha. Die Blätter sind dick, an der unteren Seite mit Härchen besetzt, die sich in die Erde oder faule Baumrinde schlagen, und das Gewächs darin befestigen. Aus den

Blätt-

Blattwinkeln kommen die männlichen Blumen auf lan‐
gen Stengeln hervor, und wann dieſe ſchon vertrocknet
ſind, zeigen ſich die weiblichen Blüthen an ganz kurzen
Stengeln auf den Blättern. Es wächſt in feuchten
Laubgebüſchen.

Riccien.　Riccia.

Die männliche Blüthe hat weder Kelch noch Blu‐
menkrone, und beſtehet aus einem pfriemenförmigen
abgekürzten Staubbeutel ohne Stengel; die weibliche
Blüthe beſtehet aus einer kugelförmigen Saamenkap‐
ſel mit vielen Saamen.

692) Waſſerriccien, Riccia fluitans. Es be‐
ſtehet aus grünen Fäden, die an der Spitze gabelför‐
mig getheilt ſind. Man findet es auf Waſſergräben
und ſtehenden Seen ſchwimmen.

693) Kleinſte Riccien. Riccia minima. Eine
kleine Moosart mit glatten, ſpitzigen, zerſchnittenen
Blättchen, die ſich auf der Erde herum ausdehnen.
Es wird auf feuchten Wieſen gefunden.

Flechtmoos.　Lichen.

Der Fruchtboden der männlichen Blüthe iſt offen,
rundlich und flach, faſt wie eine Scheibe, und glän‐
zend; die weiblichen Blüthen mit den Saamen ſitzen
wie ein Mehl auf den Blättern zerſtreuet, bey einigen
Arten auf derſelben, bey andern auf einer andern
Pflanze.

694) Lichtmoos. Lichen candelaris. Es iſt
gelb und rindenartig, hat hellgelbe Schildlein, oder
flache tellerförmige, an einer Seite ausgehöhlte oder
vertiefte, und mit rundherum erhabenem Rande ver‐
ſehe‐

sehewen Fruchtwerkzeuge. Es wird hie und da in
Wäldern gefunden.

695) **Lungenmoos.** Lichen pulmonarius,
lett. Senniolis, russisch *Rarastnaja trawa*, ehstn.
Kopsu rohhud. Seine Blätter endigen sich in große stumpfe lappen; oberhalb ist es mit Erhöhungen
fast netzförmig besetzt, unterhalb als wenn es mit
einem wolligten Wesen durchwebt wäre. Es wächset
in Wäldern auf alten Baumstämmen.

696) **Corallenmoos.** Lichen uncialis. Es
ist strauchartig, inwendig hohl, gleichsam wie durchbohrt; seine Zweige sind kurz und spitzig. Es wächst
an offenen trockenen Stellen häufig. Man muß es
mit dem eigentlichen Corallenmoos, das unter die Co-
rallenarten gehört, nicht verwechseln.

697) **Runzligtes Flechtmoos,** runzligtes
Baummoos. Lichen augostrs. Eine zarte, weiße
Moosart mit erhabenen, punctförmigen, schwarzen
Blättern und Strichlein. Es wird an Erlen- und
Elchenstämmen gefunden.

698) **Wacholdermoos.** Lichen juniperinus.
Dieses Flechtmoos ist von dunkelgelber Farbe, und
hat verschiedene Einschnitte. Es bestehet aus einer
blättrigen Rinde, und wächst an Wacholdersträuchen.

699) **Bleiches Flechtmoos.** Lichen pallescens.
Die Oberfläche ist runzeligt, und hat bleichgrüne
Schildlein. Man findet es an Baumrinden, und
auf Felssteinen.

700) **Gelbes Flechtmoos, Wandmoos.**
Lichen parietinus. Die Blätter sind kraus, am
Rande in lappen getheilt, und liegen übereinander;
ihre Farbe ist pomeranzenfarben, so wie auch die an
den Schildlein. Es wird an Baumrinden, alten
Zäunen, und andern Stellen gefunden.

701) **Hornförmiges Flechtmoos.** Lichen prunaſtri. Es hat breite aufrechte Blätter mit merklichen Vertiefungen, und iſt oberhalb dunkelgrau, unterhalb weiß und wolligt. Nach ſeiner äußeren Figur gleicht es Dammhirſchhörnern. Es kommt hin und wieder auf Weidenbaumſtämmen vor.

702) **Hundeflechtmoos.** Lichen caninus. Es hat große, flache, lederartige, am Ende in ſtumpfe Lappen getheilte Blätter, die oberhalb grau, unterhalb weiß und haarigt ſind. Es wird in Wäldern neben und auf andern Moosarten gefunden.

793) **Geſäumtes Flechtmoos.** Lichen fimbriatus. Dieſes iſt ein gezahntes becherförmiges Moos mit walzenförmigen Stielchen.

704) **Braunes Flechtmoos.** Lichen ſubfuſcus. Eine weißgraue Moosart mit hohlen, bräunlichen Schildlein, die einen grauen Rand haben. Es wächſt an Baumäſten.

705) **Mehligtes Flechtmoos.** Lichen furfuraceus. Dies iſt ein blätteriges Flechtmoos, das gewölbförmige, zugeſpißte Blättchen hat, die oberhalb weißgrau, unterhalb ſchwärzlich ſind. Seine Geburtsörter ſind die Baumäſte.

706) **Mähnenförmiges Flechtmoos.** Lichen jubatus. Es hängt in dichten Wäldern von den Aeſten alter Fichten hinab, und ſchießt in ſehr lange Fäden, die immer dünner werden, und ſich in einander verwickeln, wie eine Mähne. Ich habe es nur in Fichtenwäldern an alten Bäumen gefunden. Zuweilen bedeckt es die Aeſte ſo ſehr, beſonders wo die Bäume dicht beyſammenſtehen, daß ſie verdorren und erſterben.

707) **Steinmoos.** Lichen ſaxatilis. Es beſtehet aus rauhen, dachziegelförmig übereinanderliegenden, aſchgrauen, unterhalb ſchwarzen Blättchen,

und

und castanienbraunen Schildlein. Man findet es auf Dächern, an Baumstämmen, und auf Steinen, besonders überzieht es unsere Felssteine. In einigen Gegenden färben unsere Bauern ihre Leinwand zu Kleidern damit gelb.

708) **Zaunmoos.** Lichen sanguinarius. Es ist graugrün, und hat schwarze, fast kugelförmige Hügelchen. Es wächst an Zäunen und verschiedenen Bäumen häufig.

709) **Kalkmoos.** Lichen calcareus. Es ist weiß, und mit schwarzen Hügelchen besetzt. Man findet es auf Kalksteinen, besonders in der Wendenschen Gegend häufig.

710) **Bechermoos.** Lichen cocciferus. Diese Moosart hat walzenförmige Stielchen, und sieht in einandergesetzten Becherchen gleich. Es hat nur ein, oder ein paar Nebenstengelchen, an deren Enden schöne hochrothe Hügelchen hervorkommen. Es wächst auf der Erde, und nur sehr niedrig. Man findet es im Hinzenbergischen und in der wendenschen Gegend.

711) **Graues Bechermoos.** Lichen pyxidatus. Eine Moosart, deren dünne Röhren sich in eine becherförmige Figur endigen, auf deren Rande im Herbst die Fruchtwerkzeuge in der Gestalt kleiner Höcker hervorkommen. Auch dieses wächst auf der Erde, und kommt in dürren Wäldern vor.

712) **Sternförmiges Flechtmoos.** Lichen stellaris. Es hat länglichte, wie Schuppen übereinanderliegende, und sternförmig gestellte, zerschnittene schmale weißgraue Blätter, und schwarze Schildlein mit grauem Rande. Es wächst gemeiniglich um Baumäste und um junge Bäume.

713) **Birkenflechtmoos.** Lichen physodes. Dieses Flechtmoos findet man nicht nur an Birkenstämmen, sondern auch an Linden. Es ist oberhalb

asch=

aſchgrau, und hat ſtumpfe, glatte, am Erde leicht getheilte Blättchen; unterhalb iſt es ſchwarz. Die Blättchen breiten ſich in die Runde aus.

714) Bartförmiges Flechtmoos. Lichen barbatus. Es beſtehet aus lauter dünnen, ſehr langen, in einander verwickelten Fäden, von welchen auf den Seiten viele zarte Nebenzweiglein oder Fäden auslaufen. Es iſt von grauer Farbe, und hängt häufig und bartförmig an den Aeſten abgeſtorbener Fichten hinab, die es zuweilen, beſonders in dichten Fichtenwäldern ganz bedeckt.

715) Wolligtes Flechtmoos. Lichen lanatus. Es beſtehet aus dicht aneinanderſtehenden, ſchwärzlichen, äſtigen, nach allen Seiten hin ſich ausbreitenden, in einander verwickelten, und in kurze haarförmige Zweiglein ausgehenden Fäden. Es wächſet in Wäldern an Baumäſten.

716) Isländisches Flechtmoos. Lichen islandicus. Der äußeren Structur nach gleicht es dem Baumlungenmoos, nur fehlen ihm die netzförmigen Zeichnungen, auch die Lappen ſind ſchmaler, und haben am Rande viel feine Borſtchen; innerhalb ſind ſie grünlich, außerhalb weiß. Man findet es in dürren, ſandigen Wäldern auf der Erde über andern Moosarten.

717) Haarigtes Flechtmoos. Lichen ciliaris. Es hat aufrechte, ohne beſtimmte Ordnung zerſchnittene, faſt glatte, flache, am Rande mit Borſtchen beſetzte Blättchen und ſchwarze Schildchen, die auf kurzen Stielchen ſtehen, und einen aſchfarbenen Rand haben. Es wächſt an verſchiedenen Baumſtämmen.

718) Mehligtes Flechtmoos. Lichen farinaceus. Es hat ſchmale, getheilte blaßgrüne, aufrechtſtehende Blättchen, an deren Rande die Fruchtwerkzeuge in weißen warzenähnlichen Auswüchſen ſtehen, welche ein weißgraues Mehl enthalten, das ſie über

die

die Blätter streuen, die daher wie bestäubt aussehen. Man findet es an Baumstämmen,

719) **Rosenförmiges Flechtmoos.** Lichen caperatus. Die Blätter dieser Moosart sind in die Runde herum ausgebreitet, und geben ihr eine rosenförmige Gestalt; sie sind blaßgrün; runzeligt, am Rande wellenförmig gebogen, und in stumpfe Lappen getheilt. Es wird an Baumstämmen, und auf Steinen gefunden, die es oft wie mit einer Rinde überzieht.

720) **Gefaltetes Flechtmoos.** Lichen plicatus. Es bestehet aus langen getheilten, und dicht in einander verwickelten Fäden von schmutzig grüner Farbe. Man findet es in dichten Wäldern, wo es von den Baumästen lang herabhängt.

721) **Aestiges Flechtmoos.** Lichen hirtus. Diese Art bestehet aus kurzen, aufrechtstehenden, vielfach getheilten, und dicht in einander verwickelten Aestchen von schmutzig grüner Farbe, an welchen hin und wieder kleine mehligte Blättchen sitzen. Es wächst an Bäumen und alten Zäunen.

Gallert. Tremella.

Dieses Gewächs bestehet aus einem schleimigten Körper, an welchem die Fruchtwerkzeuge nicht zu erkennen sind.

722) **Nostock.** Tremella Nostoc. Ein schleimigter, häutiger Körper, welcher gefaltet und wellenförmig gekräuselt ist. Man findet ihn auf feuchten Wiesen.

723) **Purpurfarbener Gallert.** Tremella purpurea. Es sind purpurfarbene Hügelchen, welche ohne einige Spur von Zweigen oder Blättchen an ver-

bor-

dorreten Baumäsien sitzen, und oft rund, zuweilen
von unbestimmter Figur sind.

724) **Ohrschwamm, Judenschwamm.** Tremella Auricula.   Dieses ist ein häutiger, runder,
krausgefalteter, hohler, schwarzgrauer Schwamm,
der ohne Stiel an verschiedenen Baumästen wächset.

725) **Wacholdergallert.** Tremella juniperina.
Eine gelbe, häutige, ohrförmige Schwammart, die
man ohne Stiel zuweilen an Wacholdersträuchen, besonders nach häufigem Regen findet.

Tang. Fucus.

Die männlichen Fruchtwerkzeuge bestehen aus
punctförmigen Erhöhungen und länglichten Bläschen
von wolligter Textur; die weiblichen Bläschen sind
rund, und mit kleinen eingedruckten, an der Spitze
hervorragenden Körnchen bestreuet.   Die Saamen
sind nur einzeln.

726) **Meergras, Hauter.** Fucus veficulo-
fus.   Der obere Theil, welcher die Fruchtwerkzeuge
trägt, ist flach, und theilt sich verschiedenmal in zween
Nebenstengel.   Die Bläschen kommen paarweise aus
dem Winkel hervor, den der Stengel mit den Nebenstengeln macht; an dem äußeren Ende des Gewächses
sind die Bläschen höckerigt.   Es wird oft von der Ostsee an unsern Strand ausgeworfen, und würde sandigen Feldern eben so vortheilhaft seyn, als der Seetang.

727) **Zugespitzter Seetang.** Fucus fastigia-
tus.   Dieses Gewächs ist rund, und mit Aestchen,
die sich alle in zwey Theile theilen, und von gleicher
Höhe sind, dicht besetzt.   Man findet ihn zuweilen
am Ostseestrande, z. B. bey Schlock, dahin ihn die
See auswirft.

Watt.

Watt. Ulva.

Dieses sind Seegewächse ohne Zweige und Blättchen, deren Fruchtwerkzeuge in blasenförmigen Häutchen stecken.

728) **Darmförmiger Watt.** Ulva intestina-
lis. Ein häutiges, grünes, inwendig hohles Gewächs,
das einem aufgeblasenen Darm nicht ungleich siehet.
Es wird in Flüssen gefunden, die ihn zuweilen auf den
Strand werfen.

Wasserfaden. Conferva.

Er bestehet aus langen haarförmigen, einfachen
und einförmigen Fibern mit ungleichen Erhöhungen
und Hügelchen.

729) **Bachwasserfaden, Bachmoos.** Conferva rivularis. Es bestehet aus langen, grünen,
einfachen Fäden. Man findet es zuweilen auf stehenden Wassern versammlet.

730) **Zweyzackigter Wasserfaden.** Conferva
dichotoma. Er wächset etwa einen Fuß hoch, und
bestehet aus glatten, dünnen Fäden von dunkelgrüner
Farbe, die sich in verschiedene zweyzackigte Aeste abtheilen. Es wächset in sumpfigten Wassergräben.

731) **Uferwasserfaden.** Conferva littoralis.
Er bestehet aus gleichförmigen, ganz dünnen, in sehr
viele Aeste oder Zweige abgetheilten Fäden. Man findet es an den Ufern der Flüsse und stehender Seen.

732) **Netzförmiger Wasserfaden.** Conferva
reticulata. Er bestehet aus zarten, netzförmig durch-
einanderlaufenden, glänzenden, grünen Fäden. Er
kommt in Flüssen und stehenden Seen vor.

733) **Brunnenwasserfaden.** Conferva fontinalis. Er bestehet aus kurzen einfachen Fäden, und
wird

wird in Brunnen und seichten Wassergräben gefunden. Herr Prof. Blumenbach liefert im Göttingschen Magaz. 2. Jahrg. 1. St. S. 80. u. f. eine gute Beschreibung von der einfachen schnellen Fortpflanzung dieses Wassergewächses, nebst einem schönen richtigen Kupfer.

734) **Strandwasserfaden.** Conferva littoralis. Die Fäden sind gleichförmig, dünne, und sehr ästig, von Farbe rothbraun. Es wächset an Flußufern.

Flockenschwamm.   Byssus.   -

Er bestehet aus wolligten oder staubigten einförmigen Fibern.

735) **Wasserblüthe.** Byssus flos aquæ. Sie bestehet aus sehr kleinen federartigen Fäden von grüner Farbe, welche in warmen Sommertagen häufig, und wie ein grüner Staub auf stehenden Gewässern ausgebreitet herumschwimmen.

736) **Mauerschimmel.** Byssus antiquitatis. Ein staubartiger schwarzgrauer Schimmel, der alte Mauern zu überziehen pflegt.

737) **Traubenförmiger Flockenschwamm.** Byssus botryoides. Er bestehet aus vielen kleinen übereinandergehäuften Kugelchen von dunkelgrüner Farbe. Man findet ihn in Niedrigungen nach abgelaufenem Wasser ziemlich häufig.

738) **Leuchtender Flockenschwamm.** Byssus phosphorea. Er ist violfarben und wächset in kurzen zarten Fäden; in faulem Holz, welches davon im Finstern stark leuchtet.

IV.

IV. Schwammartige Körper, ohne Blätter.
Schwämme. Fungi.

Blätterschwamm. Agaricus.

Ein horizontalwachsender Schwamm, der unterhalb blätterig ist, und mehrentheils auf einem Stiel stehet. Einige Arten sind eßbar, andere giftig.

A. Mit einem Stiel und runden Hut.

739) **Gelber Pfifferling, Chanterelle.** Agaricus Chantarellus, lett. **Gailenes.** Der Hut ist rund; die Häutchen der Blätter sind in Zweiglein getheilt, und laufen hinunter. Die Farbe ist safrangelb. Er gehört unter die eßbaren Schwämme, und kommt in dürren Fichtenwäldern, besonders in regnigten Sommern häufig vor.

740) **Orangefarbener Schwamm.** Agaricus elavus. Er ist sehr klein, und hat einen erhabenen pomeranzenfarbenen Hut mit Streifen; der Stiel ist weiß. Man findet ihn gegen den Herbst in erhabenen Fichtenwäldern; er kommt aber nicht oft vor.

741) **Fliegenschwamm, Giftschwamm.** Agaricus muscarius, lett. **Muschmires,** ehstn. **Karpse senned.** Der Hut ist groß, rund, fast kegelförmig, sehr oft scheibenförmig, blutroth, und mit vielen gelblichten oder weißen erhöheten Tüpfeln besetzt. Der Stengel ist dick, unterhalb knolligt. Von diesem Schwamm findet man verschiedene Abänderungen. Mit diesem Schwamm tödtet man die Fliegen, und anderes Ungeziefer. Er wird für ein ganz bewährtes Mittel wider die Wanzen gehalten. Die Methode, dieses beschwerliche Ungeziefer damit zu vertreiben, ist folgende. Die frischen Schwämme werden in einem
Geschirr

Geschirr zerstoßen, oder zerstampfet, zugedeckt, und in einen Keller gesetzt, bis sie zu einem Brey oder Schleim werden. Mit diesem Schleim bestreichet man alle Ritzen und Schlupfwinkel, in welchen sich dieses Ungeziefer verborgen hält, mit einem Pinsel ein paarmal nach einander, jedoch so, daß allezeit ein Monat dazwischen vergehet. Das Zimmer bekommt zwar einige Tage lang einen unangenehmen Geruch davon; aber der vergehet bald wieder, und diese überlästige Gäste sterben davon, als wenn sie die Pest überfallen hätte. Obgleich dieses Mittel ganz einfach ist: so ist es doch zuverlässiger, als irgend ein anderes. Es wird in Linnee Reisen durch Schonen, deutsche Uebers. S. 833. angezeigt. Daß man wegen seines starken Giftes vorsichtig damit umgehen müsse, wird jeder selbst leicht einsehen.

742) **Glockenförmiger Schwamm.** Agaricus campanulatus. Ein kleiner Schwamm, der einen kegelförmigen grauen Hut, und einen langen Stiel hat. Man findet ihn hin und wieder auf feuchten Wiesen, auch in niedrigen, etwas morastigen Eulenwäldern.

743) **Schirmförmiger Schwamm.** Agaricus umbelliferus. Dieser ziemlich kleine Schwamm hat einen gefalteten weißen flachen Hut, der auf einem langen Stiel stehet. Man findet ihn gegen den Herbst in Laubwäldern unter abgefallenen Baumblättern ziemlich häufig.

744) **Caneelfarbener Schwamm.** Agaricus cinnamomeus. Der Hut ist schmutziggelb, oder hell zimmetfarben, und hat hellbraune Häutchen. Der Stiel ist lang und gelblicht. Man findet ihn in Wäldern. Russisch heißt er Wolschanka.

745) **Pfifferling.** Agaricus piperatus. Der Hut ist flach, weiß, und giebt einen milchigten Saft

von

von sich; sein Rand ist niedergebogen; die Blättchen sind blaß fleischfarben. Er stehet auf einem dicken Stiel. Man findet ihn in Wäldern.

746) **Gezahnter Schwamm.** Agaricus dentatus. Der Hut ist erhaben gewölbt, schmutzig-gelb, mit glatten bleichen Häutchen. Er steht auf einem dünnen hohen Stiel. Er liebt trockene Stellen, kommt aber nur sparsam vor.

747) **Georgenschwamm.** Agaricus Georgii. Der Hut hat fast die Figur des vorigen, ist aber größer, und von Farbe gelblicht; die Häutchen sind weiß; der Stiel ist dick. Er wird in Gebüschen gefunden. Russisch heißt er Wolni.

748) **Fünftheiliger Schwamm.** Agaricus quinquepartitus. Der Hut ist asch-grau, und hat weiße Häutchen, und ist in fünf, zuweilen in sechs Theile getheilet, doch so, daß diese Theile an einem Häutchen zusammenhangen. Der Stiel ist walzenförmig. Man findet ihn auf Wiesen.

749) **Bleicher Schwamm.** Agaricus equestris. Der Hut ist bleich, und hat in der Mitte einen sternförmigen gelben Flecken; die Häutchen sind schwefelgelb; der Stiel ist dick. Er kommt in Wäldern vor.

750) **Violfarbener Schwamm.** Agaricus violaceus. Der Hut ist groß, und violfarben; der Stiel hat eben diese Farbe, und ist kurz. Er wird an offenen Waldstellen gefunden.

751) **Klebeschwamm.** Agaricus viscidus. Der Hut ist erhaben, braunroth, und kleberigt; die Blättchen sind braun; der Stiel ist weiß, kurz und dick. Er kommt in Wäldern vor.

752) **Purpurfarbener Schwamm.** Agaricus integer. Der Hut ist purpurfarben; die Häutchen sind weiß, und alle von gleicher Länge. Der Stiel ist

ist lang und weiß. Auch dieser wird in Wäldern gefunden. Russisch wird er Wolni genennet.

753) **Champignon.** Agaricus campestris.
Der Hut ist erhaben, schuppigt und weißlicht; die
Häutchen sind röthlich. Er wächst im Sommer in
dem mit Pferdemist gedüngten Erdreich, besonders
auf niedrigen Miststätten häufig und schnell, auch zuweilen in Laubgebüschen, wo guter Boden ist. Er ist
einer unserer beliebtesten Schwämme; doch gehört
er zu den ungesunden und gefährlichen Speisen; denn
nicht selten hat sein unvorsichtiger Genuß gefährliche
Krankheiten verursachet, besonders wenn man bey
ihrer Wahl nicht behutsam gewesen ist, weil vornemlich unter denen, die in Wäldern wachsen, sich oft giftige befinden. Man thut daher wohl, wenn man die
wählet, die auf Miststätten und in gedüngten Gärten
wachsen. Die, welche auf dem Hute nicht einfärbig
weiß sind, sondern graue Flecken oder Tüpfeln haben,
dabey im Bruche schwärzlich sind, sollen giftig seyn.
Man muß auch die Vorsicht gebrauchen, daß man sie
nicht lange liegen läßt, sondern bald und geschwinde
genießt, weil sie leicht Maden bekommen. Einige
wissen die Kunst, aus dem Champignon durch Zusatz
von Chalotten und Salz mit einer kräftigen Fleischbrü-
he einen Soja zu machen, der dem auswärtigen
nichts nachgiebt. Russisch heißt dieser Schwamm
Grib.

754) **Weißer Blätterschwamm.** Agaricus
exstinctorius. Dieses ist eine giftige Schwammart
mit einem langen kegelförmigen weißlichten Hut auf
einem langen Stiel. Auf feuchten und fetten Stellen
ist er häufig. Russisch nennet man ihm Skrypiza.

755) **Mistschwamm.** Agaricus fimetarius.
Der Hut ist glockenförmig, und etwas gefranzt; seine Blättchen sind schwarz, und an den Seiten um-
gebo-

gebogen. Der Stiel ist inwendig hohl. Man findet
ihn auf Miststätten.

756) **Riezchen, Reizchen.** Agaricus delicio-
sus, russisch Ryschick, lett. Sehnes, ehstn. Seneb,
in Livland Salatriezchen. Ein bekandter und beliebb-
ter Schwamm. Sein Hut ist dunkelerdfarben, fast
schwarz und glatt, ziemlich flach, hat blasse Häutchen
und einen kurzen blassen Stiel. Er ist wohlschmeckend, und einer unserer beliebtesten Schwämme. Mit
Essig und Salz eingemacht, wird er im Winter statt
des Salats gegessen. Ihre Größe ist verschieden; die
ganz kleinen werden am meisten geschätzt. Man findet
diesen Schwamm in Fichtenwäldern.

757) **Warzenschwamm.** Agaricus mammo-
sus. Der Hut ist gewölbt, oben zugespitzt, von schmutzig hellbrauner Farbe. Der Stiel ist sehr lang. Er
wächst in Wäldern an Baumwurzeln.

758) **Wiesenschwamm.** Agaricus separatus.
Der Hut ist fleischigt, klein und ausgebreitet, von
Farbe blaßschwärzlicht; der Stiel ist lang und weiß.
Man findet ihn auf Wiesen und in feuchten Wäldern.

759) **Milchschwamm.** Agaricus lactifluus.
Der Hut ist dunkel rostfarben, flach ausgebreitet, und
stehet auf einem langen Stiel. Wenn der Schwamm
gebrochen wird, giebt er einen milchigten Saft von
sich. Er wächst in Gebüschen.

760) **Schildförmiger Schwamm.** Agaricus
clypeatus. Der Hut ist erdfarben, halb gewölbt, oben
mit einer kleinen Erhöhung; der Stiel ist hoch, von
weißer Farbe. Er wird zuweilen in Laubgebüschen unter dem Grase gefunden.

761) **Museron, gelber Knoblauchschwamm.**
Agaricus androsaceus. Fungus allium redolens Hell-
wingii suppl. flor. Pruff. CXXXIII. lett. Rupploh-
ku schnes. Ein kleiner Schwamm mit einem brau-

Naturgesch. von Livl. U u   nen

nen runzligten oder gefalteten Hut, und dünnen
schwarzbraunen Stiel, der einen knoblauchartigen Geruch und Geschmack hat. Er wächst besonders an offenen Waldstellen unter dem Moose häufig; doch liebt
er besonders die Fichtenwälder. Er muß gleich nach
dem Regen gesammlet werden, weil er alsdann seinen
Hut ausbreitet, den er bey trockenem Wetter zusam-
menzieht, da man ihn dann leicht übersiehet. Bey
anhaltender Dürre verdorret er ganz. Eine Spielart
hat einen blaßgelben Hut, der in der Mitte einen braunen Flecken hat, und einen braunen Stiel.

762) Fungus pileolo lato orbiculari flavescen-
te. C. B. Mentzel ind. nom. plantar. univers. p. 125.
Dieser Schwamm ist mir blos unter dem gewöhnlichen lettischen Namen: Ruddmehysis, den ihm auch
Deutsche bey uns geben, bekandt. Er hat einen runden breiten flachen Hut, der mit etwas erhabenen
Adern durchzogen ist. Wenn er von einander gebrochen wird, läßt er einen röthlichen Saft von sich fließen. Die Liebhaber der Schwämme finden seinen Geschmack so vortrefflich, daß viele ihn dem Champignon
vorziehen. In Wäldern, wenigstens bey Riga, wächst
er häufig.

763) Birkenblatt, lett. Behrse lappe, eine
Schwammart, die einen schirmförmigen Hut, von
rothbrauner Farbe, etwa eines Thalers groß, und
einen niedrigen weißen Stiel hat. Sie soll eßbar seyn.
Die Letten haben ihr diesen Namen gegeben, weil sie
ohngefähr die Farbe hat, die man im Herbst an den
Birkenblättern siehet.

764) Zinnoberfarbener Schwamm. Er ist
von lebhafter Farbe, und wird an Zaunritzen gefunden,
wo er mit einer Seite des Hutes, der sehr schmal ist,
anwächset, und sich horizontal ausbreitet.

765)

765) **Blutrother Schwamm.** Er wächst auf einem hohen Stiel; der Hut ist glockenförmig, oben etwas zugespitzt, und mittelmäßig groß. Er gehört unter die giftigen.

Ohne Stiele auf andern Gewächsen stehende Schwämme.

766) **Eichenschwamm.** Agaricus quercinus. Die Blättchen laufen in Gängen ohne Ordnung durcheinander. Er wächst an alten Eichstämmen.

767) **Birkenschwamm.** Agaricus betulinus. Er ist lederartig, etwas behaart, fein, weiß und weich. Man kann ihn zu Korken schneiden; aber sie lassen das Wasser und alles flüchtige durch, weil der Schwamm nicht dicht genug ist. Er wächst an Birkenstämmen, und wird im Oberpahlenschen gefunden.

768) **Erlenschwamm.** Agaricus alneus. Er hat zweytheilige staubigte Blättchen, und wächst an Erlenstämmen.

Noch sind mir folgende ungestielte Schwämme vorgekommen, die Linnee so wie die von Nr. 762 — 765. nirgend angeführt hat.

769) **Brauner Baumschwamm.** Agaricus fuscus. Er ist halbrund; der Hut ist oberhalb braun, um den Rand weiß. Man findet ihn an Fichtenstämmen mit einer Seite des Hutes angewachsen.

770) **Weidenschwamm, brauner einfarbiger Baumschwamm.** Agaricus salicis. Er ist halbrund, und durchaus braun. Man findet ihn an den Wurzeln der Weidenbäume, wo er mit einer Seite des Hutes anwächst.

Löcher-

Löcherſchwamm. Boletus.

Dies iſt eine horizontale hutförmige Schwamm⸗
art, deren Unterfläche viele kleine löcherchen nebenein⸗
ander hat.

771) **Zunderſchwamm.** Boletus igniarius,
ehſtn. **Torik.** Ein glatter polſterförmiger Schwamm
mit vielen zarten löcherchen. Man findet ihn auf
Weiden, Birken und verſchiedenen alten Bäumen an
den Stämmen. Er wird einige Zeit in mit Waſſer
aufgelöſetem Salpeter geweicht, weich geklopft, und
getrocknet, da er dann Feuer fängt. Der livländi⸗
ſche Bauer, der die einfachen Handgriffe liebt, weicht
ihn blos einige Tage in feuchte Aſche. Der Ehſte
nennt ihn **Teal.**

772) **Eſchbaumſchwamm.** Boletus fraxini.
Er hat eine unbeſtimmte Figur, und iſt von Farbe
bräunlich. Er fängt ſtark Feuer, auch ohne einige
Zubereitung, nur muß er gut getrocknet ſeyn. Dieſe
feuerfangende Kraft zeigt er auch, wenn man ihn nur
auf hartem Holze ſtark reibt. Er wächſt an den
Knorren verdorrter Eſchbäume.

773) **Korkſchwamm.** Boletus tuberoſus.
Er iſt weiß, lederartig, und ſehr weich, von unbe⸗
ſtimmter Figur, und wächſt ohne Stiel an Baumäſten,
mehrentheils an Birken. Wenn er dicht iſt, kann
man Korken daraus ſchneiden. Er wächſt in Ehſt⸗
land.

774) **Kuhpilz, Borawick.** Boletus bovinus,
ruſſiſch **Korrawick,** lett. **Pekka.** Der Hut iſt platt
und gewölbt, etwas polſterförmig; die löcher ſind aus
kleinen eckigten löcherchen zuſammengeſetzt. Man fin⸗
det ihn hin und wieder auf trockenen Feldern.

Aber⸗

Aderschwamm. Phallus.

Die Oberfläche ist netzförmig gerunzelt; die Unterfläche ist glatt.

775) **Morchel.** Phallus esculentus. Der Hut ist länglicht eyrund; seine Runzeln formiren ein zellenförmiges Gewebe. Der Lette nennt sie **Kehwu puppas, Kehwju puppu,** Bissenes, der Ehste **Lemna nisked,** der Russe Schmortschock. Sie kommen gleich zu Anfange des Frühlings hervor. In nassen Jahren sind sie besonders häufig, dagegen sind sie in trockenen Frühjahren, und wann späte Fröste einfallen, sparsam genug. Es giebt deren verschiedene Spielarten, unter welchen eine große von unbestimmter Figur, welche der Lette **Latschu kajas,** Bärensuß nennet, die häufigste ist, eine andere Gattung aber **Kumpauschi** genennet wird. Noch findet man in Ehstland, auch im Cavershofschen im Dörptschen, zwo Abarten eßbarer brauner Morcheln; beide haben an den Seiten starke Auswüchse. Die eine Gattung wächst auf sandigem Lande unter Tannen, die zwote an wässerigten Stellen, wann sie trocknen, an Stellen, im Moose. Beide nennet der Ehste **Léhma** (wird Lechma ausgesprochen) **Mollkad,** d. i. Kuhlippen. Man hält sie für zarter als die gewöhnlichen; beide sind zerbrechlich. Die auf Sandlande wächst, hat unten auf der Seite mehr Auswüchse; die andere Art sieht oben fast einem verkehrten Suppenteller gleich. Diese nennt der Lette in seiner Sprache **Stutenzitzen.** Die bekandte Spitzmorchel ist unter allen Arten die beliebteste.

Glocken = oder Schüsselschwamm. Peziza.

Sie sind glocken = oder becherförmig, und wachsen ohne Stiel.

776)

776) **Kleiner Schüsselschwamm.** Peziza lentifera. Sie sind sehr klein, und wachsen haufenweise bey einander an verdorrten Baumstämmen, die sie oft ganz bedecken. Ihre Gestalt ist becherförmig; die Farbe ist dunkelgelb.

Kugelschwamm. Lycoperdon.

Eine runde Schwammart, welche durch und durch mit einer Menge staubigtem Saamen angefüllt ist; wann er reif wird, dann springt er von selbst auf.

777) **Bovist, Bubenvist.** Lycoperdon Bovista, lett. Buhpode. Ein rundlicher Schwamm, der ohne Stiel in der Erden wächst; wann er reif ist, öffnet er sich ohne bestimmte Figur oder Richtung und streut eine Menge feinstaubigten braunen Saamen aus. Man findet ihn an verschiedenen ungebauten Orten, besonders an offenen Waldstellen.

778) **Gestirnter Kugelschwamm.** Lycoperdon stellatum. Ein weißlichter, unterhalb gestirnter Kugelschwamm, ohne Stiel. Er wächst an offenen Waldstellen.

779) **Schweinetrüffel.** Lycoperdon Tuber. Ein glatter, länglicht runder Kugelschwamm, der ohne Wurzel in der Erde wächst.

Netzschwamm. Clathrus.

Ein fast runder netzförmiger Schwamm, in dessen inneren Höhlung eine Menge staubigten Saamens steckt.

780) **Gegitterter Netzschwamm.** Clathrus cancellatus. Er ist fast eyförmig, oben höckerigt, von brauner Farbe, und hat weißlichte Gittern. Er

kommt

kommt ohne Stiel aus der Wurzel hervor. Einen solchen Schwamm fand man im August 1783 in einem Garten auf einem Spargelbett. Er hatte anderthalb Fuß in der Länge, einen Fuß in der Breite, und eben so viel in der Höhe. Frisch betrug er am Gewicht nahe an sechs Pfund.

Hörnerschwamm. Clavaria.

Er wächset senkrecht. Einige Arten sind einfach, andere in Aeste getheilt.

781) **Holzartiger Hörnerschwamm.** Clavaria hypoxylon. Er ist schwach, und theilet sich in flache, und zusammengedruckte, an den Enden zugespitzte weiße Aeste. Es wächset an Zäunen, doch nur sparsam.

782) **Schwarzer Hörnerschwamm.** Clavaria nigra. Gleditsch meth. fungor. Gen. II. spec. 1. i. Er ist dunkelschwarz. Der Stengel ist lang und dünne, und endiget sich oben in eine platte, stumpfe, keulenförmige Figur. Er wächset in Haufen auf feuchten Stellen.

783) **Corallenförmiger Hörnerschwamm.** Clavaria coralloides. Ein gelblichter astiger Schwamm, dessen Zweige, die aus einem kurzen einfachen Stiel hervorkommen, ungleich sind, und einander berühren. Man findet sie in Wäldern.

Faltenschwamm. Helvella.

Ein glatter, unregelmäßig kreiselförmiger Schwamm.

784) **Morchelartiger Faltenschwamm.** Helvella Mitra. Der Hut ist unterwärts gebogen, verschiedentlich gefaltet und

Farbe

ſchwarzbraun; der Stiel iſt hohl, ſtreiſig und riſſigt. Es wird in Wäldern an Baumwurzeln, und an verdorreten Stämmen gefunden.

Schimmel.　Mucor.

Er beſtehet aus rundlichen Bläschen, die an zarten haarigten Stielchen ſitzen, und häuſigen Saamen tragen.

785) Freſſender Schimmel. Mucor ſepticus. Ein ſchleimigter gelber Schimmel, der ſich oft in verſchiedenen Figuren ausbreitet, und an feuchten hölzernen Wänden wächſet.

786) Schwarzgrauer Schimmel. Mucor Mucedo. Er beſtehet aus dunkelen runden Bläschen, die an feinen Fäden ſitzen. Es findet ſich im Brodte und in anderen verdorbenen Sachen.

787) Grauer Schimmel. Mucor glaucus. Er beſtehet aus verſchiedenen zuſammenhangenden Kugelchen, die an haarigten Fäden ſitzen. Man findet ihn in faulen Früchten.

788) Weißbrauner Schimmel. Mucor Eryſiphe. Er beſtehet aus bloßen Kügelchen ohne Fäden, die an der unteren Blattſeite verſchiedener Baumblätter, beſonders des Spindelbaums, gefunden werden.

Dritte

Dritte Abtheilung.

Steinreich. Regnum minerale.

Erster Abschnitt.

Erdarten. Terrae.

I. Kalkarten. Terrae calcareae.

§. 1. Kalkstein. Lapis calcareus.

Die Kennzeichen des Kalksteins sind diese: mit Scheidewasser und andern Säuren brauset er; nach dem Brennen zerfällt er an der Luft, erhitzt sich dann mit dem Wasser, und erhärtet, wenn er mit Sande vermischt wird.

Am füglichsten theilet man ihn in harten und mürben Kalkstein. Diesen nennet man gemeinen Kalkstein, jenen, der sich durch seine Härte, durch die von derselben abhangende Politur, durch die Feinheit seiner Theile, die so dicht mit einander verbunden sind, daß der Stein, wenn er zerschlagen wird, keinen Staub giebt, oft auch durch die Schönheit

seiner

seiner Adern und Farben unterscheidet, nennet man Marmor. Man kann also jeden harten, dichten Kalk-stein als politurfähig schleifen, und als eine Marmor-art brauchen. Die Farben sind hier nur zufällige Vorzüge; alle Kalksteine, wenn sie durch die Verwit-terung nichts an ihrer Dichtigkeit verlohren haben, nehmen Politur an. Die Kunst sucht nach ihrem Ge-schmack diejenigen harten Kalksteine aus, die als Mar-mor glänzen sollen. Mit Recht nennt daher Scopoli in seiner Einl. zur Kenntniß und Gebr. der Fossi-lien S. 2. b. den Marmor zierlichen Kalkstein, und calcareus marmor. Aber ob man gleich außer dieser Här-te, die sich oft gleichsam durch unmerkliche Stuffen verliehret, keine andere Kennzeichen hat, welche den Marmor von dem gemeinen Kalkstein unterscheiden: so können doch die einmal angenommenen Namen Kalkstein und Marmor nicht füglich mit einander verbunden, oder beiden Gattungen gemeinschaftlich gegeben werden; denn dieses würde nur eine Verwir-rung veranlassen.

I. Gemeiner Kalkstein. Lapis calcareus com-munis. Dieser wird in Livland häufig gefunden. Seine Geschiebe scheinen fast das ganze Land zu durch-streichen, sie sind nur in verschiedenen Gegenden, wie man an der Wendenschen Landstraße einige Meilen lang und um dieses Städtchen herum deutlich siehet, und an andern Orten, besonders wo See- und Flußgesta-de in der Nähe sind, mit Sandflächen, die sich oft sehr weit erstrecken, bedeckt. Dieses beweisen vornemlich seine Flözrücken, die in offenen und waldigten Gegen-den, besonders wo sie erhaben sind, und an Fluß- und Bachufern vorkommen, und an mehreren Stellen das Grundbette der fließenden Gewässer ausmachen. Fast allezeit ist er mit Thon bedeckt.

Der

Der Kirchholmische Kalksteinbruch, der zwo Meilen von Riga liegt, und dieser Stadt gehört, ist schon
hinreichend den Bedürfnissen derselben und ihres Gebietes abzuhelfen. Aller Kalk, der zum Mauerwerk
in und um der Stadt gebraucht wird, wird hier gebrochen und gebrannt; auch die Bruchsteine werden hier
gewonnen. Er liegt hart am Dünastrande, und formirt ein hohes steiles Ufer. Oft ist er ziemlich dicht,
und hat verschiedene Farben und Adern, unter welchen
die rothe, weiße und graue die häufigsten sind; zuweilen trifft man auch die grüne Farbe, die sich aber nur
auf der Oberfläche zeigt, und von dem Flußschlamm
erzeugt zu seyn scheinet. Zuweilen wird er mit blätterigem Kalkspat und dessen Crystallen, und mit Versteinerungen, zuweilen nur mit einem von beiden durchgehends angefüllt gefunden. Sehr oft findet man ihn
auch ohne einige Beymischung, da er dann gemeiniglich schieferig ist, und bey dem geringsten Anschlagen
in Tafeln zerfällt, indem der Thonkütt, der die Steine-
lagen leicht zusammen verband, sich absondert und löset. Die Spatcrystallen sitzen oft nesterweise in den
Hölen des Steines, oft in horizontalen Drusen. Zum
Mauren sind die dichteren und feinförnigen, wenn sie
nicht mit Versteinerungen oder Spatcrystallen vermischt
sind, am tüchtigsten. Da diese Versteinerungen und
Spatcrystallen viele Hölen machen, welche den Eindrang des Wassers sehr befördern: so sind diese mit
ihren verbundene Kalksteine zu diesem Gebrauch am
wenigsten tauglich; auch die schiefrigten sind dazu nicht
geschickt, weil sie sich leicht entschiefern. Die Versteinerungen bestehen aus verschiedenen Schnecken und
Muscheln, die im 6ten Abschnitt vorkamen. Sie
sind fast allezeit mit Hölen umgeben. Diese Hölen
entstanden wahrscheinlich also: nachdem die Schaalthiere gestorben und verfaulet waren, drang sich die auf-

gelö-

gelöfete weiche Kalkerde in die Gehäuſe, und füllete
den Raum aus, den die Thiere gelaſſen hatten; die
Schaalen aber wurden verwittert, oder ſonſt auf eine
andere Art zerſtöret, da dann der bloße Steinkern
nachblieb, der Raum aber, den vorher die Schaalen
einnahmen, und der, wie man ſiehet, ſelten eine Linie
ausmacht, blieb unausgefüllt und leer.

Da dieſe Steinart ſich hier anhebet, und durch
den ganzen Strich längs der Düna, ſoweit ſie Livland berühret, welches eine Strecke von ohngefähr
ſiebenzehn Meilen beträgt, angetroffen wird: ſo werde
ich hier von ihrem Fortgange, ſo viel ich ihm habe
nachſpüren können, einige Nachricht mittheilen.

Ehe man an den Bruch kommt, beſtehet der obere Boden, etwa anderthalb Meilen von Riga an, aus
lauter Sande, worauf noch etwa ein Strich von einer
halben Meile leimigter Boden folgt. Die obere Erd-
lage des Gebirges beſtehet aus der gemeinen Gartenerde, die mit etwas Leim vermiſcht iſt. Bey Kirchholm ſtreicht der Kalkſtein in beträchtlichen Flözen fort,
die an verſchiedenen Stellen dieſer Gegend weiter ins
Land zu ſtreichen ſcheinen, wo man rothe Kalkſteine
mit Muſchel- und Schneckenvermiſchungen findet, und
ſchon in einiger Entfernung vom Ufer werden in Bü-
ſchen und Geſträuchen ſowol, als auch auf den Feldern in der rothen leimigten Ackererde eine Menge ab-
geriſſener Kalkſteinſtücken und Tropfſteinklumpen von
verſchiedener, mehrentheils unbeſtimmter Figur gefunden. Der Kalkſtein ſcheint von hier noch weiter fort-
zuſtreichen; denn ſchon auf dieſer Seite von Kirchholm
ſetzt er über die Düna ins Steinholmſche, wo er beträchtliche Flözrücken bildet, und wo die Stadt Riga
1785 einen Kalkbrand anlegete. Hier geht er auch
landwärts ein; denn gleich im Stubenſeenſchen kommt
er in Brüchen vor, und etwas weiter hin findet man
ihn

ihn im Jägelschen Bach im Rodenpoisschen Gebiete
wieder. Diese Steinart geht vom Kirchholmschen
Ufer unter dem Dünastrom fort, kommt aber gleich
wieder hervor, und macht, mit beträchtlichen Granitgeschieben vermischt, die den ankommenden russischen
und polnischen Strusen (so nennen wir die flachen
Fahrzeuge, welche die Handlungswaaren den Fluß zu
uns herunterbringen) und den Holzflössern so gefährlichen Fälle, welche wir die Rummel nennen. Auf dem
festen Lande setzt der Kalkstein gleich hinter dem Kirchholmschen Bruch in die Tiefe, geht unter der Erde
und dem Dünastrom fort, erhebt sich hie und da wieder in steile Ufer an der Düna, verkriecht sich wieder,
und breitet sich längs dem ganzen Fluß und weit ins
Land hinein aus. An vielen Stellen ist er mit einem
fruchtbaren, mehrentheils mit rothem Leimen vermischten Boden bedeckt, der gutes Ackerland giebt, das nur
an manchen Orten zu sehr mit Steinen bedeckt ist; nur
hier und da schießt er beträchtliche Flözrücken über dem
Wasser hervor, welche die Fahrt sehr gefährlich und
beschwerlich machen. So ragen z. B. im Lennewardenschen, etwa fünf Meilen von Kirchholm, dergleichen
Flözrücken über der Oberfläche des Wassers hervor,
welche sehr gefährliche Fälle machen, und nur in Frühjahren, welche auf schneereiche Winter folgen, da der
Strom bey dem starken Zufluß des Wassers aus den
gebirgigten Wäldern anschwillt, bedeckt sind. Hier
scheitern bey niedrigem Wasser viele Strusen und beträchtliche Holzflösser. Unter diesen Fällen ist die sogenannte Kayunne der Schrecken der herabkommenden
Fahrzeuge. Dieses ist eine steinigte Gegend, welche
hier fast die ganze Breite des Flusses einnimmt, und
ohngefähr eine Viertelmeile fortgehet. Bey dürren
Sommern ragen diese Steingeschiebe fast trocken über
dem Wasser hervor. Die Fahrt ist hier enge, und
der

der Strom, der sich schnell und schäumend über die Steingeschiebe stürzet, ist ungemein reißend. Zwar hat man vor einigen Jahren diesen Gefahren durch sorgfältiges Sprengen der Steine möglichst abzuhelfen gesucht; aber wegen der gar zu starken Ausdehnung der Steinlagen dürfte wol nicht leicht eine ganz sichere Fahrt erlanget werden. Aehnliche Steinflöze zeigen sich sowol am Ufer des Ogerflusses (dessen Bette mit Steinstücken so bedeckt ist, daß es einem Steinpflaster gleichsiehet) als auch der Rumbe, eines kleinen Baches, welche beide unter tennewarden in die Düna fallen, und deren ich oben in der allgemeinen Naturgeschichte bereits erwähnet habe. Hier in dieser Gegend streicht der Kalkstein unter der Erde und dem Flusse immer weiter fort; doch sind auch häufige einzelne Steinstücken, welche wahrscheinlich theils von den Wasserfluthen losgerissen, theils durch den Pflug oder andere Zufälle aus der Erde hervorgebracht sind, auf dem ganzen Wege sichtbar. Nahe vor Kokenhusen, das vierzehn Meilen von Riga liegt, fängt der Stein wieder an, sich in den hohen sehr steilen Ufern in starken Flözen zu zeigen, und streichet in den angränzenden Gebirgketten, von welchen ein Theil der Prese, einem Bach, der sich hinter Kokenhusen herumschlängelt und dicht unter dem alten Schlosse in die Düna fällt, auf beiden Seiten zum steilen steinigten Ufer dienet, weiter ins Land fort. Der Stein bestehet hier aus dicken Lagen von weißer mit Roth vermischter Farbe, ist hart und dicht, und scheint außer etwas Thon keine Beymischung von andern Steinarten und fremden Körpern zu haben; nur findet man hie und da zwischen diesen Lagen einzelne abgerundete Kiesel von verschiedener Größe. Die Dammerde, welche dieses Kalkgebirge bedeckt, ist mit Leimen vermischt, und trägt Gesträuche und hohe Bäume, deren herabhangendes Grün sowol, als die

ungeheuren Steinklumpen dieses abschüßigen Gebirges,
die den Absturz drohen, das romantische Aussehen dieser schönen Gegend merklich vermehren. Selbst das
alte zerstörte Schloß Kokenhusen, von welchem nur
fürchterliche Trümmern und Schutthaufen übrig sind,
dieses ehrwürdige Denkmal des Alterthums, liegt auf
diesem steil erhabenen und schwer zugänglichen Kalkgebirge. Im Stockmannshoffschen Gebiete, zwo Meilen weiter, zeigen sich diese Flöze in dem fürchterlich steilen Düna-Ufer wieder, eben so, wie bey Kokenhusen,
und laufen über eine halbe Werst, etwa tausend Schritt
fort; das hier mit demselben correspondirende curländische Ufer hat eben dieselbe Höhe und eben die Steinlagen.

Wenn man diese Gegend zurückgeleget hat, hören die Steingänge auf fortzulaufen, wenigstens sind
keine Flözrücken sichtbar, und nun findet man längs
dem Ufer unter und über der Erde, auf den Gebirgen
und in der Düna, bis in einiger Entfernung von dem
Einflusse der Ewst in die Düna, und nachher selbst in
der Ewst nur einzelne, aber häufige Steinstücken herumliegen. Vor der Ewstschanze kommen die Steingänge wieder hervor, und nehmen einen beträchtlichen
Strich des Flusses ein, machen auch dort einige gefährliche und starke Fälle, über welche der Strom sich
schäumend hinstürzt.

Die mehresten dieser Steingänge scheinen durch
den Düna-Strom hindurch in das Curländische Ufer zu
setzen, weil man sie auch dort an dem hohen Ufer an
verschiedenen Stellen siehet. Daß dieser Kalkstein
durch den Fluß hindurch und in das gegenseitige Ufer
setze, siehet man deutlicher bey Kircholm; denn
man findet ihn nicht nur in den, diesem Kalkbruche
fast gegenüberliegenden Gegenden von Dahlen, Keckau
und Borkewitz, über und unter der Erde in Geschieben,

son-

sondern auch in Bächen in beträchtlichen Stücken. Am Kattelkallnschen Wege, etwa fünf Werst von Riga, kommt er in starken Lagen, mit beträchtlichen Drusen von Spaterkrystallen vermischt, in Thongruben vor. Nachdem er sich hierauf in Curland, auf der Straße nach Bauske, unter der Erde verlohren hat, zeigt er sich wieder in der Eckau, etwa vier Meilen davon, und in dessen Ufern in eben solchen Stücken in großer Menge, geht wieder tief unter der Erde weiter, und kommt nachher in einer Entfernung von vier Meilen in den hohen Gestaden des Memmelflusses dicht hinter Bauske, das in schräger Richtung gegen Kirchholm liegt, allenthalben, soweit man nur diese Ufer auf dem Wege siehet, und in den ziemlich beträchtlichen Anhöhen daherum, in eben solchen dicken Lagen wieder hervor, wie die am Düna-Ufer auf der livländischen Seite. Dieses bestätiget die Bemerkung des Hrn. Prof. Ferber, welche er in seinen Anmerkungen zur physischen Erdbeschreibung von Curland giebt, daß nemlich der Kalkstein fast ganz Liv- und Curland durchlaufe, obgleich an vielen Orten mit Erde und Sandflächen bedeckt, und daß die, in diesen beiden Herzogthümern häufig hervorkommenden Kalksteinbrüche Flözrücken dieses weitgestreckten Steinganges sind.

Nicht nur der Ewstfluß, sondern auch alle übrige Flüsse und Bäche, welche sich in Livland in die Düna ergießen, deren eine große Menge ist, und von welchen ich einige in der allgem. Naturgesch. von livl. genennet habe, sind samt ihren Ufern mit einer Menge abgerissener Kalksteinstücken angefüllt.

Daß dieser Kalkstein tiefer ins Land streiche, und mit denen in den Wendenschen Gegenden häufig vorkommenden Geschieben und Flözen Verbindung habe, ist mehr als wahrscheinlich; denn gleich im Stubenseenschen, etwa zwo kleine Meilen von Kirch-

holm

holm zeigt er seine Flözrücken, die dort zum Kalkbrande angewendet werden. Bald darauf findet man ihn
in dem Jägelschen Bache, der allenthalben, besonders
unter Robenpois und Sonsel ein steinigtes Grundbette hat, das aus Gängen von starken Schieferlagen
bestehet, deren Oberfläche in dürren Sommern an
seichten Stellen, wo Sonne und Luft wegen gänzlich mangelnden Wassers auf die Steine wirken können, verwittert und in Stücken zerfällt, die man zum
Kalkbrande braucht. Hier ist der Stein weiß, nicht
sehr hart, und zerfällt bald an der Luft, und zeigt
keine Spur von Versteinerungen. Von hier scheint
er unter der Erde in das nicht weit entfernte Hinzen-
bergische zu gehen. Hier zeigt er sich auf dem Wege,
der von Riga nach Wenden führt, zuerst dicht unter
dem Hofsgebäude in häufigen Geschieben.

Nachdem man auf der ganzen Straße von Riga
bis Hinzenberg etwa sechs Meilen fast durchgehends
tiefen Sand, und mehrentheils Ebenen, die hin und
wieder mit Fichtenwald und Strauchwerk bedeckt sind,
angetroffen hat: so wird hier die Straße mit einemmal ansehnlich gebirgigt, dabey steinigt und leimigt,
und ist bey trockenem Wetter gut zu befahren. Der
Kalkstein streicht von hier unter der Erde fort, und
giebt nur hie und da an der Landstraße und auf den
herumliegenden Gebirgen starke Spuren von Geschieben, die nicht nur auf der Erdfläche häufig sichtbar
sind, sondern auch gleich unter derselben liegen, und
durch den Pflug häufig aus gebirgigten Aeckern gerissen werden. Ein beträchtlich hoher Berg, den man
den Kronenberg nennet, und dessen ich schon in der
allgem. Naturgesch. bey Gelegenheit der Gebirge er-
wähnte, der etwa eine Meile von Hinzenberg lieget,
bestehet aus Kalksteintrümmern und Geschieben, die
aber in beträchtlicher Tiefe liegen, und mit Leim und

Ackererde bedeckt sind.   Nun geht der Kalkstein weiter,
und wird im Segewoldschen, Rammenhoffschen, Pal-
temarschen, und auf dem ganzen Wege auf Gebirgen
und in Thälern bald in starken Geschieben, bald
aber auch in beträchtlichen Flözrücken sichtbar.   Verschiedene derselben werden zum Kalkbrande angewendet.
Ein Kalkbruch im rammenhoffschen Gebiete soll Kalk
liefern, den man zum Weißkalk brauchet, weil er sehr
gut zum Uebertünchen der Wände dienet, und der dem
Gothländischen an Güte nichts nachgiebet.   Die Kalkbrüche dieser Gegend bestehen größtentheils aus Schichten, die oft in dicken, zuweilen in dünnen Lagen übereinander liegen.   Sie haben fast alle eine Thonart zur
Decke und zur Beymischung.   In ihren Schichten
wechseln sie bald mit feinem Thon, von verschiedener,
mehrentheils rother Farbe, bald mit Lagen, die aus
Sand und Thon vermischt bestehen, ab.   Bey Wenden und weit um diese Kreisstadt herum, breitet sich
diese Steinart ziemlich weit aus.   Besonders findet
man sie gegen das worpsche Kirchspiel bis an den Aafluß,
der das Kirchspiel Wenden von dem Roopschen scheidet, in den dort häufigen Gebirgen in verschiedenen
Flözen, die mit Thon vermischt sind, und in starken
Geschieben.   So bald man in dieser Gegend über die
Aa kommt, gewinnet das Land ein anderes Ansehen;
die Anhöhen werden merklich niedriger, und verkehren
sich nach und nach, bis sie endlich bey dem Hofe Groß-
roop, einige unbeträchtliche Hügel, die man hie und
da findet, ausgenommen, sich in einer Ebene verliehren.   Einzelne Kalkgeschiebe machen es wahrscheinlich,
daß der Kalkstein, den man auf dem ferneren Wege
nicht siehet, auch hier weiter tief unter der Erde fort-
streiche.   Auch auf der anderen Seite von Wenden,
nach Arrasch, Drobbusch, Sparenhof, und weiter
bis nach Mietau und Leemburg scheinet der Gang dieses

Ge-

Gesteines mit Leimen und Erde bedeckt weiter zu gehen; denn er ist besonders in Flüssen und Bächen und an ihren Gestaden sichtbar, wo große und viele Stücke vorkommen. — Das Grundbette des Ammatflusses, der durch das Arrasche Kirchspiel geht, bestehet aus ebenen Steinlagen, so daß dieser Fluß auf Kalksteinlagen wie auf einem Estrich hinfließt, und das Gefälle der Ramotkyschen Mühle ist mit seinen Wänden und mit seinem Sammelkasten von der Natur aus festen Kalksteinen erbauet. Ueber der Erde wird er auf diesem Wege mit Granitgeschieben vermischt gefunden, die ein paar Meilen weit fortgehen, bis er sich unter das mit Sand und Leimen vermischte Erdreich, das einen ziemlich dichten Tannenwald trägt, verstecket; in dem Bache aber, der unter der nietauschen Kirche hinfließt, findet man seine Geschiebe häufig, die auch an dem Ufer herumliegen. In den Gesteinen dieser Gegend findet man viele Versteinerungen, besonders Coralliten, unter welchen schöne Cabinetstücke sind, auch häufige Tropfsteine, seltener Schaalthiere, am seltensten Versteinerungen aus dem Pflanzenreiche. Sie werden alle im 6ten Abschnitt an ihren Orten angezeiget. Ob man gleich auf dem ferneren Wege wenige Spuren von Kalksteinen über der Erdfläche, oder aus derselben hervorragend antrifft: so giebt doch der im Tembergschen und bis nach Ullasch häufige Leimen, der in Livland immer ein Begleiter des Kalksteines ist, die Vermuthung, daß er hier nicht aufhöre, sondern sich nur in der Tiefe verstecke.

Ob ich gleich keine Gelegenheit gehabt habe, diesem Steingange weiter nachzuspüren: so zweifle ich doch nicht, daß er sich ni
sollte. Die Aa hat auf ihrem Gange, der aus der vorangeschickten allgem. Naturgesch. bekandt ist, an sehr vielen Stellen häufige Steingeschiebe in ihrem

Xx 2 Grund-

Grundbette, an manchen Stellen so starke, daß die
Flößer und Strusen nur im Frühling, wenn das
Waßer hoch ist, den Fluß hinabgehen können. Einer
der stärksten Fälle, der mit Granitgeschieben vermengt
ist, kommt nicht weit von dem Städtchen Wenden
vor. Der stärkste Fall beträgt hier eine länge fast von
einer halben Werst und eine Höhe von mehr als anderthalb Ellen. Die Steinlagen liegen hier so regelmäßig über und neben einander, daß man fast denken sollte, sie wären von Menschenhänden hingeschich-
tet; dies aber wäre eine Arbeit, die man den rohen,
trägen und unwissenden liven in dem grauen Alterthum
nicht zutrauen kann.

Die Ausdehnung des Kalksteines wird an mehreren Orten in Livland bemerkt. Es ist bekandt, daß
der Fellinsche Kreis sehr viele Kalkbrüche habe. Im
Oberpahlenschen liegen deren mehr als zwanzig herum,
verschiedene derselben in trockenem Ackerlande; das
ganze Bachufer dort besteht aus Kalkstein. Die Kirchspiele Johannis, Pillistfer, Lais und Talkhof im Fellinschen Kreise haben verschiedene Kalkbrüche. Im
Talkhofschen besonders wird vieler gewonnen, der mehreste aus dem dortigen Bachufer. Hier sind viele
Kalkbrände; der Kalk wird nach Dörpat verführt,
und viel damit verdient. Der Kalkstein, welcher zu
Wölmarshof, zwo Meilen von Oberpahlen bricht, ist
zum Mauerkalk von allen in diesen Gegenden der beste,
weil er bald sehr hart wird, und schnell bindet, besonders wenn man in der Wahl des damit zu vermischen-
den Sandes vorsichtig ist, welches viel zur Festigkeit
des Kalkes beyträgt. Er ist, so wie der oberpahlensche,
mehrentheils mit versteinten Schaalthieren vermengt.
Das hohe steile Ufer des Torgelschen Baches im Pernauschen Kreise, hat in der Gegend, wo er durch das
Kirchspiel Torgel fließt, viele Kalksteinflöze.

Alle

Alle Kalksteinbrüche in Livland anzuzeigen, wäre nicht wohl möglich, und viel zu weitläuftig, auch, so lange man daraus den fortlaufenden Gang dieses Gesteines durch das ganze Land nicht kennen lernet, sehr überflüssig.

Einzelne Stücke Kalkstein liegen fast im ganzen Lande zerstreut herum, besonders auf Aeckern an vielen Orten in Menge. Aus diesen brennen verschiedene Güter Kalk, z. B. Meyershof im Dörptschen; doch pflegt man die härtesten zu wählen. Auf Aeckern vermehren sie die Fruchtbarkeit, indem sie die Feuchtigkeit aus der Luft an sich ziehen, und der Erde mittheilen, auch die Hitze der Sonne und des Düngers mildern. Sie ziehen den Regen und die feuchte Luft beständig in sich, und werden endlich, wenn sie sich oft vollgesogen haben, und wieder so oft an der Sonne calcinirt sind, so locker wie die Schwämme, und für die Feuchtigkeit immer empfänglicher, die sie nachher bey der Ausdünstung dem Erdreich mittheilen. Sie verhindern auch die dichte Saat; feuchten Feldern aber sind sie nicht nütze. — Zum Mauerkalk pflegen diese losliegende Kalksteinstücke nicht so gut zu seyn, als der Stein, den man aus Brüchen gewinnt; von diesen ist jedoch der dichtere und härtere zu wählen, weil er zu diesem Gebrauch der beste ist, dagegen der leichtere, lockere zum Bewurf der Wände der tauglichste ist.

Noch findet man im Kirchholmschen eine Gattung, die zwar dicht ist, aber nur in dünnen Schiefern bricht. Diese hat dunkelrothe Adern und Flecken, oft auch baumähnliche Zeichnungen. Endlich findet man noch einige in losen abgerundeten Stücken zuweilen an den Flußufern, welche mit Kieselsteinen und Muschelschaalen zusammengekittet sind. s. §. 33.

Unter

Unter dem Gute Absel im Walkschen Kreise ist
ein Kalksteinbruch, der eine Strecke von drey Meilen
fortgeht. — In vielen Gegenden im Pernauischen
Kreise macht dieser Stein die Unterlage des Bodens
aus, der mit Sand, Thon und weniger Erde vermischt ist. Auch im Salisflusse werden beträchtliche
Kalksteingeschiebe gefunden.

Ehstland hat eben so wohl hinlänglichen Kalkstein als Livland. Die Klinte um Reval, und der
Lacksberg, ein erhabener Steinfelsen, bestehen beide
aus hartem dichten Kalkstein mit Vermischung von
verschiedenen Thonarten und eingestreuten fremden
Fossilien. Der steile ziemlich hohe Domberg in Reval
bestehet aus Kalkfelsen von grober Textur. Luft, Regengüsse und Sturmwinde haben ihn an einigen Stellen schon so mürbe gemacht, daß beträchtliche Stücke
heruntergestürzt sind, wodurch der Grund verschiedener Gebäude, die an dem Rande dieses Steingebirges
stehen, so untergraben ist, daß sie einen gefährlichen
Absturz drohen, welches in der Ferne einen grausenden
Anblick giebt. So zernagt der eiserne Zahn der Zeit
auch die härtesten Felsen.

Das Ufer der Ostsee in Ehstland bestehet ganz
aus dichten Kalkfelsen, die nach Kalms Bemerkung
in seiner Reise nach dem nördlichen America 1 Th.
S. 200. der Engländischen Küste ziemlich gleich sehen,
weil beide bey dem Wasser perpendiculair liegen. Diese
Kalkfelsen laufen längs dem ganzen Ufer des finnischen
Meerbusens von Reval bis fast nach St. Petersburg
fort. Ihre Höhe ist sehr verschieden, an einigen
Stellen 40., an andern 60 bis 70 Schuh.

Vorzüglich guter Kalk wird zu Moistfer im Jerwischen District gebrannt. Der Stein bestehet aus
einer Vermischung von Schaalthieren. Der Kalk ist

scharf

scharf, und macht das Glas mürbe, wenn es gleich an einem trockenen Orte aufbewahret wird.

Auch die hohen steilen Ufer im Kirchspiel Wai-wara und der nahe gelegenen Stadt Narva beste-hen aus hartem Kalkstein, der bey Narva den sehens-würdigen Wasserfall macht, dessen oben gedacht wurde, und von welchem eine Zeichnung beygefüget ist.

II. Harter pohturfähiger Kalkstein. Mar-mor. Lapis calcareus polituram admittens. Marmor.

Eigentliche Marmorbrüche sucht man in Livland vergebens; der vor einigen Jahren auf der Insel Oesel vorgeblich gefundene Marmor ist nur ein grober Kalk-stein, von blauen, rothen, gelblichten und andern Adern. Man findet jedoch an einigen Orten harte dichte Stücke, die einige, jedoch nur matte Politur annehmen, einige kleine Stücke ausgenommen, von welchen ich folgende bemerke.

In einer mäßigen Tiefe des bey Kirchholm be-findlichen Kalksteinbruches trifft man einen röthlichen marmorartigen Kalkstein mit dunkelrothen Adern und Flecken an. Dieser pflegt zwar eine leidliche Politur anzunehmen; er bestehet aber aus dünnen Schieferla-gen, die vermittelst einer sehr lockern Kalkerde und einen Thones übereinander gekittet sind. Wenn nun eine solche polirte Tafel einige Zeit der Luft ausgesetzet gewesen ist, dann verwittert die Kalkerde, und löset sich samt dem Thon von den Steinlagen ab, die Schiefern verliehren also ihre Verbindungen, und zer-fallen in dünne Tafeln, wie ich solches an einer Son-nenuhrscheibe gesehen habe, die aus dergleichen Stein verfertiget war, und einige Zeit an der Luft gestanden hatte.

Den marmorartigen Fliesenstein kann man auch hieher rechnen. Er ist zwar hart und dicht; doch meh-

Xr 4 ren-

rentheils zieht er die Feuchtigkeit aus der luft an sich,
und dienet daher nicht zu Wohngebäuden, weil er die
Zimmern kalt und feucht macht: doch wird er zu Treppen, Dielen, Tischblättern und andern Bedürfnissen
gebraucht; die größeren würden auch zu Leichensteinen
brauchbar seyn.   Man findet ihn an mehreren Orten,
z. B. in dem kurz vorher angezeigten hohen und steilen
Felsenufer der Ostsee in Ehstland, die man dort die
Klinte nennet.   Einige Stellen derselben sind so hart
und dicht, und haben so gute Adern, daß sie, wenn
sie geschliffen sind, wie ein schlechter Marmor aussehen, und zu Tischblättern und Treppen gebraucht werden; im Laksberge bey Reval, den der fleißige und geschickte Herr Collegienassessor D. P. Fr. Körber mit
vielem Fleiß untersucht hat;   auf der Insel Oesel an
verschiedenen Stellen;   im Kegelschen Kirchspiel im
Harrischen District, wo er auf den Feldern, besonders
gegen den Seestrand, in großen breiten Fliesen vorkommt;   im St. Peters Kirchspiel, und im Weißensteinschen Kirchspiel unter Merhof im Jerwischen District;   an der Jerkelschen See an der dorptschen Landstraße bey Reval; im Oberpahlenschen an verschiedenen
Stellen, besonders im Addaferschen Gebiete;   im Neuoberpahlenschen Gebiete hin und wieder;   auf der Insel
Moon, welcher zu Fliesenöfen brauchbar ist;   im Laksberge im Kirchspiel Märjama in der Landwiek;   im
Dorfe Orkita, wo der Bruch, der sich weit erstrecket,
drey Fuß tief unter der Erde liegt, und beträchtlich
große Fliesen, welche eine Dicke von $1\frac{1}{4}$ Ellen haben,
liefert,   die zuweilen nach St. Petersburg verschifft
worden sind; im Talkenhoffschen und im Pillistferschen
im Fellinschen Kreise, besonders unter dem Gute Cob-
bal, wo an einigen Orten lauter Fliesengrund ist; im
Ecksschen Kirchspiel bey Dorpat, und an mehreren
Orten.   Die verschiedenen in einigen dieser Fliesen-
steine

steine sind mehrentheils aus zertrümmerten und verschobenen Versteinerungen entstanden, die jetzo wenig mehr kenntlich sind, und auf der Oberfläche des Steines, wenn sie polirt ist, als unförmliche Flecken erscheinen.

In dem Adselschen Gypsbruche im Walkschen Kreise werden nach Hr. P. Hupels Topogr. II. Th. S. 241. zuweilen marmorartige Steine gefunden.

§. 2. Kalkspat. Spatum calcareum.

Cronst. Miner. §. 10.

Im Feuer verhält er sich wie der Kalkstein, von dem er auch seinen Ursprung hat: denn nach dem Brennen zerfällt er in Staub; doch erhitzt er sich alsdann im Wasser nicht so schnell als jener.

Man findet ihn an verschiedenen Stellen, besonders in dem oft angezeigten Kirchholmschen Kalksteinbruche ganz häufig, wo folgende Arten vorkommen, die alle eine glatte glänzende Oberfläche haben, und in den Kalksteinhölen nie besonders vor sich anzutreffen sind.

1) Rhomboidalischer, weißer undurchsichtiger Kalkspat. Spatum calcareum album rhomb. opacum. Cronst. Miner. §. 10. 1. β. 1.

2) Rhomboidalischer weißer durchsichtiger Kalkspat. Spatum calc. a. rhomb. diaphanum. Cronst. Miner. §. 10. 1. α. 2. 1. Beide zerfallen, wenn sie zerschlagen werden, in länglicht schräge Würfeln.

3) Weißer durchsichtiger Blätterspat, dünnschiefrigter durchsichtiger Kalkspat. Sp. calc. lamellosum. Cronst. Miner. §. 10. 2. α.

Xx 5 §. 3.

§. 3. Kalkspatdrusen. Lapis calcareus crystallisatus.

Cronst. Miner. §. 11.

Sie unterscheiden sich äußerlich durch ihre blättrige Theile, vornehmlich aber durch ihre verschiedene Crystallisation von den Quarz- oder Bergcrystallen, die allezeit aus sechsseitigen Säulen bestehen. Wir finden sie von verschiedenen Figuren: doch sind die pyramidalischen die häufigsten. Im Kirchholmschen Kalkbruche treffen wir folgende Arten in dessen Klüften an.

1) Rattenförmige Kalkspatcrystallen. Sp. crystallis. cubic. Waller. Spec. 61. 2. Sie bestehen mehrentheils aus schrägen Ecken.

2) Sechsseitige, an dem Ende abgestumpfte Kalkspatcrystallen. Crystalli spatosi hexagoni truncati. Cronst. Miner. §. 11. 1. α. Diese werden öfters zu zwey, zuweilen drey Finger dick gefunden.

3) Pyramidalische Kalkspatcrystallen, Schweinezähne. Crystalli spatosi pyramidales distincti. Cronst. Miner. §. 11. 1. β. 1. Diese sind die härtesten, und werden in schönen großen flachen Drusen, zuweilen auch in Nestern, bald von großen, bald von kleinen Crystallen gefunden. Die längsten derselben stehen gemeiniglich schräge, und oft in einer solchen gegen einander laufenden Richtung, daß die Crystallen sich ins Kreuz übereinander schlagen.

4) Vielseitige in einander geschobene Kalkspaltcrystallen. Sp. crystallis. polygonum. Ihre Seiten sind nicht genau zu bestimmen, weil die Ecken sehr in einander verwachsen, oder vielmehr verwickelt sind. Einige haben vier, einige sechs, andere mehr Seiten.

Seiten. Diese Gattung pflegt man oft auf der Oberfläche der Kalksteine, selten in Drusen oder Nestern,
u finden.

5) **Cryſtalläpfel.** Aëtites pomum cryſtalli_
ium. Schwed. Abh. 1740. T. 2. fig. 18. Diese
ind runde kalkartige Steine von verschiedener Größe,
is zu einer mäßigen Fauſt groß. Inwendig ſind ſie
oll dreyſeitiger Kalkſpatcrnſtalle, deren Spitzen gegen
en Mittelpunct zuſammenlaufen. Sie ſind denen
leich, die Linnee auf der Inſel Oeland gefunden hat.
J. Reiſe durch Gothl. u. Oel. d. Ueberſ. S. 149.
Sie kommen im Kirchholmſchen Steinbruche, jedoch
lten vor.

§. 4. Tropfſtein. Stalactites calcareus.

Cronſt. Mmer. §. 12.

Er entſtehet aus einem mit einer zarten Kalk-
de vermiſchten Waſſer, da nach dem Hinunterträu-
ln die aufgelöſete ſteinigte Subſtanz, nachdem das
Baſſer weggedunſtet iſt, allmählich erhärtet, und nach
r Verſchiedenheit des Raumes und anderer Um-
ände eine verſchiedene Figur annimmt. Mir ſind bis
ßo in Livland folgende Arten vorgekommen.

1) Traubenförmiger im Bruche

kalkrinde
is, cruſta
höne Stü
uche in einer Höhle perpend
r war über einen halben Fuß
wa anderthalb Zoll breit.

Aehnliche Tropfſteine, die jedoch im Bruche
cht ſpatartig ſind, werden am Ufer des Baches
Rum-

Rumbe bey dem Hofe Lennewarden von beträchtlicher länge gefunden.   Sie scheinen von dem Kalkstein, welcher an dem Ufer dieses Baches in Flözen gefunden wird, losgerissen zu seyn, besonders weil sie eben dieselbe Farbe und Härte haben.

2) Ein aus zween an einander gekütteten Tropfsteinzapfen bestehender Stalactit.   Stal. calc. conglutinatus.   Er ist etwas länger, als der eben genannte, bestehet aus grauem Kalkstein, und wurde nach der starken Ueberschwemmung, welche im Frühjahr 1771. die Stadt Riga und ihre umliegenden Gegenden betraf, am Dünastrande bey dem Kaiserlichen Garten gefunden.   Das äußere breitere Ende war abgebrochen, und veranlasset die Vermuthung, daß es durch die Gewalt des Wassers aus irgend einer Bergkluft von einem größeren Stücke losgerissen worden sey.

3) Tropfsteine, die aus zusammengekütteten Kugeln von der Größe einer Muskatennuß bestehen.   Stal. ex globulis conglutinatis constantes.   Sie sind von röthlicher Farbe und im Bruche spatartig.   Man findet sie in Kalkgebirgen unter Schloß-Wenden, besonders im Carlsruhschen Gebiete in Klumpen bis zu einem halben Centner schwer und drüber; kleinere kommen im Rammenhoffschen Kalkbruche im Wendenschen dicht an der Landstraße, auch am Ufer des Nietauschen Mühlenbaches, der unterhalb der Kirche hinfließt, vor.

4) Tropfstein, der aus größeren ganz runden Kugeln bestehet; er kommt zuweilen im Haizenbergschen unweit des Kupferhammers vor, doch nur ganz selten.   Ein dergleichen Tropfstein ist mir vorgekommen, der oben einen Griffel, oder gleichsam ein Oehrchen hatte.

5)

5) Dergleichen zusammengekittete Tropfsteinkugeln werden auch viele, und von verschiedener
Größe, im Wendenschen und Kirchholmschen am Dü-
naftrande, dicht unter dem dortigen Kalkbruche gefun-
en; auf einigen dieser Kugeln aber, welche gemeinig-
ch einer wälschen Nuß groß sind, sitzen andere Ku-
elchen, oft nur so groß, wie ein Hanfkorn, zuweilen
rößer.

6) Einzelne Tropfsteinkugeln. Stal. calc.
lobosus. Sie sind von verschiedener Größe und
Farbe, und kommen hin und wieder am Dünastrande,
esonders im Kirchholmschen häufig vor. Man findet
e auch in verschiedenen Kalkflözen an der wendenschen
andstraße, und im Mietauischen von verschiedener
Größe.

7) Ein wurzelförmiger Tropfstein, der im
Bruche spatartig ist. Stal. calc. radiciformis.
r hat die Größe einer Wurzel, an welcher die Fißern
bgeschnitten sind, und zeigt hin und wieder im Bruche
robe Spatkörner. Man hat ihn in dem Mietauischen
Bache gefunden.

8) Ein Tropfstein, welcher einer Schwamm-
oralle gleich. Stal. calc. fungitem referens. Er
t von röthlicher Farbe, und im Bruche spatartig,
wa vier Zoll breit, und zween Zoll lang. Eben
her.

9) Weißer durchsichtiger Tropfstein von
nbestimmter Figur. Stal. calc. pellucidus albus
gura non determinata. Er ist aus einem oberpah-
schen Kalksteinbruche.

10) Am Dünastrande bey Kirchholm findet man
alkartige Tropfsteine, welche wahrscheinlich dort
s dem Kalksteinbruche losgerissen sind. Sie sind
it ganz kleinen Schnecken- und Muschelarten durchge-
nds angefüllt, welche man aber erst nach der Calcina-

tion

tion erkennen kann, durch welche die Spattheile, die sie bedeckten, zu Kalk gebrannt werden, da dann die Versteinerungen erst ganz sichtbar erscheinen. Diese Steinvermischung habe ich schon vor vielen Jahren in meinem Bedenken über die Versteinerungen und deren Erzeugung, besonders derer in Livland, angezeigt. S. gel. Beytr. zu den Rig. Anz. auf das Jahr 1762. VI. St.

11) Kegelförmiger röhrigter Tropfstein. Stal. coniformis perforatus. Cronst. Miner. §. 12. b. In dem kaiserlichen Garten in der Alexanderschanze bey Riga ist ein altes mit Kalksteinen gemauertes Gewölbe. Aus diesen Steinen hat das durchdringende Wasser die subtile Kalkerde aufgelöset. Nach und nach hat diese Auflösung die Decke des Gewölbes an vielen Stellen mit einer Rinde überzogen, von welchen die Tropfsteinpfeifen hinunterlaufen. Sie sind weiß, fast kreidenartig, ohne sichtbare Spattheilchen, und die mehresten eines guten Fingers lang; am Grunde, an welchem sie von der Gewölbdecke hinabträufeln, sind sie breiter, als am äußeren Ende, daher sie eine kegelförmige Figur haben.

12) Röhrigter Tropfstein, oder Kalksinter. Stal. calc. coniformis. Er ist kegelförmig und hohl, und erzeuget sich in den Felsenhölen des revalschen Dombergs von dem daselbst abträufelnden kalkreichen Wasser.

13) Zarte kalkartige Tropfsteine, welche Figuren von Moosarten darstellen. Man findet sie im Lacksberge bey Reval auf der Oberfläche der Kalkfliesen.

14) Weißer kegelförmiger Tropfstein. Stal. conicus albus. Er ist kalkartig, ohne Spattheilchen und etwa eines Fingers lang, und kommt im rammenhoffschen Kalkbruche im Wendenschen vor.

15)

15) **Runde scheibenförmige Tropffsteine.**
Stal. calc. orbiculares. Sie sind von der Größe
eines Pfennigs, zuweilen größer, und ein bis zwo
Linien dick. Eben daher.

16) **Halbkugelförmige Tropffsteine.** Stal.
calc. hemisphaerici. Sie haben die Größe einer
durchschnittenen wällschen Nuß; oft aber sind sie auch
kleiner. Eben daselbst.

17) **Tropffsteine von unbestimmter Figur.**
Stal. calc. figura non determinata. Sie haben verschiedene unbestimmte Gestalten, und kommen bald
kugel- und scheibenförmig zusammengekittet, bald
scheibenförmig allein, bald mit unförmlichen Klumpen
zusammenverbunden vor. Man findet sie in den
Kalkbrüchen an der wendenschen Straße, auch hin
und wieder in den hohen Gestaden der Ewst.

18) **Spatartiger hohler Tropffsteinzapfen.**
Stal. calc. conicus cavus. Er kommt in einem oberpahlenschen Kalkbruche zuweilen vor.

19) Man findet auch in Livland Gewässer, welche mit aufgelöseten Kalktheilen so stark geschwängert
sind, daß sie dieselben nicht fassen können, und daher
auf fremde Körper fallen lassen, die sie mit einer
Steinrinde überziehen. So ist z. B. unter Ranzen
im Burtneckschen Kirchspiel an einem Mühlenbach eine
Quelle, die alle Körper, welche der Zufall hinein
führt, mit Kalk incrustiret, auch zuweilen durch-
bringt.

§. 5. Gyps. Gypsum.

Der Gyps ist eine mit der Vitriolsäure bald
mehr, bald weniger gesättigte Kalkerde, deswegen sie
in diesen Abschnitt gehöret. Nach dem Brennen zerfällt er in einen lockeren Staub, der mit Wasser vermischt

mischt fest bindet. Wenn er aus feineren dichtern Theilen bestehet, so nennet man ihn Alabaster. Alle übrige Gypsarten sind sehr weich, und lassen sich mit den Nägeln schaben; selbst der Alabaster ist nicht sehr hart, ob er gleich eine Politur annimmt, die jedoch an dem dichtesten weit matter ist, als an dem Marmor; er bekommt daher leicht Schrammen. In Livland findet man den Gyps an verschiedenen Orten, davon ich nur folgende Arten anführe. Die Gypsarten aus dem Bruche im Palzmarschen Kirchspiel, der dort an der Aa in einem steilen Anberge liegt, und welche wegen der zur Abführung unbequemen Lage nicht genutzet werden, imgleichen die aus dem Absel-schen Bruche, den Herr P. Hupel in seiner Topogr. von Livland 2 Th. S. 527 anzeigt, muß ich weg-lassen, weil sie mir nicht mitgetheilt worden sind.

1) Schuppenartiger Gyps. G. particulis squamosis stellatis. Dieser bestehet aus hellbraunen selenitischen Schuppen, welche fast allezeit mit Lagen von Strahlgyps abwechseln. Man findet ihn unter dem Gute Dahlen, wo dessen zwo Gattungen vor-kommen. Die eine bestehet aus kleinen Schuppen, welche sich in sternförmige Figuren ausbreiten; die andere hat große Schuppen, deren sternförmige Fi-guren eine weniger bestimmte Richtung nehmen. Eine dergleichen Gypsart mit größern sternförmigen Schup-pen, die mit starken Lagen von weißem Strahlgyps abwechseln, findet man am Kattelkallnschen Wege etwa fünf Werst von Riga in Thongruben in großen Nestern ziemlich häufig.

2) Weißer faserigter Gyps. G. fibrosum album. Cronst. Miner. §. 17. 1. α. Er bestehet oft aus groben, zuweilen aus feinen Fasern, und wird unter Kirchholm am Ufer gebrochen. Zum Gebrauche ist er der beste, weil er unter allen unsern Gypsarten

der

er beineste ist, und die wenigste Beymischung fremder
Theile hat; man pflegt ihn aber nicht so häufig zu finden, als die vorigen beiden Arten. Eine solche Gypsart, die aus schönen langen Strahlen bestehet, und
ohne einige fremde Steinvermischung ist, wurde 1781
im Lennewardenschen Gebiete am Dünastrande entdeckt. Auch in den Gypsbrüchen bey der Stadt Reval in Ehstland findet man weißen Strahlgyps in ziemlich starken Gängen. In diesen Brüchen kommt auch
derber gleichförmiger Gyps mit unkenntlichen Theilen
vor. Solcher weißer faserigter Gyps von gleichlau-
fenden Fasern, der mit weißem durchsichtigen Gyps-
spat vermischt ist, kommt auch in der Kattelkallnschen
Gegend neben der ebengenannten Art vor.

3) **Durchsichtiger spatartiger Gyps.** Spa-
um gypseum diaphanum. Cronst. Miner. §. 18. 1 A.
Er bestehet aus dünnen Gypsblättern, und wird im
Dahlenschen gebrochen. Eine Abänderung, die eben
daselbst gefunden wird, zerfällt, wenn sie zerschlagen
wird, in Rhomboidalstücke.

4) **Pyramidenförmige weiße Gypscrystallen.**
. crystallisatum cuneiforme album. Cronst. Miner.
. 19. 1. A. Dieser ist nur halbdurchsichtig. Er wird
in Dahlenschen gebrochen.

5) **Spatartiger durchsichtiger Gyps mit
Gypscrystallen.** Spatum gypseum diaphanum c.
ypso crystallisato. Cronst. Miner. §. 18. 1. A. Er
kommt in einem oberpahlenschen Bruche vor.

Unter Uexkull, vier Meilen von Riga, ist ein
Gypsbruch, dessen Gyps viel Steinvermischung hat,
er daher wenig genutzet wird. Er bestehet mehrentheils aus spatartigem Gyps, der mit Lagen von har-

tem Kalkstein und blauem Leimen, und mit wenigem Strahlgyps abwechselt. Er liegt hart am Dünastrande, und nimmt eine Strecke von beynahe zwo Werst ein. Er scheint so wie die Kalkgänge dieses Ufers eine Verbindung mit dem Gyps in dem gegenseitigen Curländischen Ufer zu haben; denn gerade gegenüber unter dem Gute Dünhof werden nahe am Ufer ergiebige Gypsbrüche gefunden.

Auch zu Stubensee wird Gyps gefunden; er ist aber mit harten Kalksteinschiefern so häufig vermischt, daß er nur mit vieler Mühe gewonnen wird.

Zu Treppenhof im Adselschen Kirchspiel sind nach Hr. P. Hupels Anzeige in seinen topogr. Nachr. v. Livl. 3. B. S. 218. ergiebige Gypsbrüche, in welchen, zufolge der Nachricht, die schon im 2. B. S. 527. gegeben wurde, und hier wiederholet wird, Alabaster gefunden wird.

Die kurz vorher angezeigten Gypsarten im Palzmarschen im Wendenschen Kreise liegen zwischen Kalkstein und Wasserfließen.

§. 6. Mergel.   Marga.

Dieses ist eine mit Thon vermischte Kalkerde. Sie wird hin und wieder, theils der Garten- und Ackererde beygemischt, theils in Kalkflözen in Schichten, theils in besondern Gruben gefunden. Man unterscheidet den Mergel dadurch von den Thonarten, daß er mit Säuren brauset. Unsere bisher bekandte Arten sind folgende.

1) **Brauner, mürber, zusammenhängender Mergel.** M. friabilis fusca. Cronst. Miner. §. 26.

2) Er

2) **Erhärteter Mergel.** M. indurata aëro atiscens. Cronst. Miner. §. 27. Er ist von grauer Farbe, und zerfällt an der Luft. Man findet ihn hie und da in Kalkschichten, besonders in den Wendenschen Kalkbrüchen.

3) **Steinmergel,** versteinter Mergel in besondern Stücken, eigentlicher Duckstein. M. indurata amorpha. Cronst. Miner. §. 28. Bey uns findet man ihn von grauer und weißer Farbe. In Ivland pflegt man die Felssteine, die man auch zum Mauren, besonders bey Kellern und Fundamenten braucht, mit dem uneigentlichen Namen: Ducksteine, zu belegen. Von diesen ist hier die Rede nicht.

4) **Sandmergel.** M. arenacea. Es ist eine mit Kalkstein, Thon und Sande vermischte Erdart, die zwischen sandigen Erdlagen in den Wendenschen Gebirgen, auch in der Erde in Schichten vorkommt. Den Aeckern giebt sie eine gute Fruchtbarkeit.

5) **Kalkstein mit Thon vermischt, Kalkmergel,** kommt in verschiedenen Brüchen vor.

6) **Weißer mürber Mergel.** M. friabilis alba. Er hängt fast gar nicht zusammen. Man findet ihn im Wendenschen District in Sandfelsen, theils für sich allein, theils mit Sande vermischt, auch zuweilen in den Sandbrüchen dieser Gegend.

§. 7. Mit metallischer Erde vermischte Kalkerde. Terra calcarea metallis intime mixta.

Cronst. Miner. §. 29.

Hieher gehört folgende Eisenerde.

Mit Eisen vermischte Kalkerde. Minera ferri pulverulenta. Cronst. Miner. §. 31.

Auf dem Gute Heidekenhof im Burtneckschen Kirchspiel findet sich eine zarte, nicht zusammenhangende blaue Kalkerde, welche mit Eisentheilchen gemischt ist. Mit Scheidewasser und andern Säuren brauset sie stark. Nach der ersten Schmelzung giebt sie aus dem Pud (40 Pfund) funfzehn Pfund oder 37½ Pf. vom Hundert rohes Eisen, welches nach der zweyten Schmelzung eilf und ein halbes Pfund gutes Eisen giebt. Sie soll sich dort auf einer morastigen Wiese häufig befinden; da ich mich aber nach derselben erkundigte, wurde mir geantwortet, daß sie jetzo wenig mehr gefunden werde; ich habe sie also selbst nicht gesehen. Der verstorbene Herr Hofrath Lehmann in St. Petersburg hat sie untersuchet, und beschreibet sie in den Abh. der ökon. Gesellsch. zu St. Petersburg. 1. B. S. 58. 59.

II. Kieselarten. Terrae siliceae.

§. 8. Quarz. Quarzum.

Cronst. Miner. §. 51.

1. Diese allgemeinbekandte Steinart finden wir fast allenthalben, theils denen im Lande, auch hie und da an den Seegestaden häufig herumliegenden Felssteinen, in großen und kleinen Klumpen und Brocken beygemischt, theils einzeln, bald in größeren, bald in kleineren abgerundeten Stücken an unsern Fluß- und Seeufern; von welchen folgende Hauptgattungen:

1) Weißer Quarz von unfühlbaren Theilen und glänzender Oberfläche. Qu. album particulis impalpabilibus superficie polita. Cronst. Miner. §. 51. 1. A.

2) Klar

2) **Klarer weißer Quarz.** Qu. album diapha,
num. Cronst. Miner. §. 51. I. A. a. Er findet sich
in einzelnen abgerundeten Stücken an den Ufern der
Seen, Flüsse und Bäche.

3) **Körniger gefärbter Quarz.** Qu. textura
granulata coloratum. Er ist mehrentheils gelb.

4) **Körniger ungefärbter Quarz.** Qu. textura granulata album. Er kommt nicht selten in
Felssteinarten vor.

5) **Sand.** Arena. Unser Sand, den wir zu
großer Beschwerde im Ueberfluß haben, der in verschiedenen Gegenden ansehnlich große böse Feldstriche
ausmacht, bestehet mehrentheils aus runden, weißen
oder gelben Quarzkörnchen, und wird Perlsand genennet. Hin und wieder findet man auch häufigen Quicksand, der aus eckigten Quarzkörnchen bestehet. An einigen Orten, z. B. im Kremonischen u. a. findet man
einen sehr weißen feinen Streusand, der zu Sanduhren
brauchbar wäre, und in vielen Gegenden, besonders
im Wendenschen, wird ein weißer, sehr zarter staubig-
ter Sand gefunden, der aber, weil er mit weißem
Thon vermischt, und schmierig ist, nicht gebraucht
werden kann.

§. 9. Quarzcrystallen, Bergcrystall.
Quarzum crystallisatum.

Cronst. Miner. §. 52.

Der Quarz crystallisirt allezeit in sechsseitigen
Säulen mit sechsseitigen Pyramiden. Außer den kleinen Crystallen, die in verschiedenen Quarz- und Kieselsteinen an unsern See- und Flußgestaden vorkommen, und einigen etwas beträchtlichen Druschen, die
im Oberpahlenschen in einem Felssteine auf einem Acker

gefun-

gefunden sind, hat man bey uns noch keine Quarzdru-
sen bemerket, ob mir gleich ein paar Exemplare vorgekommen sind, deren Geburtsörter man aber nicht
wußte. Eines derselben war beträchtlich groß. Es
wurde im Frühjahr 1771 nach der Ueberschwemmung
der Düna auf der Stadtweide bey Riga in einem großen weißen Quarzklumpen von vielen Pfunden gefunden. Die Crystallen waren schön und groß. Dem
Quarz war vieler reichhaltiger Blenglanz beygemischt.
Das Ganze schien aus irgend einer Bergkluft losgerissen zu seyn: ob es aber bey uns einheimisch gewesen
sey, oder nicht, das kann ich nicht bestimmen.

§. 10. Achat. Achates.

Cronst. Miner. §. 60.

Ob ich gleich, nachdem ich in der ersten Ausgabe
S. 332. die Achate aus dem Abselschen Gypsbruche
angezeiget hatte, an deren Existenz immer sehr gezwei-
felt habe, weil sie wegen dieser Lage, und da Gypsarten und Achate nicht leicht beysammen gefunden werden, äußerst merkwürdig wären, ich auch, so viel ich
mich nur darum bemühet, keine Proben mit ihrer
Matrix bekommen konnte: so muß ich doch diese Anzeige hier wiederholen, da Herr P. Hupel, der sich genau darnach umgesehen hat, und von dem ich überzeugt bin, daß er Steinarten zu unterscheiden wiffe,
diese Nachricht im 3. B. seiner topogr. Nachr. von
Liefland S. 218. wiederholentlich behauptet.

§. 11. Gemeiner Kiesel. Silex vulgaris.

Cronst. Miner. §. 61.

Am Stahl schlägt er Funken; im heftigen Feuer
schmelzt er zu Glase. Die gemeine hornfarbene halb-
durch-

durchsichtige Kieselart, oder der gemeine Hornstein ist der eigentliche Feuerstein.

Auch bey uns findet man den Kiesel oft von so feiner und dichter Textur, daß er nach der Politur das Ansehen des schönsten Achates gewinnet: aber selten siehet man diesen in beträchtlich großen Stücken. Viele derselben haben schöne Farben und Zeichnungen, die, nachdem ich sie geschliffen hatte, einen schönen Glanz, und schöne Zeichnungen hatten. Ich habe einen Achatkiesel gesehen, der im Adiamündischen am Seestrande gefunden war, den der Besitzer hatte schleifen lassen, da er dann dem schönsten Baum-Achat ganz gleichkam, deswegen er ihn in einen Ring fassen ließ.

Die groben Kiesel findet man sehr häufig in großen einzelnen Stücken von unbestimmter Figur. Unsere mehresten Kiesel haben eine hornartige Decke, unter welcher der feinere Kern stecket. Viele haben Bänder von andern Farben, welche durch den ganzen Stein gehen. Man findet sie an allen unsern See- und Flußgestaden in sehr großer Menge. Die kleineren runden, mit welchen oft ganze Striche an den Ufern bedeckt sind, werden von Unwissenden und Kindern Ruckelsteine, eigentlich Kugelsteine, genennet. Unter dem Narvischen Wasserfall findet man kugelrunde Kiesel oder sogenannte leere Adlersteine. Das Reiben des Sandes im Wasser hat ihnen diese runde Figur gegeben.

Harte Kiesel, die zu Flintensteine dienen, findet man am Nawastschen Bachufer unter dem Gute Taifer im Fellinschen, auch unter Wollmarshof im Pillistferschen Kirchspiel an einem Flüßchen häufig. — Man findet viele Feuersteine mit blaulichtem oder weißem Quarz drusigt angeschossen. Zuweilen findet man sie auch mit versteinten Seeigelstacheln, dergleichen bey den Echiniten im VI. Abschnitt §. 56. vorkommen, auch verschiedene, die stark durchlöchert sind, und als von Würmern durchbohrt aussehen.

§. 12. Jaspis.   Jaspis.

Cronst. Miner. §. 64.

Der Jaspis ist eine undurchsichtige Kieselart mit mattem Bruche, welche man von verschiedenem Gehalt und Feinheit findet, daher einige Arten nur eine geringe und matte Politur annehmen, und ein ganz schlechtes Ansehen gewinnen. Bis jetzo ist mir in Livland nur ein grober eisenhaltiger Jaspis, Jaspis martialis, Cronst. Miner. §. 65. 1. vorgekommen. Er war von stahlgrauer, mit weiß und gelb gemischter Farbe.

§. 13. Feldspat.   Feldspatum.   Spatum scintillans.

Cronst. Miner. §. 66.

Diese Steinart wird fast allenthalben gefunden. Man trifft sie mit Kieselsteinen vermischt an, wo sie theils in einzelnen abgerundeten Stücken, theils in großen unförmlichen Klumpen vorkommen; hauptsächlich aber ist sie den fast allenthalben häufig herumliegenden Felssteinen, welche unten im V. Abschnitt vorkommen werden, fast beständig beygemischt. Der röthliche ist der gemeinste, seltener findet man den weißen oder milchfarbenen. Die loßliegenden bestehen mehrentheils aus groben Theilen, oft aus kleinen körnigten Theilen, und sind gemeiniglich mit Glimmerschuppchen gleichsam umwunden. Oft sind sie bald mit Quarz, bald mit grauem Felsstein verbunden.
Eini-

Einige derselben nehmen eine leidliche Politur an, unter welchen diejenigen, welche aus rothem Feldspat mit weißem Quarz vermischt bestehen, nach der Politur dem englischen Puddingstone einigermaßen gleichsehen.

III. Granatarten.

§. 14. Granat. Granatus.

Cronst. Miner. §. 69.

In der ersten Ausgabe habe ich gesagt, daß man in unserm Livlande, das an Edelgesteinen arm ist, keine Granaten finde. Nie hatte ich sie vorher entdeckt, ich hatte sie auch um desto weniger vermuthet, da ich von vielen Freunden, die mineralogische Kenntnisse haben, die in verschiedenen steinreichen Gegenden wohnen, und denen ich die Untersuchung aufgetragen hatte, keine Anzeige bekommen hatte. Unerwartet war es mir daher, da mir im Frühjahr 1785 ein Freund einige Proben schickte, die unter Neu-Cavelecht im Dörptschen Kreise gefunden worden. Das Gestein, in welchem man sie fand, war ein graugesprengter Felsstein; die eigentliche Matrix ist weißer Feldspat, mit etwas rothem Feldspat vermengt. Die Granaten sind von verschiedener Beymischung, daher auch ihre Härte und Farbe verschieden ist. Eine Gattung ist eisenhaltig, schwärzlich und fast undurchsichtig, dabey so hart, daß, wenn man sie an der Schleifmaschine ablaufen läßt, sie Glas schneidet; eine andere Gattung, die weniger Eisen zu haben scheinet, ist roth, und ziemlich durchsichtig; die dritte Gattung scheint einige Beymischung von Zinn zu haben, denn sie bestehet aus verschiedenen aneinandergeschossenen Graupen, die jedoch nicht die dunkle Farbe haben, die man gewöhnlich an reichhaltigen Zinngraupen findet; auch war crystallisirter Schörl unter diesem Gemische. Diese

Yy 5 Stein-

Steinart wird in Granitblöcken, auch im Quarzstein gefunden.

§. 15. Schörl. Basaltes.
Cronst. Miner. §. 72 — 75.

Unter die Granatarten gehört auch der Schörl. Von diesem sind mir bisher folgende Arten vorgekommen.

1) **Strahlenförmiger Schörl.** B. particulis fibrosis. Cronst. Miner. §. 74. 3. In Sandsteinen, welche mit Glimmer vermischt sind; in verschiedenen Gegenden.

2) **Spatförmiger Schörl.** B. spatosus. Cronst. Miner. §. 73. 2. Diesen habe ich am Dünastrande bey Riga mit Thon verwickelt gefunden.

IV. Thonarten. Terrae argillaceae.

Der Thon ist eine zähe, wohlzusammenhangende Erdart, die oft mit fremden Theilchen, z. B. mit feinem Sande, Glimmer, in Livland besonders oft mit Kalkerde, und andern Erdarten vermischt, und von verschiedenen Farben gefunden wird. Da man alle diese Erdarten als zufällige Beymischungen ansehen muß, so findet man seine eigenthümlichen Theilchen nach der Absonderung von jenen unfühlbar und schlüpfrig. Seine Grundbestandtheile sind zarte mit Wasser aufgelösete vegetabilische Körper, die mit einem ihm eigenthümlichen schleimigten dabey brennbaren Wesen vermischt, und mit einer von dem Wasser sich abgesonderten ursprünglichen Erdart, die Herr Professor Walch in seinem Steinreich 2 Th. §. 8. 9. eine elementarische Grunderde nennet, verbunden sind. Mit Scheidewasser brauset der Thon an sich nicht,

wenn

wenn er nicht mit Kalkerbe oder mit Kreidearten vermischt ist. Im Wasser läßt er sich kneten; im Feuer
erhärtet er.

Wir haben in Livland des Thones fast allenthalben einen großen Vorrath. Größtentheils macht er,
bald mit Sand und Erde vermischt, bald in Schichten von Sande und Thon abwechselnd, die Oberfläche
unserer Felder und Ebenen, und ich könnte wol sagen,
fast des ganzen Landes, selbst viele morastige Gegenden, besonders die, welche aus verwachsenen Seen
entstanden sind, und die Decken unserer Flußbetten
aus. Besonders findet man ihn da im Erdreich gewiß, wo Kalkstein die Grundlage ist; dieses beweisen
vornemlich die Gegenden am Dünastrande.

Bis jetzo sind mir folgende Thonarten vorgekommen.

§. 16. Eisenthon. Bolus.
Cronst. Miner. §. 86.

1) **Rother Eisenthon.** B. ruber vulgaris. Er
ist ziemlich fein, und im Wasser nicht leicht erweichlich.
Er wird im Oberpahlenschen gefunden.

2) **Grüner Eisenthon.** Terre verde. Cronst.
Miner. §. 86. 1. γ. Dieser läßt sich im Wasser fast
gar nicht auflösen. Seine grüne Farbe ist bald dunkler, bald heller. Ein Theil desselben ist zur Mahlerey brauchbar. Er scheint Eisentheilchen zu haben,
weil das Scheidewasser die grüne Farbe herauszieht,
welches ich auch an unsern Gattungen bemerket habe.
Er wird auf dem Platze des verwüsteten Schlosses
Tarwast im Fellinschen, und im Lacksberge bey Reval,
am letzteren Orte theils in Eisenochern, theils im derben
Kalkstein, als kleine Puncte oder Nieren eingestreut ge-
fun-

funden. Man findet ihn auch im Domberge bey Reval in dünnen Lagen zwischen den Kalkschichten, wo ihn der Herr Coll. Assessor D. Körber gefunden hat.

§. 17. Trippelthon.   Terra tripolitana.
Cronst. Miner. §. 89.

Der ebengenannte Herr Coll. Ass. Körber hat mit einen Trippelthon mitgetheilet, den er im Lacksberge bey Reval gefunden hat.   Außer diesem ist mir eine Trippelerde vorgekommen, die mit rothem und grünem Eisenthon vermischt war; doch ist mir ihr Geburtsort nicht bekandt.

§. 18. Gemeiner Thon. Argilla communis plastica.
Cronst. Miner. §. 90.

Er läßt sich im Wasser erweichen; doch eine Gattung leichter als die andere.   Folgende sind mir bis jetzo bekandt.

1) Röthlicher magerer Thon. A. rubescens macra. Cronst. Miner. §. 90. Er ist immer mit vielem Sande vermischt, doch im Wasser ziemlich erweichlich; doch ist er gröber und lange nicht so milde, als der blaue Thon. Die Töpfer vermischen ihn mit Haaren, und brauchen ihn dann zu Verstreichung der Öfen.   Weges des häufig beygemischten Sandes und wegen seiner Magerkeit ist er den Fruchtfeldern nicht zuträglich, indem bey seiner Vermischung mit der Erde der Dünger leicht ausbrennet, und die Feuchtigkeit gar zu geschwinde ausdörret; dagegen ein lebhaft rother, oder auch ein blauer Thon in gehörigem Verhältniß mit der Moder- und Sanderde vermischt,

einen

einen sehr guten Boden geben. Dieser magere röthliche Thon kommt in Feldern häufig vor. In den Werbenschen Gebirgen wird er mit blauem und weißem Thon vermischt gefunden. Oft liegen diese Thonarten in Strichen und Schichten so unter und durch einander, daß die Gebirge in der Ferne wie altes Mauerwerk aussehen. Dieses siehet man besonders im Frühjahr, wenn die Bergfluthen oder sogenannte Baumflüsse, von welchen ich bereits oben geredet habe, oder im Herbst, wenn die häufigen Regengüsse den Thon erweicht und abgespült haben, da dann durch die Vermischung der verschiedentlich gefärbten Thone die Berge ein solches Ansehen gewinnen.

2) **Gelblichter fetter Thon.** Er ist milbe, und ziemlich fett. Man findet ihn unter Schmiesing ben Riga, und brennt Mauer- und Dachziegeln daraus. Die Oberlage bestehet aus einer Sandschichte von etwa anderthalb Fuß, auf welche zween Fuß und drüber Thon folgen, der wieder mit Sande abwechselt. Diese Lagen gehen, so weit man bis jetzo gekommen ist, in der Tiefe immer abwechselnd fort. An einigen Stellen ist der Sand vom Thon so dicht zusammengeleimt und so hart, daß der Thon nur mit Mühe gewonnen wird. Wenn er wegen seiner vielen Fettigkeit mit Sande gehörig vermischt wird, muß er sehr gute Ziegeln geben.

3) **Blaßblauer Thon.** Er ist nicht vollends so blau, wie der gewöhnliche blaue Leim, aber so milde, daß man ihn gut zum Anstreichen der Wände brauchen kann. Er wird im Stubenseenschen gefunden, und kommt in eben so starken Lagen vor, wie der vorige. Man brennt Mauersteine daraus, die den Klinkern an Härte nahekommen.

4) **Blaßröthlicher, etwas fetter Thon.** A. pallida rubescens pinguis. Ein solcher wird jenseit

seit der Düna bey der Stadtziegelscheune und im Dahlenschen gefunden, und an beiden Orten zum Ziegelbrande gebraucht. Er ist auch zu Fayencearbeit brauchbar gefunden worden.

5) Rother Thon. A. rubra. Er ist von etwas
lebhafter Farbe.   Man findet ihn unter Oberpahlen in
sehr ergiebigen Gruben, und braucht ihn zum Ziegelbrande.   Er ist etwas mager.

6) Weißlichter Thon. A. albescens.   Dieser
ist ziemlich fett, und zur Fayencearbeit brauchbar. Er
wird bey Kirchholm gefunden.   Ein ähnlicher wird in
der Gegend der Kreisstadt Wenden gegraben.

7) Grauer Thon. A. cinerea. Cronst. Miner.
§. 90.   Er ist etwas fetter und schmieriger als der
blaßröthliche, und wird zu Töpferarbeiten gebraucht.

8) Blauer Thon, blauer Leimen. A. coeru-
lescens.   Cronst. Miner. §. 90.   Er wird bey uns
häufig genug in Gruben und auf Aeckern gefunden.
In einer Grube, sechs Werst von Oberpahlen, wird ein
solcher in einer unerschöpflichen Tiefe gefunden, und
zu dauerhaften Mauer- und Dachziegeln, auch zur
Töpferarbeit gebraucht.

9) Rother reiner feuerfester Thon. A. apyra
rubra. Cronst. Miner. §. 78. A. 1.   Man findet ihn
an der westlichen Seite des Lacksberges bey Reval.
Die Mahler brauchen ihn als eine der reinsten Oehlfar-
ben zu Vertiefungen.

10) Rother Thonschiefer. A. tessularis rubra.
Cronst. Miner. §. 91.   Er bricht eben daselbst in
ziemlich dicken Scheiben.   Herr Coll. Ass. Körber,
der ihn untersucht hat, erkennt ihm die Eigenschaft zu,
daß er sich mit gehörigem Zusatz für die feinste Porcel-
lainmasse schicke; er hält ihn auch brauchbar zu den
dauerhaftesten Schmelztiegeln.

11) **Hellblauer Thon.** A. coerulea. Er kommt unter dem Stadtpatrimonialgute Olai an der Curländischen Gränze in Gruben unter dem Rasen vor. Er ist zwar sehr weich und fett anzufühlen; aber er hat eine zu starke Kalkvermischung, daher können die Ziegel, die daraus gebrannt werden, nicht dauerhaft seyn, besonders wenn der Thon nicht vorher gehörig geschlemmet, und also von den kalkartigen Theilen, die ihm in sichtbaren Klumpen beygemischt sind, nicht gereiniget worden; denn da der Kalk bey dem Brennen der Ziegel calciniret, und zum Zerfallen bereitet wird; so wird er bald nachher gelöscht, zieht die Feuchtigkeiten aus der Luft an sich, da dann nothwendig die Ziegeln bersten, und endlich aus einander fallen müssen.

12) **Schwarzgrauer Thon.** A. nigrescens. Er ist oft sehr mager, trocknet leicht, und zerfällt alsdann in Staub. Wegen seiner ungemeinen Magerkeit scheint er unbrauchbar zu seyn. Man findet ihn in der Nähe der Kreisstadt Walk.

13) **Rother fetter Thon.** A. pinguis rubra. Er kommt im Oberpahlenschen vor, wo er zum Ziegelbrande gebraucht wird; im Lennewardenschen, auch fast in der ganzen Wendenschen Gegend, wo die Aecker durch seine Beymischung eine gute Fruchtbarkeit erhalten.

14) **Weißer Thon.** A. alba. Dieses ist unsere reinste Thonart. Sie läßt sich im Wasser leicht auflösen, und wird in der Wendenschen Gegend gefunden, aber fast gar nicht gebraucht. Zur Fayencearbeit möchte sie brauchbar seyn, weil sie fett, und der Thon mehrentheils von fremder Beymischung am meisten frey ist. Ein ganz weißer, fast kreidefarbener Thon wird in dieser Gegend an einigen Orten gefunden,

den, der aber allezeit mit vielem feinen Sande vermischt ist.

15) **Gelblichter Thon.** A. lutescens. Er ist etwas mager, und wird im Oberpahlenschen gefunden, wo er mit blauem Leimen vermischt zu Mauerziegeln gebraucht wird. Gemeiniglich wird dort gemauret; doch brauchen ihn auch die Töpfer, nachdem sie ihn mit Sande vermischt haben, Oefen damit zu setzen. Auch im lennewardenschen wird ein gelblichter Thon gefunden, und zum Ziegelbrande gebraucht.

16) **Feiner dunkelbrauner Thon.** Er wird im Hafen Maholm im wierländischen District, nahe am Seestrande in Schichten gefunden, und wechselt mit feinem grünen Eisenthon ab. Beide Arten erhärten so sehr an der Luft, daß sie sich wie Stein bearbeiten und ziemlich gut poliren lassen. Hupels topogr. Nachr. von liefl. 3. B. S. 477.

17) **Weißer feuerfester Thon, Pfeifenthon.** A. apyra alba. Er soll bey Oberpahlen gefunden werden. s. M. T. Brünnichs Mineral. deutsche Uebers. S. 77. Anm.

18) **Thonmergel.** A. margacea. Diese Thonart ist mit etwas Kalk vermischt, und dient gut zur Töpferarbeit. Sie kommt an einigen Flußufern in kleinen Flözen vor.

V. Glimmerarten.

§. 19. Der Glimmer ist eine Steinart, die aus dünnen glänzenden Schuppen oder Blättchen bestehet, welche dicht übereinander liegen; er ist fett und glänzend anzufühlen. Man findet ihn von unterschiedenen Farben. Hier folgen unsere Gattungen.

1) Gel

1) **Gelber Glimmer, Katzengold.** Cronſt.
Miner. §. 95. B. 2. Mica ſquamoſa martialis.
Er beſtehet aus kleinen Schuppchen, und iſt gemeinig-
lich mit Feldſtein, Hornſtein, Quarz, oft auch mit
allen dieſen Steinarten zuſammen, vermiſcht gefunden.
Man trifft ihn zuweilen mit ſchwarzem Glimmer und
Quarz vermiſcht in Felsſteinen an.

2) **Weißer Glimmer, Katzenſilber.** Mica
ſquamoſa alba ſeu pura. Cronſt. Miner. §. 94. A. 2.
Er beſtehet aus kleinen Scheibchen. In einer Oberpahlenſchen Sandgrube findet man viele Stücke Katzenſilber mit Katzengold vermiſcht nebeneinander liegen.
Auch wird er in verſchiedenen Felsſteinen gefunden.

3) **Dunkelgrüner Glimmer.** Mica ſquamoſa
martialis viridis. Cronſt. Miner. §. 95. 2. B, 2. β.
Man findet ihn hin und wieder mit Feldspat, Hornſtein und Quarz vermiſcht.

4) **Hellgrüner Glimmer.** M. martialis pallide viridis. Cronſt. Miner. §. 95. 2. 2. 3. Man
findet ihn zuweilen neben dem vorigen.

5) **Hellgrüner gewundener Glimmer.** M.
contorta pallide viridis. Dieſe beiden Arten ſind ſo
wol mit dem Glimmer Nr. 3. als auch ohne fremde
Beymiſchung in der Neuermühlenſchen Gegend gefunden worden.

Zweyter Abschnitt.
Salzarten. Salia

I. Saure Salze. Salia acida.

§. 20. Vitriolische Säure. Acidum vitrioli.

Sie wird nie rein gefunden, sondern allezeit mit fremden Körpern vermischt, als:

1) im Gyps. §. 5.

2) im Eisenocher, welcher ein durch Vitriolsäure aufgelöseter Eisenkalk ist. §. 29.

3) Mit Eisen vermischt. Eisenvitriol. Unter dem Gute Durenhof im Burtneckschen Kirchspiel findet man einen Brunnen, dessen Wasser die Zeuge, welche man hineinleget, schwarz färbet. Es ist ganz wahrscheinlich, daß es ein mit Eisenvitriol gesättigtes Wasser sey, und daß es, wenn nicht etwa ein stärkeres Abstringens in der Nähe ist, eine Menge Baumwurzeln, als von Eichen oder Erlen, indem es vorbey seigert, extrahire, weil ohne Zuthun eines Abstringens der Eisenvitriol nicht schwarz färbet. Eine gleiche Beschaffenheit scheint es mit einer Quelle unter Schwarzhof im Adselschen Kirchspiel im Walkschen Kreise zu haben, die ein mit Eisenvitriol gesättigtes Wasser giebt, welches die Farbe, den Geruch und den Geschmack der Tinte hat.

§. 21.

§. 21. **Kochsalzsäure.** Acidum salis communis.

Diese findet man:

1) Mit dem **Laugensalz** des **Meerwassers** gesättiget, da sie das Meersalz oder Küchensalz liefert.

II. **Mineralische Laugensalze.** Alcalia mineralia.

§. 22. **Feuerbeständige Laugensalze.** Alcalia mineralia fixa.

Man findet:

1) Das **Mauersalz.** Aphronitrum. Cronst. Miner. §. 137. Es setzt sich oft in Gewölben und an feuchten Mauern in haarförmigen Cryſtallen an.

§. 23. **Mit der Kochsalzsäure gesättigtes Feuerbeständiges Laugensalz. Kochsalz.** Sal commune. §. 2L I.

§. 24. **Flüchtiges Laugensalz.** Alcalia volatilia mineralia.

Diese findet man fast in allen fetten Thonarten, besonders im gemeinen Thon.

———

Dritter Abschnitt.

Erdharze.   Phlogista mineralia.

I. Reine Erdharze.   Phl. mineralia pura.

§. 25. **Bernstein, Agtstein.** Succinum. Electrum Cronst. Miner. §. 146. lett. Sihtars, ehstn. Merre kiwwi.

Wenn der Bernstein gerieben wird, bis er warm wird, dann wirft er einen electrischen Schein von sich, der im Finstern sichtbar leuchtet; alsdann zieht er auch leichte Körper, z. B. Papier, Wolle, Federn u. a. an sich. Daher hat man ihn auch Electrum genennet. — Er wird nur in der Ostsee gefunden.

Man findet ihn bey uns an dem Ausflusse der Düna in die Ostsee, in der Bolderaa, den Strich hinauf bis Bullen, und weiter am Seestrande hin, im Sande des Ufers, in großen und kleinen Stücken von dunkeler und heller Farbe, unter welchen viele schöne klare, durchsichtige Stücke vorkommen; doch wird der sogenannte komstfarbene weit seltener als der klare, und undurchsichtige dunkelbraune Bernstein, welcher der häufigste ist, gefunden.

In manchen Jahren trifft man den Bernstein häufig genug an, dagegen er in anderen selten genug gefunden wird. Jetzo hat man ihn seit mehreren Jahren wieder sehr häufig und in größerer Menge, als in vorigen Zeiten, nach Riga gebracht und in die Apotheken verkauft. Es ist auch jetzo eben nichts ungewöhnliches,

liches, Stücke von sechs bis acht Loth zu finden. Insecten siehet man nur zuweilen in unserm Bernstein.

Vor einigen Jahren wurde bey St. Peterskapelle, das jetzo zum dörptschen Kreise gehört, in einem Sandgebirge, eine kleine halbe Meile vom Rigischen Meerbusen, eine Lage Bernstein gefunden, und darunter Stücke von vier Loth, und drüber. Vielleicht war wol vormals, freylich in Zeiten, die sehr weit über unsere ältesten inländischen Geschichtbücher hinausgehen, hier das Meer selbst; wenigstens ist es ganz wahrscheinlich, daß in älteren Zeiten, da, wo jetzo dieser Bernstein gefunden wurde, das Ufer des Meeres gewesen sey: denn daß das Meer sich in einigen Jahrhunderten von seinem ehmaligen Ufer sollte entfernet haben, das wäre wol eben keine seltene Erscheinung. Wenn man des Hrn. Prof. Ferbers Bemerkungen zur physischen Erdbeschreibung von Curland, welche meinen Zusätzen zur ersten Ausgabe der Naturgesch. von Livland angehänget sind, nur mit einigem Nachdenken überlieset: so wird man, bey auch nur mäßigen physischen Kenntnissen, sich überzeugen, daß Seine Meinung, welche Er nach genauer und sorgfältiger Untersuchung des Bodens, und des Ganges der Erd- und Steinarten mit vieler Gründlichkeit und Ueberzeugung vorträgt, daß nemlich nicht nur Curland, sondern auch dessen benachbarte Länder, besonders unser Livland, vorzeiten ganz unter Wasser gestanden haben, und Meer gewesen sind, vielen, und sicheren Grund habe. Nach dieser Ueberzeugung wird es mit Gewißheit in die Augen leuchten, wie es zugegangen sey, daß diese Bernsteinlage, die doch ein Product des Meeres ist, in einer solchen Entfernung von demselben gefunden worden. Auch in Polen und im ehemaligen polnischen Preußen wird er in Seen sowol als auch in Erdschichten von der Ostsee häufig, oft in großen

Zz 3 Stü-

Stücken gefunden.   S. Rzaczinsky hist. nat. cur.
regni Polon. Tr. VI. Sect. II.

Wahrscheinlich ist dieses Naturproduct in älteren
Zeiten in Livland eben so viel gewesen, als an dem
freyerliegenden westlichen Seestrande von Curland,
dessen Sammlung noch in der letzten Hälfte des vorigen Jahrhunderts so beträchtlich gewesen ist, daß man
ihn durch Strandreuter, die unter einem Strandvogt
standen, zu bewachen, der Mühe werthgehalten hatte;
dies geschahe freylich in den Zeiten, da blinzende Steine, ächte und unächte, und allerley Modezierathen,
die uns von Ausländern aufgedrungen werden, und
die wir oft theuer genug bezahlen, die eben so schönen inländischen Naturproducte noch nicht aus dem
Register des Schmuckkrames verdrängt hatten. Aus
diesem curländischen Bernstein hat man damals verschiedene ansehnliche Stücke gedrechselt. S. Ros. Len-
tilii memorabillia Curlandiae in den Act. Nat. Curios.
D. II. A. X. in append.

II. Mit vitriolischer Säure verbundene Erd-
harze.   Schwefel.   Phlogista mineralia aci-
do-mixta.   Sulphur.

Reiner Schwefel ist mir in Livland nie vorgekommen, und wahrscheinlich auch nirgend bey uns zu finden. Zwar bin ich von verschiedenen versichert worden, daß unter dem Gute Serbigall im Absekschen
Kirchspiel, im Walkschen Kreise, natürlicher Schwefel gefunden werde; doch, da ich ihn selbst nicht gesehen habe, mag ich für die Gewißheit der Sache nicht
bürgen. Ich habe sehr oft erfahren, daß von Unwissenden
das glänzende Katzengold für eine Goldminer, und
gelbe Thonarten, wenn sie wegen ihres brennbaren

Mit

Mitgehaltes einen Schwefelgeruch verriethen, für reinen Schwefel gehalten wurden.

§. 26. Schwefelkieß. Pyrites sulphureus.

Dieser ist der eigentliche Feuerstein der Alten. Folgende Schwefelkieße kann ich als einheimische nennen.

1) **Schwefelkieß mit Eisen vermischt.** Pyrites sulphureus ferro mixtus textura chalybea. Cronst. Miner. §. 152. 1. 1. 2. Er ist traubenförmig gewachsen, sieht außerhalb matt stahlfarben, und hin und wieder rostig aus; im Bruche aber hat er einen metallischen Glanz, und verräth zugleich durch seine blasse Farbe die Gegenwart des Arseniks. Ich habe ihn in der Gegend von Kattelkalln am Düna-Ufer in einem Sandberge gefunden.

2) Unter einigen Gütern in Ehstland; an einem kleinen Bach im Oberpahlenschen; am häufigsten bey dem baltischen Hafen, vornemlich aber unter dem in dessen Nähe belegenen Gute Leez, findet man viele Schwefelkieße von blaßgelber Farbe, die arsenikhaltig sind, theils im Wasser, theils im Sande am Ostsee-strande, oft in kleinen unförmlichen Bällen, zuweilen in Stangen, nicht selten in Cylindern, welche nach dem Mittelpunct zu, gestreift sind, am häufigsten aber in Scheiben, von welchen mir verschiedene vor-gekommen sind, welche eine halbe Elle im Durchschnitt haben, und etwa einen Viertelzoll dick sind. An der Luft verwittern sie, jedoch etwas langsam. Nach der Schmelzung geben sie eine Töpferglasur. Die Gefan-genen, die ehemals im Baltischen Hafen waren, haben sie auf einem bleyernen Rade mit Mergel, darnach auf einer zinnernen Scheibe geschliffen, und sodann in Ringe, Stockknöpfe, und dergleichen gefaßt. Ge-

schliffen

schliffen haben sie eine blasse, etwas ins Gelbe spielende Stahlfarbe, und dann pflegt man sie Gesundheitsteine zu nennen. Ich müßte nicht, daß sie auf diesen Namen Anspruch machen könnten.

3) Schwefelkieß von lebhafter Metallfarbe, im Kalkstein, mit etwas Spat vermischt. Er wird im Lacksberge bey Reval gefunden.

4) Schwefelkieß in Kuchen mit regulairen vierseitigen Pyramidalkrystallen, die eine solche Härte haben, daß sie Glas schneiden. Seine Bestandtheile sind: eine gute Portion Eisen und Schwefel, mit etwas Arsenik vermischt, den der Geruch, wenn man sie nur ein wenig reibt, und die blasse Farbe verrathen. Man findet diesen Schwefelkieß in der Bergpecherde des Revalschen Domberges. Der Herr Coll. Assessor D. Körber hat sie entdeckt, und mir Probe davon zugeschickt.

5) Verwitterte Schwefelkießcrystallen im Spat. Sie werden im Lacksberge gefunden.

6) Kalkstein mit blätterigem Kalkspat incrustirt, und durch und durch mit Schwefelkieß; in eben dem Berge. Hr. Coll. Aff. D. Körber.

7) Kalkspat mit dünnen Schichten von Schwefelkieß mit Eisensafran angeflogen. Er wird eben daselbst gefunden.

§. 27. Markasit. Vismuthum.

1) Markasitkieß. V. sulphure mineralisatum. Cronst. Miner. §. 156. 14. §. 224. 1. Er wird am Seestrande bey Reval in blaßgelben Würfeln crystallisirt, sowol einzeln, als auch in arsenikhaltigen Kießen gefunden.

2) Kieß-

2) **Rießcrystallen. Markasite.** Crystalli pyritaceae Waller Miner. spec. 317. Sie sind mit Schwefel und Arsenik gemischt. Am Stahl geschlagen, geben sie Funken, und einen sehr starken Schwefelgeruch. Auf der Insel Oesel und in der Gegend um Pernau findet man sowol würfeligte, als auch sechsseitige Markasitcrystallen. Wenn sie an Stahl geschlagen werden, verrathen sie sowol durch die Funken, als auch durch den Geruch vielen Schwefel.

Vierter Abschnitt.

Metalle. Metalla.

I. Ganze Metalle. Metalla.

Bis jetzo sind zwar in unsern Gebirgen noch keine deutliche Anzeigen auf Metallarten entdeckt worden; gleichwol ist es nicht unwahrscheinlich, daß hie oder da, vielleicht in den Wendenschen Gebirgen, einige Erze zu finden seyn möchten. In des verst. Herrn Etatsrath Müllers Sammlung Russischer Geschichte IX. B. S. 214. findet man eine Anzeige, daß der ältere Generalsuperintendent D. Johan Fischer im Wolmarschen ein Bergwerk entdeckt, und über dasselbe 1688 für sich und seine Mitinteressenten ein Privilegium ausgewirket habe. Herr Pastor Börger äußert in seinem Versuch über die Alterthümer Lieflandes die Muthmaßung, daß er es auf dem Blauberge im Burtnekschen Kirchspiel im Wolmarschen Kreise, den ich oben angezeigt, entdeckt

Zz 5 habe:

habe: da er aber für diese seine Meinung keinen Grund
angiebt, so bleibt es wol nur bloße Muthmaßung.
Wenigstens scheint die Oberfläche dieses Berges, die aus
dürrer Erde besteht, die nur Heidekraut trägt, und keine
Spur von Steinarten zeigt, ihm keine Veranlassung
dazu gegeben zu haben, dort einzuschlagen. Ob dieses
Bergwerk, es sey nun eingeschlagen worden, wo es
wolle, nicht ergiebig genug gewesen sey, oder ob er es
deswegen habe müssen liegen lassen, weil er sich mit
dem damaligen Arrendator der Güter Wolmarshof
und Käbbern, die er zu dessen Förderung in Arrende
verlangte (wahrscheinlich deswegen, weil Wolmarshof
das einzige Gut in diesem Kirchspiel ist, das mit Bau-
und Brennholz versehen ist), nicht vergleichen konnte,
da König Carl XI. ihm diese Güter nur unter der Be-
dingung zugestanden hatte, daß er es mit dem Arrendator abmachen solle; davon haben wir keine Nachricht.
Daß er es selbst entdeckt, und sich nicht durch andere
habe verleiten lassen, scheint daher glaubwürdig zu
seyn, daß er, wie ich als ein Neffe von ihm aus glaubwürdigen Familiennachrichten weiß, und von Männern, die mit ihm vielen Umgang hatten, erfahren
habe, ein starker Chemiker gewesen ist, und in Livland
viel laboriret hat. Daß er ein unternehmender Mann
gewesen sey, und manches Project entworfen habe, ist
bekannt. Jetzo weiß man von diesem Bergwerke und
dessen Metallarten nichts zuverläßiges.

Folgende wenige livländische Erzarten können jedoch angezeiget werden, obgleich alle die Mühe und
Kosten nicht belohnen.

§. 28. Bleyerz. Minera plumbi.

1) Zu Wolmarshof, einem Kronsgute im Pillistferschen Kirchspiel, das jetzo zum Fellinschen Kreise
gehört,

gehört, und zwo Meilen von Oberpahlen liegt, werden in einem Fliesenbruch kleine Stuffen Bleyerz gefunden. Es bestehet, so viel ich davon gesehen habe,
aus kleinwürflilgtem Blenglanz. Von dieser Erzart hat
man die Nachricht, daß es schon zu schwedischen Zeiten gefunden worden, daß man es aber, da man gleich
bey dem Einschlagen nur geringen Vortheil habe berechnen können, habe müssen liegen lassen. Herr P.
Hupel meldete mir vor langer Zeit, daß daselbst vor
mehreren Jahren auf Befehl der hohen Krone eine
Untersuchung wegen eines Bergwerks angestellt worden sey; daß man es aber, weil wahrscheinlich das
Verhältniß der Kosten gegen die Ausbeute zu groß ge-
schienen, habe liegen lassen. Wenn nicht die
oben angeführte Nachricht sowol, als auch Herr P.
Hupel in seinen topogr. Nachr. von Liefland.
1 Th. S. 229. ausdrücklich widersprächen, indem beide von dem Wolmarshof im Wolmarshoffschen Kreise
reden: so würde ich leicht veranlasset werden, zu glauben, daß dieses Bleyerz dasselbe sey, welches der Generalsuperintendent Fischer in seinem Bergwerk entdecket hat. — Der grobwürflilgte Blenglanz, welcher
1771 in einer Quarzdruse auf der Rigischen Stadtweide gefunden wurde, und den ich im 9ten §. beschrieben
habe, giebt einige Vermuthung, daß in Livland mehr
ergiebiges Bleyerz anzutreffen seyn möge.

2) Am Navastschen Bachufer im Fellinschen,
und zwar im Kirchspiel St. Johannis, wird zwischen
den Kalkfliesen zwar merklicher Blenglanz, jedoch nur
in kleinen Brocken und Stückchen gefunden. Die
Bauren in dieser Gegend haben schon seit geraumer
Zeit aus diesem Erze Bley zu ihrer Jagd geschmolzen. S. Hupels topogr. Nachr. von Liefl. 2. Th.
Nachtrag S. 72. Ob es in großer Menge gefunden
werde, davon habe ich keine Nachricht; kaum ist es
zu

zu vermuthen. Aus einigen kleinen Proben, welche mir ebengedachter Herr P. Hupel mitgetheilet hat, sehe ich, daß dieses Erz theils aus kleinwürflichtem Blenglanz, theils aus Wasserbley bestehe; das letztere aber ist etwas hart, beschmutzet die Hände wenig, und scheint daher weder reichhaltig, noch sehr rein zu seyn.

§. 29. Eisenerz. Minera ferri.

Von dieser Erzart sind folgende anzuzeigen:

1) **Dunkler Eichenocher.** M. ferri ochracea. Cronst. Miner. §. 102. I. I. I. Er ist unter Ramkau im Wendenschen gefunden worden. Sein Geburtsort ist mir unbekandt; er scheint aber in einer moorigten Ackererde gefunden zu seyn.

2) **Eisenocher von lebhafter gelben Farbe.** Etwa zwo Meilen von Kokenhusen, unter Stockmannshof, hinter einem Kruge, entspringet etwa zehn Schritte von der Düna, an der Anhöhe des Ufers eine kleine Quelle, die hinunter in den Fluß fällt, und viel Eisenocher enthält, welchen das Wasser bey seinem Lauf durch die Gebirge aufgelöset hat, und den es auf Strauchwerk und alles, was in das hinabfließende Quellchen fällt, stark niederschlägt, und sie also übersintert, oder vielmehr überochert. Nach dem Abrauchen des Wassers zeigt sich der Ocher.

3) **Sumpferz in unordentlichen Stücken.** Minera ferri palustris. Es ist schwer, und ganz fahlroth. Man findet es jenseit der Düna auf dem der Stadt Riga gehörigen Gute Bebberbeck auf den Aeckern in der Moorerde, wo es in großen Klumpen ausgerissen wird. An einigen Stellen sind ziemliche Feldstriche damit angefüllt.

4) **Schwarzer eisenhaltiger Sand.** Arena ferraria nigrescens. Er ist schwarzgrau und sehr gering

ringhaltig. Man findet ihn in der Oberschichte eines
Berges im Hißenbergischen in dünnen Lagen.

5) Röthlicher Eisensand. Arena ferraria rubescens. Er scheinet ein mit Sande vermischter feiner
Eisenocher zu seyn. Sein Gehalt ist sehr geringe. Er
wird in eben dieser Gegend in Sandgebirgen nicht fern
vom Ufer der Aa gefunden.

6) Körniges, durch Schwefel mineralisir-
tes Eisen. Ferrum sulphure mineralisatum. Cronst.
Miner. §. 211. 2. 1. 3. Man findet gröbes und fein-
körnigtes Eisenerz, welches durch beygemischtes Sumpferz zusammen verbunden ist. Die dichteren inneren
Körner geben, wenn sie gerieben werden, ein rothes
Pulver, das vom Magnet fast gar nicht gezogen wird,
daraus man schließen kann, daß es nicht viel Eisen hälte.
Man findet es zu Bebberbeck in großen Klumpen in
dem obenangezeigten Sumpferze.

7) Brauner Eisenguhr. Er ist von vorzüglicher Feinheit, und wird vom Magnet ziemlich stark
gezogen. Herr Coll. Assessor Körber hat es im Lacksberge bey Reval gefunden, und mir mitgetheilt.

8) Dunkelbrauner Eisenguhr. Er findet
sich sparsam und nesterweise an den steilen Wänden
des Anbruches bey den zarten nur sickernden Quellen
im Lacksberge. Auch dieser ist sehr fein. Von Por-
traitmahlern wird er zur Vertiefung der musculösen
Theile gebraucht.

9) Hellbraunes Eisenerz. Der Magnet zieht
ihn stark und begierig an sich. Man findet ihn am
Fuße des Lacksberges.

10) Drusiges Eisenerz. Es findet sich am
Fuße des Revalschen Domberges in einem Sumpfe.

Diese drey Eisenerzarten Nr. 8. 9. 10. hat der
mehrgenennte Herr Coll. Assessor D. Körber entdeckt.

11) Mit

11) Mit Kalkerde vermischtes Eisen. Blaue Eisenerde. Zu Heidekenhof im Burtneckschen Kirchspiel. Es ist bereits im 7ten §. beschrieben worden.

§. 30. Kupfererz. Minera cupri.

Kupfergrün mit eingestreutem Fahlerz. Von diesem habe ich eine kleine Probe gesehen, welche der Hr. Coll. Assessor D. Körber im Revalschen Domberge, unweit des Lagers einer grünen Thonerde, jedoch nur in sparsamen Brocken gefunden hat.

Fünfter Abschnitt.

Felssteinarten. Saxa.

———————◇———————

I. Zusammengesetzte Felssteinarten.
Saxa composita.

§. 31. Gestellstein von verwickelten Theilen. Saxum compositum particulis quarzosis mica convolutis. Cronst. Miner. §. 262. 2. Man nennet ihn auch Glimmerschiefer. Er ist grau und mit weißen und grauen Glimmertheilchen so in einander verwickelt, daß die Bestandtheile und die Textur kaum zu erkennen sind. Man findet ihn an verschiedenen Stellen, und von verschiedener Größe.

§. 32. Loser schwarzer Schiefer, schwarze Kreide. Fissilis mollior friabilis niger pictorius. Dies ist ein thonartiger leichter, sehr weicher Schiefer mit Untermischung von braunem und gelben Thon.

Er

Er ist so milde, daß er die Hände beschmutzet, und könnte daher zum Zeichnen gebraucht werden. Man findet ihn bey Reval. Sonst findet man auch im Domberge, der dicht an diese Stadt stoßt, unter dem kalkartigen Flözwerk einen harten, dunkelschwarzbraunen Schiefer, der in zolldicke Tafeln zerfällt, imgleichen einen schwarzbraunen Schiefer, der ziemlich locker, und mit Schwefel fein durchgeadert ist; imgleichen am harrischen Seestrande einen lockeren, aus dünnen Blättern bestehenden schwarzbraunen Schiefer. Er wird zuweilen zu Handzeichnungen gebraucht.

§. 33. Granit, eigentlicher Felsstein. Saxum compositum Feldspato, Mica et Quarzo, quibus interdum accidentaliter Hornblende, Granatus, Basaltes intermixti sunt. Cronst. Miner. §. 270. So sehen die mehresten von unsern, fast im ganzen Lande, auf Feldern, in morastigen Gegenden, besonders in Gebüschen, und am Seestrande häufig herumliegenden Granitgeschieben aus, wenigstens sind sie mehrentheils mit Feldspat, Quarz, Blende, Hornblende, oft auch mit Schörl durcheinander vermischt. Die Farbe, welche aus dieser verschiedenen Beymischung entstehet, ist grau gesprenkt. Am häufigsten habe ich diese Geschiebe in der Gegend der Urraschen Kirche, besonders auf der Straße, die von Wenden nach Nietau führt, wo sie mehrentheils neben Anhöhen, und viele derselben halb entblößt liegen, gefunden. Sie werden fast alle in abgerundeten Geschieben, oft in sehr großen Massen gefunden. Man kann sicher behaupten, daß alle diese Felssteine nicht da, wo sie jetzo liegen, entstanden, sondern vorzeiten, durch alte Weltcatastrophen, wahrscheinlich durch gewaltsame Meeresveränderungen, von ihren entfernten Geburtsörtern hergeschwemmet, und hieher gebracht worden sind;

bloße

bloße gewöhnliche Wasserfluthen haben sie wol in so großer Menge, und in so ungeheuren Stücken und Massen nicht hieher bringen können. Daß sie von weitem hergebracht sind, ergiebt sich deutlich daraus, daß man nirgend, weder in Liv⸗ und Ehstland, noch in Curland oder in irgend einem benachbarten Lande Granit in ganzen Bergen, oder in fester Kluft findet; nur sind bey Kirchholm und weiter hinauf an vielen Stellen in der Düna verschiedene Striche von starken Geschieben oder Granitblöcken mit Kalksteinflözen vermischt. — Seit einiger Zeit fängt man auch bey uns an, den Gra⸗ nit statt des Sand⸗ und Kalksteines, welchen letztern Luft und Wasser, wie bekandt, weit geschwinder zer⸗ stören, zu Quadersteinen zu brauchen.

Ein sehr großer Felsstein, gegen drey Faden hoch, und zwey Faden breit, liegt unter dem Gute Paixt im Kirchspiel Torgel im Pernauischen Kreise, mit⸗ ten im Torgelschen Bach. Er ist an einer Seite ge⸗ spalten, welches wahrscheinlich durch ein Gewitter ge⸗ schehen ist. Man nennet ihn Wennomaa Kiwwi. Welche Gewalt wurde nicht erfodert eine so große Steinmasse hieher zu rollen?

Unsere mehresten Pflastersteine bestehen aus gro⸗ bem Kiesel und undurchsichtigem röthlichen und milch⸗ farbenen Quarz, welchen oft Feldspat und schwarze Blende beygemischt sind. Die, welche zum Pflaster in der Stadt Riga gebraucht werden, bringt man aus der Kirchholmschen und Uexkullschen Gegend vom Dü⸗ nastrande. Die größeren werden zu Baustücken, be⸗ sonders zu Fundamenten gebraucht. An den Ruinen unserer alten Schlösser sehen wir, daß man sie in älte⸗ ren Zeiten häufig gebrauchet habe. Man findet in diesen alten Mauern oft in der Höhe von vielen Faden zwischen den Kalksteinen abgerundete Felssteine von

einigen

einigen Centnern. Mit welcher Mühe müssen diese großen Steine nicht hinauf gebracht seyn.

steinen gehauen, aber nicht dauerhaft waren.

II. Zusammengeleimte Felssteine.
Saxa conglutinata.

Dieses sind Felssteinarten, deren verschiedene Bestandtheile mehrentheils grob, und durch eine sichtbare steinartige Materie zusammengekittet sind.

§. 34. Aus Kieseln und Muscheln durch eine dichte harte Kalkerde und Thon zusammengekittete Felssteine.

Saxum silicibus et conchis terra calcarea et argilla conglutinatum.

Hieher gehört die Kalksteinart, welche am Ende des 1sten §. angeführet wurde. Obgleich die Kalkerde, die die Kiesel und Muscheln zusammenbindet, mit Thon vermischt, und schon an sich sehr hart ist: so verstatten doch die häufigen Zwischenräume, welche die Muscheln und Kiesel bey ihrer Ungleichheit hin und wieder verursachet haben, und welche von der sie bindenden Materie nicht ganz ausgefüllt sind, keine Politur; sonst würde diese Steinvermischung nach der Schleifung ein sehr gutes Ansehen gewinnen. Diese Steinart wird in Klumpen von der Größe einer doppelten geballten Hand, und größer, in verschiedenen Brüchen unter den Kalksteinen, besonders in den Brüchen im Rigischen und Wendenschen gefunden.

§. 35. Aus den Körnern von allerley Felssteinen, und aus Sand zusammengeleimter Felsstein. Sandstein.

Saxum conglutinatum granulis seu arena variorum lapidum. Lapis arenarius.

Der Thon scheint das Mittel zu seyn, das die Felssteinkörner und die Sandtheile mit einander verbindet; denn mehrentheils findet man diese Steinart neben Thonlagen. Unsere Sandsteine bestehen aus Körnern, die durch Thon und etwas Kalk mit einander verbunden sind. Sie bestehen fast aus unsichtbaren Theilen. Auf der Insel Oesel wird viel Sandstein gebrochen, unter welchen einiger ziemlich hart, und brauchbar ist; doch ist er lange nicht so dauerhaft als der Bremische, der bey Hauptgebäuden zu Treppen u. a. Bedürfnissen, wenigstens in Städten häufig gebraucht wird. Man findet hier folgende Arten:

1) Weißer Sandstein. L. arenarius albus. Er bricht auf der Insel Oesel, ist aber mürbe, und daher zum Gebrauch nicht dauerhaft.

2) Weißer Sandstein mit rothen Adern. L. arenarius albus venulis rubris. Er bricht eben daselbst. An einigen Stellen ist er ziemlich fein und dicht, an andern mürbe und unbrauchbar. Man wählt daher den festesten zum Gebrauch.

3) Rother Sandstein. L. arenarius ruber. Er bestehet aus groben Theilen und eingestreuten Glimmerschuppchen. Er bricht nur in dünnen Schiefern.

4) Blaßrother Sandstein mit dunkelrothen Flecken und Adern. L. arenarius pallide ruber, venulis fuscis. Er hat die Bestandtheile des vorigen, und wird auf der Insel Oesel gewonnen. Eine Gattung kommt in starken Lagen vor, und ist zu Schleif-

steinen

steinen brauchbar; eine andere bricht in dünnen Schiefern, und ist unbrauchbar.

5) Sandstein mit Eisensinter gedupft. Er
ist ziemlich derbe. Man findet ihn im Lacksberge bey
Reval, wo er gleich unter dem Fliesenstein vorkommt,
und gemeiniglich einen weißen Quicksand, zuweilen,
doch seltener, einen blauen Thon zur Grundlage hat.

Wir haben in Livland verschiedene Hölen, die
aus Sandstein bestehen, von welchen ich hier einige anzeigen will,

Der gute Mann, oder die Gutmannshöle,
im Kirchspiel Treyden an der Gränze des Kirchspiels
Cremon. Sie ist unter einem Berge, der vom Fuße
bis zum Gipfel mit Bäumen und Gesträuchen bewachsen ist. Diese Höle ist etwa acht Klafter lang, und
eben so breit; ihre Höhe möchte sechs Klafter betragen.
Aus ihren Wänden quillt ein klares Wasser, das von
den Letten zur Heilung ihrer schadhaften Glieder gebraucht wird. Da sie die gute Wirkung mehr der
Heiligkeit des Ortes, als der natürlichen Kraft des
Wassers zuschreiben: so pflegen sie ihre Kleidungsstücke
und etwas Geld als ein Opfer zurückzulassen; doch fangen dergleichen Opfer an seit einigen Jahren ziemlich auf-
zuhören, wahrscheinlich, da die Zunahme der Religions-
kenntnisse den Aberglauben unter den Bauren immer
mehr zu verscheuchen scheinet.

Die Teufelshöle, oder das Teufelsloch, lett.
Wella zeplis, eine bekannte Höle im Wendenschen
Kirchspiel unter dem sogenannten Struinkeberge.
Sie bestehet aus dem in dieser Gegend gewöhnlichen
mürben Sandstein, oder Sandfelsen, der hier so weich
ist, daß er fast mit den Händen zerrieben werden kann,
und daher Reisende ihre Namen mit einem Nagel, oder
anderen Instrumenten in die Wand zu kratzen pflegen.

Aaa 2 Sie

Sie sieht einem Gewölbe gleich, und ist sehr tief. Auch in dieser ist eine Wasserquelle.

An dem Ufer des Saltzflusses findet man auch verschiedene Hölen. Nahe bey dem Gute Saltzburg ist eine, die durch einen schmalen niedrigen Gang in eine sehr hohe Grotte führt, die zehn Schritte in der Länge, und eben so viel in der Breite hat. Ueber dem Gewölbe dieser Grotte liegt die Erde achtzehn Fuß hoch. Sie ist beständig dunkel. Wenn man mit einem Lichte hineingehet: so giebt das von dem Gewölbe und an den Seiten in Tropfen hangende Wasser einen glänzenden Wiederschein. Diese Tropfen, die sich auch in Eiszapfen formiren, entstehen von dem von außen durchdringenden Wasser, in welchem sich die mit Sandstein verbundene Thonart aufgelöset hat, daher auch diese Zapfen eine Consistenz und Klebrigkeit haben.

Die Eisenpforte, eigentlich Isenpforte von einem vormaligen Besitzer dieser Gegend, Namens Isen. Wenn man diesen Sandstein zertrümmert, und mit den Fingern naß reibet, ist er ganz schlüpfrig, und schmierig anzufühlen, läßt auch Spuren von der Thonfarbe an den Fingern zurück. Die Natur scheint diese Höle durch das aus diesem Berge hervorquillende Wasser geformt zu haben. Sie sieht einem Gewölbe gleich, und geht sechs Schritte tief in den Berg hinein. Vorne ist der Boden trocken; an dem hinteren Grunde aber, wo auch einige Granitblöcke liegen, entspringt ein klares Wasser, das auch in den heißesten Sommertagen eiskalt ist, und an der rechten Seite der Höle abfließt. Ueber dieser Höle, um dieselbe herum, und an den Bergen, welche sie auf beiden Seiten umfassen, und so bedecken, daß man sie nicht eher findet, als bis man ihr ganz nahe ist, stehen hohe Fichten, Gränen, Faulbäume, Wacholdersträuche und andere Bäume, welche ihr ein ehrwürdiges Ansehen geben.

Nicht

Nicht jedermann wagt es, dreift hineinzugehen, weil die Decke dieser mürben Steinhöle, welche überdem von dem ihr Gewölbe bedeckenden Erdreich und Bäumen beschweret wird, einen Einsturz zu drohen scheinet, und man in dieser Gegend an mehreren dergleichen Sandhölen schon manches traurige Beyspiel des Einsturzes hat, bey welchem Menschen ihr Leben verlohren. Viele, besonders Bauren, auch geringe Leute unter den Deutschen, schreiben dem Wasser dieser Höle eine große Heilungskraft zu, und brauchen es in verschiedenen Krankheiten, besonders wider Anfälle der Gicht, ob es gleich unschmackhaft ist, und keine mineralische Theile zu haben scheinet; doch hat es einigen Thongeschmack. Unser Bauer, den in dieser Gegend noch Ueberbleibsel von Aberglauben und Vorurtheilen beherrschen, besucht diese Quelle mit einem ganz besonderen Vertrauen. Hilft ihm seine gute Natur oder irgend ein Zufall wieder zu seiner Gesundheit, dann dankt er es dem Wasser. Wann er genesen ist, pflegt er seine Lumpen, die ihn in seiner Krankheit bekleideten, auf den Boden des Gewölbes, zuweilen auch etwas Geld in die Quelle zu werfen, entweder zum Zeichen seiner Dankbarkeit, oder vielmehr aus Aberglauben, von dem er sich regieren läßt. Obgleich auch in diesen Gegenden der Aberglaube allmählich abzunehmen scheinet: so findet man doch noch zuweilen in dieser Höle lumpigte, schmutzige Denkmäler des Vorurtheiles und der Dummheit.

Auch in dem hohen steinigten Ufer des Torgelschen Baches, das ganz aus mürben Sandstein bestehet, findet man Hölen von beträchtlicher Tiefe; in einigen kann man bequem gehen.

Der Sandstein in allen diesen Hölen ist bald mit rothem, bald mit blauem Leimen vermischt, oft auch mit beiden zugleich. Diese Vermischung von Sand

Aaa 3 und

und Leimen, ist besonders in den Gebirgen der Wendenschen Gegend so allgemein und häufig, daß man sie
fast allezeit beysammen findet. Dieses scheint meine
vorhin geäußerte Muthmaßung, daß nemlich der
Thon das Mittel sey, welches die Sandsteintheile mit
einander verbindet, in Gewißheit zu setzen. Am deutlichsten siehet man diese Sand- und Thonverkittung
in der vorangezeigten Eisenhöle. Von dieser habe ich
noch dieses hinzuzusetzen, daß sie zwo gute Werst von
Wenden Nordwestwärts, und etwa eine Werst von
der Aa liege.

Sechster Abschnitt.

Versteinte Körper. Corpora petrefacta.

I. Versteinte Thiere. Animalia petrefacta.

1. Versteinte bekandte Thiere. Animalia petrefacta cognita.

Nur folgende einzelne Theile von bekandten Thieren
sind bey uns in Gebirgen vorgekommen.

§. 36. Versteinte Zähne von vierfüßigen Thieren.

Petrefacta dentium animalium quadrupedum.

1) Ein in Kiesel verwandelter Pferdezahn.
Er ist ganz vollständig, und hat noch seine ganze
Wur-

Wurzel; ſeine Farbe iſt braun. Man hat ihn in den Sandbergen bey dem großen Feldhoſpital außerhalb der Stadt Riga gefunden.

2) Ein calcinirter Zahn eines vierfüßigen Thieres. Er iſt drey und einen halben Zoll lang, und hat eine zweyzackigte Wurzel. Er iſt ganz weiß, und nur calcinirt, hat auch noch, beſonders an der Krone, die natürliche Politur. Man fand ihn in einem Sandberge vor dem Johannisthor bey Riga, zween Fuß und drüber tief, in einer Thonſchichte, die mit etwas Sand vermiſcht war.

2. Verſteinte Thiere, deren Originale unbekandt ſind.
Animalia petrefacta originis incertae.

Dies ſind Thiere, die blos in ihrem verſteinten Zuſtande vorkommen, von welchen man die Originale in ihrer natürlichen Geſtalt bis jetzo noch nicht gefunden hat. Zu dieſen gehören:

§. 37. Krötenſtein. Bufonites. Chelonitae. Lycodenтes.
Walch. Steinr. 1 Th. 2 Cap. §. 12.

Er hat die Geſtalt einer länglichten Halbkugel, und eine runzeligte Fläche. Seine gewöhnliche Größe iſt wie etwa eine wällſche Nuß, ſehr oft größer. In Livland werden ſie von verſchiedener Größe gefunden. Ich habe einen aus der Gegend von Wenden, und einen andern, der unter Hirſchhof im lindenſchen Kirchſpiel im Wendenſchen Kreiſe gefunden worden, geſehen, welche beide außerordentlich groß waren; der erſtere wog anderthalb Pfund. Alle Na-

turunkundige halten die Krötensteine für Backenzähne von großen Fischen. Linneus hielt sie für Zähne des Seewolfes, Anarhichas Lupus, S. N. 146. 1. den man in der Nordsee, auch in der Ostsee findet; so wie Klein in seinen Miss. de piscib. IV. §. VIII. Die Zähne dieses Fisches sind fürchterlich groß, und stark. S. Klein ebendas. u. Fermins hist. physik. Beschr. der Colonie Surinam 2 Th. S. 245. Sollten die Krötensteine nicht Zähne verschiedener Fische seyn, da ihre Größe so außerordentlich von einander abweicht? Vielleicht sind es die ganz großen Zähne des Hayfisches, in dessen weitem Rachen dergleichen ungeheure Zähne wol Platz haben können.

Die Meinung der Alten, daß die Krötensteine versteinte Mackenknochen der Kröten, oder gar Steine wären, die in ihren Köpfen erzeugt sind, und daher sie ihnen diesen uneigentlichen Namen gaben, ist zu ungereimt, als daß sie eine Widerlegung verdiente; schon die Größe an einigen widerspricht ihr. Außer andern Gegenden werden sie auch im Dörptschen gefunden. Der innere feine Kern nimmt eine sehr gute Politur an, und wird zuweilen in Ringe gefaßt.

Die Salis wirft zuweilen versteinte Backenzähne von Fischen und andern Seethieren aus, die gegen zween Zoll lang sind.

§. 38. Natterzünglein, Schlangenzünglein. Vogelzunge. Glossopetra. Ichthyodontes.

Walch Steinr. 1 Th. 2 Cap. §. 12. T. I. 1.

Diese sind etwas dreyeckigte, glatte und glänzende, oberhalb scharf zugespitzte Versteinerungen. Zuweilen sind sie breit und kurz, oft schmal und lang. Man hält sie für die versteinten spitzigen Zähne des Hayfisches,

ſches, Squalus Carcharias Linn. 131. 12. deren dieſer große Raubfiſch verſchiedene Reihen in ſeinem ungeheuren Rachen hat. Ich habe verſchiedene Exemplare,
theils im Kalkſtein, theils bloß, von den nietauiſchen und
oberpahlenſchen Bachufern geſehen; an einigen war noch
die Zahnwurzel zu ſehen; ein paar waren an den Seiten
ſägeförmig gezahnt, andere waren glatt. Mylius hat
deren auch verſchiedene aus Livland gehabt. S. deſſen
Memorabilia Saxoniae ſubterraneae 2 Th. S. 69.

§. 39. Orthoceratiten. Orthoceratitae.

Walch Steinr. 1 Th. 2 Cap. §. 25. T. VI. Nr. 3.

Dieſe ſind bald geradeſtehende, bald an dem oberen Ende wie ein Biſchofsſtab gekrümmte, runde, gegen das untere Ende gemeiniglich ſchmal zugehende
Stabſteine, welche mit Schüſſelſteinen (alveoli), die
in einander geſetzt ſind, und deren Zwiſchenräume faſt
allezeit aus Kalkſtein beſtehen, gefüllt ſind. Die gekrümmeten ſcheinen den Uebergang von den Orthoceratiten zu den Ammonshörnern zu machen, und werden
zum Unterſchiede Lituiten genennet. Von den geraden
Orthoceratiten ſind zu Fockenhof im Kirchſpiel Jewe
im Wierländſchen Diſtrict einige ziemlich große Exemplare gefunden worden. Unter dieſen ſind auch einige
kleinere, etwas plattgedrückte, etwa eines Fingers dick
angetroffen worden, deren Schüſſelſteine ſpatartig ſind.
Im Baltiſchen Hafen werden auch dergleichen platte
Orthoceratiten gefunden. Auch in den Flleſenſteinen

men Orthoceratiten vor.

§. 40. Belemniten, Alpschoßsteine, Donner-
steine der Alten. Belemnitae.

Walch Steinr. 1 Th. 2 Cap. §. 25. Tab. VI. Nr. 3.

Diese sind walzenförmige, zuweilen kegelförmige
Steine, die bald von kieselartiger, bald von kalkartiger
Substanz sind. Am Grunde haben sie gemeiniglich
eine conische Höle, die auf eine gewisse Tiefe in den
Stein hineingehet. Mehrentheils sind sie aus verschiedenen Schüsselsteinen zusammengesetzt, von welchen
einer genau in den andern schließt. Die Originale dieser thierischen Versteinerungen sind noch jetzo unbekandt.
Wallerius hat sie in seiner Mineralogie Spec. 355.
für eine Art versteinter Seewürmer gehalten, welche
man Holothurier nennet. Andere halten sie für Stacheln eines Seeigels, den man Echinus aculeis lon-
gissimis nennet. Dieser Meinung widerspricht nicht
nur ihr innerer Bau, indem die mehresten mit Alveo-
len angefüllt sind, sondern auch die Größe: denn man
hat Belemniten gefunden, welche gegen drey Fuß lang
sind, dergleichen ich einen in dem Ziervogelschen Cabi-
net in Stockholm gefunden habe. Jussieu hält sie für
Werke der Kunst, und zwar für Steine, welche die
Alten in Ermangelung des Eisens zu Werkzeugen gebrauchet haben. S. dessen Abhandl. vom Ursprung
und Gebrauch der Donnerkeile, in den physik. Abhandl. der Acad. der Wissensch. zu Paris 7 Th.
S. 74 — 77. Wider diese Meinung streitet ihr innerer Bau, und die chymischen Versuche, die man
mit ihnen angestellet hat, und welche deutlich beweisen,
daß sie thierischen Ursprungs sind. Klein hat in seiner lucubratione de aculeis echinorum cum spicile-
gio de belemnitis, welche er seiner naturali dispositio-
ni echinodermatum p. 39. sqq. Tab. XXXI-XXXVI.
angehänget hat, viel Unterrichtendes über diese Ver-

stei-

steinerungen gesagt. Wenn man gleich seiner Meinung
nicht ganz beypflichten kann: so verdient doch diese ge=
lehrte Abhandlung gelesen zu werden, weil er in dersel=
ben das Geschlecht der Seeigel und ihre Stacheln sehr
deutlich erkläret.

Im Mietauischen am Bachufer sind einige Belem=
niten gefunden worden, die nur etwa drey Zoll lang
waren; von diesen waren einige rund, andere platt ge=
druckt, und schwarz; alle aber hatten eine runzeligte
Oberfläche. Kalkartige mit ineinandergesetzten Schüs=
selsteinen, die mitten durch den ganzen Stein gehen,
hat Hr. Coll. Assessor D. Körber im Lacksberge bey
Reval gefunden. Im Kirchspiel Saßburg findet man
auch kieselartige Belemniten in Gebirgen, und in Bä=
chen und Flüssen, die in die Salis fallen.

§. 41. Trochiten. Rädersteine, Trochitae.
Walch Steinr. 1 Th. 2 Cap. §. 14. Tab. III. N. 1.

Sie sind tellerförmig rund, bald platt, bald et=
was vertieft, gedruckt, und von verschiedener Größe.
In der Mitte haben sie mehrentheils ein Loch, sehr oft
nur einen vertieften Punct. Einige haben Streifen,
die vom äußeren Rande zum Mittelpunct hinlaufen.
Es sind einzelne Gelenke der Entrochiten. Im Kirch=
spiel Arrasch, nahe bey Wenden, sind einige Exemplare
in hartem grauen Kalkstein gefunden worden, die in
der Mitte ein rundes Loch haben, von welchem die
Strahlen zum äußeren Rande hinauslaufen. Der=
gleichen Trochiten werden im Kirchspiel Salisburg, in
Gebirgen, Flüssen und Bächen, die in die Salis fallen,
gefunden. Am Strande bey Tackerort im Pernaui=
schen werden auch dergleichen gefunden, die aber in
der Mitten einen vertieften sternförmigen Punct ha=
ben.

ben. Der schon genannte Mylius zeigt in seinen Me-
morab. Saxon. subterr. 2 Th. S. 32. auch einige
ivländische Trochiten an, die er aber nicht genau bestimmt, weil er mehr Sammler gewesen zu seyn scheint,
als Kenner.

§. 42. Entrochiten. Säulensteine.
Entrochitae.

Walch Steinr. 1 Th. 2 Cap. §. 14. Tab. III. Nr. 1.

Sie sind aus Rädersteinen, die über einander
gelegt sind, zusammengesetzt. Man hält sie für die
Stiele der Encriniten, oder Liliensteine. Zu Ramkau
im Wendenschen ist einer gefunden worden, der in
grauem Kalkstein neben verschiedenem corallischen Geschiebe lag; er bestand aus vier Trochiten. Ein anderer, der aus mehreren Trochiten bestand, wurde unter Tackerort am Strande neben einigen Coralliten
gefunden.

§. 43. Asterien. Sternsteine. Asteriae.
Walch Steinr. 1 Th. 2 Cap. §. 14. Tab. III. Nr. 2.

Dieses sind fünfeckigte dünne Steinchen mit einer
sternförmigen Zeichnung auf den Flächen, bald von
mehreren kleinen, bald von wenigeren und größeren
Strahlen, zuweilen mit einem Loch, oft ohne Loch in
der Mitte. Wenn mehrere dergleichen Steinchen über
einander liegen: so nennet man sie Sternsäulensteine
(Asteriae columnares). In einem weißen dichten
Kalkstein, den man am Ufer der Aamat bey Wenden
unter andern Kalkgeschieben fand, lag neben einigen
Pectiniten und andern Muschelstücken und unkenntlichen corallischen Geschiebe ein dergleichen Sternsäu-

lens

lenstein, der an den Seitenecken glatt war. Auch am Strande bey Tackerort ist unter dem häufig dort vorkommenden Kalkstein ein dergleichen Säulenstein in einem braunen dichten Gestein neben einigen versteinten Schaalthieren gefunden worden. Einzelne Sternsteine kommen im Kalkstein am Bachufer zu Mietau und im Oberpahlenschen vor; doch werden sie nur sparsam gefunden.

II. Versteinte steinschaaligte Thiere.
Conchylia petrefacta.

I. Einschaalige. Univalvia.
§. 44. Versteinte Erd- oder Gartenschnecke.
Cochlea vulgaris lapidea.

Diese bekandte Schnecke kommt im Kircholmschen Kalksteinbruch ziemlich häufig vor. Fast allezeit fehlt die Schaale. Gemeiniglich ist nur der Kern übrig geblieben, der aus dichtem Kalkstein bestehet. Um den Kern findet man mehrentheils einen leeren Raum, welchen die in Kalkerde aufgelöfete Schaale übrig gelaffen hat.

§. 45. Nerititen. Nerititae. Cochleae
semilunares lapideae.

Walch Steine. 1 Th. 2 Cap. §. 30. Tab. IX. Nr. 2.

Es sind runde convergewundene Schnecken mit halbrunder Mündung, und kurzer stumpfer Spitze; die oberen Gewinde ragen etwas hervor. Sie gehören zu den Globositen. Von diesen habe ich einige bey uns versteinert gefunden.

1) Neri-

1) Nerititen mit Spatcrystallen gefüllt. Sie werden im Kirchholmschen, sowol in dem Kalksteinbruch am Gestade, als auch in dem daranstoßenden Walde in zusammengesetzten Haufen, die durch eine Fluth wahrscheinlich veranlasset sind, aber der Erde gefunden.

2) Nerititen mit dichtem Kalkstein gefüllt. Sie werden an den beiden eben genannten Orten gefunden.

3) Nerititen in dichtem grauen Kalkstein, aus dem Rammenhoffschen Kalksteinbruch in der Wendenschen Gegend.

4) Nerititen, in weißem dichten Kalkstein, mit welchem auch die Schnecke gefüllt ist, daher blos die schwärzliche Schaale sichtbar ist; eben daher.

§. 46. Trochiliten. Versteinte Kräuselschnecken. Trochili lapidei.

Walth Steinr. 1 Th. 2 Cap. §. 31. T. X. Nr. 1.

Sie haben eine kreiselförmige Figur, und sind unten breit, und gehen oben in eine kurze Spitze aus. Sie sind in Livland nur sparsam gefunden worden; doch können folgende Exemplare angezeiget werden.

1) Versteinte platte Kreiselschnecken mit Spatcrystallen gefüllt; im Kirchholmschen Kalksteinbruch.

2) Trochiliten mit dichtem Kalkstein gefüllt; eben daselbst.

3) Trochiliten mit Chamiten vermischt in grauem harten Kalkstein. Sie werden an einem Bachufer im Mietauischen Kirchspiel gefunden.

§. 47.

§. 47. Versteinte Nabelschnecken. Cochleae umbilicales lapideae.

Sie kommen häufiger vor, als die vorigen. Folgende sind gefunden worden:

1) Versteinte einzelne Nabelschnecken im Kalkstein. Sie kommen im Kirchholmschen Kalkbruche vor. Bloß, und ohne Gestein, findet man sie in dem daranstoßenden Walde.

2) Versteinte zusammengekittete Nabelschnecken; ebendaselbst im Walde.

3) Versteinte Nabelschnecken mit lockerer Kalkerde gefüllt. Sie werden in dem Mauerkalk des zerstörten Neuermühlenschen Schlosses, das sich immer mehr und mehr in einen Schutthaufen verwandelt, der nachgerade mit Erde und Sand ganz bedeckt wird, gefunden. Da man in diesem Mauerkalk auch eine Gattung gewöhnlicher Flußneriten findet, von welchen die Originale in dem nicht weit davon fließenden Wasser vorkommen: so scheinet hier die Meinung derer zu scheitern, die jede Versteinerung von der allgemeinen Sündfluth, deren Zeitalter unter den Physikern noch etwas streitig ist, herleiten wollen; denn gewiß hat eine Ueberschwemmung, die sich erst nach der Zerstörung dieses Schlosses ereignete, sie dahin gebracht, da sie sich dann in den durch das Wasser erweichten Mauerkalk festgesetzt haben. — Daß sie schon vorher, ehe der Mauerkalk zum Bau gebraucht wurde, darin gewesen sind, wird wol niemand behaupten wollen.

§. 48. Turbiniten. Turbinitae.

Walch Steinr. 1 Th. 2. Cap. §. 31. Tab. X. Nr. 2.

Diese sind versteinte lange schmale Schnecken mit vielen Gewinden. Folgende kann ich anzeigen:

1) Ein

1) Ein kleiner Turbinit in weißem harten Kalkstein. Er hat seine Schaale noch, und ist mit Chamiten vermischt; aus dem Abbaferschen Fliesenbruch im oberpahlenschen Kirchspiel.

2) In der waldreichen Gegend zwischen Reval und Pernau wird in der Nähe der letzteren Stadt viel Kalksteingrund angetroffen. In einem Stücke dieses Kalksteins, der aus dem Werderschen Gebiete in der Landwieck ist, fand ich einen Turbiniten, der ohne die Spitze, die abgebrochen war, drey Zoll in der Länge hatte. Die Schneckenschaale war verlohren gegangen; nur der Steinkern, welcher eine graue Farbe hatte, wie die Matrix, war übrig geblieben, so daß man einen merklich leeren Raum zwischen den Gewinden sehen konnte. Noch lagen einige Trümmer von solchen Steinkernen in dieser Steinmasse.

§. 49. Bucciniten. Buccinitae.

Walch Steine. 1 Th. 2 Cap. §. 32. Tab. XL Nr. 1. 2.

An dieser Schneckenart ist das letzte Gewinde bauchigt und merklich größer, als die übrigen. Man findet sie von verschiedener Größe. Versteinert ist bey uns bis jetzo nur ein Exemplar vorgekommen.

1) An einem Bachufer unter Drobbusch, im Kirchspiel Arrasch, fand man einen röthlichen sehr dichten Kalkstein in einem leimigten Hügel. In diesem lag ein Buccinit, ohngefähr einer starken wällschen Nuß groß, der mit einigem zertrümmerten und unkenntlichen Corallengeschiebe vermengt war.

§. 50.

§. 50. Ammoniten, versteinte Ammonshörner, Cornua Ammonis lapidea.

Walch Steinr. 1 B. 2 Cap. §. 27. Tab. VI.
N. 1. 2.

Diese Schneckensteine sind wie zusammengewundene Widderhörner, oder wie in einen Ring geschlungene Schlangen gestaltet. Man findet sie von sehr verschiedener Größe, von einem Fuß im Durchmesser bis zu der Größe einer Linse. Die Originale von den mehresten Gattungen sind noch bekandt. Von diesen sind in Livland folgende Exemplare vorgekommen:

1) Versteinte Ammonshörner in grauem Kalkstein; bey Ramkau im Wendenschen.

2) Versteinte Ammonshörner mit etwas erhabenen Gewinden; in der Gegend von Kattenkaln.

3) Ein versteintes großes Ammonshorn mit Gelenken. Es wurde in einem dichten Kalkstein am rietauischen Bachufer gefunden.

4) Versteinte kleine Ammonshörner in gelblichtem Kalkstein. Sie werden zuweilen im Kircholmschen Kalkbruch gefunden.

5) Versteinte Ammonshörner mit erhabenen Gewinden. Sie sind mit Spatkrystallchen gleichsam überstreuet, und sehen fast wie candirt aus. Wahrscheinlich hat das durch den Stein dringende, mit Kalktheilchen reichlich angefüllte Wasser diese kleinen Crystallchen um die Schnecken angesetzt; eben daselbst.

6) Ein großes rundes Ammonshorn mit Gelenken ist in einem Kalkfliesen im Lackberge bey Reval gefunden worden.

7) Versteinte Ammonshörner, in dichtem grauen Kalkstein. Sie werden in einem neuoberpahlenschen Fliesenbruch gefunden.

II. Zweyschaaligte. Bivalvia.

§. 51. Versteinte Gaper, oder Giennmuscheln. Chamiten. Chamitae.

Walch Steine. 1 Th. 2 Cap. §. 39. Tab. XV.
Nr. 1. 3.

Das Kennzeichen dieser Muschel ist, daß sie, wann die Schaalen geschlossen sind, eine, bald mehr, bald weniger herzförmige Grube zeigen. Versteinert sind folgende bey uns gefunden worden.

1) Chamit mit glatter Schaale. Er ist aus einem Kalksteinbruch aus der Gegend um die Kreisstadt Wenden.

2) Kammartig gestreifter dichter Chamit. Er kommt in einem oberpahlenschen Steinbruch im harten weißen Kalkstein vor.

3) Chamit von glatter Schaale mit Kalkspat gefüllt. Man findet dergleichen in dem Kalksteinbruch unter Kircholm in einiger Tiefe nicht selten. Die Matrix sowol, als die Muscheln, sind gemeiniglich von so dichter Textur, daß die ganze Steinmasse eine leidliche Politur annimmt.

4) Chamiten von gestreifter Schaale werden zu Ramkau in Kalksteinen gefunden.

5) Chamiten in grauem Thon; ebendaselbst.

6) Grauer Chamit mit dichtem Kalkstein gefüllt. Sie sind durch Thon und Kalkerde über einander gekittet. Man findet sie am Dünastrande bey

Klein-

Kleinzmakernhof.) 7 Sie ſind wahrſcheinlich von den
Kalkflözen dieſer Gegend abgeriſſen worden.

7) Runzeligte Chamiten in weißem Kalkſtein. Sie werden zu Ramkau gefunden.

8) Große platte Chamiten mit geſtreiften
Schaalen. Sie kommen am Mieſowiſchen Bach-
fer in grauem lockern, auch in rothem dichten Kalk-
ein vor.

9) Kleine gefärbte Chamiten mit geſtreif-
en Schaalen. Sie werden um Kirchholm in verſchiedenen Kalkſteinen am Dünaſtrande gefunden.

10) Gehäufte, und zuſammengekittete Cha-
niten. Dieſe ſind nur klein, und werden ebendaſelbſt
ſfunden.

11) Große Chamiten mit glatter Schaale.
Man findet ſie ebendaſelbſt, ſowol bloß, als auch in
Kalkſteinen, in welchen man auch zuweilen die bloßen
Abdrücke findet.

§. 52. Bucarditen. Bucardia lapidea,

Walch Steinr. 1 Th. 2 Cap. §. 39. Tab. XV. Nr. 1.

Dieſes ſind rundliche Muſcheln, welche einige
Aehnlichkeit mit einem Ochſenherz haben. Mir iſt nur
es eine Exemplar vorgekommen.

1) Bucardit in dichtem Kalkſtein. Er iſt
Ramkau in einem Kalkſteingeſchiebe gefunden
worden.

Bbb 2　　§. 53.

§. 53. Anomiten. Terebratuliten.
Anomiae lapideae.

Waller. Miner. Spec. 397.

An diesen Muscheln ist allezeit eine Schaale größer als die andere. Die größere hat einen hervorstehenden Schnabel, an dessen Spitze sich eine runde Oeffnung befindet. Man nennet sie daher auch geschnäbelte Muscheln. Von diesen kann ich folgende anzeigen:

1) Zurückgebogene große Anomiten. Sie werden im Kirchholmschen Kalksteinbruch gefunden.

2) Große platte Anomiten. Sie werden zuweilen zu Ramkau in weißem Kalkstein gefunden.

3) Kleine bauchigte Anomiten; ebendaselbst. Sie werden in weißem mit Kalkspatblättchen gefülltem Kalkstein gefunden.

4) Mit Spatkrystallen gefüllte Anomiten. Sie kommen im Kirchholmschen Kalkbruch vor.

§. 54. Versteinte Kammmuscheln. Pektiniten.
Pectinitae.

Walch Steinr. 1 Th. 2 Cap. §. 37. Tab. XIII
Nr. 2.

Diese Muscheln sind fast kammförmig gestreift, und haben eine sehr verschiedene Größe. Bey uns findet man sie theils versteinert, theils Abdrücke von ihnen.

1) Abdrücke von Pektiniten in grauem spatartigen Kalkstein. Man findet sie zu Ramkau.

2) Pekti-

2) Pektiniten mit rother Schaale und erhabenen Streifen. Sie kommen am Dünastrande bey Katlakalln vor.

3) Kleine Pektiniten oder Pektunkuliten. Diese findet man unter Klein-Jungfernhof im Rigischen Gebiete in rothem Kalkstein.

4) Abdrücke von Pektiniten in weißem harten Kalkstein. Man findet sie bey Mietau, auch im Kirchspiel Salisburg in Gebirgen, Flüssen und Bächen.

5) Pektiniten und deren Abdrücke in dunkelgrauem Kalkstein. Sie werden bey Kirchholm am Dünastrande gefunden.

6) Pektiniten mit ihren Abdrücken in schwarz und weißem Kalkstein; vom Dünastrande bey Riga.

7) Pektinitenabdrücke in grauem Kalkstein; aus dem Bruche unter Kirchholm.

8) Pektinitenabdruck in schwarz und weiß gesprengtem Kalkstein. Er kommt im Kirchholmschen und Klein-Jungfernhöfschen einzeln vor.

9) Rother Abdruck von Pektiniten in weißem Kalkstein; im Kirchholmschen.

10) Abdruck von einem großen Pektiniten und einigen Chamiten in einem dichten Kalkstein, in welchem verschiedene andere Muscheln und Kieselsteine vermischt sind. Man findet dergleichen am Dünastrande im Kleinjungfernhoffschen, doch nur zuweilen. Dergleichen Kiesel- und Muschelvermischungen werden auch am nietauischen Bachufer gefunden.

11)

11) Pektiniten mit weißem Spat gefüllt; von Ramkau.

12) Einzelne Pektiniten ohne Matrix; eben daher.

13) Pektiniten mit calcinirter Schaale in grauem Kalkstein. Sie werden im laisholmschen Bachufer gefunden.

14) Kleine mineralisirte Pektiniten im Mattasutkieß; von der Insel Oesel.

15) Pektiniten in grauem lockeren Kalkstein mit einigen Trochiten: Sie sind unter Drobbusch nahe an der Arraschen Kirche gefunden worden.

16) Pektiniten in grauem dichten Kalkstein. Sie werden am Ufer des Baches Prese dicht unter Rokenhusen gefunden.

17) Pektiniten in weißem dichten Kalkstein. Man findet sie im Kirchspiel Saltsburg in Gebirgen, an Bächen und Flüssen.

§. 55. Gryphiten. Gryphiti.
Walch Steink. 1 Th. 2 Cap. §. 46. Tab. IX. Nr. 1.

Dieses sind dickschaaligte, auswendig unebene Muschelsteine mit gekrümmtem Schnabel, und fast kahnförmig gebildet. Die Originale sind bis jetzo noch unbekandt. In Livland ist mir nur Ein Exemplar vorgekommen.

1) Kleine Gryphiten in weißem harten Kalkstein; von Jürgensburg im Rigischen Kreise.

§. 56.

§. 56. Hysterolithen, Muttersteine.
Hysterolithi.

Walch Steinr. 1 Th. 2 Cap. §. 45. Tab. XVIII.
Nr. 1. a.

Es sind Steinkerne von Muscheln, deren Originale man noch nicht ganz zuverläßig kennet. Ob die
Muscheln in ihrem natürlichen Zustande auf der Insel
Gothland gefunden werden, wie Wallerius behauptet
hat, der sie ostropectines quadratam adsectantes figu-
ram, subtilissimis striis, nennet; oder ob sie, wie andere glauben, Steinkerne von gewissen Gattungen
Pectiniten oder Bucarditen, oder andere Muschelarten sind, kann man nicht genau bestimmen. Daß sie nicht
bloße Naturspiele sind, wie einige glauben, siehet man daraus, daß alle Exemplare, so viele deren aus verschiedenen Gegenden vorkommen, einander, was die Haupt-
gestalt betrifft, immer ganz gleich sehen. Zu Mietau
sind ein paar dergleichen Muttersteine gefunden worden, und einer zu Blussen nahe bey Wenden.

III. Vielschaaligte. Multivalvia.

§. 57. Echiniten. Versteinte Seeigel.
Echini lapidei.

Walch Steinr. 1 Th. 2 Cap. §. 18. Tab. V.
Nr. 1. 2.

Diese Versteinerung, welche sonst in andern Gegenden ziemlich allgemein ist, kommt bey uns doch nur
sparsam vor. Folgende kann ich anzeigen:

1) Runder Echinit mit Kalkstein gefüllt;
von Ramkau.

2) Plattgedruckter, in Kiesel verwandelter Echinit; vom Dünastrande bey Riga.

3) Herzförmiger Echinit, Echinus cordiformis. Walch Steinr. 1 Th. 2 Cap. §. 18. Tab. V. Nr. 2. Auf der Rückseite hat er einen Stern von fünf Strahlen. Es war in dichten Kalkstein verwandelt, und eines der deutlichsten Exemplare, das mir je vorgekommen ist. Man hat es am Oberpahlenschen in einem Fliesenbruch gefunden, der an einen kleinen Bach stößt.

4) Geformter Kiesel mit Seeigelstacheln angefüllt. Am Dünastrande bey Kirchholm wurde ein Kiesel von der Größe einer geballten Hand gefunden, den der Strom ausgeworfen hatte. Er war löchrigt und schwarz, und hatte verschiedene weiße Seeigelstacheln, die meist alle aus den offenen Hölen des Steines hervorragten.

5) Flacher schwarzer Kiesel, welcher auf der Oberfläche mit Seeigelstacheln belegt ist. Er wurde am Johannisdamme außerhalb der rigischen Vorstadt gefunden.

IV. Steine mit Schnecken = und Muschelvermischungen. Conchylia complicata. Gimmae.

§. 58. Versteinte Chamiten und Pektiniten in roth und weißem geaderten Kalkstein. Sie liegen sehr deutlich und unversehrt in einem mit Thon vermischten rothgeaderten Kalkstein. Ich fand dieses Steingemische an dem thonigten Ufer eines kleinen Baches im Gebiete von Groß=Roop dicht an der St. Petersburgschen Heerstraße.

§. 59. Verschiedene, theils ganze, theils halbe und zertrümmerte Chamiten und Pektiniten

nebst

nebst andern Muschelarten in hartem grauen Kalkstein; vom Bachufer zu Mietau.

§. 60. Ammoniten und große Chamiten in grauem, mit Spat gefülltem Kalkstein. Diese Steinvermischung pflegt im Kirchholmschen Kalkbruche oft vorzukommen.

§. 61. Kleine Chamiten und Ammoniten in dichtem röthlichen Kalkstein; ebendaselbst.

§. 62. Pektiniten und Chamiten in dichtem grauen Kalkstein; vom nietauischen Bachufer.

§. 63. Verschiedene unter einander vermischte Flußschnecken und Muscheln in hartem rothen Kalkstein. Diese bestehen aus Globositen, Ammoniten, Lentikularien, Chamiten, Anomiten. Diese Vermischung ist in dem oft angezeigten Kirchholmschen Kalksteinbruche die gemeinste, und sehr häufig. Die mehresten Steine, welche zu Fundamenten, Kellern, und anderm Mauerwerk bey uns gebraucht werden, und die wir Bruchsteine nennen, sind mit diesen Versteinerungen durch und durch angefüllt.

§. 64. Chamiten und Pektiniten mit zween kleinen Porcellaniten in dichtem spatartigen Kalkstein. Dieses Gemische, das einer geballten Hand groß ist, ist wegen der Porcellaniten, die sonst so selten versteint vorkommen, merkwürdig. Man hat es am nietauischen Bachufer unter dem Kalkgeschiebe gefunden.

§. 65. Bäuchigte Anomiten mit Seeigelstacheln in dichtem harten Kalkstein. Man findet es zuweilen in Kalksteingeschieben unter Dahlen.

§. 66. Bäuchigte spatartige Anomiten und Chamiten in hartem dichten Kalkstein. Von diesen findet man am laiskolmschen Bachufer verschiedene beträchtliche Striche angefüllt.

§. 67. Kleine Trochiten mit allerley Muscheln, zuweilen auch mit Seeigelstacheln vermischt. Sie werden sehr oft im neupberpahlenschen Fliesenbruche im harten Kalkstein gefunden.

§. 68. Abdrücke von Chamiten, Pektiniten und Strombiten in weißem dichten Kalkstein. Die Strombiten haben nur die Größe eines Gerstenkornes; die Muscheln sind von heller Ocherfarbe. Man fand sie in einem Stein, einer geballten Hand groß, der durch und durch mit den Abdrücken angefüllt, und wahrscheinlich aus einem Bruche losgerissen war, am Dünastrande bey Klein-Jungfernhof.

§. 69. Versteinerungen von allerley Schaalthieren im Kalkstein mit Thon vermischt. Sie wurden in der äußersten Tiefe einer Torfgrube in der Gegend des Sallsflusses gefunden, die in einem undurchdringlichen Morast lag. Ein Beweis, daß vormals die Ostsee, die jetzo sieben Meilen von dieser Stelle liegt, sich bis hieher, und wahrscheinlich noch weiter erstreckt habe.

III. Versteinte Corallen. Corallia lapidea.

Wahrscheinlich wird man sich wundern, daß ich in dieser Ausgabe von der Entstehung der Corallarten eine andere Meinung angenommen habe, als ich in der vorigen äußerte, jedoch nicht behauptete. Es ist gut, es ist nothwendig, daß man seine Theorien nach gründ-

gründlichen Zurechtweisungen, und nach neuen Bemerkungen umändert; mit Starrsinn für eine Meinung, die man einmal gefaßt hat, eingenommen seyn,
und darauf beharren, hält uns auf der Bahn der
Kenntnisse sehr weit zurück. In der vorigen Ausgabe
war ich geneigt, der Meinung einiger alten Naturkündiger beyzutreten, welche die Corallen für Seegewächse hielten. Insonderheit stützte ich mich auf die Theorie des Grafen v. Marsigli, der in seiner histoire
de la mer die Corallen für Seegewächse erkläret, an
denen er sogar Blüthen mit acht Blättern entdeckt haben will. Neben diesem hatte ein anderer angesehener
Naturforscher, der mit den Corallen mühsame Versuche angestellet, und sie aufmerksam beobachtet, und
mit Scharfsinn beurtheilt hat, den ich gleichwol vorher nicht genannt habe, mich für diese Theorie ganz
eingenommen. Es war Jacob Baster, der in seinen
opusculis subsecivis, observationes miscellaneas de
animalculis et plantis quibusdam marinis eorumque
ovariis et seminibus, continentibus. c. fig. welche
1759 zu Harlem gedruckt sind, sich der Meinung der
Neueren von der Entstehungsart der Corallen bescheid-
den entgegensetzte, und sie für Meergewächse erklärete,
die er nach dem Tournefort in weiche, holzige, ganz
steinigte, und äußerlich steinigte, inwendig aber löche-
rigte eintheilete. Die Gründe dieses Schriftstellers
überredeten mich damals so sehr, daß ich lange an dieser Meinung hieng, bis ich endlich fand, daß auch
dieser seine vorige Theorie umgeändert habe, und im
ersten Bande der Philosophical Transactions for the
year 1761. in seiner späteren Abhandlung von den
Thierpflanzen, die auch in der deutschen Uebersetzung
von Ellis Naturgeschichte der Corallen u. a.
durch Hr. D. Krünitz S. 160. u. f. eingerückt ist,
die thierische Natur der Corallen völlig anerkannt, und

ge-

gestanden hat, daß er nunmehro aus Ueberzeugung, und durch eigene Beobachtungen belehret, seine vorige Meinung ganz verlassen habe. Da ich ferner auch den Untersuchungen und Entdeckungen des Peißonell weiter nachging, der die Corallen nach sorgfältig angestellten Versuchen für Naturkörper erkläret, die zum Thierreiche gehören, und bewiesen hat, daß das, was man für Blumen gehalten hat, die Thiere selbst sind, welche zu den Meernesseln gehören, und zu unsern Zeiten, wegen ihrer Gleichheit mit den Polypen der süßen Wasser, auch Polypen genennet werden; da seine Meinung, der man zwar sogleich nicht beytrat, hernach durch die Untersuchung der Polypen der süßen Wasser, welche Trembley in den Jahren 1743 und 1744 anstellete, unterstützt worden ist; da Donati, Jüssieu, und andere aufmerksame Beobachter der Natur, und nach diesen Ellis, Pallas, und mehrere Schriftsteller es in Gewißheit setzen, daß die Corallen Gebäude und Wohnungen der Polypen sind, und als solche, so lange sie in ihrem natürlichen Zustande sind, ins Thierreich gehören; so sind endlich meine Zweifel gehoben. Da der Herr Prof. Ascanius 1758 von seinen auswärtigen Reisen, die er zur Vermehrung der Naturkenntnisse auf königl. Dän. Befehl gethan hatte, nach Kopenhagen zurückgekehret war, zeigete er mir zwar lebendige Polypen, die an den Zweigen einer rothen Coralle hingen; damals aber hielt ich sie für zufällige Gäste, die etwa in den Corallhölen Quartier genommen haben könnten. Die Erinnerung an diese Erfahrung nun, mit den vorigen Beobachtungen zusammengenommen, mußten meine vorige Theorie nothwendig umstimmen. Bey den äußerst wenigen Nebenstunden, die ich der Naturgeschichte widmen kann, ganz von der Gelegenheit den Versuchen anderer Naturforscher von entschiedenen Verdiensten Schritt

vor

vor Schritt zu folgen, von den ersten Hülfsmitteln
ihre Entdeckungen zu nutzen und zu prüfen entblößt,
könnte ich ja leicht irren, wenigstens ist es nicht ungewöhnlich in dieser tage, eine Zeitlang in seiner Meinung zu schwanken.

Die Corallarten, von denen hier die Rede ist,
und die ich in diesem Abschnitt aufstelle, gehören als
versteinte Körper, oder als solche, die eine andere steinigte Substanz angenommen haben, in das Steinreich.

Nach dieser Ausschweifung nun folgt die nähere
Anzeige der Arten, die bis hiezu in Livland gefunden
worden, so viel mir nemlich selbst zu Gesichte gekommen sind; denn es werden an mehreren Orten verschiedene Arten häufig gefunden, z. B. am Tackerortschen
Strande, und an den Ufern der Inseln Oesel, Moon,
Dagen u. a. imgleichen im Kirchspiel Salisburg in
Geblrgen, in Flüssen und Bächen, welche in die Salis
fallen, wo Vermischungen von versteinten Corallen
gegen zehn Pfund schwer vorkommen. In diesem ganzen Werke habe ich überhaupt nichts anzeigen mögen,
das ich nicht selbst gesehen habe, oder das nicht wenigstens dem Auge eines glaubwürdigen Kenners vorgekommen war, der mir für die Gewißheit die Gewähr
leisten konnte.

§. 70. Madreporiten, Sterncorallen, Madreporae.

Walch Steinr. 1 Th. 2 Cap. §. 78.

Diese unterscheiden sich von den übrigen Arten
durch die erhabenen Sternchen, welche durch die ganze
Steinmasse gehen. Folgende Arten sind bey uns gefunden worden.

1) Aus-

1) Auseinander geschobene Madreporiten mit erhabenen Sternchen, welche nebst vielen unkenntlichen Trümmern von verschiedenen Corallen in rothem, harten politurfähigen Kalkstein liegen. Man findet diese Vermischung in einem Gebirge nicht weit vom Rammenhoffschen Kruge, der dicht an der Landstraße liegt, die von Riga nach Wenden führt, und welches Gemische aus Kalksteingeschieben bestehet, der mit häufigem Thon vermischt ist. Hier kommt sie ziemlich häufig vor.

2) Dicht aneinandergedrängte Madreporiten. An diesen sind die erhabenen Sternchen, welche sich allenthalben auf der Oberfläche der Steinmasse ausbreiten, ganz deutlich zu sehen. Die mehresten Hölen dieser Corallen sind mit kleinen Kieselkörnchen, einige auch mit Feldspatkörnchen angefüllt. Die ganze Masse schließt einen weißen dichten Kalkstein in sich, der einige Politur annimmt. Dieses schöne Cabinetstück ist unter den Kalksteingeschieben, die am Bachufer unter Mietau häufig herumgefunden werden, angetroffen.

3) Zusammengeschobene Madreporiten mit Sternchen, welche auf der Oberfläche unmerklich erscheinen, in grauem dichten Kalkstein. Es kam dieses Stück in einem Kalksteinflöz unter Ramkau im Wendenschen vor.

4) Madreporiten, deren Sternchen, welche durch jede einzelne Corallenröhre gehen, einander in solcher Richtung berühren, daß die ganze Steinmasse aussieht, als wenn sie aus übereinandergelegten Scheiben bestünde. Es ist von dem vorangezeigten nietauschen Bachufer. Zu Drobbusch in einem kleinen Kalksteinflöze wurde ein ähnliches Stück gefunden, dessen Sternchen auf der Oberfläche eben dieselbe Richtung nehmen.

5)

5) Dicht aneinandergeschobene Madreporiten in grauem gefleckten Kalkstein. Die ganze Masse ist ziemlich hart, und nimmt eine leidliche Politur an. Dieses Petrefact kommt am Ufer des Rapinschen Baches im Werroschen Kreise vor.

6) Stücke von ästigen Madreporiten in weißem dichten politurfähigen Kalkstein. Es ist an dem palukschen Bachufer vier Werst von Oberpahlen unter mehreren Kalkgeschieben gefunden worden.

7) Zusammengedrängte Madreporiten in braunem harten Kalkstein. Diese Steinmasse ist auf ihrer Oberfläche mit flachen Steinchen gleichsam dicht gestempelt. Man findet sie nicht selten bey Tackerort im perauschen Kreise am Seestrande.

§. 71. Milleporiten. Punctcorallen. Milleporae.

Walch Steinr. 1 Th. 2 Cap. §. 78.

Diese unterscheiden sich durch die Puncte der röhrigten Löcherchen, welche allenthalben auf der äußeren Fläche erscheinen, von andern Corallenen. In Liefland sind bisher folgende bemerkt worden.

1) Kleine Milleporiten in gelblichtem dichten Kalkstein, welche auf der Oberfläche des Steines wie zugespitzte erhabene Röhrchen hervorstehen. Sie werden an dem oft angezeigten Bachufer unter Nietau gefunden.

2) Milleporiten in hartem grauen Kalkstein. Die Röhren ragen nicht sichtbar aus dem Steine hervor; die Masse siehet daher auf ihrer oberen

ren Fläche so aus, als wenn sie mit Nadeln durchsto-
chen wäre.　Sie sind eben daher.

3) Unordentlich zusammengeschobene Milleporiten mit zugespitzten Röhren.　Die Röhren
erscheinen zerstreut auf der Oberfläche sowol, als auch
in dem Steine selbst, wenn er zerschlagen wird.　Sie
unterscheiden sich durch ihre schmutzig braune Farbe
deutlich von der Matrix.　Man findet sie am Bachufer
im Rapinschen Kirchspiel.

4) Milleporiten, die aus ganz dünnen zu-
sammengebogenen Aestchen bestehen.　Sie
kommen unter Ramkau im Wendenschen in Kalkgeschieben mit Thon vermischt vor.

5) Ganz kleine Milleporiten.　Sie liegen
auf der Oberfläche eines dichten weißen Kalksteins, der
unter eben diesen Geschieben gefunden wird.

6) Kleine Milleporiten in weißem groben
Kalkstein.　Aus einem Rammenhoffschen Kalkflöze
im Wendenschen.

7) Milleporiten, welche aus ganz dünnen,
dicht aneinandergeschobenen Aestchen oder Röhren bestehen.　Sie werden unter Ramkau in dichtem
weißen Kalkstein gefunden.

8) Zusammengedruckte Milleporiten.　Sie
werden zuweilen in einem neuoberpahlenschen Fliesenbruche gefunden.

9) Unordentlich aneinandergeschobene Milleporiten mit erhabenen Sternchen.　Sie werden
im Laisholmschen Bachufer, wo viele Kalkgeschiebe
vorkommen, im Dörptschen gefunden.

§. 72.

§. 72. Tubiporiten. Tubiporae.

Waller Miner. ſpec. 330.

Dieſe Corallart beſtehet aus mehrentheils eckigten, zuweilen auch runden Röhren, die durch die ganze Coralle gehen. Verſteint werden ſie zuweilen leer, öfters aber mit einer Kalkſteinerde oder Thon angefüllt gefunden. Mylius führt in ſeinen ſchon angeführten Memorabil. Saxon. ſubterr. eine Verſteinerung an, die ihm unter dem ungereimten Namen Mel ſylveſtre petrefactum aus Livland geſchickt worden. Da dieſe Verſteinerung oft eine Aehnlichkeit mit den Bienenzellen hat, ſo hat dieſes den wunderlichen Namen veranlaſſet. Auch hier in Livland ſind mir von Unwiſſenden verſchiedene Tubiporiten gezeigt worden, die für verſteinte Bienenzellen und für beſondere Naturſeltenheiten ausgegeben wurden. Wir nennen hier folgende Arten.

1) Dicht aneinandergeſchobene Tubiporiten mit eckigten Röhren in grauem lockeren Kalkſtein. Sie werden unter den Kalkgeſchieben zu Ramkau gefunden.

2) Dicht aneinandergeſchobene Reteporiten mit Netzcorallen oder Kettenſteinen (Retepora §. 74.). Sie ſind in rothen dichten Kalkſtein verwandelt, und unterſcheiden ſich leicht von ihrer Matrix, die in einem weißen Kalkſtein beſtehet. Sie werden am nietauiſchen Bachufer gefunden.

3) Tubiporiten mit einigen zwiſchenein zerſtreuet liegenden Milleporiten. Sie werden unter den Ramkauſchen Geſchieben in hartem Kalkſtein gefunden.

4) Dicht aneinandergedrängte Tubiporiten mit fünfeckigten Röhren. Sie werden zuweilen in Kalksteinen, die am nietauischen Bachufer lagenweise übereinander liegen, gefunden.

5) Tubiporiten und Milleporiten, welche schichtweise in grauem Kalkstein übereinander liegen; von Ramkau.

6) Dicht aneinander geschobene Tubiporiten mit runden Röhren. Sie kommen am nietauischen Bachufer in weißem Kalkstein vor.

7) Dicht aneinander geschobene Tubiporiten, deren Zwischenräume mit hartem dichten Kalkstein gefüllt sind. Die Corallen unterscheiden sich im Bruche durch die dunkelgraue Farbe vom weißen Kalkstein. Sie werden unter Ramkau gefunden.

8) Corallisches Orgelwerk, eine Tubiporitart, welche aus ineinandergesetzten Röhren oder Pfeifchen bestehet. Dieses äußerst seltene Stück ist nur einmal am nietauischen Bachufer in grauem Kalstein gefunden worden.

9) Tubiporiten mit kleinen, aneinander geschobenen Röhren im dichten grauen Kalkstein. Sie sind bey Takerort, nicht weit vom Einflusse des Pernaustromes in den rigischen Meerbusen, am Strande gefunden worden.

10) Große auseinandergeschobene Tubiporiten mit allerley kleinem unkennbaren Corallengeschiebe. Die Röhren sind sechseckigt. Es ist eben daselbst gefunden worden.

11)

11) Kleine auseinandergeschobene Tubiporiten mit kleinem unkennbaren Corallengeschiebe;
eben daher.

12) Dicht aneinandergeschobene Tubiporiten mit fünfeckigten Röhren. Es ist an eben
diesem Strande in weißem dichten Kalkstein gefunden
worden.

13) Kleine auseinandergeschobene Tubiporiten mit sechsseitigen Röhren, welche mit
Milleporiten vermischt, und mit weißem Kalkspat gefüllt sind. Sie stecken in dichtem grauen Kalkstein; und sind eben daher.

14) Weiße Tubiporiten mit einer dichten
Kalkrinde von brauner Farbe überzogen. Die
Röhren sind verschoben rautenförmig und leer, nur hie
und da mit kleinen Kieselkörnchen gefüllt. Sie sind
bloß, und haben keine Matrix. Es ist ein schönes
kennbares Stück und am Bachufer im Kirchspiel Nie-
lau gefunden worden.

15) Kleine rautenförmige Tubiporiten. Sie
kommen eben daselbst in weißem dichten Kalkstein vor.

16) Eckigte weiße Tubiporiten in dichtem
grauen Kalkstein mit ganz lockeren weißen Tubiporiten; eben daher.

17) Eckigte kleine, dicht zusammengedrängte Tubiporiten im lockeren weißen Kalkstein;
eben daher.

18) Etwas größere eckigte Tubiporiten in
grauem Kalkstein. Sie werden unter den Kalkgeschieben zu Ramkau gefunden.

19) Tubiporiten mit unordentlich geformten und nahe aneinander gedrängten Röhren, ohne einiges Gesteine. Dieses Stück ist einer mäßigen geballten Hand groß, sieht ganz schwarz und als ausgebrannt aus, ist sehr leicht, und hat eine glänzende Fläche. Man hat es am Bachufer zu Nietau gefunden.

20) Tubiporiten mit leeren sechseckigten Röhren in groben weißem Kalkstein. Sie wurden in einem thonigten Sandgebirge neben andern Kalksteinstücken am Dünastrande in der kattelkalnschen Gegend gefunden.

21) Dicht zusammengedrängte kleine Tubiporiten mit sechsseitigen Röhren. Dieses Gestein macht eine so harte Masse aus, daß es eine sehr gute Politur annimmt. Ihre Farbe ist hellgrau. Von dieser Corallart sind einige Exemplare am nietauischen Bachufer gefunden worden.

22) Sechsseitige Tubiporiten mit leeren Röhren, die in braunen Kalkstein verwandelt sind. Man hat sie an dem ebengenannten Ort gefunden.

23) Tubiporiten mit leeren runden Röhren in dichtem grauen Kalkstein. Eben daher.

24) Sechsseitige, dicht aneinandergestellte Tubiporiten, welche durchgehends mit Kalkspat gefüllt und sehr hart sind. Es ist in einem Kalksteingeflöze nahe bey der Stadt Wenden gebrochen.

25) Große, auseinandergeschobene Tubiporiten in dichtem Kalkstein. Man findet sie auf kum-

lumpenholm, einer kleinen Inſel am Dünaſtrom, am Ufer.

26) Kleine ſechsſeitige Tubiporiten mit grauem lockeren Kalkſtein gefüllt. Sie wurden zu Hirſchenhof im Wendenſchen Kreiſe in einem unbeträchtlichen Kalkbruche gefunden.

27) Kleine rautenförmig verſchobene Tubiporiten, mit weißem halbdurchſichtigem Kalkſpat gefüllt. Sie wurden in einem Kalkbruche am oberpahlenſchen Bachufer gefunden.

28) Tubiporiten mit runden Röhren, die mit durchſichtigem Kalkſpat gefüllt ſind, in härtem grauen Kalkſtein.

29) Tubiporiten mit ſechsſeitigen Röhren in röthlichem groben Kalkſtein. Es iſt am Ufer des Ogerfluſſes, nicht weit von ſeinem Einfluſſe in die Düna, unter den Kalkſteingeſchieben, die dort häufig ſind, gefunden worden.

30) Gerade aneinandergeſchobene Tubiporiten. Sie wurden mit verſchiedenen verſteinten kleinen Muſchela vermiſcht in einem thonigten Gebirge im Schujenſchen Kirchſpiel in grauem Kalkſtein gefunden.

31) Tubiporiten mit fünfeckigten Röhren lockeren Kalkſtein. Die Steinmaſſe in, und hat die Geſtalt einer Erdnuß. Sie iſt zu Kürbis im Pernigelſchen Kirchſpiel in einem ſandigen Gebirge neben Kalkſteinſtücken gefunden worden.

11) Runder grauer dichter Kalkstein, welcher mit Astroiten überzogen ist.   Eben daher.

12) Astroiten mit weißem Kalkstein und Kalkspat gefüllt; von Ramkau.

13) Astroiten mit Kalkspattheilchen gefüllt im Kalkstein.   Es ist vom nietauischen Bachufer. Nach der Politur gewinnt der Stein eine ziemliche Glätte, und durch die Ausbreitung der Sterne ein schönes Ansehen.

14) Astroiten mit rothem harten Kalkstein gefüllt.   Sie sind am Mietauischen Bachufer gefunden worden.

15) Astroiten in hartem weißen Kalkstein; vom Ufer der Ammat im Wendenschen.

16) Astroiten, die mit weißem Kalkspat gefüllt sind.   Sie bestehen aus dichten, gerade zusammengedrängten Röhren.   Es ist am Mietauischen Bachufer gefunden worden.

17) Dicht aneinandergeschobene Astroiten in weißem harten Kalkstein.   Die ganze Masse ist durchgehends hart, und ohne einige sichtbare löcherchen und Zwischenräume, so, daß sie eine sehr schöne Politur annimmt, welche durch die auf der Fläche ausgebreitete Sternchen ein sehr gutes Ansehen gewinnt.   Man hat sie eben daselbst angetroffen.

18) Zusammengedrängte Astroiten mit Kalkspattheilchen gefüllt.   Eben daselbst.

19) Faserigte Astroiten mit weißem Kalkspat gefüllt, deren Zwischenräume aus weißem dichten

ten

ten marmorartigen Kalkstein bestehen. Es ist eben daher.

20) Graue marmorartige Astroiten, welche politur fähig sind. Eben daher.

21) Weiße marmorartige Astroiten, welche gleichfalls Politur annehmen. Eben daher.

22) Weiße Astroiten in mürben Kalksteine. Es ist aus einem thonigten Erdgebirge zu Ramkau.

23) Astroiten mit weißem Kalkspat gefüllt. Die ganze Masse nimmt eine sehr gute Politur an. Sie ist unter Kalksteingeschieben zu Dahlen gefunden worden.

24) Astroiten mit weißem Thon gefüllt. Die Masse ist sehr hart. Sie ist vom Dünastrande bey Klein-Jungfernhof.

25) Astroiten mit grauem dichten Kalkstein gefüllt. Sie sind vom Ufer der Ammat im Weidenschen.

26) Astroiten mit erhabenen weißen aus der braunen Matrix hervorragenden Röhren. S. 4 Taf. 1 Fig. Sie sind von Kärbis im Pernillelschen Kirchspiel.

Man findet auch verschiedene Astroiten in Gebirgen, in Flüssen und Bächen, die in die Salis fallen.

§. 74.

9) Rettenstein in grauem dichten Kalkstein, aus einem mit Kalkstein vermischten Thongebirge im Kirchspiel Urrasch.

10) Rettenstein in rothem dichten Kalkstein, der sich durch seine weiße Farbe von der Matrix deutlich unterscheidet. Er hat übrigens fast dieselbe Figur, die ich auf der 4ten Tafel 2ten Fig. gegeben habe. Er ist vom Strande bey Takerort, in der pernauischen Straße.

§. 75. Wurmartige Wassercorallen.
Astroïtae undulatae.

Waller. Miner. Sp. 332.

Sie haben eine gewundene, wurmähnliche Krümmung. Nur folgende Arten sind mir vorgekommen:

1) Wurmartige Wassercorallen auf einem grauen dichten Kalkstein, welcher mit Astroiten gefüllt ist.

2) Wurmartige Wassercorallen in einem weißen harten Kalkstein. Sie sind beide vom Nietaulschen Bachufer.

§. 76. Fungiten. Corallenschwämme.
Corallofungitae.

Waller. Miner. Spec. 335.

Blättrigte Fungiten. Fungitae lamellosae.

Walch Steinr. 1 Th. 2 Cap. S. 81. Tab. XXIII. Nr. 3. a.

Sie sind weder ästig noch röhrigt, oder scheibig, und gleichen den Erdschwämmen, nur mit dem Unterschiede, daß, da an diesen die Blättchen an der unteren

Fläche

Fläche des Hutes hinunterlaußen, ſie an den Fungiten allezeit hinauflaufen. Eigentlich gehören ſie nicht unter die Corallarten, ſondern machen eine beſondere Ordnung der Seegewächſe aus. Herr Prof. Walch hat ſie auch von den Coralliten getrennt, und unter eine beſondere Claſſe gebracht. Ich habe nur ein einziges Exemplar bey uns gefunden. Dieſes war:

1) Ein runzlichter ſchwarzer Fungit, der unter Nietau am Bachufer gefunden wurde.

§. 77. Corallfiſche Hippuriten.
Hippuriti corallini.

Walch Steinr. 1 Th. 2 Cap. §. 84.

Man findet ſie bald als geradeſtehende, bald als gekrümmte Hörner geſtaltet, da man ſie alsdann coralliniſche Widderhörner nennet, oder als geſtutzte, breit ausgehölte Becher, da ſie Corallbecher genennet werden. Auch dieſe hat Herr Prof. Walch Coralliten getrennt, und in eine beſondere Claſſe gebracht. Ich zeige nur ein einziges Exemplar an:

1) Geradeſtehende und gekrümmte corallinische Widderhörner von mittelmäßiger
nebſt einigen Corall
grauen Kalkſtein,
ufer gefunden wurde.

IV. Verſteinerungen aus dem Pflanzenreiche.
Vegetabilia lapidea.

§. 78. Verſteinertes Holz. Lithoxylon.

So häufig ſonſt verſteintes Holz in vielen Gegenden gefunden wird; ſo ſelten ſcheint es in unſerm Livlande zu ſeyn. Eigentliches verſteintes Holz habe ich gar

gar nicht bis jetzo gesehen: denn was wegen einiger Aehnlichkeit dafür ausgegeben wurde, war allezeit eine oder die andere Steinart, die blos holzähnlich aussahe. Nur ein paar dünne Stücken von kleinen Aestchen habe ich gesehen, von welchen das eine kalksteinartig war, und an einem Bachufer im nietauischen Kirchspiel gefunden wurde; das andere war kalkspatartig und wurde am laisholmischen Bachufer im Fellinschen Kreise gefunden.

§. 79. Versteinte Wurzeln. Rizolithus.

Waller. Miner. Spec. 313.

Beinbruch. Osteocolla.

Walch Steinr. 1 Th. 2 Cap. §. 67.

1) Versteinte, oder eigentlicher zu reden, vererdete Wurzeln. Dieses sind mit Kalk, zuweilen nur mit feinen Erdtheilen inkrustirte Wurzeln von Eschen, Erlen, oder Espen, von welchen, nachdem die holzigte Substanz verfaulet ist, und sich verlohren hat, nur die hohle Wurzelform übriggeblieben ist, die, weil sie hohl ist, und einige Aehnlichkeit mit Knochen hat, Beinbruch genennet wird. An verschiedenen, besonders an den dünneren Stücken findet man häufige Merkmale von abgebrochenen zarten Wurzelfasern.

Im Kleistenhofschen, jenseit der Düna im Gebiete der Stadt Riga, wurde in einem mit Thon vermischten Sandgebirge ein großer Vorrath davon, sowol in zusammenhangenden Stücken, als auch in einzelnen Wurzeln gefunden. Man hat sie auch im Nietauischen, im Neuermühlenschen, und im Gravenheydenschen an der Jägel bey Riga zuweilen gefunden.

§. 80.

§. 80. Versteinte Blätter. Lithobiblia.

Waller. Miner. Spec. 315. Walch Steinr. 1 Th.
2 Cap. §. 68.

1) Nicht weit von Arrasch, am Ufer der Ammat, sind einige Stücke gelblichten lockeren Kalksteines gefunden worden, in welchen deutliche Abdrücke von Birkenblättern zu sehen sind. Diese Blätter liegen sehr flach auf der Oberfläche der Steine, zum Theil noch mit ihren Stengeln.

2) Abdrücke von Eichenblättern in schwarzgrauem Kalkstein. Sie sind in einem Kalkbruche nicht weit von der Kreisstadt Wenden gefunden worden.

§. 81. Inkrustirtes Moos.

Walch Steinr. 1 Th. 2 Cap. §. 62.

In diesen §. bringe ich einen Klumpen Moos, der mit einer schmutzig rostfarbenen Kalkerde so zart überzogen ist, daß die Stengel und Blättchen, nebst einigen mit dieser Masse vermischten Grashalmen, ganz deutlich zu erkennen sind, und daß man, auch da, wo man durch einige löcherchen in den Stein hineinsehen kann, und wo kein äußerer Zufall die zarten Fasern hat zerdücken, oder zerreiben können, die zartesten kleinsten Zacken der Moosstengel nicht verkennen kann. Dieses schöne Stück ist einer guten geballten Hand groß, und an dem Ufer eines Nietauischen Baches gefunden worden. Es ist das einzige Stück dieser Art, das, so viel ich weiß, in Livland ist gefunden worden.

Zusätze.

Zusätze.

Da ich diese zwote Auflage bereits rein geschrieben, und zum Abdruck fertig hatte, erhielt ich die Beyträge zur Naturgeschichte der Vögel Kurlandes, welche Herr Professor Beseke in Mitau in den ersten Band der Beobachtungen und Entdeckungen aus der Naturkunde von der Gesellschaft naturforschender Freunde zu Berlin hat einrücken lassen. Da ich von den in diesen Beyträgen als fehlend angezeigten Arten einige schon vorher gefunden, und gehörig eingeschaltet hatte: so bemühete ich mich um Exemplare von den übrigen, die ich, bis auf ein paar, die ich nicht habe auftreiben können, hier in diesen Zusätzen nachtrage.

Ich werde mit der fortlaufenden Zahl der Thierarten überhaupt da, wo ich beym Schlusse der 1sten Abtheilung aufhörete, fortfahren, damit man die volle Zahl der Thierarten Livlandes, so viel ich deren bis jetzo beschrieben habe, daraus ersehe. Gerne bescheide ich mich, daß ich manches übersehen habe, daß die Zahl weit stärker seyn mag, und daß ein künftiger Sammler vieles werde nachtragen können.

Wenn in diesen Beyträgen, so wie bey den übrigen in der 1sten Abtheilung beschriebenen Vögeln, hie und da eine Beschreibung von der eines andern Ornithologen abweichet; so wird man sie darum nicht für unrichtig halten: denn Klima, abwechselnde Jahreszeiten, oft die veränderte Nahrung bey mancher Art, vielleicht auch die ungewöhnliche und sonderbare Witterung eines Jahres kann bey den Farben und Zeichnungen der Vögel viel verändern; zu geschweigen, daß die Natur sich nicht immer genau an die Zeichnungen bindet, sondern zuweilen Abweichungen macht. Bey-

spiele,

spiele, die mir am ersten beyfallen sind: der Kreuzschnabel und der Pfingstvogel. Wie oft sahe ich auch
nicht einen Haufen Sperlinge, unter welchen ein paar
anders gezeichnet wären, als die übrigen; der Unterschied des Geschlechts konnte hier nicht in Anschlag
kommen; denn das läßt sich leicht bey dieser Art unterscheiden.

Nach dieser Ausschweifung gehe ich zur Beschreibung.

728) **Ringelfalk, Bleyfalk.** Falco Pygargus.
L. 42. 11. Er ist größer als ein Haushahn. Der
Kopf, Hals, Rücken und Schwanz sind bleyfarben;
die Nasenerhöhung, (cera) die Füße und der Augen-
ring sind gelblicht; der Bauch ist weißlicht, und hat in
die Queere laufende braunlichte Streifen; die Flügel
und Schwanzfedern haben weiße Spitzen.

729) **Kleine Hauseule, Käuzlein.** Strix
passerina. L. 43. 12. Sie ist etwas größer als ein
Sperling, oberhalb schmutzig braun mit weißen Tüpfeln,
und hat einen glatten Kopf; die Schwingfedern haben
fünf Reihen weiße Flecken; der Schwanz hat vier weiße
Queerlinien; von unten her ist sie weiß, mit dunkelbraunen Flecken. Sie lebt in Hölen und Gebüschen.

730) **Kleiner Neuntödter.** Lanius Collurio.
L. 44. 12. Er ist etwa so groß wie die Droßel. Der
Schnabel ist bleyfarben; der Rücken ist bräunlich, und
grau gesprenkelt; die Schwingfedern sind schwärzlich;
vom Schnabel geht ein länglichter schwarzer Flecken
über die Augen bis zu den Ohren; die sechs mittleren
Schwanzfedern sind schwärzlich. Man findet ihn zuweilen in Gehegen.

731) **Dreyzeehigter Specht.** P. tridactylus.
L. 59. 21. Diesen Vogel beschreibe ich nach einem
Exemplar, das vor kurzem bey Riga geschossen, und
mir gebracht wurde. Er ist etwa so groß, wie ein
Staar und schwarz gefleckt. Von der Schnabelwurzel

Naturgesch. von Livl. D d d   läuft

läuft auf beiden Seiten ein weißer Streifen gegen den
Nacken, und von da über den Rücken bis zum Schwanz.
Er hat eine gelbe, eigentlich safranfarbene Platte. Die
Kehle, die Brust und der Unterleib sind weiß und
schwarz gefleckt. Die erste Flügelfeder hat an ihrem
äußern Rande acht weiße Flecken. Die Schwanzfedern
sind schwarz und starre, wie bey allen Spechtarten,
am Ende etwas stumpf. Er unterscheidet sich von allen
übrigen seines Geschlechts dadurch, daß er nur drey
Zeehen, zween vorne, und einen hinten hat, dagegen
die übrigen Spechte vier Zeehen paarweise haben.

732) Weißlichter Taucher. Mergus albellus.
L. 68. 5. Er ist etwa so groß, wie die gemeine wilde Ente.
Der Körper ist weißlicht; der Kopf hat einen herabhangenden Schopf, der nach unten her schwarz ist;
der Rücken ist dunkel schwarzgrau; um den Hals geht
eine breite weiße Binde; die Flügel sind schwarz, und
haben fast in der Mitte einen großen weißen Flecken
und zwo weiße Binden; der Schwanz ist braun; die
Brust und der Bauch sind weiß; der Spiegel ist weiß;
der Schnabel und die Füße sind schwarz.

733) Rothhalsiger Taucher. Colymbus
septentrionalis. L. 75. 3. Der Körper ist oberhalb
schwärzlich braun mit feinen weißen Tüpfeln, unterhalb weiß; der Hals hat oberhalb weiße Streifen, unterhalb einen rostfarbenen schildförmigen Flecken; der
Schnabel ist schwärzlich.

734) Pfuhlschnepfe. Scolopax limosa. L. 86. 13.
Sie hat einen langen etwas aufwärts gebogenen Schnabel; der Kopf, der Hals, die Flügel und die Schwanzfedern sind schwärzlich, und weiß und gelblich gefleckt; der
Unterleib ist weißlicht mit gelblichten und grauen Flecken.

735) Der Dolmetscher. Tringa Interpres.
L. 87. 4. Der Obertheil des Kopfes ist weiß und
hat kleine bräunliche Flecken; der Körper ist schwarz,
weiß

weiß und roſtfarben gefleckt; der Schwanz iſt dunkelbraun, an der Spitze und an der Wurzel weiß, die
beiden mittleren Federn deſſelben ausgenommen; die Flügel ſind oberhalb grau, die Schwingfedern dunkelgrau;
der Schnabel iſt ſchwarz; die Füße ſind ſchön roth.
Er hat die Größe einer Droßel. An Seegeſtaden.

736) **Grünbeinlein** Tringa Ochropus. L 87.
13. Der Körper iſt oberhalb dunkelbraun; der Bauch
iſt weiß; die Flügel ſind unterhalb ſchwarz, und haben
weiße wellenförmige Streifen; der Schwanz hat weiße Queerſtreifen; der Schnabel iſt ſchwärzlich; die
Füße ſind ſchmutziggrün. Man findet ihn an ſchil-
figten Ufern.

737) **Schwarzgelber Grillvogel.** Chara-
drius apricarius, L. 88. 6. Er iſt etwa ſo groß wie
eine Taube. Der Kopf, der Hals, der Rücken, die
Flügel und der Schwanz ſind ſchwarz, weiß und hellbraun gefleckt; die Schwingfedern ſind ſchwärzlich;
und haben weiße Spitzen; die Seiten des Halſes und
die Bruſt ſind weiß; der Schnabel iſt ſchwarz; die Füße
ſind ſchwarzgrau. Man findet ihn zuweilen auf Feldern.

738) **Schwarzer Waſſertreter, ſchwarze
Ralle.** Fulica Chloropus. L. 91. 4. Er iſt etwas
größer als die Wachtel. Er iſt ſchwärzlich von oben,
unterhalb dunkelbraun; der Schnabel iſt roth, an der
Spitze gelb; an der Stirne hat er eine glatte ſchön
rothe Platte; die Bruſt hat weißgraue wellenförmige
Zeichnungen; die Füße ſind grünlich. Er wird zuwei-
en an ſtehenden Seen gefunden.

739) **Kleine Feldlerche.** Alauda campeſtris.
L. 105. 4. Der Kopf und der Rücken ſind grau, und
haben dunkelbraune Flecken; die Kehle und die Bruſt
ſind gelblicht; der Bauch iſt weißlicht; vom Schnabel
geht ein gelblichter Streifen über die Augen bis zum
Hintertheil des Kopfes; der Schnabel und die Füße

sind schwarz. Sie wird hin und wieder auf Feldern angetroffen.

740) **Dunkelgraue Grasmücke.** Motacilla Qenanthe. L. 114. 15. Der Kopf ist hellgrau; die Stirn ist weiß, vom Schnabel zu den Ohren geht ein breiter schwarzer Streif; der Rücken ist grau, gegen den Bürzel grünlich; der Bauch ist weiß; der Schwanz ist auch weiß, und hat eine schwarze Spitze; das Männchen unterscheidet sich hauptsächlich von dem Weibchen durch einen weißen länglichten Flecken über den Augen.

741) **Grasspatz, Mönch mit der schwarzen Platte.** Motacilla atricapilla. L. 114. 18. Unter der Kehle bis an die Brust ist er rußfarben; die Brust und der Bauch sind schmutzig weiß; der Obertheil des Kopfes ist bey dem Männchen pechschwarz, bey dem Weibchen gelbbraun; vom Schnabel bis zu den Augen stehen aschgraue Streifen; der Rücken, Flügel und Schwanz sind dunkelaschgrau ins Braune fallend.

742) **Sommerkönig, Tyranchen.** Motacilla Trochilus. L. 114. 49. Er ist nur ein wenig größer, als der gekrönte Zaunkönig, M. Regulus. Oberhalb ist er braun und aschfarben ins Grünliche spielend; am Unterleibe ist er grüngelb; die Kehle ist weißlicht; vom Schnabel geht ein gelber Streifen, über die Augen bis an den Hintertheil des Kopfes. Er hat keine Krone. Er kommt zuweilen in Gehegen vor.

Anmerkung zu Nr. 123. der ersten Abth. Die Blauberr schnepfe halte ich noch immer für eine Abänderung des Scolopax arquata L. besonders wegen ihres gekrümmten Schnabels. Die Sc. Fedoa kann sie nicht seyn; wie Herr Prof. Beseke in seinen Beyträgen Nr. 40. vermuthet: denn diese hat einen geradestehenden Schnabel, wie auch schon Linnee angezeiget hat. Sie ist das langschnäblichte Wasserhuhn, das beym Edwards 137. the greater American Godwit heißt, und in America zu Hause ist. In Livland ist sie, so viel mir bekandt, nicht vorgekommen.

Pflan-

Pflanzenreich.

789) **Wasserangelik.** Angelica Archangelica.
lett. **Sirdsenu Sakkenes, Sautrum Sakkenes.**
Die Blätter sind doppelt gefedert, und haben gekerbte
Blättchen, die aber an Größe einander ungleich sind.
Es ist ein perennirendes Gewächs, das oft bis zur
Mannshöhe hinanschießt. Es wächst an morastigen
Stellen und ist den Pferden schädlich. Es war schon
n der ersten Ausgabe angezeigt, ist aber im Abschreiben in
er zwoten in seiner Stelle einzurücken vergessen worden.

790) **Bergschmelen.** Aira montana. Der
Halm schießt ziemlich hoch; die Blätter sind borstförmig; der Blumenstrauß ist eng zusammengedrängt,
vird aber nach der Blüthe, da die Nebenäste sich mehr
nuseinandergeben, mehr ausgebreitet. Es wächset
in erhabenen offenen Waldstellen; die Blüthezeit ist
im Johannis.

791) **Waldrispengras.** Poa nemoralis. Es
steht auf einem schwachen, gekrümmten Halm, und
hat schmale linienförmige Blätter; der Blumenstengel
ist eng, und hat nur wenige Aehrchen. In erhabenen
buschigten Gegenden; es blüht im Junius.

792) **Bergschilf.** Arundo epigeios. Die Blätter sind an der inneren Seite haarigt, an der äußeren
glatt; der Blumenstrauß besteht aus einer gelbbrau-
nen zusammengedrängten Aehre. Es wächst an erhabenen Stellen, und blüht nach Johannis.

793) **Frühlingswindblume, Frühlingskü-
chenschell.** Anemone vernalis. Die Blätter sind gefedert, und haben in Lappen getheilte Blättchen; die
Blume ist tulpehförmig, von innen blaßröthlich, von
außen purpurfarben; sie ist wie die ganze Pflanze mit
Härchen besetzt, und hat noch eine besondere behaarte
Schirmdecke. In dürren Wäldern, wo sie gleich zu Anfange des Frühlings blüht.

794) **Waldwicke.** Vicia sylvatica. Die Blätter sind gefedert, und haben viele schmale eyförmige Blättchen; die Blumen sind weißlicht, an der Fahne mit blaulichten linien durchschnitten, sie wachsen auf langen Stengeln. In Wäldern; die Blüthezeit ist gleich nach Johannis.

795) **Erdbeerklee.** Trifolium fragiferum. Die Blätter kriechen auf der Erde, und sind herzförmig, sie stehen an langen Stielen; die Blumen sind weiß; und stehen in rundlichen Köpfchen gesammlet; die Kelche sind haarigt, und werden nach der Blüthezeit aufgeblasen, und rückwärts gebogen, welches Kennzeichen diese Art von den übrigen völlig unterscheidet. Auf nassen Wiesen, doch sparsam; die Blüthezeit ist der Julius.

796) **Waldkreuzkraut.** Senecio sylvaticus. Die Blätter sind gefedert, und haben zahnförmige Blättchen, die Blumen sind gelb, die geschweiften Blümchen sind umgerollt; der Blumenstrauß steht aufrecht, und ist platt; die Blüthe bricht um Johannis hervor. In schattigten Gegenden.

797) **Färbechamille.** Anthemis tinctoria. Die Blumen sind doppelt gefedert, und haben schmale linienförmige, sägezahniggeformte Blättchen, welche wolligt und weiß sind; die Blumen stehen in platten Sträußen, und sind gelb. Es blüht nach Johannis, und wird auf Wiesen gefunden; es kommt aber nur selten vor.

798) **Dreylappigte Wasserlinse.** Lemna trisulca. Die Blätter sind gestielt und lanzenförmig; sie hangen aber so zusammen, daß auf beiden Seiten jedes Blattes noch eines hervorkommt, welches anfangs mit dem mittlern Blatt zusammenhängt, und diesem das Ansehen eines dreylappigten Blattes giebt; hernach sondern sie sich mehr von einander ab, doch hangen sie noch immer mit ihren Stielen an dem mittlern Blatt. Man findet sie in Gräben und Teichen unter dem Wasser.

799)

799) **Erdbeerspinat.** Blitum capitatum. Diese Pflanze, welche in Spanien, in der Grafschaft Tirol, und wahrscheinlich in mehreren Gegenden Europens wildwächset, macht sich auch bey uns einheimisch; und vermehrt sich ohne alle Wartung sehr häufig. Ich fand sie auf dem Gehöfte des Pastorats Kalzenau an den Wänden der Gebäude, und an den Zäunen, auch außerhalb in Menge. Sie wächst nicht sehr hoch; die Blätter sind dreyeckigt und gezahnt; über den Blättern fanden die Beeren von schöner rothen Farbe, von der Größe und dem Ansehen der Felderdbeeren, und von süßem angenehmen Geschmack, ohne Stengeln in Wirbeln. Ich fand sie zu Ende des Junius reif. Dies Gewächs war dort einige Jahre vorher im Garten gezogen, und hatte sich von selbst weitherum ausgebreitet. Sie ist eine jährige Pflanze, und vermehrt sich durch den Saamen.

800) **Pfeffermünze.** M. piperita. Der Stengel treibt viel Nebenstengel, an deren Spitzen die hochröthlichen Blumen in mehreren Wirbeln dicht übereinander sitzen; die Stengelblätter sind länglicht eyförmig, und sitzen an Stielen, sind am äußern Ende zugespitzt, und haben sägeförmig gezahnte Einschnitte. Es ist bey Rokenhusen an einer offenen Waldstelle wildwachsend gefunden worden. Da dieses Gewächs außerdem in Gärten gut fortkommt, und stark wuchert: so dürfen wir jetzo den Engländern ihr cohobirtes Wasser, und ihre Quintessenz, die nur ein gutes Palliativ sind, und eine Wundercuren thun, und die sie sich unter dem Namen Peppermint so theuer bezahlen lassen, nicht mehr für so hohen Preiß abkaufen: denn diese Präparate können ohne viele Kunst allenthalben, wo man die Pflanze hinlänglich hat, gar leicht gemacht werden.

Zusatz zu Nr. 586. des Pflanzenreichs. Wasserdrachenwurz, sonst auch Wasserdragun. Die Wurzel hat einen scharfen brennenden Geschmack, doch wird in den nordlichen Gegenden Schwedens bey großem Mangel Brodt daraus gebacken, welches dort Miße broed (Mißwachsbrodt) genennet wird. Linnee beschreibt die Zubereitung desselben in seiner Flor. lapp. §. 320. S. 520. Die Wurzeln werden zu Anfange des Früh lings, und ehe die Blätter sich entwickeln, oder auch im Herbst gesammlet, die feinen Fasern davon abgeson dert, darauf in der Sonne, oder im Backofen getrock net, dann in Schnittchen von Erbsengröße zerschnitten, und zu Mehl gemahlen. Dieses Mehl, welches weiß und wohlriechend ist, wird eine Stunde lang in Wasser zum dünnen Brey gekocht. Das Gefäß mit diesem Mengsel wird sodann einen bis vier Tage (je länger, desto besser) zum Abstehen hingesetzt, darnach das darüber stehende Wasser abgegossen, da dann der Bodensatz, der nun alle Schärfe verlohren hat, getrocknet wird. Dieses Mehl wird mit Kornmehl, im Nothfall mit dem dort bekandten Mehl der Fichtenrinde, gemischt, und Brodt daraus gebacken.

Schaalthiere.

743) Kammdublett. Cardium edule. L. 360. 90. Eine kleine Muschel, etwa so groß wie eine große graue Erbse, von weißer dicker Schaale. Die Länge hin unter gehen an vier und zwanzig tiefe gefurchte Strei fen. Man findet sie an Seeufern.

744) Gemeine Meßmuschel. Mytilus edulis. L. 315. 253. Eine große länglichte Muschel von et was bauchigter Schaale und ungleichen Seiten; sie ist glatt, und hat eine blaulichte oder Violetfarbe. Am Seestrande, auch an Gestaden der Flüsse, da wo sie in die See fallen.

Register.

Register
über die ganze Naturgeschichte, des Thier-
und Pflanzenreichs nach den Nummern,
des Steinreiches nach den §§.

Die Producte des Pflanzenreichs sind mit einem P. bezeichnet.

Ddd 5   Acker-

Brun-

Fuchs-

Hexen

J.

Klebe-

Leber

Roth

Schwan

Fff   Sumpf-

3.

Bemerkungen

der

Wärme und Kälte

nach dem

Reaumurschen Thermometer

in Riga angestellet

von dem 1. Oct. 1774 bis den 14. Jun. 1778.

und

vom 1. Sept. 1778 bis zum 28. Febr. 1779.

Erklärung der Abkürzungen.

M.	bedeutet	Morgens.
Ab.	—	Abends.
Fr. M.	—	Früh Morgens.
Schn. oder Sd	—	Schnee.
St.	—	Sturm.
Vm.	—	Vormittags.
Nm.	—	Nachmittags.
R.	—	Regen.
D.	—	Donner.
gel. D.	—	gelinder Donner.
Hag. oder H.	—	Hagel.
Ndsch.	—	Nordschein.

Bemerkungen der Wärme und Kälte
vom 1. Oct. 1774. bis den 14. Jun. 1778.
und
vom 1. Sept. 1778. bis zum 28. Febr. 1779.

1774.		M.	Ab.		1774.		M.	Ab.	
Oct.	1			Vm. R. u. St.	Oct.	19			
	2			R. R. u. St.		20			
	3			R. St. Nm. R.		21			
	4					22			Etwas Schn.
	5					23			
	6					24			Morg. Regen.
	7			Morg. Regen.		25			M. um 7 U. ½
	8			M. u. Ab. R.						
	9			R. R. u. St.		26			Nm. ½ m. S.
	10			Morg. Regen.					6½	
	11					27			
	12			Morgens St.				6½		
	13					28			
	14		4½					10½		
	15					29			Nachm. Schn.
	16					30			M. u. N. Schn.
	17					31			R. St. u. S.
	18		1½		Nov.	1			Ab. u. 10 U.
						2			8. A. S. u. St.
						3		14	M. S. Ab. St.
						4			Nov.

a 2

1774.	M.	Ab.		1774.	M.	Ab.	
Nov. 5			M. St. u. S.	Dec. 1			
6			Morg. Schn.	2			
7	14			3			M. St. Ab. etwas Regen
8	7		Abwechs. mit St. u. Schn.	4	2½		Ab. Regen.
9	1½		M. S. u. H. Nm. etw. S.	5			
10				6			
11			Nachm. Schn.				
12				7		2½	Ab. Sturm.
13			Ab. Sturm.	8			M. St. a. N. Reg. mit ½
14	10	10	M. St. u. S.	9			
15				10			geg. Ab. St.
16			Ab. Sturm.	11			M. St. Ab. C.
17	5½		M. St. Nm. o	12			M. S. u. St. Ab. Sturm.
18		1	Ab. Sturm.	13			
19			Morgens St.	14			eben so.
20			M. St. u. S.	15			Morgens St.
21				16			
22			Ab. um 10 u. o	17			M. S. u. C.
23				18			
24	11			19	11		Ab. Sturm.
25			Ab. Sturm.	20			M. u. Ab. St.
26			Morgens St.	21	10		
27			M. u. Ab. St.	22			
28			M. St. Ab. H. u. St.	23			Ab. Sturm.
29			M. St. u. S.	24			M. u. Ab. St.
30	3½			25	1½		M. St. Ab. St. u. Schnee.
				26			Morg. Schn.

Dc.

1774.	M.	Ab.		1775.	M.	Ab.	
Dec. 27				Jan. 26			M. S. u. St.
28				27			Ab. Sturm.
29				28			M. St. u. S. Ab. Hagel.
30			Ab. Sturm.	29			M. St. Ab. R.
31			M. St. u. H. Ab. St. u. R.	30			
1775.				31			
Jan. 1			St. u. etw. R.	Febr. 1			Nm. St. u. S.
2				2			
3				3			
4				4			Nachm. Reg.
5				5			
6				6			g. Ab. etw. S.
7				7			
8			Morg. Schn.	8			
9			Ab. etw. Schn.	9			
10			Schn. u. St.	10			
11				11			Früh S. Nm. St. u. Schn.
12				12			
13				13			Nachm. Schn.
14	$17\frac{1}{2}$			14			
15			gegen Ab. St.	15	$1\frac{1}{2}$		
16			Morgens St.	16			gegen Ab. St.
17				17			
18			Ab. Schnee.	18			
19			M. S. Ab. St.	19			
20			M. St. u. H. Ab. Regen.	20			
21			M. R. Ab. St.	21			
22			gegen Ab. St.	22			
23			Morgens St.	23			Fr. Morg. S.
24				24			
25			M. u. Ab. S.	25			St. u. S. M.

Febr.

1775.	M.	Ab.		1775.	M.	Ab.	
Febr. 26			R. d. ganz. T.	März 25		$2\frac{1}{2}$	
27				26		0	
28				27			
März 1				28			
2			Ab. Regen.	29			
3			Ab. R. u. Hag.	30			Ab. Sturm.
4				31			Morgens St.
5				Apr. 1		$1\frac{1}{2}$	
6				2			Nachm. Schn.
7			Nm.R. Ab.R. und Schn.	3			Fr. Morg. S.
8				4			Nm. St. u. S.
9			Morg. Regen.	5			
10				6			
11				7			R. St. u. R.
12				8			Fr. Morg. St.
13			Ab. Schnee.	9		$1\frac{1}{2}$	und Nebel.
14		$1\frac{1}{2}$		10		$1\frac{1}{2}$	
15		$1\frac{1}{2}$		11		$1\frac{1}{2}$	R. etw. Schn.
16			Ab. Schnee.	12			
17				13			
18	$3\frac{1}{2}$			14			gegen Ab. 12
	$1\frac{1}{2}$			15		$4\frac{1}{2}$	
19			Ab. Sturm.	16			
20			Morgens St.	17			Nachm. St.
21				18			
22							Apr.
23							
24			Nachm. St.				

1775.	M.	Ab.		1775.	M.	Ab.	
Apr. 19	4/0	4/0		May 16	12/0	14/0	
20	2/0	2/4		17	13/0	11/0	
21	1/0	4/0		18	10/0	11/0	
22	2½	8/0		19	10/0	12/0	
23	0	10/0		20	11/0	11/0	
24	7/0	11/0		21	10/0	10/0	
25	10/0	11/0	Nm. etw. R.	22	10/0	10/0	Vorm. St.
26	8/0	10/0		23	2/0	10/0	
27	8/0	10/0	Fr. Morg. R. u. Sturm.	24	10/0	11/0	
28	10/0	8/0	Nm. R. u. St.	25	11/0	10/0	
29	7/0	8/0	Fr. Morg. R. u. Sturm.	26	10/0	11/0	
30	4/0	1½	Nm. R. u. St.	27	10/0	11/0	
May 1	4/0	4/0		28	13/0	13/0	
2	4/0	4/0		29	13/0	12/0	
3	4/0	4/0		30	13/0	13/0	
4	4/0	4/0	Ab. St. u. R.	31	13/0	13/0	
5	6/0	4/0	Ab. etw. St. u. Regen.	Jun. 1	13/0	13/0	
6	7/0	5/0	Ab. Sturm.	2	14/0	14/0	
7	7/0	4½	eben so.	3	15/0	20/0	Nm. warm. R. bey 2.
8	4½	3½		4	14/0	11/0	
9	3/0	4/0	Etwas Regen.	5	10/0	11/0	
10	4/0	4/0		6	10/0	11/0	
11	10/0	10/0		7	13/0	13/0	
12	10/0	10/0		8	15/0	15/0	
13	10/0	10/0		9	14/0	13/0	Nm. 2 ohne Sonnensch. Ab. Regen.
14	10/0	14/0		10	12/0	12/0	Ab. Regen.
15	12/0	14/0		11	13/0	12/0	
				12	13/0	13/0	Mitt. Regen u. Sturm.
				13	12/0	12/0	Nachts u. M. Regen.
				14	10/0	10/0	Morg. St.
				15	11/0	12/0	M. starker St.

Jun.

Bemerkungen

1775.   1775.

1775.	M.	Ab.	Bemerkungen	1775.	M.	Ab.	Bemerkungen
Jun. 16	16/0	16/0	M. St. g. Ab. Regen.	Jul. 16	17/0	19/0	Reg. und gel. Gew.
17	13/0	13/0		17	17/0	19/0	
18	13/0	19/0		18	18/0	18/0	gegen Ab. Y
19	13/0	14/0		19	18/0	15/0	M. Reg. Nm. Gew. u. St. u. Regen.
20	15/0	14/0		20	15/0	18/0	
21	15/0	13/0		21	15/0	18/0	geg. Ab. Reg.
22	18/0	16/0	geg. Ab. etw. Donn. u. R.	22	18/0	15/0	M. St. u. R.
23	16/0	15/0	M. gel. Reg.	23	18/0	18/0	
24	16/0	15/0		24	18/0	18/0	
25	14/0	15/0		25	18/0	20/0	
26	15/0	15/0		26	17/0	18/0	
27	13/0	12/0	Ab. Sturm.	27	18/0	17/0	
28	14/0	15/0	geg. Ab. Reg.	28	17/0	18/0	
29	13/0	13/0	eben so.	29	16/0	17/0	
30	15/0	16/0	eben so.	30	19/0	20/0	
Jul. 1	16/0	15/0		31	15/0	15/0	
2	15/0	16/0	gel. Gew. und Regen.	Aug. 1	15/0	16/0	geg. Ab. Gew. u. Regen.
3	13/0	10/0	Morg. Regen.	2	16/0	15/0	Nm. Regen.
4	15/0	11/0	geg. Ab. etw. Regen.	3	16/0	16/0	gel. Gew. bei St. u. R.
5	16/0	17/0	Morg. Regen, geg. Ab. St. g. Nacht R.	4	14/0	15/0	Nm. gel. R.
6	15/0	13/0		5	14/0	16/0	
7	13/0	14/0		6	16/0	15/0	gegen Ab. gel. Regen.
8	13/0	14/0	Nm. Regen.	7	14/0	13/0	Morg. u. R. Regen.
9	L/0	13/0	Nm. etw. R.	8	15/0	13/0	Nm. Regen.
10	15/0	14/0		9	14/0	14/0	
11	18/0	15/0		10	13/0	14/0	
12	18/0	20/0		11	14/0	14/0	
13	18/0	19/0	Ab. u. 7 U. o. Sonnensch.	12	14/0	13/0	
14	18/0	22/0	Nm. u. 4 U. m. Sonnensch.	13	13/0	12/0	Ab. Sturm
15	19/0	18/0		14	12/0	10/0	

1775.

M.	Ab.			M.	Ab.	
$9\frac{1}{2}$	$\frac{10}{0}$	M. etw. Reg.	Sept. 11	$\frac{13}{0}$	$\frac{9}{0}$	
0	$\frac{10}{0}$		12	$\frac{10}{0}$	$\frac{10}{4}$	
$\frac{10}{0}$	$\frac{10}{0}$		13	$\frac{10}{0}$	$\frac{10}{4}$	Morg. Nebel.
$9\frac{1}{2}$	$\frac{10}{0}$		14	$\frac{12}{0}$	$\frac{9}{0}$	
0	$\frac{10}{0}$		15	$\frac{10}{0}$	$\frac{9}{0}$	M. gel. Reg.
$\frac{11}{0}$	$\frac{12}{0}$		16	$\frac{9}{0}$	$\frac{13}{0}$	
$\frac{12}{0}$	$\frac{12}{0}$	Ab. Regen.	17	$\frac{9}{0}$	$\frac{10}{0}$	Morg. Regen.
$\frac{13}{0}$	$\frac{11}{0}$		18	$\frac{9}{0}$	$\frac{8}{0}$	
$\frac{10}{0}$	$\frac{11}{0}$		19	$5\frac{1}{2}$	$\frac{8}{0}$	Morg. Nebel.
$\frac{10}{0}$	$\frac{13}{0}$	Morg. Regen.	20	$\frac{0}{8}$	$\frac{10}{0}$	M. u. Ab. St. u. Nebel.
$\frac{10}{0}$	$\frac{11}{0}$		21	$\frac{10}{0}$	$\frac{10}{0}$	M. etw. Neb.
$\frac{13}{0}$	$\frac{14}{0}$		22	$\frac{10}{0}$	$\frac{10}{0}$	
$\frac{11}{0}$	$\frac{10}{0}$		23	$\frac{11}{0}$	$\frac{14}{0}$	
$\frac{12}{0}$	$\frac{14}{0}$	M. Neb. u. St.	24	$\frac{14}{0}$	$\frac{13}{0}$	
$\frac{12}{0}$	$\frac{14}{0}$		25	$\frac{12}{0}$	$\frac{11}{0}$	
$\frac{15}{0}$	$\frac{14}{0}$		26	$\frac{12}{0}$	$\frac{10}{0}$	
$\frac{15}{0}$	$\frac{14}{0}$		27	$\frac{12}{0}$	$\frac{10}{0}$	
$\frac{14}{0}$	$\frac{14}{0}$		28	$\frac{12}{0}$	$\frac{10}{0}$	Ab. R. u. St.
$\frac{15}{0}$	$\frac{14}{0}$		29	$\frac{7}{0}$	$\frac{7}{0}$	
$\frac{13}{0}$	$\frac{13}{0}$		30	$\frac{7}{0}$	$\frac{7}{0}$	
$\frac{10}{0}$	$\frac{11}{0}$	Morg. Regen.	Oct. 1	$\frac{7}{0}$	$\frac{7}{0}$	eben so.
$\frac{12}{0}$	$\frac{10}{0}$		2	$\frac{7}{0}$	$\frac{10}{0}$	M. St. Ab. R.
$\frac{13}{0}$	$\frac{12}{0}$		3	$\frac{7}{0}$	$\frac{10}{0}$	
$\frac{13}{0}$	$\frac{10}{0}$		4	$\frac{7}{0}$	$\frac{8}{0}$	
$\frac{10}{0}$	$9\frac{1}{2}$		5	$\frac{7}{0}$	$\frac{8}{0}$	
$\frac{10}{0}$	0		6	$\frac{8}{0}$	$\frac{8}{0}$	Ab. Regen.
$7\frac{1}{2}$	$\frac{10}{0}$		7	$\frac{8}{0}$	$\frac{8}{0}$	geg. Ab. etw. Regen.
0	$\frac{10}{0}$		8	$\frac{7}{0}$	$\frac{8}{0}$	
$\frac{8}{0}$	$\frac{2}{0}$	Nachm. St.	9	$\frac{7}{0}$	$\frac{8}{0}$	Ab. ftarker Sturm.
$\frac{10}{0}$	$\frac{15}{0}$		10	$\frac{9}{0}$	$\frac{9}{0}$	eben so.
$\frac{14}{0}$	$\frac{15}{0}$	Nm. Reg. Ab. Sturm.				

gesch. von Livl.　　　　　　　　　　b　　　　　　　Oct.

1775.	M.	Ab.		1775.	M.	Ab.	
Oct. 11			Fr. u. b. ganz. Bm. starker St. u. R.	Nov. 5			
12			Ab. Regen.	6			M. S. Ab. E. u. Schn.
13			Nachts u. M. Reg. Ab. St.	7			Nachts Sch. M. St. u. E.
14			Nm. Regen.	8			M. Neb. Rn. etw. Schn.
15		2½	Morg. Regen.	9			
16			Nachts Schn. M. S. u. R.	10			
17				11			
				12			
18				13			
19				14			
20				15			Bm. um 9 U.
21				16			
22			Nm. R. u. St.	17			
23				18			
24			Nm. St. u. R.	19			
25	1½			20			
26			Nm. R. Ab. S.	21			Nm. Regen.
27				22			Nm. etw. R. geg. Ab. St.
28			gegen Ab. St. u. Schn.	23			Nachts u. R. Sturm.
29		1½	Morg. Schn.	24			
30			desgl.	25			
31				26			Ab. Schnee.
Nov. 1			M. St. u. Neb. Nm. etw. S.	27			Nachts u. R. Schn.
2				28			
3			M. St., Schn. u. Hagel.	29			gegen Ab. St. u. Schn.
4				30			
				Dec. 1			
				2	5½		M. St. Ab. R. u. St.

Dec.

1775.	M.	Ab.		1775.		M.	Ab.	
Dec. 3	$1\frac{1}{2}$ / 0	0/1	Nachts St. u. Schn. M. St. Nm. wie in der Nacht.	Dec. 26		0 / $18\frac{1}{2}$	0 / $18\frac{1}{2}$	
4	0/5	0/4	Nachts u. M. Sturm.	27		0/14	0/15	
5	0/5/0/8	0/7/0		28		0/13	0/14	
6	$1\frac{1}{2}$		geg. Ab. Schn. u. St.	29		0 / $15\frac{1}{2}$	0/15	
7	0	4/0		30		0/16	0/11	Morgens St.
8	0/1	0/4	um 11 Nm. 0/4	31		0/10	0/7	M. St. u. S.
9	4/0/3/0	0/4/0/4		1776. Jan. 1		0/7	0/7	Wm. St. u. S.
10	3/0	0/4/0		2		0/10	0/11	eben so.
11	0	0/3	Nordlicht.	3		0/12	0/10	
12	0	0/2	Ab. Sturm.	4		0/13	0 / $15\frac{1}{2}$	
13	$3\frac{1}{2}$ / 0/4	0/3	Nachts u. M. St. Ab. S.	5		0/15	0/0/19	M. etw. Schn, Nm.
14	$2\frac{1}{2}$	0	Nachts u. M. St. Nm. S. Ab. Hagel.	6		0/0	0/19	
15	0/0/4/0	0/0/3/0		7		$21\frac{1}{2}$	$22\frac{1}{2}$	um 12 Uhr 0/18 / um 7 Uhr 0/20
16			Ab. Regen.	8		0/12	$1\frac{1}{2}$	
17	3/4	$1\frac{1}{2}$		9		0/1	0/7	
18	0	0/3/0/3/0/4		10		$2\frac{1}{2}$	0/0/2	
19	0/8/0		M. St. u. Neb.	11		0/10	0/0/2	Ab. Schnee.
20	0/3/0	0/0/0		12		0		Nachts u. M. Schnee.
21	0/2/0	0/0/6/0		13		0/3		Nachts Schn. Morg. St.
22	0/0/8	0/0/0		14		0/10	0/16	
23		0/10		15		$17\frac{1}{2}$	0/13	Vorm. 0/18
24	0/11	$13\frac{1}{2}$						
25	0/15	0/14						

b 2

Jan.

6.   1776.

M.   Ab.   M.   Ab.

16				Febr. 13			Nachts Sch.
17	11½			14			eben so.
18				15			
19			Morgens St.	16			
20			Nachts u. M. St. Ab. St. u. Schn.	17			M. St. Ab. R.
21			um 9 U. 12½	18			
22			Nm. St. u. S.	19			
23			M. St. Nm. Schnee.	20			
24			Ab. um 9 U. mit Nebel.	21			Nm. Sch.
25			M. St. Nm. Schnee.	22			Nachts u. R. Schnee.
26			Nachts u. M. S.-Ab. St.	23			
27			Nachts u. M. Sturm.	24			
28				25			
29				26			
30			Nm. St. u. H.	27			Nm. Sturm.
31			Ab. etw. Reg.	28			
1			Ab. Sturm.	29			
2				März 1			Nachm. Reg.
3				2			
4			Ab. Regen.	3			
5			eben so.	4			
6			Morg. Schn.	5			
7			Ab. Regen.	6			
8			Morg. Regen.	7			
9			eben so.	8			Nachts Regen Nm. R. u. S. m. stark. St.
10			Nachts Schn.	9			
11				10			
12				11			Nm. Sturm
				12			

März

1776.

M.	Ab.			M.	Ab.	
$\frac{3}{0}$ 0	$\frac{4}{0}$ 0	Nachts u. M. Schn. m. star- kem Sturm.	Apr. 8 9	$\frac{5}{0}$ $\frac{2}{0}$	$\frac{3}{0}$ $\frac{2}{0}$ $1\frac{1}{2}$	
			10	$\frac{0}{1}$	0	
$\frac{0}{5}\frac{1}{4}\frac{4}{0}\frac{0}{5}$	$\frac{1}{0}\frac{0}{0}\frac{2}{1}\frac{2}{5}$	Nachm. St. Vorm. Schn. Ab. Neb. Nachm. St.	11 12 13 14	0 $\frac{3}{7}\frac{0}{4}\frac{4}{0}$	$\frac{0}{4}\frac{3}{7}\frac{0}{2}\frac{1}{0}$	Morg. gel. R.
$\frac{0}{5}\frac{0}{5}\frac{0}{5}\frac{0}{5}$	$\frac{1}{0}\frac{1}{2}\frac{1}{0}\frac{0}{2}$	Etwas Schn.	15 16	$\frac{4}{0}\frac{6}{0}\frac{6}{0}$	$\frac{0}{2}\frac{0}{0}\frac{0}{2}$	Ab. gel. Reg. M. wenig R. Ab. Regen.
0 $4\frac{1}{2}$	$\frac{0}{5}$ 0	Nachm. St. g. Ab. Schn.	17 18 19 20	$\frac{4}{0}\frac{3}{0}\frac{3}{0}\frac{3}{0}$	$\frac{0}{4}\frac{0}{3}\frac{0}{4}\frac{0}{2}$	Nachm. Reg.
0 0 0	0 $\frac{0}{5}$ $\frac{2}{0}$	M. wenig S. Ab. etw. Schn. eben so.	21 22 23	$\frac{3}{0}\frac{2}{0}\frac{7}{0}$	$\frac{4}{0}\frac{4}{0}\frac{3}{0}$	Nachm. St. M. u. Nm. R.
$\frac{0}{2}\frac{0}{5}\frac{3}{0}$	$\frac{2}{0}\frac{2}{0}\frac{2}{0}$	Morg. Schn. M. S. u. R. Morg. Schn. Nm. Regen	24 25 26 27	$\frac{0}{4}\frac{0}{5}\frac{0}{8}\frac{13}{0}$	$\frac{0}{10}\frac{11}{0}\frac{11}{0}$	M. R. u. W. Ab. Regen.
$\frac{0}{2}\frac{1}{0}$	$\frac{2}{0}\frac{3}{0}$	Nachts u. M. Sturm, Ab. etw. Regen.	28 29	$\frac{2}{0}\frac{11}{0}$	$\frac{1}{0}\frac{2}{0}$	Nachm. Reg.
$\frac{1}{2}$ 0	$\frac{3}{0}$ 0	Nachm. St. Ab. Regen.	30	$\frac{6}{0}$	$\frac{12}{0}$	M. Neb. Ab. R. u. Gew.
$\frac{2}{0}\frac{0}{4}$	$\frac{0}{5}\frac{0}{1}$	Morg. Schn. Nm. St. Nachts Schn. Nm. St.	May 1 2	$\frac{12}{0}\frac{12}{0}$	$\frac{14}{0}\frac{0}{8}$	Etw. Donner.
0 $\frac{4}{0}$	$\frac{7}{0}\frac{2}{0}$	Nachm. St. Morgens St.	3 4	$\frac{9}{0}\frac{6}{0}$	$\frac{8}{0}\frac{0}{11}$	Morg. Nebel, Nm. Regen.
$\frac{0}{4}\frac{0}{11}$	$\frac{0}{4}$		5 6	$\frac{8}{0}\frac{13}{0}$	$\frac{11}{0}\frac{13}{0}$	Ab. Gew. u. R.
0 $\frac{2}{0}$	$\frac{7}{0}$		7	$\frac{12}{0}$	$\frac{12}{0}$	

May

1776.		M.	Ab.		1776.		M.	Ab.	
May	8	$\frac{19}{0}$	$\frac{13}{0}$		Jun.	7	$\frac{13}{0}$	$\frac{15}{0}$	M. etw. Reg.
	9	$\frac{19}{0}$	$\frac{12}{0}$	Morg. Regen.		8	$\frac{13}{0}$	$\frac{13}{0}$	
	10	$\frac{19}{0}$	$\frac{7}{0}$	St. u. Reg.		9	$\frac{15}{0}$	$\frac{13}{0}$	
	11	$\frac{8}{0}$	$\frac{8}{0}$			10	$\frac{14}{0}$	$\frac{13}{0}$	
	12	$\frac{6}{0}$	$\frac{8}{0}$	geg. Ab. Reg.		11	$\frac{12}{0}$	$\frac{15}{0}$	
	13	$\frac{7}{0}$	$\frac{8}{0}$	M.R.Nm.St.		12	$\frac{14}{0}$	$\frac{20}{0}$	Mitt. etw. R. m. St.
	14	$4\frac{1}{2}$ / 0	$\frac{5}{0}$			13	$\frac{10}{0}$	$\frac{2}{0}$	Mitt. St. R. u. Hg. L. St. u. R.
	15	$3\frac{1}{2}$ / 0	$\frac{2}{0}$	Ab. etw. Reg.		14	$\frac{11}{0}$	$\frac{20}{0}$	Vm. Regen.
						15	$\frac{18}{0}$	$\frac{10}{0}$	Morg. Regen.
	16	$\frac{0}{6}$	$\frac{11}{0}$	M. etw. Reg.		16	$8\frac{1}{2}$ / 0	$\frac{10}{0}$	
	17	$\frac{0}{6}$	$\frac{10}{0}$			17	$\frac{13}{0}$	$\frac{10}{0}$	
	18	$\frac{0}{7}$	$\frac{0}{6}$						
	19	$\frac{0}{7}$	$\frac{0}{7}$			18	$\frac{11}{0}$	$\frac{10}{0}$	Ab. Regen.
	20	$\frac{0}{8}$	$\frac{0}{8}$			19	$\frac{10}{0}$	$\frac{11}{0}$	
	21	$\frac{11}{0}$	$\frac{11}{0}$			20	$\frac{12}{0}$	$\frac{11}{0}$	Mitt. Regen.
	22	$\frac{11}{0}$	$\frac{13}{0}$			21	$\frac{10}{0}$	$\frac{11}{0}$	
	23	$\frac{11}{0}$	$\frac{13}{0}$			22	$\frac{11}{0}$	$\frac{11}{0}$	geg. Ab. Reg.
	24	$\frac{13}{0}$	$\frac{14}{0}$			23	$\frac{13}{0}$	$\frac{17}{0}$	Morg. Regen.
	25	$\frac{13}{0}$	$\frac{14}{0}$			24	$\frac{16}{0}$	$\frac{16}{0}$	
	26	$\frac{13}{0}$	$\frac{14}{0}$			25	$\frac{16}{0}$	$\frac{14}{0}$	
	27	$\frac{13}{0}$	$\frac{16}{0}$			26	$\frac{14}{0}$	$\frac{17}{0}$	
	28	$\frac{13}{0}$	$\frac{14}{0}$			27	$\frac{15}{0}$	$\frac{17}{0}$	
	29	$\frac{13}{0}$	$\frac{16}{0}$			28	$\frac{15}{0}$	$\frac{16}{0}$	
	30	$\frac{15}{0}$	$\frac{16}{0}$			29	$\frac{15}{0}$	$\frac{16}{0}$	Etw. R. u. R.
	31	$\frac{15}{0}$	$\frac{17}{0}$			30	$\frac{15}{0}$	$\frac{15}{0}$	Nm. u. Ab.R.
Jun.	1	$\frac{13}{0}$	$\frac{15}{0}$		Jul.	1	$\frac{8}{0}$	$\frac{15}{0}$	
	2	$\frac{15}{0}$	$\frac{16}{0}$			2	$\frac{13}{0}$	$\frac{15}{0}$	
	3	$\frac{16}{0}$	$\frac{14}{0}$			3	$\frac{11}{0}$	$\frac{13}{0}$	Morgens R.
	4	$\frac{13}{0}$	$\frac{16}{0}$			4	$\frac{12}{0}$	$\frac{14}{0}$	
	5	$\frac{20}{0}$	$\frac{16}{0}$			5	$\frac{13}{0}$	$\frac{16}{0}$	
	6	$\frac{13}{0}$	$\frac{16}{0}$			6	$\frac{14}{0}$	$\frac{16}{0}$	

1776.

	M.	Ab.				M.	Ab.	
7	17/0	20/0		Aug.	6	13/0	13/0	gegen Ab. St. u. Regen.
8	17/0	16/0			7	11/0	13/0	Sturm u. R.
9	16/0	18/0	Nm. R. g. Ab. gel. Gew.		8	10/0	13/0	geg. Ab. Reg.
10	13/0	15/0			9	11/0	11/0	eben so.
11	13/0	20/0	dunstig.		10	12/0	12/0	Morg. Regen.
12	17/0	21/0	desgl.		11	12/0	15/0	R. d. ganz. T.
13	17/0	20/0	desgl. Nm.		12	13/0	13/0	Nachts u. Vm. Regen.
14	17/0	21/0	desgl. Nm.		13	20/0	12/0	
15	17/0	19/0	desgl.		14	11/0	13/0	Nm. St. u. R.
16	17/0	18/0	desgl.		15	8/0	11/0	
17	17/0	16/0	desgl.		16	8/0	8/0	geg. Ab. Reg.
18	17/0	13/0	desgl. m. etw. Regen.		17	10/0	11/0	
19	13/0	13/0	geg. Ab. Reg.		18	9/0	11/0	
20	13/0	13/0	Nm. Regen.		19	9/0	12/0	
21	14/0	13/0	Nachts u. Vm. R. g. Ab. St.		20	9/0	12/0	
22	15/0	14/0			21	12/0	13/0	Nm. etw. R.
23	15/0	14/0			22	12/0	13/0	
24	14/0	17/0			23	11/0	13/0	geg. Ab. Reg. u. Wind.
25	15/0	18/0			24	12/0	12/0	Reg. u. Wind.
26	15/0	16/0	Vm. dunstig.		25	11/0	12/0	Regen.
27	16/0	13/0			26	9/0	10/0	eben so.
28	15/0	15/0	g. 3U. m. Sonnenschein A. um 8U.		27	10/0	10/0	St. u. Regen.
29	18/0	18/0			28	8/0	7/0	
30	14/0	20/0	dunstig.		29	4½/0	6/0	
31	14/0	15/0	desgl.		30	4½/0	7/0	
Aug. 1	14/0	17/0	Morg. Regen.		31	6/0	11/0	
2	15/0	16/0	Nachm. Gew. u. Regen.	Sept.	1	8/0	10/0	Nachm. Reg.
3	15/0	13/0	Nachts u. M. R. u. St.		2	9/0	11/0	
4	13/0	14/0	Nachts u. M. Sturm.		3	10/0	15/0	geg. Ab. St.
5	13/0	14/0						Sept.

1776.	M.	Ab.		1776.	M.	Ab.	
Sept. 4	14/8/0	10/11/0	St. u. Reg.	Oct. 5			Morg. Reg.
5	8/0	11/0	Morg. Nebel, Nm. Regen.	6			eben so.
6	10/0	10/0	Nachm. Reg.	7			eben so.
7	10/0	10/0	Regen.	8			eben so.
8	10/0	10/0	Reg. u. St.	9			Morg. Sturm u. Neb.
9				10			
10				11		1½	
11				12	10	0	
12						1½	
13			Morg. Nebel.	13	0	0	
14				14	0	0	
15		11/0		15	0	0	
16	10/0	13½/0		16			Sturm.
17	12/0	14/0		17			St. u. Reg.
18	11/0	14/0		18			Ab. Regen.
19	11/0			19			
20				20			Nachm. Reg.
21				21			
22			Morg. Nebel.	22	2½	1½	
23	10/0	10/0	eben so.	23	0	0	Ab. um 7 U. o
24	10/0	10/0	Nachts u. M. Sturm.	24			St. u. Reg.
25	7/0	11/0		25			Nachm. Reg.
26	11/0	11/0		26			Nachm. St.
27	10/0	11/0	Regen.	27			Nachm. Reg.
28	10/0	10/0	Reg. u. St.	28			
29			eben so.	29	0		Ab. etw. Reg.
30			eben so.	30			Ab. Nebel.
Oct. 1			Regen.	31			Ab. Sturm.
2							
3							
4			g. Ab. etw. R.				No.

1776.

	M.	Ab.				M.	Ab.	
2					Nov. 28	○	○	
3					29			Nachm. St.
4					30			Nachts u. M. Sturm.
5					Dec. 1			Ab. Sturm.
6					2			Vm. nm o U. o, Ab. um 9 U. z.
7					3			Nm. Sturm.
8					4			
9	2⅓				5			Mitt. Sturm.
10					6			Mitt. Sturm u. Schn.
11					7	○	○	Mitt. Sturm.
12					8	○		Nachts u. M. St., Ab. Schn.
13					9			Sturm.
14					10			eben so.
15					11			Schnee.
16		Ab. um 7 U. z.			12			Nachts Schn., geg. Ab. z.
17					13		○	geg. Ab. Schn.
18					14	○	○	Morg. Schn.
19		Morg. St.			15			Etwas Schn.
20		Nachts St.			16	○		
21					17	3½		Schn. u. St.
22					18	○	9½	Nachts u. M. Sturm.
23		Nachts u. M. Sturm.			19			St. u. Schn.
24					20			M. St., Vm. um 9 U. o, Ab. um 9 U. z, Ab. um 7 U. z.
25		Ab. Sturm.			21			
26		M. St. u. R.			22			
27								

1776.	M.	Ab.		1777.	M.	Ab.	
Dec. 23	$\frac{0}{4}$	$\frac{1}{0}$	Nm. S., Ab. um 7 U. ⅔.	Jan. 17	$\frac{0}{13}$	$\frac{0}{11}$	
24	$\frac{0}{5}$	$\frac{1}{0}\frac{0}{3}$	Ab. Schnee.	18	$\frac{0}{13}$	$\frac{0}{11}$	
25	$\frac{1}{0}$	$\frac{1}{0}\frac{0}{0}$	eben so.	19	$\frac{0}{10}$	$\frac{0}{9}$	
26	$\frac{0}{0}$	$\frac{0}{0}\frac{0}{5}$	St. m. Schn.	20	$\frac{0}{}$	$\frac{0}{9}$	U. um 7U. $\frac{0}{10}$
27	$\frac{0}{4}$	$\frac{0}{4}$	Vm. um 10U. $\frac{0}{7}$ Nm. um 2 U. $\frac{0}{2}$		$8\frac{1}{2}$		
28	$\frac{0}{6}$	$\frac{0}{4}$	Nachts u. M. Schn., Ab. St.	21	$\frac{0}{}$	$\frac{0}{8}$	
29	$\frac{0}{7}$	0			$12\frac{1}{2}$		
30		$\frac{0}{8}$		22	$\frac{0}{}$	$10\frac{1}{2}$	Nachts Sch
31	$\frac{1}{0}\frac{0}{0}$	$\frac{0}{9}$	Vm. $\frac{0}{13}$, gegen Ab. $\frac{0}{11}$.	23	$5\frac{1}{2}$ $\frac{0}{8}$	$\frac{0}{6}$	Nachts Sch. Nm. ⅞, U um 6 U. ⅔.
1777. Jan. 1	$\frac{0}{12}$	$\frac{0}{4}\frac{0}{2}$	Ab. Sturm.	24	$4\frac{1}{2}$	$\frac{0}{6}$	
2	$\frac{0}{2}$	$\frac{0}{4}\frac{0}{2}$	St., Schn. u. Hagel.	25	$\frac{0}{3}$	$\frac{0}{6}$	
3	$\frac{3}{0}\frac{0}{0}$	0	Etwas Regen.	26	$7\frac{1}{2}$	$\frac{0}{9}$	Nachm. St.
4	$\frac{0}{0}\frac{0}{6}$	$\frac{0}{4}\frac{0}{7}$			$\frac{0}{}$		
5	$\frac{7}{0}$	$\frac{0}{8}$		27	$11\frac{1}{2}$	$\frac{0}{10}$	Nachts St. Vm. u. 10U. Nm. etw. S.
6	$\frac{0}{9}$	$\frac{0}{0}\frac{0}{6}$			$\frac{0}{}$		
7	$\frac{0}{0}$	$\frac{0}{0}$		28	$11\frac{1}{2}$	$\frac{0}{10}$	
8	$\frac{0}{12}$	$\frac{1}{0}$			$\frac{0}{}$		Nachts St.
9	$\frac{0}{13}$	$12\frac{1}{2}$		29	$\frac{0}{10}$	$\frac{0}{3}$	Vm. u. 10U. Nm. etw. S.
10	$\frac{0}{14}$	$\frac{0}{10}$		30	$\frac{0}{0}\frac{0}{6}$	$\frac{0}{0}\frac{0}{6}$	
11	$\frac{0}{14}$	$\frac{0}{10}$		31	$\frac{0}{0}\frac{0}{4}$	$\frac{0}{0}\frac{0}{4}$	
12	$\frac{0}{}$ $11\frac{1}{2}$	$\frac{0}{12}$		Febr. 1	$\frac{0}{0}\frac{0}{6}$	$\frac{0}{0}\frac{0}{3}$	
13	$\frac{0}{14}$	$\frac{0}{}$ $13\frac{1}{2}$		2	$\frac{0}{0}$	$\frac{0}{0}$	
				3	$\frac{0}{4}$	$\frac{0}{4}$	
				4	$\frac{0}{3}$	$\frac{0}{2}$	
14	$\frac{0}{15}$	$\frac{0}{0}\frac{0}{7}$	Nm. Nebel.	5			Nachts u. N. etw. Schn. geg. Ab. S
15	$\frac{0}{0}\frac{0}{6}$	$\frac{0}{0}\frac{0}{7}$	Vorm. Schn.				
16	$\frac{0}{11}$	$\frac{0}{11}$	Sturm.	6	0	$\frac{0}{2}$	Schn. m. St

1777.	M.	Ab.		März	M.	Ab.	
Febr. 7				1			
8				2			
9			Schn. m. St.	3	10		
10		10	Sturm.	4	9		
11	10	10	Vm. Sturm.	5	3	7½	
12	13½	4	Ab. etw. Schn. mit Sturm.	6		3	
13	3	2½	Ab. etw. Hag.	7	3½	3	
14				8			Ab. S. u. R.
15				9			Ab. Regen.
16			Ab. St. u. R.	10			
17	3½		Sturm.	11			Nachts u. M. Schnee.
18	4	4	St. d. ganz. T. dabey Ab. etwas Schn.	12			Nachts Schn.
19		3	Sturm.	13	10		
20	5½			14	1½		Ab. Schnee
21		4		15			
22	9½	3		16			
23	5½	3	St. bis Nm.	17	2½		
24	5	5	Schnee.	18			
25	9½	5		19	½	1	Schnee.
26				20	½	2	
27				21	½	2	Nm. u. Ab. S.
28	3	7		22	2	2	S. d. ganz. T.
				23		1½	

1777.	M.	Ab.			1777.	M.	Ab.	
März 24		½	Ab. etw. S.		Apr. 15			Morgens R
25					16			
26					17			Nm. S. u. S. Ab. St.
27					18			M. St., R etw. Reg.
28					19			
29					20			
30					21			Morg. Neb
31					22			
Apr. 1					23			
2					24			
3					25			
4					26			
5					27			
6					28			Mitt. etw. R
7					29			Morg. Nebel
8					30			Vm. Regen.
9			Stark. St. m. häuf. Schn.		May 1			Morg. Regen
10					2			Morg. Nebel
11			Nm. Schn. m. ftark. Wind.		3			Morg. Regen Nm. St.
12			Fr. M. St. mit vielem R.		4			Nachts Regen Ab. St.
13			Vm. Nebel.		5			
14	6½		Vm. R. u. St.		6	10½		Nachts Regen Nm. D. u. R
					7			Vm. R. u. C. Nm. Regen
					8			M. St. R u. R
					9			
					10			
					11			Morg. Don. R. u. Wind
					12			Morg. Regen
					13			

1777.	M.	Ab.		1777.	M.	Ab.	
May 14	$\frac{12}{0}$	$\frac{12}{0}$		Jun. 11	$\frac{14}{0}$	$\frac{13}{0}$	Vm. Regen.
15	$\frac{13}{0}$	$\frac{15}{0}$	Vorm. Regen m. Gew.	12	$\frac{15}{0}$	$\frac{13}{0}$	Nm. Regen.
16	$\frac{15}{0}$	$\frac{18}{0}$		13	$\frac{13}{0}$	$\frac{14}{0}$	Vm. Reg. u. Wind.
17	$\frac{16}{0}$	$\frac{20}{0}$		14	$\frac{15}{0}$	$\frac{14}{0}$	
18	$\frac{15}{0}$	$\frac{17}{0}$		15	$\frac{15}{0}$	$\frac{13}{0}$	Morg. Regen, Ab. St.
19	$\frac{13}{0}$	$\frac{18}{0}$		16	$\frac{16}{0}$	$\frac{14}{0}$	M. St., Nm. u. Ab. R.
20	$\frac{15}{0}$	$\frac{18}{0}$		17	$\frac{15}{0}$	$\frac{14}{0}$	Nm. Regen.
21	$\frac{11}{0}$	$\frac{14}{0}$		18	$\frac{18}{0}$	$\frac{15}{0}$	Ab. Regen.
22	$\frac{12}{0}$	$\frac{16}{0}$		19	$\frac{15}{0}$	$\frac{14}{0}$	Morg. Regen.
23	$\frac{12}{0}$	$\frac{16}{0}$		20	$\frac{11}{0}$	$\frac{13}{0}$	
24	$\frac{10}{0}$	$\frac{18}{0}$		21	$\frac{13}{0}$	$\frac{13}{0}$	
25	$\frac{10}{0}$	$\frac{16}{0}$		22	$\frac{10}{0}$	$\frac{13}{0}$	geg. Ab. R.
26	$\frac{13}{0}$	$\frac{16}{0}$	Morg. Regen.	23	$\frac{11}{0}$	$\frac{16}{0}$	M. etw. R.
27	$\frac{9}{0}$	$7\frac{1}{2}$		24	$\frac{12}{0}$	$\frac{14}{0}$	geg. Ab. R.
28	$\frac{8}{0}$	$\frac{0}{0}\,\frac{10}{0}$		25	$\frac{13}{0}$	$\frac{13}{0}$	Nachts R. M. St., Ab. R. m. Gew.
29	$\frac{9}{0}$	$\frac{8}{0}$		26	$\frac{12}{0}$	$\frac{13}{0}$	Nm. Regen.
30	$7\frac{1}{2}$ $\frac{0}{}$	$\frac{16}{0}$	g. N. etw. R.	27	$\frac{13}{0}$	$\frac{14}{0}$	M. St. Nm. R.
31	$\frac{14}{0}$	$\frac{16}{0}$	g. 3 U. Nm. m. Sonnensch. $\frac{1}{0}$ um 5 U. ohne Sonnensch. $\frac{1}{0}$ M. etw. Reg.	28	$\frac{13}{0}$	$\frac{15}{0}$	Nachts Reg.
				29	$\frac{11}{0}$	$\frac{14}{0}$	
				30	$\frac{14}{0}$	$\frac{15}{0}$	
Jun. 1	$\frac{11}{0}$	$\frac{10}{0}$		Jul. 1	$\frac{10}{0}$	$\frac{14}{0}$	Ab. Sturm.
2	$\frac{14}{0}$	$\frac{13}{0}$		2	$\frac{15}{0}$	$\frac{15}{0}$	Vm. R., Ab. Sturm.
3	$\frac{12}{0}$	$\frac{15}{0}$		3	$\frac{9}{0}$	$\frac{12}{0}$	heft. R. Nm. St. Ab.
4	$\frac{13}{0}$	$\frac{15}{0}$		4	$\frac{11}{0}$	$\frac{13}{0}$	Nachts Reg., Nm. St.
5	$\frac{13}{0}$	$\frac{14}{0}$		5	$\frac{11}{0}$	$\frac{12}{0}$	Nachts u. M. R., Ab. St.
6	$\frac{15}{0}$	$\frac{16}{0}$		6	$\frac{12}{0}$	$\frac{13}{0}$	Nachts, M. u. Ab. Regen.
7	$\frac{16}{0}$	$\frac{18}{0}$		7	$\frac{11}{0}$	$\frac{13}{0}$	
8	$\frac{17}{0}$	$\frac{15}{0}$		8	$\frac{11}{0}$	$\frac{16}{0}$	
9	$\frac{10}{0}$	$\frac{14}{0}$		9	$\frac{14}{0}$	$\frac{15}{0}$	
10	$\frac{13}{0}$	$\frac{15}{0}$					

Jul.

1777.	M.	Ab.		1777.	M.	Ab.	
Jul. 10	14/0	14/0	Reg. m. Donnerw.	Aug. 6	13/0	13/0	M. u. Nm. R. u. St.
11	13/0	15/0	Nachm. Reg.	7	14/3	13/0	Regen d. ganzen Tag.
12	13/0	16/0	Morg. Nebel.	8	10/0	12/0	R. d. ganz. T. Mitt. St.
13	14/0	15/0	Mitt. o. Sonnensch. ??	9	11/0	13/0	Nachts Reg.
14	14/0	15/0	Mitt. o. Sonnensch. ??	10	20/0	11/0	
15	14/0	15/0	Nachts u. M. R. u. St., Ab. R. m. St.	11	20/0	13/0	
16	13/0	16/0	Nachts u. M. Sturm.	12	20/0	14/0	
17	12/0	14/0	Nachts u. Vm. R. u. St.	13	15/0	14/0	Vm. Sturm.
18	10/0	13/0		14	10/0	14/0	Mittags St.
19	11/0	13/0		15	13/0	17/0	St. d. ganz. T. Ab. etw. R.
20	13/0	13/0		16	12/0	17/0	Nachts heftiger St. m. R. u. Donner.
21	11/0	18/0		17	10/0	10/0	Nachts bis Mitt. R. und St., Ab. R.
22	16/0	18/0		18	10/0	10/0	Nachts u. M. Regen.
23	17/0	18/0			5 1/2		
24	12/0	12/0		19	0	11/0	
25	11/0	13/0	Etw. R. Morg. Ab. St. u. R.	20	7/0	10/0	Ab. Sturm.
26	13/0	15/0		21	8/0	10/0	Nachts u. M. R. u. Wind.
27	13/0	14/0	Nm. Donner u. Regen.	22	10/0	10/0	Nachts Reg. Nm. etw. R.
28	13/0	14/0	Vm. R. u. D.	23	20/0	10/0	Reg. u. Wind d. ganz. T.
29	15/0	16/0	Nm. Regen.	24	10/0	10/0	Nachts u. R. R., Nm. St.
30	14/0	16/0	Ab. Regen.	25	10/0	10/0	Morg. u. M. Regen.
31	14/0	16/0	Nm. u. Ab. R.	26	20/0	11/0	Regen Tag u. Nacht.
Aug. 1	15/0	16/0	Morg. Sturm u. Regen.	27	10/0	10/0	eben so.
2	15/0	16/0	M. St., Ab. St. u. R.	28	10/0	10/0	eben so.
3	13/0	13/0	M. St., den ganz. T. R., Ab. stark. St.	29	10/0	10/0	eben so.
4	13/0	14/0	Nachts Reg., Ab. St.	30	0/0	0/0	Nachts Reg.
5	13/0	14/0		31	0/0	0/0	

Sept.

1777.	M.	Ab.		1777.	M.	Ab.	
Sept. 1				Sept. 29	4/0	4/0	
2				30	1½ / 0	6/0	Ab. Regen.
3			gegen Ab. St. m. etw. R.	Oct. 1	6/0		M. R. u. St.
4			Ab. Regen.	2	0		
5			R. d. ganz. T., Nachm. St.	3			
6			Nachts Reg., Morg. St.	4			
7			NachtsRegen.	5	0		
8				6			Ab. etw. Reg.
9			Nachts Reg., Ab. St. und Regen.	7	1½		Nachm. Schn. u. Hagel.
10			Nachts u. M. Sturm.	8	0		Nachts u. M. Schnee.
11			Ab. R. u. St.	9	1½		eben so.
12			St. u. Regen d. ganz. T.	10			Ab. Sturm.
13			Nm. Sturm.	11			Nm. Reg., Ab. Sturm.
14			Morg. St.	12			Nm. etw. R.
15				13			
16			Morg. Regen.	14	2½		Mitt. Schn.
17				15			M. u. Nm. R. Ab. ftark. St.
18				16			Nachts u. M. ftark. St. Ab. Regen.
19			Morg. u. Ab. Nebel.	17			
20			Morg. Nebel.	18			M. St. Ab. R.
21			Ab. St. u. etw. Regen.	19			Morgens St.
22				20			
23				21			
24			Sturm u. R. d. ganz. T.	22			
25			Morgens St., den ganz. T. Regen.				
26							
27							
28							Oct.

1777.	M.	Ab.		1777.	M.	Ab.	
Oct. 23			Nachts u. M. N. Ntrüb.	Nov. 21			
24			gegen Ab. St.	22			Ab. Schnee m. St.
25			Nachts Reg.	23			Nachts u. N. Sturm.
26				24			
27				25			
28			M. etw. Hag. Mitt. Regen.	26			
29			Morg. Nebel.	27			Morg. Sch. Ab. Regen.
30			Ab. etw. Reg.	28			Ab. Schnee m. St.
31			Nachts Regen.	29			Nachts Sch. Morg. St.
Nov. 1				30			geg. Ab. Sch. m. St.
2			gegen Ab. St. u. Nebel.	Dec. 1			Nm. Schn.
3			M. etw. Reg.	2			Nachts Schn.
4			Nachts u. M. Sturm.	3			geg. Ab. Reg.
5			Nachts u. M. Schn. Vm. R.	4			
6				5			
7			N. Schn. u. R.	6			
8				7			
9			M. etw. Schn.	8			Vm. um 9 U.?
10			Ntrüb.	9	1½		
11			Nachts etwas Schn. Ab. S. u. St.	10			
12			Nachts Schn. Morg. Schn.	11			
13				12			
14				13			
15				14			
16				15			gegen Ab. St.
17				16			
18			Ab. Sturm.	17			
19			Nachts Schn.	18			geg. Ab. St.
20			Nachts etwas Regen.	19			Morgens St.
							Dec.

1777.	M.	Ab.		1778.	M.	Ab.	
Dec. 20	9/7	9/8	Noch.	Jan. 19	0		
21	10	11		20			
22	11			21			
23			Ab. etw. Schn.	22			
24				23			Morg. Schn.
25			Vm. um 10 U.	24			
26				25			
27				26	10		
28			Ab. etw. Schn.	27	10		
29			Nachts Schn.	28	11		
30		0		29	12	10	
31	0			30	10	10	
					0		
1778.				31	13½	10	
Jan. 1				Febr. 1	13	10	
2			Ab. etw. Schn.	2	10	10	
3				3			
4				4	11		
5	0			5			
6				6		0	
7				7			Nachts etwas Schnee.
8	10			8	0		Nachts Schn.
9	10	13		9			
10	13	10		10			Nachts u. M. S. u. Wind.
11			M. St., Ab. etw. Schn.	11	0	10	M. St., Ab. heft. Sturm.
12				12			
13	0			13			M. heft. St., Ab. Schn.
14	0		Ab. Schnee.	14			
15				15		0	
16			Ab. Sturm.	16			
17		0	Nachts u. Ab. Sturm.	17			
18			Nachts u. M. starker St.				

1778.	M.	Ab.		1778.	M.	Ab.	
Febr. 18				März 21	$1\frac{1}{2}$	$\frac{1}{0}$	Nachts S. u. M., Ab. S.
19				22			
20				22			geg. Ab. Sch.
21			Nachts Schn.	23			Nachts u. S. Schnee.
22				24			
23				25			M. St. u. Ne=
24				26			bel, Ab. Rä
25				27			
26				28			
27				29			
28				30			
März 1				31			
2			M. Sturm.	Apr. 1			
3			Nm. ½ mit S.	2			
4				3			Morg. Rege..
5			Nachts u. M. S. m. Wind, Nm. ⅘.				Ab. etw. N. M. u. Ab. u. Schn.
6				4			
7			Ab. Schn. mit Sturm.	5			Nachts Sch.
8			Nachts u. M. Schn. m. St.	6			
9				7			M. St. u. Ne bel.
10				8			Ab. Regen.
11				9			
12				10			
13			Ab. Sturm.	11			Nm. Sturm
14				12			
15				13			Ab. Regen.
16				14			
17			Ab. Sturm.	15			
18			M. Sturm.	16			
19			Mitt. Regen, Ab. Sturm.	17			
20			Ab. Sturm.	18			
				19			M. u. Ab.

1778.	M.	Ab.		1778.	M.	Ab.	
Apr. 20	10	12		May 22	10	12	
21	10	10		23	10	11	
22	8	8		24	11	10	
23	8	7		25	8	9	
24	8	8	I	26	8	8	
25	8	8		27	11	9	
26	4	4	Nachts u. M. Regen.	28	12	13	
27	6	7		29	14	13	
28	8	8	I	30	15	15	
29	12	13		31	14	15	
30	11	12		Jun. 1	15	12	
May 1	10	12		2	13	12	
2	11	11		3	19	8	
3	12	13		4	10	12	
4	14	11		5	15	16	Nachts Reg.
5	14	12		6	15	18	
6	12	10		7	19	16	
7	10	12		8	16	17	
8	8	8	Nm. Regen.	9	13	14	
9	8	8		10	14	15	
10	8	8		11	15	14	
11	7	7		12	13	14	
12	7	8		13	15	13	
13	7	6	Nachts u. M. Regen.	14	12	13	
14	7	8		Sept. 1	8	10	
15	8	8		2	8	8	Nachts u. M. Regen.
16	8	8		3	8	8	
17	10	14		4	9	8	Nm. Regen.
18	11	7		5	6½	7	
19	7	8		6	7	8	
20	10	7		7	9	9	
21	8	11	Fr. M. Reg.				

Sept.

1778. **1778.**

	M.	Ab.	
Sept. 8		7	
9		7	
10	7½	7	
	0		
11	10	10	Fr. M. Reg.
12			
13			
14			
15			
16			
17	12		
18			
19			Nachts u. M. Regen.
20			
21			
22			
23			Vm. Regen.
24			
25			Reg. u. Wind d. ganz. Tag.
26			
27			
28			
29			
30			M. u. Ab. R.
Oct. 1			
2			
3			
4		0	Nm. Regen.
5			
6			

	M.	Ab.	
Oct. 7			
8	0		Fr. M. Reg.
9	0		
10		3½	
		0	
11			
12			
13			
14			
15			
16			M. R.; Nm etw. Schn. Ab. Regen.
17		0	
18			M. und Nm etw. Schn.
19		0	
20	0		
21			
22			
23			
24			
25			
26	0		
27			
28			Nm. Schnee.
29		0	
30			
31			
Nov. 1		0	
2			

1778.	M.	Ab.		1778.	M.	Ab.	
Nov. 3		o		Nov. 27	½	o 1½	R. d. ganz. T.
4	o	o		28		2½	eben so.
5	o	o		29			
6		o		30			Nm. Schn. m.
7				Dec. 1			heft. Sturm.
8	1¼	o		2			Morg. Regen.
9	o	o		3			
10				4			
11				5	o		
12	2½		häufig. Schn.	6	1½	o	M. a. Nm. S.
13			bis Ab.	7		o	
14	3½			8	o		Fr. M. R.
15				9			Nachts heft.
16	3			10			Regen.
17	1			11			Ab. heft. St.
18				12			m. D. u. Bl.
19				13		o	Nachts eb. so.
20		o		14	o	o	Nm. R. u. H.,
21				15	3½		geg. Ab. S.;
22				16			Nachts heftig-
23	o			17			ger Sturm.
24	o			18	o	o	geg. Ab. Schn.
25	2¼			19	o	o	und Hagel.
26	o	o		20			Ab. zw. 5 u. 6
				21	3½	2¾	U. R. Nordl.

1778.	M.	Ab.		1779.	M.	Ab.	
Dec. 22	0	0		Jan. 16	0	0	Ab. Schnee.
	3½			17	0	0	
23	0	0		18	0	0	Vm. etw. S.
24	0	0		19	0	0	
25	0	0		20	0	0	
26	0	0	Nm. stark. St.	21	0	0	
27	0	0	u. etw. Schn.	22	0	0	
28	0	0			1	1½	
29	0	0		23	0	0	
30	0	0				2½	
31	0	0		24	0	0	
1779.				25	0	0	
Jan. 1	0	0			1	1½	
	4			26	0	0	
2		0	M. St. u. etw.	27	0	0	
3	0	0	Schnee.	28	0	0	
4	0	0		29	0	0	
	1½	3			2½		
5	1½	0		30	0	0	
6	0	0		31	0	0	
7	½	0		Febr. 1	0	0	
8	0	0	Nm. Schnee.	2	0	0	
9	0	0		3	0	0	
10	0	0		4	0	0	Nbsch.
11	0	0		5	0	0	
12	0	0		6	0	1½	Nm. und W.
13	0	0	geg. Ab. Schn.	7	0	0	Regen.
14	0	0		8	0	0	M. u. Nm. R.
15	0	0				4½	

Febr.

1779.	M.	Ab.		1779.		M.	Ab.	
Febr. 9	$2\frac{1}{2}$	$\frac{2}{0}$		Febr. 18		$\frac{1}{0}$	$\frac{2}{0}$	
	0	0		19		$\frac{1}{0}$	$\frac{1}{0}$	nebelicht und
10	$1\frac{1}{2}$	$\frac{4}{0}$		20		$\frac{3}{0}$	$\frac{2}{0}$	regnicht. Vm. u. Nm.
	0							Schnee.
11	$\frac{4}{0}$	$\frac{2}{0}$		21		$\frac{2}{0}$	0	
12	$\frac{4}{0}$	$\frac{2}{0}$		22		$\frac{2}{0}$	$6\frac{1}{2}$	
	$1\frac{1}{2}$	$\frac{1}{1}$		23		$\frac{2}{0}$	$\frac{2}{0}$	Ab. Schnee.
13	0	0		24		$\frac{2}{0}$	$\frac{2}{0}$	
14	$\frac{4}{0}$	$\frac{1}{0}$	Reg. fast den	25		$\frac{1}{0}$	$\frac{2}{0}$	
15	0	$\frac{1}{0}$	ganzen Tag.	26		0	$\frac{1}{0}$	
16	$\frac{4}{0}$	$\frac{4}{0}$		27		$\frac{1}{0}$	0	
17	$\frac{4}{0}$	$\frac{2}{0}$		28		0	$\frac{2}{0}$	

Bemerkungen der Wärme und Kälte
vom 16. Dec. 1788. bis zum 10. Jan. 1791.

1788.	M.		Ab.		1788.		M.	Ab.	
Dec. 16	$\frac{0}{17}$	$\frac{0}{18}$	$\frac{0}{19}$		Dec. 29		0	$\frac{9}{1}$	
17	$\frac{0}{21}$	$\frac{0}{22}$	$\frac{0}{23}$		30		$\frac{0}{9}$ $\frac{0}{10}$	$\frac{0}{13}$	
18	$\frac{0}{14}$	$\frac{0}{19}$	$\frac{0}{14}$	der Wind in	31		$\frac{0}{11}$	$\frac{0}{17}$	
19	$\frac{0}{16}$	$\frac{0}{18}$	$\frac{0}{17}$	diesen Ta-	1789.				
20	$\frac{0}{14}$		$\frac{0}{14}$	gen S. S.	Jan. 1		$\frac{0}{17}$ $\frac{0}{18}$	$\frac{0}{19}$	
21	$\frac{0}{14}$		$\frac{0}{15}$	O.	2		$\frac{0}{19}$ $\frac{0}{17}$	$\frac{0}{9}$	
22	$\frac{0}{14}$		$\frac{0}{9}$		3		$\frac{0}{8}$	$\frac{0}{11}$	
23	$\frac{0}{7}$		$\frac{0}{15}$		4		$\frac{0}{8}$	$\frac{0}{7}$	
24	$\frac{0}{10}$		$\frac{0}{7}$		5		$\frac{0}{2}$	0	
25	$\frac{0}{8}$ $\frac{0}{10}$		$\frac{0}{14}$		6		$\frac{0}{1}$ $\frac{0}{2}$	$\frac{0}{2}$	
26	$\frac{0}{16}$ $\frac{0}{13}$		$\frac{0}{13}$		7		$\frac{0}{8}$	$\frac{0}{2}$	
27	$\frac{9}{1}$		$\frac{0}{21}$		8		$\frac{0}{2}$	$\frac{0}{2}$	
28	$\frac{9}{1}$		$\frac{0}{2}$		9		$\frac{0}{2}$	$\frac{4}{1}$	

Jan.

1778.	M.	Ab.		1779.	M.	Ab.	
Dec. 22	0 / 3½	5/0		Jan. 16	0	0/7	
23	0/7/3/5/0	2/0/4/2/0		17	0/7/0/3	0/7/0/4/3/1/0	Ab. Schnee.
24				18	0/3/0/4	4/3/0	
25		2/0		19	0/4/0	3/0/1/0	Vm. etw. S.
26	0/0/3	8/0	Nm. ſtark. St. u. etw. Schn.	20	4/0	0	
27	0/6/0	0/4/1/0		21	0		
28	0/0/2	0/1/0/1		22	0/1	1 / ½	
29	0/0/0/2	0/1		23	0	1/0 / 2 / ½	
30	0/0/2/0	0		24	0 / ½	2 / ½	
31	0	0/1		25	0 / 2/0	0 / 4/0	
1779.				26	1 / ½	4/0	
Jan. 1	0/4/0	1/0		27	4/0/0	0/2/0/0	
2	1/2/0	0/3	M. St. u. etw. Schnee.	28	5/0	2/0/7	
3	1/2/1/0	0/3		29	1 / ½ / 2 / ½	0	
4	0 / 1 / ½ / 1 / ½	3/0		30		0/1	
5	0 / ½	1/0		31	0/1/0/0	0/2/0	
6	0 / ½ / 0	0/1		Febr. 1	0/0/8/0	1 / 2 / ½	
7	3/0/2/0	1/0/1 / ½		2	0/1/0	0/2/4/0	
8	2/0	0/1/7	Nm. Schnee.	3	0	3 ½	
9	1/2	0/1/0		4	4/0	0	Nbſch.
10	0 / ½	0/1/8		5	4/0	0	
11	0/0	0/7/8		6	2/0	1 / ½	Nm. und Ab. Regen.
12	0/0/1/7	0/0/7		7	4/0	5/0 / 3/1/0	
13	0/6	0/3/1/0	geg. Ab. Schn.	8	5/0	4 ½ / 0	M. u. Nm. R.
14	0/1	3/1/0					Febr.
15	0	0/0					

1779.	M.	Ab.		1779.	M.	Ab.	
Febr. 9	$2\frac{1}{3}$	$\frac{7}{0}$		Febr. 18	$\frac{5}{0}$	$\frac{2}{0}$	
	0			19	$\frac{6}{0}$	$\frac{6}{0}$	nebelicht und
10	$1\frac{1}{2}$	$\frac{4}{0}$		20	$\frac{3}{0}$	$\frac{6}{0}$	regnicht. Vm. u. Nm.
	0			21	$\frac{8}{0}$	0	Schnee.
11	$\frac{4}{0}$	$\frac{3}{0}$		21	$\frac{8}{0}$	$6\frac{1}{2}$	
12	$\frac{6}{0}$	$\frac{6}{0}$		22	$\frac{7}{0}$	$\frac{4}{0}$	Ab. Schnee.
	$1\frac{1}{2}$	$\frac{1}{0}$		23	$\frac{2}{0}$	$\frac{6}{0}$	
13				24	$\frac{3}{0}$	$\frac{6}{0}$	
14	0	0	Reg. fast den	25	$\frac{4}{0}$	$\frac{2}{0}$	
	$\frac{4}{0}$	$\frac{4}{0}$	ganzen Tag.	26	0	$\frac{1}{0}$	
15	0	$\frac{4}{0}$		27	$\frac{1}{0}$	0	
16	$\frac{4}{0}$	$\frac{4}{0}$		28	0	$\frac{5}{0}$	
17	$\frac{4}{0}$	$\frac{3}{0}$					

Bemerkungen der Wärme und Kälte
vom 16. Dec. 1788. bis zum 10. Jan. 1791.

1788.	M.	Ab.		1788.	M.	Ab.	
Dec. 16	$\frac{0}{17}/\frac{0}{18}$	$\frac{0}{19}$		Dec. 29	0	$\frac{0}{1}$	
17	$\frac{0}{21}/\frac{0}{22}$	$\frac{0}{23}$		30	$\frac{0}{9}/\frac{0}{10}$	$\frac{0}{13}$	
18	$\frac{0}{24}/\frac{0}{19}$	$\frac{0}{14}$	der Wind in	31	$\frac{0}{11}$	$\frac{0}{17}$	
19	$\frac{0}{16}/\frac{0}{18}$	$\frac{0}{17}$	diesen Ta-	**1789.**			
20	$\frac{0}{14}$	$\frac{0}{14}$	gen S. S.	Jan. 1	$\frac{0}{17}/\frac{0}{18}$	$\frac{0}{19}$	
21	$\frac{0}{14}$	$\frac{0}{15}$	O.	2	$\frac{0}{19}/\frac{0}{17}$	$\frac{0}{9}$	
22	$\frac{0}{14}$	$\frac{0}{9}$		3	$\frac{0}{8}$	$\frac{0}{11}$	
23	$\frac{0}{7}$	$\frac{0}{5}$		4	$\frac{0}{2}$	$\frac{0}{7}$	
24	$\frac{0}{10}$	$\frac{0}{7}$		5	0	$\frac{0}{7}$	
25	$\frac{0}{8}/\frac{0}{10}$	$\frac{0}{14}$		6	$\frac{0}{1}/\frac{0}{8}$	$\frac{0}{3}$	
26	$\frac{0}{16}/\frac{0}{13}$	$\frac{0}{13}$		7	$\frac{0}{8}$	$\frac{0}{3}$	
27	$\frac{0}{9}$	$\frac{0}{20}$		8	$\frac{0}{2}$	$\frac{0}{2}$	
28	$\frac{0}{1}$	$\frac{0}{1}$		9	$\frac{0}{0}$	$\frac{0}{4}$	

Jan.

1789.		M.	Ab.		1789.		M.	Ab.
Jan.	10				Febr.	8		
	11					9		
	12		$2\frac{1}{2}$			10		
	13					11		
	14					12		
	15					13		
	16					14		
	17					15		
	18					16		
	19					17		
	20					18		
	21					19		
	22					20	$9\frac{1}{2}$	
	23					21		
	24					22		
	25					23		
	26					24		
	27					25		
	28					26		
	29					27		
	30					28		
	31				März	1	$\frac{0}{2}$	$4\frac{1}{2}$
Febr.	1					2		
	2					3		
	3					4		
	4	$1\frac{1}{2}$				5		
	5					6		
	6					7		
	7					8		
						9		

März

1789.	M.	Ab.		1789.		M.	Ab.	
März 10				Apr.	9	$\frac{4}{0}$	$\frac{6}{0}$	Abends brach das Eis in der Düna.
11					10	$\frac{4}{0}$	$\frac{3}{0}$, $\frac{4}{0}$	
12					11	$\frac{4}{0}$	$\frac{4}{0}$	
13					12	$\frac{4}{0}$	$\frac{4}{0}$	
14	0				13	$\frac{4}{0}$	$\frac{4}{0}$	
15	$\frac{0}{0}$	$\frac{0}{0}$			14	$\frac{4}{0}$	$\frac{4}{0}$	
16	0				15	$\frac{4}{0}$	$\frac{4}{0}$	
17	$\frac{0}{0}$	$\frac{0}{0}$			16	$\frac{4}{0}$	$\frac{6}{0}$	
18	$\frac{0}{0}$	$\frac{0}{0}$			17			
19	$\frac{0}{0}$	$2\frac{1}{2}$			18	$\frac{7}{0}$	$\frac{10}{0}$	entf. Gewitter.
20	$\frac{0}{4}$	$\frac{0}{3}$			19	$\frac{4}{0}$	$\frac{10}{0}$	desgleichen.
21	$\frac{0}{2}$	$\frac{0}{3}$			20	$\frac{7}{0}$	$\frac{8}{0}$	
22		$\frac{0}{4}$			21	$\frac{7}{0}$	$\frac{6}{0}$	
23		0			22	$\frac{4}{0}$	$\frac{4}{0}$, $\frac{6}{0}$	
24		0			23	$\frac{8}{0}$	$\frac{8}{0}$	
25	0	0			24	$\frac{8}{0}$	$\frac{14}{0}$	Abends starkes Gewitter.
26	0	0			25	$\frac{11}{0}$	$\frac{14}{0}$	
27	0	0			26	$\frac{11}{0}$	$\frac{14}{0}$	
28	0	0			27	$\frac{8}{0}$	$\frac{7}{0}$	
29	0	0			28	$\frac{8}{0}$	$\frac{10}{0}$	
30	0	0			29	$\frac{10}{0}$	$\frac{1}{0}$	
1	0	0			30	$\frac{0}{2}$	$\frac{1}{3}$	Mittags starkes Gewitter.
2	0	0		May	1	$\frac{7}{0}$	$\frac{8}{0}$	
3	$\frac{3}{0}$, $\frac{4}{0}$	$\frac{4}{0}$, $\frac{1}{0}$			2	$\frac{7}{0}$	$\frac{8}{0}$	
4	$\frac{0}{0}$	$\frac{4}{0}$			3	$\frac{7}{0}$	$\frac{8}{0}$	
5	$\frac{0}{0}$	$\frac{0}{0}$			4	$\frac{7}{0}$	$\frac{11}{0}$	
6					5	$\frac{10}{0}$	$\frac{9}{0}$	
	$\frac{3}{0}$, $\frac{3}{0}$	$\frac{5}{0}$, $\frac{2}{0}$	entferntes Gewitter.	Nov.	1	$\frac{0}{2}$	$\frac{0}{3}$	
					2	$\frac{0}{2}$	$2\frac{1}{2}$	

gesch. von Livl.

Nov.

Bemerkungen

1789.	M.	Ab.
Nov. 3	0 3	0 4
4	0 / 2½	0 3
5	0 4	0 / 3½
6	0 / 4½	0 4
7	0 4	0 3
8	0 / 2½	0 3
9	0 2	0 3
10	0 2	2½
11	0 2	0 3
12	0 2	0 2 0 3
13	0 3	0 3
14	0 3	0
15	0 3	0
16	0	0
17	0	0
18	0	0
19	0	0
20	0	0
21	0	0
22	0	0
23	0	0
24	0	0
25	0	0
26	0	0
27	0	0
28	0	0

1789.	M.	Ab.
Nov. 29	0	1½
30	0	0
Dec. 1	0	0
2	0	0
3	0	0
4	0	0
5	0	0
6	0	0
7	0	0
8	0	0
9	0	0
10	0	0
11	0	0
12	0	0
13	0	0
14	0	0
15	0	0
16	0	0
17	0	0
18	0	0
19	0	0
20	0	0
21	0	0
22	0	0
23	0	0
24	0	0
25	0	0
26	0	0
27	0	0
28	0	0
29	0	0

Dec.

1790.

M.	Ab.			M.	Ab.
$\frac{1}{0}\frac{4}{0}$	$\frac{3}{0}\frac{2}{0}$		Jan. 25	$\frac{0}{1}$	$3\frac{1}{2}$
			26	$\frac{4}{0}$	0
			27	0	
$3\frac{1}{2}$	$4\frac{1}{2}$		28		
0	0		29		
$5\frac{1}{2}$	$5\frac{1}{2}$		30		
0	0		31		
			Febr. 1		
			2		
			3		
			4		
			5		
			6		
			7		
			8		
			9		
	$1\frac{1}{2}$		10		
			11		
			12		
			13	$1\frac{1}{2}$	
				0	
			14	$3\frac{1}{2}$	
				0	
			15	$5\frac{1}{2}$	
			16		
			17		
	$1\frac{1}{2}$		18		
$\frac{0}{1}$	0		19		$4\frac{1}{3}$

Febr.

1790.	M.	Ab.		1790.	M.	Ab.
Febr. 20				März 22		
21				23		
22				24		
23				25		
24				26		
25				27		
26				28		
				29		
27	$2\frac{1}{3}$			30		
28				31		
März 1				Apr. 1		
2				2		
3				3		
4				4		
5				5		
6				6		
7				7		
8				8		
9				9		
10				10		
11				11		
12			das Eis in der Düna brach.	12		
13				13		
14				14		
15				15		
16				16		
17				17		
18				18		
19				19		
20				20		
21	$1\frac{1}{3}$			21		
				22		
				23		

Apr.

1790.

M.	Ab.			M.	Ab.	
$\frac{8}{0}\frac{9}{0}$	$1\frac{1}{0}$		May 16	$\frac{7}{0}$	$\frac{9}{0}$	N. in d. Nacht starker Reif.
$\frac{7}{0}$	$12\frac{1}{2}$		17	$\frac{9}{0}$	$8\frac{1}{2}$	desgl.
	0		18	$\frac{8}{0}\frac{9}{0}$	0	desgl.
$\frac{10}{0}$	$1\frac{3}{0}$		19	$\frac{8}{0}\frac{9}{0}$	$\frac{8}{0}\frac{9}{0}$	
$\frac{10}{0}$	$\frac{8}{0}\frac{9}{0}$		20	$\frac{9}{0}$	$6\frac{1}{2}$	
$\frac{8}{0}\frac{9}{0}$	$\frac{8}{0}\frac{9}{0}$	Nachtfr.	21	$6\frac{1}{2}$	0	
$\frac{7}{0}$	$8\frac{1}{2}$		22	$8\frac{1}{2}$	$\frac{8}{0}$	
$\frac{7}{0}$	0			0	$\frac{9}{0}$	
$\frac{7}{0}$	$10\frac{1}{2}$		23	$\frac{10}{0}$	$\frac{9}{0}$	Mittags $\frac{15}{0}$, im Sonnensch.
$\frac{8}{0}\frac{9}{0}$	$\frac{9}{0}$	Nm. warm. N.	24	$\frac{10}{0}$ / $\frac{13}{0}$	$\frac{13}{0}$	$\frac{20}{0}$.
$\frac{8}{0}\frac{9}{0}$	$\frac{8}{0}\frac{9}{0}$	Nachtfr.	25	$\frac{13}{0}$	$\frac{13}{0}$	Ab. st. Gewitter u. Regen.
$1\frac{1}{0}$	$1\frac{4}{0}$	⎫	26	$\frac{13}{0}$	$\frac{13}{0}$	W.
$10\frac{1}{2}$	$\frac{10}{0}$	⎪	27	$11\frac{1}{2}$	$\frac{10}{0}$	⎫
0	0	heiterer, un=		0		⎪
$\frac{10}{0}$	$9\frac{1}{2}$	bewölkter	28	$11\frac{1}{2}$	$1\frac{1}{0}$	⎬ S. W.
0	0	Himmel,	29	$\frac{13}{0}$	$\frac{12}{0}$	⎪
$1\frac{1}{0}$	$11\frac{1}{2}$	bey S. O.	30	$12\frac{1}{2}$	$1\frac{4}{0}$	⎪
0	0	⎭		0		⎭
$1\frac{1}{0}$	$9\frac{1}{2}$	trübe Luft.	31	$\frac{16}{0}$	$\frac{17}{0}$	Mittags $18\frac{1}{2}$ im Sonnensch.
$8\frac{1}{2}$	0	N. W.				$28\frac{1}{2}$
$\frac{12}{0}$	$\frac{9}{0}$					$\frac{0}{0}$.
$\frac{12}{0}$	$12\frac{1}{2}$		Jun. 1	$\frac{17}{0}$	$\frac{13}{0}$	N.
$\frac{13}{0}$	0	Nachmitt. $\frac{10}{0}$	2	$\frac{14}{0}$	$12\frac{1}{2}$	W.
	$\frac{9}{0}$	warmer Reg.			0.	

C 3   Jun.

1790. **1790.**

Jun.	M.	Ab.		Jun.	M.	Ab.	
3	$\frac{12}{0}$	$\frac{12}{0}$	N. W.	22	$\frac{11}{0}$	$10\frac{1}{2}$ ∘	
4	$\frac{11}{0}$	$\frac{10}{0}$	Mitt. Gewitter bey $\frac{13}{0}$.	23	$\frac{11}{0}$	$\frac{10}{0}$	viel Regen den ganzen T. regnigt.
5	$11\frac{1}{2}$ ∘	$\frac{13}{0}$		24	$\frac{11}{0}$	$\frac{11}{0}$	
6	$\frac{12}{0}$	$\frac{10}{0}$	N.	25	$11\frac{1}{2}$ ∘	$\frac{11}{0}$	
7	$\frac{10}{0}$	$10\frac{1}{2}$ ∘	Mitt. $\frac{13}{0}$ N. Ab. N.	26	$\frac{12}{0}$	$\frac{13}{0}$	
8	$13\frac{1}{2}$ ∘	$\frac{14}{0}$	N. W. Nm. $15\frac{1}{2}$ ∘	27	$\frac{12}{0}$	$11\frac{1}{2}$ ∘	
9	$\frac{13}{0}$	$\frac{13}{0}$		28	$\frac{12}{0}$	$11\frac{1}{2}$ ∘	heft. Reg. mit Hagel u. entferntem Gew.
10	$\frac{13}{0}$	$\frac{14}{0}$		29	$\frac{11}{0}$	$11\frac{1}{2}$ ∘	
11	$\frac{14}{0}$	$\frac{11}{0}$		30	$\frac{12}{0}$	$12\frac{1}{2}$ ∘	
12	$\frac{12}{0}$	$\frac{17}{0}$	Mitt. $\frac{16}{0}$	Jul. 1	$\frac{11}{0}$	$11\frac{1}{2}$ ∘	beständiger Regen.
13	$\frac{14}{0}$	$\frac{14}{0}$		2	$\frac{12}{0}$	$11\frac{1}{2}$ ∘	
14	$\frac{11}{0}$	$\frac{13}{0}$		3	$\frac{10}{0}$	$\frac{11}{0}$	
15	$\frac{14}{0}$	$13\frac{1}{2}$ ∘		4	$\frac{10}{0}$	$\frac{11}{0}$	Nm. heft. Regen mit Gew. bey $\frac{13}{0}$
16	$\frac{13}{0}$	$10\frac{1}{2}$ ∘	anhalt. Regen N. N. O.	5	$\frac{11}{0}$	$\frac{12}{0}$	heiteres Wetter.
17	$\frac{12}{0}$	$11\frac{1}{2}$ ∘		6	$12\frac{1}{2}$ ∘	$\frac{12}{0}$	
18	$\frac{12}{0}$	$\frac{11}{0}$		7	$\frac{11}{0}$	$10\frac{1}{2}$ ∘	heftiger Wind aus N. W.
19	$\frac{11}{0}$	$11\frac{1}{2}$ ∘		8	$\frac{11}{0}$	$\frac{13}{0}$	Nm. heft. R.
20	$10\frac{1}{2}$ ∘	$\frac{11}{0}$		9	$\frac{11}{0}$	$\frac{14}{0}$	
21	$12\frac{1}{2}$ ∘	$11\frac{1}{2}$ ∘					

Jul.

1790.

M.	Ab.	
14/0	12½/0	beständig Gewitterwolken bey abwechselndem N. W. und N. O. Winde.
14/0	14/0	
12/0	13½/0	
13/0	14/0	
12½/0	13/0	
13½/0	13/0	
13/0	16/0	
13/0	13½/0	Mittags 16/0 schwül.
12½/0	15/0	Mittags 1[illegible]/0 sehr schwül.
14/0	17/0	Mittags 18½/0 sehr schwül.
17/0	16/0	Nm. entferntes schweres Gew. in O. S. O.
16/0	15½/0	
16/0	16½/0	
17/0	16½/0	
15/0	14/0	
14/0	13/0	
13½/0	13/0	Nachm. 14½/0 entf. Gewitter.

		M.	Ab.	
Jul.	27	12½/0	12/0	
	28	12/0	12½/0	
	29	12½/0	12½/0	
	30	13/0	14/0	Nm. Gewitter bey 17/0.
	31	12/0	11½/0	
Aug.	1	12½/0	12/0	
	2	12/0	11½/0	
	3	13/0	12½/0	
	4	12½/0	14/0	
	5	13/0	11½/0	
	6	13½/0	13/0	
	7	13½/0	14/0	
	8	13/0	12½/0	
	9	13/0	12½/0	
	10	12/0	10½/0	anhaltender heft. Regen W. S. W.

Lightning Source UK Ltd.
Milton Keynes UK
UKHW020404150119
335567UK00010B/539/P